2001年5月31日，国家主席江泽民一行视察江西景德镇，
工艺美术大师刘远长向江主席介绍陶瓷的制作工艺。

将军群像／李庆芳

阿炳／钱绍武

七君子／董祖诒

老长工／周国桢

雷锋／刘毅

当代雕塑家作品选

抗战纪念碑／丁洁茵　郝重海

三峡主体雕塑／徐光福

开放空间／许正龙

万象／张树国

菩提树下／项金国

故国•风／蔡志松

巨人的冥想／吴雅琳

落叶系列——秋／周晓东

过桥／刘金亭

横竖横／李鹏程

友谊•和平•春天（美洲）/叶毓山　潘鹤　程允贤　王克庆　曹春生

友谊•和平•春天/叶毓山(合作)

基拉宁像/赵正祥

幻象/王中

乌船 空巢/韦天喻

岁月/黄邦雄

马／韩美林

郭沫若／李象群

数字化的柔情／彭娣

发烧友／李秀勤

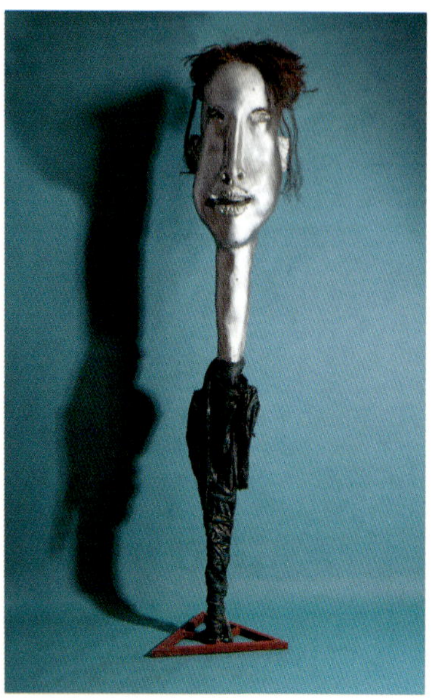

辨／林子杰

宿命的大脸／王艽

变异的物种／许庚岭

露珠／赵磊

泳／高蒙

网中景／史钟颖

盛大节日／朱尚熹

界／闵一鸣

爷孙乐／林汉强

睡童／吴为山

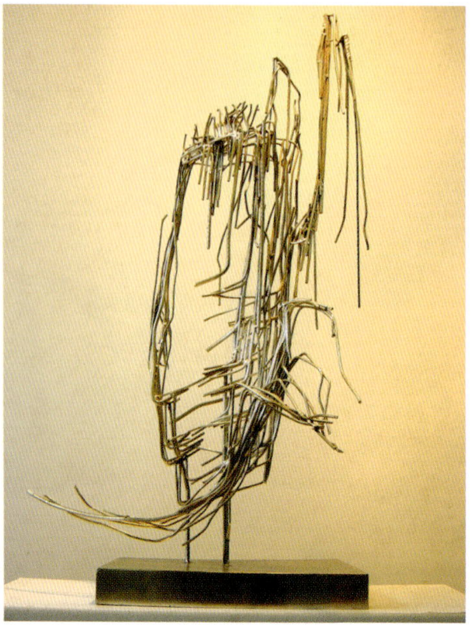
中国山水／余景学

肖像／李从顺

中国古代赏石名人——陶渊明／覃继刚 何镇海 马玉婷 黄善武

人之初／陈丽萍

谐趣／李焰

校园雄风／关振华 莫春晔

辽沈战役●塔山阻击战(局部)/刘毅

银杏仙子赋/薛林兴

女娲补天/叶青峰

笑傲人生/蒋宗化

风景/赵培生

长白山山泉姐妹/刘玉平

天堂之蛋／张燕根

天•地•方•园——柳州市抗洪纪念碑／覃继刚

红色荷塘／刘庆利

河豚／陈晓阳

人与自然／黄思众

落叶知秋／张尧

彭加木像／韦振中

嬉戏／唐永辉

生命•健康／苏家芬　韦璐　韦振中

强音／李一民

家／申鸿欣

四时君子／程连昆

炎黄二帝／李学

踏歌行／刘万琪

龙兴晋阳／张熙玉（合作）

弹／潘更迪

闲情／黄炳谊

女孩像／李恒峰

青春之歌／付绍湘

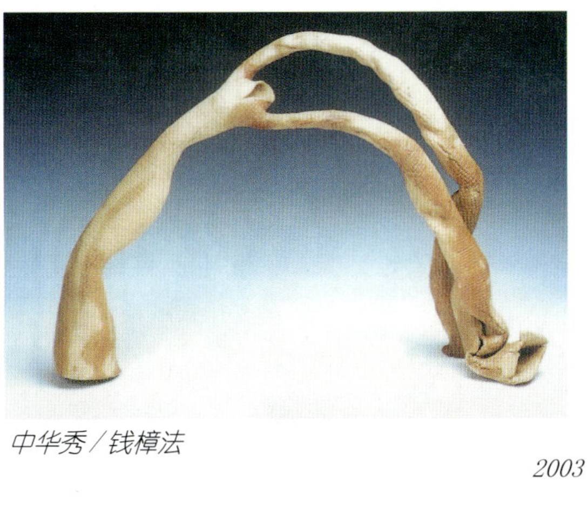
中华秀／钱樟法

攻克废墟／陈志光

角力／潘松

2003——春天／苏立群

夕阳红／华龙宝

磁力／董书兵

沉浮／陈克

待／钱步辉

行者／马辉

金色的希望／顾浩

自行车——人群／李东江

红土情／吴诚仁

肖像／高云龙

雄风／朱光忠

老残听戏／李友生（合作）

蛋•系列／霍守义

贝多芬／陈佶生

盛唐锦城十二市／周云（合作）

家庭／杨晓钟

齐白石／郭海博 郭海龙

中国山水／周鹏生

美甲／王小蕙

船歌／马珺

超越／田力

金秋／龙翔

西藏和平解放纪念碑雕塑（局部）／温洋

记忆／薛中

畅想／王宏

夏娃 2000／夏和兴

爬行／徐国华

大款／吴筱荣

丁都护歌／徐桂鸣

壶艺／周定芳

新时空／施禀谋

伏虎罗汉／王经民

太姥娘娘／孙锡麟

多臂观世音／张爱廷

紫檀笔筒／钱如祥

慕容皝／贾云非、贾德淳

推瓷土／张育贤

回忆／赵宇赤

痒／许鸿飞

满窑／曹春生

遗迹景观／吕品昌

图伯特立像（局部）／潘绍棠

鱼／沈允庆

拉坯／高峰

回眸／徐晓虹

大江东去／陈云岗

红孩儿／陈文令

奔小康／于小平

老农新“话”／赵东民

清风／刘君

色彩的延续／吕军

齐白石／尔宝瑞

文字形象／霍波洋

海花／陈春阳　陈春晖

柱／张松涛

东方韵／袁源

如梦令之一／黄胜

鸟人／潘毅群

钱眼／蒲果

鳍之 2000／孙璐

记忆／姚奎强

虎越／谢君

壁虎／王进

叶享／张春莹

蝶／张宁

残／李培

对生／刘静

洞／孙静

通井快乐者／赵晓涛

鱼／冯建玲

羊头／曹庆云

阳光／沈春雷

奔／刘艳昌

猎／刘春淋

自然形态／高勇

运动的形态／李建生

机器时代／韩亚昆

双论／李海

龙／刘丽颖

进化／侯宝辉

形态／曹志

瓶／孙涛

轮回／侯志刚

牛／张建

女／陈岩峰

人／刘智慧

渔村／吴树欢

生命轮回／厉晓飞

思／郑贤

手的困惑／王培和

苏醒／李超

战争／刘曼丽

红色飞跃
高 10 米
新江汉大学广场

前程似锦
高 18 米
湖北京珠高速泉口互通

银色向往
高 8 米
北京顺义区拥军路

腾飞
高 8 米
新江汉大学

荆楚之光
高 8 米
湖北交通学院

柳　博

中国工艺美术学会雕塑专业委员会会员
中央美术学院艺术工程部设计师
北京圣腾博艺环境艺术工程有限公司艺术总监
1991 年毕业于中央工艺美术学院装饰艺术系金属雕塑专业

枫叶
高 7.5 米
北京苏州桥阳光广场

枫之恋
高 7.5 米
山东胶州新城区三里河公园广场

蓝色向往
高 7.5 米
北京矿务局光明广场

大地 · 生命 · 水
高 8 米
山东胶州新城区三里河公园广场

荷风劲舞
高 12.8 米
通辽经济技术开发区

鸠顶泽瑞　高 35 米，青铜铸造　安装于安徽芜湖
作者：韩美林

五圣取经　长 14 米　高 7 米　青铜铸造　安装于江苏省连云岗市花果山五圣广场
为 2003 年 9 月 8 日中央电视台《同一首歌》背景　作者：中央美术学院雕塑系　孙伟

专注于青铜雕塑制造的集团化公司————

山西宇达集团公司

山西宇达集团公司是开发、生产、制作高档青铜艺术礼品、青铜旅游纪念品、大型超大型青铜城市雕塑的专业化集团公司。是中国美术家协会雕塑艺术委员会指定的青铜雕塑唯一制造基地、中国雕塑学会指定的青铜雕塑唯一制造基地、中国美术家协会韩美林工作室青铜雕塑制造基地、中国铸造协会常务理事单位、中国铸造协会艺术铸造专业委员会副主任委员单位、中国古钟博物馆青铜大钟制造基地、北京大运雕塑公司青铜雕塑制造基地。公司已通过 ISO9001 质量管理体系、ISO14001 环境管理体系、OHSMS18001 职业健康安全管理体系三项国际认证，是国内同行业目前唯一通过三项国际认证的企业。

宇达集团制造雕塑优势在于——

尊重原作的艺术水准
专业化的制造水平
高标准的雕塑质量
敬业的员工队伍
优质的售后服务
国际化的检测仪器
恬静的工作环境
……

神农铜像　高 9.9 米　青铜铸造　安装于河南沁阳神农山风景区
作者：王虎

正在制造的广州白云新机场巨型雕塑效果图　长 70 米　高 15.8 米　青铜铸造　作者：韩美林

地　　址：山西省夏县解放南路 80 号
总 经 理：卫恩科
交通指引：
①三条高速公路直通西安、洛阳、太原
②到达西安机场仅需 2.5 小时，专车接送
③每日从北京西客站有夕发朝至火车—703 次
电话：（0359）8536666　8532628
传真：（0359）8532358（自动）
24 小时手机服务：13903595829（总经理手机）
宇达网址：www.sxyuda.com.cn
E-mail:yuda@public.yc.sx.cn
sxyuda@sxyuda.com

八骏飞马　平均高度：4 米　青铜铸造　将安装于青岛市　作者：曹春生

雕塑大赛、大展
作品选

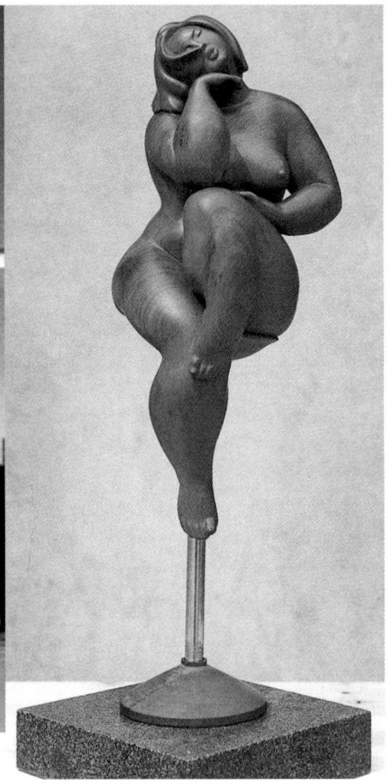

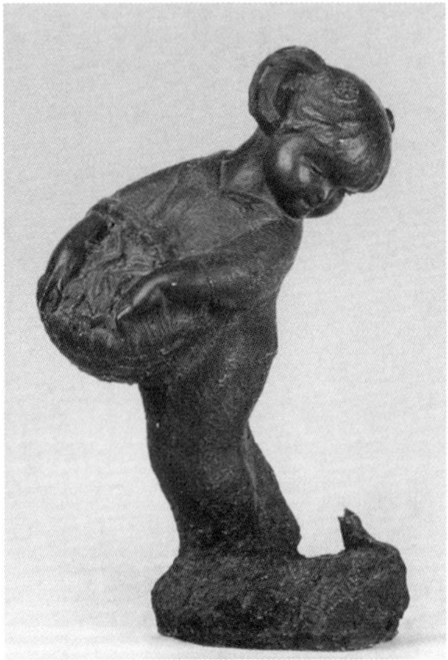

《2001 北京新世纪国际妇女艺术展》作品选

Female weaving A communictive rainbow between Chinese and foreign arts-records on the exibition of international women arts

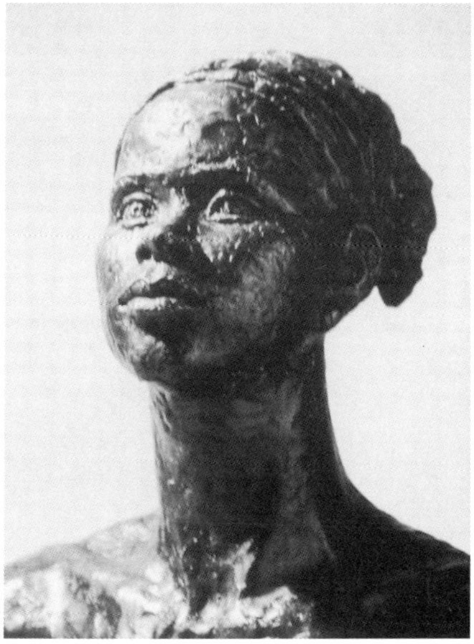

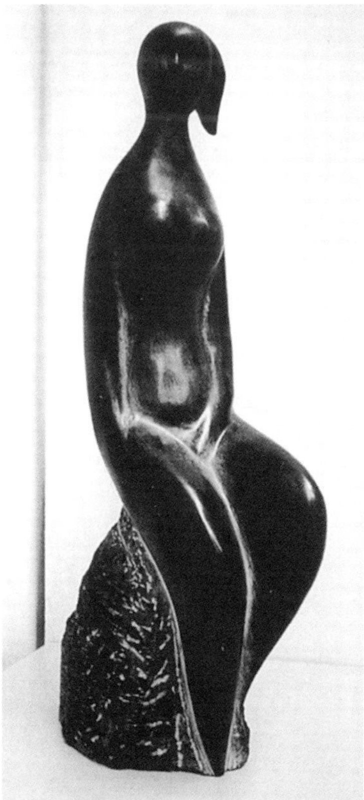

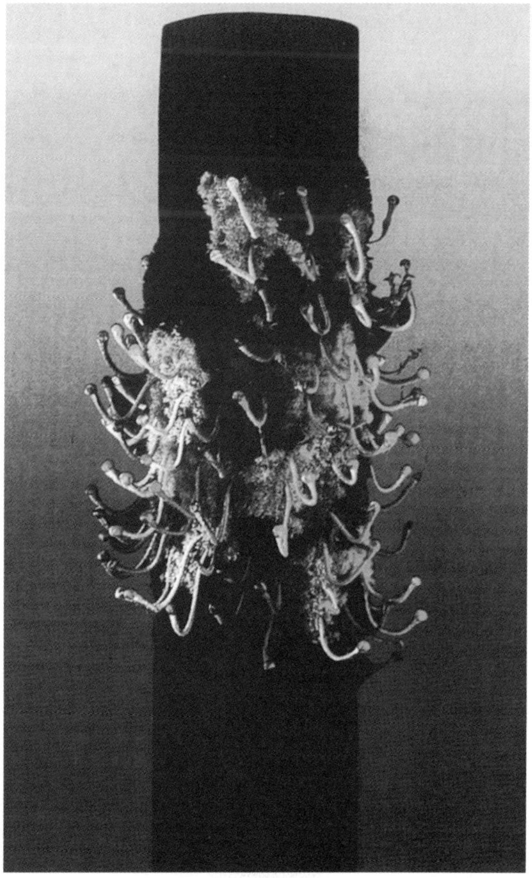

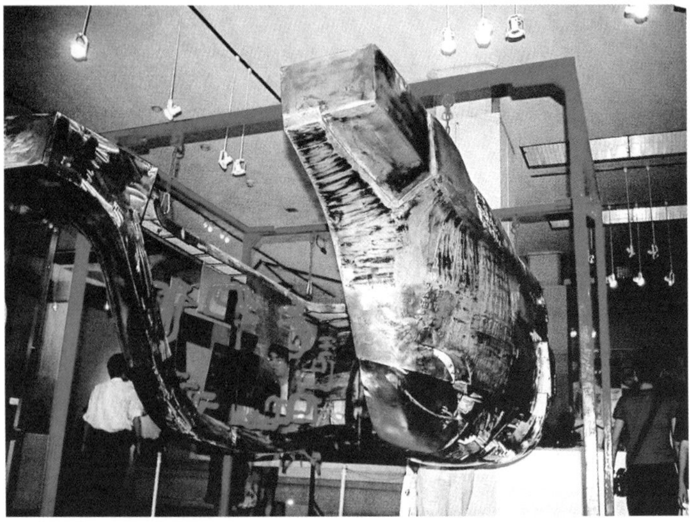

《艺术与科学国际作品展》作品选

The exhibition of international works on art and science

普兰德洗染店
王府井储蓄所
WANG FU JING SAVINGS OFFICE

《新北京·新奥运——体育雕塑展》作品选

New Beijing,Great Olympic-the exhibition of sculpture works on physical culture

《西部·西部——与历史对话景观雕塑展》作品选

About the Western Part,Landscape Sculpture Exhibition in the Western Part

《中国工艺美术博览会暨2002‘华艺杯’评选展》作品选

Selected Sculpture Works of “Huayi Trophy”

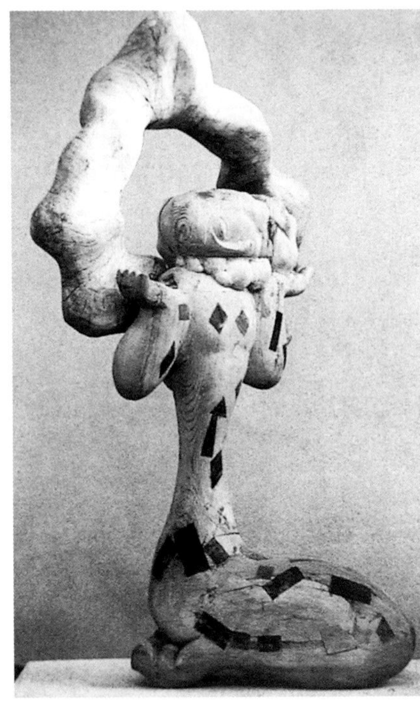

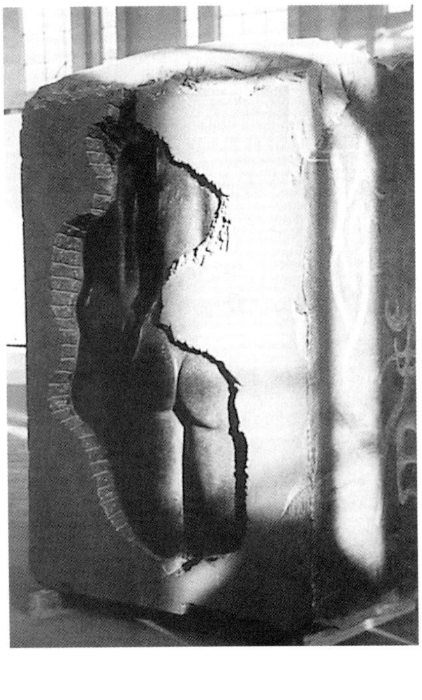

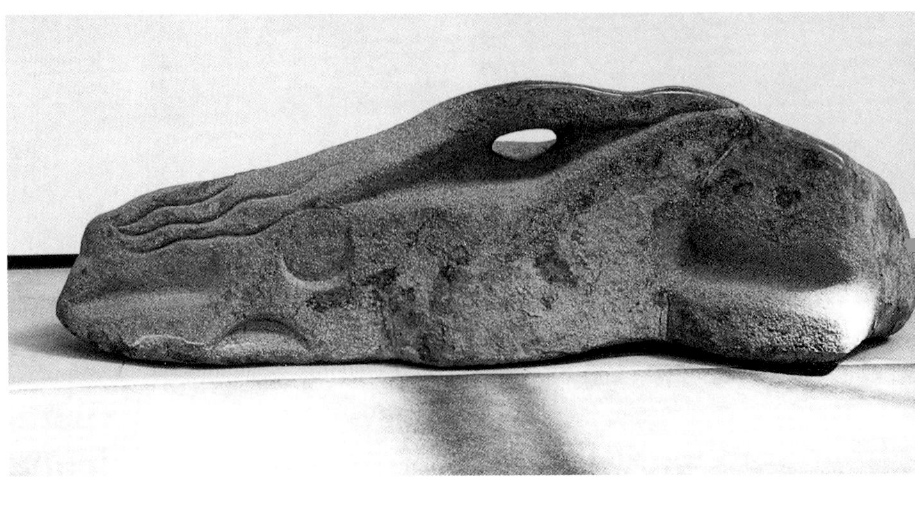

《第二届中国雕刻艺术节》作品选

Selected works of 2002 China's sculpture art festival

《2002 中国（东阳）国际木雕大奖赛》作品选

Selected Sculpture Works of"Dongyang CHINA International Woodcarving Art Competition"

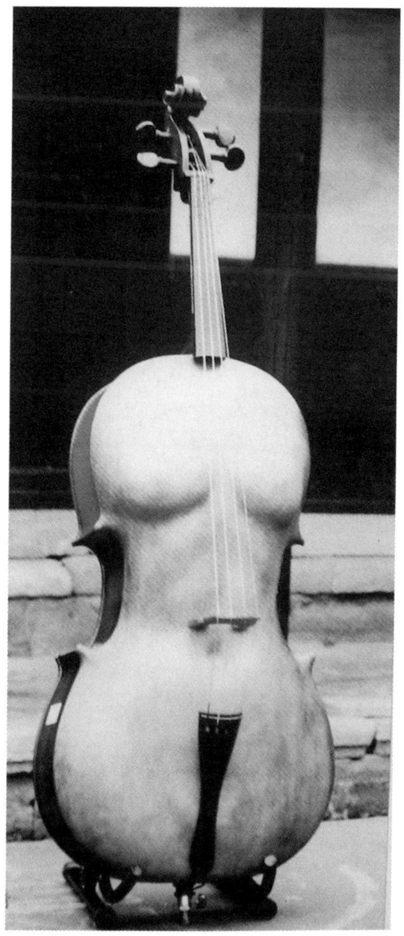

《2002 中国北京·国际城市雕塑艺术展》作品选

Selected works of 2002 China Beijing international urban sculpture invitational exhibition

《2003 太湖明珠·中国长兴城市雕塑方案设计大奖赛》作品选

Selected Sculpture Works of "Taihu Lake pearl-The Contest Of CHINA Changxing City Sculptures Planning and Desiging"

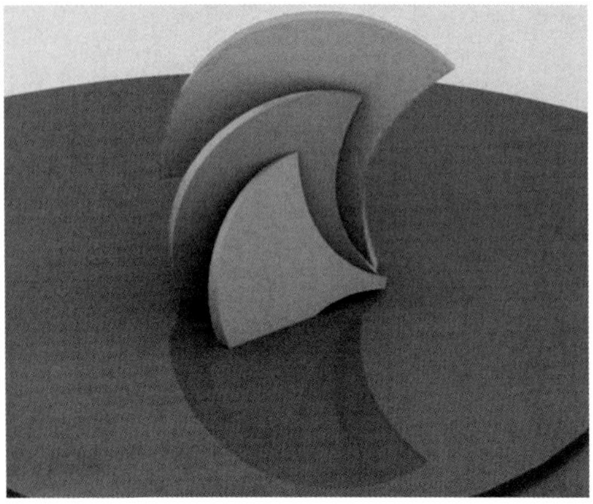

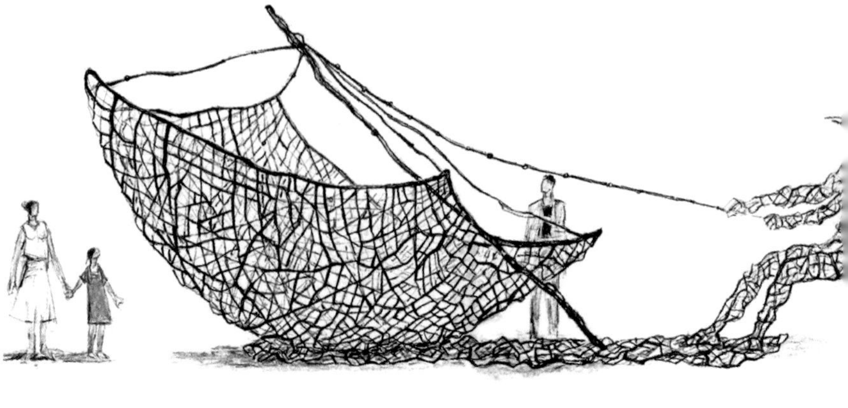

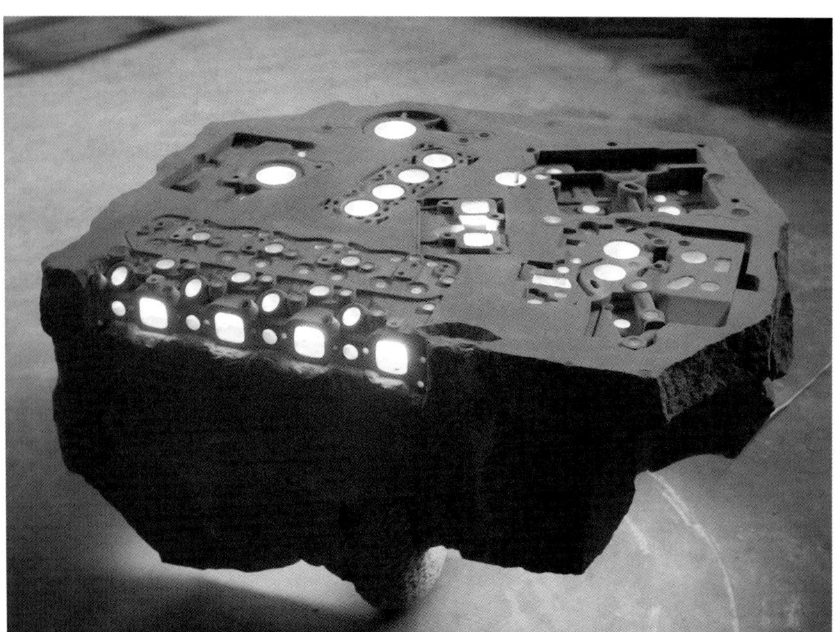

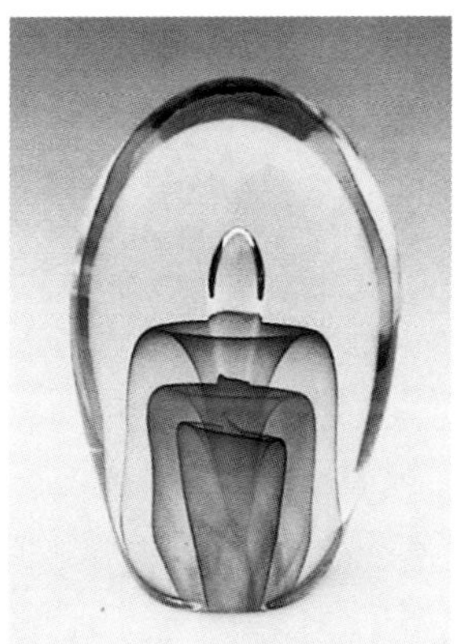

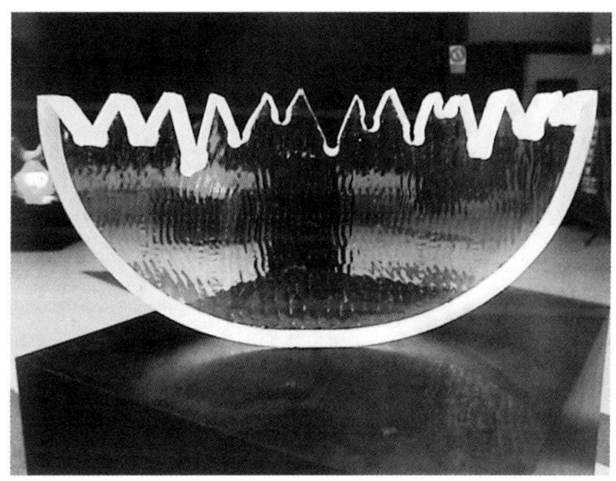

《凝固的彩虹——首届中国玻璃艺术展》作品选

Freezing Rainbow-The First China Glass Art Exhibition

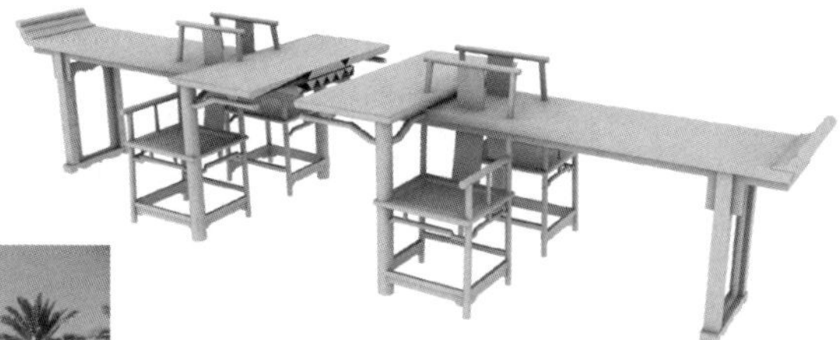

《中国当代雕塑展》作品选

The Contemporary China Sculpture Exhibition

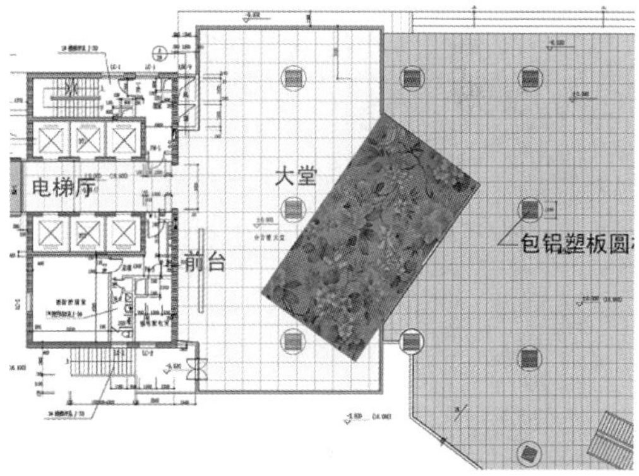

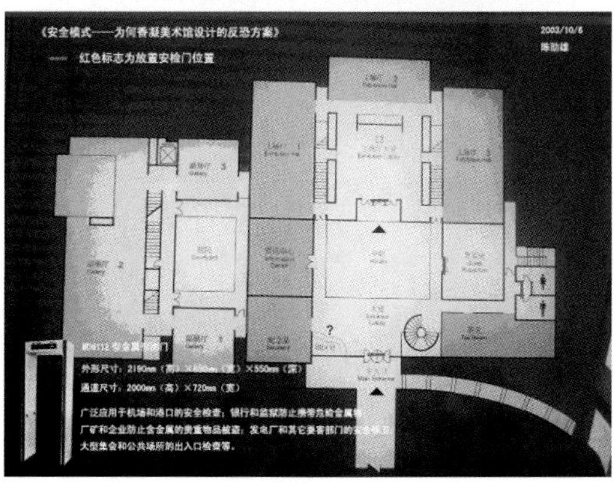

The Fifth Shenzhen International Contemporary Sculpture Exhibition The Public Art In The Post Programming Era

《第五届深圳国际当代雕塑展——后规划时代公共艺术》作品选

《第50届威尼斯双年展·中国馆》作品选

Summary of Chinese Pavillion of the 50th Venice Biennale

中国雕塑年鉴

（2003）

ALMANAC OF CHINESE SCULPTURE

艺术指导　中国雕塑学会

　　　　　中国工艺美术学会雕塑专业委员会

主　　编　钱绍武　范伟民

执行主编　陈培一

副 主 编　范海民　乔　迁　朱尚熹

中国《雕塑》杂志社

《中国雕塑年鉴》编辑委员会

序

我们要对某人做个判断，就必须全面地了解他。要从纵向来看，了解他的成长历史；要从横向来看，了解他周围的人物、环境和影响。关键在一“全”字，千万不能管中窥豹，以偏概全，这是“知人论世”的立足点。马克思说过，必须掌握全面的相关材料，才能进行认真的研究（大意如此）。我们正是从这点出发，力求全面地、客观地提供当前雕塑界的情况，以供研究者认真分析，做出认真的判断。

照例说，反正好坏都收，那就十分容易办到了。但限于人力、物力，真的包罗万象是不可能的。我们只求做到各家各派代表性的作品都能有所展示。老实说，我们只能尽力来做这件事，问题和毛病肯定会出现一大堆。希望大家帮忙来办好它。因为，这是我们大家都需要的。

钱绍武

二00四年二月

目录 ／contents

[图版部分]

[文字部分]

序

一、雕塑论坛／SCULPTURE FORUM

二、热点综述／FOCUS RECORD

三、展览述评／EXHIBIT COMMENTS

四、交流平台／EXCHANGE PLATFORM

五、雕塑教育／SCULPTURE EDUCATION

六、人物评传／CHARACTER BIOGRAPHY AND APPRAISE

七、传统雕塑／TRADITIONAL SCULPTURE

八、现代体验／MODERNISTIC EXPERIENCE

九、城雕建设／CITY SCULPTURE

十、公共艺术／PUBLIC ART

十一、产业与市场／INDUSTRY AND MARKET

一、雕塑论坛

"新世纪中国雕塑的走向"座谈会纪要

2001年1月17日，《雕塑》杂志社在清华美院雕塑系会议室召开了座谈会，讨论新世纪中国雕塑的走向。范伟民社长主持了会议，如是说：随着新世纪钟声的敲响，《雕塑》杂志迎来了她创刊的第6个年头。从1995年创刊伊始，《雕塑》杂志经历了许多艰辛和坎坷，克服了大大小小数不清的困难，但是她始终没有停止前进的脚步。在大家的热心支持与关心下，《雕塑》杂志始终坚持最初的办刊宗旨，坚定为中国雕塑事业发展与繁荣做实事的信心，尤其是通过举办各种活动和每年一届的雕塑论坛，在实践上和理论上为雕塑创作和雕塑评论提供了一个大的空间和舞台，并促进了中国雕塑事业的振兴与发展。特别是近两年来，通过《雕塑》杂志和中国雕塑家频繁地在世界各国举办展览和交流活动，中国的雕塑事业已日益引起世界的关注，一些国外或者民间的雕塑组织和个人与《雕塑》杂志社频频接触，希望能经常进行国际的交流与合作，促进东西方雕塑文化的发展与提高。面对这种大好形势，中国雕塑事业如何在新的世纪继续发展，这是我们所有关心、热爱雕塑事业的人的共同话题。所以，在新世纪第一个春节来临之际，《雕塑》杂志社邀请首都的部分理论家、批评家、雕塑家以及雕塑教育工作者，希望大家就"新世纪中国雕塑的走向"谈一下各自的观点和看法。

钱绍武：这几年雕塑界总有一批人在实实在在地做事，不论事做得多大多小，但的确在干一些事，我觉得是应该干的，而且也是干得不错的。比如说《雕塑》杂志社，在经费都是自筹的困难情况下居然坚持了6年，这本身是件非常不容易的事情，而且基本上办成了没什么太大门户之见的杂志，老、中、青，先进的、落后的、保守的都有，而且没有什么界线之分，我非常赞成这种做法。现在全世界的雕塑家都没有中国的雕塑家这么幸福，机会多，从高级到低级，从市到区到镇到村都要做广场，都要做雕塑，全国都这么开展，先进到深圳、后进到贵阳我都去过，都在一级一级地做广场，广场里必须有雕塑，这种机会全世界是没有的。当然也存在一些问题，比如机会多了，但质量却有问题，所以在大好形势下，如果我们自己要求不严格，把自己的大好前途葬送了，就会搞得大家望而生厌。现在摆在我们面前非常严肃的问题是怎样提高质量，不辜负大好形势。提高质量其实就是两个方面，一是教育领导，提高领导的水平。因为在中国，脱离领导一切都谈不上，能够自由自在做雕塑的情况很少，特别是大型雕塑每时每刻都会受到当时社会有力势力的干扰。另一方面是雕塑家要自律，责任感要加强。这两方面既要在理论上又要在实践上有所提高。《雕塑》杂志社既有在理论上的责任，也有在实践上引导、推广的责任。雕塑家往往是实践多、理论少。现在的雕塑理论很薄弱，我希望《雕塑》杂志能在这方面加强，提出真正的、可行的、有一定指导意义的、开拓性的或起码可以拓展思路的理论。我感觉，在雕塑的实践中，特别是公共雕塑，最关键的问题，是要找到一个合理的结合点，即要和当时的领导、一般老百姓的接受能力及艺术家自己的良心取得合理的结合点。如不取得合理的结合点，再高明也不行。因为我们做的是公共艺术，在公共艺术的同时又提倡大量的、自己的、多方位的探讨，《雕塑》杂志要提供这个机会。我们的杂志争论不多，实际应形成经常有争论的、但的确是不一样的、有自己天地的理论，这才是真正的繁荣。比如说有人认为现实主义是落后的，而我认为不是，现实主义和其他主义一样都有它长远的历史，都代表人类最有价值艺术的一部分，而且它永远有不断地发展。当然，除现实主义外还有各种主义，比如抽象主义，还有介于现实主义、抽象主义之间的，现在还有新的观念艺术，这本身是合理的。观念本来是创造性的体现，是人类表达自己情感的一种可能性，而这种可能性丰富了人类的表达手段，这些我认为都是可以的，而且应当有所发展。既要有发表的机会又要有发表的条件，我们需要的是各自有机会发表、有机会争论的繁荣的、更健康的局面。

去年我们在惠安搞了一个《雕塑家公约》，这对我们来讲既是法律上的约束，也教我们如何运用法律保护自己。现在有的雕塑家要价吓人，而有的要价又很少，在《雕塑家公约》里提出了合理的、大体的价格，开始也有人反对，但我觉得在总的形势下有一个相对参考的价格还是很必要的，有利于我们事业的发展，有利于我们自律，但到底怎样合适，还需在实践中进一步调整，最后由管理部门来统一管理。现在有好几个雕塑家机构，比如有人成立指导委员会，一开始我就反对。艺术的高低只能由历史来评价，谁都可以发表自己的意见，但没有哪个人能说谁高谁低的。有几位先生都同意我的意见，专门设立行政机构来"指导"是十分困难的，搞不好还弊多于利。但是我们国家应该成立一个管理委员会来管理这方面的事。另外，全国的美术界没有一个正规的咨询机构，现在各地对高水平的雕塑需求日益增多，因此，我们越来越感到咨询的重要性。雕塑界越来越需要建立一套规范的运作方式 。

王熙民：雕塑教育体系是有的，法国巴黎美术学院20世纪30、40年代的一种古典的、点线面的、有节奏、韵律感的技法追求，这在北京的中央美院20世纪40、50年代的王临乙、滑田友先生的教学中，颇具代表性。他们作品的干净、洗炼、典雅（甚至一种高尚感）也是颇为符合当时法国人的品位的。当然，法国人的性格有双重面，活泼幽默中又带有忧郁苦涩，王、滑两位教授在其典雅作品之外创造天安门英雄纪念碑中的“五四”浮雕，也就不足为奇了。教学的体系在其主流之下，也必有其另面的表现。

到现代，不只法国、美国，甚至日本都以个人特点因材施教，好像每个学生的艺术才能与生俱来。现代艺术已发展到谁也不干涉谁，谁也不评论谁的百花齐放、自己主宰自己的命运，走自己的路的时代。远在20世纪30、40年代，苏联的雕塑大师穆希娜崇尚法国具有雕塑结合建筑造型、力量、装饰、结构的现代雕塑特点综合手法，苏联美术教育的特点深深启发了20世纪50、60年代的中国雕塑。今天在座的都是已有成就的雕塑家和艺术理论家，愿向你们学习。我同样喜欢看国内外现代作品，但青年人的作品我更喜欢看，他们不仅具有学院“科班”的高技术水平和表现力，他们已不再像我们一见西洋或一见苏联作品就五体投地，照投照抄，他们已能自主地选择、借鉴民族优秀遗产，开创自己的创作之路。中国雕塑事业的大发展，将是振奋人心的。

于化云：城市雕塑建设如雨后春笋般的繁荣发展，已成为城市建设的重要内容，为确保城市雕塑健康稳步发展，加强城市雕塑规范化管理势在必行。首都城市雕塑艺术委员会从成立就着手研究城市雕塑建设规范管理工作，提出把城市雕塑纳入城市规划建设的轨道。1988年北京市政府率先颁布的《北京市雕塑建设管理暂行规定》是全国第一个城市雕塑建设管理法规。法规的颁布遏制了劣质城市雕塑的建设。1993年首都规划建设委员会办公室颁布了《北京城市雕塑建设规划纲要》，对北京城市雕塑建设起到了指导和推动作用。2000年北京市东城区编制了区级城市雕塑建设规划纲要，并列入东城区“十五”发展计划；同时研究了人物塑像建设管理暂行规定，人物塑像应该是对某人在某一领域为国家、民族、人类做出过突出贡献的纪念，因条件不成熟没有颁布。

城市雕塑的管理任务是多方面的，当前应该做好宣传、普及、推动、规范工作。首先是宣传。城市雕塑是一项特殊的艺术形式，与其他艺术形式相比是相对永久性的立体构成体，设计制作程序特殊，加工工艺比较复杂，做好宣传工作非常必要。向领导宣传，向群众宣传，让他们了解雕塑、认识雕塑、接受雕塑，让雕塑家喻户晓。第二是普及城市雕塑，示范的建设是最好的形式，在没有雕塑的地方抓好一件雕塑的建设可以起到影响一片的效果。1998年，在北京的雕塑设计单位基本都举办了雕塑设计方案展，最后以“新世纪的希望——全国城市雕塑设计方案展”告一段落，被称为雕塑展览年。第三是做好城市雕塑的推动和发动工作。我们要求各区县建设城市雕塑的同时，做了大量的开拓市场的工作，把城市雕塑导入商业，导入公园，导入街道，导入陵墓，导入厅堂陈设，营造城市雕塑的大市场。第四是规范城市雕塑市场。城市雕塑是城市公共空间艺术。好的城市雕塑给人以享受，劣质城市雕塑污染环境，规范市场应把好设计关和加工关。设计的形式可以多种多样，如委托征稿、公开招标、部分邀标等等。设计关体现在加强城市雕塑方案的审批管理，而加工水平和工艺又直接影响设计方案的水平和质量。对加工单位进行行业资质认证，能从根本上保证城市雕塑基础的稳固、结构的合理、质量水平的上乘。

城市雕塑建设的管理是实践，没有现成的经验可以借鉴，只有在实践中不断总结；城市雕塑建设的管理是服务，为雕塑家服务，为社会服务，形成设计、加工、安装一条龙服务，繁荣城市雕塑发展，营造城市雕塑市场，规范城市雕塑行业行为是城市雕塑建设管理部门的责任。

吉信：对于新世纪中国雕塑的走向问题，我有以下三点意见。

关于管理问题。当前全国雕塑界面临几个亟待解决的重大问题，如：（1）如何提高当前城雕的艺术质量；（2）如何与行政长官进行对话；（3）对全国城市雕塑艺术作品的稿酬标准进行合理规范。我认为，这些都属于管理上的问题，其中一部分问题在20世纪80年代就早已得到解决。对“把好质量关”，是采取“城雕设计方案展”进行公开展出；“和各地行政长官进行对话”，是采取一年一度的“全国市长研究班”，请资深艺术家进行“城雕知识讲座”的办法加以解决。但是，对于规范全国城市雕塑艺术作品的稿酬标准，在20世纪80年代并没有得到妥善的解决，其主要原因在于建设部门和文化部门之间还不易取得一致。据我看，这个问题还是有待于市场去进行规范，时间长了，人们自然会有一个合理的界定。

关于民族形式问题。我曾经有机会去过一些国家，也看到过各国不少内容和形式各异的城雕作品，但是给我留下较为深刻印象的还是那些富有民族特色的作品。不管在哪个国家的城市，它的现代化程度有多高，一看到这个国家的城市雕塑，你就会知道你现在究竟在哪一个国家，例如：埃及的开罗、印度的孟买、伊拉克的巴格达、法国的巴黎等等。我国的古代雕塑源远流长，在世界美术史中占有重要的地位，我希望在我们进入21世纪之际，经过大家的共同努力，不断“推陈出新”，逐步走出一条既属于我们本民族自己的又富有现代感的雕塑艺术的道路，不断丰富世界雕塑艺术宝库。这是我们国家和民族不断发展的需要，也是我们当代艺术家们不可推卸的历史责任。

关于雕塑家要与建筑师多加沟通的问题。城市雕塑与架上雕塑的根本区别在于“城市”二字，对于一个城市，首先要看它的规划是否合理，其次要看它的城市建设是否完善，三是要看它的绿化覆盖面是否达标，第四才能提到城市的美化问题。城市雕塑是一个城市美化中的亮点，是“画龙点睛”之处，这就需要雕塑家和建筑师特别是规划师的合作，因为在每一个城市中的任何一个亮点，都有它对城市雕塑在形式上的特定要求，如：靠近墙面的需要单面或多面式；东西或南北走向的需要轮廓式；在中心广场上就需要放射式样的，等等。

朱尚熹：市场经济我不太懂，甚至我诅咒在市场经济下谈公共艺术，因为目前有的公司将城雕设计稿编号标价，把广告做在了全国一些重要杂志上，这样下去，非把城雕的大好形势毁了不可。关于公共艺术，也许我近来做的和参与的学术活动与公共艺术有关，有些体会，有些还是在活动中以及和朋友的讨论与争鸣中得出的个人结论，大概有以下几点。

关于形势的惊喜与尴尬。惊喜之一是，我国都市化进程成为历史必然，又加上中国式的两个文明建设，自然造就了我国当下的城雕热，这是不以我们雕塑人的意志为转移的。二是开放的姿态为自由创作探索提供了广阔空间，各路“先锋”争先恐后。这两种状况构成了我国雕塑历史上从未有过的大好形势。尴尬之处是融入了这两种状况的艺术家呈对立状态。还有一种惊喜是艺术家自身，挣钱有挣钱的惊喜，“做学术”又有做学术的惊喜。这样又造就了另一种尴尬，即艺术家针对“活儿”与针对所谓的“学术”的两种面孔截然分明，这也许是“中国特色”？

据本人的实践体会，现实并不那么糟。首先，当下中国艺术开拓空间的广阔与历史相比，是可以肯定的。其次，公众与我们所挂在口头批评的“领导”、出资的“老板”并不那么可怕，这些人的审美眼光同样是动态的。他们的年龄、知识结构在或快或慢地发生变化。甲方说不懂，并非谦虚，重要的是我们有否艺术家的责任，主动推出我们的好东西。有时我们艺术家自身的问题更严重，要么拿不出好东西，要么主动地把自己当成钱的奴隶，研究和讨好甲方。在此，我呼吁艺术家找回自己的责任感，同时我也呼吁艺评家找回自己的责任感，引导那些有成就的先锋艺术家以一种入世的姿态介入中国公共艺术（包括城雕），否则，我们会与一段好的历史擦肩而过。

都市化进程的必然性为公共艺术提供了广阔的天地，公共艺术的提出、推动，可能会弥合我前面提到的尴尬。这是因为我认为公共艺术虽然包括城雕，如政治性广场、大转盘城市标志性或反映时代主旋律的大雕塑，但社区环境、城市休闲绿地、公园可能成为需求艺术品的主流空间。另外，公共艺术虽然包括环境因素，但人性的、人本的，应该是公共艺术的本质问题。在都市化公共空间中的公众，人人都是在平等的对话基础上共生。人性的、人本的在公共艺术中是核心观念，同样也是方法论，落实在作品的具体处理中，能体现出你对公众的人性关怀以及对话姿态。当我们在不顾一切地表现自我时，展示了艺术家自身的“人性”，而公共艺术则诉求艺术家在表现自己人性的、人本的东西同时，别忘了对普通人性与人本的关怀。

历史上凡每一次对人性新侧面的开拓必然推动文化新的一次演进。公共艺术需要将艺术家个性嫁接在普通人性层面上，这是时代赋予我们的新课题。只要嫁接成功，公众是不会不买帐的。

包林：座谈会的主题是讨论中国雕塑走向21世纪，我谈三个粗浅的看法。

首先雕塑在融进公共环境的同时，其传统定义似乎已变得越来越模糊。作为公共艺术的雕塑，它既是特定环境的构成要素，又是雕塑家走向公众的媒介，因而较之绘画作品或架上雕塑而言，公共雕塑在光天化日之下的存在比在创作过程中获得的快感更为重要，不能只考虑雕塑家自我只想说些什么，而不顾及我们的公共空间需要什么。公共雕塑的意义在于景观，而它是否还被称呼为雕塑或其它的什么已经不重要了。

从公共性的角度讲，我觉得雕塑本体的创作过程实际上是要一个综合各种因素的设计过程，因为我们必须考虑它在相对固定的环境中能否持久地具有可视性。其次，中国雕塑已向多元化发展，我们是否应该考虑在这种多元化发展的潮流中如何把握住主流概念？我们今天看到的许多被列为“先锋艺术”的作品都号称在进行“严肃的探索”，这是否有些牵强？因为“探索”一词会使我们感到带给公众的将是新鲜而又神秘的未知事物，但不少作品令我们眼熟，好像已经被别人在二三十年前就玩过了。当然，称作“体验”倒更为贴切，但个人体验只属个人隐私或个人自由，再体验若干遍又未尝不可，但若将之传播开来会令人啼笑皆非，这是期望《雕塑》杂志能够把握住的。

最后，从艺术设计教育的角度来看，今天的人才培养模式存在一定问题，艺术院校的学生总希望把自己当作未来的艺术家而不是设计师，这是一种单向度的培养模式所造成的。目前开设的专业课程实际上还停留在架上艺术的体系内，知识结构单一，与环境设计教育脱节，与现代高科技手段脱节。然而，雕塑作为现代都市公共环境的景观要素，仅仅凭传统意义上的创作会使我们大失所望。信息化的社会需要造型符号的编码组合具备冲击力，这不是单向度人才所能胜任的，具有设计能力、创新能力、策划能力和综合能力的复合型人才将会获得更多的发展机会并成为公共艺术创作主体。从这个角度看，雕塑教育所需的知识结构应有所调整，因为雕塑家面对的是整个社会公众，是信息符号的设计与交流，而不能关在象牙塔中自言自语。

展望：首先，分类不是艺术的目的，而是为了组织、策划艺术活动或者说是在创作当中使目的更为明确。尤其是公共艺术，它不同于一般的艺术，它更需要来自社会的关心和配合。根据我的实践经验，使受众（出资者）清楚地了解不同艺术的追求，对于完整地实现艺术活动的计划非常有意义，还能使问题深入下去，这才是分类对待的真正目的。另外，我的分类不同于所谓城雕、架上、人物、休闲、纪念等概念，我是根据当代艺术在我国的发展现状和国情（领导、老板、知识分子、部分艺术家、专家及普通百姓对当代艺术的理解程度）进行划分的，这样的划分是暂时的、有具体背景的、终要被历史淘汰的。

公共艺术对于中国人来说，还是比较鲜明的。虽然现有作品已经比较丰富了（主要是城市雕塑），但可以说是不成系统的，在评选、创作以及观众的认知过程中，都还比较混乱。为了实际上的用途，也为了在观众与创作者、评委与领导、组织者与政府之间能够比较清晰地对话和组织活动，推动公共艺术的健康走向，我认为有必要清理一下在公共艺术中可能出现的各种不同形式的艺术，进行简单分类、规范化，改变我们已经习以为常的思考方式。这种方式就是谁都想用一个放之四海而皆准的标准来要求所有的艺术品形式。毕竟，艺术样式的存在是多元的，多元就会有不同的标准。我不否定具有普遍性的标准存在，但那不是一下子可以达到的，甚至有些虚无缥缈。真正有价值的往往是从很小的一个点开始，只要这个点确实是有创见的。比如说，因为实验性的艺术不太注重功能性，所以不太容易被社会所接受，也不太被人关心，这就更需要人们清楚它的真正价值。因为任何有原创性的作品往往都是从实验开始的，所以，一个开明的社会体制反而会更多地支持实验性艺术。通常情况下，有着不同追求的艺术（不是不同形式）放在一起会有无法交流的问题，它所使用的好坏标准、词汇或者对词汇的解释都是不同的，甚至它可以是完全不同的话题。因此，在操作上先划分出来，便于创作和展示，也便于观众获得一个较为清晰的印象。这不同于历史，因为历史潮流是可以把什么都放在一起来谈的。

有人说，艺术家在创造的时候，是没有分类的。这当然好。但如果一个艺术家的作品不是靠一件，而是靠终生的“积蓄”来追求“完美”、表达思想的话，我说，他未尝不可先放弃“完美”，而从一个“片面”开始，这个“片面”解决的也只是一个“片面”的问题，而许多的“片面”会组成一个“完美”的结局，这个时候，就需要社会方面的配合，来鼓励这些“片面”的作品，这就需要分类对待。有了这些“片面”，无论是个体的，还是整体的，才能达到具有丰富内容的而非空洞的“完美”。

另外，这些分类其实也是构成一件“完美”作品的因素，有些作品具有其中的一个因素，有些作品则三个因素都具备。我认为，只要占其中一种就是有价值的，但我坚决反对用其中的一种否定另一种的做法，因为我们同样不能忽视社会的需要。实际上，在每一类的中间都有还可以继续往下分类，而这些分类就需要艺术史、人文、社会科学等方面的支持了。以上是对当代公共艺术分类的看法，不知能否对认识当代公共艺术起到作用，下面就是这种最简单、实用的三大类的划分要点和简要说明。

一、 作为公共收藏的公共艺术

特点：独立的艺术品，材料比较永久，被艺术史家、理论家、学科专家普遍认同的（有市场价值的？）。

选择的标准：有影响的成熟艺术家的代表作品。体现思想性、原创性、时代性、历史性及个人化的艺术语言相对成熟。

二、 作为环境设计的公共艺术

特点：与具体地点、景观或故事的结合，总之是与功能的结合。

选择标准：有创意的、美丽的、有趣的、能供大众休闲的。

三、 实验性的公共艺术

特点：临时性的、非永久材料的或永久材料但可移动的。

选择标准：在观念和形式上具有实验性、颠覆性、突破性或独特的想法，能较准确地切入（或超越）当代文化，不可与别人重复的。

最后，我想再重复一下，这里每一种类别都有自己的标准，同时普遍的标准也存在，但不是最重要的。当然，三种标准都符合的"完美"作品也是存在的。我们不能把第一种的标准用于第三种；同样，也不能把第二种标准用于第一种。这种分类是为实际操作所用的，并不是用来约束艺术家创造的。至少，创造者、评判者、观众心里应该清楚，一切都是过程，我们只要接近"完美"就可以了。

王明贤：2000年中国文化界的两件大事都与雕塑界和公共艺术界有关，其一是"威尼斯收租院"风波，其二是国家大剧院设计方案的争议。这说明雕塑与公共艺术已成为社会各界瞩目的焦点。

由此我想到三个问题：一是反思蔡国强的《威尼斯收租院》。泥塑《收租院》是20世纪60年代社会主义艺术的样板，是中国民间雕塑和学院雕塑结合的产物。这件作品为什么在威尼斯双年展这样的当代艺术品展览中引起关注呢？这场风波促使人们重新认识20世纪世界艺术史，寻找传统雕塑与当代文化的关系，同时也使社会各界进一步了解当代艺术。二是实验艺术在雕塑界的作用。中国的实验艺术已经有不少成果，其中也包括实验雕塑作品。实验雕塑应当走向公共空间，体现一种新的智慧，让大众感受到雕塑的当代意识。城雕面向广大的百姓，如能将实验性与公共性结合起来，使当代艺术走向大众，就具有更深刻的意义。三是数字时代雕塑家何为？写过《比特之城：空间·场所·信息高速公路》的丁·米切尔说："在一个计算机和电信无所不在的世界里，身体能力借助电子手段而大大增强，后信息高速公路时代的建筑以及超大规模的信息企业层出不穷。在这样一个时代，城市的概念受到了挑战，而且最终必会重新定义。计算机网络像街道系统一样成为都市生活的根本。虚拟城市、虚拟建筑正在挑战传统的建筑学，雕塑在未来也会找到新的位置。"

（《雕塑》2001.01）

十倍于昔的新视野

——20世纪关于中国古代雕塑史的研究

文／李松

尽管中国古代有极为丰富辉煌的雕塑遗存，但是对于古代雕塑史和雕塑理论的记述和研究，比之同时期的书法与绘画都是过于寂寥了。

在中国古代，雕塑在文化史上的地位低于其它兄弟艺术门类，这与雕塑家的工匠身份有关。中国一向是官本位的社会，雕塑创作不像书画艺术有官吏、文人的参与，历史上早期的西晋雕塑家戴逵、戴颙父子能够名垂史册，也还是由于其工书画、善属文、能鼓琴，是皇帝累征不肯就的隐逸文人。

对于中国古代雕塑史论的研究主要始于20世纪初期，兴于20、30年代，盛于80、90年代。推动中国雕塑史研究的动因，在早期和近代考古学的兴起与发展有直接关系，而更重要的，则是出于发展中国现代雕塑创作的需要。中国雕塑艺术在近世出现发展的断裂。20世纪初，西方雕塑传入，在美术教学和创作中成为主导，而在如何解决雕塑创作的民族化与现代化课题时，人们自然地把目光转向古代，迫切希望从传统艺术中得到借鉴。负笈海外研习西方雕塑之学的几代雕塑家刘开渠、曾竹韶、滑田友、钱绍武等人，在深入钻研过西方古典的、现代的雕塑技法经验之后，以极大的热情提倡学习和发扬中国传统雕塑，并亲身做了很多考察与研究即是显例。

另一方面，一个世纪以来，地下美术考古接连不断的重大发现，极大地扩展了雕塑史研究的视野，迫使人们不能不改变一些传统的认识，改变角度，重新思考，从而有可能比以往任何时期都更清晰地理出中国传统雕塑艺术的发展脉络，了解其多方面的艺术成就，从中寻绎出丰富的创作经验与审美内涵。

起　步

对中国古代雕塑遗存的调查研究起步于20世纪初。一些外国学者依据古文献和明清地方志史料提供的线索，对中国古代陵墓、石窟寺进行调查。1902——1903年，日本伊东忠太在华北地区进行古建筑和云冈石窟的调查，1906——1907年日本东京帝国大学关野贞调查了河南巩县石窟寺和龙门石窟、陕西汉唐陵墓、山东汉画像石。法国人E·E·沙畹1907年调查了陕西陵墓，云冈、龙门石窟，四川汉阙，山东碑刻。1914年法国人V·色伽兰等于陕西秦汉陵墓、四川崖墓、石阙之外，还调查了广元千佛崖石窟。20年代初，日本关野贞、常盘大定、田中俊逸等及瑞典喜龙仁等调查了山西天龙山石窟、河北省南北响堂山石窟等以及华北、江浙等地区的陵墓与古建筑。(在此期间来自俄、英、法、日、德、美等国的一些“考察队”，正麇集于新疆、敦煌莫高窟等地，对古代壁画、文书等进行着各种盗掘与窃取活动。)

30、40年代

中国学者对古代雕塑遗存有组织、形成规模的调查研究起始于上世纪20、30年代。建筑学家梁思成1929——1930年在东北大学开始讲授中国雕塑史。1931——1936年，中国营造学社成员梁思成、刘敦桢、林徽因等陆续前往云冈、天龙山、龙门、南北响堂山、山东历城神通寺千佛崖等地考察。抗日战争期间，梁思成、刘敦桢等赴四川，沿岷江、嘉陵江、夹江两岸及广元、大足等地对摩崖石刻作了半年多的考察。

抗战前,国内学术界对石窟寺等古代雕塑遗存的考察与研究，重要的有1930——1933年西北科学考察团对新疆石窟的调查；1934——1935年中央古物保管委员会对南京附近六朝陵墓、洛阳龙门、安阳宝山石窟的调查；1935年北平研究院史学研究所对南北响堂山石窟的调查与著录。日本学界始终没有放松对中国重要石窟的调查。

40年代前期，大后方学者在十分艰难的环境下对西北、四川等地的古代雕塑遗存进行了更深入的调查研究。其中比较重要的有1940——1944年以王子云为团长的教育部西北艺术文物考察团对陕西汉唐陵墓、龙门石窟、敦煌莫高窟、河西走廊文殊山、马蹄寺等石窟的调查、翻模、拓印、摹绘、测绘、摄影、著录。

1942年，中央研究院组织西北史地考察团，历史考古组向达等考察了敦煌莫高窟、榆林窟。考察团成员石璋如用考古学方法对敦煌石窟形制进行了测绘与记录，是为国内学者用考古学方法研究石窟寺之始。在此之前，于右任于1940年赴西北考察，专程到敦煌莫高窟，结束后向政府建议将莫高窟收归国有，成立敦煌艺术学院。1941年，张大千到敦煌，为洞窟编号，之后，又组织了对敦煌壁画的大规模临摹活动。1944年成立敦煌艺术研究所，领导这一工作的常书鸿将临摹壁画和塑像作为研究的起点。在40年代，关山月、赵望云、张振铎、吴作人、董希文、李浴、史岩、潘洁兹等画家、美术史家都曾在敦煌活动，对他们后来的艺术实践发生过深刻影响。

1942年在成都附近发掘五代前蜀王建墓，提供了古代肖像性雕刻的重要实例。

1945年4−5月，由杨家骆、马衡、顾颉刚、傅振伦、梅健鹰等15人组成大足石刻考察团，对大足龙岗、宝顶石窟进行了全面考察、记录和研究、宣传。

外国人对中国古代雕刻史迹调查、认识的过程中，常常伴随着破坏和掠夺。帝国主义列强早年对新疆地区石窟和地下文物、敦煌莫高窟藏经洞文物的掠夺，后来又继续发展、扩大。龙门、天龙山、南北响堂山等重要石窟许多精美的石佛像被剜凿，割掉的头像堂皇地陈列在许多海外的博物馆，著名的唐代昭陵六骏也被切割，两件流失海外。海外不法商人与国内文物盗窃分子勾结，外国人对古代雕塑珍品的偷盗行为至今不曾杜绝。

另一方面，国内社会变革过程也常发生过激行动，例如民主革命期间破除封建迷信活动、近年的文革十年动乱，也使很多古代雕塑作品受到严重破坏，造成无法弥补的损失。

50年代以后的发展

50年代以来，中国古代雕塑史研究出现新局面。由于地下考古的许多重大发现，使研究领域、研究对象不断扩展；而陵墓、石窟寺遗址的大规模调查研究和考古学方法的引入，使得研究工作更为规范并获得坚实的基础。到80、90年代，在研究成果的丰厚积累上，进入梳理、总结、集大成的时期。

20世纪中国雕塑史研究所关注的重点主要为：雕塑(含俑、明器)、石窟寺雕塑、寺观雕塑、金铜佛早期雕塑、民间雕塑、少数民族雕塑等方面。

1、对中国雕塑历史源头的追索

地下考古发现把中国雕塑的源头不断上溯。20世纪80年代初在辽宁阜新县查海遗址发现的夹砂红褐陶直腹罐上有蟾蜍、蛇衔蛙的浮雕和最早的真玉器雕刻品。90年代中期又在聚落遗址中心部位清理出一条长19.7米的龙形石块堆塑，经碳14年代测定，其年代距今8000多年。稍后一些，距今六七千年前，是中国新石器时代发展的一个高峰时期。河南密县莪沟裴李岗文化出现捏塑人头像；辽宁东沟县后洼屯出土滑石雕刻及陶塑人头、半身人像及猪、鸟、虎、鱼等共计36件；浙江余姚河姆渡出有陶人头、猪、羊及牙、木雕刻等。研究者推断这类小型雕塑作品可能是出自妇女或巫觋之手，用作辟邪的祖先灵物供佩戴，或用于驱鬼辟邪、求育等目的 。

距今5000多年的新石器时代晚期也是发展的第二个高峰时期，以不同材料、不同手法制作的各类雕塑作品，在南北东西各地各种遗存中皆可见到。

新石器时代雕塑遗存中最引人注目的是出自东北、华北等地区的女神塑像。

在欧洲、西亚等地区多处发现石雕、牙雕或陶塑的裸体孕妇形象，是由旧石器时代晚期到新石器时代的重要文化遗存。其制作动机与祈求种族繁育的巫术活动有关，是母权制的象征物。在中国，从50年代，学术界便期望找到类似的遗存，直到1982年在辽宁喀左旗的东山嘴，发现了距今5000多年前祭祀地母神的祭坛和小型孕妇裸身陶塑，学术界以难以抑制的兴奋之情说“我们终于找到了全国考古界等了30多年才发现的重要材料”。同类作品此后又续有发现，这些石雕手法粗犷、原始，而女性特征则表现得很明显。在西北地区仰韶文化晚期陶塑作品中也发现有裸体女像。

在新石器时代的雕塑作品中还有被推测为两性复合体的形象——青海乐都柳湾裸体人形浮雕彩陶壶，属于距今4000年的马家窑文化马厂类型。商代妇好墓出有两面分别为男女裸体形象的玉雕，为男女交合巫术的产物。

进入阶级社会以后，一些裸身人物形象常被作为器足，代表着一种卑贱的奴隶身份，西周时代的青铜鬲等器物上常铸有守门的裸身刖刑奴隶形象。还有些奇怪的造型，如山东莒县出土的西周鼎形器盖上铸有男女裸身相对的形象，浙江绍兴出土的战国伎乐铜屋中，有一组裸身男女演奏乐器，可能是反映古越族巫术活动。江苏涟水三里墩出土的男女三人环立的铜塑，有明显性行为表现，可能与祈求子嗣繁衍有关，从当时的上层社会风气看，它更可能是淫亵性质的玩物。回溯母系氏族社会神圣的女神像，数千载中题材的变异，深深留下了社会变迁的印迹。

2、三星堆青铜人像群

1899年甲骨文的发现、1927年开始的对商代晚期都城遗址河南安阳殷墟的科学发掘，使历史上一直笼罩着迷雾的商代历史文化面貌变得清晰明朗了。

1986年秋，四川广汉三星堆青铜人像群的发现，使人们第一次获知在商周之际，古蜀人已能创作硬质材料的大型雕塑作品。出自两个祭祀坑的青铜立人像、人头像、人面具、兽面具等合共82具，还有高大的3株神树和金权杖、青铜礼器等。

古蜀人从宗教观念出发，创造了一种能够为社会成员所认同的、似人非人的神异样式，一种类型化、符号化的面相。

广汉三星堆雕塑等是一个突兀的文化现象。祭祀坑出土的青铜礼器明显地受到中原商文化的影响，而青铜人像、面具、神树等则是古蜀人意识形态的体现。三星堆祭祀坑还有很多谜有待破译，包括两个坑的性质——那些铜人、金杖等都是被火烧、砸打之后，有秩序地瘗埋的，铜人、人头、面具的身份，都代表什么人，学术界在认识上也有歧义。还有三星堆代表的蜀文化与中原文化以及周边地区的巴文化、楚文化、滇文化以及藏文化之间的关系也是人们热烈探讨的课题。

在中原地区，已知的大型青铜人物形象为1978年湖北随县战国早期曾侯乙墓出土的钟镰铜人，共6件，每件人体部分高近1米，皆作武士装束，戴冠，衣裳施加彩绘，处于钟架转角部位的铜人一臂很长，以便平稳承托上下相错的两根横梁(笋)。

更直接地反映复杂丰富生活内容的青铜雕塑作品，是从1955年以来在云南晋宁石寨山等地发现的古滇人铸造的贮贝器、屋宇模型等作品。年代在战国至东汉时期，其时，滇人还保留着猎头、杀人祭祀等很原始的社会习俗。古滇人艺术工匠利用失蜡法浇铸、鎏金镀锡等技艺企图对社会生活作全景式的再现。在贮贝器盖上铸出纺织、播种、纳贡、杀人祭铜柱、战争等各种场面，一件西汉时期祭祀场面贮贝器盖上除栏杆式房屋、铜鼓等之外，还铸有从事各种活动的人物127个。而从雕塑艺术的表现技巧看，成就最高的是那些写实的或幻想的动物形象。云南古滇族、北方草原民族的金铜饰牌等作品中有很多表现人兽之间、兽类之间相亲或搏斗撕杀的描写，达到惊心动魄的地步。河北平山县中山王墓出土的一件错金银虎噬鹿屏风插座，通过运动姿态的转换表现动物生死拼搏中爆发出的强力，显示出雕塑技巧运用的高度水平。

3、秦始皇陵兵马俑

陵墓地表上矗立的具有仪仗、护卫性质的纪念性石刻群，与墓室内的俑群及其它随葬明器共同构成陵墓雕塑的整体，而又各自体现着不同的功能与审美要求。

一个世纪以来，对各代帝陵和各种墓葬的调查、勘测、发掘，有很多重要的发现。而雕塑遗存的新发现则突出表现在俑的大量出土上。在世纪之初，已出现有关俑与明器的收藏、研究专著。

代替活人随葬的俑是中国特有的雕塑器类之一。俑开始流行在春秋晚期，正是孔子批评“始作俑者其无后乎！”时期的前后。

引起举世惊诧的陕西临潼西杨村秦始皇兵马俑群，是1974年当地农民掘井时偶然发现的，不见于文献记载。

出自一、二、三号俑坑的有7000陶武士俑、驷马战车百余乘、陶马与骑兵千余匹，还有数千件实用铜兵器。对兵马俑坑的墓主人和兵马俑的性质有过不同的判断，比较一致的认识是：这是以车、骑、步、弩编制为秦始皇送葬的秦军方阵，它以恢宏的整体气势体现着“秦王扫六合”的强大军威与国威。

以捏塑与模制相结合并通体施加彩绘的兵马俑的制作，重视服饰、生理特征、结构细节的逼真再现，而不强调人物的个性表现，这与中国人的灵魂观念有关。

与真人真马等大的陶塑群昭示中国雕塑史上一个重要史实：由红山文化的大型彩塑女神像、广汉三星堆青铜人像群，到秦始皇陵兵马俑，表明中国古代很早就在大型雕塑创作方面积累了丰富的经验。南北朝以后佛教美术出现造大像的风气，正是本土雕塑传统与外来宗教艺术相互融会的产物。

汉代以后，为皇室和贵胄塑造大批俑群的风气更盛，兵马俑群也见于咸阳作为长陵陪葬墓的杨家湾大墓(可能为周勃、周亚夫父子之墓)、徐州狮子山楚王墓，但在俑的体量、俑群的规模、气势上已无法与秦始皇陵兵马俑群相比。1990年在咸阳市张家湾村西汉景帝阳陵的从葬坑发现数千陶俑及陶塑家畜家禽。俑中有武士及奴婢、伎乐等，其中有很大一部分是裸体施肉色而无臂，另外安装木臂并着衣。东汉以后逐渐抛弃了这种过分追求表面真实的做法，而在人物的动态、表情上着力，也更娴熟地把握了雕塑的语言特色。汉代和唐代的俑类作品达到了此类作品的最高境界。例如以“天马”为造型依据的汉代铜、陶、木马踔腾嘶鸣的神态，充满浪漫主义色彩的武威铜奔马，皆不拘泥写实，而是对时代精神、自信力量的张扬。又如表现社会各色人等的唐三彩俑，其对人物意态、情趣的生动表现中所流露出来的，作者不拘守规范制约的自由创造精神，都是前所未曾有过的。

4、石窟寺雕塑

石窟寺艺术是20世纪雕塑史研究着力最多反映学术研究成就的一个领域，也是最能反映学术研究成就的一个领域。

中国石窟的雕造约始于3世纪，盛于5—8世纪，最晚可到16世纪。国内学者对石窟寺艺术的研究，主要着手于20世纪50年代初，70—90年代达到兴盛繁荣时期。

1952年由中央文化部组织的炳灵寺石窟勘察团、1953年组织的麦积山石窟勘察团，都以画家、美术史家为主要成员，进行著录、编号、测绘、摄影、壁画临摹和雕塑作品的石膏翻模。在此之前还有1950年对云冈石窟、义县万佛堂石窟和1951年对敦煌石窟的普查。随后，又进行了四川、云南、山东、江苏等十几个省市自治区石窟、摩崖龛像的普查，至1957年告一段落。在调查中，初步探索了石窟寺艺术的题材、风格衍变、洞窟年代，中外艺术交流等方面的问题，为雕塑史研究提供了概略的基础。

60年代后，由于考古学者的努力，将石窟寺研究进一步纳入考古学范畴，对石窟寺进行全面的考察，排年分期，为进行深入的专题研究，包括石窟雕塑的研究，奠定下科学、坚实的基础。在这方面，考古学家宿白作出重要贡献，他的研究成果在90年代编为《中国石窟寺研究》一书。宿白提出对中国石窟寺的研究有四个程序，即：考古学的清理和记录；洞窟、造像、壁画的类型组合与题材的研究；分期分区的研究；关于社会历史的、佛教史的和艺术史的综合研究。70年代以来，运用层位学、标型学方法和碳14测定方法分别对云冈、龙门、敦煌莫高窟、克孜尔等石窟寺的分期断代研究取得了重要成果。在调查、勘测过程中不断有新的重要发现。

从对中国石窟寺群整体的宏观把握与地区比较、分期断代研究中，纠正了中外学术界过去不少相沿已久的偏颇之见，廓清了石窟寺发展的基本脉络：在公元3世纪左右，北印度佛教美术传人西域，与深受中原文化影响的本土文化相接触、融合，产生古龟兹地区的石窟寺群，进而传播流行于内地，云冈、莫高窟早期的造像皆可见出新疆的影响。5 世纪晚期，南方造像明显影响了中原北方，“5 世纪以来，佛教窟龛在新疆以东逐渐形成自己的特点后，中国各地石窟龛像的发展演变，尽管都还具有地方特征，但都程度不同地受到全国主要政治中心或文化中心所盛行的内容的影响。”“6 世纪中期以后，中原西部的石窟龛像又影响到四川北部……11 世纪以后，罗汉群像既盛行于中原北方，也流行于江南，13—14 世纪西藏喇嘛教窟龛不仅出现在中原北方，还出现在南方。”

1979 年以后，由中日双方学者合作编撰出版的 17 卷本《中国石窟》集中了当代石窟寺研究的最高学术成果。中方编委有夏鼐、宿白、常书鸿、金维诺；日方编委有长广敏雄、冈崎敬、邓健吾。几乎每个石窟的主要研究人员都参与了有关的编撰工作，从而保证了此书的科学性、完整性与权威性。

50年代以来成批出土的一些古代寺庙雕塑遗存也是中国雕塑史重要研究对象。其中 1979——1981 年在汉魏洛阳城遗址内发掘的北魏后期灵太后胡氏所建永宁寺（516—534)塔基出土的影塑作品，都是在大火后从壁上剥落下来的，包括菩萨、比丘，以及诸色供养人及其男女侍从、仪仗等各种彩塑残件1560余件。其中一些头像或肢体、衣服的残块，都很精彩，塑造技艺超出同时代石窟寺造像的水平。还有一些是在“灭法”或动乱中遭到损坏，被集中瘗埋于地下的。其中主要有四川成都万佛寺遗址。自清末以来陆续出土的南朝至隋唐石造像 200 多躯；1953、1954 年先后在河北曲阳修德寺塔基和寺址下发现的北魏至隋代石造像 2200 多躯；1959 年在山西沁县南涅水村发现的北魏至宋代石造像 1161 尊、造像塔 400 多件；1995 年成都发现的南朝齐、梁年间的佛、道造像 9 躯；1996 年在山东青州龙兴寺遗址发掘的窖藏北魏至宋代不同材质的佛造像400余尊，其中石造像多施彩绘或贴金。这些发现都不是孤立现象，在其附近地区还陆续有新的发现。其遗址包含的年代很长，地域特点明显，对研究造像分期、类型、风格演变、地域特点都是极宝贵的材料，从中也透露着当时南北之间、域内域外之间艺术风尚交相影响的错综、丰富的信息。

成果与不足

20 世纪中国雕塑史研究是一个开创性的学术领域，体现着多学科共同研究的成果。

当代中国雕塑史研究在占有大量资料的条件下，已基本克服了早年因掌握基本情况不足而不免出现的大而化之、想当然地发议论之空疏现象。在 80、90 年代已出版的有史岩、陈少丰、孙振华等人的中国雕塑史专著或图录。而《中国美术全集》中雕塑部分在全书60卷中占了 13卷，包括原始社会至战国、秦汉、魏晋南北朝、隋唐、五代宋、元明清断代卷6卷和敦煌、麦积山、炳灵寺等、云冈、龙门、四川石窟、巩县响堂山天龙山石窟7个专题卷。跨世纪的出版工程《中国美术分类全集》中以石窟寺雕塑、寺观雕塑、金铜佛、陵墓(包括俑、明器)分类，还有不少作品收入陶瓷、青铜、玉器、漆器、中国民间美术、竹木牙角等卷。全集与分类全集雕塑各卷皆附有研究论文和完备的图像资料，是当代雕塑史研究的重要结集，也是下一步研究的起点。

还有一些美术史著作，如王伯敏主编之《中国美术通史》、王朝闻主编之多卷本《中国美术史》中的雕塑章节都是分量很重的。

有所不足的是目前雕塑史的研究和论著内容还比较偏于美术考古的范畴，包括本文所涉及的内容基本上也未越出这一大的范围。今后需要深入对于雕塑本体的研究，如中国雕塑艺术的审美特点、审美范畴、评论规范，以及材料、技法理论的研究等等。一位久居海外的学者、雕塑家熊秉明在谈到对中国佛像雕刻的理解与评价时曾经慨叹说：京剧一度被视为封建落后的艺术，西方现代戏剧出现，京剧作为象征艺术的价值被重新认识，“佛像的遭遇还不如京剧，因为我们有一个欣赏京剧的传统，却没有一个欣赏佛像的传统。我们竟然没有一套辞汇来描述，来评价雕塑。”也可以说我们现在还只能是用西方雕塑的辞汇、观念和标准来观察研究中国的传统雕塑，或者是简单地以文学或兄弟门类艺术的评价标准衡量雕塑(借用、参照都是可以的，但不能代替)。我们需要从粗放的研究、评论中升华，充分利用美术考古提供的大量资料，做深入的调查、研究，剖析出中国雕塑艺术作为艺术之最本质最核心的东西，从中找出今后发展的借鉴。

（《美术研究》2001.01 节选）

警惕"非艺术"的颠覆

文／范迪安

各种以"艺术"之名，行"非艺术"之实的行为一度迅猛，不能不引起我们的警惕。因为它的危害不在于针对某种艺术问题，而在于对整个艺术的颠覆。

我们今天对西方艺术的过去百年里的发展历程已不算陌生。在西方现代艺术史上，有三个词是普遍被提及和运用的。一个是"现代"。这是西方艺术总体上顺应现代社会发展的文化性质，其中积极的历史性成果已为我们所识并借鉴。另一个是"前卫"姿态出现，但"前卫"的艺术推进了艺术的"现代"进程，它本身良莠掺杂，只有经过历史选择和文化过滤，它有价值的精神方面和物态结果才成为总汇中的组成部分。再一个是"非艺术"。它经常与"现代"和"前卫"伴生并混同于其中，但实质上并不具备真正的现代精神和前卫意识，因为它以否定艺术的价值、特别是艺术的创造性价值为目的，采用极端的手法和捣乱方式颠覆艺术。它要打破的并不是所谓艺术的"界限"，而是整个艺术本身，因此，它属于艺术之外的破坏性行为。对这三个词也即西方艺术发展过程中出现的三种现象，我们不能混而视之，尤其不能把形形色色的"非艺术"行为视为"现代"、"前卫"。

在我们这里出现的"非艺术"行为，首先是对国外各种"非艺术"现象的抄袭和沿用。血腥的、残暴的、破坏的、敌意的、自虐的、施虐的种种手法，在西方早已有之，这是"非艺术"行为不求其"新"、只求其"异"的基本特点，在某些行为者那里，甚至"异"得超过了西方的已有程度。这些行为的出发点完全不是建立在艺术发展史逻辑之上，也没有提出什么艺术问题或要解决什么艺术问题，其意义不在艺术之中，而是指向我们正在发展的艺术形式，向认真的、严肃的艺术创造进行挑战，以构成对艺术的颠覆。这类活动的策划人和组织者想必了解和熟悉西方艺术已走过的历史，知道这类"非艺术"行为的真正指向。让这类行为在中国发生，无非是针对正在朝着现代形态发展的整个中国艺术。

改革开放以来的中国艺术经历着历史性的变革，总的趋势是在中国社会现代化的条件下建立具有现代文化内涵和视觉样式的形态，不同年龄段的几代艺术家都从各自的角度发扬创新精神，以不同的方式解决艺术实践的各种课题。"现代"一词已不再是与"传统"对立的艺术样式，而是中国艺术发展的必然结果，也是几代艺术家共同的文化，包括许多青年艺术家以"前卫"的意识对某些艺术问题进行真诚的探索，也有一定的积极意义。要警惕的是，一些"非艺术"行为试图颠覆艺术在今日的存在价值和健康发展的中国艺术。

（《美术》2001.06）

进一步严禁以艺术名义搞丑恶行为

为落实中共中央《公民道德建设实施纲要》，贯彻"三个代表"重要思想、根据文化部[2001]14号通知的精神，11月22日文化部艺术司和法规司联合在北京文化部大楼召开座谈会，邀请美术界、法律界专家，针对当前以艺术的名义表演或展示血腥、残暴、淫秽场面的现象以及屡禁不止的现状，进行深入地研讨。出席会议的美术界专家有靳尚谊、程允贤、詹建俊、杨力舟、王仲、邵大箴、水天中、刘曦林、范迪安、陈履生、张晓凌以及文化部市场司司长王文远、文化部法规司司长高树勋、中宣部文艺局的汪泽同志、全国人大内务司法委员会陈庆立同志、全国人大教科文卫的章武同志等专家。会议由文化部艺术司司长冯远主持。

与会专家们一致认为：在经济全球化的背景下，在世界各种文化思潮互相激荡的形势下，我们提倡世界文化多样性的同时，必须努力保持中华民族文化的独立品格，只有民族文化各具特色、各展风采，世界文化才能丰富多样、异彩纷呈。社会对艺术家的要求是创造出更多更好的作品，艺术创造活动不管采用何种理念、形式、风格、技艺和材质，甚至行为过程，作品的潜层内涵都应当折射出艺术家和人类的良知、尊严、品格和所承担的道义。假若以为艺术的"现代性"就是不顾一切地表现个人隐私、人性中丑恶阴暗的另一面，寻求官能刺激，甚至以不避廉耻、他虐自戮……那么这样的现代艺术就很难使人将之与社会进步、文明以及人类命运的终极关怀联系起来，甚至令人怀疑它的真实动机。这些挑衅社会法律和公共利益的极端行为，超越了人性，背叛了艺术的真谛，已不在艺术的范畴之内。文化部今年4月发出的14号通知和《美术》杂志展开的说理批评是很正确、及时的。与会专家一致强调，新闻媒体和美术批评应正确地引导舆论，明确艺术与非艺术的界限，不要“炒作”，要用正确的舆论引导人。在美术创作中坚决反对一切血腥、残暴的邪恶、恐怖倾向，反对以浮躁和扭曲的心态对待艺术，抵制当前艺术活动中出现的西方殖民化倾向。对于违反国家法律、扰乱社会秩序的行为必须依法惩处。政府职能部门要充分利用政策的、行政的、法律的、舆论的手段。采取有力的措施，加强教育和管理，努力防止和坚决抵制腐朽、落后、颓废文化、价值观的侵蚀与危害，铲除它们滋长的土壤和环境，在全社会积极营造有利于公民道德、价值建设的舆论氛围和形成保障公民道德价值观建设的社会条件。

王仲（中国美协《美术》杂志负责人）：自文化部颁布[2001]14号文件和《美术》杂志展开说理批评之后，一些展示血腥、残暴、淫秽场面的“行为艺术”活动仍在继续。不久前，在成都举办的所谓“国际行为艺术节”上，一些人无视国家有关部门的法规，就出现了对活猪进行屠杀的血腥行为。这甚至连在场的外国艺术家也无法容忍。在文化部的通知发出和《美术》杂志展开的说理批评以后，“行为艺术”甚至有变本加厉的发展。许多人在“艺术同盟”等网站上漫骂《美术》杂志和文化部，要求人大常委会改组文化部，这当中宣传媒体起了推波助澜的作用。新闻出版署下属的《现代艺术》杂志中就有文章称：《美术》杂志和文化部是“极权主义的自我妖魔化”。新闻出版署、广电部与我们文化部门应该联合采取综合治理的方法，共同来刹住这股歪风。我认为，管理好国家的宣传媒体部门，比直接管理那些走火入魔的年轻人更为重要。

刘曦林（中国美术馆研究部主任）：“行为艺术”原本是西方后现代主义的一种表现方式，它不仅仅在美术领域。为什么当前一小部分中国的艺术家对此如此热衷？这值得从多方面加以分析、研究。所谓“行为艺术”和艺术行为是不同的。我们在进行批判时应将“行为艺术”与用行为搞淫秽的、邪恶的东西的行为作区分。这些丑恶的现象不代表美术，不代表先进文化。现在的艺术界似乎有忽视人品和画品一致的重要性的倾向。我们在强调艺术的个性的同时，更要注意个性张扬和社会之间的关系。作为艺术家首先应有社会责任感和道德感，这在艺术作为影响人们生活的方式之一时更显特别重要 。

杨力舟（中国美术馆馆长）：我们近年在美术馆管理工作中遇到的一些新情况，一些展览的作者企图违反中国美术馆的规定，将过激的、淫秽的作品进行展出，都被我们坚决制止了。文化部的通知很好，很及时，这给了管理部门一个准绳。这当中《美术》杂志也做了很多工作。我最近看到《美术》杂志评论《现代艺术》杂志的文章，我立即给王仲同志打电话，表示坚决支持。为什么文化部已经下了正式文件，《现代艺术》杂志还要唱反调？这种现象值得我们重视。现在的艺术创作环境是建国50多年以来最宽松的，艺术家们应抓住这一有利时机，多出精品力作，而不要走到邪路上去。在处理这些问题的方式上，我们主管部门应不要采取激化矛盾的过激方式，应讲究策略。我提出四点建议：1、对于违反国家法规政策的，应坚决制止，并追究其责任。2、在具体处理上，我们应缩小它的影响范围和影响力，不要形成事件。3、对艺术家应加强他们的道德教育，多从正面引导，将好的、真正代表先进文化前进方向的东西大力推出去，用正面的好的作品去占领阵地，使假丑恶的东西没有市场。4、中央、中宣部、文化部和有关部门应多做工作，引导培养青年人。

水天中（中国艺术研究院研究员）：我们将淫秽、邪恶的行为艺术与一般的行为艺术分开来看时，还应看到，事实上如果以架上艺术的形式搞邪恶、淫秽的也应该制止，如果有刊物、场馆对其进行宣传，我们还应追究其责任，应进行综合治理。对于策展人，也要加强管理，对目前出现的民间的展览，对策展人应承担的责任和应有权利等都需要有关部门制定相应的管理条例。同时，我们应在文化艺术界确定一个概念，文学家、艺术家应该具有的道德伦理原则，他们的艺术活动也应有一个底线 。

王文远（文化部市场司司长）：对于当前打着所谓行为艺术的旗号进行淫秽、残暴、血腥的行为，我们应旗帜鲜明地反对，坚决制止，这是我们大家的共识。可以看到，现在这些行为艺术已经到了穷途末路的境地。

对于我们文化部门来说，对以艺术的名义搞违法活动的行为，要加强监管并与公安机关等司法部门协同，共同治理。对违背道德行为的，我们要与新闻媒体共同努力来对其进行谴责。同时，我们还应加强艺术创作的引导，以正压邪，大力鼓励和支持正面的、积极的艺术创作。文化部还要加快制定相应的文件条例，规范和加强艺术市场的管理。

程允贤（中国美协副主席）：当前艺术院校的教育工作存在很多的问题，某些院校的学生素质和思想道德水平呈现下降趋势。今天的会议开得很有必要，现在我们艺术创作的方向和思想都有些混乱，这个现象从表面看是艺术的问题，而事实上不仅仅是艺术的问题，从根本上来治理是极其必要的。为什么会产生这样的东西，这些东西的市场在哪里？我们的青年艺术家们在想些什么？这对我们今天的艺术教育来说是个难题，这必须进行综合治理。艺术家的道德建设问题是相当重要的。我们的艺术家应对社会负责。

邵大箴（中央美院教授）：现在的这些邪恶、淫秽的“行为艺术”的处境还是孤立的。但正因为他们是孤立的，就更不择手段地希望扩大影响，造成轰动。我们在处理这些问题时要讲究策略，要看到问题的复杂性，以适当的手段方式加以制止。但处理问题也要有力度，对于严重的，依法处理，对那些继续公开宣传丑恶现象的刊物，要立即停业整顿。我想这样可以起到以一儆十的作用。但在学术层面的探讨上，应相应宽松，对于各种现代艺术在学术上的探讨、研究还是有必要的。

高树勋（文化部法规司司长）：今天我们会议的主题是如何打击以艺术的名义进行违法表演活动的行为，而不是一般的现代艺术。这是我们的讨论要廓清的范围。

从总的来看，今天艺术创作和市场的主流还是很好的，我们的艺术市场是繁荣向上的，但也存在问题，其中之一就是今天我们讨论的问题。任何事物都要一分为二地来看待，艺术的发展过程中一定会有这样那样的问题，对此我们不要过度惊慌，不必如临大敌。但采取措施对违法行为加以制止是必要的。在文化部的14号文件的基础上我们要强化管理，加强艺术市场的监督、稽查，及时地杜绝、制止、防止其扩散影响。另外，我们的媒体、艺术理论界应从舆论宣传角度，对其进行批评、积极引导 。

范迪安（中央美院副院长）：对当前艺术活动出现的这种丑恶现象，广大美术界同仁的看法是一致的。文化部的14号通知是及时的，态度是鲜明的，它具有政策性和可操作性。但我们同时也要看到，行为艺术是当代艺术条件下综合发展、内外交融、交叉出现的现象。这种时候，我们应区别有哪些东西是走出了艺术的界限，是违法的，那些是艺术探讨范围之内的。这样的问题在西方也是同样。艺术与非艺术、反艺术的斗争都是一直存在的，这是我们文化工作必须面对的形势。我们应注意以下几点：1、管理应到位，实施综合治理。2、加强美术界的基础理论建设。3、对艺术的评论工作要加强，对各种艺术现象要进行具体深入的批评。

詹建俊（中国美协副主席）：当前的大的艺术环境是好的，但其中有很多现象是复杂的。以艺术的名义进行的活动应该有一个边界。“行为艺术”应该属于戏剧范畴，应该由剧协来管，不要什么都跑到我们美术领域来。我们应有原则，从法律上、法规上进行有效的管理。政府的介入是必要的。

另一方面，我们在艺术文化理论上，对西方艺术现象还应有深入的研究、分析。现在在深层面上进行的这种讨论很少，因为这不仅牵涉到文化艺术，还有社会等各个方面的问题。我们在这方面的讨论还不够。当代西方前卫艺术中哪些是合理的，哪些是要进行抵制的、违法的，我们的舆论还没有进行区别，理论层面的支持也不够。当下我们最重要的是对理论界、评论界的建设。虽然目前进行中国前卫艺术的创作的人员不多，但其在海外、欧美的影响却很大，甚至超过了我们的主流艺术。西方对这些人广加宣传，大力扶持，这在某种程度上影响了我们的艺术家，尤其是年轻人的创作思想倾向。今天我们该怎样看待艺术的功能，我们的艺术界应有针对性地，从深层面上进行分析、引导来解决这些问题。

靳尚谊（中国美协主席）：文化部法规司司长谈得很好，我们要先解决那些违法的问题，坚决杜绝丑恶现象，严格执行法规政策。“行为艺术”在西方已经流行过了，发展到今天它已经变得商业化了，而其在中国的流行是20世纪90年代末开始的。我们应认识到，在全球化愈渐突出的今天，出现行为、装置艺术有其必然性，所以我们除了从法规上制定适宜的法规外，对这些艺术现象应及时在理论上进行深入的讨论研究，分清哪些是好的哪些是坏的。因此，我们对各种新出现的现象应及时加强从形式到内容的研究工作，把坏的东西禁止下去，把好的东西发展起来，使其更能为社会发展服务。

陈履生（人民美术出版社编辑室主任）：我们应从反面来论证事情的复杂性。近年来为何国家要提出“以德治国”，是因为缺德、伤德不违法的事情在社会上表现较为突出，而其在当前的“行为艺术”界表现得尤为明显。代表主流的艺术研究院、社科院等研究单位对艺术的新情况的研究是相当不足的。另外，这也涉及到教育的问题，体现出我们教育的无力。我们的艺术基础理论教育和建设环节是相当薄弱的。至于谈到处理事件的策略问题，我认为目前文化部的14号文件虽然出台，但还缺少与之配套的具体有效的管理方法。成都血腥杀猪现象的出现，证明了文化部14号文件是一纸空文。目前的情形是这些行为艺术家们在摸着石头过河，试探政府的文件有效与否。这就是目前这种血腥、残暴、淫秽的行为艺术活动仍在进行的原因。我们政府职能部门只要有效地、有策略地进行管理，这样的活动是完全可以制止的。另一方面，我们的舆论，包括我们的职能部门不要惧怕国外媒体的报道，应有坚决的态度。

张晓凌（中国艺术研究院美研所研究员）：目前我们对于这一现象的讨论常忽略了一个问题，就是中国在改革的转型期呈现的多样的态势。我们自身的文化建设和与国外的交流是不够的，因此才出现了这样的问题。西方和西方的策展人是选择对自己有利的中国艺术和艺术家，他们是以西方的意识形态和价值来进行判断的，这也影响了我们从自己的意识形态来判断。这样一部分艺术家为获取利益，甚至不择手段来迎合西方人的胃口。这在中国当今的艺术界形成了一个不好的循环。而此时我们中国自己的声音是微弱的，政府的反较迟滞。今天的问题是，我们应培养真正具有我们中国人价值判断的理论家，来对待西方的文化霸权，我们应通过主动的办展、策展来建立自己的价值判断标准，来培养自己的策展人。

陈庆立（全国人大内务司法委员会秘书处处长）：1、对残暴、淫秽、邪恶的行为艺术，我们要站在“三讲”的高度上去反对，要坚决制止。2、文化部的通知是及时的，任何人的行为规范都应在国家法律的范围之内。对违反者我们要从作者、策展人几方面来追究责任。同时，政府应及时制定相应的法规政策，对展览、活动的审批人要强调其责任。3、对于新闻媒介，应加强管理，加强正面的宣传引导和报道，以正压邪。

冯远（文化部艺术司司长）最后发言，总结了大家的观点。他认为与会者从各自的角度提出了很好的见解和建议。大致有三点：一是要求政府完善对艺术市场和展览活动的管理规范，并配合公安部门进行管理；二是加强艺术理论的建设研究工作；三是强化引导、导向工作，当中涉及我们的艺术教育、新闻纪律、舆论约束等问题。冯远认为，在新的一百年中，文化在中国国民经济和社会发展中的地位将日益重要，而如何保持与发展中国文化的时代性、民族性和先进性，代表中国先进文化的前进方向，这是对我们党、我们人民(包括艺术家群体)的严峻挑战和考验。在建设有中国特色的社会主义文化的新世纪历史进程中，中国艺术家首先要充分认识马克思主义在文化建设中的指导地位的重要性。必须全面贯彻、坚持唱响社会主义先进文化的主旋律，坚持“二为”方向、“双百”方针，坚持两者的统一，才能保证中国文化艺术发展方向的正确，激发蓬勃的创造力，形成基调鲜明而又百花竞放、丰富多彩的局面。其次要准确把握文化建设的目标。建设富强、民主、文明的社会主义现代化国家，是中国人民(也是艺术家)为之奋斗的社会目标。培养有理想、有道德、有文化、有纪律的公民(也包括艺术家)是我们实现民族(包括文化艺术事业)复兴的树人目标，这两者互为条件、紧密关联。因此，我们的文化建设(包括文学艺术创作)必须坚持“以科学的理论武装人，以正确的舆论引导人，以高尚的精神塑造人，以优秀的作品鼓舞人”，努力提高全民族(包括艺术家)的思想道德素质和科学文化素质，建构全社会的共同理想和精神支柱，实现人的全面发展和社会全面进步。法律也是一种文化，是大文化的重要组成部分。江泽民同志指出，对一个国家的治理来说，法治与德治，从来是相辅相成的。“要把依法治国和以德治国结合起来”。法律是道德的最后防线，因此一切法律规范的设立、实施，都以一定的道德、价值观为基础。同时，道德、价值观又要靠自律和他律。艺术家应秉持以艺载道的道德良知，以德弘艺，进而以艺立德。新闻媒体要积极承担起责任，充分发挥新闻导向和舆论监督作用，积极营造有利于公民道德、价值观建设的社会条件。

（《美术》2001.12 节选）

奥林匹克、文化、中国

——陶瓷艺术在2008北京奥运中的重要性

文/许以祺

奥林匹克在世界运动史上已经建立了她的牢固信誉及全球的影响力，但是少有人知道她的传统除了注重体育外也同时注重文化。奥林匹克的运动精神不仅发挥在运动场上，也推动世界文化的发展。在历届奥运会的举办上，文化项目已经成了与运动项目相互衬托及紧扣的环节，这也是奥林匹克能深入世界人文环境的根本原因，因为体力必须与智力及美感相结合才能够显出它的厚实。

四年一度的奥运会虽然短短地集中在数周的竞赛上，但配合奥运的文化项目往往展现在奥运前后的两三年里。与奥运有关的文化活动从历届的奥运里可以归纳以下特点：(一）这些文化活动带有主办国家的文化特色；(二)这些文化活动是全民性的；(三)这些文化活动是与现实生活有关联的；(四)这些文化活动是能影响其它国家、人种的，也就是说能国际交流的；(五)这些文化活动是主办国家的文化强项，有世界地位的。

从申奥的蓝图里我们已经见到在2008年北京奥运会的奥林匹克公园。那两座耸入云霄的尖柱，配合着各种场馆，优美地座落在绿茵草坪上。这些不是运动场馆，而是展现以上所谈到的文化活动的场馆。我们不禁要问：我们要拿什么出来展现呢？中国的什么文化活动才能体现奥林匹克的传统？也就是说以上提到的特点里哪些我们能具备？什么文化是我们中国特有的、又是全民的、又是生活的、又是国际性的、又是我们的强项？我们扪心自问，我们的答案只有一个，也是最强的，那就是陶瓷文化——中国的陶瓷文化。

中国的陶瓷文化历史直追秦汉，甚至更早。中国的青瓷、釉彩早在唐宋已发展到极致，再如明清的青花等等都是今天大多数世界博物馆的珍藏品。到今天中国的窑区仍然遍布全国，仍然是外国陶艺家朝拜并梦寐向往的地方。陶瓷文化无疑是有中国特色的，是强项，是国际性的，又是生活的，是全民的，是活生生的中国文化。一个从传统陶瓷里走出来、强调当代意义的陶瓷文化博物馆，应该是北京2008年奥运公园里最明亮的一座场馆。这里集合了中国历代陶瓷文化的演变、今天中国各陶区仍然活跃的不同窑类及陶瓷品种，进而到最近极被世界陶艺界重视的中国现代陶艺。

在最近几年里，中国的现代陶艺正紧密地与世界现代陶艺接轨。中国的现代陶艺虽然起步晚，但起点高。与其它艺术门类相比，中国的陶艺家在国外是最不会被轻视的艺术家。而近年来外国陶艺名家蜂涌而来中国，就是因为中国有丰富的陶瓷传统，有丰富的陶瓷环境，有丰富的陶瓷资源，以及一股清新向上的年轻的陶艺力量。

希腊雅典将在2004年举办奥运，他们就早在2002年把国际陶协邀请去雅典开国际陶协年会，并列为奥运文化活动之一。希腊的陶艺并不著名，却会如此做，我们呢?如果我们的国家能在2008年北京奥运上展现中国的陶瓷文化，建立中国现代陶瓷艺术博物馆，我们也可以争取到国际陶协在2008年来中国召开国际陶协的年会。国际陶协的正、副会长最近都来过中国，对中国现代陶艺的发展相当关注，已在尽力协助中国陶艺家加入国际陶协。他们也都希望中国有条件来举办他们的年会。

我一直认为中国政府应该大力支持中国陶瓷艺术的发展，奥运倡导文化的特点正说明了中国陶瓷文化的重要性。而在中国的小学、中学里应该有陶艺训练，花费不大，但却能全方位地发展少年的艺术修养与实践，更是很好的身心教育，因为陶艺包含了体力活动，忍耐、专注、灵修等训练。陶瓷艺术是可进可退的艺术，它可以进入前卫艺术圈里，也可退到只做些日用器皿。这是全民性的艺术活动，从艺术学院到家庭主妇都可参与，无形中就普遍提高了全民的艺术水平。

我们深信，如果中国政府作了如此决定，在2008北京奥运会上打出陶瓷牌，在中国陶瓷(工业)协会下属的全国各陶区都会一致赞同协助，再团结在国际上日受重视的国内年轻陶艺力量，共同把中国现代陶瓷博物馆建成世界最好的陶瓷博物馆，把国际陶协两年一次的年会争取来中国召开，也把它办好，这将会使全世界来奥运会的国家、运动员及观众看到、赞叹并折服于中国的特色文化——陶瓷文化。

（《陶艺家通讯》2001.12）

论雕塑在公共艺术中的语言形式

文／林振德

公共艺术，成为一个独立学科加以全面研讨，在我国还是近几年的事。对于它的名称，有人称之为“环境艺术设计”或“公共环境设计”。本人以为还是称之为“公共艺术”比较恰当。

公共艺术是一门综合性的交叉边缘学科，它包括雕塑、绘画、装置、景观、小品、街具、家饰等艺术门类，可以说是现代社会生活中人们的视觉艺术。公共艺术能最直接、最生动反映出一个城市、一个地区的现代化物质和精神生活的发达程度，最形象传递出城市和地区人民的生活方式和审美时尚的个性特征。

公共艺术是随着经济水平的提高、人类对自身生存的生活环境的认知和重视才提出来的。它创造艺术化的人工环境，人们参与其中并通过看、听、闻、触摸等知觉活动，感受到现代生活的审美情趣。

现代公共艺术的概念，表明它不是少数特权阶层或为某种意识形态服务的产物，它适合现代大众的心理需求，与日常生活密切相连，是一个开放的多元化系统。

雕塑在公共艺术中占有重要地位，它往往起到视点和标志的作用，是公共艺术中不可缺少的一部分，雕塑以它独有的材质、结构、体量及三维度视点，让人们不论从远处还是近处都能感受到它的气势的活力。

传统的雕塑，一般受主题与题材限制，它必须将真实地反映现实事物的形状和情感作为追求的目标，不论是具象的或是意象的。通过正确把握形体、比例、结构、质地、情感而表达某一理想或主题，它必须符合形式美的一般规律的原则，诸如整体、统一、均衡、对比、节奏、韵律等以及完整的审美观念和审美情趣。雕塑的基本功内容必须真实、完善，这些要素之间也必须保持真实和完善，其构图形式强调整齐一律，不过多强调多样性与变化。整体与整体、整体与局部、局部与局部必须保持对比统一。所以，传统雕塑的形式美是以协调为目的的。

传统雕塑的形式表达是全面造型因素的综合，而现代雕塑则使这种全面因素走向解体，让造型因素走向“解构”。如仿效印象派的点、块塑造形体的方法，将综合的特定面与结构关系分割为细小的体块和点。只有在一定的距离之外通过视觉空间的明暗组合，才获得新形象。这种处理手法，可视为一种形体构成的解构。

从传统雕塑向现代雕塑转化，是随着现代科技的发展，也是大众意识的自我肯定的结果。这种转变更多借助于新材料与新工艺。除了造型语言的准确外，对使用个性化的材料进行艺术化处理，充分利用木材的质朴、石头的浑厚、金属的坚实等特性，改变过去以一种材料表现不同质地单一化处理方式，讲求把材料自身的性能、品质推向极致，创造更丰富又有个性的材料语言形象。

抽象形态的创造，把可见的客观物象分析、解构为点、线、面、体，并按主观意识进行重新组合，还可以增加时间维度，采用多种媒介，不同材质的材料进行拼接、叠合，使雕塑与绘画的界线模糊，进而发生解构并相互渗透。

雕塑抽象化的发展，更将不同视点的形与色同时存在、同时出现，表示对以往产生的否定和对瞬间发生的肯定。以体块、线条的色彩的扭曲、变化、模糊、重叠表示力感、速度和能量等。

传统的雕塑是体量的艺术，以“雕”(减法)和“塑”(加法)进行创作，现代雕塑一反传统，从体量走向空间，把实体变成容器：开始时从人体躯干的四肢之间的凹凸，发展到身体的内腔与外部相结合，并进一步加进“结构”、“多媒介”、“运动”、“光”等语言要素。不但使体量的雕塑解构为空间的雕塑，把静态的雕塑变成动态的雕塑，也使艺术门类之间的界限彻底分解，成为“装置”的艺术。

解构主义雕塑完全打破雕塑的界定性语言，脱离原来的传统语言，构造物本身演化为一个标志符号。“解构”是针对“构成”而言，它有两方面的含义，一是颠倒，颠倒事物的原有主次关系；二是改变，即引入一个新观念。解构主义反对形态整体性，重视异质性的并存。在表现形式上运用错位、叠合、重组等手法，导致造型产生新形式。

不管是传统雕塑，还是现代雕塑，也不管是具象雕塑、意象雕塑还是抽象雕塑，它在公共设计中都必须服从于公共环境空间的整体概念，受制于地域、环境、空间、时间的特殊要求，但也由于这种受制约和服从使雕塑产生出自己的个性、风格和审美形式。

现代生活的快节奏、高竞争及过度理性化，唤起人们对大自然的依恋和对自身价值的珍重。雕塑在公共艺术中也更着眼于对自然形态的吸取和回归自然的表现，更多地在创作中运用自然的元素，将活力和温馨注入雕塑中，并努力与公共环境融为一体。在造型过程中，除造型语言的准确性以外，对使用个性化的材料进行更多艺术处理，讲求把各种材料性能表现尽致，产生出更具个性的材料语言形象。

作者在2001年4月，为上海科协青少年科普活动中心创作的《打高尔夫者》尝试了解构方法，对打高尔夫球的球员进行解构组合，将躯干、头、手及脚作分割处理，使他们各自处于空间的某一位置，从侧面或其它角度看起来都是分离的体块。只有在下面的某个点，可以将他们重新组合成一个完整的形象。难度在于分割切及距离的测量，还有一个透视问题。

2001年11月，在上海国际艺术博览会上，我有机会欣赏到法国雕刻大师阿曼(ARMAN)解构主义作品，眼睛为之一亮。阿曼作为当代的雕塑家，他把新的创作理念融合到一系列的作品中，将古典的、现代的、日常的、音乐的事物进行解构与重新组合，将提琴组合成桌椅，将希腊时期不同风格的雕塑进行纵向切割，空间处理线条流畅，既具象又抽象，给人一种气势与独特美感，给观赏者一种自由开放的想象和意念。如他的《米洛的维纳斯》，将青铜古典雕塑的优美形态加以多次切割后，用铰链将其接合并把身躯处理成一系列可拉伸的抽屉，观者可以自由展开的旋转，合起来又是一完整的形象，作品构思巧妙，制作精良，材质表现极致，不愧为当代雕刻大师之作。

综上所述，公共艺术中的雕塑语言形式具有三个特性，即公共性、文化性与多元化特征。

(1)公共性。雕塑放置于公共环境下，必须充分考虑周围的生态环境与社会属性，并与之相协调；它是一个开放系统，体现雕塑与人、雕塑与环境的对话；最主要的是体现了一种公众精神。

(2)文化性。雕塑通过对一定材料的塑造，表达雕塑家对世界的看法、自己的观念与认知，并融进历史的、传统的、地方的(或反历史、反传统的)因素，体现人对自身的肯定，体现出雕塑家的人格精神与艺术魅力。

(3)多元化。对具象、意象、抽象概念的新界定，并存在交叉，多种材料与多种加工手段的复合运用，高科技的引入，静态与动态、实体与空间、硬质与软质并置，雕塑变得可看、可玩、可用。

（《雕塑》2001 增刊）

第七次全国文代会、第六次全国作代会在京召开

江泽民在会上发表重要讲话，李鹏、朱镕基、李瑞环、胡锦涛、李岚清出席开幕式。江泽民讲话强调：当代中国的文艺工作者，应该遵循先进文化的前进方向，自觉投身改革开放和现代化建设的伟大实践，努力推进我国文艺的创新和繁荣，努力创作出弘扬中华民族的民族精神和我们时代的进步精神的作品，努力为建设有中国特色社会主义文化、实现中华民族的伟大复兴贡献力量。

12月的北京，正值隆冬，但人民大会堂内却洋溢着文艺春天的融融暖意。会场眺望台上悬挂的横幅上书写着大会的主题“以‘三个代表’重要思想为指导，沿着中国先进文化的前进方向，开创社会主义文学艺术事业的新局面”。中国文学艺术界联合会第七次全国代表大会、中国作家协会第六次全国代表大会于2001年12月18日上午在庄严的国歌声中隆重开幕。

会议开幕前，江泽民等中央领导同志会见了出席会议的作家和艺术家，并和他们合影留念。江泽民在全场的掌声中走到代表中间，和身边的文艺工作者亲切握手，笑意融融地向大家挥手致意，场上充满欢欣气氛。江泽民代表党中央、国务院向大会的召开，向各位代表和全国文学艺术工作者表示热烈的祝贺。

江泽民、李鹏、朱镕基、李瑞环、胡锦涛、李岚清、丁关根、张万年、罗干、温家宝、曾庆红、王光英、彭佩云、王兆国、任建新、胡启立等党和国家领导人出席了大会。中共中央总书记、国家主席江泽民在会上发表重要讲话。

12月20日，中国文学艺术界联合会第七次全国代表大会、中国作家协会第六次全国代表大会在人民大会堂举办形势报告会。中共中央政治局常委、国务院总理朱镕基作了经济形势报告，中共中央政治局委员、国务副总理钱其琛作了国际形势报告。中共政治局委员、中央宣传部部长丁关根主持报告会。

朱镕基在总结中指出：10年来，党中央、国务院采取了一系列行之有效的方针政策，积累起应对经济形势变化的经验，保持了国民经济持续快速健康发展，成绩确实来之不易。这是江泽民同志为核心的党中央统览全局，审时度势，及时采取有力对策的结果，也是各地各部门认真贯彻中央部署，努力工作的结果。

朱镕基说，我们要看到明年经济工作是机遇与挑战并存，对面临的困难和隐忧，一定要有清醒的认识和足够的估计。他强调，明年的经济工作，要以邓小平理论和党的十五大精神为指导，按照“三个代表”要求，进一步贯彻落实“七一”重要讲话和中央经济工作会议的精神，正确把握复杂多变的国际政治经济形势，沉着应对，趋利避害，抵制和克服前进道路上的各种风险和困难，以保持经济和社会的稳定。要坚持实施扩大国内需求的方针，继续实施积极的财政政策和稳健的货币政策，加快结构调整，整顿和规范市场经济秩序，提高经济增长质量和效益。要切实加强党的作风建设，转变政府职能，勤俭建国，扎实工作，团结奋斗，以改革开放和现代化建设的新成就迎接党的十六大召开。

钱其琛在作国际形势报告时指出，进入新世纪，国际形势起伏变化，世界经济出现紧缩。但总体上看，我国当前面临的国际环境是机遇大于挑战，无论国际形势多么错综复杂，世界经济环境怎样变化，我们都要坚持以经济建设为中心，办好自己的事 。

钱其琛指出，世界局势的基本特征和发展趋势没有变化。总体缓和，局部紧张；总体和平，局部战争；总体稳定，局部动荡，将是今后一个时期国际形势发展的基本格局。谈到国际经济形势时，钱其琛说，一年来世界经济低迷，全球经济在经历10年的持续增长后，将出现新世纪的第一次衰退。世界经济面临全面性的调整，国际贸易和投资将陷入低潮。我国经济继续保持了较快增长，申奥成功、加入世贸组织、成功举办亚太经合组织会议，越来越多的人认识到中国是维护世界和平的重要力量，是促进共同发展的重要积极因素。实践证明，我国坚持以经济建设为中心，坚持独立自主的和平外交政策是正确的。他还全面阐述和分析了中美、中俄、中欧、中日等国际关系以及周边形势。

12月22日大会胜利闭幕。来自祖国各个民族、各个方面的文学艺术界代表，来自香港特别行政区、澳门特别行政区和台湾地区以及海外华人华侨文艺界的特邀嘉宾共2400余人参加了大会。本届全国文代会和全国作代会分别审议了中国文联、中国作协自上一次代表大会以来的工作报告；讨论提出今后5年的工作建议和工作要求；修改了中国文联、中国作协的章程，选举产生了新一届中国文联和中国作协的领导机构。著名作曲家周巍峙再次当选为新一届文联主席。丁荫楠、才旦卓玛（女、藏族）、王兆海、丹增（藏族）、冯骥才、刘炳森、刘兰芳（女、满族）、靳尚谊、仲呈祥、李牧、李世济（女）、李树文、杨伟光等21人当选为副主席。甘英烈、廖奔当选为主席团委员。李树文、覃志刚、甘英烈、胡珍、李牧、仲呈祥、廖奔当选为书记处书记。这次全国文代会和全国作代会，是在全党全国人民认真学习实践江泽民同志“三个代表”重要思想的时候召开的一次盛会，是广大文艺工作者为推进社会主义现代化建设，为发展和繁荣先进文化而继续奋进的一次盛会，是全国广大文艺工作者大团结、大欢聚、大鼓劲的一次盛会。

（《美术》2002.01）

2001中国雕塑论坛述评

文／王树良

由中国工艺美术学会雕塑专业委员会、中国《雕塑》杂志社主办的“2001年中国雕塑论坛”于2001年12月24日至27日在古城西安举行。来自全国各地的专家、学者及西安美术院学生等共两百人参加了会议。

今年的“中国雕塑论坛”的召开适逢“西部·西部中国景观雕塑展”在西安茂陵举办。结合国家“西部大开发”的战略决策，主办者将此次论坛的主题确定为“西部·西部”。此次论坛主要由宣读论文、分组讨论和专题讲座三部分组成，论文宣读部分由《雕塑》杂志主编陶如让先生主持，相继有15位来自全国各地的雕塑家、理论家发言。论文涉及西部大开发与中国城市雕塑的发展、民间雕塑现状、城市雕塑建设管理与运行机制、公共艺术的意义、城市雕塑城市构建等各个方面。

湖北美术学院雕塑系主任项金国教授以《城市雕塑建设管理与运行机制》为题，着重分析了在当今社会出现由工业向信息业转变、单一选择向多重选择转变、地区经济向全球经济转变、新市场开放、艺术复兴、生活方式全球化与民族主义文化碰撞的背景下城市雕塑建设管理所遇到的问题及相应的应对措施。在论文中，作者认为城市雕塑建设管理必须能够尊重市场雕塑发展的内在规律，必须充分尊重市场经济管理规律的作用，必须有严格的运行机制和明确的发展目标；认为城市雕塑建设的运行机制应实现政府行业主管部门、艺术委员会、雕塑艺术家和美术院校合作的评审机制，应通过政府、民间、外方三方建立资金统筹集机制，并提倡采用引进来、走出去、人才流动的人才机制。华东理工大学的林振德教授则就“雕塑在公共场所艺术中的语言形式”提出自己的看法，将公共艺术的雕塑语言形式的特征归结为公共性、文化性与多元化。

清华大学美术学院的教授、博士生导师李砚祖从“器具构形的雕塑性本质和语言特征”、“器具装饰的雕塑形态和现代化特征”、“器具制作工艺的雕塑性特征”和“器具构形的雕塑性本质的语言特征具有现代性”四个方面，展开论述《中国器具的雕塑语言特征》。著名评论家孙振华提交的论文《雕塑在民间》描述了当今民间雕塑艺术生存的状态 。

合肥工业大学建筑系教授郭端本以《当代语境下的雕塑》为题，探索了雕塑在当代社会变迁过程中所担当的角色和历史使命。尽管此次论坛的主题是“西部·西部”，但提交的论文中有一半以上是关于城市雕塑和公共艺术的，公共艺术是今日大家共同关注的主题。重庆大学建筑城规学院青年教师周恒提交的论文《理想·泡沫·消亡·涅槃——质疑中国现代公共雕塑艺术情结》，分别从现代中国公共雕塑艺术几种情结，包括表现主义情结、理想主义情结、纪念性情结、空间殖民主义情结、唯美情结等几个方面入手分析培养一个民族的公共意识，锻造市民社会的品格，优化权力结构，制定较为完善的行使权力的程序机制，特别是形成对行使公共艺术权力的制约机制必然成为应解决的问题。当下中国公共艺术的发展，亟待唤起全社会的公共精神与文化良知，在大力倡导艺术对公众人文生态关注的同时，还得注意与自然生态环境的共生关系。广州雕塑公司的刘炳南以《城市雕塑建设管理急须规范化》为题讨论我国在加入世贸组织和建设开发西部的大背景下，城市雕塑面临的问题和解决方案，认为城市雕塑是城市建设和人们文化需求所不可缺少的一个重要方面，城市雕塑的建设与管理也随之改变和完善，但城市雕塑建设管理和相关的法规很不健全。除了1993年9月14日由中国文化部和建设部联合颁布了一个《城市雕塑管理办法》框架文件外，再也没有与之相关的具体措施和管理机制。城市雕塑管理在整个城市建设领域是一个死角，也是被国家有关部门所容易遗忘的一个角落，从而出现了城市雕塑市场一些很不合理、不合法并亟待解决的问题。

清华大学美术学院博士生乔迁发表论文《公共艺术的当代意义》，认为公共艺术的前提是公共，它的接受群体是市民阶层，公共艺术就必然反应广大市民阶层的审美取向，可以将这种取向概括为彰显公共意志，融汇多元文化。所谓彰显公共意识是与其艺术的公共性分不开的，公共艺术毕竟不是艺术家个体化创造的展览，它的艺术趣味是指向公共背景下最广泛的审美取向，体现公共的意志。公共意志是市民阶层的普遍意志，体现民主之精神，具体到艺术语言中来说，就是在内容和形式上都具有普遍的传达性，不可传达的观念和情感的作品作为公共艺术是不成立的，因为它要考虑受众群体，而不是供孤芳自赏之用。清华大学美术学院艺术史论系硕士研究生王树良从“城市雕塑与城市文化的个性构建”的角度分析城市文化的关系，认为城市雕塑在现代的急剧扩张是20世纪城市化的结果，在西方，公共艺术与城市化并无必然的联系，它主要是以艺术的社会化和民主化为背景，而城市雕塑区别于其它雕塑形式的特点就在于城市与雕塑的相互辉映。

西安美术学院雕塑系系主任陈云岗以《光大与消亡》为题论述地域文化在今日世界格局中走向灭亡的趋势。中国工艺美术学会雕塑专业委员会副秘书长许正龙博士则从艺术史的角度探讨了科技与雕塑关系。南阳理工学院的魏小杰发表的《浅谈环境雕塑》、任军发表的《雕塑理论直面中国现实》都表现了对中国雕塑事业现状和未来发展方向的关注。

本届论坛小组讨论的主要内容，是讨论《中国雕塑家公约组织条例》、《城市雕塑招投标程序暂行条例》、《城市雕塑工程预算暂行定额》。在“2000年中国雕塑论坛”通过《中国雕塑家公约》的基础上，2001年的“雕塑论坛”着重讨论如何通过一个有效的组织机制来加强对雕塑艺术工程建设的法制化、规范化、科学化管理，维护雕塑家的自身权益，保持雕塑艺术创作队伍的整体形象和艺术创作水平的不断提高，并制定了《签约雕塑家执业规则》。城市雕塑招投标是城市环境建设发展中亟待完善的环节，是城市建设管理的一个重要组成部分。雕塑专业委员会副会长秦璞认为，无论协会、学会或委员会都是管理机构，艺术家关心与谈论的只是艺术。今天，我们进入市场，应该在管理机构上建立起一个平台，维护雕塑家的权益。管理机构的生命力在于建立相应平台，在众多层面体现，而相应的部门要有协助。

中央美院雕塑系主任隋建国提出的关于利用网络宣传影响的建议获得了大多数与会代表的赞同与肯定。隋建国认为，作为公约组织最关键的是标准问题，这个组织从政府申请的角度有难度，可以暂缓进行。但可否利用现代手段，利用网络的优势来宣传它，如果雕塑家认可，就可以签名，一旦出现纠纷，可以通过组织手段来调解，待将来再一步步完善。近年来，城市雕塑招投标的混乱无序已引起雕塑家的注意，《城市雕塑招投标程序暂行条例》就是在这样的背景下应运而生的，尽管现在尚有待于国家有关部门的审批，但毕竟已经向城市雕塑建设的法制化、规范化迈出了一步。与《城市雕塑招投标程序暂行条例》相对应，雕塑专业委员会推出了《城市雕塑工程预算暂行定额》（初稿）供大家讨论 。

论坛小组讲座由雕塑专业委员会常务副会长、《雕塑》杂志社社长范伟民和雕塑专业委员会秘书长朱尚熹主持，雕塑专业委员会会长钱绍武作了总结发言。

为了促进雕塑家之间的学习和交流，“2001中国雕塑论坛”组委会还专门聘请了著名雕塑家、北京建筑学院刘骥林教授作专题讲座。刘骥林先生几次出访美国、新加坡，掌握了大量西方现代雕塑的第一手资料，此次讲座刘教授主要介绍了芝加哥世界雕塑大会和美国风暴王等雕塑公园的情况，并结合自己的创作经验畅谈对雕塑的理解和体悟。此次论坛对于提高中国雕塑理论研究的水平、促进西部雕塑艺术的发展，起到了很好的推动作用。

（《雕塑》2002.01）

重塑辉煌

——论传统雕塑的中国现代转型

文／马辉　彭嵘

梁思成先生说：“然而艺术之始，雕塑为先。盖在先民穴居野处之时，必先凿石为器，以谋生存；其后即有居室，乃作绘事，故雕塑之事，实始于石器时代，艺术之最古者也。”历史悠长，其传统也必然悠长；但传统在时代面前又不得不变革，若不变革传统只会被历史的大潮淹没。

自19世纪中期工业革命席卷西方资本主义国家时，包括雕塑在内的传统西文艺术就已经开始受到现代文明全面的冲击。国内的传统雕塑面临现代转型问题则是在文革后，尤其是改革开放以来的这二十几年。关闭了多年的国门突然打开，涌进来许多让人目不暇接的新鲜事物。在眼花缭乱之后，我们应该沉下心来思考一下：当代中国需要什么样的雕塑艺术，中国的雕塑该如何进行现代转型。

一

在当代中国，“传统雕塑”这一概念是极为复杂的。

中国本民族雕塑的境况如宗白华先生所述，“从六朝到晚唐宋初的丰富宗教艺术，有云冈、龙门、天门山的石窟，还有近来才被人注意的四川大足造像和甘肃麦积山造像。中国竟有这样伟大的雕塑艺术，数量之多，地域之广，规模之大，造诣之深，都足以和希腊艺术争辉千古！而这些艺术却被唐宋以来的文人画家所视而不见，就像西洋中古教士对于罗马郊区的艺术熟视无睹”(《略谈敦煌艺术的价值与意义》)。优秀的传统雕塑从不被统治阶级当作艺术，只被用于敬神或丧葬。民族传统雕塑在遭受漠视的境况中惨淡经营，逐渐消亡，只有少部分民族雕塑传统流落民间，“悄悄”传承。尤其在20世纪初西方雕塑体系传入中国后，民族雕塑传统已然中断，自此，雕塑活动都是以西方人传统雕塑的规范和准则来进行的。

西方的传统雕塑同宗教亦有密切的关系，因而使得它具有神圣庄严的形式和纪念性、正面性的特征。它的最辉煌时期是在人类文明发展过程中精神最单纯的时期，古希腊的雕塑作品就是最好的证明。即使是开启现代雕塑之门的罗丹也认为“艺术是一种宗教”。

传统雕塑是人类怀着一种严肃的态度，将其同生命中最神圣的东西联系在一起。原始人怀着复制生命、抗拒死亡的目的，将虔诚的心愿雕塑在他们认为本身就有生命的石头和泥土中去。神学时代，人在自身的形象上寄托了对神的崇拜；人文主义时期，人类又将自身提升到神的位置去塑造。在这几个时期里，雕塑形成了观念性、神圣性、正面性等特点，这使传统雕塑在表现范围和表现方式上有很大的局限性，难以张扬雕塑家的个性。

无论以往的信仰多么坚定，成就又是如何的辉煌，都阻止不了人类前进的步伐。当后工业时代到来时，传统雕塑不得不进行现代转型以适应当代工业社会文明。

二

作为西方现代雕塑的先驱，罗丹打破了学院派雕塑的经典，带来一个新的时代。然而，他的个人风格鲜明的雕塑作品仅仅追求形式上的原创，在本质上并没有超越传统雕塑的规范。罗丹之后的大多数雕塑家都以极尽追求形式之能事为目标，他们从事雕塑的过程就是研究材料、形式和空间关系的过程。但是，对形式的追求终会有尽头。因此，在上个世纪60年代以后，随着后现代主义的出现，成品雕塑、废品雕塑、包裹艺术、装置艺术、行为艺术纷纷以“雕塑”的名义登上艺术舞台。一夕之间，传统的雕塑不停地进行着形式翻新和“主义”更替。这种现象不是凭空产生的，它有其产生的历史背景和文化针对性。雕塑家用人的理想性代替神性，将雕塑神性变为雕塑“自身”。这种现象不是无止境的趋新或是简单的破坏，是工业社会文明的需要所致。纯粹的架上雕塑出现后，雕塑家的个性在雕塑品中得到极大的张扬，形成极强的个人风格特点。

20世纪，西方传统雕塑在中国历经百年之后，中国雕塑的教学体系基本上还在延续西方雕塑17、18世纪的传统，教授们仍在向学生强调解剖透视、体感、量感的写实主义的规范标准。所以，中国近代雕塑没有相应的逻辑演绎的过程，而是大量受到外来雕塑的影响，与西方雕塑有撕扯不断的联系。上世纪70年代后期，中国雕塑进入了一个没有原则的“吸收借鉴”时期，雕塑家不考虑社会背景、文化背景的截然不同，完全将西方现代主义艺术的标准看作是放之四海而皆准的标尺。这种完全“拿来主义”的做法虽然使我们的眼界与头脑都开阔了，但也使得国内雕塑界陷入了懒于思想、一味重复西方的误区。幸运的是，在盲目的“拿来”的过程中，中国人意识到了“西化问题”，并开始关注“民族性”问题。80年代开始，国内雕塑界开始对中华民族传统雕塑研究学习，希望使其得到再发展。然而传统毕竟是历史的，往日的辉煌经过历史的磨砺，留传到当代只剩下微弱的光辉，只能令人感慨往日的辉煌。

现代雕塑发展到20世纪90年代，在国内是个人风格强化的时期。雕塑家们都注意形式语言问题、个人语言符号的建立和深化，对许多基本文化问题都保持着相当的敏感。一大批雕塑家在这时期都形成了个性鲜明的形式标记。国内的雕塑家广泛地吸收各方面的专业营养——西方的、东方的，外来的、传统的。环境的开放也使得一批雕塑家不拘于一种表达，他们在尝试了某一形式后，又转向别的形式领域。尤其在90年代后期，中国雕塑家的创作日渐丰富，创作心态也日趋成熟。

三

将中国传统雕塑的现代转型进行到底，是历史的必然。我们已经有西方现代雕塑与我国一代代雕塑家的革新尝试留给我们的宝贵经验，这将有利于现代转型的尽快完成。

外来雕塑，在创作心态和评价标准不同的雕塑家那里，形成相当复杂的接受态度，也就产生了相当复杂的表现形式。我们需要重新衡量西方与东方的问题，必须走出形式主义的误区，不能使其成为我们雕塑创作的目标。

民族传统雕塑语言的恢复，只能安慰一下我们怀古的情愫，并不能抹杀近百年中国传统雕塑中断的事实。在当代，雕塑家不应再为表现神祇而创作，应该呐喊出时代的心声，传统雕塑的表现形式已无法承载这一需求。

目前我们面对的是不同以往的生存问题和情感问题。我们不能再停留在对材料、空间、形式的追求上，而应该寻求一种最能表达精神需求的形式。

我们的出路是改变价值取向：学习和借鉴不是为了现代化，而是为了面向现代化对精神的需求；回顾传统不是照搬民族形式的外表，而是要把握民族传统精神的内涵。

当然，尝试着改变自己以达到社会文明的现代化需求，需要一段时间及一个适宜的环境。雕塑作为艺术的一种，终究要得到社会和人群的认同才有价值。宗白华谈到罗丹时就提出“他晓得一个伟大的时代必须有伟大的艺术品，将时代精神表现出来就遗传后世”。传统可以变，却不可以被忽视，各自不同的民族渊源和民族情怀是不能抹杀的。对历史、现代、东方、西方的认识，关键在于思想认识的转变和深层文化的对接。雕塑家亦应该学习当今的思潮以及贯穿古今的雕塑理论，不仅从技巧上提高自身，更应该在头脑方面武装自己。

最后，借孙振华先生一段话做结尾：“我认为，关键问题是，寻找新的文化生长点，只有跳出现实主义的樊篱，跳出后现代主义的樊篱，从当代文化的问题入手，摆脱雕塑存在方式上的迷惑；摆脱抽象、具象，东方、西方，传统、现代的诱惑；重新寻找适合我们这个时代的文化精神，我们的艺术活动，不管它怎么称呼，都具有当代文化的意义。”

（《雕塑》2002.01）

试论“六法”与雕塑

文／沈琍

“六法”是我国南北朝时期南齐画家、美术评论家谢赫，为品评27位画家的画艺优劣所写的专著《画品》中提出的一套理论标准。“六法”的提出，是那一历史时期艺术家们长期从事艺术实践的总结，也是当时大的文艺思潮以及盛行文艺品评风气的结果。“六法”不仅在当时，也给我国以后的造型艺术领域的创作和评论开创了一个精密而又具有普遍艺术规律的理论体系。以至于在此之后的各个朝代，无论是画家还是美术评论家都以此“法”作为艺术创作和衡量艺术作品的最高标准，并根据自己对“六法”的认识，解释“六法”，品评画家的艺术作品。比较有代表性的有：姚最的《续画品录》，张彦远的《历代名画记》，郭若虚的《图画见闻志》，近现代钱钟书先生的《管锥编》，刘海粟先生的《中国绘画上的六法论》，刘纲纪先生的《六法初步研究》，阮璞先生的《谢赫“六法”原义考》，董欣宾、郑奇先生的《中国绘画六法生态论》等等。由于各个历史时期的时代背景、审美风尚以及个人学识经历的不同，使得各个时期的画家、文艺理论家、评论家对“六法”者提出了不尽相同的解释，其中包括对侧重点、标点、具体含义等内容的不同理解。然而有一点不可置疑，他们都仍将“六法”视为绘画创作和品评艺术作品的最高标准。“六法精论，千古不移”（郭若虚《图画见闻志》）。这是以山水、花鸟为主画科的北宋时期人们对“六法”的评价。到了清代中叶，《四库全书总目提要》称“谢赫所言六法，画家宗之，亦至今千载不易也”。直到现代，理论家依旧声称“六法是永恒的艺术法律，在人类文化的交流中，也必将是不可以被忽视的动力”（董欣宾、郑奇《中国绘画六法生态论》）。今天，我们已经进入了一个高科技的信息时代，造型领域中的各个流派、各种风格层出不穷、争妍斗艳。作为艺术创作和文艺品评的理论原则，“六法”具有了更加广泛的现实意义。宗白华先生在《论中西画法的渊源与基础》一文中写道：“西洋画因脱胎于希腊雕刻，重视立体的描摹，而雕刻形体之凹凸的显露实又凭借光线与阴影。画家用油色烘染出主体的凹凸，同时一种光影的明暗闪动跳跃于全幅画面，使画境空灵生动，自生气韵。”“雕刻形体上的光影凹凸利用油色晕染移入画面，其光彩明暗及颜色的鲜艳流丽构成画境之气韵生动。”由此可见，“六法”的普遍原理，不再仅仅适用于油画、雕塑，同样也可以指导我们的艺术创作。作为一个雕塑工作者，我在学习前人研究“六法”的基础上，根据自己的创作实践，对“六法”的理解大致有以下几个方面。

“气韵生动”与“骨法用笔”

以综合思维为基础的“天人合一”思想是中国文化区别于西方文化的重要特征。我国古人，看待山水、花鸟以及自然界的一切现象，往往都和人联系在一起。所以，我国古人的文艺评论也常与人的因素相联系。“是最习惯于将被评论的作品加以拟人化，人格化的，特别是在运用直观欣赏的态度品题人物和品评作品蔚成风气的魏晋南北朝时期……”（阮璞《谢赫“六法”原义考》）。这就是说，人们往往将所观赏的作品作为有生命的物体加以体味，使人的情感渗透到文艺作品中。曹丕认为：“文以气为主，气之清浊有体，不可以强而致”（《典论·论文》）。刘勰认为：“是以怊怅述情，必始乎风；沉吟铺辞，莫先于骨”（《文心雕龙·风骨》）。在当时的文艺评论中，人们还常常将文艺作品和作者联系到一起进行评论，产生了如“文如其人，画如其人”的评价。“气韵生动”、“骨法用笔”就是以这样的形式提出来的 。

“气韵生动”是谢赫提出品评中国画“六法”的第一条，是评论一幅作品的最高标准。“‘气韵’一词，本来是指人的气质、风度等而言”（阮璞《谢赫“六法”原义考》）。从古至今，人们对气的解释非常多，如“气，体之充也”（《孟子》）。对“韵”也有“少无适俗韵，性本爱丘山”（陶潜《归田园居》）等等许多解释。在艺术作品中，“气韵”体现的是艺术家所表达的一种总的精神状态。雕塑艺术表现的主要对象是具有生命活力的人、动物。如果说，除人物画家外，大多数画家是借助于山水花鸟等其他自然物体对象抒发自己的情感，而雕塑家要借助表达情感的对象，正是自身对生命体验的直接写照。雕塑艺术的形体造型，直接与创造者自己的身心相通，与人类自身的形体一样，气与体的有机结合，充分体现了形体艺术的生命活力，使人们产生对生命体验的不同心理感受。概括地讲，艺术作品中体现的气韵，是艺术家在其作品中所表达的总体的精神状态。书画作品创作形式的表达是：“放言落纸，气韵天成”（《南齐书·文学传论》）。雕塑作品的创作形式，体现的不仅是长期的修炼，同时还要进行长时间不间断地从事制作的过程，要将始终如一的创作心理状态恰如其分地展现到自己的作品中，最终达到一气呵成的视觉效果。“生动”是以具体的形式语言，通过各个具体的形体、线、面或者色彩等等进行有机的变化组合，形成与作品内在精神相吻合的一种势，也就是与创作者的情感相统一的形式节奏。“圆之有转，非能转而转，不得不转也；方者之止，非能止而止，不得不止也”（《尹文子》）。一幅画、一件雕塑的形状和动势，都是由艺术家的创作需求而设立的。形体势的刚与柔、节奏的快与慢、作品的大与小都是随着创作者内心的情感起伏而变化的。“人以气为寿，形随气而动，气性不匀，则与体不同”（王充《论衡·无形》）。作为“气”本身来讲，自然界中的气无所不在，它既有物理因素，又有心理因素。正由于气的存在，我们体验到了生命的存在。同时，又体验到了生活中各种各样的与气相关联的心理感受。比如喜气、怨气、正气、邪气、大气、小气等等。从造型艺术的角度去理解，我们体验到了气与动的不可分割性。气动才有力。力随着气的运动而形成了“势”。“势”又是气的外在形式的体现。运用在雕塑艺术的品评与创作中，气蕴含在形体的每一点局部之中，形体的每一个变化，也是气的不同变化的外在体现。徐悲鸿先生曾说道：“‘韵’乃象之变态，‘气’则布置章法之得宜。若轻重不得宜，则上下不联贯，左右无照顾。轻重之作用，无非疏密、黑白、感应、和谐而已。”当艺术家内在的精神状态与艺术家所运用的外在的形式语言达到了高度和谐统一的时刻，艺术作品就达到了最佳的艺术境界。在雕塑艺术领域里，无论是中国的雕塑还是外国的雕塑，无论是古典的雕塑还是现代的雕塑，无论是室外的大型城雕，还是展览会上的小型架上雕塑，只要是优秀的雕塑艺术作品，无一不让人感受到气在形体中运动。这些雕塑作品中“气韵”的表达，淋漓尽致地展现在形体变化的轻重缓急之中。在中外雕塑史上，无论是希腊化时期米洛的维纳斯，还是近代罗丹的巴尔扎克；无论是南朝陵墓雕刻翼兽的造型，还是东汉武威的马踏飞燕等等优秀的雕塑艺术作品，都鲜明地体现“气韵生动”这一最高的艺术准则。虽然雕刻要比绘画的创作过程复杂而且长得多，但这些作品都使人感到有一种生命之气贯穿在形体的每个转折、每一个角落之中，有一气呵成之势。雕塑家在进行创作时，对作品理想境界的追求，自始至终地贯穿在作品的制作过程之中，没有一点断气以及堵塞之感。“气韵生动”用于雕塑艺术的创作及品评，更直接更形象地体现了人类自身的精神世界。“气韵生动”是品评艺术作品的最高准则，但它并不是高高在上的空中楼阁而孤立地存在的，它必须与“六法”中的其它“五法”统一在一起去理解，没有相辅相成的其它“五法”，“气韵生动”也可以说就无法解释。

“骨法用笔”位居谢赫“六法”的第二位，可以理解“骨法用笔”在品评造型艺术作品的重要性。王充在《论衡·骨相篇》中写道：“非徒命有骨法，性亦有骨法。”阮璞在《谢赫“六法”原义考》中写道：“谢赫‘六法’中的‘骨法’，完全是将绘画作品拟人化才提出来的，指的是构成一幅画的主干和在整个画面上表现出来的基本笔致。”就人体而言，骨骼是人体的内在结构，是支撑人体最本质的内在因素。在艺术作品里，则是借“骨法”来象征作品里最主要的运动结构与形式语言，实际上与“气韵”是一个统一体。“骨法”运用在雕塑艺术中，是指雕塑造型中内在的运动结构及其与之相适应的外部表现形式的具体手法，表明“骨法”必须由具体的“笔法”——艺术语言——来体现，也就是说，构成一幅作品的总的运动气势，必须由一种相符的造型语言来表达，以形成雕塑艺术作品“用笔”的基本风格特点。“用笔”是因人而易的，同样的客观对象，由于每一位艺术家的性格特点和心理体验不同，就显现了或粗犷、或细腻的各种丰富的造型艺术语言。摩尔的人体雕塑，其骨势之大，可谓震撼人心，其外在形体语言的处理，却没有任何琐碎的细节变化，看似平缓的转折起伏，就像远看的山川河谷，充满着深奥无穷的生命力。布朗库西的大理石作品《波嘉尼小姐像》以简练概括的抽象形体和光滑细腻的表面处理，使人们感受到人类内心世界的丰富与静谧。贾科梅蒂的《行走的男人》以瘦长的形体、斑驳而坑凹不平的表面处理，表达了作者内心孤独、悲伤、历尽磨难的形体体验，心灵感受在形体语言的“笔法”中表现得淋漓尽致。中国古代雕刻的优秀作品，更是很好地将“笔法”运用到整个造型之中。汉代霍去病墓的雕刻，依岩石自然形态顺势雕凿，单纯、洗练、概括地阴刻“笔法”，与自然的岩石形态浑然一体，将对象的神态充分显现，“充分反映了西汉时代雕刻艺术遒劲而质朴浑厚的风格面貌”（王子云《中国雕塑艺术史》）。

“应物象形”与“随类赋彩”

造型艺术离不开形，无论是绘画，还是建筑、雕塑，无论是具象的、抽象的，还是意象的，最终都要体现在形上。“画，形也”（《尔雅·释言》）。“以形写形，以色貌色”（宗炳《画山水序》）。《文心雕龙·物色》有云：“写气图貌，既随物而宛转。”“注疏家把《庄子》这个‘应物’解释成‘随机应物’。可见‘应物’是需要运用智慧，始能做到的”（阮璞《谢赫“六法”原义考》）。有关“随类赋彩”的出典与论述亦有很多。郑玄注“天时变”时云：“‘天时变’，谓画天随四时也”（《周礼·冬官》）。在艺术作品中“气韵”、“骨法”都是要靠相应的具体形象才能体现出来。谢赫表述此“两法”的原则，就是指画家在表达对象时，通过自己内心的主观感受，能动地“应物”、“随类”以达到“象形”与“赋彩”。“物”

与“类”既属于客观存在的对象，艺术家在表现对象时，不是被动地、纯客观地描写，“象”与“赋”实际上是指艺术家通过观察、分析理解客观对象，时而概括并集中突出对象最本质的形象特征而再现出来的艺术形象。艺术家在进行创作时，借助于某一具体的物象抒发自己内心的情感，这一物象不是孤立和固定不变的，它是艺术家根据需求进行取舍并加以变化而形成的。中国古代雕刻的翼兽造型，就是应了各种禽兽物象的造型特征，依雕塑家主观愿望和审美理想的驱使，创造出或宏伟高大、或俊洒飘逸的传世精品。“赋彩”更是具有非常强烈的感情因素。色彩与形体本是一个不可分割的统一体，有形就有色，绘画中的色彩，自然是非常重要的构成因素，即便是一幅单色素描，仍然有黑、白、灰的色调在其中。人们往往认为雕塑是形体的艺术，与色彩无缘，这种观点看来比较片面，同样材质的雕塑造型，颜色不同，表达的精神世界和对人们的心理感受都是不同的。当我们在设计一件雕塑时，色的因素实际已渗入到形体之中。雕塑艺术中色彩的“类”，是更概括、更集中、更具有象征意义的“类”。因此，“随类赋彩”在雕塑艺术中的要求更高、主观感情色彩更浓，色彩的分寸把握更洗练、更讲究。

“经营位置”与“传移模写”

《毛传》云：“‘经’，度之也。”郑笺云：“‘营’，治也”。刘勰在《文心雕龙·定势》篇写道：“因情立体，即体成势。”“谢赫借用‘经营’二字，却落脚到‘位置’二字上来，这就更能突出绘画的具体特点。”创作构图本是指画家在创作一幅作品时首先要进行的步骤，谢赫提出的“经营位置”就是指创作作品时最初的定位与构图。“若以临见妙裁，寻其置陈布势，是达画之变也”（顾恺之《魏晋胜流画赞》）。“人有长短，今既定远近以瞩其对，则不可改易阔促，错置高下也”（顾恺之《论画》）。画面构图的大小，图中各个局部之间的相互关系是否得当，画面中排比的疏密、高低、宽窄等等因素是否协调，包括色彩构成之间的相互关系，是否与整个创作环节相通？雕塑创造的形式与绘画创作“经营位置”的操作形式不同，但实质上是相同的。雕塑创作构思一旦出现，构图——立体小样稿的制作是第一位。刘勰的“因情立体，即体成势”恰恰是雕塑创作的直接写照，雕塑尺寸的大小、宽高比例、形体空间的转折变化关系，都需要在早期的创作构图中解决，这是达到最高艺术境界“气韵生动”的最基本的步骤。所谓“经营”其实是一个具体操作并经过深思熟虑的过程。雕塑家根据自身创作的情感需求进行构图，一般来讲首先要画出多种草图，或做出多件的不同的变体小稿，这些多样的不确定图式，实际上就是我们“经营位置”、“置陈布势”的过程，也是严密的思考的过程，直至构出自己感觉比较满意的与自身创作相吻合的“经营”样式。

“传移模写”是“六法”中的最后一法。郑玄注云：“传，移也。”《说文》：“模，法也。”谢赫将“传移模写”定为“六法”中的一法，同时在《古画品录》中评刘绍祖时定道：“善于传写，不闲其思；至于鹊鼠，笔迹利落，往往出群；时人为之语，号曰‘移画’。然述而不作，非画所先。”至此，古人对“传移模写”的理解以及对其论述的观点和解释均有所不同。有论者认为是模仿、临摹，有的认为是写出、模拟，甚至有论者认为不应列入“六法”。唐代张彦远解释“六法”时写道：“传移模写，乃画家末事。然令之画人，粗善写貌，得其形似则无其气韵，具其色彩，则失其笔法。”从而降低“传移模写”作为“一法”中的地位，只将此法定为使作品缺乏生气而模写的匠人所为。明代王世贞认为：“人物以形摹为先，气韵超乎其表；山水以气韵为主，形模寓乎其中。”阮璞在《谢赫“六法”原义考》上说道，“传移模写”其所以仍然应当作为“六法”之一“法”，这时由于当时在画家所掌握的全部技法当中，“传移模写”是一个不可或缺的方面。现代美术理论家董欣宾、郑奇认为“传移模写”是中国绘画的“创作论”，是通过传（传情、传形、传统、传神、神思）、移（移情、移形、移画、变移）、模（模仿、模拟、模式、模范），达到写（绘画的创作实践）的创作心理特征和具体法则以及创作的过程。这一理论，将“传移模写”的内涵提高到一个新的“法”的理论高度。“传移模写”虽然指的不是艺术作品本身的具体要求，可它却和艺术作品的成败有着直接的关系，它是使艺术创作达到最高境界的一个不可缺少的环节。

总的来讲，“六法”是一个相互依存的统一体，其中的任何一法都不可能独立地存在。大凡优秀的艺术作品，都不同程度地渗透着“六法”的理论原则。如果从本质上理解了“六法”的深刻含义，对于我们当今的文艺批评和艺术创作都具有至关重要的意义。当前，中国的经济改革和对外开放，使中西方文化又形成了一次大的碰撞，在造型艺术领域里，更多的人在学习研究西方的抽象艺术的表现形式，这种积极借鉴学习外来文化的现象，当然是值得我们赞赏和肯定的。不过我们仍应立足在自己本土文化的意识上去学习借鉴。当我们深刻地理解“六法”的艺术原则，渗透到艺术创作之中，并运用此“法”品评各类的现象，我们可以比较客观、准确地品评一件中国现代抽象雕塑作品，衡量这一作品是否真正是从作者内心的创作意念和精神状态出发去学习、借鉴——“传”、“移”、“模”西方的抽象艺术作品，是否真正的根据创作需求去“经营位置”，是否随着内心的“物”与“类”去“象形”和“赋彩”，逐步形成自己独特的“用笔”语言，最后达到“气韵生动”的艺术效果；或者还是只停留在“传移模写”西方抽象艺术的初级阶段。

（《美术研究》2002.01 节选）

纪念毛泽东同志《在延安文艺座谈会上的讲话》发表60周年

今年5月23日是毛泽东同志《在延安文艺座谈会上的讲话》发表60周年。60年来，一代又一代革命文艺工作者在《讲话》的光辉指引下，坚持文艺为人民服务，坚持“社会生活是文学艺术的唯一源泉，”深入群众，深入实际，与时俱进，继往开来，创作了大量优秀文艺作品，为赢得革命战争的胜利，为推进有中国特色的社会主义建设，为促进改革开放全面深入开展，吹响了前进的号角，做出了巨大的贡献。

为纪念《讲话》发表60周年，本刊编辑部特意电话采访了我国老中青三代雕塑家中几位具有代表性的艺术家，请他们结合自己的艺术生活和艺术实践，谈了学习《讲话》的体会。

著名雕塑家、77岁高龄的潘鹤教授满怀深情地说“我们这一代艺术家的青年时期是处在艺术最低谷的时期，国破家亡民不聊生，短短的七八年却经历了八场大战，在兵荒马乱苦闷彷徨中度过求学时代。可幸我因此而热爱了艺术。但可惜只不过是因憎恨社会只爱自己才躲进象牙之塔为艺术而艺术而已。直到40年代在香港接触了一些进步书籍（受毛主席《在延安文艺座谈会上的讲话》的影响而秘密出版的小册子），我的思想感情才找到归宿。从此决心投身社会大熔炉，从此才能千锤百炼不回首。这是我今天在《讲话》发表60周年的大喜日子里的最大感想！”

曾多次在国家级美术大赛大展中获奖，并著有多部雕塑艺术专著的西安美术学院雕塑系主任陈云岗真诚地说：“60年来，《讲话》精神鼓舞了几代革命的文学艺术家，创作出了许多中国历史上不曾被涉及到的、真正属于普通劳苦大众的优秀作品。60年来，她切实开辟出了大众文艺领域中的一片崭新天地。《讲话》所具有的深刻哲学思想，是值得认真学习的。直至今天，进一步领会《讲话》的精神思想，才能更自觉地与时俱进！因为她主张：艺术家不要脱离社会。”

中央美术学院雕塑系副主任吕品昌，曾多次在全国大展中获奖，最近曾应邀到美国、澳大利亚多所大学讲学。他深有体会地说：“在纪念毛泽东《在延安文艺座谈会上的讲话》发表60周年之际，重温《讲话》精神，结合江泽民同志关于‘三个代表’的思想的学习贯彻，有着重要的现实意义。作为一个艺术工作者，应该贯彻党的为人民服务、为社会主义服务的“两为”方向和‘百花齐放、百家争鸣’的‘双百’方针。坚持弘扬主旋律，提倡艺术民主和多元化发展，深入生活，把握时代精神。坚持继承创新，发展面向现代化、面向世界、面向未来的民族的、科学的、大众的社会主义优秀文化。”

曾在俄罗斯著名的列宾美术学院学习并获得雕塑艺术硕士学位的中央美术学院雕塑系青年教师张伟的一番话在年轻一代雕塑艺术工作者中颇具代表性，他说：“今年正值毛主席《在延安文艺座谈会上的讲话》发表60周年，老人家的这篇著名的文章我过去并未读过，只是听说过那么几句，比如‘生活是创作的源泉’、‘艺术来源于生活’等等。似乎总是跟下乡写生有关系。出于学术目的，我去图书馆找来通读了几遍，读后深有体会。老人家很懂艺术，更懂搞艺术的人。他在文章里阐述了很多超越政治、超越时代，非常人文、非常学术的思想。老人家说：‘缺乏艺术性的作品，无论政治上怎么进步，也是没有力量的。’又说：‘我希望有更多的中国气派的作品出现。’这些话讲得是何等的有力量，亦是何等的有气派，给我很大的触动。如今随着我国经济的繁荣，给了艺术家广阔的创作空间，尤其是我们年轻一代更是赶上了千载难逢的好时机，我们应谨记老人家的教诲，努力钻研学术，树立高尚的职业道德。以为大众服务为己任，创造出有中国气派的作品来。最后，郑重地向各位青年同志推荐认真学习老人家的这篇文章。”

（《中国雕塑学会简讯》2002.02）

理性与迷狂
——解析当代雕塑的角色转变

文／霍守义

最近一个时期，中国的雕塑界无疑是活跃的、激进的和富有变化的。从这些年来的雕塑创作现状中我们不难发现，当代雕塑，更确切地说是中国的当代雕塑，不再像以往的那种很专业化的面貌和格局了。雕塑家们在创造着雕塑的同时，也在不断地改造着雕塑，甚至在不断消解着雕塑。从种种的现象中我们不难发现，过去被视为正统和主流的表现题材与表现形式，逐渐走向淡化。专业性的表现技巧有时很难派上用场或力不从心。人们的欣赏口味和品评标准也有所转向。而创作者们也不再是忙于探究肌肉的力度、骨骼的标准性和主题的明确了。那些富有远见和锐气的雕塑家们，更愿意去寻找新的雕塑语言、新的材料资源、新表现方式。有的甚至向新的艺术思潮汲取养料，寻求艺术观念上的突破，甚至走向装置、行为、影像等观念艺术。确实有些硝烟四起、群威群胆的感觉。我们也实在可以感叹，今天的“雕塑”可不再是昨天的“雕塑”了。

在20世纪80年代以前，雕塑艺术远远没有现在这样复杂。我们当初之所以喜欢雕塑艺术，并选中从事雕塑创作这个行当，完全出于个人的兴趣和一种相互的认识。我们真的是很崇拜西方的雕塑形式和那些耳熟能详的大师(崇拜中国本土的传统雕塑那还是开始接受正规雕塑教育以后)。如古希腊雕刻那高贵的单纯和静穆的伟大、文艺复兴时期的人性力量和英雄气魄，罗丹的生命感觉和现实主义精神，还有亨利·摩尔的形体与空间的智慧性表达以及布朗库西抽象与简洁的雕塑概念等。至于中华民族雕塑的辉煌也是很动人心魄的。如青铜器的朴拙与精美、兵马俑的宏大气魄与整体气势、汉代雕刻的象征性及对雕塑材料本身的把握、石窟艺术的宗教感和市俗化处理，以及南朝陵墓雕刻的霸悍和唐代雕刻的雍容华美。近现代的中外雕塑的典范也是不胜枚举，令人心怡。从史学线索的角度讲是清晰可见的，从学习的角度讲是目标明确的，从艺术创作的角度讲已经形成一种成规范式，即仿摹历代大师的技术与技巧，完美地用于自己的创作实践，完成好自己的创作任务，逐步向大师的高峰攀登。至于创新一说，也多在雕塑圈子里打转转，很少对雕塑艺术进行颠覆式变革。

然而，历史就是不能如此顺利地成人之美，时代也是让我们承受着幸与不幸的双重经验。我们正身处历史与文化的变革之中。而就雕塑自身而言，它至少经历着两个方面的重压，即雕塑自身的萎靡和来自客观的解构风潮。这里所说的萎靡，是说原有的雕塑观念的萎靡、审美取向的萎靡和表现的萎靡。由于政治观念的转变和计划经济的不复存在，以往的那种政治任务性的大型雕塑的需求减少了，道德教化的题材需求减少了，历代大师的感召力减少了，雕塑艺术在各艺术门类的影响减少了。教学方法和教学规范同时遭到质疑。原来的雕塑秩序已远远滞后于社会的变革。至于后者，如雕塑理论家孙振华所说：“雕塑的非雕塑化问题，或者说是雕塑艺术面临解构风潮，动摇着雕塑的根基。雕塑创作中的个性和私密性从来没有像今天这样得到强调和突出。在当代，雕塑家热切地表达个人声音的内心冲动是不可遏制的。于是雕塑家的当代情感和传统雕塑样式的冲突不可避免。雕塑家们基于当代的个人内心体验所产生的表达欲望，是传统雕塑表现形式无法承载的，于是雕塑的解构就是这样开始了。”

互为因果，雕塑的萎靡和解构的开始，也就是雕塑反思与变革的开始。如果非要作一历史考量的话，1992年在杭州举行的《首届当代青年雕塑家邀请展》，无疑是个非常重要的历史契机。从此以后，一向被人认为慢半拍的雕塑界开始行动起来，众多的青年雕塑家开始登临历史舞台，构筑当代雕塑的崭新风貌和新的格局。这些年轻的雕塑家们已经开始意识到，除了形体、空间和肌肉的美感之外，还有些更为重要的东西在等待着当代雕塑家去创造和发现。雕塑的价值不仅仅是雕塑的自身。于是，在这样一个质疑和逃逸的层面上，雕塑家们开始了清理雕塑理念、更新雕塑观念的艰苦探寻。

就雕塑创作的现状和成果来看，无疑是比较令人乐观的。有些雕塑家及作品已经开始预示中国当代雕塑的多种可能性，如隋建国的《中山装》、傅中望的《榫卯系列》、展望的《假山石系列》、姜杰的《婴儿系列》、瞿广慈的《跳舞机》、李占洋的《街景》、石向东的《成衣系列——健美服》、许正龙的《网络世界》、喻高的《悬浮体》等。可以这样讲，年轻的变革者已经成为中国当代雕塑的主流，而那些富有探索性和实验性的创作已构成中国当代雕塑中最为活跃的因素。

当然，有些雕塑家则走得更远，已经开始放下手中的雕凿工具，开始尝试雕塑以外的东西，比如说装置、行为什么的。毕业于广州美术学院雕塑系的林一林就是一例。或许，原有意义上的雕塑在他的心中已经终结，似乎不采取另一种表达方式就不足以承载开拓者的使命，这种对于雕塑的解构，在某种意义上不啻为雕塑的再生。与此相反，有些热衷于行为艺术的艺术家们，倒时常干着类似于雕塑的游戏。他们时常采用自己的身体作为材料以构成一种带有凝固性的、鲜活的实体，以诠释个人性的精神诉求。比如说观念艺术家黄岩的《中国山水·纹身》、职业艺术家张洹等人的《为无名高地增高一米》以及他最近在美国纽约实施的《冰床》和《我的美国》等，都是拿鲜活的人体说事儿。站在雕塑家的角度去看，那还真有些雕塑的味道和雕塑的境界，至少也是一种可以借鉴的资源。

不管怎么说，当代雕塑真的变了，变得更开化了，变得更富有想象力了，变得更加自主了。而这种变化也是来自雕塑的不同方面。如雕塑需要的变化、雕塑材料的变化、创作理念的变化以及存在形态的变化等等，但是更为本质的变化是雕塑角色的转变。在过去，雕塑的社会角色是一个美感启蒙和美育普及型的角色。而现在则转变为参与型的角色、表现型的角色和文化建设型的角色。这种角色不再为所谓的政治性主题所束缚，不再为所谓的美感为标准，不再为所谓的写实能力的所谓的生活情趣所困扰。这种角色是更为自主的，更为开放的，更加以人为本的和更加具有文化意义的。可以这样说，“雕塑”已不再仅是几座雕像的矗立或是对某一城市空间的装点，而是作为个体意义上的人，以雕塑的身份对社会所进行的广泛参与和个人精神情智的广泛表达。

“从变化的角度上讲，任何一个人，他的生命总会跟这个社会对话、较量，艺术家更是一样，这个社会要征服他，让他与这个社会融合，使他成为这个社会普普通通的一员。其实每一个个体都在克服这种征服。”以上这段阐述来自于一位当代雕塑家的内心独白。可以想见，这种“克服征服”的内心愿望在20年前是无法存在的，或是不可想象的，也无形中为当代雕塑角色转变作了最好的注解。今天中国的当代雕塑家们，正以一种全新的方式，思考着雕塑艺术的本质，重铸着雕塑艺术的品格。面对着雕塑艺术的未来，作为一名当代的雕塑艺术家，我们应该正视这种转变。我们也应该重视这种转变。

（《美术研究》2002.02）

城市雕塑中的抽象作品

文／王景慧

城市雕塑自改革开放以来得到了长足的发展，它装点了城市，得到广大市民的喜爱。城市雕塑的作用显而易见，归纳起来，可列举以下几点。

首先是可以美化城市环境，提高市民的艺术修养与文化品位。通过优秀作品的渲染熏陶，让人们形象地认识到什么是美，从而启发人心灵中美好的天性，唤起人们奋发向上的激情。这类作品极为广泛，如主题雕塑、园林小品，有的点缀街头，还有的办成专门的雕塑公园。

其次，城市雕塑可以提炼城市精神，凝聚市民情感。把城市中的典型传说、城市精神等用雕塑来点醒主题，使之便于理解，一看便知，从而唤起市民的共鸣。如深圳市政府门前的“拓荒牛”，代表了深圳开拓奋进的城市精神。珠海海滨的“渔女”手托珍珠自海上升起，传神地再现了珠海美好的城市传说。这些成功的雕塑以其艺术感染力，让广大群众认同，成为城市的象征。

再其次，城市雕塑还可以提示城市重大历史事件和历史人物。雕塑比起其他环境艺术的长处就是可以有具象的描绘，准确直观。可以表现人物，也可以以人物的典型瞬间场景来表现历史事件，有极强的感染力。所以纪念像是城市雕塑中常见的题材。南京有孙中山像，上海有鲁迅像，牡丹江有“八女投江”群雕。

为完成以上的使命，城市雕塑的艺术手法可以是多种多样的。艺术创造中当然也有无所谓功能使命的作品，它只表达、抒发艺术家的个人感受，但我以为这类作品不宜做为城市雕塑。城市雕塑不同于馆藏雕塑，它是放在城市的公共空间中，是会“逼”着人看的。雕塑擅长表现人物等主题形象，所以城市雕塑中具象雕塑占的比重较大，自20世纪90年代以来抽象雕塑日渐增多，并为市民们接受。这也可以说是一种可喜的现象，对比以前看惯的政治图解式的作品，说明广大市民兼收并蓄的能力在增强。城市雕塑是座落于城市公共空间之中的，这使得雕塑和城市建筑的关系很是密切。西方古典建筑有大量的人体雕塑相陪衬，使具象雕塑和古典建筑有着密不可分的联系。现代建筑的设计手法中较多地强调了简洁、明快，有许多抽象构成的因素，因此抽象的雕塑与之更容易协调融洽。可以说具象雕塑与精于装饰的古典建筑刚好相配，抽象雕塑正好与体块简约的现代建筑相结合。

说到抽象，其实不管是人的思维还是艺术创造都有抽象的成分。艺术再现生活再现自然，就包含着艺术家本人对生活对自然的理解，必然要有加工、浓缩或者抽象。中国传统画论里谈到，绘画贵在似与不似之间，太似则媚俗，不似则欺世。一定意义上说，抽象得恰到好处是艺术家创作功力的表现。

上述的所谓"抽象"也可以说是"程式化"的表现，以原形为基础适当地简化概括，取其神略其形。中国古代的艺术作品已有很强的抽象意识，这也是和西方古典艺术的重大差别。古代希腊、罗马的人物雕像解剖极为准确，筋肉、血管栩栩如生，中国却极尽抽象之能事，把变幻无尽的云抽象概括成各色的云纹图案，把动物抽象成饕餮纹。门前的狮子形象更是抽象与具象的美妙结合。北方官府前的狮子威武凶猛，南方民间的狮子顽皮嬉戏，它们虽脱离了狮子的外形，却又不失狮子的个性。倒是近年有的商家把十分具象的"英国狮子"摆在门前，虽是形象逼真，但却让人觉得没有中国狮子的灵气。

从广大群众的感受看，还是更喜欢具象的中国的带有点"程式化"手法的雕塑，以为它可以具体地表达一件事表现一个人又不那么拘泥于细节，比较容易与城市的建筑环境相匹配，同时它也比较适合完成城市雕塑提炼城市精神、反映历史事件的功能作用。亨利·摩尔的雕塑在中国引起巨大反响，我认为就因为它是具象与抽象的结合，尽管他抽象成分较多，但总还是有形可依。具象处观之有神，抽象处揣之有据，让人揣摸、琢磨，玩味无穷。

抽象雕塑还有两种做的更甚一些，它们是纯粹的形体的构成，并无具体的人物、动物、器物形象的依托。其中之一是还有个明确的主题，有寓意，试图给观赏者一个确定的印象。如柏林市中心有雕塑叫《东西方对话》，其形象如两段粗绳相互接近、缠绕，倒是能给人以对话的印象。古巴为纪念吉隆滩战役胜利，在海滩上作了一组形为巨石的体块雕塑，其排列有如自海上向陆地蠕动，领头的两个爬上沙滩则成破碎状，喻意"进攻，被粉碎"。还有苏联的人造卫星的纪念碑，做成一极富弹力的曲线向天上冲去，十分明确地使人联想到卫星升天。

另有一种没有具体的寓意，只体现构成的形式美，这方面也不乏成功的作品，它们点缀于广场、公园，也能吸引人驻足欣赏。但以上两种作品的核心都是要有真正的形式美，把美的规律、美的要素提炼、浓缩、凝聚起来表达给人看，像醇酒，像干酪，越品越嚼越有味。这需要作者有深厚的功力、高超的技巧，应该说抽象雕塑比具象雕塑更难做。抽象作品要先有具象作品的功底，谙熟其艺术规律，唯此方可超凡脱俗，潇洒自如。时下不少的所谓抽象雕塑，如用不锈钢做成的各种旋转、飘逸之状，初看起来感觉新鲜，看了几个则似曾相识，经不起细审。这有如未通楷书的人写狂草，概略望去貌似惊人，逐字品来便觉得破绽百出。更有甚者，广告上刊出照片和价码，备有现货，不管环境如何，只是一味地成批生产，这不是城市雕塑的艺术创作，而是在卖工艺品。

(《雕塑》2002.02)

考古类型学方法与石窟艺术分期断代研究

——兼及对书画鉴定研究的一点启示

文／邵军

美术史研究关注于美术遗迹，而考古学主要是研究古代的物质遗存，两门学问从其肇始起，即有共同的研究领域，结下了不解之缘。由于考古学学科的科学性，它的成果和方法早已为美术史家们所借鉴和运用。石窟艺术作为美术史研究的重要部分，也概莫能外。尤其是考古类型学方法，对于解决石窟艺术中的雕塑、壁画的年代、时代特征、审美内涵以及据此进行分期断代，颇有裨益。

一

考古学有广义和狭义之分。狭义考古学研究的对象，是专指古代人类活动遗留的实物，即人工产品、文化遗物、文化遗址及它们不同规模分布的地理范围。我国考古学的历史基本是狭义考古学的历史，早期考古学所关注的绝大部分是史前三代的文化遗址，因而，早期的考古方法论也主要是针对陶器的发掘研究而发生发展的。20世纪30年代，滕固翻译的瑞典人蒙德留斯所著的《先史考古学方法论》就正是这样。该书从研究考古发掘器物的角度出发，提出分类的观点。书中讲到了对古物先进行分类，再按其形态差异进行分型的做法，但并未就此法在分析器物的演变上提出再细分的看法。当时的美术史和石窟艺术研究，仍着眼于文献所载，即便如滕固这样的艺术史家和古物保管委员，迫于考古所得不多，亦不能做到“多多注重实例”，更难说用到考古学方法论了。

20世纪40、50年代以来，各地发掘了不少遗址，清理了诸多的墓葬，所获极富，考古方法论尤其是类型学理论，相应地也获得了发展。苏秉琦在《瓦鬲的研究》一文中，采用了将同一种器物分成不同的型，将同型的器物分为不同的式的做法，此方法在20世纪60年代以后，逐渐被考古界接受。苏秉琦的这种“器物排队”的类型式的概念，使器物的谱系观念被凸显出来。类和型的划分解决了同一时期的不同类及同类而不同型的器物的相应位置，而式的确立，则将不同时期的同型而具体样式有所不同的器物联系起来看，由此见出某种样式的器物在发展过程中的若干阶段。这样，就对器物在横纵两方面作了“时间——空间”上的定位。所谓“横联法”和“桥联法”正是建立在这个基础之上来解决某些器物的时代归属和文化区域的，它为我们提供了一种研究古代遗物、文化属性和人文内涵的全新思路。

与此同时，大批新发现和清理调查的墓葬、石窟所保存的美术史资料，也给美术史研究提出相同的课题。就石窟寺来说，艺术史家们不光是要对众多的绘、塑作品的时代、艺术风格、社会条件、供养人等问题予以关注，还要就画中形制、形象等样式的变迁进行分期断代的研究。面对如此众多的无名画工留下的宏幅巨制，应采用结合题记，层层划分，先找出题记年代准确可靠的窟群，再找同期石窟，再对壁画和塑像进行归类研究的这样一种抽丝剥茧的方法，缩小包围，一个一个去解决问题，还是一个地区，或是一个窟群，甚至一个石窟、一个塔柱，也概莫能外。因此，可以说，艺术史家们要关注风格样式缘起的时代、发展的阶段、典型成熟的作品和作者的归属等问题，来进行时代先后和艺术沿革的分期断代研究，就必须借鉴考古学“类型式”的思想。

类型学理论在20世纪70、80年代以来的新发展，为我们在利用它研究石窟艺术提供了理论上的依托。在国内，以前故宫博物院院长张忠培为代表。张先生对类型学理论的贡献，可以概括如下：1、扩充了类型学方法的研究和使用对象。他反映出：“过去认为类型学只研究陶器，实际上考古学研究的有形之物都可以用类型学研究。”又说：“凡具备形态的遗存，都可以纳入类型学的研究的范围。”2、加大了类型学的研究功能，“不止研究个别遗物、遗迹的具体形态或结构，它还可以用来探讨窑场、村落、城市及墓地等这类遗存的布局和结构，从其在空间或时间上所表现的变异，来揭示产生这类变异现象的原因。”3、放宽了类型学研究的基本原则，指出在没有地层学根据的情况下，类型学的研究也可以单独进行，即“桥联法”和“横联法”的使用，可以在无确切年代根据的情况下进行。此外，张忠培关于区系类型理论的阐发和关于典型遗存的选择及考古文化命名等考古学方法理论的研究，也大大地发展了以前的类型学理论。张忠培的类型学理论，建立在我国几十年来对众多考古遗存的分析研究的成功范例的基础之上，因而具有实践性、可操作性。

张忠培等人的类型学理论，为石窟艺术研究中，在面对单尊的塑像的时代和石窟的归属问题、塑像间的组织结构及变异问题、无确切纪年的石窟壁画的断代问题以及成幅或成组而样式不同的作品的厘清和考证等问题时，运用类型学方法，找到了理论上的支撑。

此外，国外的考古学方法也影响着最新的类型学理论。如张光直的“反复分类”和“分成更大的类”的思想、宾福德等人的新考古学等就是这样一些理论。

二

运用考古类型学方法来研究石窟，在考古界已取得了许多成果，其中也有涉及用石窟形制和壁画、塑像等来进行类型学研究的。如宿白先生对新疆拜城克孜尔石窟部分洞窟的类型和年代的探讨。他以石窟的形制为主，兼顾讨论了开龛塑像的形制和样式，以及壁画的题材和描绘特征，在此基础上，他总结了一些具有共同特征的石窟类型，并据此分成几个发展阶段。在解决了部分洞窟的类型和分期的基础上，他提出了克孜尔石窟的年代这一聚讼纷纭、莫衷一是的问题，作出了较为科学中肯的回答。其中有关壁画、雕塑等问题的探讨，就是石窟艺术研究应解决的问题。

在石窟艺术的分期断代研究中，大多数学者都运用到了考古类型学方法。在具体运用上，又各有不同，都取得了相应成果，而尤以阎文儒和金维诺二先生最见特色。阎文儒在《中国石窟艺术总论》的序论部分，谈到他运用类型学方法的指导思想：“我们研究石窟艺术，不仅用考古学上的类型比较学进行比较，而且还要根据题记，作为重要依据，进行分期断代，按型排比，找出时代的特征与风格的变化。”可见，他是将题记和类型学方法并重来进行分期断代的，而他也指出了类型排比的目的，是要找出时代的特征与风格的变化。而实际上，他在对石窟艺术遗存形态的分类分型的把握上，做到了准确而鲜明，而在空间的差异性和时代的变异上，没有作过多的联系，对于艺术品本身及其风格特征头号问题，未完全揭示出来。

我们可以从阎文儒就汉至南北朝的佛教艺术所作的研究，来看他在石窟艺术研究中对类型学的运用。他进行初步分期和分类的主要依据是佛教造像和壁画的题记。他将汉至南北朝的佛教艺术分作两期：第一期是东汉末（2 世纪）至东西晋（3 世纪末），第二期以东晋、十六国（4 世纪初）至北魏太和十九年前后（5 世纪末）。而在考察石窟造像和壁画时，又按题材分为五类，即：1、大小乘共同供养的佛像，并有等觉菩萨像、声闻弟子像作为佛的辅弼；2、保卫佛的天龙、夜叉、阿修罗等护法像；3、赞叹、宣扬累世休息修行等本生故事像；4、故事形象如文殊师利与维摩说法像；5、供养人像。在对第一类进行考察时，则又按题材和形式构成及主尊的差异分成释迦牟尼、阿弥陀佛等 4 种；然后又在对释迦佛进行考察时，分为佛本身各部分、佛座、佛坐姿、佛立姿、佛光、华盖等，再对佛的头部细分到头发、鼻、目、眉、耳等等。因为佛教造像有着自己的宗教义规，在一定的时期，其形象相对较为稳定，有可用类型学方法研究的地方。阎文儒的这种做法，类似于早期梁思永、苏秉琦等人将出土陶器进行编号的做法，即将陶器的类型确定以后，还要就陶器的口缘、底、腹、耳等进行考察和编号。这样，不管是石刻、泥塑，还是壁画中的形象，都可以通过这种对构成整个佛像形态的各部分形态的真实客观地记录，来判定它所处的时代和所在的地理方位。

这种做法最成功的地方，是为具体的塑像和壁画的分期断代提供了较为客观的依据。作为考察整个中国范围内绵延千余年的全部石窟艺术，这是唯一行之有效的方法，它的研究贡献巨大。但是，作为艺术史研究，其不足之处也同样明显。

1、不能对同一时期的某一题材或某一石窟的作品获得深刻的印象，我们看到的全是冰冷而零碎的形象，其作为艺术品生动的艺术形象荡然无存。我认为作为艺术史研究，这种分类做得过细，也过于机械。

2、由于作者的叙述注重石窟的地理方位，因而对于类型学“式”的思想运用不够，对于许多前后演变关系非常明显的形象，没能很好地显示出其演变的过程，而这一点又是美术史研究需要解决的根本头号问题之一。

由此可见，佛教造像和壁画有其不同于陶器的地方，若完全照搬套用类型学理论在研究陶器时的方法，便必然会使佛教艺术品的研究也变成“器物排队”。又由于对于艺术史发展前后联系不够，所以许多分期是一种先入之见，先有了分期然后才在此基础上有分类，而分期的依据，并不建立在对作品前后演变的研究上。

金维诺先生虽然没有明确地说到他的有关石窟艺术研究是运用了考古类型学方法，但从他的一些关于敦煌莫高窟艺术的研究文章里，可以明显看到考古类型学方法的运用。金先生运用类型学方法在解决分期和断代问题时，比较灵活，在研究中所起的作用和达到的目的也比较多样、具体。他在对敦煌壁画图案的研究、对佛本生的内容和形式进行的研究、对祇园记图的考证、对维摩变这一图像的发展所作的考察等文章中都具体使用了类型学的方法。金维诺先生在运用考古类型学方法上的成功之处在于：1、他从解决具体问题出发，来灵活运用类型学方法，尤见特色的是，他选择各种不同的考察内容，并据以分类；2、他将对石窟艺术的分期断代与解决美术史上的风格发展、图像沿革等美术史自身重要的问题结合起来，这也正是我们在美术研究中运用类型学方法的最根本的目的。

三

总的来看，石窟艺术的分期断代研究中运用类型学方法，在美术史家处理庞大的材料，寻找科学合理的分期断代依据并据以断代，选择典型遗存进行研究，帮助寻找图像的艺术风格样式的发展各阶段，甚至由此而涉及的一切审美文化历史的各方面的研究，都有其实际的效用。从上文的分析来看，可以说也取得了一定的成功。如果说，在使用类型学方法理论来研究石窟艺术的分期断代的过程中出现了问题和不足，那实际上是两个学科在认识角度上的不同造成的。或者说，对同样一种方法在处理不同学科的问题时，应有其在运用过程中的具体差异性这一点，认识不够。

分类是人类认识客观世界的最基本的方法之一。考古类型学只是人们将分类法用于考古学而形成的方法之一。在艺术史研究中，即使没有考古类型学的指导，人们仍然会自觉不自觉地用到分类法。但是，我们为什么要把艺术史的研究和考古类型学方法联系在一起，用它去研究问题呢？除开研究对象与考古学相似这一点外，我想更重要的是，类型学方法及其理论为我们提供了学理上的科学性和可行性，这是一切学问追求的根本目标之一。在我们的研究中，一方面是要将在考古学的实践中被证明为科学合理的新的类型学方法积极灵活地运用于石窟艺术的分期断代研究中，另一方面，也要从艺术史研究的学科特性出发，摸索和寻求科学运用类型学方法的规范。机械套用不足取，不讲学理的滥用同样不足取。

那么，未来石窟艺术的分期断代研究中，类型学方法究竟应如何使用？我想除开我上面的总结以外，以下两点是可能出现的情况：

1、在西方美术史的各种方法论大量介绍和引进的情况下，类型学的方法可以和各种美术史研究法配合起来，进行综合研究。与石窟艺术紧密联系的，如形式分析法、图像学方法、社会学、文化学的方法等等都可以与类型学方法进行整合来解决具体问题。这在国内的一些年轻的学者已有尝试 。

2、美术史界要吸收一些国外新的考古学理论以及类型学理论，将它们创造性地运用于研究艺术的分期断代研究中。这些新理论如美国20世纪60年代以来兴起的新考古学，以宾福德等人为代表的考古学家们，要揭示出文化系统中的各种因素不断组合、分裂的动态过程及结构和功能的演变，要将各类不同的人工产品的结构和变化这种具体性的东西，还原为行为、社会系统的结构和演进，甚至还原为观念这种抽象的知识。还有所谓“中程理论”、结构考古学等等。就类型学来说，20世纪80年代以来，为考古界广为关注的“家族相似性”问题及美国考古学家乔治·考吉尔对其的理解和阐发，可以看到类型学理论自身在传统的基础上的新发展。考吉尔反复指出艺术风格发展的影响和新构思之间的相互作用与材料中体现的模仿和创新情形的相同之处，而“风格的比较可能会通过将它描述为‘图样语法’间的比较而变得容易”，这也暗含着新类型学理论在解决艺术风格的时代特性和演变过程等方面有着潜便利。此外，结构考古学的形式分析法、结构分析法以及所谓“生成性语法”的方法，由于这些方法所研究和处理的材料同样是艺术史研究的对象，所以对艺术史的分期断代研究无疑也可资借用。具体在石窟艺术的研究中应如何使用，须注意哪些问题，还须在实践中摸索。

（《美术研究》2002.04 节选）

中国艺术无须进入后现代主义“动乱时代”

文／冯民生

后现代主义是20世纪60年代前后，产生于西方发达国家的泛文化思潮，它涉及艺术、文学、历史、政治和哲学等观念形态的诸多领域。它以西方社会进入后工业社会为背景，是西方发达国家科技、经济迅速发展而进入信息时代的变态产物。它是以逆向思维分析方法批判、否定、超越近现代主流文化的理论基础、思维方式和价值取向为基本的观念思潮，有着反文化、反美学、反艺术的极端倾向，表现在艺术创造上，以排斥艺术价值的精神性，否定艺术的本质特征而倾向于低糜、沉沦的姿态为特征，追求艺术的无序性、无中心、无审美等反艺术的特点，表现出“怎么都行”的随意态度。与“庄严性、纯粹性及个体性等现代主义价值相对立，后现代艺术展现了一种随心所欲、新的玩世不恭和新的折衷主义”。

西方后现代主义思潮，自20世纪80年代末传入我国以后，在意识形态诸多领域产生了广泛的影响，尤其在艺术领域表现得异常突出。从实践的客观角度看，西方后现代主义对我国艺术的影响是完全消极的。它以玩世、泼皮的嘴脸“消解一切”、“怎样都可以”，诱发了艺术创作中的一种极端自私的无政府主义状态，使得我国的艺术秩序受到不良影响。如“装置艺术”、“观念艺术”、“行为艺术”等，以降低艺术的审美为追求，使我国的艺术秩序乃至文化发展受到严重的干扰。尤其在艺术领域出现低俗的“行为艺术”，混淆了艺术与非艺术、艺术家与非艺术家的界限。“的确，在西方，后现代主义是一个激进的文化思潮；然而，在中国它却具有了两面性：一方面，它与文化保守主义联姻；另一方面，它又与文化自由主义合流。其结果是对马克思主义的两面夹攻，消解现代文化精神。”正是这种两面性，造成了中国20世纪90年代复杂的文化格局，进而发展到近期非艺术特征的“行为艺术”泛滥。后现代主义以特有的文化扩张性和渗透性，像幽灵一样无孔不入，造成了我国文化艺术秩序的混乱，因而有着诸多潜在的危害性。我们应该对西方后现代主义对我国艺术领域的影响加以反思和清理，以正视西方后现代主义对我国的影响和冲击。

西方现代艺术发展到后期，出现了多元的局面，同时也使得艺术与非艺术、艺术家与非艺术家的界限趋于混淆。本来艺术与非艺术、艺术家与非艺术家的界限人人都很明了，但是在现代艺术极力追求“新”、“异”的创作惯性中，艺术与非艺术的关系出现了本末倒置、反客为主的局面。仿佛生活中什么都可以成为艺术品，人人也都可以成为艺术家。艺术最基本的特征反而不为艺术品所具有，艺术家与普通人的行为没有了质的区别。“多元时代降临在我们身上了，你做什么都不再有什么关系，那都是多元希望的。一个方向同另一个方向一样好时，方向概念就不再适用了。”后现代主义以不择手段试图夷平建立于艺术与非艺术、艺术家与非艺术家之间的界限，同时推倒艺术与生活之间的分水岭。我国是社会主义国家，与资本主义国家相比，不但在经济基础状况及生产力水平上有很大差异，更有着不同的政治制度和意识形态，这就必然决定我国的文化精神的价值取向不同于资本主义社会。我国正在进行社会主义现代化建设，那么就必然要求有与之相适应的文化艺术。而后现代主义文化是资本主义社会晚期文化发展的产物，是资本主义社会进入信息时代的产物，西方后现代主义深深扎根于西方的文化传统之中，不适合我国的文化发展情境。我国的艺术发展要求有与资本主义社会根本不同的内容，它不仅由我国特有的经济基础状况所决定，而且由我国博大精深的传统文化中特有的民族审美方式所决定。文艺创作不是一种孤立的现象，而是与一定时代的经济政治文化诸种状况有着密切关联的，它规定了大众对艺术品的趣味与形式的要求不同于西方，显示出很强的文化规定性。西方后现代主义文化潮流在其特定的语境下产生。当西方资本主义进入高度发达的信息时代，人的异化现象愈趋严重，文化发展与社会发展出现了诸多矛盾，在这样的社会背景下，后现代用一种打破、拆解等手段，试图达到重建西方文化传统的人文关照的目的；另外，西方后现代主义在打破重建中遇到无所适从的尴尬局面，使得重建的目的无从着手，而导致极端的自由化与泛化现象，使文化发展陷入一种无序与失控的地步，追逐话语权的蛮横倾向泛滥成灾，所谓的“回到原材料”、“回到原状态”等艺术思想，使艺术这种智性的人文行为变得低趣、简单、粗俗。这一点正好反映出后现代中一种玩世、泼皮、无赖的消极本质。

随着世界一体化进程的步伐加快，我国成功加入了WTO，在经济、文化方面与世界各国的交流愈加频繁。西方文化艺术观念与形式也将更明显地影响我国，中西方的交汇与融合的趋势将越来越明显。但是，交汇、融合不会使我国的文化艺术面貌发生根本改变，同西方艺术的交流和对西方艺术的借鉴，更不会改变我国艺术发展的主体方向。我国当前不具备后现代主义发展的土壤，也不需要后现代主义中玩世、泼皮、无赖的消极一面。西方后现代主义对我国艺术领域的消极影响表现为两个方面。首先表现为对我国艺术创作秩序的干扰与破坏。西方后现代主义思潮与我国艺术创作中的极端自由主义相结合，形成了一种对传统文化和对艺术中审美特征的盲目贬斥。另外一点，就是与一些媒体的盲目导向有关，他们把对商业性的炒作套用于对艺术品的宣传，这样也在某种程度上助长了“行为艺术”、“装置艺术”在我国当前的泛滥。黑格尔早就说过，“我们在这姑且不去争辩在什么程度上可以把美的性质加到这些对象上去，以及自然美是否可以和艺术美相提并论，不过我们可以肯定地说，艺术美高于自然美。因为艺术美是由心灵产生和再生的美，心灵和它的现象高多少，艺术美也就比自然美高多少”。艺术美与自然美是有区别的，自然美中不包含艺术家主动性的劳动创造。只有艺术家对自然美进行艺术地加工、改造，自然美才能变成为艺术美。可见现成品不是艺术品。我国的所谓“行为艺术家”追求自醒、参与的行为，目的是想引起大众和媒体的关注，很快出名。

其次，西方后现代主义对我国艺术的影响还表现在降低艺术品的智性品格与审美成分，并造成一个虚假的多元艺术发展氛围。艺术是人类精神需求的产物，是人类智慧的结晶。美国艺术史家约翰·拉塞尔说：“一件艺术作品不仅是一件娱乐品，它还是一座思想库。”而后现代主义以玩世、泼皮的态度，把艺术的智性成分大大降低，把本来供人们满足精神需要的艺术品等同于生活中的毫无美感、且有点庸俗的物体。把生活中人们忌讳的行为当作艺术行为来展示，使艺术品除了让人们嗤之以鼻外没有任何值得赞美的方面。从去年到现在一系列的“行为艺术”，如吃人肉、玩尸体、喂人油、水池泡苹果等，只不过是凭借艺术的名义发泄一种不负责任的自私冲动，其行为本身的低级、无聊是对人类的社会属性的践踏。这些“行为艺术”的泛滥，好像营造出了艺术的繁荣景象，其实它是以一种玩世、泼皮、无赖的方式，“怎么都行”的无原则态度，造成我国艺术秩序的混乱，是另一种艺术专制的表现。它们以“消解一切”的破坏性行为，试图夷平长久建立在艺术中的种种标准，使我国原本繁荣的艺术秩序变得失范、无序、杂乱无章，完全违背了艺术多样性的真正含义。艺术不完全是个人感情的宣泄，艺术品是人类的精神产品，是为人们的审美而生产的。

历史与实践表明，文化中有先进与落后之分，我们要善于吸收外来的先进文化，并从众多文化存在方式中选择有利于引导社会和个人健康发展的文化形式。我们对西方后现代主义思潮玩世、泼皮、无赖的表现及其虚无主义、无政府主义的本质，要进行科学的批判，以使我国的社会主义艺术事业向着健康、多样、有序的方向发展。

（《美术》2002.12 节选）

美术界召开学习“十六大”精神座谈会

文／李人毅

2002年11月21日，由中国美术家协会和《美术》杂志社联合召开的美术界在京部分美术家、理论家学习“十六大”精神座谈会，在文联大楼13层《美术》杂志社会议厅举行。参加会议的代表有刘大为、詹建俊、杨力舟、李中贵、王春立、王仲、王明明、王宏建、程大利、刘曦林、孙克、梁江、陈履生、李人毅、王洪义等；《美术》杂志的全体编辑也出席了会议。这次会议的主要内容是全面学习、领会江泽民同志在“十六大”上的讲话精神，着重对“高举邓小平理论伟大旗帜，全面贯彻‘三个代表’重要思想，继往开来，与时俱进，全面建设小康社会，加快推进社会主义现代化，为开创中国特色社会新局面而奋斗”的主题进行深入的领悟，并结合新世纪中国美术发展的实际，进行学以致用的探讨。大家一致认为，党的“十六大”总结了过去5年和改革开放13年的基本经验，提出了全面建设小康社会的奋斗目标，选举产生了新一届的中央领导人，对中华民族的发展和中国的前进道路有着里程碑式的意义，代表着我们广大美术工作者的意愿和心声，大家决心牢牢把握住先进文化的前进方向，为坚持弘扬和培育民族精神而切实加强思想道德建设，深入生活，多出精品，做无愧时代的艺术家。

座谈会由中国美协党组副书记、秘书长李中贵主持，他说：刚刚闭幕的“十六大”，是我们党在新世纪召开的第一次全国代表大会，也是我们党在开始实施社会主义现代化建设第三步战略部署形势下召开的一次十分重要的代表大会。大会的丰硕成果和主要精神，集中体现在江泽民同志代表第十五届中央委员会向大会所做的题为《全面建设小康社会、开创中国特色社会主义新局面》的报告中，这是一篇闪耀着马克思主义光芒的纲领性文献，是我们党在新世纪、新阶段的政治宣言和行动纲领。

中国美协党组书记、常务副主席刘大为就“十六大”的深远历史意义和现实意义及如何结合美协的具体工作，贯彻“十六大”精神等方面谈了自己的感受。他说：“十六大”胜利闭幕了，这是事关国家命运前途的大决策，也是我们政治生活的大事情，更为我们今后的艺术实践指明了方向。他认为学习“十六大”精神，主要是学习江泽民主席的讲话，而且要在全面领会、总体上把握来学习精神实质。他的体会有四点：(一)“十六大”报告中，充满了中华民族的自豪感，体现出我们党的英明伟大和正确。(二)江泽民主席的“三个代表”理论中的“先进文化代表”，在他的多次报告中，都要用重要篇幅来强调，这是因为，文化的力量是强大的，可以深深熔铸在民族的生命力、创造力和凝聚力之中，我们要充分深刻认识到文化建设的战略意义，作为一个文艺工作者，感到肩上的担子很重。(三)“三个代表”中的另两个代表也含有很浓重的文化因素。如“先进生产力”中，也包含着先进科技和先进文化这两项内容。更重要的是全面建设小康社会，就是要提高中国人民的生活水平，而生活水准中，很重要的一项内容是文化标准。所以说，先进文化的渗透力很强、幅射面很广，更显示出“先进文化”的重要性和我们文艺工作者的使命感。(四)面对“文化建设和文化体制改革”这项艰巨而光荣的任务，我们应该认真了解和准确把握什么是先进文化。在美协工作中，要立足于改革开放和现代化建设的实践，着眼于世界文化发展前沿，发扬优秀民族文化传统，汲取各国长处，不断增强中国特色社会主义文化的吸引力和感召力。我们就是要用文化凝聚民族精神，让中国文化在世界上得到张扬。

中国美协副主席詹建俊、杨力舟，中国美协副秘书长王春立，人民美术出版总社总编辑程大利，中国美协中国画艺委会秘书长孙克，《美术》杂志负责人王仲，中国艺术研究院博士梁红，中国美术馆研究部主任刘曦林，中央美院党委副书记王宏建，北京画院院长王明明和陈履生、李人毅、王洪义等均发表了讲话。

（《美术》2002.12 节选）

中国当代艺术误入歧途的三种思维模式

文／林木

进入21世纪的中国艺术界迎来了一个全新的时代，一个中国已经从市场贸易上全面地加入WTO，而让中国的市场融入全球市场的时代，中国20世纪80年代以来的改革开放从此进入一个崭新的阶段，闭关锁国的时代将因此而一去不返。整个中国的经济也的确在蓬蓬勃勃地发展，数年来一直以8%左右的让世界震憾的惊人速度持续发展，呈现出前所未有的势头。中国综合国力的强盛为世界所瞩目。这种势头，甚至让美国人也感到惊诧，他们甚至预言，在21世纪，中国或许将是全世界最有可能向西方挑战的国家。中国目前的经济状况的确不错，世人有目共睹。但正如马克思所说，文学艺术的发展往往与经济的发展不相平衡。在中国经济发展势头如此红火的当代，我们艺术发展的现状却很不如人意，甚至有着相当程度的危机。溯其源，应归咎于当代艺术界呈思潮性的几个重要的思维模式。

（一）新旧二元对立的创新模式

艺术当创新，无可非议。人与人不同，每人的生活境遇与感受体验都不同，每人的艺术风格亦当不同，此代与前代，此时与彼时，都将不同，也当不同，以此为新，都是对的。而此人此时之艺术特色相对于他人彼时之艺术，也会不同，此即刘勰《文心雕龙·通变》所谓“凭情以会通，负气以适变”，此即为新，这也是对的。但如把创新当成模式，创新就摆脱了艺术所以独特、所以新颖的“情”、“气”缘由，而在孤立的艺术自身的层面上唯新是求、唯新是好了。

“新”、“旧”问题依然。如果今天的艺术家真能如20世纪30年代某些睿智的艺术家那样，“一，从新的事象、新的感觉中，去寻出新的诗意、新的情调。二，创造新的技巧，去表现新的画境”，那么，这种对新的表现当然是对的。但今天艺术界的普遍情况却不是这样。艺术家对感受生活与体验生活不再感兴趣。谁再谈生活，谈生活与艺术的关系，谈生活的体验与表现，不仅会被认为思想陈腐落后，而且自己都会知趣地回避。由于“新”——亦如20世纪初那样——更多的与西方，例如纽约的“当代艺术”或一些国际展览的倾向，以及西方的画册或媒体信息有关，今天不少的中国艺术家们，大多就根据这些外来艺术的倾向而穷追不舍，他们密切关注的已不是自己真实的生存环境或自己的真诚体验，而是这些外来的“新”要求，外国展览、外国画廊、外国策展人的要求。如果在他们的艺术中也有某种中国的内容，那么，这种内容也大多与外国艺术的同类倾向相关。中国前些年的“政治波普”就是此种现象的典型范例。同时，这种对“新”的追求，又演变成一种在形式上不断求新求异的孤立追求。

这些年，我们看到多少“异”类的“新”东西：把墨洒在立体包裹的宣纸上当装置，用墨把裸体涂黑作行动艺术，拿着排刷学20世纪60年代的克莱因的抽象表现当“实验水墨”，更有甚者，以粪便的污秽，蛆虫的恶心，屠杀的血腥，啖尸的反人类的丑恶等惊世骇俗、耸人听闻的“新”来追名逐利，这简直就是打着“艺术”的旗号追逐名利，这简直就是打着“艺术”的旗号追逐那怕是恶臭之名！——不过，这也是追“新”求“异”的几乎必然结果。因为常规范围内的“新”很容易因“英雄所见略同”而不“新”或难“新”，故只有求之于超常规的领域。但此领域如果让全中国的“新”“艺术家”又蜂涌而至，则新又将不新，最后只有比谁更胆大比谁更脸厚更无耻了！我们的不少批评家面对作品，也首先是抓其新旧与否。新肯定好，剩下的“批评”工作，就是找其何以好的理由。同时，这种新旧对立的二元思维，又带来激烈的反传统倾向。这种世纪性的新旧二元对立思维模式，在当代艺术中呈现为与“五四”惊人相似的以洋为新、以民族传统文化为旧的同样二元对立的模式，又同样呈现出与“文化大革命”惊人相似的、激烈的、否定民族传统的伪革命性质。

事实上，在我们几乎整个艺坛，人们大多或多或少甚至潜移默化受此思维模式的影响并影响其行为模式。人们普遍地认为沾洋即新，新即革命；沾传统即旧，旧即保守。以致形成摹仿西方为革命，摹仿传统即保守，摹仿西方可以美其名为“学习”，为“借鉴”，而真正借鉴了传统，即使开了新，也因沾传统之旧而可以被否定。

（二）现代（当代）思维模式

这也是从20世纪初一以贯之，至今更变本加厉的一种主流思维模式。此种思维模式认为，人类的历史是按照一定的阶段程序，由落后的阶段逐步进化到高级的阶段。而人类社会的发展程度不同，有的已走在前列，有的则较落后，但不论先进或落后，此种社会演进的进程却是由一种“不以人的意志为转移”的客观规律所决定了的，落后的社会早迟也得经历先进社会走过的历程。此即为19世纪末至20世纪差不多整整一个多世纪，受达尔文生物进化论的影响，这种世界范围流行的社会进化论思想，在20世纪的中国亦有相当的势力与影响。

“五四”运动的精英层高举“科学”的大旗，“科学”在美术上对应的就是“写实”。康有为、陈独秀、鲁迅、徐悲鸿们就是以这种“科学”的当然也是先进的“写实”，去反对乃至打倒不“科学”不“写实”的当然也就是落后的中国传统绘画。但当大批的留学生们在20世纪20年代后陆续被送到日本、法国去留学，他们惊诧地发现，昔日国内视为先进的写实主义阶段竟然在法国，即使在日本也都落伍过时，此时的发展阶段早已经历印象主义、后印象主义而到达了“现代主义”阶段。林风眠、刘海粟、倪贻德们才马上改弦易辙，重新倡导现代艺术。信息传回国内，连传统“旧派”都为之雀跃，“广州国画研究会”如黄般若诸家、黄宾虹以及由科学写实转变立场的陈师曾，都马上把这种不求形似的现代艺术与同样不求形似的中国传统艺术相提并论，以为中国早已超越了写实的阶段而与先进的西方“现代艺术”并驾齐驱了。刘海粟更惊喜地发现，他所喜欢的石涛“在三百年前，其思想与今世所谓后期印象派、表现派者竟完全契合，而陈义之高且过之”。弄得一度激昂的徐悲鸿只能退守中大艺术系一隅，在与徐志摩关于现代艺术的“二徐论战”中也明显失利。而上海艺专、杭州艺专都大搞现代艺术，“决澜社”的倪贻德更是意气风发，狂飚突进，革命感十足。吴琬则热情地号召国人赶快去追，“我以为要不是打算去参与世界文化事业就没得说，不然就得追，追上去并着肩走”。可见当时这种社会进化论的影响大到什么程度。从那时起，“现代艺术”之“现代性”就在中国艺坛植下了根。

尽管50至70年代，中国又引入了同样是西方的、据说是当时世界上最先进的苏联社会主义现实主义，但随着苏联的解体，到80年代“改革开放”的时期，年轻人仍然认为半个世纪前的“现代艺术”才最“现代”。然后又重新续接上30、40年前断了的那根“现代艺术”的弦，以仿效“现代艺术”为基本特色，掀起了“八五”思潮。“八五”思潮所以以半个世纪前的“现代艺术”为仿效对象，一是刚开放，外来信息有限，而“现代艺术”相对熟悉；二是有续接曾被人为断线的艺术的意味；当然，更重要的，还是因其“现代”。当然，进入90年代以后，随着信息的流通，加之后来的互联网的出现，这种在信息上滞后几十年的现象不会重演。艺术家们开始直接关注西方艺坛的最新动态，跟与追法上也越追越近，越追越急，越追越前，说法上也逐渐抛弃了“现代”的用法，而继之以“后现代”，接着是“当代”继之“当下”，“前卫”继之“超前卫”而代之(真不知再往“前”该怎么取名)。

富于思考的观察家于是逐渐得出了结论：从长期来看，使本国的传统制度适应新的功能比或多或少照搬西方的制度更为有效。而对塞缪尔·亨廷顿来说，“现代性和传统性本质上是两个不对称的概念”，“它们根本不是互相对立的”。他明确地指出：比较简单的现代化理论认为两者是互为消长的关系，随着社会中现代性的增强而来的是传统性的削弱。然而，从许多方面看，现代性是对传统性的补充而不是取代。现代的习惯、信仰和制度只不过是传统的习惯、信仰和制度的增加。认为传统性和现代性“是相互排斥”的观点是错误的。现代社会并不单纯是现代的，而是现代加传统的。

这位著名的学者更明确无误地指出了现代化不等于西方化：现代化并不一定意味着西方化。非西方社会在没有放弃它们自己的文化和全盘采用西方价值、体系和实践的前提下，能够实现并已经实现了现代化。西方化确实几乎是不可能的。

(三)全球化思维模式

从20世纪80年代开始，随着经济全球化呼声愈来愈高，我们的艺术界“走向世界”的愿望亦愈来愈切。表面上看，这与一系列现代化的手段让国际间的交流变得愈来愈容易有关。

富于幻想的中国艺术家们真的以为自己也因此而已经成为了美国人，或至少与美国人差不多的人。因此，他们理直气壮地认为他们有权利享用美国人创造的、用来表达他们自己的当代艺术的观念和手法去创造“国际化”艺术。但另一层面，由于不论上述的“新”，还是上述的“现代性”，差不多全都是以西方的现、当代艺术作楷模和标准。“全球化”来了之后，WTO加入后，此类艺术家因此而有了一个摹仿西方的堂而皇之的理由。他们十分自觉地主动地以西方为标准，甚至是唯一的绝对的标准，这种做法叫“以西方艺术为参照系”。此种心态，又被时髦地称之为“走向世界”、“与世界接轨”、“国际化”、“文化全球化”等等。这种文化现象在整个文化领域都存在，而在艺术界则愈发盛行。在中国颇为时髦的“当代艺术”或“前卫艺术”就是这种以“国际化”的“接轨”为目的的艺术。亦如一直活动于西方的策展人侯瀚如十分明白地指出的那样：中国前卫艺术本身就具有国际化特质，它不仅具有国际化的趋向，而且其最终目的就是把一些有价值的艺术家的作品拿到国际性的环境去表现、展出，或是跟其它文化进行对话。

在这些前卫艺术家看来，“因为传统来说，中心一般指的是西方的现代文化”。为了实现这种“国际化”的“最终目的”，你当然得知道“国际化”——其实就是西方化或干脆就是“美国化”乃至“纽约化”——的条件和标准。《中国现代艺术展》组织者的高名潞等人在谈此种“现代艺术”家心态时有较为客观的分析：新潮美术的“传统”意识大多是一种超社会、超民族的抽象的精神意向：原始、粗犷、崇高、悲剧、永恒……因此，超传统形态的文化追求必然导致“反传统”的艺术出现……新潮美术毫无例外地重复了前辈改革诸家引进西方文化的现象；近现代中国美术史或许可称之为西方美术华化史。

在中国这些自认“边缘”的艺术家看来，你只能挖空心思乃至施展“策略”去迎合西方，获取那一张进入“国际语境”的“入场券”。中国人的艺术的“最终目的”难道真的就只是为了给外国人看么？甚至，这些试图挤进西方中心的策展人和艺术家们，不论他们是在国内或是在海外，他们的硬要挤入西方中心而进入“国际化”、“国际语境”的意图是那样的强烈，甚至到了希望和请求“中心”里的人们忘掉他们的中国身份的地步。正如一位关注与参与“当代艺术”的理论家在评价中国“当代艺术”时所指出的那样：“文化迎合”主义在中国一些当代艺术家中是很盛行的。据我所知，最流行的办法是，专注于西方时髦的艺术观念与表现模式，然后填充一点点中国式的内容，这也导致了一些中国当代艺术家身份的异化。即当他们自觉地为西方评论家、收藏家、经纪人创作作品，而不是从中国现实问题出发，并寻求中国式艺术表现时，他们已经完全丧失了艺术家个人的精神品格与价值立场。

在未来的岁月里，世界将不会出现一个单一的普世文化，而是将有许多不同的文化和文明相互并存……在人类历史上，全球政治首次成了多极的和多文化的。在这种人类社会发展的大趋势下，那种以为经济全球化和中国加入 WTO 的现状，可以让我们心安理得乃至理直气壮地模仿西方艺术的“全球化”思维模式显然极为落后而不合时宜。

由于上述三种当代艺术思维模式具有冠冕堂皇的外包装，在今天的艺术界颇为流行，影响甚大甚广。甚至，在整个艺术界，不管对上述三种主要建立在西方现当代艺术基础上的思维模式及其实践的赞成与否，不论在朝与在野，人们都较为一致地认为，此类艺术至少在名称上可称为“现代艺术”或“当代艺术”或“前卫艺术”。因此，此类艺术差不多已经因习惯而被公认为可以袭用西方的同类艺术名称（它们的确也大同小异）。这样一来，此类西化艺术也就专利性地垄断了代表“现代”或“当代”的权利，其它艺术则统统被归入“传统型”，至少是非当代艺术之中。

不论其如何模仿，如何荒诞，如何与国情格格不入，因其就是代表“现代”乃至“当代”的艺术，加之其中一些惊世骇俗的新闻效应，媒体也乐于传播。另外，西方媒体、展览、收藏家对此的介入，更容易让有殖民地倾向的某些国人敬畏，一二十年下来，竟成气候，以至连批评界对此种艺术，除了赞美之外，也少有敢批评者——谁不愿“当代”？谁又甘落后和保守？向南曾就南京公园杀牛闹剧愤慨地质问：“直到我动手写这篇文章时，还没有见到或听到，有哪位美术要人对这件事表示不满。看来，今天的美术诸公，已超过郑板桥，达到了真正糊涂的境界，不但缺少才气与技能，也缺少公理和正义。”批评界这种胆怯与羞涩，既与前卫艺术的伪革命有关，也与批评家自己理论的迷茫相涉。

此种主要从西方寻求借鉴，创作目的也主要为国际化的西方化艺术思维模式及其实践与中国自身的文化传统艺术传统大相径庭，也很难为国人所接受。同时，这种主要从中华民族灾难深重年代遗留下来的西方化观念，也早已完成了它们在当时的某些进步作用，在今天成为看似革命与进步，实则陈腐落后的伪革命艺术思维模式，早已背离了我们生气勃勃的当代现实，与我们日益强大的综合国力更是南辕北辙。当然，这种“伪革命”的性质主要指此种思维模式的性质。并非指责从事此种“当代艺术”者个人品质。相反地，这些艺术家中的中坚反而因坚信此种思维模式而相当执着、真诚且具革命感，但恰恰是这种对错误思维的真诚的痴迷和错觉性质的革命感，给中国艺坛带来的危害也更大。看来，当务之急是清理与反省这些错误观念与思维方式，立足于民族文化的坚实基础，深入研究中国艺术传统，立足于中国当代生活的生动现实，自主地借鉴外来优秀艺术的有益营养，自信地创造真正属于中国当代的社会主义先进艺术。

（《美术》2002.12 节选）

当代文化主题下的雕塑传统与现代实验
——第八届中国雕塑论坛述评

文／罗世平

由中国工艺美术学会、中国《雕塑》杂志社共同主办，福建惠泉集团承办的“第八届中国雕塑论坛”于8月28日至9月1日在福建惠安举行。本次雕塑论坛以“传统文化与现代实验”作为主题，是基于中国入世和全球化背景下中国雕塑艺术如何抓住机遇和面对挑战这样一个文化前提而召开的，受邀参加论坛的代表有国内外知名的雕塑家、环境设计师、雕塑理论家、当代文化学者等40多人。大会宣读论文23篇。所探讨的一些问题既具有艺术实践的现实针对性，又具有学术理论的相应思考，表现出与会者关注新时期中国文化建设的热情和责任感。本届雕塑论坛由《雕塑》杂志主编、清华大学美术学院教授陶如让先生主持开幕并就论坛的主题作了简要地说明。本届论坛学术主席、中央美术学院著名雕塑家钱绍武教授扼要而生动地回顾了中国雕塑传统在不同历史时期的表现特点，同时提出对西方现代和后现代艺术观念要加强研究，对中国现代雕塑的种种实验要予以分析，中国的雕塑传统和现代实验都应放在当代文化的主题下，放在学术的氛围下来讨论。

作为论坛的主题，雕塑传统与现代实验的主旨仍然是解答传统与现代的关系，只是当前切入了中国入世和经济全球化的背景，因此本届论坛就更具有现实针对性。大会的发言和提交的论文可概括为以下几个方面的问题：1、雕塑艺术在全球化背景下的机遇与挑战；2、现代雕塑实验与中国雕塑传统的继承创新；3、城市建设中的公众艺术观念与设计理念；4、科技材料的运用与雕塑的边界。

雕塑艺术在全球化背景下的机遇和挑战，是近年来由经济领域波及到文化领域的西方浪潮，它的紧迫性已经不容忽视。雕塑家由于在投身现代城市文化建设过程中有较多接触西方都市艺术的机会，因此他们有面对西方文化挑战的直接感受，提出的问题往往是创作实践中的所思所想。雕塑家项金国的发言，一方面看到全球化浪潮带给中国艺术的多种机遇和发展的可能性，比如在全球化背景下艺术的交流与互动性得到加强，艺术的多元化和丰富性得到进一步的体现等等。另一方面也清楚地看到东西方文化之间的冲突加剧，民族传统艺术的价值标准受到挑战，中国艺术传统是否还有独立存在和继续发展的可能。他的发言喜忧参半，而担心的成分更多。对于中国的艺术家而言，全球化是一个十分敏感的问题：自从美国克林顿政府提出全球化战略之后，引起了世界范围的不同反响，那些文化传统悠久的国家和民族反响犹为强烈。中国美术界曾有过关于全球化的讨论。担心或抵制者居多，因此雕塑家表现出的忧虑在艺术界带有普遍性。

对全球化的敏感与20世纪90年代以来讨论较多的文化身份和话语权有直接的关系，在全球化问题提出之前，曾有过一轮关于后殖民文化的讨论，其中的主题词是“文化身份”和“话语权”。后殖民主义批评家萨伊德原是站在批判“欧洲中心论”的立场，消解西方殖民主义建构起来的西方文化霸权，倡导东西方文化之间真正平等的对话，把原来东方民族在国际文化交往中失却的文化身份和话语权交还给东方。这种文化批评的积极意义曾经局部地点燃过中国的民族情绪，中国的后殖民理论将萨伊德的批评话语转用来捍卫本民族的传统，通过向固有文化精神的回归，建构起一套本土话语体系，克服在国际文化交流中的“失语症”，获得自己应有的文化身份和话语权。在这场后殖民文化的讨论背后，隐隐约约透出的是担心话语权的再一次丢失。全球化浪潮的接踵而至，自然会使有着几千年文化传统的东方民族再一次地审视西方的意图，因此对“文化身份”和“话语权力”丝毫不可掉以轻心，雕塑家的担心应该说是文化责任感的一种表现。“文化身份”和“话语权”是否会丧失，更取决于我们在经济全球化的背景下知己知彼和发展壮大的程度，文化上相互尊重、共生共存的多元格局应是我们理解的全球化的目标，文化霸权主义和狭隘的民族主义都不利于艺术的创造。

雕塑的现代实验与传统的继承创新，与全球化的讨论直接相关。关心雕塑传统的发言者有从汉唐以来的石雕和佛像来阐述表现方式和审美特征的，如中国雕塑的写意、空境、线性风格等；也有从民间艺术传统探讨地方雕刻手法的，如曲阳石雕和惠安民间雕刻等；谈现代实验者则敏感地意识到现代材料及加工手段引起的造型观念和表现形态的变化，注意力较多地放在雕塑的现代形态和公共特性在当今城市文化建设中的主流特征上。如讨论雕塑与环境的整体关系时，主要是基于现代城市公共空间的共生要素和设计意识，把雕塑视为一个城市的“眼睛”，与人共享一个空间的观念不仅使“城市雕塑”、“环境雕塑”或“景观雕塑”的诸种功能在认识上得到整合，而且对来自西方理念的“公共艺术”从学理和实践两方面有了初步的认识。

表面上看起来，谈雕塑传统和谈现代实验者所持的立场是不完全相同的。说传统者持论的是历史文化、地域特色和民族风格，说现代者的角度是西方观念、当代取向，话语体系有较明显的距离，但实质上二者都是以当代的雕塑实践为发论的前提，他们有一个共同的文化语境，那就是“当代艺术的人文关怀”。在这个语境中，传统雕塑的人文内涵以一种生命和自然的形态表现出来，积淀为中国传统文化传承和再生的基因，他们把传统视为延伸人文精神的有效资源。现代雕塑实验关心的是人的现存状态、揭示人与物的空间互动心理、释放感官的极限快感、创造空间形态与实现手段的最大可能性等等，指向的是今天人们的生存状态。在讨论现代实验雕塑的当代文化特征时，我们应该看到它的主流仍然是人文关怀。如果从这个意义上讨论艺术问题，传统和现代之间在本质上并不存在根本的对立，二者有着共同的主题，可以坐在一起讨论，表现形态和视觉方式的差异可以在互敬互重中各得其所，并不一定像某些后现代理论表述的那样，艺术的当代性就是反传统。

当然，论坛对“雕塑传统与现代实验”的这一主题词的潜在关系并没能做显幽发微。比如讨论雕塑传统，就较少用历史学的眼光认真看待20世纪后50年形成的现实主义新传统。现在讨论传统，通常只论汉、唐、宋、元，跳过明清，往下就是西方的现代和后现代，20世纪中国的雕塑传统被有意无意地忽略了。其实今天的雕塑家们都是站在现实主义的新传统上回望古代和眺望西方，这个新传统中有西方古典造型，有苏俄艺术样式，同时有本民族的审美品格，它在坚持为大众服务的现实主义创作方向上建设起了宏大叙事结构和纪念碑式的语言体系。不管喜欢还是不喜欢，它已进入了历史，并已是今天雕塑家站立的基础。正确分析这个新传统，会有益于我们面对现实，深入思考“雕塑传统与现代实验”这一主题。

城市建设中的公众艺术观念与设计理念，是本次论坛的热门话题。随着新时期以来城市建设步伐的加快，雕塑在城市文化建设中扮演的角色越来越显得重要。雕塑家在参与城市的建设规划和设计中更加自觉地关心雕塑与环境空间、雕塑与人的生活空间、实存空间与虚拟空间等多种因素，尝试用艺术化的方式实现空间的人性化和公众化。在这一目标下，西方公共艺术的观念受到艺术家和理论家的关注，孙振华的论题“什么是公共艺术”即是由公共艺术这一观念在西方的形成过程来追问公共艺术的文化意义的。他例举了自霍贝马斯之后公共性在西方的进程，随着西方市民阶层的出现，自由平等参与社会经济政治生活的意识得以普遍推行，出现了包括艺术家在内的公共知识分子，他们所强调的公众参与、民主精神等价值观直接影响到20世纪60至70年代的公共艺术思潮，公众与艺术的互动和共享成为艺术的核心内容。雕塑家王中从城市规划设计的具体实际问题出发，引用中外城市规划方案中的公众艺术理念，提出大众生活的艺术化和公共空间的艺术化见解，主张用“公众艺术”的概念来取代“公共艺术”，并提供了一个公众艺术的逻辑公式，即“公众艺术=公共+大众+艺术”。潘绍棠教授以街头雕塑、居住区雕塑和旅游景区雕塑为例，分别论述了雕塑与公共环境与人的空间关系。另有讨论雕塑与公共艺术设计的几篇论文，也都是从不同的角度探讨了公共艺术在现代都市文化中的作用。

公共艺术(The Public Art)是20世纪的新概念，属现代都市文化的产物。它首先由欧美开其端绪。在传统的绘画、雕塑、建筑以及设计领域里开辟新路，将艺术和都市环境、公共空间作观念上的联结，使艺术成为现代都市建设中提升文化含量最直接的方式之一。可以说是最具有大众意识的艺术表现形式。按照美国R·安德鲁(Richard Anderews)的界定，举凡地标、符号、纪念碑、建筑、雕塑、绘画、手工艺品，一切具有审美特性的物品，均具有公共艺术的功能。这是一种以人为本的生存空间的艺术观照方式。公共艺术的目的在于重新建造起一个物我会通的生存空间，在这个新的空间中，培育起富有生命力的物物、物我之间的协约关系。20世纪60年代欧美后现代主义思潮在美术上的表现，又赋于了公共艺术更多的大众通俗文化的色彩，如M·哈尔所言，公共艺术的结局是：走向通俗(Forward in an Aftermath Public

Art Goes Kitsch”)。在西方的理念中，公共艺术应是最贴近大众的艺术形式，并有将其普泛化到无艺术边界的趋势。

中国进入改革开放的新时期，城市的快速兴起给雕塑和公共艺术设计提供了发展的平台，20世纪80至90年代中国的城市雕塑实际包含的种类很多，如果按其空间和功能划分，有纪念碑、城标、园林景观雕塑、场馆装饰雕塑等类。这些雕塑因其空间功能的不同，分别承载着公共艺术的相关作用。都市文化对公共艺术提出的要求，不断激励着艺术家积极地探索和尝试，吸收西方公共艺术观念和设计理念中适合中国都市文化特色的合理部分，在学理和实践上逐渐深化。尽管中国的公共艺术起步较晚，但却势头很劲。近20年中，艺术家们在设计理念、材料手段、造型风格等方面多有收获，观念和境界焕然一新；年轻艺术家创造的更具前卫意识的装置作品，运用现代电子信息技术和高科技手段所作的极富创意的艺术设计，同时丰富着公共艺术的表现。艺术家的创造力正在公共艺术的新起点上被充分地激活。进入21世纪，具有公共艺术意识的艺术家将会是一个更有自信心的群体。本届论坛引出的公共艺术话题尽管局限在雕塑的范围内，还缺乏公共艺术真正意义上多边学科的共同讨论，但它已预示着我国都市文化与公共艺术今后的发展趋势。

科技材料的运用与雕塑的边界，这一问题的提出是基于雕塑艺术对现代科技手段和工艺材料的利用。近一些年来，由于我国城市雕塑大量选用现代金属材料和科技手段进行创作加工，引起了雕塑空间观念的较大变化，在雕塑的科技含量加大的同时，雕塑的边界也变得模糊起来。材料与空间方式是第一位的。雕塑的边界可以忽略或者扩展到其它领域，这是由现代科技创新推及艺术创造的思考方式。许正龙在谈雕塑的空间意识时借用物理学的空间场这一概念，认为雕塑的空间是由虚、实两种空间共同创造的场，人是在关系与运动中认识实体的。这与他在《扩充雕塑》一文中强调艺术与科技结合，科技的发展促使雕塑造型产生剧烈变化的“新空间论”和“新造型观”相一致。这种源于科技发展并建立在人本主义基础上的雕塑观，注意到雕塑在表现人的精神空间时，现代科技手段和工艺材料对雕塑造型所起的作用，因此“开拓性表现成了艺术家新的追求方向，塑造技能的竞争转化为观念思维的竞争”。这是在科技引导之下形成的理性判断，也是现代雕塑实验所具有的基本特征。把雕塑空间形态与科技认知世界的方式结合在一起，是与近年来科学家和艺术家倡导科学与艺术结合的学术主张相一致的，更准确地说，这里所说的科学认知实际是物理学的认知。所谓“扩充雕塑”，其实是物理空间经过牛顿的经典表达到爱因斯坦的相对论描述的推演过程，一切物质形态都被看作是在三维或四维中的存在状态。在这个认知系统中，人是主体，可以按照科学法则和定律来结构或解构一切物质形态，雕塑空间形态的变化即是建立在物理科学从经典到相对论的认知过程中。假若可以换一种认知方式，用生物科学的生态系统的有目的性、选择性、动态与整体的相关性等观点来认知世界，所谓纯粹的物理空间结构在一个生物有机体那里是有其意志、有其历史甚至有其“评价能力”的系统，雕塑的空间形态获得了如同人一样有自调节能力的“有机体”，具有参与和协调环境的能量。由此建立的认知和评价系统，不再“以人为本”，启用的是人与物平等互为的原则。所以贝塔朗菲在《生命问题》一书中断言：“生物规律比物理规律更具有普遍性。”这样看来，完全依赖物理材料和科技手段所作的雕塑观念变革，并不是走向“新空间”和创造“新形态”的唯一途径。雕塑边界的拓展在物理学的分析和解构之后，是否会在生物学的整体论背景上表现得更有包容力呢？

上述有关雕塑的问题，在本届论坛开放平等的学术气氛下得到了较为充分的讨论，尽管有些问题在阐述过程中没有完全摆脱感觉的色彩，学术理论的深度还不够，但是由于雕塑家敏锐的感受力和来自创作实践的真实体验，所提出的问题往往具有现实针对性，有些真知灼见亦不乏理论价值。这些见解如果经过更充分的学术准备，将会启迪更多的新知。雕塑论坛的学术作用也一定会在理论探讨和艺术创作两方面得以体现。

（《雕塑》2002增刊）

当前雕像热潮中的冷静思考
——浅淡国内雕塑现况的五种现象

文／文集

一个时代的进步，使各行各业在无序中付出昂贵的代价。混乱过后，你就清楚地看到，换来沉痛的教训，或者说换来一种行为准则。社会进步的脚印是在形形色色的泥潭里跋涉，积淀下来的文化留给了后人……在这章有限的笔墨中，以概括前者和正在行走的文化行为为前提，剖析问题，与大家商榷 。

一

设计是一个非常复杂的理论学说。包含着政治、经济、人文、历史、环境等综合因素，如果，单纯地把设计看作是一种形式，那只是皮毛，没有以上要素为依托，设计只是没有灵魂的躯壳。

改革的大潮，让人目不暇接、琳琅满目的各种现象摆在你的面前，让你透不过气来，不假思索的各种思潮在不同的环境里找到了自己的位置。所以，人们开始浮躁、无奈、随风而飘……

雕塑，也成了机械的“产品”，堂而皇之地走上街头。

现代雕塑从新中国建立以来，走过了50年的路程。可以分三个阶段，第一个阶段是受前苏联的影响，形成了大无畏革命英雄主义的现象，以战争、工业建设、农业发展为题材的唯美主义的人文现象。

第二阶段是以文化大革命为时间为圈点，以毛泽东主席为题材的广场文化，加之工农兵的高大形象，建起了许多“神坛”。当时鼓舞了一代人，起到了教育和发动人民的作用。

第三阶段是以改革开放为前提的各种形式的雕塑作品，如雨后春笋，布满大地。如果说；这个阶段的雕塑作品相对而言，要比前二个阶段的雕塑语言丰富起来，不论是在雕塑美学上，还是形式创新上，发挥的余地更加宽泛和自由，但是走了20年后，却不约而同地走进了现在的这种误区。

雕塑结构是在几条线上变来变去，如同一道数学题有几种解法：2 + 8=10、8 + 2 = 10、5 + 5 = 10、3 + 7还是等于10的推理，不断地在逻辑思维上做文章。随之而来的是三角形、多边形、梯形、棱形和圆形的结构变化，在这种形式中，出现了装饰球体的一种公式，大大、小小、多多、少少，久而久之，遍地开花。克隆的、抄袭的、张冠李戴的，形成了你也有、我也有、全国各地到处有的现象。

以上现象在专业院校的雕塑专业课堂上作为理解雕塑结构和一般常规的教学而言，有情可原。

一些院校已经把国外的雕塑教学体系引进课堂内，加大了现代雕塑教学力度，甚至盲目照搬国外的雕塑理念，引起雕塑界的一片紊乱。

学多少、卖多少，造成了一个模子刻出来的尴尬。

更加悲哀的是，形式上成了一种模式，模式又成了精神又变回了形式。如：太阳——不锈钢球，曲线——奋进、腾飞，直线——科技、速度，这种误区的公式就算了出来，太阳——蒸蒸日上，腾飞——事业进步，科技——现代文明。空洞的堆砌，把人们的思想建造在空中“楼阁”里。

假，假得让你不好多看一眼。雕塑的内容极其浅薄，给读者传递了虚无的文化，形成了审美的误导。

大，大的让你害怕，害怕的是那种粗劣，害怕的是那种怪物，害怕的是那种在阳光下闪闪发光的金属。

空，没有灵魂、没有激情和没有技法的造物。

二

一个城市没有自己的历史是悲哀的，没有文化的规划更加悲哀。

抓形象工程，事在必行，但是什么是形象，是摆在城市建设开发中的一道课题。经验告诉我们：拿来主义是行不通的，经不起时间推敲的。大连搞的好，是有一个会规划、懂经营环境的政府，因此，大连在一维、二维、三维空间规划中，有独到的见解。

一些城市急于赶上发展的步伐，加大了改造城市的步伐，这一点无疑给百姓带来了实惠，规划部门也绞尽脑汁，向全国征集城市雕塑方案。随后，征集到一批来自全国的城市雕塑方案，进行评选。各个城市采用了一套大同小异的熟路。

“一把手定盘，二把手管钱，三把手点头，四把手去干”的集体“通过”现象，然后，提出若干条修改的意见，一些城市，还要在形式上请几位专家参加评审。有些现象更有新意，把征集来的方案进行嫁接，这样创作权就是这座城市的。

如此招标方式激怒了许多作者，纷纷告上法庭。这种案例，屡见不鲜。

如果说这种问题误区的出现是极为不科学的，外行点评内行，权力大于专业，对雕塑是一种亵渎。现象的另一种是：突击性建设，如五一献礼、七一揭幕、八一剪彩、十一竣工……

突击性建设带来了突击性创作。

作者得不到充分的时间来创作作品，所以，经不起推敲，这种错误在全国很流行。雕塑家为了得到更多的创作机会，“生产”一批雕塑“产品”，参加许多城市的招标，一稿多投，中标就能赚钱的心理，造成了雕塑质量低下的恶果。

不正常的审批现象带来了投标专业户的产生。这样的现象十分普遍，所以，是否采用招标制，还是委托制，是一个城市净化环境艺术的十字路口。

三

中国的环境概念十分抽象。

没有一个朝代对雕塑有着充分的理论立法，仅此，在劳动中的工匠们积累了许多的技能和办法，构成了中国环境发展的前沿，用这种方式勾勒出环境发展的脉搏。

龙凤变成中国人民心中的吉祥和美好的符号，神灵在无情地鞭打狰恶，编织了理想的天堂。

时间就是这样怪，从无形变成了有形的遐想空间，达到了“天人合一”的境界。设计出了另一种人生轨迹。龙凤鬼神、喜怒哀乐，对人世间的一切注入内容，时间给这些创造赋予灵魂，从神话中走到了人间，在这样的人文背景下，牵动着古老的中国，世世代代讲述着同一个故事，越讲越精彩、越厚重。

历史长河吸纳百川，为雕塑这个词汇注入了东方色彩的生命塑性，逐渐形成了文字金字塔。在这样一种文化现象里，艺术家要尊重历史的存在。回避历史，是一种极其愚蠢的表现。

随着不同思潮观念的涌现，坚守这片高地，是一件困难的事情，但是在我们的历史里，你可以找到任何思潮的源头，聪明的艺术家却恰恰地找到了发挥自己的艺术能量的释放点。他们在寻根的基础上，把一种情感和激情糅进去，把久远的故事讲得富有现代感，生动、亢奋和有声有色，给人一种活生生的形式。

那么，现在的问题是缺乏规划中的文化延伸，只是园林中的草木雕阁，随然把现代材料规划设计进去常常是熟米夹生饭，形式与内涵脱节，材料与艺术脱节，在平庸的气氛中，加之失调的心度，材料上的艳俗形成了形而上学的套路。

雕塑家参加规划，或者雕塑家担纲规划课题，好象至今没有。

这里还要提到大连，大连从整体上看，城市本身就是一尊雕塑，在这座城盘里，不论房子还是树木，起伏的色彩、错落的街道、丰富的结构，构成了雕塑内涵，在这基础上，出现若干的雕塑作品，把整个城市激情动员起来，在整体上完成了文化延伸的过程。

挖掘出环境与人的关系，雕塑在环境里起到了非常积极的作用，注入了生命的意义。

四

材料的属性，是每一位雕塑家研究的课题。不但会使雕塑本身起到表达内涵的作用，更重要的是材料在环境中的如何应用。

现在有许多材料，雕塑都可以采用。这些这材料如何运用，是当今雕塑家们需要认真研究的课题。实际上中国人是非常聪明的，从四大发明到卫星上天，可以说是无所不能，这种智慧确实没有在国土上得到充分的发挥。

艺术本身无国界，中国艺术在世界上也是举足轻重的。那种厚重的积淀，多种艺术形式在国内都可以实践，在当今这样好的艺术环境中，每一位艺术家应该找到研究和实践方向。

却不然，许多雕塑家把国外的艺术当作自己的奋斗目标，锲而不舍地寻找一个没有方向的目标。

试想：雕塑家前仆后继，这一段历史留下来的作品，可能就是某某国外艺术家的“复制品”和“仿造品”。

材料的堆砌，出现了材料的“进口”化，所有雕塑家都有一种欲望，现代材料应用在自己的作品上，将会夺目。也许一些题材不妨采用，另一些题材就不敢苟同。当今的人们喜欢雍荣华贵，表现财富，贴金贴银，经济的发展带来了人们的虚荣，这一切，影响着雕塑家们的心态。

一尊几十米高的大型不锈钢雕塑，明晃晃地耸立在城市的十字路中央，在阳光下，产生了强烈的光污染。它不断地刺激过往的行人，对车辆产生了更大的危害。最近，雕塑家们看出这些问题，聪明地喷上了漆，乍一看，漂亮。几年以后，雨水冲刷、阳光辐射，已经变得斑驳陆离。

也许是急于求成，也许是好大喜功，留给城市的只是艳味。细心品来，在中国雕塑发展的过程中，近期有些蛮荒。在材料使用上前人许多经验值得借鉴。

不然，材料会给雕塑带来想象不到的灾难。

五

雕塑是赋有文化的生命。

前一段时间，某县的宣传部长对我讲述了该县城标的创意，让我哭笑不得。

四根不锈钢柱子托起一个钛金球，然后，五个小钛金球构成一个圆环，据讲：紧密地团结在县委的周围（五球代表五大班子）奔向四个现代化……听到后，心里有一种莫名的悲哀。雕塑创意的肤浅，让我想起小时候在黑板上看到的插图。把一个历史悠久的地方变成了一个非常苍白的文盲县。

在全国普通存在的这种现象，牵强地与时代挂钩，创造出了自圆其说的现实说教。在百姓中有一段耐人寻味的顺口溜："某某领导真能干，宁把俺市变成县。"虽然短短的两句话，说出了某些城市的领导素质低下，造成了目前文化垃圾的主要原因。

雕塑变成了产品，一种高附加值的产品，与一些昧着良心、不学无术的雕塑钻营分子的行为有关，暗箱操作，互相勾结，形成不正常的雕塑创作环境。更可悲的是，主管部门不懂雕塑理念，发号施令，长官意志，豢养了不正之风。

某一个城市的一把手去了一趟欧洲，拍回片子来，按照他的意图在城市广场中建起一尊雕塑，我们熟悉的撒尿小孩，十分可笑，不！十分可怜，知识的可怜。往往一座城市取决于决策者的规划水平和丰富的知识。虽然，国家还没有雕塑法出台，前些年忙于经济建设，现在，国家有了一些积蓄，美化家园，是我们共同的愿望。

尊重知识，尊重文化、尊重艺术是每一个城市在发展中的重要一环。

由于地方不同，文化现象也不同。具有一定水准的雕塑家与规划部门协起手来，参与城市规划。甚至，为雕塑家提供充分的人文、经济手段的保障，让他静下心来，鞠躬尽瘁，为城市创造精品，打造品牌。像工程院院士一样，为一个课题研究一辈子。用这样的方式去鼓励艺术家沉埋在城市之中，走进城市的深处，让雕塑家们有足够的时间学习、消化本土文化，拿出最适合代表本土化水准的方案，以慢制快，去掉浮躁，去掉表面，寻找创作的基点，潜心创作经得住时间考验的作品来。

不要以招标形式，一哄而上。也不要以对人民负责来搞形式主义。艺术是极其高尚的个体劳动；它并不是在某种形式的监督下创造的精神产品，是完全自觉的心理完善过程。

政府只有保障权，没有干预权。可以说，雕塑家会拿出最好的表现，这种表现会变成精神财富，如果能看到这一点，那将是当地领导的绝顶聪明。

相信这篇文章不论对雕塑家，还是职能部门，都是一种忠告。体制要创新，艺术也在创新，但是它们之间没有必然联系，需寻找各自的发展规律。

政治制度是不断地发展，文化现象是在渐渐地沉淀。靠着行政干预和指点，必然会出现不负责的假文化现象。

历史谁来负责，我们这一代人应该冷静地深思了……

（《雕塑》2002 增刊）

略论中国写意雕塑

文／吴为山

中国雕塑，历史以来，以两种存在形式最为显著：室内为佛教造像；室外为陵墓道前的石人、石兽。前者由于有严格的造像法限制和虔诚的宗教情感之制约，故大都合于法度，不似后者：超然、豪放、自在为之。也许是置于室外的缘故，若刻画得太实了，就失去了与天地争空间的雄强之势，所以古代大量的陵墓雕刻总是保持着一定的自然形态，稍加雕琢，便神气活现，巍然磅礴。这种风格至汉代达到鼎盛。所憾的是汉代以降，此风渐减。至近现代，又因西洋雕塑传统的介入，中国雕塑大有以西方写实主义为体、为用的倾向，当代以西方现当代艺术为参照之势愈烈。故那种原本存在于我们传统文化中的写意精神未能得到很好的继承和发扬。

本文提出写意雕塑的概念，旨在强化与彰显，使"写意"在雕塑艺术中也形成一股风——一股荡漾着民族之魂的风。

一、写意雕塑的特质

"写意"，先有意，而后写之。作为一个概念范畴，"意"在哲学、文学、艺术等领域中所涵纳的意义不尽相同。

雕塑乃至整个造型艺术中的"意"，与其它艺术门类中的"意"又存在更为明显的不同，其中最主要的在于造型艺术之"意"是与"象"连在一起的，确切地说是"意象"。

"意"的因素使雕塑与理想贴近。"象"的成分，使雕塑与现实相联系。

这种"意象"的表现形式是"形"或"型"，它是创作者在综合了各种因素后，瞬间生成的，带有强烈的感情色彩，超乎于现实之外。它是对作者内心所生成"意象"的肯定。

写意，处于写实与抽象之间，它既不会使人产生一览无余的简单，也不会令人有望而却步的深奥，它会引导人们在一种似曾相识的心理作用之下，去把玩、体味、感觉艺术作品的整体及每个局部、细部的"意味"。智慧生成形式，写意凝固着瞬间感悟，凝固着生命激情，由于写意速度的迅捷，决定了它无矫揉造作，无"深思熟虑"，从而更接近于本质。当事物的本质与艺术家的精神高度的对应时，艺术家在创造的过程中便自然地会摒弃表象的细节，而抓住并突出客观事物中与创作主体相契合的那些特征来表现情感、抒发意兴。这就使得作品更趋于符号化并与感觉、理念融为一体，从而增强了其在空间、时间上的恒久之性。所以，写意雕塑的特质，即是在雕塑中将人与事物之间的那种精神超越凝固化、物质化，具有着强烈的感召力 。

写意雕塑中所注重的“意”与中国古代文学艺术中的概念有着共通之处，故写意雕塑的发生发展亦有其在哲学、文学、绘画、书法等方面深厚的文化背景。

二、中国写意雕塑的背景

1．原始艺术的写意性

人类早期，无论是东方或西方，其艺术形式近乎相同，正如婴儿的第一声啼哭，没有“你好”，也没有“HELLO”。

认识世界的局限性导致原始人在表现技巧上的局限，他们不可能惟妙惟肖地刻画万物的表象，只能用心灵的触角去感受，也正是这可贵的一点造就了原始艺术中表现手法的高度写意性。因为感受的淳朴、直观、强烈，所以表现出的线条、体量以及生成的面与面之间的关系也是最富有生命力的。一切虚伪的、一切技法层面的、一切苍白无力的伪饰荡涤得一干二净。即使现代，由于某些地区民族的封闭，生活仍处于原始状态，它们是原始艺术的“活化石”。如非洲的木雕，中国贵州、云南地区的鬼魅文化雕刻等。但无论是远古时期的原始艺术，抑或是现代社会的原始留存，他们都具有一些共同的写意特点。

（1）　究其一点，不及其余。突显客观事物的某一点，并理想化、神化。对一些特定局部进行重点刻画和不自觉的夸张。如刻画人时，最重眼之表现，或做成大球凸出，或凿凹洞下陷。原始艺术中对眼部刻画的重视也是影响后来中国绘画理论中“传神写意，尽在阿堵中”的一个重要因素。

（2）欲望性。欲望的专一性使他们在创作中去夸大某一局部而减弱其他。如夸大乳房、生殖器等，这在红山文化女体中有所体现，表现了原始人生殖崇拜心理。

（3）情绪趋势。原始人在刻画事物时，受情绪的支配，收获的喜悦、狩猎的失败等都影响创作中刀痕的深浅、长短、力量。这是抽象表现主义的萌芽。

正是在这样一种多义与多功能的混沌性中，原始人以直觉塑造出了朴实的意象作品，足令后人叹服。

2．雕塑中的写意性

1、岩刻的意象——人与神的混合

人与神在先民那里往往是混同。神是虚幻的，无具体形态，而原始人欲在现实中找到神的对应形象，但又不甘以人表现神，便将许多幻想投射到人，而后便有了“神”，在表现上，他们把人瞬间最精彩的神采、势态刻画出来，作为对“神”的赞美，这种“转移”无疑是原始人观察力的体现，这在很大程度上是写意了。如西藏岩刻、连云港将军岩岩刻。

想象是创造的基础，但离不开人对客观事物的经验，因此，人神混合体现在造型上就是模糊的意象。先民受宗教情感的驱使，摒弃自然事物的束缚，表现时可更多发挥，在情绪上较激烈，手法上较肯定，造型上更自在，所以这些作品往往变成神品。其潜能的发挥，是充分的、饱满的。

2、汉代墓前“动物风格”的雕塑

秦汉是中国雕塑不断发展的时期，就文化传承而言，秦朝仍旧体现出战国时期秦国关陇一带平朴写实的特色，而汉朝则多承楚风，更具浪漫、夸张的成分。在雕塑风格上，秦朝追求写实逼真，汉代则讲求写意生动，并将这种风格推至高峰。如汉代霍去病墓前石刻，质朴自然，气魄沉雄博大，代表作之一的《马踏匈奴》表现了一匹昂首挺立的战马，安祥而不失警惕，端肃中蕴含着力量。粗壮结实的马腿，恰如四根巨柱，与马身浑然一体，古劲而朴拙，线、面、体相融的造型，增加了写的意趣、情韵，直抒胸怀。

江苏连云港孔望山的东汉雕刻，是佛道并存的宗教题材，它反映了佛教初传中土之时，依附于道教以谋求发展的一段历史。作品已有一定程度的风化，但佛道互通的故事情节以及艺术风格，透过依稀可辨的形象可释读。卧、坐、立各种有机组合的姿态，人物比例及体量的高低凹凸浑然一体，利用山石的自然组合而生成有机的形式构成，人物的大小互补尽在淋漓尽致写意中。

3、汉俑中的写意性

作为随葬品的俑，数量庞大，为适合成批模制的需要，工匠们在塑造时不得不舍弃对每个局部的精细刻画，而毅然大胆地进行整体塑造。他们采取饱满的面、扁平的体、富有装饰意味的阴线和阳线，贯穿于作品，本来陪伴死亡的俑也富于了快乐的生命。汉俑和唐俑的饱满圆润不同，表达的是自在、本然的生死观，创作者通过形式直达意念。

4、汉代的工艺铸件

汉代的工艺铸件通过夸张的动态表达意、趣。如“西汉盘舞”造型中线条的流畅性、所呈现的律动感，犹如印度神湿婆造像的形式，且更加不注重形体的写实及细部的刻画，它着意的是形的整体流动关系，恰如书法运用线条构架而产生的节奏。

5、佛教雕塑

东汉永平初年，明帝夜梦金人，故遣使西域求法，由此，白马驮经西来，佛教之传播在中土以滥觞，佛教造像成为中国雕塑创作的主要题材，题材的性质限制了雕塑写意性的发展。佛教造像的要求高于一切，匠师们在创造佛教主要形象时，虔诚的心态只为塑造庄严的法相，法度减弱了艺术灵性。然而一旦他们塑造起供养人及影壁中那自由自在的云水、飞天，工匠们的心态便放松下来，而呈现出生活的世俗情感，佛像之外的“小人物”便被活脱脱地表现出来，往往这些不经意的塑造是最具艺术性的。从许多遗存的作品看，可以分析这类作品在创作时速度快、轻松，具有高度的写意特征。衣纹的风格化倾向及人物非程式化神态的捕捉都积极影响着后代的雕塑。

概括言之，雕塑的写意，有三个方面的特征：一是形态的夸张意象，二是形体凹凸隐显的质感意象，三是人物瞬间神态的意象。心源是中国写意雕塑的理论表现，重视主体对生活对象的感受，并把感受渗进作品。作品的生成往往是急速的，外形呈发散状——区别于“几何化”。另一方面，更注重“神”的写意，集中体现在对瞬间表情的捕捉，并把这种表情理想化、夸张化、诗意化。民间泥塑、汉俑中表现得尤为明显。中国写意雕塑虽不是作者对着对象写生生发意，但处处体现了作者对生活的观察和热情，因此，在外形方面看不到主观解构对象的痕影，倒是在外部塑造的手法上留下了作者深深的情、意，自然的肌理，潜意识中的变形等。齐白石说的比较明确：太似则媚俗，不似则欺世。这也体现了“中庸”的哲学。

三、中国写意雕塑在世界文化对话中的角色

人类艺术在高层次是相通的。它也提醒我们：优秀的写意雕塑全为世界所接受并成为文化重要组成部分。随着写意传统的当代性阐释，愈发其“现代”魅力，在我们时代乃至以后担当重要的角色。回瞬往代，那种产生过强悍写意雕塑的时代本身是具有精神的，是辉煌的。这个时代也是民族值得骄傲的时代。

哈佛大学学者塞缪尔·亨廷顿在《文明的冲突》中将中华文明列为当今决定世界格局的决定因素的七大文明之一，他认为今后世界的冲突的基本根源不再是意识形态，而是文化上的差异，主宰全球的将是“文明的冲突”，所以中国文化在世界上的地位将是显著的。尤其是老庄思想、孔子的中庸思想基础上产生的中国的艺术亦将对世界艺术产生重大影响，中国动物风格的写意雕塑、中国的写意绘画及中国接近纯抽象艺术的书法，都必将在世界艺术中扮演愈来愈重要的角色。

当今各种观念艺术或艺术流派，使得很多艺术家在这些风潮中负载太大的压力。一方面要表现自我，另一方面又要找到观众，所以创作时往往受压抑，他们走进写实，被误解为保守主义；他们追求抽象，又失去观众。所以在这种状态下，处于两极之间的中国写意雕塑提炼生活，凝炼情感，可以淋漓尽致地表达所疑、所思、所恨、所爱、所感、所悟。

日益强大起来的中国应当看到民族深层心理的宽厚与宏大，要看到在这种心理孕育成长起来的文化的优秀性，也要看到写意雕塑到达顶峰的时代也是完整体现中国民族不屈不挠精神的时代。文化源流脱节现象的背后是优秀文化的返祖。当今，正是中国迈向强盛、辉煌的时期，在开放中，在东西方交流的大背景中，我们尊重自身文化价值，将这种价值置于比较中，会更清楚地认识形成的深刻内涵。

当前中国雕塑界有种倾向，即与西方潮流合拍。在国际上能博得认同的往往是一些政治波普的作品，形式上已是泛滥了的“国际化”，并不能反映中国的声音，这些作品在中国本土也未曾得到认可，只是西方人站在他们的角度，用他们的眼光选择了在文化上迎合他们的典型而已。这种倾向与文化革命中通过政治题材体现主题而不重视艺术自身规律是一样的可怕。多少艺术家在风潮中迷茫，认不清传统，也看不到现代，最后成为“风头主义”。风头主义活跃，也多新意，但一阵风过后，往往什么都没有，我们呼唤直接从根上长出的新芽。今天乃至未来雕塑发展的空间越来越大，它走向大地天空之间，人们不得不接受。它反映着时代又召唤着时代，写意是中华民族的艺术观，是中国艺术的艺术方法，是迥异于西方的另一个美学体系。写意不是为写意而写意，更不是追求表面颤动、诗意、变形、形体而是要融化、渗透、张扬精神。有了精神，所有作品才有了构架，才有了灵魂及内在的“气”，才有了那种一目了然而又意蕴无穷的艺术形式。

一个世纪以来，虽然写意雕塑并没有作为一个概念提出，也没有进行系统研究，但因为其生命力的强劲，所以，它是不以潮流为转移的。近百年来，无论是游学西方而植根于中国文化土壤的艺术家，或是带着中国文化的种子在西方扎根而长成参天大树的艺术家，或是在民间、在本土的艺术家都自觉和不自觉地继承和发展写意传统，并在此方面作出了令人瞩目的探索与成就。

（《第八届中国雕塑论坛》论文节选）

青州佛像风格与印度笈多艺术

文／黄春和

1996年山东青州龙兴寺遗址出土了一批石雕佛像，经过清理总数达400余尊，主要是北魏、东魏、北齐三个时期的。这批石造像发现后在国内外引起极大轰动，特别是受到了学术界前所未有的关注和重视，大家从青州佛像风格来源、发展分期等不同的角度对青州佛像进行了广泛、深入的探讨，研究成果层出不穷。青州龙兴寺佛像前后两度大规模来京展出极大地满足了首都佛像研究者和爱好者的要求。笔者曾多次亲临展览现场参观学习，获得了很多的收益。下面试就青州佛像风格的来源谈谈自己的看法。

1、青州佛像风格来源诸家之说

青州佛像风格的独特地位，我们从学术界对青州佛像的分期可以清楚地看出。目前，学术界对青州佛像的分期已基本取得一致的意见，中国社会科学院考古研究所的杨泓先生和山东青州博物馆的夏鸣采先生的观点比较有代表性。杨先生分为四期，分别是：北魏晚期、东魏、北齐前期和北齐后期。夏鸣采先生分为三期，分别是：北魏晚期、东魏和北齐。他们两人的分期基本相同，稍有不同的是杨泓先生将北齐细分成了前后两期。两位先生还对各自分期中佛像艺术特征进行了归纳和总结，他们归纳的意见也基本一致，认为：北魏晚期青州佛像基本和北魏晚期北方地区的风格相同；东魏时，青州佛像虽仍带有北魏晚期遗风，但已开始显露出青州地方的独特特点；至北齐时青州佛像风格完全脱离北方地区原有风格，而展现出一种崭新的艺术风貌。从两位先生的分期和归纳的意见可见，体现青州佛像地方特色的造像（包括东魏和北齐两个时期）在时间上已占据主要的地位。如果结合出土实物来看，具有青州地方特色造像的地位就更加突出，约占全部出土总数的百分之九十多，其中最具特色的北齐造像就占到了百分之六十以上的比例。由于青州佛像地方特色占据如此重要地位，所以关于青州造像风格的来源自然成了人们关注的的首要问题。

关于青州佛像风格的来源，不少专家学者发表了看法。宿白先生认为：“按轻薄叠褶的服饰，源于地处亚热带的中印度秣菟罗艺术，盛于4、5世纪的印度笈多王朝。在笈多王朝之前，此种艺术的佛像已出现于印度西北部和中亚两河流域犍陀罗佛教艺术流行地区。大约从4世纪起，即影响到我国新疆中部，到了5世纪前期，类似特征的佛像才出现于新疆以东内地，现存有明确纪年可以参考的实例，是甘肃永靖炳灵寺第169窟和北壁建弘元年（420年）龛时间接近的、其东侧的诸立佛塑像；5世纪中叶，才出现于甘肃以东各地石窟和散存的铜石造像中。5世纪80年代即北魏孝文帝中期以来，此类见于石窟和散存的薄衣造像，在内地逐步为褒衣博带式服饰的造像所取代。值得注意的是，此后半个世纪中叶，薄衣佛像却又以多种样式较普遍地再现于东方。看来，此次高齐佛的新趋势，大约不是简单的此前出现的薄衣形象像的恢复 ，而与6世纪天竺佛像一再直接东传、高齐重视中亚诸胡伎艺以及高齐对北魏汉化的某种抵制等似皆有关连。”

金维诺先生认为：“北齐造像面型渐趋丰颐，衣纹渐趋简洁，这种变革与南方当时在艺术风格上的某些变化有密切关系。”“因此，谈到北齐风格不能不联想到当时有影响的艺术家。在佛教雕塑方面闻名于时的首推曹仲达，曹仲达来自中亚曹国，张彦远和僧人彦琮特地把他所画的佛像称之为‘梵像’或‘外国佛像’，以区别于前代的‘张家样’和以后的‘吴家样’。”“艺术家的独特风格、地区特色、朝代风貌交织地形成了北齐艺术上丰富多彩的成就。”

杨泓先生认为：“正是北朝规制、南朝影响和地方特色杂错交织在一起，才形成青州地区南北朝时期地方文化丰富多彩的内涵。”

以上三位前辈分别就青州佛像风格来源、成因以及艺术构成因素提出了十分权威性的看法，这些看法不仅为我们研究青州佛像提供了许多新的资料和线索，而且也大大地拓宽了青州佛像研究的视角，是非常值得我们重视和学习的。其中，笔者比较倾向宿白先生的观点，即青州佛像的新风格“大约不是简单的此前出现的薄衣形象的恢复，而与6世纪天竺佛像一再直接东传”有关。但需要明确指出的是，宿白先生所说的“6世纪的天竺佛像”应为印度笈多艺术风格；而笈多艺术又包括两种艺术形式马土腊和萨尔纳特，这两种艺术形式都对青州佛像构成了影响。

2、印度笈多艺术特点

笈多艺术是指古印度笈多王朝统治时期流行的佛教造像艺术形式。笈多王朝是崛起于印度恒河中部的摩揭陀国消灭北方贵霜王朝和南方案达罗王朝而建立起来的一个印度历史上著名的统一王朝，定都华氏城（今巴特那）。这个王朝就是以第一代君主旃陀罗笈多的名字而命名的。笈多王朝统治印度近300年，国力强盛，各种思想文化竞相发展，出现了印度历史上的鼎盛时期，佛教造像艺术也因此迎来了它的黄金时代。笈多王朝时期印度有马土腊和萨尔纳特两个造像中心，两个造像中心雕刻不同样式的佛像，但两种造像样式大同小异，同属于印度传统艺术范畴，所以一般合称为“笈多造像艺术”或“笈多雕塑艺术”。

马土腊，又称秣菟罗，位于恒河支流朱木那河西岸，在西北印度和中印度之间，为古代印度通往西方的门户。马土腊这个地区盛产一种红色砂岩石，成为该地区的佛教造像使用的主要材质。马土腊在公元1世纪贵霜王朝时便开始了佛教造像的历史，它与贵霜王朝的犍陀罗艺术并驾齐驱，是印度历史上最早出现的两种艺术形式。因马土腊造像产生于印度本土，深受印度原有的哈拉帕传统雕塑艺术风格和手法的影响，所以造像的衣饰、身材、面部五官以及雕刻手法一开始便带有鲜明的印度传统审美特色，佛像身着通肩袈裟，衣服薄透贴体，面形圆润，神态温和。但是必须明确指出的是贵霜王朝时期的马土腊造像只是它的前期阶段，艺术风格尚不十分成熟，它的成熟期是在笈多王朝时。

进入笈多王朝的马土腊造像，不仅雕刻技术臻于成熟，而且在表现佛教理想主义精神的艺术形式和手法上也达到了极高的水平。它的艺术风格不仅具有印度本民族热情奔放的入世精神风貌，同时亦兼有犍陀罗沉静、典雅的气质，实现了入世与出世、开朗与内省、印度艺术与希腊艺术的完美结合，形象地再现了当时大乘佛教宣扬的“真俗不二”的最高谛理。笈多时期的马土腊造像以佛像的雕刻最为精美，也最具代表性。其艺术特征可以归纳为如下五点：(1)头部。头顶密布右旋螺发，肉髻突显。(2)五官。额头圆润，无白毫相。双唇宽大，下唇尤厚，表情丰富、生动。眼帘下垂，鼻直适中，鼻翼外张。双耳下垂，饰有耳环。颈部有三道折线，称为“三道弯”或“蚕节纹”。(3)身材各部位比例适中，完全符合造像量度的规定。由于衣着薄透，躯体起伏变化十分明显。(4)服饰衣纹。着通肩大衣，衣纹细密，从肩部以下呈U字型的均匀分布。衣薄贴体，如“曹衣出水”，俗称“湿衣法”，极富装饰性。(5)头光。为圆形，雕刻精细，装饰华丽。由里向外各圈装饰各异，依次为莲花瓣、菊瓣团花、蔓草纹、绳纹、联珠纹，最外圈是火焰纹，各圈之间疏密有致。这些艺术特征也正是笈多王朝政治、经济和文化艺术高度发展的综合体现。

笈多时期马土腊地区造像的代表作品是印度新德里博物馆收藏的一尊佛陀立像。此像高217厘米，质地为红砂岩，大约雕造于5世纪。佛像头部密布螺发，头顶肉髻凸现。面相圆润，表情温和、开朗。眉间没有白毫相。身着通肩袈裟。从正面看，袈裟紧贴身体，形成一种半透明的形状，衣纹均匀分布，手法极其细腻。但看其背部，袈裟又显出厚重的质感，在背部形成了一个披风状的大衣来。这应该是从犍陀罗艺术或从贵霜王朝佛像艺术中继承过来的。这种佛像造型后来成了一种标准样式，为印度、尼泊尔等国和我国内地、西藏等地区不断模仿，影响十分久远。特别值得注意的是，这尊佛像头部的光环，雕刻非常繁复细腻，体现了笈多艺术高超的水平和富于生活情趣的艺术风貌。通观整躯石像，不仅比例协调，法相庄严，而且雕刻精细，是一尊非常难得的稀世珍品。

笈多王朝的另一个造像中心是萨尔纳特，是释迦牟尼佛初转法轮的地方，汉译为“鹿野苑”。这个地方位于中印度，艺术手法和风格也深受印度传统艺术的影响。它雕造的佛像与马土腊样式几无二致，唯一不同的是佛像衣纹的表现手法别具一格。佛像身上几乎不施衣纹，仅在领口、袖口和大衣下摆处翻起一道边以表示穿有衣服。这种造像出自萨尔纳特地方，所以学术界一般称其为“萨尔纳特式造像”，其衣纹表现手法亦以“萨尔纳特式”相称。由萨尔纳特仍属于印度传统艺术范畴，特别是造像身上的其它特征与马土腊地方造像一致，所以一般将它与马土腊造像一起合并称为“笈多造像”。萨尔纳特现存最为著名的造像是5世纪的《佛陀说法像》，此像高160厘米，为米那尔出产的砂岩雕成，现珍藏于印度萨尔纳特博物馆。此像体现的整体艺术风貌与笈多时马土腊佛像几乎没有区别，只是衣纹表现手法不同而已。它同样是印度古典艺术达到高峰的伟大代表之作。

对大多数中国学者来说，谈笈多艺术一

般只注重马土腊艺术形式，而很少谈及萨尔纳特形式，其中的原因应当与萨尔纳特艺术对我国佛教雕塑艺术影响甚微有关。但是，萨尔纳特作为笈多艺术的风格之一，它在历史上产生的广泛而深入的影响却不容我们忽视。从公元5世纪形成至今，萨尔纳特艺术不仅在印度、尼泊尔等南亚各地不断延续，而且其影响还波及到东南亚的泰国、缅甸、柬埔寨、印度尼西亚等国家和我国的西藏、蒙古等地区。在它影响的这些国家和地区今天都留有大量的实物，其中，比较突出的如印度阿旃陀石窟、柬埔寨吴哥窟和印度尼西亚的婆罗浮图中的石雕像以及西藏、尼泊尔遗存的大量的金铜佛像。可以说，从影响的地域和时间来看，萨尔纳特艺术风格毫不逊色于笈多时期的马土腊风格。这一点是值得我们特别注意的。

3、笈多艺术在青州佛像上的体现

介绍了印度笈多艺术的特点，我们再回到青州佛像上来。从大家的分期和出土实物来看，笈多艺术对青州佛像的影响在东魏造像上便开始了。东魏的大多数佛像皆以螺发为头饰，便是一个明显标志，因为在此之前的北方地区佛像从未出现过螺发，而都是犍陀罗式的涡旋状发型或磨光发型。但是从青州东魏造像的整体风格来看，笈多艺术对青州东魏佛像的影响仅仅是局部的，其主体风格仍然延续着北魏晚期的遗风，佛像面相长圆，身体修长，衣纹密集，就连佛像头顶虽为螺发，而其肉髻仍保持了北魏晚期高隆的特点。青州佛像真正全面接受笈多艺术的影响是从北齐时期开始的，现存约占青州全部佛像百分之六十的北齐造像为我们提供了充分的依据。通过比较分析，我们可以清楚地看到这些北齐青州佛像受笈多艺术影响之所在。可以归纳为如下五个方面。

1、佛像都以螺发作为头饰，头顶肉髻平缓，这是笈多艺术最具标志性的特点。

2、佛像面相端庄，眼睑低垂，神态慈和宁静，眉间无白毫相，鼻直适中，嘴唇棱角分明，刻画细腻，这些面部特点与笈多造像也非常一致或接近。

3、佛像肩宽腰细，躯体丰腴饱满，肌肤细腻而富有弹性，这些特点与笈多造像也完全吻合，而在当时我国南北地区佛教造像中应该说没有先例。

4、佛像衣纹样式受笈多艺术影响最为突出，青州北齐佛像其出现三种衣纹样式，即条状衣纹、无衣纹和多褶衣纹，其中前两种衣纹就分别来源于马土腊和萨尔纳特两种艺术风格。

5、青州单体佛造像大多为站立姿势，佛像右手结施无畏印，左手结施与印或执袈裟角，身着贴体的薄透衣服，身体正面看似没有着衣，衣褶都集中在两臂部位，身后宛如穿了一件大披风。这种造型样式也完全是从笈多造像而来。

特别值得一提的是，在笈多艺术的马土腊和萨尔纳特两种艺术形式中，萨尔纳特风格对青州佛像的影响尤为突出。青州北齐单体佛像大多采取了萨尔纳特表现手法，仅在领口、袖口和衣服下摆处刻画出一道衣边来表示着衣。通过这种简洁的衣纹处理手法，佛像圆润光洁和充满生机、活力的躯体得以充分地展现出来，达到了极高的艺术效果。这种衣纹表现手法在影响青州佛像之前在我国中原地区从未出现过，也不符合当时我国传统的审美观念和道德观念，由此就可以断定它不是，也不可能产生于我国；而萨尔纳特式造像又是在一种具体、明确的时空背景下产生的，这些因素自然地成为了我们判定青州造像风格来源于域外——印度笈多艺术——的重要依据。

另外，笔者还有一个看法，那就是印度笈多艺术除了对青州地区的佛教造像产生了直接影响外，还辐射到了当时北齐境内的广大地区。北齐境内的佛像风格骤然为之一变，造像躯体丰满圆润，衣纹简洁浅细，这种新的风格的形成实际就是笈多艺术影响的结果。从艺术特征上看，笈多艺术对北齐造像的影响在两个方面表现得比较明显：一是造像的躯体，普遍变得光洁圆润、浑厚健雄，与北魏晚期的瘦骨清像全然不同；再者是衣纹的表现手法，北齐佛像多以阳刻双线表示阳起的衣纹，显然是从笈多艺术中马土腊造像的衣纹表现手法而来，马土腊造像衣纹一般为平行分布的立体的圆条状衣纹，与其比较北齐佛像稍有一点变化。由于北齐造像的躯体和衣纹表现手法构成了北齐造像的主体风格，因此，我们认为北齐造像风格的形成也是印度笈多艺术影响的结果。

最后，关于青州佛像风格还有一个值得我们注意的问题，那就是印度笈多艺术影响青州佛像的途径。这个问题宿白先生已为我们作出了非常圆满的解答。宿先生引证大量的史料、提出了影响青州佛像风格的三条重要线索：1、南朝梁武帝奉请天竺佛像的影响；2、葱岭东西诸胡的影响；3、高齐反对北魏汉化政策。这三条线索基本囊括了南北时期中印佛教交流中涉及到的佛教艺术交流的主要内容，因此这三条线索应当成为我们考虑笈多艺术影响青州佛像的主要因素。

但是，笔者还斗胆要补充两点意见：1、宿白先生提出的线索在艺术风格上主要涉及到马土腊一种艺术形式，因为梁武帝奉请天竺优填王造像（或称“旃檀瑞像”、“瑞像”）和来自中亚曹国的曹仲达擅长的“曹衣出水”画风都是属于笈多艺术中的马土腊风格与手法，并没有具体涉及到笈多艺术中的萨尔纳特形式。因此，笔者以为，把笈多艺术传来的途径放在以上三条线索中考虑的基础再结合南北朝时期中印频繁的佛教文化交流历史，或许可以得到一些启发和意想不到的新线索。第二，不论笈多艺术传来的途径是怎样的，笔者以为青州佛像，特别是北齐造像接受的应当是印度笈多艺术非常纯正的艺术粉本，因为青州造像不仅在衣纹表现手法上与笈多艺术十分吻合或接近，而且整体造型也与笈多造像神貌相合；尤其是其丰满健壮和富有弹性的身躯与笈多造像非常接近。试想，如果不是按照纯正的笈多艺术粉本而来，而是通过中间环节传入，那很难达到这样的艺术效果。这两点意见仅供大家参考。

（《雕塑》2003.01）

“中国当代雕塑研讨会”纪要

会议围绕中国当代雕塑的发展状况、成果和存在的问题，主要是雕塑的公共性、意向性雕塑在当今的发展空间等问题进行了热烈和深入的讨论。

范迪安先生(中央美术学院副院长)认为：中国雕塑在新时期的发展体现为以下三个方面。第一是雕塑自身发展的空间得到发展。整个国家社会经济变化、城市发展，使得雕塑的观念、语言、形态、样式都得到非常多样化的发展。第二是雕塑的文化功能或文化性质在新的条件下起了新的变化，即雕塑与公共空间的关系。雕塑不再是一个小空间里的独立艺术品。它至少可以从两个双向关系判定它的公共性的真伪实质：一个是整个社会结构，中国社会的发展、中国民主社会的建立、中国社会中出现不同阶层对文化的需求等等；另一方面艺术家在创作时从观念到手法都要根据此时此地文化渊源、城市景观等来考虑作品的生成，这使雕塑一诞生便具备了公共性的可能。第三是更广阔的国际交流，这是一种双向需求，国外艺术家需要了解中国、与中国同行进行交流，我们也需要更多交流来体现彼此的文化认识。

《江苏画刊》的**顾丞峰副编审**指出：艺术的公共性在雕塑方面体现最为明显，公共性出现与经济发展、城市发展有因果关系，当代社会中雕塑概念已有很大拓展，不完全是过去三维空间的简单概念，实则已进入一个“泛雕塑”的状态，雕塑的界限与装置的界限越来越模糊，这使雕塑的形态、品种参与者都得到很大拓展。社会中大量“泛雕塑”的存在和合理导致一个非常重要的雕塑时期的到来。

朱青生教授(北京大学)就雕塑艺术的传承性与差异性问题谈了自己的看法，认为古典的、传承性强的雕塑与现代的、观念性强的雕塑并存和冲突引起意识形态内部的争论是中国所特有的现象，中国追随西方现代雕塑的三度变化实际上基本完成了现代艺术在雕塑上的中国化过程，已经到了应该自由的时候了，需要在现代化的过程中作原创性的实践。

孙振华博士（深圳雕塑院）回顾了20世纪80年代以来中国艺术所经历的几次转变，认为“八五运动”强调艺术本体，是努力想完成由庸俗社会学向艺术自身转换的过程。80年代后期到90年代发生的转变是论非审美的问题，在这个转变过程主要存在以下问题：一、缺乏本土意识，二、缺乏方法论的基础，三、缺乏对中国问题的针对性，四、最重要的是缺乏一种民众的基础，在文化的转变过程中忽略了公众的广泛参与，因此在当代艺术中所谓文化转向中存在的问题，可能就是向社会学转化的问题，即重建艺术社会学的问题，它的依托不再是政治、意识形态、概念，而是中国的现实、中国人的生存状态，我们中华民族在前进过程中所面临的各种各样的问题，在这样的基础上，强调艺术的社会学，建立一种新的艺术社会学的关系。

皮道坚教授(华南师范大学)认为雕塑本身是一个真实存在，同时又必须是一种关于真理、关于价值观的表达，共在空间就是当代雕塑与公众的自由对话和交流，也就是真理价值观在沟通和交流中生成的新的东西。它应是由人的当下生存状态和生活提炼出发，社会现实和历史文化相结合的一种具有思考性质的空间，是将文化开拓性当作自己主要的追求目标。

对于中国艺术发展的趋势，**郑奇教授**(南京航空航天大学)认为可以从三方面来进行描述：一是写意性将会越来越强。二是抽象性会越来越强，在雕塑的表现手法方面形式感、图案性越来越强。第三就是诗味将会越来越强，越来越朦胧，越来越注重氛围的创造。这可能是将来雕塑发展的一个方向，也是区别于传统雕塑的一个重要特征。

吴为山教授阐述了其写意雕塑论的观点，认为雕塑的写意有三个方面的特征：一是形态的夸张意向，二是形体凹凸隐显的质感意向，三是人物瞬间神态的意向。写意是中华民族的艺术观，不是为写意而写意，更不是追求表面的颤动、诗意、变形，而是要融化、渗透、弘扬精神。有了精神，作品才有了内在的“气”和灵魂。

艺术评论家**陈孝信先生**提出了一个“中国超写意艺术”的思路，也就是建立中国版本的艺术。认为在中国当代艺术的发展历程之中，有两个关键的问题：一个是开放的民族主义，即能够吸收西方各种优质文化的民族主义，具有当代国际视野的民族主义；一个开放的地域性，不固步自封、夜郎自大，不狭隘地排外，敢于吸取异地精华的地域性。

李小山先生(南京艺术学院)、**马钦忠先生**(《艺术家》杂志主编)、**孙振华博士、郑奇教授、顾丞峰副编审、吴为山教授、丁方教授**(南京大学雕塑研究所)在发言中都涉及到艺术的理想主义与公共性的冲突问题。艺术强调内在的质的规定，就可能落入一种理想主义的状态，而这种理想主义在中国当代艺术格局中显得很尴尬。艺术家的个人话语不能转变为公共认知时，就出现一种理解的断层。这种文化矛盾的解决需要长时间的积累和改变。只有中国大多数老百姓改变了，中国艺术的状况才能改变。虽然差异、层次与等级永远存在，但社会的总体是在不断进步，相应地人们的文化层次及收藏能力都在提高。我们艺术家、艺术理论家的主要责任是要站在历史的高度去引导艺术家，提高艺术，对历史负责任。而且对于新的文化建设尤其是雕塑、公共艺术，艺术家还应主动地去对政府发生影响。

殷双喜博士（中央美术学院《美术研究》编辑部）指出：在艺术家和大众之间隔着一个知识分子层，有时艺术家觉得孤独，这往往是由于忽略了艺术家自己所在的这个层面，即在知识分子层得到知音和扩散，使其形成一个收藏和积累的群体，在这个阶层里进行传播。南大就有两万多学生，这两万多学生都是中国的精英和未来的栋梁。让南京大学的两万多学生在他们的大学时代或研究生时代对雕塑艺术有所认识，将是非常有影响的一个群体。而且南京作为六朝古都，在城市和公共艺术发展方面如何运作都会使南京形成更大的影响，也会在总体上推动中国当代雕塑的发展。

高天民博士（中国美术学院)以吴为山教授的雕塑为例谈到雕塑的私密性与公共性的关系问题，私密性是艺术家的个人感受，纯视觉的直接力量，如吴为山作品就让我们明显感觉到艺术家在创作时的激情，对对象的把握力和随机应变的能力，似乎与我们所强调的公共性是背道而驰的。然而吴为山创作时直接面对对象，直接面对泥、石材本身而又通过强调他的手工性，来表达一种感悟，这种感悟力是具有文化基础的，这种视觉基础从原始人开始就具有了，不是通过具体的形的塑造，而是通过一种魂的传达，一种纯精神性的传达，它本身就有公共性，所以他的私密性在此转化为一种公共性。

《雕塑》杂志社副主编**陈培一先生**就当前中国雕塑的现状谈了自己的看法：中国雕塑出现了前所未有的繁荣，可谓炙手可热。但“热”的背后却存在着许多问题，诸如相关抄袭、模仿的问题，以及伴之而来著作权的纠纷，还有长官意志在城市雕塑中不应有的决策作用，一些政府假招标的不规范行为，在城市建设开发中盲目欧化，建设脱离本民族、本地区的文化渊源的所谓“欧洲城”、“现代城”，对民族文化大肆“改造”的过激行为和不以自然为本、不以人为本的行为等等，都在一定程度上制约了公共艺术的健康发展。希望每次的研讨会都能够是一次务实会议，真正为解决某些亟待解决的问题，寻找到切实可行的路径。

会议还就即将举办的“2003年国际雕塑论坛”展开了讨论，与会代表也提出许多很好的建议，归纳起来主要有两种做法：一种是高层次的纯学术性会议，主题明确，有一定的方向性，按国际惯例有严格的论文要求和会议的程序。一种是将社会化与学术性有效地结合，与南京的人文地理、城市建设环境和规划相结合，引起市民的参与，以两三个专题的展览构成一个雕塑的现象，这样本身就是一个可以向市民开放的实实在在的东西，也给学者专家讨论问题提供一个现实的背景。

这次会议规模不大，但卓有成效。代表们争论切磋，畅所欲言，求同存异，讨论始终处于一种热烈的气氛中，会后代表们还一同考察南京博物院，体味六朝古都的风貌，更加深了对南京城市雕塑发展空间等问题的感性认识。

（《雕塑》2003.01）

泛论现代艺术

文／熊秉明

现代艺术家可以认为艺术作品不是最重要的，或唯一的问题。其它如工具、创作过程、艺术家自己……都是最重要的，或者更重要的事项。

现代艺术家在工具上的突破主要有两方面，首先是工具的广泛性，综合地利用各种颜料，采用喷色气枪，颜料里加入各种成份，引入照相复制，以及其它复制方法。雕塑和绘画之间已没有什么明确分界线，霓虹灯、磁铁、火力、水力、电影、电视、电焊、激光都可以作为创作工具。

所谓行动艺术，就是把创作过程作为绘画的一个主要成份，把它加以突出，这就有了表演艺术。中国古代张旭、吴道子都是当场表演的。西方艺术家一向是在工作室里制作的，只是到20世纪才有当场表演的事。法国马蒂尔在1956年当众作一张大画，宽12米、高4.2米，用20分钟画完，当时是作为一件惊人新闻报道的。再进一步，就把表演变成唯一的重点，把表演之后完成的作品也取消了，这就有了“事件艺术”，艺术家在室内或室外作短剧似的表演，如屠羊，把羊血涂在身上，令人惊骇。也有画家用铁钩子把自己吊在空中，进行可怕的表演，这与吞刀吐火的杂技已差不多了。但他们从哲学观点上解释道：肉体作为存在基础，隔离出来，孤立起来，用肉体的痛苦给存在做横道，划圈点，让人看摇摇欲坠的脆弱生命。

最典型的观念艺术是用文字来代替艺术，其它图解、表格都成了艺术品。这种倾向一直可追溯到1969年，在德国利孚柯森城举办的观念艺术展览会，整个展厅就像一个文件资料室。观念是艺术创造中一个成份，但是创作的心理活动是非常复杂的，有自意识的，有非自意识的。观念艺术是属于自意识的，作者怎样想就怎样去设计和创作。而真正创作中也有很大一部分是非自意识的，是潜意识的。弗洛伊德精神分析学的发展，对现代文艺的影响非常之大，潜意识成为创作主要源泉，甚至有的艺术家认为只有潜意识才是真正的内心世界。狭义理解是指法国诗人昂德里·布列顿领导的一群画家和诗人，在1924年发表一篇《超现实主义》宣言。广义理解，凡是以潜意识作为创作主要源泉的画家、雕刻家和文学家都可以称为超现实主义者。超现实主义的贡献就是歌颂非理性，把非理性合理化。从此人们过去认为无意义和被忽视的东西都获具意义，发出光彩，以往不认为是艺术的作品都成了艺术作品。例如疯人的画也有他的逻辑。还有“素人”艺术，指没有经过任何艺术修养的人的艺术。还有原始艺术、黑人艺术、印地安人艺术、澳洲艺术，都可以当作第一等的艺术品来欣赏。儿童艺术中也有可贵的杰作。最近有一派画家专画“坏画”；还有“信手画”，就是在半催眠状态下无意识留下的信手乱涂。既然原始艺术、儿童艺术……都能被欣赏，那么学院派的画为什么不能被欣赏呢？以前被现代派排斥唾弃的学院派，现在又开始抬头，例如19世纪末学院派代表布格罗。最近法国政府举办了他的个人展览会。这样看来，几乎任何人都可以是艺术家，任何东西都可以成为艺术品，如果我们客观地、谦逊地、科学地对待事物，大概没有什么东西不值得研究，也无不值得我们惊诧和赞美的。

一个艺术作品有它的哲学意义，有人在这个层次上下功夫。传统哲学讨论艺术时，就讨论美，也就是美学。但仅仅用“美”来概括艺术是不够的。例如传统艺术中就有悲剧、喜剧、嘲讽等等，很难以美的范畴来概括。现代艺术尤其如此，许多艺术家要表现丑、脏、怪诞、恐怖、残酷、绝望……艺术活动就是哲学问题，很多艺术品本身很简单，但评论家可以借以写出大文章，这些文章或有哲学性，或有文学性，总之可以独立成为作品。也可以说，在他们看来，真正艺术品不在作品，也不在艺术家，而在那一套理论，作品不过是理论的应用或者实现，艺术家不过是执行者。

艺术是创造，必须是新的，必须是反对因袭的，反对保守的。现代艺术特别注重的，似乎很吓唬人。千奇百怪的西方现代艺术，我们完全可以清醒地观察、了解，去“懂”。在千头万绪的西方艺术启发下，我们应认识到艺术创造的可能性是极广阔的，艺术品的每种成份、艺术活动的每种成份，都可以是我们研究、翻新的对象，我们可以大胆去寻索，去探险，上升到哲学层次。

（《雕塑》2003.02）

后现代主义是对艺术本质的颠覆

文／翟勇

后现代主义是西方20世纪中叶以后出现的一种极其复杂的都市文化现象，近年来，国内一些地方为数可观的人，追踪效法，打着“艺术”的幌子，从事一些非法活动，产生了恶劣的社会影响，也造成了一般人对艺术的误解。《美术》杂志适时地发起关于中国艺术的审美倾向的对比大讲座，对中国当代美术的健康发展是非常必要的。

按照中国人的文化观念，艺术是对自我生命的一种塑造，老庄哲学把“道”视为万物之性，中国艺术家始终认为哲学智慧、道德精神、艺术情怀是三位一体的。《周易·乾·象传》:“大哉乾元!万物资始,乃统天……乾道变化,各正性命,保合太和,乃利贞。”太和乃阴阳会合冲和之气,亦即天地之“太和元气”。《易传》以为保全太和之气,就能得乾元之助,汲取宇宙造化之伟力。它化生万物,是万物之始。因此,中国艺术家将天地自然看作流转不居、彼此相联的气化世界。气是缥缈难见的,但始终处于运动的过程之中,运动是气存在的条件。以气的眼光看世界,则是在联系中将世界看作活的世界。这一世界乃是艺术家取之不尽、用之不竭的源泉。如郑板桥云:“古之善画者,大都以造化为师,天之所生,即吾之所画,总需一块元气团结而已。”石涛“一画”说,即是化生宇宙之一团混沌之气。司图空“饮之太和”之思想是元气说在诗学领域中的延展。这些都说明,中国艺术家认为艺术不仅要再现生机勃勃的自然形态,同时还要追本求源,去发掘宇宙的奥秘和生命的底蕴。一团烟岚、一片苍林、一湾溪水,经过艺术的转化,都是画家性灵的显现。因此艺术是“道”,是“气”,是艺术家的性灵,是对生命中精神性的一种塑造。

让我们再把目光投向艺术史吧。在古代希腊,帕尔卡女神像那使人热血沸腾的腹部,那用力挺起的上身以及涌向头部的、如同汹涌波涛的动感,证明了希腊人是将外在世界的和谐看作人类的美好追求,艺术就是对充盈着生命活力与生动和谐的摹仿。基督教否定思想对造型艺术的解释。文艺复兴以后,重新恢复了人与自然的和谐。艺术家始终是在题材和精神环绕着的绘画形式中进行神奇的旅行,在肌肤与树木间开辟胜利的通道。到19世纪印象派的出现,首次使生命精神完全从形式的窠臼中脱离出来,得以自由地张扬。印象派的出现触及了欧洲传统艺术那根最敏感的神经,突破了自文艺复兴以来长期建立起的模拟自然真实的“章法”。新兴艺术家们开始改变临摹自然表象的造型观和叙述性内容,由模仿冲动转为创作冲动,去主动解剖自然,重新安排自然,并有意识地探索内在情感的表达。在注重对光与色的表现上,追求抒发自己的内心感受,醉心于色彩绚烂的颤动。他们虽然有忽视作品社会内容的倾向,而侧重发挥绘画本身的艺术表现价值,在绘画艺术史上首次主动将触角伸入艺术家的感性世界,特别是后期印象派摒弃了对光与色的片面追求,强调艺术要表现画家自我感受的主观情感。他们的艺术表现推崇线条和色彩,主张艺术形象要异于生活物象,要用自身的生命感受去改造客观外在世界。例如梵高就将强烈的生命情感贯穿到他对笔触的通盘运用中,笔触、节奏、色彩和厚深的弯曲神奇地表现出描绘对象的内在生命节奏。

历史进入20世纪,欧洲沉陷于社会和精神的危机之中。资本主义由自由经济走向垄断经济,财富不均,社会混乱,战乱频繁。大批艺术家在心灵震撼之中转向对人类文明的怀疑反叹,是否艺术还需要在真善美的框架下表达以探索。于是,灰色的、变态的最后导致血腥暴力的结果便是自然的结果。

由于没有了理性的光芒,受伤的感性如脱缰的野马,把一代人带向了无序的混乱。今天我们举目四顾,恐怕得到的只是所谓艺术带给我们的惊恐,而难以再有一点旧日的感动与精神的辉煌。这是所谓现代社会在加速运行中刺耳的惊叫与鸣响,但愿它也能从反面唤醒对美的良知。

当回顾和反思上述艺术发展的历程时,我们发现,无论是早期的物我对立,还是后来的人与自然和谐融合,无论是描摹对象,还是反观自我深心,都贯穿着一个中心红线,就是对于人的生命精神高度关注,尽管人们对于艺术本质和审美特性的认识理解有异,但都把艺术视为生命精神的体现。

以此为基点来观察后现代艺术,它所主张的寻找的精神层面,可谓另有其衷,虽然它也是强调主观表现,但只是血腥和扭曲,粗俗、丑陋、阴暗,满目皆是;虽然用身体作画,强调生命体验,但只是原始劣性简单的表演,是对真正艺术的玩弄。以消极的、非美的、无政府的和破坏性的形式,以反艺术的手段取得了对艺术的颠覆。他们所“制作”的一系列闻所未闻的“艺术创作”,无论是勒瓦的在两道相隔十几米的墙之间跑过来,跑过去,直到他累倒为止,还是伯登把自己锁在3个极小的空间5天之久,连续22天的禁食和卧床,抑或是拉马雷计划在一年后自杀,均以自己的身体直接作为一个表达和体验的工具,不仅没有使人们感受到其中的生命精神,反而感到荒谬和可笑。不论后现代主义的“理论家”和“艺术家”解释得何等玄妙,我看那些极其荒诞的恶作剧式的“艺术创作”只能解释为对现代都市疯狂的物欲大潮带来人性的“异化”的一种自嘲和啼笑皆非的一种幽默罢了。人们从这种“幽默”中,所得到的感悟是艺术的悲哀和他们的穷途末路,后现代主义只是艺术发展的历史进程中的逆流。艺术是颠覆不了的,逆艺术历史发展潮流而动,留下的只是笑柄,实在不需要“皇帝新衣”的不断重演。后现代主义的“理论家”和“艺术家”可以休矣!

（《美术》2003.03 节选）

青铜文明的理念创造

文／杜迺松

中华民族具有悠久的历史与文化，是古代世界文明发达最早的国家之一，对人类历史的发展作出了卓越的贡献。

中国文明的发展长河中，远在夏、商、周王朝就已有着光辉灿烂的青铜文明。青铜就是铜（纯铜）和锡或铅的合金，或铜、锡、铅三种元素的合金。由于铜的冶炼和多种青铜制品应用于生产、生活等领域中，社会生产力已发展到一个新阶段，昭示了社会面貌质的飞跃，凝结了青铜时代，这时有了早期的城市，相当发达的农业、手工业、文字和文化艺术。

传世的或近年考古工作中不断出土的古代青铜，有着相当大的数量，这些斑驳璀璨的青铜，从多维视角看，它们造型优美、纹饰富丽、铸造精巧、铭文典雅，有着丰富而深刻的内涵，具有重要的历史、艺术、科学和珍藏价值。自古以来不断有青铜器的发现和研究，两宋以后，青铜器与铭文属金石学研究范畴。今天它属中国考古学重要的内容之一，是传统文化的重要组成部分，名闻世界。

目前随着我国经济的繁荣、人民生活水平的提高，人民大众对文化的需求也越来越炽烈，对传统文化和古代文物更渴望熟悉和鉴赏。为满足社会需求，由北京时尚华艺文化艺术发展有限公司承办制作的、经多方面专家通力设计合作的“中华盛世兴业宝鼎”的问世，是对古青铜器铸造的弘扬，具有极高的艺术鉴赏价值和收藏价值。

古代青铜器内容丰富，就类别看，可分十几大类，其中食器类、酒器类、水器类、乐器类最为重要。每大类中按照器形和用途不同，又分若干器种，如食器中有鼎、豆等等，酒器中有爵、觚等等。青铜器上常有各种不同的纹饰，反映了先民们的社会生活和思想观念。主要有动物纹、几何纹和人事活动的图案，如动物纹中的饕餮纹、龙纹、鸟纹等常作为器上的主要装饰。各种几何纹，增强了器物的绚丽感。青铜器上铸或刻的文字，称为“铜器铭文”，是研究古史和汉字发展史的珍贵资料。

青铜器又称“青铜礼器”或“青铜礼乐器”，在商周青铜器中，鼎之数量相当多，它不但反映了炊煮的实用价值，同时也是国家和王权的一种象征。《左传》、《史记》等文献就记载了“定鼎”、“迁鼎”、“回鼎”的史实。今天新铸的“中华盛世兴业宝鼎”，当然与几千前商周时代所铸的性质已迥然有别。从一定意义上说，今天铸造的许多大型的纪念鼎，可谓是中华民族的一种象征。最早的铜鼎是仿照陶鼎而制作的。形状大多是圆形，三足，两耳，也有四足的方鼎等形式。青铜鼎的形制因时代而异。大体说，夏代、商代前期鼎多圆腹柱足鼎，西周多圆腹蹄足鼎。春秋战国的圆鼎，蹄足更为明显，有的足很短，有鼎盖，盖上多有三圜纽或三兽纽。

“中华盛世兴业宝鼎”体呈长方形，两侧为鼓腹，腹下端四面为直壁长方形。直口，口沿二立耳，每耳外侧各铸一圆雕凤鸟。鼎腹与鼎耳相应的两侧各饰一昂首体呈“S”状的神龙。四柱足，足上端饰饕餮纹（今俗称兽面纹），下以方形座为支撑。装饰上特别值得一提的是，鼎腹四面都有细腻雅致的图纹，正面是首都北京的公路桥梁，右下角为天坛祈年殿，三层檐攒尖顶圆形建筑，古色古香；背面为上海浦东现代化城市图景，高楼林立，错落有序。主题反映了我国传统文化与现代化建设的速度。两侧是香港维多利亚港和澳门跨海大桥等景色，反映了香港、澳门回归祖国，有着血浓于水的亲情。鼎正面和背面颈部饰“五谷丰登”图案，两侧面为鱼莲图案，优美富丽，尤如一幅写实画。口沿处有大写“九”的连续图案，“九”代表多数，希冀国家发展，取得更大的辉煌。鼎下端四面分别是长江三峡、万里长城、黄河、黄山图案。这些壮丽山河代表了中化民族之富饶美丽和抵抗外来侵略、不屈不挠的民族精神。鼎座上图绘出不同形制的几件鼎纹，并以云、山为衬托，中心部位有高浮雕“一言九鼎”的铭文，象征着中华民族的统一和国力之强盛。

综观“中华盛世兴业宝鼎”，设计理念体现了传统文化与现代创新艺术的融合，如在装饰上既有古铜器上常见的饕餮、神龙、凤鸟，又有以现代化图景和名山大川为内容的图案，可谓是纵贯古今，整个鼎器代表了中华腾飞这一思想，令观者可一目了然。古人云：铸造一件精美青铜器必须“型范正、全锡美、工治巧、火剂得”。中华盛世兴业宝鼎的铸成，弘扬了古代青铜铸造法，并与现代科技进行了完美结合，再现了古青铜器的优美神韵，给人以一种全新的审美愉悦感。

（《雕塑》2003.05）

汉魏时期佛教造像遗迹

文／金维诺

佛教何时传入中国，学术界一般把东汉、三国作为佛教在汉地的初传期。汉明帝永平求法之后，洛阳西来僧人日渐频繁，朝廷为之安置。洛阳城西的白马寺，初为僧人住所，后成佛经重要译场。佛教影响也随之进入王侯封地及宫廷，楚王刘英在封地彭城祭礼黄老、浮屠，佛教徒及神仙方士寄居门下有数千人。孝桓帝崇信黄老、浮屠，延熹八年正月、十一月，先后遣中常侍左绾、管霸往苦县祠老子，九年秋七月庚午，祠黄、老于濯龙宫。并“以金银作佛形象”（《历代三宝记》）。《后汉书·孝桓帝纪》论曰：“前史称桓帝好音乐，善琴笙。饰芳林而考濯龙之宫，设华盖以祠浮屠、老子，斯将所谓听于神乎。”至汉末魏初，彭城、广陵二相出家，带动一方信向之风；丹阳人笮融在徐州、广陵间“大起浮屠祠，以铜为人，黄金涂身，衣以锦采。垂盘九重，下为重楼阁道，可容三千人，悉课读佛经。令界内及旁郡人好佛道者听受道，复其它役以招致之，由此远近前后至者五千余人户，每浴佛……民人来观及就食且万人……”（《三国志·刘繇传》）。

汉代末年，洛阳除白马寺之外，城西有菩萨寺（《道行经后记》），城中则有专供西域人参拜和居住的“官浮屠精舍”，周閭百间（《法苑珠林》引《汉法本内传》）。至晋永嘉年间，洛阳“有寺四十二所”（《洛阳伽蓝记》），洛阳已经成为汉地佛教传播的中心。佛教逐渐向民间扩散，北魏郦道元《水经注》曾记洛阳以东有襄乡浮屠，汉熹平中碑记其事。魏时的苍垣城，其地有水南、水北二寺（《佑录·放光经记》）。这说明，至迟在汉灵帝至魏文帝之际，洛阳以东，淮水南北，民间已建有佛寺。

上述有关佛教的遗迹已无存，而目前发现的受佛教影响的遗物则见于四川及长江中下流。墓不远的柿子湾崖一号墓的中后室和左后室门楣上，有佛像与之相近，肉髻更大，头光略小。另外，1941年彭山166号东汉崖墓出土的陶摇钱树座有佛像，作高浮雕，头螺髻，右手施无畏印，左手持衣角。佛左右各塑一站立胁侍，佛像座下浮雕龙虎衔璧。这类龙虎座上一神二人的组合，在四川多见于西王母像，侧二人原为祈福者。1981年在四川忠县涂井沟清理一批蜀汉时期的崖墓时，分别在5、7、14号墓内出土铜铸摇钱树4株。树干上雕铸佛像共计14身，约5至6cm不等。14号墓出土的摇钱树含锡量较高，佛像清晰。1986年，乐山西郊西湖塘崖墓、四川忠县涂井5号蜀汉前期崖墓出上的铜铸摇钱树干上也有佛像。1989年何家山东汉崖墓出土的摇钱树，佛像雕铸在树干上，现存有五身，各高为6.5cm，顶有肉髻，头有项光，上唇有髭，着通肩袈裟，右手施无畏印，左手执衣，结跏趺坐，衣裾下垂呈“U”形。佛像两侧由铜钱缀成枝叶，叶片上铸有仙人神灵形象。摇钱树原袭用西山母画像，此处以佛取代了西王母，图像的意味与钱树的功能依旧，佛在其中显然是作为异域神仙来雕造的。

在钱上雕铸佛像，遗物仅见于四川。表明佛教传入四川，最初曾和神树祭祀习俗结合在一起，流传民间。古代先民有祭祀神山、神树，可与神通的说法。在神仙思想兴起之后，昆仑山和建木也演化为神仙的栖息地。祭拜建木神树，即可登山，祀奉神树的习俗即由此而生。最早用作祭祀目的的神树，出土于四川广汉三星堆遗址。绵阳和忠县雕铸佛像的摇钱树，其叶有芒，枝有果，树有佛，形态和取意与前代神树祭祀习俗一样，佛同样被看作是天上仙界中的一位大仙。

1986年于四川什邡县皂角乡白果村马堆子还采集到佛塔画像砖（现存四川省博物馆）。砖面上刻一佛塔，为台阁式，塔身三层，有塔顶塔刹，刹作多层重叠，塔的两边各有莲花一枝，与佛塔等高，莲花外侧还各有一佛塔。

上述受佛教影响的美术遗迹，出土地主要偏于川西北，这和川西北与西域邻近有关。西域原是奉佛胡人的最初流寓地，大约在汉灵帝时，以佛教为国教的大月氏贵霜帝国发生内乱，迦腻色迦王被部将所杀。不少大月氏逃避战争，纷纷越过葱岭，迁移到中国，在新疆的于阗、鄯善及河西一带定居。在东汉到三国时期，又是大月氏向中原内迁，佛教信仰也随胡人东移而得以传播。在胡人内迁的地域中，四川因与西域有密切交往，也成为胡人的侨居地。当时四川与西域的交通，主要是通过羌地来实现的。早期文献也记载了四川至青海道的存在，蜀人常璩《华阳国志·蜀志·汶山郡》称汶山“东接蜀……西接凉州酒泉”，《后汉书·西羌传》谓羌地“赐支”的地域，“南接蜀汉徼外蛮夷，西北鄯善、东师诸国”。两晋之际，河西道阻，佛教僧人亦由蜀经羌中而达西域。刘宋时僧人慧睿“游历诸国，乃至南天竺界”即“经行蜀之西界”。刘宋末叶的僧人玄畅由荆州到成都，“至升明三年，又游西界，观瞩岷岭，乃于岷郡北部广阳县界见齐后山，遂有终焉之志”。僧人由“蜀之界”谋求去西域、天竺，也说明四川有道通西域。羌中道的存在，使四川得以由此与西域发生直接联系。胡人入川定居，因之也将他们的宗教信仰影响到居住地。

江南佛法，首先传自洛阳。东汉末年，中原战乱，北人多有南徙。安息僧人安世高于灵帝末年，杖锡江南，随机说法，游踪及于庐山、广州、会稽（《高僧传·安世高传》）。献帝之末，月氏人支谦与乡人数十避乱奔吴，吴主孙权拜为博士，入侍东宫，译经释难。从黄武到建兴年间（公元222–254年），共译出《大阿弥陀经》、《瑞应本起经》等佛典数十部（《出三藏记集》作二十七部，《高僧传·康僧会传》作四十九部），吴地初闻佛法。吴赤乌十年（公元247年），康居沙门康僧会由交址“初达建业（南京），营立茅茨，设像行道，吴主孙权为之立塔建寺”。《高僧传·康僧会传》称，吴地“以始有佛寺，故号为建初寺，因名其地为佛陀里，由是江左大法遂兴”。传说画家曹不兴因见康僧会带来的“西国佛画，仪范写之”（《图画见闻志》卷一引蜀僧仁显《广画新集》），吴地自此开佛像绘造的风气。建业继洛阳之后又成为江南的佛教中心。

江南佛教遗迹，年代最早在东吴时期。武昌莲溪寺彭卢墓出土的立佛鎏金铜饰件，似为某一器物的部件，是吴永安五年（公元262年）制作。佛像镌刻在一片瓣状的铜片上，作高肉髻，有项光，左手举胸前，右手外伸扬掌，似施无畏印，双肘间绕有帛带，足下踏仰莲，两侧各有莲茎分出，上起花蕾，线条镌刻简略流畅。

安徽铜陵市附近一座东吴墓出土了两件青铜铸小佛像，通高15cm，头髻较小，面部较大，额有皱纹，跏趺坐，左手齐肩作施无畏印，右手下垂于膝，与绵阳、忠县涂井像相同。

吴地铜镜铸造业十分发达，在东吴入晋的几十年间，出现了武昌（鄂州）、绍兴（会稽）两大铸镜中心。当时吴镜不仅流通中国南北，而且传到日本。雕铸佛像的铜镜，是这类铜镜出土数目最多的地区，湖南长沙、浙江武义、杭州、江苏南京等地均有铜镜发现，年代约在东吴至西晋年间。

佛兽镜分画纹带佛兽镜和三角缘佛兽镜。湖北鄂城寒溪公路出土的画纹带佛兽镜，外区画纹带为奇禽异兽组成的图案，内区则由四组神像和四兽交错配置。神像分别为东王公、西王母和二尊佛像。佛像一坐一立，下为仰莲座。立佛像两侧有胁侍人物。铸刻佛像的画纹带和三角缘铜镜多见于日本古坟出土和公私收藏中，共计12件，图纹形式由神兽镜演变出来，日本铜镜属吴镜系统。美国哈佛大学福格博物馆及德国柏林博物馆收藏的佛镜，都由吴地出土流到海外的。

吴地铜镜铸刻的佛像，依然与东王公、西王母等类汉地神仙相杂处，反映了吴、晋之际江南民间对佛教的认识，依然停留于祈福禳灾的神仙信仰阶段。这一观念在出土的“魂瓶”上也有所体现。

魂瓶又称谷仓罐，是长江中下游江浙一带墓葬中常见的明器。一般在罐和罐腹上堆塑或贴塑各类山神海灵、楼馆仙禽，以象征魂魄飞升的神仙世界。近年陆续发现了一批有佛像的魂瓶，佛像四周，与其它神异形象错杂相间。大约在吴末晋初，佛像是最初贴塑在罐口上部的楼阁之中，所据位置更加显赫。南京赵土岗出土的魂瓶，佛像模制贴塑，高肉髻，有头项光，着通肩衣，禅定印，作于吴凤凰二年（公元273年），是现今发现有纪年佛像的魂瓶中年代最早的一件。南京市雨花区长岗村出土的釉下彩盘口壶（藏南京市博物馆），肩部贴塑佛像，佛坐莲花座，座侧左右为双狮。器腹绘有21持节羽人，其间饰以云气芝草纹饰，是在祈祷升仙。江宁上坊出土吴天册元年（公元275年）的青瓷罐，罐口堆塑楼阁三重，佛像置于楼阁门洞中间，门外各有胡人奏乐，屋顶及围栏上堆塑群鸟。江宁殷巷、南京甘家巷乌场一号墓出土的魂瓶，罐口佛像环楼阁圈塑，更显出祭祀场面的庄严。同类的魂瓶在南京博物院收藏有多件。近年，浙江、安徽、湖北等省也陆续有所发现。

吴地佛教美术遗品主要是铜镜和魂瓶，在造型及制作工艺上独具特色。形成这一独特地域文化面貌，与江南原有的经济文化基础关系十分密切。东吴地扼长江中下游，物产十分丰富。武昌辖境内有铜铁矿，为铸镜业的兴旺提供了资源。南朝陶弘景《古今刀剑录》说：“吴主孙权黄武四年采武昌铜铁，作千口剑万口刀……皆是南铜越窑作之。”孙权建都武昌时，曾迁建业富户、吴县铸镜工匠千余户，因此武昌铸镜业得以发达。同样，地处长江下游的浙江一带，有发达的制瓷业，到吴晋之际，出现了越、瓯、婺州、德州四大青瓷窑系。江南的早期窑址在上虞、永嘉、萧山、余姚、绍兴、宁波、吴兴、临海、德清等地都有发现，仅古代的会稽窑址就多达五六十处，有的窑址面积长达半里，堆积层有一公尺之厚。瓷器成为吴地产品的大宗，名品誉南北。瓷器种类包括生活用品、陪葬明器。佛像铜镜和堆塑佛魂瓶在武昌、江浙一带的大量出土，正反映了早期佛教在吴地民间传播过程中所呈现出来的地域性特征。

迄今所发现的接受佛教影响的美术遗迹，多数分布在汉代黄老神仙思想十分活跃的地区。因此，考古发现的有关佛教遗物与文献记载，在信仰基础及图像的组合方式上与黄老神仙相混杂。汉地生能祈祥、死则升仙的观念，与供奉佛陀相联系。佛教初传时期，佛经译解也参用老庄道家之学，奉祀浮屠也用斋戒祭祀，说明依存于汉文化、宗教氛围的早期佛教影响下的美术品，是与中国的文化传统及审美意识密切相关的。1992年湖北鄂州石山乡塘角头村南第4号孙吴墓出土一尊陶坐佛像，在佛像两侧胁侍二立俑。这尊像陈放在通往后室的甬道中，没有贴附于其它器物，已是独立的佛教造像，则进一步体现了佛教在民间日益受到崇信的地位。而在南京出土的4件南朝善业泥像，则展示了长江下游遗存的佛教经典造像样式。善业泥像呈青灰色，高为20.5cm，宽12.5cm，厚7cm。中下部为圆拱形龛，龛楣尾部塑龙首，龛内为一佛二胁待像。佛结跏趺坐于迭涩束腰台座上，右手施无畏印，左手上举，着通肩袈裟，衣裾垂于台座前，圆形头光外为火焰纹。二胁待立于有茎莲台，龛上有飞天。这和同时期的石窟造像、成都等地出土的石像佛像一样，呈现了后期南朝佛教艺术的成熟。

（《雕塑》2003.05）

程　式
——艺术的成熟和魅力

文／乔迁

“程式化”在当今艺术范畴中不是一个多么中听的词汇，似乎意味着僵化保守、因循守旧、食古不化等制约艺术创造的因素。其实，我们对“程式化”的这种具有贬义理解的缘由来自于我们没有把这个问题放在艺术发展的历史过程中考察。当代艺术宣扬多元和个性，程式化自然会被看作艺术发展的反动力量。若是辩证地看问题，会发现任何问题都具有两面性。在艺术发展过程中，因不同时代的文化结构不同，艺术范畴也不断变化，在某个时代是推动艺术发展的因素，或许在另外一个时代就成为艺术发展的桎梏。

贡布里希在《艺术发展史》中曾说过，一种伟大艺术的显著特点就在于它的各种表现形式，如雕塑、绘画、建筑等等，都似乎在遵循着某种法则而形成一贯的风格。程式即是这种法则的稳定性。对人类几种主要的古典艺术类型考察，我们会发现程式化是它们最为显著的特征。古埃及绘画艺术人物造型的三段式统治了三千年而鲜有改变，头为正侧，躯干为正面，腿又为正侧。在古埃及人眼里，这是最合乎空间法则的艺术处理手法，在人物雕刻方面，保持固定的正面律。古希腊艺术更是程式化集大成者，古风时代的造型特征明显是学习埃及的结果，均为站立平直的正面像，即使是面容，也是统一的“古风式微笑”。古典时期希腊艺术的程式相当具体，人物的比例、动态、形象都要遵循严格的法则。古希腊雕塑家波利克莱妥斯写过一本关于人体比例的书，同时还制作了称为《法则》的青铜像，创造了雕刻理论法则。第一，人体头部与身长比例为一比七，这是一种健壮粗短的体形。第二，整个雕像的重心偏于一只脚上，而另一只脚完全放松，这样既调整了动势，又富于变化，使右脚显得更加有力，而左脚却更为舒展自如，形成了紧张与松弛的强烈对比。第三，用力的右脚和持枪的左手相呼应，松弛的左脚和自如的右手相响应，这种对角线的交叉呼应，引起了肩、腰、臂、膝这些横结构线的变化，避免了动作的呆板和单调。古希腊雕塑的这些程式法则对西方雕塑艺术的影响一直延续到20世纪之前。这些古典艺术繁荣的标志就是这些程式化因素，程式化因素所反映的是某种艺术类型的成熟性。程式是创造不断积累的结果，从这个意义上讲程式即是创造。

当然，就某一艺术类型而言，程式化是指那一部分具有传统因袭特征的稳定成份，是和创造因素相对的概念。因袭和创新具有完全不同的文化功能。因袭提供的是众所周知的形象和意义，它维护价值的连续性，维持一种文化的稳定性。如果文化发展没有因袭因素，而只是创新的形象和意义，那么一种文化形态便得不到深入发展的机会。程式因素构造了文化产品的传统体系。它的重要之处在于它是若干重要文化功能的综合，正是因为程式的稳定性才为我们提供了通过艺术认识文化诸多因素的重要途径。艺术中的许多范畴，所谓风格，所谓民族性，所谓时代性，赖以分类的标准，不是别的，而是程式化因素，程式为认知提供了基础。

在艺术之中，程式表现的是具有普遍性的特征，是集体意志的表现，这种力量是个性力量所难以企及的，无论是埃及的狮身人面像，还是中国商代的青铜器所散发的魅力都能压倒个体艺术家的个性化作品，因为程式化作品承载的时代精神内涵远远大于独立的个体艺术家作品。当然，个性化作品也不能是完全个性化，他们要被接受，还不得不选择程式的因素，作为作品被认知的特征。即使是19世纪公认最具创造力的艺术家毕加索也在某一阶段保持作品特征的衡定性，因此就有了立体主义时期、紫色时期、玫瑰色时期、古典时期的划分。当然，随着历史发展的脚步加快和对自我价值的追求，程式化的稳定期正越来越短，而且艺术中程式化的构成因素也在逐渐减少。

中国古代艺术程式化最高的，莫过于青铜时代的艺术了。它的程式特征最为充分，稳定时间也最为长久，从商代中期，青铜艺术开始成熟，到周代中期，风格的变化一直很小。我们对青铜艺术魅力的感受，来自于青铜艺术严格的形式法则渗透的力量。青铜艺术的程式化特征涉及到它的型制、比例、内在结构、装饰形象的各个方面，显示了经过长期历史发展而取得的、在形式法则上的成熟，这也正是青铜艺术无愧于古典称号之处。

中国青铜艺术的高度程式化有许多成因，是应时代观念、文明程度和社会分工而生的。青铜时代的社会形态的特点，一是原始宗教占重要地位，二是严格的礼乐制度。原始宗教是人与人联系的心灵纽带，社会的各个方面都打上了原始宗教浓重的烙印。这种宗教观念的社会化依赖一套完整的礼乐制度来规范。这种规范成为青铜艺术程式化生成的社会思想的基础。青铜艺术作为通天工具和国之重器出现，没有上升到审美意义，因此它合乎的是社会规范，而不是个性发挥。尽管青铜艺术是神性的，但它同时也是理性精神的产物。理性精神出现在艺术品中，反映文明时代的到来。感性被理性自觉的意识所取代，依靠对自然认识的系统性为基础，并掌握一定的衡量自然的标准，建构了以数的比例和几何关系的认识方式。这种数的比例和几何关系是积累了无数认识经验的基础上总结来的，成为造物的规范。森严的礼乐制度需要这种能够衡量和操作的程式艺术来服务。在青铜制作方面，也需要规范的程式要求，因为大量的礼仪需要，必须有详细的社会分工才能完成，程式化是分工合作的前提，只有这样才能保证分工完成的作品各部分能够组合成一件和谐完整的作品。我们可以发现，同一时代的不同作品，装饰造型上有惊人的一致性，可以想见，这些作品不是艺术家的随心所欲的创造，而是严格按照程式化要求完成的。青铜艺术的各种纹样都具有象征意义，纹样的标准是大众约定的一种符号形式，没有一个标准，便失去了纹样的可读性。《考工记》中明确系统地记载了艺术创作的程式和法则。如“火以圜”，即指明青铜器中常见的“圜”纹具有光明的象征意味。

成千上万的青铜艺术的整体程式化特征，构造了中国古代艺术最辉煌的一页，也成为世界古典宝库中和古希腊雕刻并立的双峰。当然，这种程式绝非是一般层次的特征延续，而是在形象推敲和造型法则高度成熟层面上的成熟，是感性与理性完美结合的结果，所以这种程式历经数千年的考验，在今天依然给我们无穷的美的震撼。

程式是对一个时代解读的形象上的途径，程式的变革取决于时代的变化。在青铜时代，宗教礼制的变革是艺术变革的前提。周人对质朴的崇尚和现实性，使殷商青铜艺术的宗教幻想和奢华走向了衰落。任何程式都会随时代的变更而衰败，但它留下的艺术却是永远的财富。而且在当代，通过对那一段艺术的程式化认识，依然能发现可以借鉴的普遍规则。

程式不意味单调，也不意味繁琐，任何一种艺术类型发展到程式化阶段都具有极其丰富的形式语言。鼎的沉重、爵的轻巧和各种动物形牺尊的威严……这些青铜艺术的造型的多样性超过其它任何艺术类型。青铜艺术装饰的手法也极为多样，层次丰富。

当代艺术越来越强调个性和创造。这和艺术中的程式因素并不矛盾。无论怎样的个性，都需要借助于大众普遍接受的符号来表现。个性思维的完成也是由规范的符号组成的。个性以共性为基础，共性又是由个性发展的结果。艺术程式的不断积累，为艺术发展提供越来越多的表现手段的选择。

艺术史就是这样由一个个程式化艺术的更迭构成的。每一个程式在相应的时代得到充分的发展，逐渐使人类对艺术的探索在广度和深度上拓展。从另一方面讲，程式正是人类不断创造的反映。

（《科技与艺术》2003.7）

融入世界的中国当代雕塑

——对新时期中国雕塑国际化发展的探讨

文／赵萌

中国当代雕塑正处在蓬勃发展的活跃时期。作为中国改革开放的历史进程的直接产物，二十几年间，中国雕塑家相继为数十个国家创作的一批高水准的雕塑作品，已分别矗立在异国大地，并有大批雕塑家的作品应邀或入选多项国际艺术大展，屡获大奖。几代中国雕塑家努力的丰硕业绩和彪炳时代的卓越贡献，不仅标识着“国门”的打开，更以前所未有的力度和规模，将中国雕塑推进、融入到世界多元文化的交流与互动之中，从而赢得世界的瞩目和广泛的赞誉。经历了启蒙——转型——发展的中国当代雕塑，从“观念更新”、“走出国门”、“辉煌呈现”的进程，充分展现出历史悠久的中国雕塑自身的历史性进步。其意义和影响不仅显示在中国雕塑发展的进程中，而且直指未来中国雕塑发展的走向。

观念更新

1978年“中共十一届三中全会”的召开，是中国进入改革开放“新时期”的重要历史界标。作为中国改革开放历史进程的见证之一，中国雕塑同时亦更是其发展进程的辉煌体现。中国雕塑经历了两个阶段：20世纪70年代末、80年代的“转型期”，90年代延续至今的“发展期”。发生在中国雕塑“转型”期的观念更新的前导性人物，首推以刘开渠先生为代表的老一代雕塑家，面对中国改革开放、现代化建设及城市化发展的历史机遇，他们不失时机地提出了“城市雕塑”的概念及发展主张。历经20余年的实践充分表明，中国雕塑的“开放”态势和“多元”发展无不与其相关或找到对应的阐释，而成为事实上的启蒙。

特定历史机缘形成的时代征候，显然是其“启蒙”时期逻辑关照的结果和体现。综观新时期中国雕塑艺术领域最具价值成果显示的，当属成就斐然和取得广泛社会影响的“城市雕塑”。需要指出的是，“城市雕塑”早于“'85美术新潮”而成为“转型期”中国雕塑家解放思想的最早启蒙。诚然，以历史的眼光审视“城市雕塑”问世所涵括的意义，显而易见其鲜明而深刻的时代性特征的，其中亦不乏彰显着中国传统文化精神贯之如一的“社会责任”及“使命情愫”的自觉意识。“城市雕塑”在中国文化语境中，既是一个学术的命题，更是一种认识理念和行为方式，本身具有很强的实践精神，在相当程度上主导着中国雕塑的实践与发展。

“城市雕塑”概念提出后，受到国家政府的高度重视和大力支持。1982年全国城市雕塑管理机构的成立，使得群体优势的整合赋予理论、实践和操作方式上的巨大推进，一方面深刻地影响雕塑自身的发展；另一方面雕塑直接介入社会生活、城市环境，促进城市文化和精神文明的建设，使雕塑衍化为社会性的文化标识。社会各界和普通民众对“雕塑”的热情和关注也迅速高涨起来。与中国传统雕塑一直处于非主体文化状态中和难登大雅之堂历史窘境相比较，昭然展示出中国当代雕塑的历史性飞跃和对中国当代文化、经济和社会进步所做出的重要贡献。

“城市雕塑”的概念从社会意义的公共意识、开放空间的环境意识上拓展了雕塑的认知视域，突破了中国雕塑教学长期依循的西方艺术的较为“单一”、“封闭”的范式，扩充了新的教学内容，使学院的教育在培养学生的认识理念、感知方式、学术视野及综合能力方面，有了更贴切社会发展的积极对应。这对中国雕塑家的成长及未来发展，无疑具有深远的影响。随着“城市雕塑”的概念逐渐衍生、转化，成为一种雕塑家必备的素质和能力之一，不同的社会背景、不同的环境品质、不同的文脉属性以及不同观众群体的审美取向，一并纳入雕塑家的视野。进而，关照环境，尊重公共话语权，培养和谐共生的关怀意识，在开放的社会系统中确立起新的价值评判的基准之一。

开放意识和观念更新的泛化，从深层的心理状态表现为中国雕塑家普遍具有一种包容的胸襟、平和心态及从容的心境，乐于并积极“参与”、“接受”不同观念和新生事物。几代雕塑家艺术探索的不同诉求，正是因开放意识和开放的社会环境而得以释放出巨大的潜能。走入民众生活、融合于公共环境的城市雕塑，在丰富社会文化、提升环境品质、引领人们审美境界不断嬗变的同时，亦承载着雕塑家对雕塑本体的不断认识、深化与创新。当然，对于雕塑概念本体内涵及外延所涉及的非定性的艺术实验，许多艺术家往往从雕塑的“前沿”状态出发，对长期所信奉的“绝对”、“惟一”、“不变”的雕塑概念提出质疑、打破、否定、颠覆等等，有时不乏鱼龙混杂、良莠不齐。但开放性的动态化过程中大大推动了对雕塑本体的认识由封闭转向开放，给中国雕塑家们带来了多元化思考和实验性的探索。一些具有学术性、原创性和文化意义上的实验性作品受到认同，并成为雕塑自身发展的阶段性成果，有力促进了新时期中国雕塑不断推陈出新、快节律的发展，使之进入一个空前活跃的多样化的发展期。

走出国门

“转型期”的中国雕塑首先在自身展示、方式上有了多样化的突破。20世纪80年代以前，仅有少数雕塑家应有关方面的邀请，为斯里兰卡、几内亚、叙利亚创作了《班达拉奈克总统像》、《阿萨德像》等为数不多的几件作品，随着国门进一步打开，中国雕塑家的创作理念、表现手法及艺术风格有了“对外”展示的新天地。

1980年，以刘开渠先生为团长的中国雕塑家组团赴欧洲诸国，专题考察城市雕塑和雕塑发展的现状，构建中国雕塑发展的新框架，这也为两年后倡导中国“城市雕塑”建设和发展的主张奠定了重要的基础。同年，中央美院雕塑创作室的多位雕塑家的作品依次在多个国家展出。自此，几乎年年皆有中国雕塑家的作品以应邀参展的方式“走出国门”，为中国雕塑赢得了国际同行的认可；一年后李守仁、曹春生、盛阳、陈桂伦、刘琳等雕塑家则以项目的方式，展现了中国艺术家参与国际合作的突出贡献，为中国雕塑向海外发展开辟了一个新的领域。此后不久，田金铎、朱成的作品永久地陈列于瑞士洛桑的奥林匹克公园和奥林匹克博物馆，钱绍武、王克庆、张照 、吴介琴也为国际组织、友人制作了高水准的作品，向世界展现出中国雕塑的艺术风范和魅力。中国雕塑家的艺术造诣获得了高度褒奖，为中国雕塑带来了国际声誉。

值得指出的是，中国雕塑家表现出来的卓越才华和非凡的影响力得到中国政府的充分首肯。1985年11月胡耀邦总书记访问日本，将潘鹤、王克庆、郭其祥、程允贤共同创作的《和平少女》雕像作为国礼赠送，使《和平少女》已成为中日友好精神的物化载体，其意义远远超越了雕塑的本身。中国雕塑成功地在政治和外交方面发挥了高度艺术化的作用，并以一种新的方式谱写了中国当代雕塑浓墨重彩的新篇章。应当说，这一阶段中国雕塑向外拓展的速度明显加快。中国雕塑家随着观念意识的更新、沟通方式的拓展，为对外交流架起了途径不同的桥梁。在以现代艺术为主流的国际雕塑艺坛，显露出中国雕塑以具象风格为主，严谨、细腻、惟美而富有内涵和鲜明的艺术表现力。在世界了解中国雕塑的同时，中国雕塑家则以更快、更广、更深的方式把握世界雕塑发展的脉搏，以海纳百川的开放胸襟 故纳新，推动中国雕塑实现“融入世界”的历史进程。

融入世界

历史发展的逻辑常有一些偶发的因素，暗合了后来的既定事实，使偶然关联必然，甚至具有某种象征的意味。1990年，上海女雕塑家吴慧明创作的雕塑《升》被置于联合国的草坪上，其造型富有装饰性的意趣表现，注意精神的追求，与以往的雕塑风格有所不同。把这一艺术风格的变化及以“联合国”作为国际化的背景相关联，似乎预示着中国雕塑进入20世纪90年代之后，艺术风格更加多样化，并在更大规模、更广泛层面上与国际接轨，日臻成为“多元”的国际话语互动发展中不可或缺的“一元”。90年代以来的中国雕塑从国内雕塑家切入国际“主流阵营”，老、中、青三代艺术家频繁参与国际雕塑活动，域外华裔雕塑家异军突起共同标志着中国雕塑进入新的“发展期”。

据有关资料表明，90年代中国雕塑家应邀参加国际性的艺术展已占绝大比例。如：张德蒂的《历史航船》入选意大利拉维纳艺术双年展并获银奖(1991年)，隋建国、李象群、刘威应邀参加日本国际雕塑展(1991年)，秦璞、张德峰、姜杰、展望、李秀勤等人的作品赴日、韩、新加坡及欧美20多个国家展出，法国巴黎香榭丽舍大道举办的“2000年雕塑大展”上，隋建国的《遗传的壁炉》与当今国际最具代表性的50余位多国雕塑家的作品并置展示等等。这无不表明，中国雕塑家对雕塑及艺术本体与外延的认识理解、表现能力和创新理念受到国际更高层面上的关注和认同，中国雕塑在原创性的实验意义上正在成为国际艺术发展中的一种“互动”的资源，已在国际“主流”艺术的平台上占有不可忽视的地位。

值得关注的是，70年代末许多雕塑家跨入20世纪第三次的“留学”热潮中，并卓有成效。如彭小佳为美国俄克拉荷马州一百周年纪念创作的雕塑《不锈钢·石头》，在众多的竞标者中独夺头筹；谭方、武海鹰、郭选昌等雕塑家的作品先后在美国的西雅图、拉斯维加斯和洛杉矶等地落成；蔡国强等人的作品曾多次入选威尼斯双年展等国际著名的艺术大展，并屡屡获奖。国际艺术阵营中华裔雕塑家的异军突起，无疑是他们已了解了“国际规则”，洞察了国际艺术的文化时态后的成功体验。虽然这些人置身国际环境，多以各种“前卫”的方式，标榜个体的“自我”意识，然而还是因为他们运用了“民族母语”，作品上凝聚着“民族”符号烙印而被接纳。正是民族文化的“活力”，成就了外籍华人艺术家们的艺术生命，既是中国文化受惠者又是其传播者的二重性，构成了他们普遍有的特质。

艺术的“多元”发展，是社会的民主化发展到一定阶段的表征。“认同感”又是各种“存在”合理性的前提与保障。20世纪90年代之后，中国雕塑正是因“多元”而进入“发展期”，形成了老、中、青并存共生的格局。程允贤、文慧中、张德蒂等人为多个国家制作的艺术作品，表现出造诣深厚的老一代雕塑家炉火纯青的娴熟技艺和 盛的创作状态；更有一批中青年雕塑家以多种的风格、样式，展现在各种国际大展上。具象的、抽象的，民族的、国际的，传统的、现代的等等不同的文化属性，使今天的中国雕塑呈现出丰富多彩的气象。

打开国门走出去，积极参与和国际接轨，这是一种“开放”的体现；打开国门请进来，依循中国确立的“规则”进行选择，更是一种建立在主动和自信基础上的“开放”体现。政府、企业、个人等多方支持的国际雕塑大赛成为中国雕塑界一道“红火”的风景：威海国际雕刻大赛(二届)、天津泰达国际雕刻大赛(二届)、长春国际雕塑邀请展(五届)、广西愚自乐园国际雕塑活动营(八届)、北京延庆国际雕塑大赛(一届)、石家庄国际石雕展(一届)、北京国际城市雕塑展(首届)等，已邀请近百个国家、数百位国外雕塑家，在中国创作了几百件雕塑作品。如此多元文化并存、多样风格辉映、多种话语互动的繁荣景象，在当今世界尚无二例，中国已成中外雕塑家云集荟萃、施展才华的国际大平台。即使在整个世界，中国雕塑也是最为活跃的一大中心 。

余论

改革开放的精神主导着中国雕塑家以开创性的实践和成果，与新时期的发展一脉传承演绎着时代的主潮，并以其独特的话语方式为这段历史铸就了新的人文特征。艺术的“发生”以直面“当代性”的这一文化时态的重大置换，激活并遂成新时期中国雕塑形成“创新中发展”的又一主导语境。人才辈出、佳作涌现，无不证明中国当代雕塑始终处在一种日新月异的生机勃发的状态之中。雕塑本体概念内涵与外延认识的不断推进和自我完善，使以实践为主要特质的雕塑艺术处在明晰与理智的学术背景下发展而有所建树，实现了自身意义上的飞跃。如上世纪80年代早期的“城市雕塑”，倡导“美化环境”，注重“和谐”的审美性；90年代公共艺术概念的导入，以“参与性”和“互动性”的方式，强调“人性化”的价值理念；进入新世纪之后，城市雕塑从城市文化的范畴更突出其文化属性和人文价值，或许城市雕塑与城市文脉又将成为一个新的课题。由此可见，基于学术思辩的精进支撑发展的中国雕塑，其“自律性”是前所未有的。历史可以证明，从借助、模仿，到原创性的主动创新，这是一个民族的文化艺术趋于成熟的表现。几经历练的当代中国雕塑处在一个“由外及里”转为“由内向外”的轮回中，由“借鉴”，导入“形式”的模仿；对“本体”思考转入“语言”的探索；从“原创性”的关注，进而做“实验”性的创新，这也是“西学渐进”百年进程中的“文化移植”渐被“中国化”的必然结果。

总之，国际化是中国雕塑艺术自身进一步融入世界文化艺术进程中的必然趋势。面对这一进程使之转化为一个全球共享的“资源”，是中国雕塑真正走向圆熟之境所要解决的一个前提条件。当前，中华民族的本土文化与民族意识呈高迈之势，厚德载物的民族品德和自强不息的民族精神贯通于博大精深的民族文化之中，时逢盛世的中国当代雕塑家，将会在一个民族文化实现自我的圆熟历史境遇中，实现着自己也是民族的理想和追求。如此，中国雕塑又将迈进一个新的历史阶段。

（《2003中国长春国际雕塑大会主题论坛论文集》）

摩尔圆雕艺术作品的拓扑学分析

文／李雁

圆雕，巨大的雕刻作品屹立于自然景观或者人们所生活的建筑群中。它们正在无声无息地改变着我们的生活空间，使之变得更富于空间感和艺术性。在这个领域的现代艺术家中，英国现代雕塑家亨利·摩尔无疑是上帝的宠儿。

什么是上帝在与亨利·摩尔耳语时的赐予？无疑，是拓扑性质。因此，亨利·摩尔尝试着用饱含拓扑信息和拓扑美感的圆雕改变了我们的生活空间和艺术的历史。当然，他成功了。几乎所有亨利·摩尔的成功的作品都以强调和表现作品形态的拓扑性质而获得成功。

一、几何性质与拓扑性质

通常，我们描述一个物体的外观时会说出它的形状、大小、角度、边数和角数、肌理、色彩等特征。其中除后两者外，前五者均属于形态性质中的几何性质。用几何性质描述形态在人类的世界具有最为普遍和长久的历史，这是因为人类历史上第一本系统的科学著作是几何学著作的缘故。但是，人们也在不知不觉中使用拓扑性质去描述形态。例一，有一位老摄影师说，一张好的风景照片应当有七重景。这“七重景”意味着照片有七层景物并因此而具备丰富的视觉效果。这里的层就是一种形态性质，形态的拓扑性质中的层次性质。另一种拓扑性质更为常见，那就是数量性质。例二，儿子第一天从美术班回来，母亲问：“今天画了些什么？”儿子说：“没什么，三个鸡蛋。”这里的“三个”正是拓扑性质中的数量性质。例三，学生对老师说：“老师，封塔纳在画布上割了一个洞!”这里的“一个洞”是拓扑性质中的连通性质。所以，虽然对大部分人来说，拓扑性质是一个陌生的词汇，但它们却是人们在生活里常用和熟悉的东西，人们可以很快地掌握它，利用它。

那么什么是拓扑学呢？拓扑学是一种研究形态的拓扑性质与拓扑变换的形态学。艺术拓扑学是从艺术形态学的角度出发而创建的拓扑学，可以被广泛地应用于艺术创作、计算机图形学和一切与形态描述、形态创建、形态创造有关的艺术、科学与技术。

二、形态的连通性质：作品“拱门”的拓扑性质分析

连通性质是最为重要的拓扑性质之一。在作品《拱门》中，通过圆雕与大地的连接，把本来看上去连通性为零的背景景观，改变为连通性为一的“拱门”与背景合二为一的整体景观，使原有的拓扑价为零的景观晋升为拓扑价为一的景观，从而使形态的视觉效果变得丰富。

那么，什么是艺术作品或者说物体的连通性呢?首先，一个简明的解释是，连通性指一个形体上有多少个穿透的洞。穿透的洞的洞数被称为“亏格”，亏格是连通性的阶。一个形体上有几个穿透的洞，这个形体的亏格数就是几。连通性与物体本身及其洞的形状无关。如：太湖石的形状各异，人们却并不因为它们的形状不同而认为它们当中的某些不是太湖石。之所以如此，是因为它们在形态上具有相同的拓扑特征——所有的太湖石都具有丰富的亏格数，并且它们的边缘也呈现为一种倾向于亏格的趋势。正是亏格使太湖石尽管千姿百态却具有同样的美感。

拓扑学认为，亏格数与形态的视觉丰富度成正比。但是，并非亏格数越多，形态就越美。亏格数为一的形态往往是既单纯又美观的。亨利·摩尔作品《蛋形的的雕塑》除作品的形状呈现为蛋形外，作品上有唯一的一个明显的洞。作品完美地层现了亏格数为一的形态既单纯又丰满的体态。作品《拱门》与大地连接后，使原有的没有洞的景观的为零的拓扑性质转变为有一个穿透的洞的亏格数为一的景观。这个穿透的洞就是那个“拱门”与大地连接后所产生的洞，或者说，封闭的环。

“拱门”的出现为原有景观增添了一个新的层。这一新的层同样起到了丰富原有景观的作用。在这个方面利用了拓扑性质中的层次性质。

三、形态的层次性质：作品“内在与外在的形态”的拓扑性质分析

层次性质也被用于曲线和曲面的拓扑性质描述。有趣的是，在拓扑学的概念中，曲线并不仅仅是我们平时所说的光顺、弯曲的线。由于拓扑学认为任何物体、平面和线都可以从方拉成长，从长拉成圆，从有棱角拉成无棱角或反之，故所有的线，不论是折线、曲线、弧线或者复合线都被统称为“曲线”。拓扑学根据曲线的拓扑特征将它们划分为闭合曲线和不闭合曲线。一个封闭的圆环或者一个没有玻璃的窗框是一条闭合曲线。一组五层的同心圆就是一个层数为五的曲线。“五层”即是这个曲线的一种主要的拓扑性质。

无独有偶，在拓扑学的概念中，曲面也并不仅仅是我们平时所说的光顺、弯曲的面。在拓扑学中平面也属于曲面的范围并与折面、球面一起被统称为“曲面”。曲面被拓扑学根据其封闭性和连通性划分为曲面、球面和环面。其中，曲面是没有内部与外部之别、只有不同的洞的数量的面；而球面是一个有着完全封闭的内部空间的面；环面则是不仅有封闭的内部空间并且曲面的外侧也形成封闭的环状形态的曲面，如没有洞的汽车轮胎。

完全封闭的多层球面人眼是无法从外部看清其内部层次的，人们只能从球面上的洞孔看到球面的内部。而球面上一旦出现了洞孔，它就不再是具有密闭的内部空间的球面而变成一张形状如球面的曲面了。为了艺术创作的需要，我们称这类曲面为“类球面”。摩尔的作品《内在与外在的形态》就是一件典型的“类球面”作品，这件具有丰富的空间感的作品由内、外两部分组成。其外部是一个

有两个洞的“类球面”，通过“类球面”上的洞孔，我们可以看到它内部的形体并且可以看到在“内部”的形体上也有一些洞孔。“类球面”的特点是：它能够给空间制造丰富感和神秘感。《内在与外在的形态》之所以成功有两个因素：首先是利用了曲面的层次性质，使用了双层的“类球面”来创造丰富的空间感。再则是利用了亏格对空间的丰富作用来创造外层曲面和内层形体的两部分空间感。摩尔的这件艺术作品可以称为是纯粹的的拓扑艺术作品，它的主要的形态特征来自于拓扑特征。

四、形态的附贴性质：作品《拱型的腿》的拓扑性质分析

附贴关系被人类数学认为是一种最为原始和根本的拓扑性质。在摩尔艺术作品中也被频繁地使用。附贴关系是指几个形态或几个物体之间位置的相互关系。艺术作品中的附贴关系包括有贴附、无限邻近和近旁等。

拓扑学对物体之间的相互关系的描述方式完全不同于几何学。几何学会对你说，某物与某物之间距离多少，角度多少，平行或相交。而拓扑学对物体之间的相互关系的描述就针对于一组物体相互之间的位置关系，它们是否连接或相靠在一起了，还是紧密相邻却并不连接或相靠。或者它们只是面对面地组合在一起，谁也没有触及到对方，谁也不能脱离开对方。

在我们读过上述的概念和图例之后，不难看出作品《拱型的腿》中的两个形体之间的关系是拓扑性质中附贴性质中的近旁关系。

五、利用拓扑性质去创建新的生活空间和空间感

我们所生活的公共的空间、大地、山脉、河流、城市的远眺景观，通常是一些连通性为零的形态。而当我们在城市的广场或者街道上行走时，所触及的景观也往往是一些规则的几何形态。人类现代工业决定了我们的街道和建筑是一些便于机械加工和生产的形态。这些形态的主要特征表现为几何形态特征。为了使我们生活的公共空间变得更具备生命力，视觉形态更为丰富，空间感更为多样化，显然我们更适宜用拓扑性质去改变周围的环境，用与大地密切相连的具备拓扑美感的园雕去改变大地的形态，为它们增添连通性质的美、层次性质的美、附贴关系的美等拓扑性质的美。英国现代雕塑家亨利·摩尔正是这一领域中的成功先驱。

（《装饰》2003.10）

雕塑的开放与开放的雕塑

文／殷双喜

与中国油画相似，中国雕塑也是20世纪以来引入西方学院艺术教育体系后成长起来的外来艺术样式，它与中国传统雕塑（洞窟、寺庙、陵墓及民间工艺雕塑）有很大的差异，基本上是以西方文艺复兴以来的人体雕塑为学习、研究、创作的对象，以三度空间与写实形象再现为主要特征。

但是，中国当代油画在经历了现代社会文化变迁及价值失落的巨大冲击后，在艺术内涵与观念上已经有了很大的变化，只是在材料、技术上仍然坚持着油画的基本界限，其油画语言的价值标准是古典的、向艺术史回溯的。

近十年来，中国雕塑从整体上看，技术、材料较以前有了很大的变化，造型语言和观念也在发生变化，正在从20世纪50年代以来的歌 领袖与英雄、赞美劳动与创造转向更广泛的人性与日常生活经验表达。雕塑艺术的主要功能从教育转向审美。虽然写实性的雕塑还是重要的样式，但多以象征性的形象表达某种抽象的理念、寓意，有一批著名的老雕塑家仍然活跃在创作的第一线，保持了新中国雕塑的优秀传统。但是在城市雕塑领域，商业性的低劣雕塑正在污染许多城市的公共环境，无形之中败坏了民众的审美趣味。在许多豪华饭店的内外装修中，在许多“世界公园”、“民俗村”中，我们都能看到古希腊罗马人体雕塑的拙劣摹制品；许多银行、百货大楼的门前安放着丑 的石狮；许多城市的火车站、广场和校园中仍然能看到那种装腔作势的“英雄”和“美女”以及莫名其妙的抽象作品。这些耗资不菲的所谓城雕，在揭幕式剪彩之后，马上就成为中国城乡景观中的“视觉垃圾”。

虽然如此，我对中国当代雕塑的现状与前景仍然具有充分的信心，这是因为近十年来，一批中青年雕塑家的出现，他们正在以执著的精神探求中国雕塑的当代之路，并且已经取得了可喜的成绩。在世界性的重要雕塑展览中，中国的中青年雕塑家都有作品参展，显示了生机勃勃的创作力对雕塑艺术的深入理解，他们的创作动向，将影响21世纪中国雕塑的走向。

就中国当代雕塑的现状来看，我认为，有两个基本的创作与价值取向值得注意，这就是雕塑的开放与开放的雕塑。实际上我是指雕塑界在正发生的变化，有狭义上的变化（量变）和广义上的变化（质变），这两种变化的流向将构成中国雕塑在未来年代里的多元纷呈的生动局面。

所谓雕塑的开放，是指我们的雕塑教学和创作，不再拘泥于20世纪50年代以来的以泥土、石膏为主要材料、以西方写实人体形象雕塑为基础的统一模式，而是向一切可能的雕塑艺术资源开放，从中吸取多种营养，使20世纪50年代以来的学院雕塑教学和创作，出现了多种风格、样式的发展。这种雕塑的开放包括：

1、向多种材料开放。从传统的泥土、石膏到木、石、砖、玻璃钢、铜、不锈钢等多种材料的发展，并且摸索出相应的材料处理与加工技术。

2、向多种语言形式开放。从比较单一的写实人体，到多样化的雕塑语言形式，如抽象、变形、极少主义、构成组合、中外民间传统雕塑等，雕塑艺术的形式有了较多的面貌。

3、向雕塑的艺术史开放。从中外雕塑艺术史上的重要艺术家和代表性风格学习借鉴，如罗丹、亨利·摩尔、贾柯梅蒂、大卫·史密斯、博伊于斯、杰夫·库恩斯等。

4、从室内架上向室外空间的开放。这就是让雕塑从美术馆走出，组织筹办大型国际雕塑比赛，室外雕塑公园，在威海、长春、杭州、青岛、北京等城市建设了与自然风景区融为一体的雕塑公园，公共艺术的概念已经被提出并加以讨论。

上述种种的开放，其核心仍然是对雕塑艺术语言亦即所谓“雕塑本体”的研究，它坚持了雕塑的一些本质特征，如对材料的加工处理，三度立体的雕塑，形象的可辨识性，雕塑与空间环境的关系，体量、轮廓、色彩等造型元素的结构性研究。基本的思维形式仍然是雕塑思维。

我想着重指出的是，近年来雕塑界正在发生的积极的变化，主要体现在一批优秀青年雕塑家，不再滞守雕塑的传统语言样式，而是将雕塑作为一种媒介和手段（不是本体），去探讨当代人类面临的诸多社会、文化与思维问题。从而形成一种与经典雕塑有很大差异的开放的雕塑。它表现为：

1、不再是传统架上雕塑的传统与抽象，而是将雕塑融入生活环境，融入一个更大艺术构想中，成为新的艺术作品（或是装置、类装置）中的重要部分，以此对雕塑在当代文化中的意义与价值进行思考。

2、雕塑不再是一个人们围绕其四周以其为中心的观赏对象，而是以雕塑作品创造一个空间的场，将雕塑作品所包围与占据的空间环境视为作品的重要部分，人们进入其中为雕塑所包围，从而参与作品的意义的生成。

3、雕塑不再是一个只供观看的对象，观众不仅可以触摸，也可以参与操作与改变，具有了某种随机性与偶发性。观众甚至可以随意移动雕塑作品，形成变化的雕塑景观。

4、雕塑不再是单纯艺术家动手改变物质材料，而是它包含了其它各种各样的现成品，它们使雕塑与生活的界限成为模糊的融合状态，形成一个似真似幻的生活场景，其中有着局部的无可置疑的物理真实，但却有着审美心理上的错觉，从中呈现出某种真实的荒诞。

5、其它形体创造的方式包括自然界的生物塑造方式也成为雕塑一部分，从而使雕塑的边界大大扩展。例如施慧的作品《巢》，就以竹签、棉线、纸浆的编织和粘接，形成了类似于生命体自我繁殖的叠加生长，具有了一种有机物的结构形式，而梁绍基的作品《自然系列》则以编织的铜线圈设定具有艺术造型的框架，经过数年的顽强努力使人工饲养的蚕最终改变其自然习性，在金属线圈上吐丝、编织出奇异的形体。这种将时间转换为空间，将动物行为凝固为形体的构想，具有东方式的渐进与平和，成为人与自然生物共同努力的一种合谋。

开放的雕塑相对于雕塑的开放，其基本着眼点在于，它不是以雕塑艺术形式的变化与更新为价值指向，而是着眼于以雕塑传达艺术家对于当代社会文化感知与观念表达。在这里观念的表达并不是所指与能指的简单对应关系，即不是形象符号传达某一明确概念主题的比喻象征，开放的雕塑所提供的是一个开放的文化思维（不是雕塑思维）框架。之所以在作品中，传统雕塑的形象实体仍然占据重要位置，那只因为这些雕塑家在习以为常的传统雕塑形象之中，发现了它们在新的组合结构中所具有的新的文化内涵，以意义理解阐释的新的可能。

想要严格区分开放的雕塑与环境艺术、装置艺术的差异是相当困难的。一般说来，当雕塑作品不再以其雕塑的形象特征或视觉价值而成为艺术作品中的主要构成因素时，它就可能成为与工业生产的现成品一样的一个文化消费品，被组织进环境艺术和装置艺术中去，从而成为作品中诸多视觉图像中的一个而发挥其符号化的意义。这时，雕塑作品就在艺术符合的意义上转化为一个更大的综合艺术的“零件”，在整体性的构思与排列组合中获得它的存在价值。

上述对于雕塑的开放与开放的雕塑的分析以及后者与综合艺术的关系的分析，其实已暗含了我对中国当代雕塑的形态学认识，我认为经典的雕塑（包括古典雕塑与现代雕塑）属于工业社会的艺术，而开放的雕塑属于后工业社会的范畴。中国社会目前仍处于工业化时期，亦即现代化进程中，所以中国当代雕塑的转型，主要是古典形态向现代形态的转型。但是经济与科技发展的水平并不就是文化艺术发展的分期依据，在全球媒介信息手段发达的情况下，艺术的发展有时与相关的经济、社会发展会呈现出超前或滞后的不同步现象。在中国当代艺术十分活跃的总体格局中，中国雕塑将在与其它艺术种类的频繁交流中，获得观念的启发，从而具有迅速发展的可能性。

从这一意义上来看中国当代雕塑的不断开放，我们有理由相信，在进入新世纪的社会转型时期，多元化的雕塑创作并存，将会逐渐改变人们对雕塑的欣赏与审美观念。在经济、文化环境的进一步良性改变之后，中国当代雕塑能够为中国当代先进文化与民族精神的复兴做出应有的贡献。

（《雕塑》2003.06）

数码时代的本土性文化诉求

文／皮道坚

一、　作为传统媒介的现代陶艺

火是人类最早使用的艺术媒材，陶器的制作在世界各民族的文化中几乎都与祖先崇拜、原始宗教意识联系在一起。制陶活动总是与各民族本土文化中最本色的那些精神冲击息息相关。因此至今无论是在世界的哪里，陶艺的制作都会让人想起人类最早的文明，让人缅怀远古，亲近自然，追慕原始生命力。这或许正是在我们这个机器化、数码化的时代仍有那么多的人痴迷陶艺的根本原因。

中国人有足够悠久的陶瓷艺术传统，也曾创造过陶瓷艺术史上的辉煌，但现代陶艺却发端于西方。这是一个有趣的历史事实，它提示我们事物的演变、盈虚消长总有其内在的规律，虽然偶然性有时会起很重要的作用。

现代陶艺是随着西方现代科技文明和西方现代艺术的发展而逐渐确立起来的一种现代艺术样式。在近150年的西方艺术史上，像罗丹、德加、雷诺阿、高更、马蒂斯、米罗、毕加索、杜飞、鲁奥这样一些声名显赫的大师都曾涉足陶艺创作。现代艺术与传统陶瓷手工艺的结合，给陶土、釉料这样一些古老的艺术媒材及其种种成型烧制方式带来变革，促成了传统陶艺的现代转型，从而开拓了现代艺术中一个具有广泛群众基础的领域——现代陶艺领域。陶土及制作于是又像在远古时代一样，成为我们表达思绪和情怀的艺术语言。

作为一种兼具原始性、现代性和公众性的现代艺术方式，近百年来，现代陶艺在推广现代艺术的精神成果，并使之融入现代文化生活，丰富和发展人的精神生活、精神世界方面起到了十分积极的作用。然而，伴随着20世纪以来的现代化进程而逐渐发展起来的消费社会，以及与之俱来的具有视听震撼力的，令人眼花缭乱、目眩心迷的大众消费文化，使之受到极大冲击。经济全球化的过程更使陶艺与本土文化间的文脉被逐渐割断，在不少地方的陶艺创作逐渐退出了本土文化创造的历史舞台，而仅仅只是作为一种手工工艺被孤立于当代艺术创作之外。在现代化过程中出现的这一西方化误区，使得古老悠久的陶瓷媒介在理论上失去了它保持创造活力的逻辑。而全球一体化的实际进程，又使其沦为一种“弱势文化”、“民间文化”和“区域文化”，大有从当代文化视野中消失的可能。

但是正像文化学者所认为的那样，对于艺术风格、媒介的嬗变，我们不能用一种达尔文主义的进化论观点去看待。伴随着人们普遍对全球化的反思，历史在新世纪的开始再一次给予传统的本土媒介以新的机遇。而这种新的机遇实际上是基于它所面对的文化挑战和课题。有必要强调指出的是，对于传统的艺术媒介，无论是陶瓷还是水墨，也无论是微观意义上的个体创造还是宏观意义上的文化研究，必须也只有一个宽泛的全球文化上下关系中才能得到真正的认知。也就是说像陶瓷这样的传统艺术媒体在当代文化中的作用和地位的问题，要求我们能在一个更广阔的文化视野中去思考它的当代文化处境，并重新考察它所具有的传统文化优势与语言资源。

二、传统媒介的当代困境

简单说来，和世界上其他民族国家所有的传统媒介一样，以陶瓷和水墨为代表的中国传统媒介一方面面临全球化文化格局中的强势文化压迫，另一方面又面对着丰富多样和具有视听震撼力的大众文化的冲击。但也正是从这个层面上看，它们的现代化转型对全球文化而言有着极其重要的文化范型意义和艺术表达上的方法论意义。

不管我们承认与否，全球化已经对我们的文化产生了实际的并且将会是深远的影响。它提供了一种特殊的价值范型，即要求当代全球社会中的所有人以人类共同的利益为价值取向来处理人、国家、世界三者之间的种种关系，以解决当代的全球性问题，才符合全球化的进程。

但是问题似乎并非如此单纯。因为伴随着资本主义经济的发展，在晚期资本主义社会出现了一种特征鲜明的以工业化生产为模式、以复制为主要手段的“文化生产”或者说“文化工业”。这种文化生产的结果便是流行文化和大众文化的泛滥。大众文化和消费文化随着大规模的都市化进程在亚洲国家中急遽提升，并最终成为这些国家当代文化的重要组成部分，是全球化的一个直接结果。在大规模的城市化过程中，新出现的都市生活和交往方式为人们的观看和事物的视觉呈现提供了转变的契机；当代文化渴望行动、企求新奇和刺激、贪图轰动效应的等等特性要求视觉图像在文化中的成分加大。从某种意义上说，以活动影像、静止影像和虚拟影像为主导的当代文化正在变成我们这个数码时代的一种新型的看和听的文化。这种在理解过程中自我调整速度，允许从容的对话，不是将速度强加给观众，呈现出强烈的“单向性”。所以它不可能导致内心净化和充分的认知理解，而是导致滥情或者某种虚拟场景中的虚拟体验，从而更多地动摇了我们对“真实”的认知标准。

从本质上说，这种数码时代的看听文化来源于由政治或者商业构成的种种意识形态，是被伪装成文化的社会压迫性力量。这种新的大众文化的崛起，一方面是资本主义文化逻辑发展的结果，另一方面也是以强调自我为中心的“现代主义”不断发展的结果。按照T·J·克拉克（Clark）的解释，这种“现代主义”的不断发展，指向一种秩序，这种秩序从对祖先和过去权威的崇拜转向于未来事业的追求——充满愉快、喜悦和自由具有控制自然或者信息的无限的形成。这个过程沿着清空和净化想象的方向进行着。没有对祖先的崇拜，意义就会短缺——“意义”在此指理解与价值的共识和形式的设定，它暗含着秩序、故事和图像。而正是在这些东西中，一种文化能使自己与必要性，与充满痛苦和死亡的现实之间的斗争明确化。

三、全球化的挑战与机遇

在这样一个数码化和全球化的双重背景下，陶瓷这种传统媒介如何才能摆脱“弱势”、“本土”、“民间”这些非主流性质的限定词，重新回到当代文化创造的舞台上，是新世纪人类文化发展的一个值得我们认真思索的问题。随着全球化背景下的各种区域的本土文化之间矛盾和冲突的回避，整个文化界和当代艺术界也在思考如何重新定义“当代艺术”，如何使众多有着优秀传统的本土性文化诉求重新获得文化位置。1989年，在法国蓬皮杜艺术中心展出了由著名策划人马尔丹（Jean Hubert Martin）策划的展览《大地魔术师》。在这个展览中，来自拉丁美洲、非洲、亚洲以及美洲和澳洲的艺术第一次以当代艺术的名义出现在欧洲艺术的核心殿堂。出现在这个展览中的，除了那些受过正规艺术教育的艺术家的作品以外，还有那些土著人在20世纪后半叶创造的各种“民间艺术”。“大地魔术师”在一个巨大变革的时代，深深地质疑着以白人中产阶级为主角创造出来的“现代艺术史”。马尔丹提出的问题简单而明确：什么是当代艺术？在当代艺术的格局中，我们如何衡量那些非欧洲的“土著人”的民间艺术？事实上，后者正是艺术与社会最初状态的当代体现。尽管这个展览遭遇了前所未有的争议，但是它实际上标志着在1989年普通大众和文化精英也都被迫达成一种基本共识，即一种被称作为现代主义或者精英文化的东西走到了尽头。

事实上，“大地魔术师”所代表的就是欧洲知识分子对打着“全球化”旗号的“美国化”文化变革的警惕和思索。马尔丹在世界格局的重大变幻之际突然停掉了当代艺术这部大机器，让所有的指针都回到了零。于是，艺术与文化、艺术与社会的关系再次以最基本的形式出现在我们面前。在马尔丹的体系中，那种“民间艺术”仍然占据着统治地位的社会中，实际上存在着一种比当代艺术更加亲近社会的“艺术生态”和“艺术家”。而所谓的全球化并非要使以欧美为主导的当代艺术规则统一世界，相反它必须保留甚至重新回到这种亲近社会的“艺术生态”。马尔丹提出了这一问题，但是一直到2001年，威尼斯双年展打出“人类的平台”的主题时，这个问题一直没有得到很好的回答。或许对于这个问题的解答过于复杂，但是问题的复杂性恰恰暗示着这些传统媒介的当代机遇。

四、传统媒介与当代文化资源

在中国当代艺术情境中，就物质媒材的古老、艺术传统的悠久博大深厚而言，陶艺语言与水墨艺术语言具有相近的性质和相同的文化背景，也都同样面临在东西方文化的碰撞中如何更好地利用传统文化资源、因势利导完成自身现代嬗变的问题。可以看出当代优秀的陶艺家们在这方面与20世纪90年代的实验性水墨艺术家们一样，正在以各自的方式刻苦认真地从事语言实验工作，力图以最生动、最富魅力的现代陶艺语言来表达他们真切的生活感受和情感体验，来宣示他们的艺术理念和生活价值观念。

在此背景下，重新认识陶瓷作为本土传统媒介的文化价值优势就显得特别具有意义。

陶瓷媒介在当代艺术中最具有优势的是它的文化身份，以及它和本土文化之间内在而深层次的联系。中国陶瓷艺术有近万年的历史，它的遗存无比丰富，它是任何其它门类艺术品种都无法与之相比的。它的文化内涵十分丰富而深刻，可以说中华民族将她最内在的本质、她对生命的感悟、对自然精神的心领神会完美地表现在了它的博大丰厚的陶瓷艺术之中。也许我们还可以套用一位西方著名的音乐评论人的话这样说：中国古典主义时期的陶瓷艺术“代表这个民族的体验，代表深深扎根于这个民族文化土壤之中的精神与人性的成熟，代表技术和形式方面精湛的表现方法，代表关于世界与生活的明确概念；这是一个民族对艺术价值看法的最后概括”。表现在中国古典陶瓷中的对艺术价值看法的最后概括，乃是将自我融入到自然的生活中去，并把自然和生活看作一种境界，一种交融着自然精神和人文精神的境界，一种“天人合一”的境界。这种概括在中国古代画论里有一个经典的表述即“气韵生动”。也就是说在中国人看来任何艺术创造的结晶都应该是一个活着的生命，是一种整体的生命气象。也正是它的这种优势，使得它能够对贪图轰动效应、追求感官刺激的“标准当代艺术”具有某种修正作用。毫无疑问，基于对这些方面的发掘而转换出来的富有当代特点的视觉形象，将会成为当代艺术格局中特具意义的一部分，同时也必将提示我们对于非主流文化意义的重新判断 。

在近千年的发展过程中，陶瓷形成一套独特的语言和审美形态。由于物质媒材的天然性质，即火、水、土与人类源远流长的亲和关系，陶土、釉料的可自由发挥度与烧制方式带来的不可预期性的奇妙结合，给艺术家的灵感、想象和智慧提供了极为开阔的活动空间，使技艺、激情和思想可以自由驰骋其中。但是，对于陶瓷媒介而言，所有这些不应成为一种桎梏。在当下，陶瓷媒介的语言问题归根结底在于如何获得既能和当代生活方式、体验相匹配，又同时具备东方气质和传统文脉的意义传达功能的语言形态。也正是这种内在的语言发展逻辑，要求我们的创造和研究摆脱对所谓泥性和陶性的本质主义执著，将目光投射到更加丰富多彩的当代视觉艺术的成果上。必须确立21世纪的现代陶艺是数码时代的本土性的文化诉求的观念，其不可替代的文化功能应该是连接我们对过去的记忆和对当下的认知。因此，除了传统意义上的单体作品的造型和自我表现等问题以外，陶艺还将面临的问题包括作品和作品存在的现场空间的关系、陶瓷的传统质感和现代生活的关系以及陶瓷的视觉呈现与现代视觉经验之间的内在联系。于是，陶艺和装置、行为以及新媒体艺术的内在、外在结合也就自然会提到议事日程上来。不言而喻，这必将赋予陶瓷媒介更大的表达空间。

总之，作为传统媒介的现代陶艺，在当代社会中的处境是挑战与机遇并存。它的机遇存在于我们对其文化位置和性质的深刻理解之中，在于非本质主义的开放语言观。当代陶艺的发展必须和当代文化问题以及当代生活方式、视觉体验结合起来。也许从根本上讲，以手工性个体创作为基本特征的陶瓷艺术本质上无法和当代社会的文化生产相抗衡，但是它必定能在以机械复制和不断重复为特点的当代文化工业鞭长莫及的地方找到自己的栖身之地，并完成那些贪图轰动、规模和刺激的当代图像所不能完成的文化使命。

（《中国陶艺》2003 增刊节选）

二、热点综述

霸王一举15万

雕塑作品被侵权 洋河、宿报成被告

文／布群

江苏省宿迁师范美术教师张劲扬，以江苏洋河集团、宿迁日报社侵犯著作权为由向宿迁市人民法院提起诉讼。此事引起当地市民及江苏美术界的关注。

张劲扬设计的雕塑《霸王举鼎》位于宿迁市中心，建于1995年，现在这一雕塑已成为宿迁市的标志之一。该作品曾获原淮阴市政府文学艺术奖，入选江苏省首届雕塑作品展。张劲扬多年来研究楚汉文化，创作了系列以项 为题材的作品，其中绘画《霸王举鼎》获“天涯杯国际书画大奖赛”特等奖。

在2000年3月3日《宿迁日报》第四版上，出现了令人啼笑皆非的整版广告，怒目横眉的霸王举起的不是鼎，而是一排洋河酒。作者发现自己的作品被 意地篡改为以营利为目的的广告，感到非常气愤。更为糟糕的是，不少人以为此广告是张授予江苏洋河集团的，于是“道喜”的道喜，要请客的请客，使作者无法进行正常的工作和生活。经过多次交涉未果的作者，遂于今年3月9日以江苏洋河集团、宿迁日报的广告擅自歪曲篡改其作品，侵犯了作者著作权为由提起诉讼。请求人民法院判令被告赔礼道歉、消除影响，同给予一定经济赔偿。

近日，当地法院已受理了本案，表示将通过合理的渠道缓和事态发展，依照法律程序对双方进行调解。而本案当事人张劲扬认为，作为国内知名企业，在广告策划过程中，应当了解起码运作原则，以破坏作品完整性、无视艺术创作者的授予和被授予的权利理应受到追究。此外，作者还认为《宿迁日报》用破坏标志性艺术品的严肃性做为取悦于消费者的耳目方式欠妥。

据悉，张劲扬近日开出“价码”，在《宿迁日报》同等版面刊登原作原貌，江苏洋河集团、宿迁日报双方亦必须公开赔礼道歉，消除影响以及补偿精神损失费、误时误工费15万人民币。

（《美术报》2001.04.07）

失踪国宝已回家

2001年4月16日，中国国家文物局与日本美穗(MIHO)博物馆举行了中国被盗文物返还问题的签字仪式，日本美穗博物馆收藏的中国被盗北齐石造像的所有权正式归中国所有。

2000年8月，为解决这件被盗文物的返还问题，国家文物局有关人员与神慈秀明会会长小山弘子女士进行了首次接触(美穗博物馆隶属于神慈秀明会)，表明了国家文物局对此事件的严正立场：凡是有确凿证据被证明为非法走私和盗窃的我国文物，我国政府都将依照《中华人民共和国文物保护法》和联合国教科文组织 1970年《关于禁止和防止非法进出口文化财产和非法转让其所有权的方法的公约》及其他有关国际公约进行追索。小山会长也表示，尽管日本尚未加入任何与文化财产有关的国际公约，因而不受任何国际公约的约束，但神慈秀明会和美穗博物馆愿以中日友好关系的大局为重，妥善解决这一事件。

经过长达8个多月的 商和谈判，小山会长排除来自日本博物馆界的种种反对意见，顶住来自内部和外部的强大压力，坚持将石造像的所有权无偿返还我国。考虑到小山会长的友好态度，借鉴印度和美国解决印度被盗文物归属问题的方法，同时按照《关于禁止和防止非法进出口文化财产和非法转让其所有权的方法的公约》的有关规定，作为对美穗博物馆的一种补偿，在征得有关方面同意后，国家文物局同意将石造像向美穗博物馆借展6年。这样，2007年即可将石造像返还我国。而石造像的所有权从双方签定正式协议之日起即归还我国。

这尊石造像的顺利返还是我国借鉴国外追索被盗文物的成功经验，首次通过民间友好协商解决我国被盗文物的返还问题，它提供了在无法适用有关国际公约的情况下，成功追索我国被盗文物的先例，为追索流失海外的我国被盗文物提供了一条新路。

（《中国文物报》2001.05.13）

40尊“名人”落户世纪坛

每尊雕像需费用30万元，40尊雕像现在只有17位认领人

上周末，在中华世纪坛坤体环廊中，随着一块红色绸布的徐徐揭开，著名国画家齐白石先生的雕塑小样活灵活现地展现在人们面前，这是象征中华民族文化精英的40位中华文化名人雕像的第二尊，首尊名人雕像“郭沫若”的小样已经于上月完成并投入放大样工作。记者获悉，浙江《绍兴日报》以及香港通力企业有限公司董事、总经理方杰先生均已经对认领齐白石先生的雕塑表示出浓厚兴趣。另外，江苏爱涛博物馆也在积极寻找企业的赞助，希望能认捐江苏籍的文化名人，这项工作目前正在进行中。

生动再现白石老人风采

刚刚揭幕的齐白石先生小样是经过近一年的充分论证和著名雕塑家田世信先生精心创作下完成的。齐白石先生是跨越19、20两世纪活到将近百岁的大画家，他是继清末民初海派画家之后把传统中国画推上一个新高峰的绘画大师。他是木匠出身，但诗、书画、印无不卓绝，在艺术上的经历很有传奇色彩。这尊雕像塑造的是人们心目中的年逾九旬的白石老人，它生动地再现了可亲、可敬、睿智、厚道的老人的形象。田世信先生说：“受中华世纪坛委托，能有机会创作齐白石老先生的雕塑，我感到很高兴。白石老人一直是我心目中的师长。我一直非常敬仰白石老人，依稀记得，小时候曾到过老人的故居，仿佛听到老人制作木雕时发出的敲凿木材的声音。这也许是我热爱艺术创作的一个原动力吧。”

为什么要铸造40尊雕像

据中华世纪坛新闻发言人石京生介绍：在中华世纪坛设计创意之初，根据中华世纪坛建筑结构和艺术设计整体方案的要求，世纪坛组委会决定在主体建筑三层环廊上，安放40尊中华文化名人塑像，与贯穿世纪坛南北记载中华五千年沧桑岁月的青铜甬道、与主坛体中心世纪大厅内气势恢弘的巨幅壁画交相辉映，层层递进，渐臻浓重地展示出中华文明以文化、科技为主体的灿烂辉煌的成就。

“中华文化名人”雕塑位于世纪坛主体建筑的坤廊，是游人拾级而上登临旋转“乾体”的惟一必经之处，位置十分醒目。“中华文化名人”雕塑是浓郁的中华文化积淀和强烈时代感的有机结合，凝聚并确立了我们这个时代所崇尚的价值理念，昭示出我们中华民族自尊、自豪与自信的精神气象，激励着我们去实现中华民族的伟大复兴，是实现中华世纪坛精神主旨的主要艺术载体。

40人如何选出

40位中华文化名人名单经报中宣部审核，原则认可，请国家文化部等相关部委和专家再次确任后，于1999年10月正式确定，并启动资料收集、论证工作。但是在历史的长河中，中华文化名人浩如烟海，由中华文化世纪坛发展基金会委托歌华集团文化中心实施制作的40位中华文化名人是如何产生的呢?

中古代和近现代的28位名人，主要是由中国社科院、北京大学、北京师范大学、首都师范大学、北京市社会科学院等院校的著名文史哲专家提名并审定通过。他们是：老子、孔子、司马迁、司马光、孙子、管仲、张衡、沈括、徐霞客、贾思勰、李时珍、祖冲之、朱载育、蔡伦、毕昇、黄道婆、李冰、屈原、李白、杜甫、李清照、关汉卿、曹雪芹、鲁迅、詹天佑、蔡元培、吴道子、王羲之。

根据北京市领导关于“适当增加近现代文化、科技方面人物的比例，以体现厚今薄古的原则”的精神，根据江总书记在全国第六届文化会上代表中国先进文化的讲话精神、六届文化会提出的文化名人名单以及中国科协和全国中小学文化名人挂图所确定的人物，确定了12位现代文化、科技方面的代表性人物，即：马寅初、邓稼先、华罗庚、李四光、林巧稚、梁思成、郭沫若、茅盾、冼星海、梅兰芳、齐白石、徐悲鸿。

雕像如何摆放

在今后的几年中，这40尊中华文化名人的雕像将陆陆续续地“步”入中华世纪坛，参观中华世纪坛的人们也可以和这些我们中华民族的骄傲进行面对面的交流了。但是，人们一定关心这40位名人的雕像究竟摆放在什么地方。

据介绍，世纪坛主体建筑的三层坤体环廊空间宽度为6米，高4米，长140米，为半开放式空间。根据建筑结构和布局要求，在环廊中将安放的中国古今文化名人雕塑为青铜铸造，以写实的艺术手法表现人物立像，主体高2米，底座0.5米。而这40位文化名人雕像将由东向西沿逆时针方向由古到今依次排列。

40尊雕像2004年底全部制作完成

如果说近现代的名人有照片甚至一些图像资料可

以在创作中进行参考，而远古时代的名人，除了一些现存的画像之外就完全凭雕塑家的想象了。但是，由于本次雕像创作有其自身的特殊意义，所以对他们的创作有着非常严格的创作原则。

组委会据专家学者的意见，确定了世纪坛中华文化名人雕塑的创作原则是：尊重历史、严谨认真、一丝不苟、反映当代最高雕塑艺术水准，小心求证，大胆创作，严格审查，力求为社会奉献出传神的艺术珍品。石京生介绍：目前，参加创作的艺术家和相关专家们正在研究和翻阅大量的史实材料，以期尽量达到最佳的创作效果。而这40位名人将由40位艺术家分别进行设计制作。预计2002年将设计制作完成5—6尊雕塑，而所有40尊雕塑将于2004年底前全部制作完成。

40位雕像现在只有17位认领人

主体高2米、底座0.5米的青铜雕像，无论从创作到材料以及相关的事宜需要投入大量的人力和财力。而中华世纪坛本次采用认领制，即每尊雕像由出资赞助人进行认领。

据介绍，经过专家的精密测算，每尊雕像所需费用大约在30万元人民币。而截至目前，40位雕像现在刚刚有17位认领人，其中均为香港的知名人士出资捐助，而内地尚未有人出资认领。石京生对记者说："一直以来，在香港中华厂商联合会永远名誉会长梁钦荣先生的号召下，中华文化名人40尊雕塑已有17位名人被香港著名工商界名人认捐，他们的名字将 刻在每尊雕像上。同时，我希望内地关心文化事业以及40位雕像雕塑工作的有识之士也尽快加入到这个行列中来，为国家的文化事业尽自己的一份力量。"

（《信报》2002.04.10）

肖像雕塑创作的真实性

文／杭间

中华世纪坛近期推出了"中华文化名人雕塑"中首尊创作完成的塑像《郭沫若》雕像，雕像的推出受到了社会各界的普遍关注。对雕塑的创作反映的意见大致可归纳为两类。一类是赞同意见，认为：雕塑家创作的郭沫若很有民族气节、体现了抗日战争时期中国文人的骨气，不同于以前创作的郭沫若像，雕塑家选取的表现郭沫若的角度比较独特。另外一类意见主要是郭沫若的亲友及部分社会群众对于《郭沫若》雕塑的表现手法不太接受，一是认为人物佩戴的眼镜的处理手法使人物看上去像个盲人；再是着装问题，特别是其亲友提出郭沫若比较喜欢穿西装，雕塑人物的塑造上选取长衫来表现不太妥当。

我先谈两点意见。

1、从历史的角度出发，历史文化名人应是属于全社会的，他们的伟大也是属于整个社会民众的，而不是某一个人、某一些人的私有品。对于历史名人的评价应站在客观的立场、从历史的角度出发，对历史伟人做出正确的评价。名人的亲属因为与他们的距离很近，亲属的意见大多带有较强的主观性、情绪性，难免有偏颇，多数名人的传记、评价都不是由他们的后人来完成的。我的理解，世纪坛摆放的文化名人雕像首先是艺术品，名人雕塑本身应是艺术家的理解和再创作，既然选定了艺术家就应尊重艺术家的创作思路。

2、看照片和小稿觉得雕塑人物衣服的处理感觉比较好。我认为雕塑家选取郭老一生中最具有闪光点的历史时期的形象作为雕塑的表现形象是对的。郭老一生中成就最突出的时期是他在"五四"时期、抗战时期。他创作了《女神》、《棠棣之花》等一批爱国主义戏剧、文学作品。在学术研究方面，甲骨文、中国古代史的研究也主要是在那一时期完成的，因此郭老的闪光点应该说是在中国20世纪20—40年代这一历史时期。雕塑家在选择表现语言时，考虑到郭老作为这一时期中国文的典型代表，选取了长衫作为表现他气质的特征是比较贴切的。长衫的处理手法较为流畅、生动。长衫近似于山石的处理手法很好，体现了那一代文人不屈的精神。如果选用西服作为表现符号的话，人物的表现上会显得过紧。从历史的角度纵观郭老，从政只占他生平的一部分，而郭老的伟大之处正是在于他对于中国文化方面做出的杰出贡献，世纪坛要树立的也正是中华文化名人雕像。人物衣服的处理，雕塑家融合了历史的真实、艺术的真实、感觉的真实，而不是所谓的生活中的真实。

关于郭老家属及部分群众反映的雕塑人物眼镜的处理手法问题，我谈一下个人看法。眼镜的问题要从两个方面谈：一、眼镜是雕塑家的雕塑手法的处理，从现代的审美角度出发，在做眼睛的同时做出眼镜来这样的表现手法显得方式陈旧。二、眼镜的处理手法引出了具象的概念。以前我们理解的具象概念是一种"绝对具象"的概念，在塑造领袖人物多采用此种手法，这种手法要求物象的绝对真实，在塑造和表现人物时会带来如下的限制：雕塑所表现的人物被严格限定在一个固定的年龄段，雕塑家在表现被塑造对象的精神气质时会受到较大的限制。如果要突出人物精神方面的气质就不可能要求绝对的具象，这两方面永远是一对矛盾体，雕塑家在进行创作时参考甲方要求，根据自己的理解来调和二者之间的关系是必须的。现在具象手法在原有的“绝对具象”的基础上扩大了作品的思想性，在技巧处理上融入一定表现的成分，《郭沫若》雕塑在局部上采取了抽象的手法，但整体上还是具象的表现手法。眼镜产生争议是必然的，因为新具象雕塑发展到今天，它所具有的内涵及表现因素更加宽泛，由此引发争议的点也会相应的增多。

文革时期“红光亮”雕塑的风格在现在肖像创作中当然是不可取的。我们现在谈到的所谓“红光亮”风格的雕塑，主要特指在文革前后创作的一批雕塑作品。那些作品的产生也是基于当时社会的一种所谓真实性。毛泽东语录作为当时社会上存在的一种普通真理，为全民所　守、宣传。艺术家身处这样的环境，他们的创作也正是被这种所谓的真实所感染，他们的作品是符合那个时代的真实性标准的。当“红光亮”的典型创作模式被宣传到极点的时候，就会把人们周围的人物、事物神化，而走向事物发展的反面，失去人物、事物原本应有的真实性。许多艺术家在文革结束反观自己的作品，都认为当时创作的作品是在一个真实的环境中创造虚假，这也可以说是一种悖论。艺术品的创作要追求真实性，离开了真实性作品会变得虚假、苍白、没有力度。但是人们在理解作品的真实性时要突破以前形成的一个固有模式，而应从宏观的、历史的角度去考虑事物的真实性。

对于艺术作品的评价，是“仁者见仁，智者见智”，是非标准很难评判。基本的一点是，历史伟人、艺术品的评价应在历史的、发展的角度中去考虑，因为历史是不断发展、运动的，它所做出的评价和判断也是正确和公正的。对艺术品评价的意见可以分为两类：一类是受过专业训练、审美训练的专业群体的观点，另外一类是没有接受或者接受训练不多的群众，也就是平常所说的大众群体。特殊情况下，专业群体的审美意见可以对大众群体的意见起一定的引导作用。

（《雕塑》2002.03）

李象群的“自白”

文／李象群

对于这个雕塑，郭沫若的亲友及一些观众看后态度很激烈，并上升到了政治问题，他们认为：1、人物服装问题，长衫否定人物的现代性；2、眼镜问题，雕塑人物看上去眼瞎耳聋前方一片渺茫，看不到光明。对此，我谈一下作为创作者个人的看法。

其实，过去有很多雕塑家刻画过他的形象，而我则从三个方面来看待这个我所表现的人物：1、20世纪40年代以前，他是一个旧的文人形象。2、40年代中期，他是民族危亡时的一个救国志士。3、解放后，郭沫若是一位国家干部。我刻画的是40年代中期的文人形象。

通过这个雕塑，我力图体现出当时有志之士充当革命的先锋力量、抵制外辱、奋起抗争的高大形象与坚强意志，我要体现出的是一种傲骨、精神，意在刻画人物的一种内在力量、民族气节，一种即将爆发的东西，而不是浮于表层的强悍状态，也不是什么“红光亮”式的形象。值国家弱势之际，人民的力量、骨气尤显重要。通过静态的造型体现动态的精神，静中取动，以郭沫若这一具有代表性的人物的精神和气势姿态展现当时整个民族的气节。

对于颇有争议的眼镜，我做这样的解释：我觉得人物头部处理还是很紧凑、严谨的，头部以下则很松，用的是大写意的手法。而头部紧中又有虚实关系，即眼睛用一眼镜遮盖。我认为眼睛仅仅是一块形体，所有没有必要体现色彩的东西。古希腊、古埃及雕塑都重形体，当时的彩塑也并没有挖空眼仁，即使古罗马的雕塑挖空眼仁，也是在眼睛里镶嵌彩色的物质。所以我只是表现一种实实在在的人物形象。

不要专注于雕像的眼睛，重要在于肖像艺术的发展。我们的雕塑创作容易受一些思潮的影响，比如说艺术上“红、光、亮”问题，雕塑为什么要红、光、亮，如何红、光、亮？是文革时期的肖像雕塑模式？还是俄罗斯的革命现实主义？前不久有人在网上写文章，说看了我创作的《巴金像》后，哭了——一直崇拜的文学大师竟成了一个糟老头子。中国现代文学馆的人回信说，吴冠中先生（巴金喜欢的画家）对《巴金》的评价是“原来一部伟大的作品来自于一个普通人手中”，他是说，巴金先生创作了许多不朽的作品，但人仍是一个普通人，一个看得见、摸得着的普通人，他的精神和思想是伟大的，却不是一个高高在上的神，是可与我们对话的。即使多年后，人们没见过本人，也可通过雕塑来认识其本人，不是虚伪的，是现实的延续。

我侧重于把我的感受的东西通过雕塑这种形式传递给观众。我的作品一直是这样，我可以把所有作品拿出来，那些雕像对眼睛的处理大都是一致的，这是我个人的风格，是一种造型方式。

我所体现的《郭沫若》不是一个单纯的郭沫若，而是一个公众形象和社会形象。此外，我觉得对一件作品不要立即肯定、否定，历史会做出公正的判断。既然请某个艺术家来做，就是认可了他的艺术风格，允许他发挥，做出来了，就没有再探讨的必要了。

（《雕塑》2002.03）

《黄河母亲》侵权案雕塑家胜诉

日前，陕西省渭南市中级人民法院经审理宣判，雕塑《黄河母亲》被侵权一案雕塑家何鄂胜诉 。

《黄河母亲》是何鄂的代表作，问世十多年来在国内外产生了广泛的影响。去年10月，何鄂获悉陕西渭南地区合阳县洽川镇黄河风景区用水泥仿造了一尊《黄河母亲》雕像，并向游人收取参观费。何鄂立即于当月的25日派专人前去当地调查。经查，在合阳县洽川镇黄河风景区黄河河心岛上确实有一尊《黄河母亲》的仿制品。该仿制品与原作大小相仿，雕像及左前方立有一斜面题名碑文。碑文写明雕像于2002年9月落成，创建人芦忠敏，雕塑人杨保乾。该处参观门票为10元。

据悉，仿制雕塑所在地属于国家级黄河湿地保护区，近年来以其独特的黄河景观吸引了大量国内外游客。而在此处放置一尊制作粗糙、未经作者许可仿制的雕塑，不仅侵犯了何鄂原作的著作权，同时也损害了我国雕塑事业，其负面影响极大。近年来，随着我国雕塑事业的不断发展，仿制、假冒雕塑名作的恶劣行径时有发生。《黄河母亲》侵权案是其中比较典型的一例，此案引起了雕塑界的普遍关注。

（《雕塑家通讯》2003.01）

关爱生命 艺术家网上献爱心

——记“融入自然，共享空间，雕塑生命——艺术作品展览”

抗击非典时期全国人民“万众一心、众志成城”的决心和热情，第一线医务、科研及其他人员的献身精神深深地打动并鼓舞着每一个人。艺术家群体是最敏感的群体之一，他们急切希望有机会，能用艺术的独特方式加入到抗击非典的工作中来，能用艺术的形式把这段生活中的一些感人至深的情景和人类的思考留在历史之中，能以艺术的语言来表达人类的爱和希望。“融入自然，共享空间，雕塑生命——艺术作品展览”就是这样一次用艺术的语言表达爱心、关怀生命的社会公益活动，同时它又是集雕塑、绘画、书法、篆刻等多种艺术形式首次联合在网络上举办的展览。

8月5日，展览开幕的新闻发布会上，承办方负责人之一、北京城市雕塑建设管理办公室主任于化云谈到：在与非典奋力搏斗期间，我们的艺术家用他们的爱心、他们的激情、他们的语言、他们特殊的表现方式歌 爱心，表达爱意。“融入自然，共享空间、雕塑生命”是人类一个永恒的主题。融入自然即是保护自然，关怀环境，爱护我们赖以生存的地球；共享空间即是保护动物，保护植物，共同享有生存的空间；雕塑生命是让我们的生活更有活力、更有朝气、更丰富多彩。

这次展览在社会各界引起了很大反响，各地艺术家以巨大的热情投入到了活动之中。自2003年5月12日“融入自然，共享空间，雕塑生命——艺术作品展览”组委会通过“城市雕塑与公共艺术”网站(互联网)及邮寄的形式向全国各地的艺术家、各地美术家协会、城市雕塑管理机构发出了征稿启事以来，全国各地的美术家协会、雕塑设计管理单位、艺术家踊跃投稿，截止到目前共收到稿件400余件，其中雕塑作品280余件、绘画作品80余件、书法篆刻作品40余件，而且稿件还在源源不断地增加。这些稿件是作者以爱心、激情完成的作品。主题鲜明、个性突出、形式新颖，造型多样，同时也从艺术这一特殊群体的角度反映出中国人民“万众一心，不惧灾难”的精神和勇气。稿件来自世界各地，有通过电子邮件从遥远的美国、奥地利、亚美尼亚、新西兰发来的稿件，有中国内地及澳门的著名艺术大师、艺术专业工作者和业余艺术爱好者送展的作品。北京画院提供了速写稿，清华大学美术学院也选送了优秀作品参展。

这次展览由北京市规划委员会、首都城市雕塑艺术委员会、国家环境保护总局宣教中心、北京市市政管理委员会、北京市文化局、北京美术家协会等单位主办，北京城市雕塑建设管理办公室、北京画院、北京空与间文化传播有限公司、北京沟通文化发展有限责任公司、北京天延商务文化发展中心承办，是原定于6月底在王府井大街举办的“融入自然，共享空间——环保雕塑作品展”的一部分，于2003年8月5日(世界环境日)至2003年12月31日在“城市雕塑与公共艺术网站”www.bjsculpture.org进行在线展出。

（《雕塑家通讯》2003.02）

雕塑家团结一心抗“非典”

当一场突如其来的“非典”灾难降临时，中国雕塑界没有退缩，我们同全国人民一道，在以胡锦涛同志为总书记的党中央领导下，把抗击“非典”的斗争当作实践“三个代表”重要思想和贯彻十六大精神的实际行动，满怀激情地用雕塑艺术这个有力武器，为抗击“非典”的长城添上了绚丽的一笔。

在全国人民与“非典”病魔进行殊死斗争的日日夜夜，广大雕塑工作者心系战斗在第一线的英勇的医务人员，心系数千名被“非典”侵害的同胞亲人。广东著名雕塑家唐大禧率先垂范，连续工作十多天，为荣获第39届　洛伦斯·南丁格尔奖章的抗“非典”英雄、以身殉职的广东省中医院二沙岛分院急诊科护士长叶欣制作了一座纪念像，赶在5月12日“国际护士节”之际在叶欣生前工作过的地方落成揭幕。中央美术学院副教授、雕塑家魏小明设计制作了大型雕塑《人间天使》，用写实和写意相结合的手法热情讴歌白衣战士的高尚情操。军博的雕塑家和军博书画研究院的艺术家们一起，昼夜挥毫泼墨，创作了百幅书画作品，捐赠给战斗在首都抗击“非典”一线的医务工作者。广东六位著名雕塑家在省委省政府的领导下，在省文联的具体组织下，仅用一周时间，就三易其稿，完成了大型纪念碑雕塑《保卫生命》的创作方案，在社会上引起了热烈的反响。全国各地的雕塑家还纷纷慷慨解囊，向抗“非典”一线捐款捐物。

5月下旬，中国雕塑学会与世界华侨华人社团联合会、中国妇女发展基金会、香港各界文化促进会、中国国际友谊促进会、中国足球协会、中国国际文化艺术中心等333家海内外社团一起，发起“万名书画艺术家奉献爱心联名慰问解放军抗‘非典’医疗人员”大型艺术活动。新老雕塑艺术家除了用雕塑艺术参加抗“非典”战斗外，还积极捐赠书画作品，著名雕塑家潘鹤、程允贤、叶毓山、王天任、龙绪理等纷纷挥毫泼墨，用满腔热情歌　白衣天使。

大难见真情，抗灾显英雄。雕塑工作者虽然不能像白衣战士一样直接奔赴战斗第一线，但是，我们的心永远连着抗击“非典”的最前沿。5月初，胡锦涛总书记对北京防治“非典”工作作了重要指示，他指出：“要积极宣传先进人物的模范事迹，大力弘扬民族精神，形成万众一心、众志成城、战胜非典的良好氛围。”这是党中央向文艺界发出的最新战斗动员令。现在，我们已经取得了决战“非典”的初步胜利，我们每一位雕塑工作者都应该再接再厉，继续以一个战士的姿态投入这场百年不遇的恶战，我们要义无反顾地、坚决地高举起先进文化的旗帜，以民族兴衰为己任，在党中央的坚强领导下，把自己的艺术才华和满腔爱心贡献给战胜“非典”的壮丽事业。

（《雕塑家通讯》2003.02）

祝贺《雕塑》杂志获得国家期刊奖百种重点期刊

陈士能：欣闻《雕塑》杂志荣获“第二届国家期刊奖百种重点期刊”深感高兴。作为中国乃至亚洲地区唯一的一份雕塑专业杂志能够获得这个荣誉，说明了国家和人民对《雕塑》杂志办刊方向上及学术水平上的认可，反映了我国雕塑艺术在当前学术研究领域中地位的空前提高。这是雕塑界在出版领域所取得的巨大丰收，也是2003年我国雕塑界的盛事之一。

自创刊以来，《雕塑》杂志就以顽强的生命力和极高的学术水平赢得了中国艺术界的尊重，在雕塑艺术界逐渐确立了自己的权威地位。这次获奖，一定意义上标志着我国的雕塑艺术领域较好地确立了与外界交流合作的平台，宣传推广方面进入了一个良好的发展轨道，赢得了社会各界的瞩目。这将有助于《雕塑》杂志更好地服务于中国的雕塑事业，有益于对广大艺术家及其作品、各种社会现象进行更全面、深入、系统的宣传。可以预见，雕塑这一古老而又年轻的艺术形式将在当代唱出自己的最强音。

在此，谨向《雕塑》杂志致以诚挚的祝贺，希望《雕塑》杂志继续以邓小平光辉理论和江泽民同志“三个代表”为指导，坚持“二为”方向和“双百”方针，在党的“十六大”重要思想的影响下，更上一个台阶，为进一步促进中国当代艺术的发展做出新的贡献。

钱绍武：听说《雕塑》杂志进入了国家重点期刊行列，当然令人高兴。我深知道这荣誉的分量。这个杂志能有今天，实在来之不易。很久以来，它全靠一些热心的人不计报酬、不顾疲劳，于夹缝中求生存，硬撑硬挤，自力更生才坚持了下来。他们深知道中华文化中不能没有这一阵地。广大群众的热切要求和众多雕塑家的热烈支持（包括一批富有远见的企业家），这才使我们下了进一步克服困难的决心。

我认为有益的经验是：坚持贯彻“三个代表”的基本原则，在这个原则的基础上采取多种艺术形式兼容并蓄的态度，我们认为在学术问题上，必须各抒己见，允许争论，让实践和历史做结论。其次，我们特别重视推出新人、新作。新人当然就不完全成熟，但是我们只要发现他有所探索，有所创新，而不违反真、善、美的本质，我们就支持到底。再次，我们一直努力把民族、民间艺术和雕塑专家的艺术（大部分在学院中工作的专家）结合起来，将创新和继承结合起来。在这里包含了一个十分现实的问题，就是如何对待西方现代诸流派，其实这是当代中国面临的关键的问题。这是需要全国艺术界展开认真讨论和实践的问题。我的看法是，人类的艺术表现形式总是会层出不穷的，现在出现的新的表现形式，其实也都有合理的根源和基础，而现在加以更新的理解和发挥，也完全合理。问题不在于这些新方式本身。如行动艺术、装置艺术，直到观念艺术等本身，我认为都是合理的，问题在于你“行动”的好不好，“观念”的妙不妙。我们总应该允许探索，鼓励探索。可也得有个原则，就是要真、善、美的新，不要假、丑、恶的新；不要有害于人类发展的新。其实，所谓新的范围和层次又是多种多样，是十分广泛的。在艺术长河中，不论在哪一点上能有所创新，有所前进，就都值得我们鼓掌。我想，还是让我们老老实实地去做，大家都摸着石头过河，一步一个脚印地向前推动，这是应该可以办得到的。

祝《雕塑》杂志长寿！

陈兴国：欣悉《雕塑》杂志荣获“第二届国家期刊奖百种重点期刊”之殊荣，这是《雕塑》几年来辛勤耕耘的结果，可喜可贺。

党的十六大明确了今后20年全面建设小康社会的战略目标，就是要建设惠及十几亿人口的更高水平的小康社会，使经济更加发展，民主更加健全，科学更加进步，文化更加繁荣，社会更加和谐，人民生活更加殷实。全面建设小康社会，要求我们更加重视科教兴国的战略，发挥科学技术在两个文明建设中的巨大作用。这就要求我们发展先进的文化，发展面向现代化、面向世界、面向未来的民族的、大众的社会主义文化。作为学术期刊的《雕塑》杂志，将在这个过程中发挥自己应有的作用。

首先是作为学术交流的平台，广泛地进行国内外的学术交流，在经济全球化面前，东西方科技、文化必然要进行广泛的交流。通过学术期刊，发表不同流派的学术论文，交流学术研究成果，并取得同行的认可，体现价值；通过交流，了解同行，特别是了解一流学者、艺术家的研究趋势。中国的传统雕塑，继承了中华民族文化博大精深、源远流长的精湛技艺，技术娴熟。西方雕塑从20世纪初传人中国，新观念、新材料、新手法的引入，导致艺术丰富的发展。在东西方文化艺术的交流中，要继承传统的优势，同时鼓励创新，要借鉴其他民族的艺术成果，以积极的态度，学习各国艺术的精华。自20世纪80年代以来，中国不再是闭关锁国，而是一个开放的社会，因此，在全球多元化的交流中，推进不同艺术风格的融合，相互取长补短。中国雕塑艺术在“继承、创新、发展”的过程中，必然会在工艺美术中产生影响。

其次，作为学术刊物，也要肩负科学普及的重任。十六大报告中，把提高全民族思想道德素质、科学文化素质提升到为全面建设小康社会的奋斗目标之一。我们所面对的从事雕塑艺术的广大艺术家和劳动者，很大一部分是通过父传子、师傅教徒弟的方法学习雕塑的，他们缺乏现代科学文化及艺术修养、应具备的素质。因此，在全球化经济和多元化的冲击下，缺乏自我保护的能力。我们要通过《雕塑》杂志开辟专栏，对他们进行再教育，提高他们的科学文化及艺术修养的素质。没有一批高素质的雕塑工作者，谈不上保护和继承民族传统艺术，中华民族文化就是弱者，就会在西方强势的文化霸权下被吞没。只有自身强了，才能在继承的基础上，达到创新，才能建立“东方文化中心”，中国的雕塑艺术才能从复兴走上发展，进而走向世界，达到雕塑艺术的交流汇合，形成一枝多彩的艺术之花。

曹春生：最近得知《雕塑》杂志在国家新闻出版总署举行的“第二届国家期刊奖”评比中获奖，被评为“第二届国家期刊奖百种重点期刊”。《雕塑》杂志在全国近万种期刊中脱颖而出，获得如此重要殊荣，实在是雕塑界一件可喜可贺的大事。作为一个雕塑工作者，我向你们表示由衷的祝贺！

《雕塑》杂志是在我国改革开放后，国家经济腾飞、社会进步、文化繁荣、雕塑事业得到空前发展机遇的情况下产生的，它是我国目前唯一的雕塑专业期刊。这曾经是中国老一辈雕塑家一直梦寐以求的宿愿，雕塑家们曾为有了这样自己的专业刊物而十分兴奋。

自1995年杂志创刊以来，编辑部的同志们艰苦创业，充满极大热情去工作，使刊物成为中国雕塑家的好朋友。你们做了大量工作，搜集信息，沟通情况，组织论坛进行学术交流，使刊物有很高学术价值。刊物始终坚持“双百”方针、“二为”方向，既弘扬中国传统优秀文化又鼓励创新和探索，并及时将国际有关雕塑信息介绍给国内同志，受到广大雕塑家及爱好者的好评。

在新世纪，我国正在进行全面建设发展小康社会开创中国特色社会主义事业新局面的伟大事业。社会主义精神文明是中国特色社会主义的重要特征，中国的雕塑家和编辑部的同志们，作为文化艺术工作者都肩负着重要的历史使命，让我们共同努力，以更大的激情投身到建设空前繁荣的文化艺术事业中去，迎接中华民族的伟大复兴。

黎明致函《雕塑》杂志社编辑部：

得知《雕塑》杂志荣获第二届国家期刊奖百种重点期刊，谨向你们表示由衷的祝贺！深感这是《雕塑》杂志同仁们多年来辛苦劳作的结果，也是雕塑界广大从业者在艺术实践土壤上结成的硕果。

此刻，我想说的是：进一步脚踏实地地办好《雕塑》，推动雕塑事业朝着健康良好的方向发展。

《雕塑》要更好地为大家，大家要更好地支持《雕塑》。

我们共同办好雕塑自己的事。

（《雕塑》2003.02）

荒唐！巴米扬大佛乐山“复活”

文／曾民

像一只任人宰割的羔羊，原本植被葱郁、崖墓密布的山体被大切大削、被开膛破肚、被砌石垒砖、被修路筑楼……世界自然与文化遗产乐山大佛——麻浩崖墓核心保护区被破坏的惨状，令人触目惊心。

巴米扬大佛位于阿富汗中部的巴米扬河谷，距喀布尔西北135公里。建于公元5世纪；建成年代约与敦煌石窟(公元366年)相同，早于中国的乐山大佛(公元803年)、龙门石窟(公元494年)。大佛有两尊，傍山而凿，用岩石雕成并敷以灰泥，曾为全球最高的佛像。一尊高37米，身披蓝色袈裟；另一尊高52．5米，着红色袈裟。两尊佛像的两侧均有暗洞，洞高数十米，可拾级而上，直达佛顶，是世界文化宝库中的珍贵遗产。

2002年3月，在世界各国的一片反对声中，大佛被塔利班炸毁。

真不敢相信这是真的！

2003年1月22日，站在乐山大佛——麻浩崖墓核心保护区大地湾的半山腰，随着开山凿石的声音一声声传来，看着被剖开的山体、被掏空的山洞以及一堆堆从山体里运出的红土、红石，记者的心在一阵阵颤抖。

一项规模宏大的造佛工程正如火如荼地进行着。

据乐山东方佛都股份有限公司(以下简称东方佛都公司)对外透露，这是一尊高37米、按1比1的比例复制的阿富汗巴米扬大佛。

让人难以置信的是，正大兴土木的这座林木茂盛的矮山，不是荒山，也不是野地，而是世界自然与文化遗产麻浩崖墓的核心保护区，里面密布着已被列为国家重点保护文物单位的汉代崖墓。仅在挖开的山体旁，记者就已看到了四五座汉崖墓。

按照《中华人民共和国文物保护法》的规定，这里根本不允许进行非文物保护工程建设。

巴米扬大佛

在现场，记者看到，这座巴米扬大佛已巍然站立在大地湾的山头上，但无法看清其面貌，东方佛都公司用一块巨大的蓝色塑料布把大佛遮得严严实实，只露出了一双大脚在外面。

这座大佛是削掉山体的植被，挖开山体形成一个人工悬崖复制的，向西1000米，几个小山头之外，就是闻名世界的乐山大佛。

记者在外围用脚步量了一下，为造佛挖开的山体最窄处约30米宽，进深约100米，越往外越宽，在大佛的前面，看得出是在修一个面积更大的广场，由于东方佛都公司严禁外人进入施工现场，记者在远处无法目测其面积。

在大佛一侧，又是一片挖开的山地，不断有人从一个山洞里用独轮车拉石头，一干活的民工告诉记者，这里正在挖一个山洞，通到山的那两边，也要雕很多佛像。

在巴米扬大佛的正上方，碉堡峰的顶部，山头已被削成一片平地，其上一座高大的三层仿古水泥宫殿已巍然屹立，傲视着群山。

沿着大殿的一侧，有一条两米宽的土路通向另一座山峰，在路的一旁，立着一块牌子，上面写着"防洪工程、危岩处理工地，为保安全，严禁入内"。并有专人守候，不让人前往。

记者偷偷绕过关卡，顺着路往前探视，走不多远就听到叮叮当当的敲石声，转过一个山湾，看到旁边的一个山体也被削开，露出了一大片红土，在周边暗绿色的森林映衬下，显得异常刺眼。

据记者目测，这片被剥开的山体面积数千平方米，记者询问运石工人，得知这里也要修一座50多米高的大佛。

为看清这个巨大的建筑工地的全貌，记者又爬到对面乌龙寺景云亭上看过去，麻浩崖墓核心保护区被破坏的惨状更加触目惊心。

植被葱郁、崖墓密布的山体被切削、被开膛破肚、被砌石垒砖、被修路筑楼，已是自然风貌全失，像一只任人宰割的羔羊。在建筑工地四周，一座座存在了2000年的汉代崖墓远看洞口黑黑的，就像一个受尽凌辱的老人幽怨的眼睛。

东方佛都公司的一道白色围墙沿着山腰逶迤而下，顺着麻浩河把几座山团团围住，在高大的围墙外，靠近河的地方，就是闻名中外的麻浩博物馆，像一个小媳妇，被挤在山的一角。

记者比照着麻浩崖墓分布图看去，发现除了崖墓博物馆区区几百平方米的弹丸之地外，1994年四川省人民政府划定的麻浩崖墓核心保护范围全部被围在了东方佛都的围墙之内，并大　进行着破坏性建设。

乐山一位文物保护专家痛心疾首地对记者说："东方佛都太霸道，太无法无天了，它这是在别人的客厅里修屋造佛！但在乐山无人敢管！"

麻浩崖墓

麻浩崖墓是汉代乐山人仿生人住宅、凿山为室的墓葬形式，被史学界誉为"南安各墓之冠"。建于公元1世纪至4世纪，共有崖墓500多座。它以其丰富的文物遗存，真实反映了汉代乐山政治经济、生活习俗、建筑、雕刻艺术以及中外文化交流的历史信息，完整地保存了世界现存最早的佛教石刻造像。

1998年，麻浩崖墓被国务院列为全国重点文物保护单位。此前的1996年12月，麻浩崖墓与乐山大佛一道，共同被列为"世界自然与文化遗产"，成为了世界人民共同的珍宝。

为保护这一珍贵的历史遗迹，18年前；国家在麻浩建立了中国惟一的专业遗址博物馆——乐山崖墓博物馆，并对外开放，但因经费等原因，博物馆实际上只把最具代表性的7座崖墓圈地保护起来，其余的 500多座崖墓散布在周边的山地里。

1989年，为了保护好这些稀世文物，四川省人民政府发文同意征用崖墓比较集中的明月村740．2亩土地、林地，作为麻浩崖墓群保护用地。破坏逐步升级但政府的保护措施并未得到良好执行。近10年来，对麻浩崖墓的破坏一步步加深，一步步升级 。

1994年，在崖墓的740．2亩保护用地范围内建设的东方佛都对外营业。

2001年初，为复制巴米扬大佛，东方佛部公司开始进入麻浩崖墓核心保护区，进行大　建设。

2001年5月，在麻浩大地湾崖墓群处，巴米扬大佛开始动工凿造。

记者获悉，这些做法均未通过文物、规划部门审批，与《文物法》等法规严重相悖。

2001年5月21日，在得知巴米扬大佛工程开工后，乐山市乐山大佛景区管委会立即报告了乐山市文化局，同日还致函东方佛都，要求立即停止对麻浩崖墓的破坏。

2002年3月6日，乐山市乐山大佛景区管委会向乐山市政府紧急递交了《关于东方佛都在麻浩崖墓违章施工的情况汇报》。该报告说：目前，该工程已导致麻浩崖墓严重受损，特别是东方佛都在麻浩崖墓博物馆内墓室顶部使用大型载重车辆、推土机穿梭运输推土，造成博物馆内墓室震动，严重影响其稳定性。3月6日上午10时，二号墓门被震落一块，崖石掉在游人集中的墓门前，如我委未提前疏散现场游人，后果将不堪设想。

此后，景区管委会还"多次书面及口头制止该非法施工"，但所有的努力均未奏效。

外国专家的书面质疑

实际上，国际上对东方佛都公司在世界遗产保护区复制佛像早就提出疑问。

2001年11月，世界银行文化遗产保护专家唐纳德·汉克在乐山发现了正在修造的巴米扬大佛，十分不解，已就此向国家文物局和四川省文物局提出书面质疑。在这份材料中，汉克先生说："正在建设中的复制巴米扬佛像工程，正是对乐山大佛及其周围环境的严重侵扰，并可能导致：一、其巨大的形状会降低乐山大佛作为历史文物遗址的深远涵义；二、破坏乐山大佛的文化价值和重要性以及周围环境；三、影响乐山大佛收入。鉴于此事的严重性，世界银行需要立即从国家文物局和四川省文物局方面获知，是基于什么样的逻辑和理由进行规划，并允许巴米扬佛像的复制。"

但是，好心的汉克先生并没有得到满意的答复。时至今日，工程建设仍在肆无忌惮地进行。

"东方佛都"是座什么"佛"

据了解，东方佛都是一个主题公园，由东方佛都公司开发建设的，其旅游景点均在世界自然文化遗产乐山大佛—麻浩崖墓保护区域内。

1月12日，记者来到东方佛都，在门口，记者看见这个诞生不到10年的人造公园的售票处不远，赫然挂着"世界遗产"的铜牌，在它的门票上，也醒目地印着一行大字："世界遗产保护区域——东方佛都"，让游客真假难辨。进到里面，这个占地面积上百亩的主题公园集中复制了东南亚和印度、日本等国家、地区及国内的大大小小佛像3000多尊。

有一尊睡佛，就在乐山大佛的背后，身长170米，比乐山大佛还长近百米。

在核心景区大佛湾，记者发现两座编号分别为177、178的崖墓，这是属于上了目录的国家重点保护文物，夹杂在巨大的佛像中。

据一位业内人士透露，自从东方佛都营业后，乐山旅游市场就出现了一些不正常现象，一些来看乐山大佛的人，糊里糊涂地进了东方佛都。

据当地媒体报道，去年"五一"黄金周，旅客的投诉特别多，80%是针对东方佛都。还发生了3起比较大的集体性事件，有3批游客400多名来看乐山大佛的人被骗进东方佛都，最后发生强行冲关事件。

"依托乐山大佛的知名度，在乐山大佛的景区内造一批复制品，在不规范、不成熟的旅游市场中牟取商业利益，这便是东方佛都非要建在世界文化遗产保护区里的真实目的。"乐山市一位专家一语道破"天机"。

谁是幕后支持者？

一家商业公司为何有如此能耐？

"巴米扬大佛是市里支持复制的，"乐山市的一位官员对记者说，"不然，它怎么会如此特殊！"

这位官员告诉记者，在乐山，东方佛都是一个怪胎，它的建设只要领导同意，几乎不需要行政审批。

在乐山的一些职能部门，这种说法得到了证实。1月13日，记者在乐山市规划局采访，该局一位接受采访的官员告诉记者，巴米扬大佛的复制违反《规划法》，没有经过规划局的审批，他们也没有给规划局报过任何材料。

乐山市文化局一位副局长对东方佛都在世界文化遗产保护地大肆建设也表示"非常愤慨"，他也证实东方佛都的开工未经文物部门的审批。但他要记者体谅他的难处。

乐山麻浩崖墓博物馆几次派人要进入东方佛都清点被毁坏的崖墓，都被东方佛都的保卫人员拦住，不让进入。"现在有多少崖墓被毁，我们也不知道，但有崖墓被毁是肯定的，因为在建的区域太大了，而那一带崖墓又非常密集。"一位管理人员对记者说。

四川省文物管理局文物保护处夏扬处长说，东方佛都的做法肯定违法，但这是地方政府支持的，而政府违法，文物保护部门就难办了。

据了解，复制"巴米扬"大佛，最早是由乐山市有关领导向东方佛都董事长梁恩萌提出的建议，目的是"扩大并充实大佛景区，提高东方佛都的知名度"

（《南方周末》2003.02.20）

活体雕塑传达雷锋精神

文／路艳霞

这几天，朝阳文化馆金台文化广场搭起了脚手架。脚手架上，明媚的阳光倾洒在一组群雕身上，他们有着漆黑的脸，身穿青铜色的工装。群雕中有躺在行李上的，有一边打伞一边手举电筒夜查的，有抡铁锤的，有推小车的，还有拉大锯的，所有这一切都在昭示一个主题：这些脸上写满沧桑和坚强的雕塑表现了民工的打工生活。这当然不是完全画面，凡是年纪大些的人都会认识群雕前伫立的一个雕像——那是雷锋！再看看群雕身后悬挂的横幅——纪念毛主席“向雷锋同志学习”发表三十九周年，我们都是活雷锋——民工英雄体验活动。

当雪村的《东北人都是活雷锋》和“翠花，上酸菜”的东北腔响起时，观众读懂了群雕的肢体语言：这些生活在城市最下层的人们不正是在用自己的行动实践着“雷锋精神”吗？这之后，耳畔又突然传来了画外音：“已经加入WTO之后的中国人，仍然需要雷锋精神，忠于人民，艰苦奋斗，勤俭节约……”“雕塑”突然动了起来，“雕塑”们轮流朗诵起民工生活诗，虽说发音不准，但都很认真。

中场休息，好奇的人一打听，“雕塑”原来全部是来自河北承德的装修工。扮雷锋的王常利最风光，不仅有摄像镜头的追拍，还有一位大爷悄悄提来一兜鸡蛋放在他身边。从没登过台的16位民工经过三天排练，他们分文不取，表演了整整一上午，但心里的快乐却是从未有过的。王常利更把这份快乐传递给了一直在后台忙碌的女友。

（《北京时报》2003.03.06）

“奥运·雕塑·城市文化”研讨会简记

文／徐永涛

北京申奥成功两周年之际，以“奥运·雕塑·城市文化”为主题的学术研讨会于2003年7月15日在中央美术学院会议室举行。此次会议是由《雕塑》杂志社和中央美术学院雕塑研究所发起并与北京《时代地产周刊》、北京城市科学研究会城市雕塑与环境艺术委员会共同举办的，在京的文化界、建筑界、艺术界的专家、学者和相关政府领导、媒体人员出席了会议。《雕塑》杂志社社长范伟民和中央美术学院雕塑系主任隋建国等分别主持了会议。

本次会议虽属民间性活动，但仍有着多层重要的意义。

首先，这是抗“非典”胜利以来的北京艺术界举行的第一个正式的大型学术会议。“非典”期间艺术界也举办了一些各种形式的以抗“非典”为主题的雕塑展、方案展。但本次会议是人心完全稳定后人们的自发要求，是我国文艺界全面恢复艺术探索、实现艺术繁荣局面的开始。其次，这是2008年奥运开幕前雕塑艺术界举办的第一个正式的城市雕塑学术会议，是为把本届奥运办成“绿色奥运、科技奥运、人文奥运”中的一个重要学术组成部分。目前绿色奥运、科技奥运已经得到了基本保证，而人文奥运方面尚待挖掘，本次会议是中国雕塑艺术界关注人文奥运精神、关注民众审美的重要体现。第三，本次会议对于20多年来的中国城市雕塑、公共艺术运动的价值与意义作了肯定，通过对其概念的内涵和外延上的梳理，形成了清晰的组织脉络，并对公共艺术百分比基金的引进的可能性做了前瞻性的探讨，这对未来的中国城市雕塑、公共艺术的发展方向极具指导意义。第四，本次会议透析了政府、评审委员会、艺术家与民众之间的关系，也就是公共艺术项目中招、投标者和公众之间的矛盾关系，建议在政府与艺术家之间设立一个拥有实权的专家委员会来负责协调、沟通及相关组织工作，以利于公共艺术项目的顺利实施，保证艺术水平和施工质量。第五，本次会议强调在文化全球化大背景下对当前中国雕塑艺术的审视，强调个性化与国际化、多元化的融合，实际上是把民众审美层面上的视觉传达具体到城市雕塑、公共艺术命题上对当代文化关注，对中国在奥运这个特殊机遇下所应具有的文化属性、将要形成的文化格局做了概定。第六，本次会议对多年来首都北京市的城市规划建设进程进行了回顾，与上海、巴黎等国际化大都市的规划方案和风貌做了对比，在民族化、国际化的视点上对其文化属性做了深入分析和界定，特别是对于2008奥运前的北京短期城市规划建设和作为中国首都向未来国际化大都市存在的长期发展的战略性思考，给政府及有关部门对北京未来的城市发展、人文建设提供了一定的参考依据。

（《雕塑》2003.04 节选）

重庆惟一世界文化遗产 大足石刻负债近三千万元

文／谢兵　邹诚

大足石刻自列入世界文化遗产3年多来，一直受到资金短缺的影响，当初为申报世界遗产向银行所贷1800万元一直无力偿还。

据了解，从1996年起，大足石刻累计获得国家、重庆市、大足县及社会捐助的1600余万元资金，管理部门也自筹1900余万元，但申遗仍然存在巨大缺口，必须向银行贷款1800万元。经过3年努力，大足石刻景区面貌大为改善；终于在1999年12月被联合国列入世界文化遗产。

大足石刻被列入世界文化遗产后，成为吸引世界各地游客的“ 石”，游人年年增加，收入年年看涨，至去年门票收入已达2000余万元，在重庆所有景区收入中名列第二。

有关人士介绍，每年大足石刻正常的维护、管理资金约900万元，再加上正常的科研开发等投入，完全可以在5年左右偿还全部贷款。但问题是，由于大足县经济还不发达，财政还不宽裕，每年还得从大足石刻的门票中提取部分作为财政收入。而且从去年起，从门票收入中提取的比例又从往年的 35%提高到45%。

如此一来，大足石刻管理部门的收入仅余1100余万元，除去正常的文物维护经费已所剩无几。如要还贷，则大型的环境改善、文物保护工作不能进行或者推迟。3年多来，大足石刻管理部门在文物保护、辅助设施建设等方面又投入近1000万元，而银行贷款连本带息已“涨”到近3000万元，仅每年利息就是170多万元。有人戏称：大足石刻已编号保护的5万多个菩萨“人”均负债600余万元。

目前，大足石刻正着手进行五项文物保护工程：千手观音重新镀金、景区电子安全系统安装、北山治水二期工程、大佛湾治水工程和景区与社区的分离工程。据有关方面介绍，仅前两项工程需要的资金就在800万元左右。明年将是大足石刻被列入世界遗产的第5年，联合国将按规定对景区进行督查。

问题如何是好?大足县宋副县长认为：一是需要社会各界的理解和支持；二是县财政将会从有限的资金中拨出部分加以扶持；三是采取发行国债、基金等多渠道办法进行解决；四是保护性开发，以增加景区收入。总之，大足县人民一定会把石刻艺术保护得更好。

申报世界遗产为何要花巨资?

有关部门介绍：申报能否成功，关键在于大足石刻的环境整治是否彻底，文物保护方案是否到位。

自上世纪90年代中期起，大足县投入巨资，拆除了不利于石刻保护的学校、民居；进行了大量的排污、基础设施工程；采取一系列文物保护措施；大量的宣传组织工作开支等等。审计结果显示，国家、市、县划拨及银行贷款、管理部门自筹的5000多万元资金并不够，最后管理部门又再次投入资金170多万元完成申报工程的收尾工作。

联合国教科文组织将每隔5年进行督查，对保护不力者、过度开发者进行警告，警告后不合格者将撤销其世界遗产资格。

（《信报》2003.07.08）

马王堆汉墓女主人真相大白

新华社讯 9日上午，湖南省博物馆向记者展示了刚刚制成的长沙马王堆女主人塑像“克隆”号。“克隆”的辛追2号塑像依然面容清秀、双手胸前交握，但嘴角微微上翘，与今年1月制成的1号塑像相比，更显妩媚。

湖南省博物馆馆长陈建明说，长沙马王堆汉墓女主人塑像推出“克隆”号，说明中国考古界和科学界在古代人体塑像制作上已经进入相当成熟的阶段。陈建明告诉记者，由于辛追1号塑像已经固定在博物院的陈列室，此次“克隆”的辛追2号塑像将承担“备用”和“出国巡展”的重任。

记者看到，辛追2号塑像高1.58米，身穿鹅黄底色印花敷彩裾袍，瓜子脸、柳叶眉、杏核眼、小尖鼻、薄嘴唇，皮肤白里透红。用手轻轻地触摸辛追2号塑像的“皮肤”，感觉和真人差不多，充满弹性。

湖南省博物馆副研究员陈国安说，辛追2号塑像以辛追1号为母本，严格依据马王堆女尸的研究成果、史料和出土文物进行制作。塑像的制作原料是硅橡胶，这种材料无反光点，耐高低温，还能用水洗。成功复原辛追头像的中国刑警学院教授赵成文认为，辛追1号、2号塑像均十分逼真，但和出土时的辛追还是有区别的。因为辛追去世时已将50岁左右，身体肥胖，满脸皱纹；而这两个辛追塑像体现了30岁左右时的辛追风韵，体态匀称，皮肤光洁。

（《北京晚报》2003.07.10 节选）

贼用千斤顶偷云居寺浮雕

1997年夏季的一天，7名犯罪嫌疑人翻墙进入北京房山云居寺后，用千斤顶顶起石塔，野蛮地将一块唐代浮雕生生从塔上拽下来，运走变卖。昨天，记者获悉，参与作案的王建增、王改立被一中法院依法判处无期徒刑。

目前，浮雕已被追回。经文物部门鉴定，此浮雕始于唐代，上刻有一佛二菩萨精美图案，属于国家一级保护文物。今年，在逃6年的罪犯被警方抓获。

（《信报》2003.09.16 节选）

天价兽头不太可能有两套

文／王健　刘易

“十二生肖”兽头还有一套？本月19日，由香港实业家何鸿　出资，圆明园“十二生肖”兽头中的猪首从美国回归，被保利博物馆收藏。但是昨日《羊城晚报》报道称，还有一套天价“十二生肖”兽头被存放在北京某机关的仓库里。

我国著名考古专家、北京大学文博考古学院教授宿白先生却对此说法非常疑惑，他认为圆明园能喷水的十二生肖兽头只有一套，从未听说过还有另一套。

北京大学历史系的清史专家徐凯教授也认为另有一套兽头的可能性不大，他指出，《羊城晚报》“一个机关的仓库里”的说法很不严谨，至少应该注明这种说法的依据。

记者随后致电收藏有“牛、虎、猴”兽头的保利博物馆馆长蒋迎春，蒋迎春亦表示诧异。他说这是第一次听说圆明园的“十二生肖”兽头不只一套的说法。自从上个世纪80年代圆明园十二生肖兽头出现在海外拍卖会上后，国内专家就对兽头进行了深入研究，有关史料记载，圆明园能喷水十二生肖兽头只有海晏堂前的一套，也就是保利集团收购的这一套，国内还有一套十二生肖兽头的说法不可信。

在这次猪首回归的过程中，拯救流失海外文物专项基金的负责人张永年先生也表示，据史料记载，圆明园兽头只有一套。

《羊城晚报》的报道中谈到，上海博物馆前馆长马承源认为浇铸了几套兽头。针对这个问题，蒋迎春说，2000年保利集团收购的牛首、虎首和猴首曾经在上海博物馆展出过，马承源老先生亲自为展览剪彩，但从未听马老谈到喷水十二生肖兽头有几套的说法。

但是专家的看法并不一致，圆明园文物专家、人大清史研究所的王道成教授则认为两套兽头的说法有一定根据。王教授说：“有些史料中曾提到中南海也有一套兽头，有种说法是圆明园的十二生肖被搬到了中南海，我看它们恐怕是两套；而且清代铜器常常下铸两套，如颐和园的铜亭（宝云阁）避暑山庄也有一个，所以两套兽头是有可能的。”但是王教授也认为这种说法还需要查证。

（《信报》2003.09.22）

不到10天，市民交来2000张雕塑照片

“报告雕塑”市民可长期参与

文／赵明宇

截止到9月27日晚，由本报与“中国雕塑精品展”组委会共同举办的“报告雕塑”活动落下帷幕。中国美术家协会雕塑艺术委员会秘书长邹文告诉记者，从明年开始，“报告雕塑”将变成长期固定的公益艺术活动，成为中国公共艺术领域“3．15”。

邹文说，不到10天的时间，“报告雕塑”组委会收到近百名读者的近2000张照片。通过这次活动，他发现国内雕塑家的创作环境实在太宽松了。“报道雕塑”活动除了推荐群众认可的雕塑，很重要的是揭发和检举劣质雕塑，但事实上，交上来的照片中60%都是得到大家肯定的雕塑，而且有的雕塑虽然并不怎么好，但也得到“宽容”的群众的推荐。

最让邹文担心的是，很多人表示雕塑不好不能怪雕塑家，他们认为欣赏不了雕塑家的作品，是因为自己的水平不够，而不是作品的问题。“显然，群众的权益意识有待唤醒，社会舆论对待艺术作品的批评能力太弱。大家都认为自己没有权威的评判资格，所以就放任、默许一切公共艺术在环境中出现。这就使得中国雕塑家的创作几乎没有任何压力，你做得再差也不会听到来自群众的批评。”邹文说。

也正因此，中国美术家协会雕塑艺术委员会准备将“报告雕塑”活动长期地办下去，成为公共艺术领域中的“3·15”，发动群众长期参与和关注，监督和检举国内公共艺术领域中不符合群众利益和想法的作品。邹文说，他们力图通过这样一个渠道，促进雕塑家和群众的信息交流，改变专业信息和非专业信息不对称的局面，进而强化百姓的话语意识权和艺术家的创作责任感。

（《信报》2003.09.30）

圆明园罹难143周年纪念日
牛虎猴猪昨“家中聚首”

文／王健

昨天是圆明园罹难143周年纪念日，何鸿燊博士捐资抢救回京的圆明园猪首铜像，与牛首、虎首、猴首铜像首次一同回“家”，在圆明园免费展出至26日，同时展出的还有圆明园遗址出土的瓷器残片、建筑构件等文物。

据悉，仅昨天上午就有万余人观看了展览。昨天上午，闻讯而来的观众把展示兽首四兄弟的圆明园管理处的院落围得水泄不通。据抢救流失海外文物专项基金的牛宪锋先生介绍，仅上午观众就有1万余人。圆明园管理处的工作人员介绍，昨晚在大水法遗址景区，还有一场纪念圆明园罹难 143周年演出，同时庆祝兽首“回家”展览。

十二生肖兽首价值何在?

记者了解到，这4只圆明园兽首的总价值超过4000万港元，按此平均价格计算，如果将十二只兽首全部收集齐全，至少需要1亿港元，是我国文物回流史上少有的大手笔，这些兽头到底价值何在，值得如此被关注?

保利艺术博物馆馆长蒋迎春介绍，首先，圆明园大水法十二生肖兽首，铸造于 240多年前的乾隆盛世，在1860年被英法联军掠夺，漂泊海外140多年，现在又被买回来，他们是中国由盛转衰到再次复兴的历史见证，有很高的文物价值；其次，兽首是重要的圆明园文物，而圆明园又是整个中华民族心中永远的痛，所以回购兽头的民族意义十分重大；第三，十二生肖兽首由宫廷画师郎世宁主持设计，皇家巧匠打造，属于写实风格的雕塑，精细之极，甚至连兽首上的毛发也丝丝可见，体现了清盛世时期的最高艺术水准，而清盛世时期的最高艺术水准主要体现在书画上，雕塑作品只有这一批十二生肖兽首，所以这些兽首在中国甚至世界雕塑史上具有重要地位。

十二生肖兽首如何辨真伪?

不久前，香港贞观拍卖公司将拍卖“圆明园狗首”的消息，在国内引起强烈反响，而狗首的式样、色泽、喷水方式与猪首、虎首、猴首、牛首明显不同。在国内媒体和文博界对狗首的质疑声中，贞观公司于9月19日取消了拍卖。看来，圆明园兽首回归中的真伪问题，是个大问题。

圆明园兽首如何鉴定真伪呢?记者了解到，早在2000年，保利集团从香港拍卖行手中勇购牛、虎、猴三兽首后，国家文物局、北京市文物局、保利集团曾先后三次，组织30多位专家、从文物、历史、冶金等领域对十二生肖兽首展开了一场大规模研究，得出一套完整的学术标准，这次鉴定猪首，用的就是这套标准。

蒋迎春介绍，鉴定猪首的时候，保利集团邀请了文物、历史、冶金等方面的十余个专家，进行了反复审证，最后专家们得出的结论惊人一致——都认为这是圆明园大水法十二牛肖系列中的真品。博物馆还邀请北京大学文博考古学院和物理系对猪首进行了微量元素检测，证明其金属成分与2000年收购的牛、虎、猴三兽首相同。

短信抢救海外国宝

昨天的展览开幕仪式上，抢救流失海外文物专项基金与长达万通通讯科技(上海)有限公司共同推出“订短信、救国宝”行动，呼吁社会各界积极投身国宝抢救和文物保护事业。开幕式现场，长达科技公司的的工作人员现场演示了“订短信、救国宝”的方式，移动用户发短信GB到8777、联通用户发短信GB到9877，即可下载国宝图片、获得国宝动态信息。此项服务的信息费将全部献给抢救流失海外文物专项基金。

据悉，猪首铜像是抢救流失海外文物专项基金启动“国宝工程”后，运用民间力量，通过公益方式抢救回国的第一件国宝，是我国文物保护工作取得的一项新的重大成果。

圆明园兽首18年前1500美元一个

香港媒体曾经报道，旧金山古玩鉴定家陈汉棠曾透露，1985年，一位美国古玩店的店主无意中在加利福尼亚州一名美国人的花园水池旁发现了圆明园十二生肖兽首中的牛首、虎首和猴首铜像，美国主人不知道铜像是中国国宝，将兽首当作一般的园艺物品，以每个1500美元的低价出售

1987年10月10日，美国纽约苏富比拍卖会中，来自台湾的古玩商“寒舍”以10万元美元买下全部三只兽首。这名台湾玩商很有商业头脑，他制作了大量三只兽首的复制品，以每个2000美元高价出售，发了一笔财。

（《信报》2003.10.19）

失散海外半个多世纪　身首有望合一

龙门石窟佛头将首次回归

文／陈汉辞

新闻背景：2003年7月5日下午，“中华遗珍重现北京”展览在北京饭店举行。这次展示的16件古佛雕，年代自魏晋下迄唐宋，主要为龙门、云冈、天龙山等石窟流失海外的佛首、菩萨头像、浮雕飞天等。其中两件经考证确认，一件是北魏时期雕琢的古阳洞“高树造像龛”主佛的佛首，一件是唐代雕琢的火顶洞一尊左胁侍菩萨的头像，是龙门石窟不可分割的一部分，属于国宝级文物。

龙门石窟：龙门石窟位于河南洛阳市东南，同甘肃的敦煌石窟、山西大同的云冈石窟并称中国古代佛教石窟艺术的三大宝库，龙门石窟始凿于北魏年间，先后营造400多年。现存窟龛2300多个，佛像10万余尊，是我国古代雕刻艺术的典范之作。1961年被列为国家重点文物保护单位，2000年被列为世界文化遗产。

四个月来，包括龙门石窟古阳洞高树龛佛头、火顶洞观音首在内的16件流失海外的古佛雕文物依然在北京饭店的千米艺术长廊展出。昨日，北京文物界一资深人士向记者透露，龙门石窟古阳洞高树龛佛头、火顶洞观音首在经历种种艰辛后有望回归龙门石窟。目前，国家相关主管部门正在积极运作，已达成初步协议。有关人士称，这将是被盗严重的龙门石窟回归的第一件佛首。

龙门石窟的两件佛首是怎样流失，又是怎样回来的？带着疑问，记者进行了采访。

佛首：文物贩子发财之宝

据了解，这次回归的第一佛首来自洛阳龙门石窟最先开凿的石窟古阳洞，火顶洞观音首则是较小的龙门石窟火顶洞内左胁侍菩萨的头像。一文物专家称，龙门石窟是魏唐皇室许愿造像最集中的地方，属于皇家经营的石窟，也成为我国古代民族雕塑艺术完整体系的集中表现。因巨大的艺术文化价值，龙门石窟遭劫多次，佛首被文物贩子咬住不放，而古阳洞因其精彩重要，不幸成为被劫盗最严重的洞窟之一。

佛首被盗涉及两罪人

抢救流失海外文物专项基金主任助理、筹资部长赵宏告诉记者，上个世纪20年代初，有日、德、法三国学者在龙门石窟拍下了完整的古阳洞高树龛佛像，1925年再去时那头已不见，火顶洞观音首被盗时间则不确切。据说，这两件佛头是被不同的人在不同的时间盗凿，辗转法国、比利时、美国，最终被美籍华人陈哲敬购到。

据推测，这两件佛头被盗与导致中国文物流失的两个“知名”人物——岳彬和卢芹斋有关。上个世纪初，北京琉璃厂古董商岳彬听说北魏佛像有很高的艺术价值，外国人很喜欢，他先是倒卖转手给日本人，后来又专门雇人盗凿佛像。1931年，他派手下盗凿龙门石窟宾阳洞大型浮雕《皇帝礼佛图》和《皇后礼佛图》，将浮雕凿成碎片偷运出国。而近代中国文物流失海外最重要的经手人和见证人卢芹斋，则从1915年起至1949年，盗卖文物30余年，盗卖文物不计其数。赵宏说：“从时间上看，两佛首的遗失与他们俩很可能有关，但也是一种推测。”

佛首幸被美籍华人购得

赵宏对76岁的陈哲敬颇为了解，他告诉记者，陈哲敬早年在上海师从学贯中西的张充仁学习雕塑，又在刘伯年、来楚生门下学习书画和古画鉴定。上世纪50年代中期，举家迁往香港，以雕塑为业，后在美国洛杉矶为影视明星制作蜡像。陈哲敬经常出入西方的大博物馆，发现中国的古佛雕也被陈放在重要展室中，后痴迷上中国古代佛像。1991年，陈哲敬从美国一位私人收藏家手中购得一件北魏时期的佛头，从瘦型脸和衣褶看，他初步推断为龙门遗物，中央美院美术史系教授汤池表示认同。1992年，陈哲敬前往龙门石窟，在龙门石窟文物专家鉴定下，他所购得的佛头与龙门古阳洞高树龛佛身能够完整复合。

佛像身首有望合一

陈哲敬国内文物的代理人鞠肖男告诉记者：“此前有人要出100万美元买其中一件佛首，但我们没卖，因为把佛首留给龙门石窟是陈先生的心愿，我们以最低价格出售。”

就在抢救海外流失文物基金的工作人员为此奔波时，国内一大批文物专家也在奔走透露，国家有关部门已积极介入，有关方面将出资数百万元购回两尊佛首，并考虑通过技术手段将佛首安回到石像身上，达到身首合一。

（《信报》2003.10.26）

仓库厂房诞生文化集市
798前卫的仓库生活

文／张成

“大山子艺术区”是艺术家的又一个落脚点，这里形成的文化是国际性的。再造的“大山子艺术区”意味着先锋意识与传统情调共存，实验色彩与社会责任并重，让你感受到鲜活的艺术生命力时代气息。

在798厂里游走，你的感觉犹如赶场艺术的“大集”。你会看到很多有意思的人、有意思的事、有意思的场景，我在的时候就看到某位歌手正在拍摄自己的音乐录影带，不远的地方则是在进行着行为艺术的表演。当代艺术打破了艺术与媒介的概念，各种各样的艺术形式与载体组合在一起：油画、装置、影像、音乐、甚至活生生的动物与人，它们如同你所有的生活体验又别开生面地打碎了你一贯对艺术的理解，让你感到鲜活的艺术生命力与时代气息。在这里游走你甚至会发现，只要你有足够的创意，没准哪天你突发奇想，也能成为这些当代艺术家中的一员。

其实，798厂最为人称道的正是这里的艺术展。在这里举办摄影和画展具有得天独厚的优势，那就是展厅足够宽阔和高大，观众置身其中可以充分领略艺术品的震撼力。同时，艺术家利用未经修饰过的厂房做展览，能够营造出一种新与旧的的碰撞以达到想要的艺术效果，可谓在残缺中寻求美的体现。

纵横交错的一排排车间厂房，每大扇门都在阳光下张着黑洞洞的大嘴巴，静谧而神秘，进去之前你得做次深呼吸，因为你不知道每一扇门里都有着什么样的艺术形式在等着你。也许你刚一进去迎面就是一排面目狰狞的海报，一堆让你目瞪口呆的装置，把你吓个半死；你也有可能一脚就踏进温柔乡，扑面而来的是精美家居的奢华精致，爵士舞女的唇彩妩媚，满桌盛宴的芬芳诱人……

最早开在这里的是“北京东京艺术工程”，经过几个展览并受到外国人、艺术家和媒体的注目后，更多的艺术工作者将工作室或者画展搬到了798厂，由此拉开了“大山子艺术区”轰轰烈烈的序幕。现如今，除了各种画展，很多工作室和酒吧甚至服装店、家居店都在其中扎了根，艺术区也更像个艺术区了，甚至成为了时尚的前沿阵地。著名策划人、制作人洪晃把她旗下的杂志社搬到了这里，也把自已的家安在这里，据说和她做邻居的颇有些名人，我在厂子里转悠的时候，就曾在“川菜六号”的隔壁见到“私人住地”的牌子，听说是微软某副总裁的私宅。别看是废旧的厂房，人家的租金高的不得了，每月没有三五万根本别想在这里安家。

当然，在798厂和它周围的厂区里，更多的是依旧使用的厂房和机床，机器的轰鸣声不时在耳边响起，无意中你就有可能踏进工厂重地。这样的一种不和谐，反倒让人在极端的对比中感受到残缺美，不经修饰光天化日下暴露在普通人眼前的艺术品和展厅，有时候比精雕细刻的布置与搭配更能产生“力”的冲击和“美”的感受。所以，不管你是喜欢艺术的伪小资，还是喜欢小资生活的伪艺术人士，不管是为了娱乐还是享受，你都有必要来游走一下798，感受另一种艺术展示，感受另一种生活方式。

LOFT艺术来源

20世纪40年代，LOFT（仓库）这种居住生活方式首次在纽约出现，当时艺术家与设计师们为逃避在市区工作生活所需的昂贵租金，便利用废弃的工业厂房，从中分隔出居住、工作所需要的各种空间。后来这就被人称为“苏荷”（SOHO）区。

这些LOFT的空间有非常大的灵活性，人们可以随心所欲地创造自己梦想中的家、梦想中的生活，丝毫不会被已有的结构所制约。人们可以让空间完全开敞，也可以对其进行分隔，从而使它蕴含个性化的审美情趣。

在北京的LOFT不再单纯是由旧厂房改建而来，还有一些非保护文物的古建筑，比如四合院、过去的行宫等。在改建过程中，艺术家们加入了富有民族气息的元素，使之具备了中国特色。在紫竹院附近，有一处由行宫改建而成的建筑，在保留原有特色的同时，加入现代的因素，显得另具一格。此外，一些四合院在改造过程中，又添加了阁楼、挑台等。

（《科学新生活》2003.10.28）

三、展览述评

公共空间与集体经验

——关于何香凝美术馆第3届当代雕塑艺术年度展

文／易英

20世纪90年代以来，中国现代雕塑得到迅速发展，这种发展得益于外在与内在的两方面条件。就外部条件来说，首先是中国经济在90年代的迅速发展，促进了大规模的城市建设，为城市雕塑的发展提供了可能。一定的经济水平也反映出一定的文化水平，城市雕塑也开始从一般纪念性雕塑和装饰性雕塑向更具文化性和精神性的公共艺术发展。城市的发展也意味着人与自然的疏离，人的生存与环境、生态、资源的冲突。城市是文明的象征，人与环境的关系在根本上反映着人与文明的关系。文明的进程不应以家园的失落为代价，家园不仅意味着适宜生存的环境，也意味着人类为寻找和谐的生存状态的精神需求。只有在精神追求的前提下家园才能与文明和谐共存与发展。1999年深圳何香凝美术馆第2届雕塑艺术年度展的主题是“平衡的生态：生态城市的未来方案”，首次尝试了现代艺术与都市环境的融合，其潜在的主题是文化生态与都市发展。2000年第3届当代雕塑艺术年度展承接上届的精神，其主题是“开放的经验：公共艺术与文化社区”。文化社区的含义与精神家园紧密相连，是具有文化品位与精神价值的公共空间。这个主题同时也涉及到前面所说的雕塑发展的内部条件。内部条件即作为公共艺术的本体，艺术家与作品所反映出来的艺术观念的变化与发展。艺术作品的精神性首先是通过艺术家的艺术追求体现出来的，20世纪80年代以来，中国现代雕塑经历了从架上艺术到公共空间的发展过程。发生在80年代中后期的现代艺术运动极大地冲击了中国传统的艺术观念，一批青年雕塑家大胆地进行现代艺术实验，使雕塑语言从形式到材料都发生了深刻的变化。在80年代，现代雕塑的实验主要集中在原始主义和结构主义，在形式上受西方现代艺术的影响较大，在观念的转变与材料的实验上都为后来的发展作了准备。到90年代，现代雕塑实现了真正的突破，尤其在架上艺术方面，雕塑的创作已经走到中国当代视觉艺术的前沿。90年代末举办的一系列大型雕塑展都反映出这种全新的面貌，雕塑语言的创新正在由架上的实验走向公共空间。架上雕塑的实验反映了艺术家在艺术上的追求，诸如个性的表现、历史的反思、现实的批判、生存经验的表述等等，当代艺术的众多课题都在他们的作品中得到反映，而材料的实验与媒材的转换也体现出当代视觉文化的影响。这些都是走向公共空间的现代雕塑的必要条件。

“公共”是相对于“私密”而言的，私密之外的所有领域和场所都可以理解为公共领域，是公众可以自由进出、自由交换和接受信息的地方。只有具备公共性的地方才真正具有公共领域和公共空间的意义。公共领域除了私密领域之外的公共空间外，还包括公众可以自由交换和接受信息的传播、媒介、言论等领域。就公共空间来说，它更具有视觉性，更接近雕塑的存在方式，因此，我们在这里更多地强调“空间”的性质，而不是一般地谈论公共领域，但两者的意义是相似的。公共空间无疑与公共场所有非常密切的联系，如广场、街道、公园、车站、商店等都可以理解为公共场所，它们是所有个体的人能够共同享用的地方，公共性以公共场所为物质前提，但公共场所并不等于具有公共性。尤根·哈贝马斯在《公共领域》一文中指出：“所谓‘公共领域’，我们首先意指我们的社会生活的一个领域，在这个领域中，像公共意见这样的事物能够形成。公共领域原则上向所有公民开放。公共领域的一部分由各种对话构成，在这些对话中，作为私人的人们来到一起，形成了公众。” 公共领域是能够形成公共意见的地方，也就是说，作为公共艺术所置身的公共空间体现的是一种文化关系，而不是实用的生活功能，是艺术家的创造与公众意见能够构成对话的领域。哈贝马斯在谈到文学公共领域时说：“参与讨论的公众占有受上层控制的公共领域并将它建成一个公共权力的批判领域，这样一个过程表现为已经具备公众和论坛的文学公共领域的功能转换。以文学公共领域为中介，与公众相关的私人性的经验关系也进人了政治公共领域。”这个领域是自由的、开放的、批判的，而不是受权力垄断的。在传统社会的公共场所也会有雕塑或壁画那样的艺术作品，但这些作品并不具有公共性，因为艺术家和公众一样都是服从于权力的，从创作到接受都没有自由的意见表达，权力是通过这样的方式让公众接受自己的意志，艺术家也成为权力的工具。公共艺术的公共性以开放的社会和开放的经验为前提条件，公共空间除了具有公众自由进出的特征外，还必须具有意见的自由交往和对话的基础。

从理论上说，面向公众开放的艺术作品都可以是公共艺术，所有的画廊和博物馆都可以是公共空间，因为它不仅向公众开放，也是艺术与公众对话的场所。但是，发达的大众文化正使得普通公众在今天日益远离博物馆艺术，博物馆艺术已成为少数艺术爱好者、收藏家、评论家的关注对象，缺乏公众参与的艺术也难以具有公共艺术所具有的公共性，因此，公众参与的程度也是艺术的公共性的重要方面，建筑、设计、雕塑、壁画等是最具有大众性的艺术，因为它们直接向公众展开，不论是主动参与还是被动参与，它们都与公众构成一个共同的公共空间。对雕塑来说，公共空间更具有实质的意义，因为它就置身于公众的生活空间之中，公众在其生活世界中就能体验到它的存在，无需到博物馆或画廊去用专门的时间和精力来欣赏艺术。公众的艺术经验以通俗的艺术趣味反映出来，这种经验是与其生活世界相一致的，实际上也构成超稳定的集体经验。在当今世界，生活世界的艺术趣味不是由专门的艺术教育和艺术训练来完成的，而是作为一种生活方式融于生活之中，即在大众文化支配下的通俗文化方式，即使是最新潮的时尚，泡吧、蹦迪、世界杯、NBA决赛、港台明星、美国大片、别墅、名车等等，都不过是金钱笼罩下的白领趣味，而对普通公众而言，就像一位美国评论家所说的那样，当下普通美国公众在艺术上的趣味仍停留在19世纪中期哈德逊河画派三流画家的水平。在艺术的公共领域，艺术家及作品面对着两种意见的对话或交往，作为室内空间或架上的艺术，主要是批评家的反应，这种反应可能是高雅的、专业的，甚至无需公众的参与而直接影响艺术创作与收藏。作为室外空间或公共场所的作品则面对公众的反应，这种趣味是通俗的、大众的。正因为如此，历来的公共场所的艺术都是注重宣传、教育、感化的功能，在形式上则是迎合公众的趣味，力求使公众在通俗趣味的潜意识中实现其功利性的目的。这样正好映证了格林伯格的说法，任何古典(学院)的艺术都是通俗艺术。

新时期以来，以城雕为代表的中国公共艺术大约经历了两个阶段，我们简单地把这两个阶段称为“写实阶段”与“抽象阶段”。这两个阶段是一种观念上的划分，实际上它们至今都还并存于我们的生活之中。写实的城雕主要反映在园林雕塑和纪念性雕塑中，承接了中国社会现实主义艺术的传统，其特征是对生活情趣的模仿或浪漫化，用来装点和美化城市空间，正因为是对生活情趣的模仿，公众也无需任何艺术教育就能从中感受到艺术家的意图，它就像绿地和园林一样，成为生活的诗意化点缀。抽象的城雕既包括写实的变形，也包括完全抽象的构成。应该说，抽象阶段是写实阶段的发展，它远离生活情趣的模仿，强调了雕塑与环境的关系，强调了工业化时代的视觉经验，适合现代社会从建筑到设计的形式特征对人的视觉审美的影响。更为重要的是，它的出现，对于把雕塑看成“写实的”的传统审美习惯是有力的冲击，对提升公众的整体审美水平和情趣有着积极的意义。抽象的观念显然与20世纪80年代中国现代艺术运动有密切联系，它不是建立在现实的经验基础上，而是把西方现代艺术的观念直接用于城雕，因此虽然可以冲击传统雕塑的形式与材料的观念，但它在形式上反映的是一种大众趣味，尤其是加上一些民族特色之后，更趋向装饰性和娱乐性。在一个相当长的时间内，城雕总是不为评论所关注，这种缺乏精神含量的装饰性唯美主义倾向是一个重要原因。

雕塑的本质只有在室外才能体现出来，架上雕塑即使具有更深刻的内容和更前卫的形式也无法完整地实现雕塑语言。在西方现代雕塑史上，从罗丹、马约尔到布朗库西、爱泼斯坦因、亨利·摩尔，都实现了架上雕塑与公共空间的结合，这证明了真正意义上的现代雕塑完全可能进入公共空间。“伟大的艺术家从来不是迎合观众，而是征服观众。”这句话可以用来评价美术史上的历代大师，但公共空间面对的并不是主动接受艺术的观众，而是任何可以进入特定场所的普通市民，他们的意见足以毁掉任何和他们的趣味相违背的东西。在这里我们看到了艺术家的个人经验与公众的集体经验的冲突，艺术家在画室里思考的东西，个性的追求、自我的表现、材料的实验、形式的探索，都远远超出了公众对雕塑的传统知识所能容纳的程度。事实上，这种不可避免的冲突并不都是公众的责任，艺术家完全沉浸在自我表现中的这种前卫意识注定只是一种实验室的艺术，如果要进入公共空间，一定要有一个双方都能接受的结合点。中国现代雕塑的公共性就正处于走向结合点的时期。

按照哈贝马斯的观点，语言的交往性活动有四个获得有效性的前提条件：我们所说的东西是可理解的；它是真实的；正确的(例如，表达总有一种常规性作为基础)；它真诚地表达了言说者的情感。作为艺术的表达，有效性的前提条件可以集中到两个方面，即形式与内容。作为公共空间的艺术表达，其有效性就反映在交往过程中创造的目的与接受的期待的统一。哈贝马斯提到的四个前提条件实际上规定了艺术家与受众之间的共识，没有这种共识，公共艺术作品就不会被接受，交往就是无效的。语言的交往与流通是在一个共享的空间与集体经验之内，可理解性、真实性、正确性和情感的真诚既是对艺术表达的要求，也是在公共领域接受艺术作品的条件。集体经验是比公众趣味更为深刻的概念，它既包括表层的公众意见，也包括深层的集体无意识，对于后者而言，不管是艺术作品的创作者还是接受者，都在这个范围之中。公共艺术的创造性或前卫性就在于唤醒集体经验中的集体无意识，在集体经验的深层发生碰撞，观众在面对艺术作品的时候并不是遭遇个性的极度张扬和艺术的自律，而是面对被遗忘的经验或未曾意识到的自我。反过来说，这亦是公共艺术的边界，只有在这样的条件下，公众才可能与公共艺术进行对话与交往。

就像中国的现代艺术并没有一个真正的现代主义阶段一样，中国的现代雕塑也越过了现代主义而直接进入后现代主义。后现代主义的艺术主题是随着时代的变化而变化的，集体经验不再以一种公众趣味体现出来，这种微妙的转换将直接在公共艺术上反映出来。何香凝美术馆第2届雕塑年度展以“平衡的生态”为主题为我们提供了有意义的启示，展览是布置在都市中的一个街心花园，这是一个开放而又有限的空间，参展的作品既有传统的雕塑形态，也有金属材料的构成主义作品，以及后现代主义的装置，艺术家的个人创造在这里得到充分体现，然而人类的和谐生存与居住的主题又使这些作品统一在一个空间之中，事实上，这个主题反映了当代社会的共同主题，现代与传统、人类与环境、发展与生态，艺术家作为个体的人生存于这个世界，他和公众一样都面临着人类的共同课题，个人经验与集体经验统一在一个共享的空间之中。第3届当代雕塑艺术年度展以“开放的经验”为主题同样是探索公共艺术与集体经验之间的可能性，但侧重点在后现代主义的视觉经验，在电讯、信息、网络与图像的时代，人的视觉经验已经发生了深刻变化，这种经验一旦在视觉艺术上反映出来，同样会使视觉艺术产生深刻变化，在集体经验的条件下，艺术家的个人创造同样可以具有前卫性和精神性。应该说，这两届展览仍然是在一个有限的公共空间内，还不是真正意义上的公共空间，但这是一个出发点、一种可能性，它面向未来而展开，预示着中国公共艺术的一个光辉的前途。

（《美术研究》2001.01）

熔　接

——中央美院雕塑系“文楼工作室”第4届雕塑作品展

文／孙璐

2000年11月3日，“文楼工作室”第4届金属雕塑作品展“熔接”在中央美院通道画廊举行。研究生班的6位艺术家分别来自广东、广西、江苏、湖北、新疆及北京，他们在与钢铁火焰进行了4周对话后，有13件作品参加了这次展览。6位艺术家都是来自各地艺术院校的青年教师，他们也是活跃在当代艺术前沿的新锐。这样的双重身份使他们的作品既带有学院派的严谨，更有对当代社会的深切关注。

20世纪初，以毕加索和冈萨雷斯的集合雕塑与直接金属雕塑为起点，经安东尼·卡罗以及二战以后大卫·史密斯的抽象构成，直到当代的理查·迪肯，直接金属雕塑已经成为现代雕塑的主流。现代主义进入中国的美术院校教学体系，只是近些年才开始。一直以来，美院的雕塑教学都是以具象作为基础。随着世界经济一体化的到来，信息大量涌入，知识更新也在加速。西方现代艺术与后现代主义思潮也越来越成为当下青年学生在艺术学习与创作中思考的问题，传统的教学模式必然会受到冲击。

为促进中央美院的教学改革，满足学生对现代艺术的了解与学习，配合雕塑系教学改革的实施，“文楼工作室”于1997年10月成立。香港雕塑家文楼先生被中央美院特聘为客座教授，并为该工作室的建立捐赠了教学设备与工具。开设的课程以直接金属雕塑的创作和制作技术为主要内容。工作室成立伊始，被学院派“具象”艺术因素浸泡已久的习惯于面对泥土创作的学员们，面对焊机和铁板一时不知所措。针对这种情况，文楼先生先以教授学生基本的钢铁焊接方法以及对材料的初级认识为开端，逐步地将现代主义造型观念及金属材料的审美特性渗透于其中，用现代雕塑的几个基本元素“点”、“线”、“面”来作为创作的基本语汇，慢慢融入“时代”、“民族”及“自我”的观念。随着思想与金属的不断磨合，技术的掌握与观念的确立，成为实践的结果。几年下来，学员基本上可以与这种看似冰冷实则充满激情的材料融为一体，赋予其生命，表达自己的思想了。

金属工作室自成立以来，主要是对系内研究生和四年级以上本科生开放，以后将逐步全面开放。经过3年多的教学实践，取得了明显效果。首先，建立了一套较为完善的“直接金属雕塑”的教学体系。一间具有专业性设备的工作室，配备了大小手工电弧焊机，氧乙炔割(焊)器材、等离子切割机、氩弧焊机、钎焊机等金属加工设备。可以全面满足高、中、低温的金属切割与焊接。另外，科学有效的管理模式使学生从多方面开拓了视野，打开了思路。平时除了研究生定期开课、办展以外，系里也有专门教师为高年级本科学生定期开设金属课程，让学生在校期间就体验真实的材料，这对他们的毕业创作乃至毕业后的独立制作，都起到了基石作用。而且学生一旦选择了金属做为创作媒介，教师的作用就是展示观念与技术的可能性，而不再是以往单一的硬性标准。对学生来说，创作活动本身就是一个完全主动的过程，而这是产生优良创作的前提。除了固定课程的设置外，工作室对课余学生的创作活动也大力推动。如1998年雕塑系与意大利联合举行的“树与树木”学生雕刻比赛，其中大量作品出自金属工作室。另外，系里不断创造机会引进外籍教师授课，让学生与现代雕塑这种“世界性语言”更直接地对话。

第4届研究生金属雕塑展展出的13件作品，材料上涉及了软钢、不锈钢、铁、钨合金及其他非金属综合性材料。工艺从普通焊接、切割到工业化的车、铣、钻、刨、挤压、钻孔到后期喷漆、上蜡、化学腐蚀、空气腐蚀、水腐蚀、磨光，以完全金属化的语言，传达作者的思想与观念。所以，从创作技巧到观念，这次展览都可以被认为金属材料工作室(文楼工作室)起步阶段的一个总结。“熔接”展既是雕塑系金属工作室以往四年探索实践的阶段总结，同时也是一个起点。2001年新校开学以后，金属工作室将拥有更多的设备，更多的开放机会。相信会有更多的同学参与进来，创作出更多的优秀作品。

（《美术研究》2001.01）

女性，纺织起中外艺术交流的彩虹

——记“2001年北京新世纪国际妇女艺术展”

文／陶咏白

“2001年北京新世纪国际妇女艺术展”是中国的一批近年较活跃的年轻女艺术家和14个国家驻华使馆的大使夫人及女外交官所参加的展览。这个展览，跨越了国界、跨越了民族，让不同肤色、操不同语言的姐妹汇聚一堂，用自己的艺术进行“对话”，她们各善专长，表现手法也多种多样，然而，表现的题旨却是那么地相同和相似。从她们的艺术作品中，很难分辨出不同的国籍、民族，因为她们都生存在一个地球上，面对着人类共同关心的问题；更因为她们都是女人，更有女人所关心的女性自身的生存状态、生命价值、生活质量、社会地位、女性权益和尊严等等问题。对此她们以特有的女性的视角、女性的感受、女性的方式，真诚地表达了她们对人类、对自身的思考。

关注人类

她们并非昔日封闭在自我狭小生活圈子里的女人。热切地关注人类发展，积极地参与社会变革，并以女性的视角去审视、去追寻人生价值的定位已成为当今世界女性共同的课题。曾专修社会学和教育学的埃及大使夫人谢里夫(Kawther Abdel Rahm)，她的油画《漩涡》，意寓人生道路上的艰险，她的画含蓄深沉，令人遐思。旅居奥地利的刘秀鸣的《面具》用简洁单纯而富表现力的油画语言，揭露出社会中人的多种面孔，告诫人们要善于辨别真假面孔。中国彭娣的黑色钢雕《数字化的柔情》，当人们被这一位穿三点、健美的女塑像所吸引并走近细看时，方发现其身上多处露出了铆钉和机器零件，把趋向数字化时代中人们的感觉通过形象表达出来，她用具象的雕塑语言进行别出新裁的创造而具新意。江黎的木雕《环扣》，则用的是抽象的雕塑语言，黑、红、金三色木块，组成一种既有鲜明的独立标志，又是互相紧密相连的结构，意寓人们既是个性独立的人，而又受制于环环相扣的社会之中，只有不断追求变化的精神，才是充满活力的社会，才是充满生命力的人生。在黑色与红色的木块衬托中，金色的木块从中向上升腾，这是否象征着精神的升华？黑、红、金三色具有民族的审美特色，通过抽象的组织，在辉煌厚重中赋予了现代的精神。刘彦、吴湘云都长于传统工笔，刘主攻人物，吴专事花鸟，她们以现代的观念，改变了陈旧的画面样式而面目一新，吴湘云的《静观》、《百合》用超现实的荒诞手法，在画面上设计一个窗户，或投下一束光亮，整个画面于简淡宁静中蕴含着诡秘离奇，令人回味无穷。刘彦的《与贵妃同醉》，同样是荒诞手法，把历史与现实，古人与现代人纠缠一起，用古装的戏剧脸谱与当代新人类中的怪诞装束相组合的画面形象，张扬躁动极具刺激性。这是对醉生梦死人生的极尽调侃，抑或是表达年轻一代反叛传统的文化和生存的理念。陈曦的油画《发廊》画面形象拥挤嘈杂，直白地表达芸芸众生忙忙碌碌、琐琐碎碎、无聊且无奈的生存状态。申玲的油画《爱人·情人》用她那斑驳陆离又酣畅淋漓的表现手法，把处在复杂的男女关系中人的微妙心态表现得入木三分。徐冰的中国画《凡人》用剪纸剪影构成的画面，用人自身的反省方式，含蓄地揭示现代生活使人们远离自然而日益丧失了人的本性而陷于机械运转惯性中的困境。

感受自然

“女人即自然”，如果不是仅仅把女人等同于自然界中某一“物”那种有意抹杀女人文化属性的男权中心观点的话，而是指女人因为生理上周期性的节律和养育人类机能的自然属性的话，那么，“女人即自然”也就说明女人与自然有一种天生的亲密关系，女人对自然规律有着天生的敏感性。从徐晓燕的油画《大地的肌肤》让我们深切地感受到了这一切。她把人对生命的感觉，把人受伤害流血的感觉注入到所描绘的大地中，让人感到大地是母亲，是人们生命的家园，而眼前被践踏蹂躏的大地，满目疮痍，伤痕斑斑，怎不令人心颤？画家一改她以往平行平稳的构图，让血红色中的残枝败叶用倾斜的尖角直逼黄土地，造成视觉与心理的冲击力，它似乎在呼喊：人们啊，要善待赖以生存的土地！而秦虹的金属雕塑《感性森林》用一组大小不一、高低相错富有音乐节奏的兰色橄榄形，来象征“森林”，它既是对现代文明所造成越来越多的钢筋建筑物汇集的“水泥森林”的感叹和忧虑，又是对自然的绿色森林的向往。女艺术家面对日益恶化的自然环境的敏感和警觉，使她们更着力于对自然、对绿色生命的讴歌。刘丽苹的版画《荷迹》，在大雪覆盖下依然挺立的荷枝残叶，单纯的黑白两色的对抗，更增添了生命在险恶环境中生存的顽强精神。徐虹用宣纸和墨色综合材料所作的《凯风》，使作品中抽象的植物形象既有中国水墨画的意韵，又表达了女性对自然的一种亲和感情。魏小杰的木雕《生命的感情》，在枯木上滋生出新芽，来象征生命的韧性。钟蜀珩的油画《向日葵》于淡雅流畅的笔调中，让人体味着静谧中的诗情，画家说：“每当画画时，会有一种走出孤寂的感觉，这时有三个相互理解的灵魂且又相互独立的生命在对话，那便是自然、画家和画面。”生命因有情才有诗，画因有情才显得美丽。对于自然生命的感受，天下女性都有共同的经验，厄瓜多尔大使夫人费莉莎(Felisa Loazano de Cordva)的油画《植物》、《叶子》等，这些是她家乡常见的花草，在她精细的描绘中，那像宝石样晶莹的花蕾，那似流动着汁液的绿叶，充满了勃勃生机。她的画细腻而精致，却无制作的匠气，于清丽精美中透出高雅的气质。而斯洛文尼亚大使夫人玛依达(Majda Zorko Gasparic)的《人的土地》、《长城》，用装饰性的绘画语言，强烈的色彩对比，使画面形象鲜明夺目。匈牙利大使夫人玛莉亚(Maria Bayer)的油画《马蒂莲》、《向日葵》则显得质朴平和得多。立陶宛大使夫人叶莲娜(Elena Voveriene)的油画《美在阳朔》、《河边三头牛》等显然受中国水墨画的影响，富有青绿山水的韵味，她的油画人物肖像画配搭着中国写意花卉，显得亲切自然。法国玮珊(Vetter Chantal)的《空间运动的物体》、《鱼之谣》，用彩色的装饰性小色块，编织出富有变化而美丽的空间，让人们展开想象的翅膀去遨游。

善待自己

女性形象历来是被看、被画、被观赏的客体，女艺术家作品中的人物几乎清一色地以女性为审美主体，在作品中诉说着女人自身的经验与生活感受，佘向华的《生活状态》、李敏的《祁福·风》和牟丽萍的《踏歌》用雕塑的语言，把女性的壮实厚重的体态、自信乐观的生活态度形象地呈现出来，而姜杰的钢雕《仙》似首抒情曲，仙女带着幻想的羽翼随风起舞，似梦似幻轻盈而舒展。奉家丽的《竹枝词》是画在民间竹箩上的油画，艳丽的民间色彩和装饰，使画中的女人体有回归自然的本色。而李虹的油画《紫荆花》中，画置身在汽车里的两个裸女，她们那惊恐、无奈、迷茫的神色，却是都市中一些女性的侧影。余陈的丙烯画《天与地》，借历史中“红色娘子军”的形象，让当今身处文化变迁中的女性，在追忆历史过程中，更正确地找到自己的人生基点。曾获莫斯科大学哲学博士的拉脱维亚大使夫人塔提亚娜(Tatjana Semane)，在她充满激情的作品中抒写着她对女人的命运、人生价值的诘问。《寻路》在探寻一个女人已被沦为“物”的尴尬处境，提出了女人是人还是“物”这样严肃的问题。她的作品色彩单纯强烈，笔调自由奔放，与她冷峻的哲学理性思考相得益彰。孙鼎玉借“女人是花瓶”这一显示男权中心的话语，画了一批以陶瓶、陶壶为外形式而藏身在其间的女人体为内形式的油画，意喻女人被囚禁在狭小而令人窒息的生活空间及被压抑、被扭曲的生存状态，然而她们在思考、在抗争。作者用对比强烈艳丽而凝重的色彩，奔放而洒脱的表现笔调，在画面中渲泄出追求人性解放的生命激情。而管朴学的油画《暮霭明》中，从另一个角度来表现作为女性符号的“容器”。在她抒情写意的笔调中，容器置身朦胧的花簇、斑驳的色彩、闪烁的光影中，象征女人经历人生的种种坎坷，而后进入绚丽的生命境界。范国荣、颜晓萍的工笔重彩《春江花月夜》、《花雨》和夏俊娜的油画《流金岁月》都用女性与花构成画面主体，喻花样的年华，流逝的岁月，女人的一生都是首动听的生命之歌。王小蕙的雕塑《呵护人生》，把涂着彩色面膜的系列面孔，平摆在案上，色彩的艳丽，形象的重复，造成了视觉冲击力。作品倒并不含有对世事人间真假面孔的抨击，也无对女人“臭美”的讥讽，作品平实地展示了一个女性的生活体会，中国的知识女性一生中为老公、为孩子劳碌，为工作、为事业奔忙，在无私地奉献中唯独没有自己。作品提醒女人要善待自己，提高生活的质量。

母子题材是生命的赞歌，是女艺术家热衷的话题。很少有人把玩具作品作为审美对象搬入画面，当了妈妈的喻红在油画《玩具·娃娃》中把孩子的天地画得有情有调，画面中虽小主人没有出现，但散落一地的玩具，似乎还透着小主人天真的欢声笑语。呈对角线的构图，又把欢乐的空间还引向了画外。陈淑霞的油画《童年》则蕴含着对人生更多的哲思，妈妈在画面中隐去了大半个身子，留下一对坐在摇椅中摇晃着的孩子，似要告诉人们，人生会随岁月逝去，而现在面目尚不清晰的孩子也会在动荡不定的日子中成长。画面构思巧妙，意味深长。朱庆棠木雕《爱》，利用木料的天然纹理，把母子融在圆浑的外形式中，又以写意的手法造型，使整体处于朦朦胧胧的意境中，似乎浓浓母子亲情溢满了空间。而王芃的铜雕《回家》则以瘦骨伶仃的女人，腰里夹着孩子，夸张的走步，形象而生动地表现出怒气冲冲的生活情趣。常慧君的木雕《合家欢》、阎玉敏、阎晓敏的石雕《春天》、袁源的铜雕《山菊花》、佘向群的铜雕《归途》等都是富有生活气息而有意味的作品。

大使馆中的女艺术家

在大使馆区域，似乎一堵围墙就是一个国家，跨进围墙就进入了一个陌生的领地，对于围墙外的人来说，那是个神秘的地方。那么生活在其中被我们称之为外国的女人，她们又想些什么？她们参展的作品揭示了这个秘密，原来，她们与我们中国的女人所想差不多。

有意思的是当中国女艺术家借鉴国外的现代艺术来摆脱传统的束缚创作出具有现代意义的作品时，而学中国传统画的外国女艺术家，却力求进入传统，视画出地道的中国传统味的水墨画为追求的目标，新西兰的玛格丽 (Magaret Pigott)画的写意花鸟颇有古风；瑞典的克兰娣(Kilander Lotta)的工笔《小龙蟹的聚会》等，又是那样的工整精美；英国的弗莱克(Frankre Fathers)被中国的书法迷往了，竟把“我”、“累”、“国”搬进了画面，红色的歪歪扭扭似撕纸组成的画，倒也别有一番情趣。她们中许多并非专业画画出身，来华后在感受中国文化艺术的岁月中，她们从知之甚少到稔熟于心，进而由衷地热爱，并开始了对中国艺术的探求。立陶宛的叶莲娜是一个典型的代表。她原学建筑设计，画过水彩和油画，当过设计师。1995 年来到中国，对中国传统绘画发生了兴趣，曾向多位中国画家学花卉、山水、人物画。她不仅自己孜孜不倦地学习中国画，在她的影响下，周围竟云集起一批向她学习中国画的大使夫人，并且学习得颇见成效，目前竟在使馆区形成了学中国画的风气。匈牙利的玛丽娜说，中国水墨画非常神奇，只有中国悠久的文化历史底蕴，才能孕育出如此美妙的艺术。有些大使夫人为了让本国人民了解中国，把自己的中国画拿到本土去展览，有的还引进中国画家去作展览。她们热情地为中外文化交流架起了友谊的桥梁。

虽然让各国女艺术家和中国有实力的年轻女艺术家亮相的“2001北京新世纪国际妇女艺术展”已闭幕，她们那用美好的心灵，灵巧的双手创造出绚丽多姿的艺术世界，并在其中呈现出的自信、自强、自立的女性精神却难以让人忘怀。人们不仅饱尝着美的赐予，还处处感受到了温馨的气息、爱的暖流，并得到精神的鼓舞。正如冰心老人所说：“世界上若没有女人，这世界至少要失去十分之五的‘真’，十分之六的‘善’，十分之七的‘美’。”

（《雕塑》2001.02）

选择、被选择与谁选择

——“全球化”语境中的上海双年展

文／徐虹

第 3 届“上海美术双年展”引起许多值得关注

的问题，这些问题有的与“双年展”有关，有的无关但却由“双年展”而引发。它确实反映了当代中国生活的变化，而文化生活更是变化中的重要环节。出现的问题复杂而又新颖，其中不仅有历史遗留的问题，更要面对的是在当前语境下，世界形势与中国问题之间的复杂和微妙关系。

由“双年展”引出的全球化和中国当代艺术关系的讨论，是一场表面上温文尔雅而实质是针锋相对的辩论，它虽然面对的是文化和艺术，但它从一个侧面反映了中国社会现阶段各利益集团在这一问题上的茫然和矛盾，很值得深思。

这届“双年展”由政府出面，上海美术馆主办。虽然前两届“双年展”也是如此，但此届规模之大和参加展出的地区和国家的画家之多，是上两届“双年展”不可比拟的。而且，从这届开始，“双年展”已被列入上海市的经常性文化项目。

从整体看，这一届“上海美术双年展”，无论是形式上为符合国际双年展的策展惯例，改变以往由集体决策的形象，由海内外策展人共同完成了展览策划、艺术家及其作品的选择；还是在实际上，是上海美术馆的负责人与上海、浙江美术界的部分画家决定着国内外的画家和作品的选择与被选择，包括对策展人的选择(无论是出于什么动机和原因)，并考虑中国的国情对一些应展作品提出建议进行改动。应该肯定的一点是，“上海美术双年展”要向“国际化”靠拢的愿望是强烈而明显的。这早在首届“上海美术双年展”的宗旨上分明地写上要“经过两届(双年展)的探索和经验积累，在2000年办成具有国际性的大展”，以达到“向国际惯例和规模靠拢”，“逐步改变作为美术大国并有广泛美术爱好者和大批美术天才的中国美术在国际展览中处于外围和被选择的地位”。为改变中国当代艺术在国际大展中被选择的局面而自己办国际性大展，正好印证“全球化”的发展模式无法替代中国文化艺术的现代化进程。然而，有意味的是第三届“双年展”由于国际策展人的被邀请参加活动，从而出现中国的前卫艺术家以半公开的展览方式聚集申城的盛举，这不仅是第一、二两届“双年展”所没有的现象，也是国内历次大展所没有的事。看起来，策展形式的改变，使这一届“双年展”的性质倾向更符合“国际惯例”；而有国际策展人身份的人士作为这一届“双年展”的最令人注目的标志，和由他们介绍挑选的艺术家的参展，也引起更多的国际策展人有兴趣前来探望，从而有可能创造更多的中国当代艺术作品选择入国际大展的机会，这些，才是引起中国前卫艺术家及其他人士的兴趣并关心此届“上海双年展”的主要原因。

最令人惊讶的是主流新闻媒体竟一改以往的冰冷麻木面孔，而热情洋溢地称 起“双年展”来，这是一向以批评“美术界办当代性画展不为观众接受”为己任的新闻媒体少有的现象。在以往，主流媒体总是扮演着“群众代表”的脚色，而这次却例外地为这些“看不懂”的艺术叫好，认为是“太热闹了！太精彩了！”另外，上海美术馆调查了176位观众，调查统计表明，有102人“喜欢这个展览”，占58%；60人认为“一般”，占34.1%；5人认为“不好”，占2.8%；9人认为“无所谓”，占5.1%。并且，有上海批评家询问青少年观众对展出作品的观感，得出的结论是展览是新鲜和“很好玩、很有趣”、“挺好懂、挺通俗”。(这类调查的方法如何另作别论)这一切是否真的表明公众和媒体十分欢迎文化上的“国际接轨”说，或者就如这一届“双年展”的主办方对主题词“上海精神”，“一个特殊的现代化”所作的轻松解释那样——上海对一切外来之物有比其它城市更快的领受和消化能力？还是媒体和公众将“双年展”与一切被冠于“国际”一词的各种活动，如国际艺术节、国际电影节、国际服装节、国际 品节等同起来，以此表示中国正在走向世界，正在与国际“接轨”之中？事实上，如果在上海街头走动，就会发现“告别小康，奔向富裕”的醒目广告，在各种媒体的热心炒作下，加上上海城市的快速建设，使一般上海市民产生了一种“国际化”的错觉，公众已经将“与国际接轨”和“像西方人一样的过日子”和“富裕”等同起来，使“国际接轨”成为一个让大众期待的虚拟前景，而不再去思考其中的问题。

与媒体和公众热烈反应不同的是一些批评家的忧虑和谨慎的态度，这与以往的前卫艺术展览公众大呼看不懂，媒体帮着观众 刺挖苦艺术家，批评家帮着艺术家解释的情况恰好相反，这种现象很形象地说明了现实的变化。

从第3届“上海双年展”的作品整体面貌看，以西方主流艺术标准选择世界艺术的趋势已无法避免，这不仅反映在海外华裔策展人和日本策展人的选择标准上，他们除了选择在各种国际大展上频频亮相的海外艺术家参展外，在选择第三世界的艺术家作品时，也 照一种后殖民主义的文化标准，即第三世界除了意识形态和民俗以外没有真正意义上的艺术(不具有美术史的价值)。当然，作为海外策展人的这一特定身份，决定了他们不可能违背游戏规则，他们只能在西方中心话语的环境中运行。这种态度和由此而来的选择标准，也影响到中国办展人员的思路。虽然海外策展人提出的方案曾经受到上海美术馆组织的画家班子的温和抵制和修正，一些明显不为国情所容忍的作品有所调整，但这只是在策展人所提供的作品名单基础上的选择，而不是上海美术馆的人员和上海美术家事先对海外艺术家有所了解和研究之后作出的判断和选择。众所周知，直到今天，国内还没有哪家美术馆有条件像海外的策展人那样，可以在全世界各类大展和各画廊之间联络奔走。

海外策展人对国内艺术家的出场名单，虽然也作出过积极建议，但最终还是由主办方自己提出。然而值得注意的是，国内美术家的出场，不得不考虑和参照已定的海外艺术的基本倾向。无论从作品的性质和风格上，还是展览布置的效果上都是如此。因此，“中国艺术由中国人自己选择”并不能得到完全保证。所以，展览的倾向性是十分明显的，尽管海外的部分作品为适合中国的国情，颇为困难地加以改动，有的艺术家听说展览的主题是“上海”而作了相应的准备，改变了自己一贯的艺术倾向，或为了运输和其他困难，没有拿来或不便展出其最具代表性的作品。但这些艺术家的“国际身份”已经被确认，无论如何，他们代表了“西方话语”。相应地，参展的中国艺术作品中有多少不受这种“国际话语”的影响，是可以想象的。无论是为了显示民族文化特色的老中青三代中国画家的作品，还是具有明显模仿痕迹的一些观念艺术和装置艺术，仿佛都在发出“别人有的我也有，别人没有的我也有”的叫唤。然而身处具有强烈原创性活力的西方作品之中，这些作品却成为背景，因为无论如何看中国的当代作品，都能发现西方艺术的强大身影。整个语境的倾向性十分明确，到底是谁选择了谁，也已一目了然。我们的主办人没有意识到在选择别人的时候自己反而被选择，为要摆脱中国艺术被选择的命运反而又要符合“被选择方”的意愿，这大概是当初决定举办“双年展”时始料未及的结果。

双年展的主办方看来无意于在“全球化”和“民族性”之间作出选择。从入选的作品为海外和国内平分秋色的结构，可以看到主办方的煞费苦心和疲于应付，在缺乏一个明确的文化设想的情况下，只能是“面多了加水，水多了加面”。一方面，首届“双年展”作出的承诺正等着被兑现，这就要有足够的现代性，要引起国际上的关注，要保证上海美术馆已有的“双年展效应”和害怕留下“后退”、“保守”的形象；另一方面，上海美术馆还必须面对国内美术家的压力，因为举办“双年展”的初衷是为了改变中国当代艺术被选择的命运，并争取中国作为一个大国所应有的国际艺术地位。否则就没有必要在已有的众多“双年展”之外，再推出一个“上海双年展”。

作为国家收藏、展示当代作品的美术馆，理应重点突现当代中国艺术家的创造力，而且要有眼光去发现影响和代表中国艺术发展趋势的艺术家和作品。否则，又如何能选择具有世界影响的艺术家和作品?建设中国的当代艺术是美术馆的职责，也是举办“双年展”的理由。而如何理解和顺应“全球化”趋势，是今天实施美术馆职责的关键之一。而从“上海双年展”表现出的问题看，这恰好是主办者和“双年展”策展人没有考虑或缺少考虑的问题 。

应该说清楚，第三届“上海双年展”无法作出应有的选择也势在必然。因为目前整个中国文化界都难以作出选择。面对“全球化”浪潮，美术界的大部分人处在要么喊口号、要么失语的状态。喊口号者或者坚持“民族性”和“地域性”，无条件地强调“民族主义”策略：一个极端是只要是中国的都是好的——哪怕是丑 的历史；另一个极端是只要能被“国际”承认、与“国际”“接轨”，任何代价都乐于支付。

这看起来都像是一种选择，实质上是放弃了选择。因为对“全球化”的思考和选择是一种永远在过程中的思考和选择，它没有既定的永恒的答案；还因为“全球化”虽然发轫于西欧北美，但它应该是多民族文化共同发展的过程。当然，这种共同发展是有条件的，条件之一是具体的民族文化的具体的生命活力。

无法选择就必然要被选择，因为中国已不能够再次闭关锁国作夜郎自大的梦了，即使在文化艺术上也不再能这样。中国和别的国家都以自己的身份、自己的角色参与“全球化”的进程，既要积极参与“全球化”的进程，又要积极地保护和发展本民族的文化，这已经不是中国一个国家面临的问题和作出的选择。真正的“全球化”不是文化上的类同，真正的参与必须“有所为”和“有所不为”，必须有促使更新和进一步完善“全球化”游戏规则的愿望和作为。

（《美术研究》2001.03 节选）

在象牙塔外
——简评“时空平台——2001雕塑作品展”

文／苏滨

在中国城雕大潮空前高涨的当代背景下，从象牙塔里走向公共空间的“时空平台——2001雕塑作品展”不仅带来了多重性的挑战意义，而且留下了不容忽视的学术资源和亟待解决的疑难问题。

本次展览集合了一批学院派雕塑家，他们试图在特定的公共空间对新型的展示环境、雕塑艺术的语言与媒体进行深入地探讨和研究。对于“时空平台——2001雕塑作品展”的多重性的挑战意义和价值取向，展览策划人范迪安、张鹏分别进行了颇为充分地阐述。范迪安先生在《城市之中的雕塑》一文中称：“城市需要大量的雕塑，无疑为雕塑家提供了良好的机遇，但雕塑如何贴近城市，成为城市文化的有机组成，特别是参与建造城市文化新的结构，则是严峻的挑战。‘时空平台——2001雕塑作品展’是一次尝试。北京西单大街东口的西单文化广场无疑是都市商业文化的重要之地，如何针对商业消费这个特定背景，营造文化广场新的文化氛围，是参展雕塑家创作的出发点。他们在以往的创作中业已形成了一定的个性取向，为着这一次进入城市的艺术活动，他们在雕塑语言与大众接受之间，在个人思想关怀和社会共同意识之间作了主动地探讨，由此使作品具有较强的在当代文化条件下的亲和力，来自公众的理解与反应也使展览走上了城市空间这个广阔的平台。”张鹏则在《雕塑西单——建立无围墙的美术馆》一文谈到：“名为‘时空平台’，是希望在时间与空间的多层面，从多角度进行探讨。这次展览不同于城雕，不是永久性摆放，没有甲乙双方的问题，因而有了更强的自主性，也可以加强对材料的试验；不同于在美术馆，不是面对少数的专业人群，而是面向公众开放、交流与对话；不同于传统的自然环境，没有山水可以依傍与借用，而是不断扩充和发展商业都市空间，弥漫的是具有全方位改革开放的消费文化的氛围。因此为雕塑家提供了新的思路，也提出新的挑战。”这样，“时空平台——2001雕塑作品展”就在历史性意义的现实层面上拓展了多重性的对话空间，它不仅是作者与作者之间的对话，更重要的是它还导入了艺术界与大众甚至官方的对话。

然而，对于“时空平台——2001雕塑作品展”这样一个具有周期性的艺术群展，任何理性的艺术批评都不能忽视其外在语境的嬗变和内在逻辑的断裂，并进一步对其中的潜在性问题进行审理。

自从一群中青年雕塑家寻找到“平台”这个关键词之后，他们便以此为名，连续举办了三届非官方性的雕塑作品展。第一届名为“平台——98青年雕塑家作品展”，展览时间为1998年11月，展览地点在中国美术馆；第二届名为“漂移的平台——99青年雕塑家作品展”，展览时间为1999年10月，展览地点是一艘重庆的游船和上海大学美术学院画廊；第三届名为“时空平台——2001雕塑作品展”，展览时间为2001年7月，展览地点是北京西单文化广场。在这一系列的展览事件中，外在语境发生了历史性的嬗变，即：由封闭性的空间语境演变为半开放性的空间语境，再演变为全开放性的空间语境；由一种基于作品中心主义和雕塑本体论的文本语境演变为基于作者中心主义的文本语境，再演变为多元性、共生性和互动性的文本语境。尽管“平台”这个语词具有容纳不同个体、强化信息交流和展现多元风格的前置寓意，但时过境迁之后，它已成为衔接其历史性逻辑碎片的唯一纽带。当然，“平台”展能一年一变，固然归功于艺术家锐意进取的努力，但是如何于外在的变化中不断发现自身症结并提出新课题才是自我境界得以脱胎换骨的不二法门。实际上，一旦真正走上了城市空间这个广阔的平台，意义的空间将从四面八方向每一个艺术家涌来，而问题的关键就在于发现新语境中所隐含的问题。其中，至少有以下三个方面的问题是值得思考的。

［一］文脉问题：在任何城市中，任何一个公共空间都潜藏着特定的历史文脉，北京西单文化广场亦不例外。既然选择了特定时空的交汇点就不应该忽视其文脉问题，因为对于那些在城市变迁中日渐消泯的文脉残片进行艺术性揭示，是激活历史记忆和呈现当下问题的重要前提。“时空平台”有责任导引大众的目光穿越沧桑多变的生存空间，并在个体与历史的邂逅中使之生成全新的意义空间。作为城市变迁的象征性客体，西单具有相当值得挖掘的历史文脉。就在并不久远的往昔，这里有过单牌楼，有过老字号铺子，有过延安路，有过红旗大街，有过民主墙……尽管“时空平台”试图提供“一个‘时间流动所遗落的人文情感’和‘空间变化所引起的环境省思’的

内容路线”，但对于文脉问题的疏忽导致了这一路线难以落实。毫无疑问，文脉一旦确实，艺术的公共性就会空洞化。

[二]话语权和大众接受问题：当代艺术的公共性是对任何形式的精神专制和精英主义话语霸权的颠覆，它消解那种剥夺他人话语权的一元论观念模式，并促使自由平等的多元性审美对话成为社会公共领域的日常形态。在中国社会结构转型和公众文化崛起的时代背景下，艺术家无论以何种方式进入公共空间行使话语权，都应该关注大众的接受状况。在这样的境遇中，艺术家失去的与其说是特权，毋宁说是牢笼般的封闭状态。否则，所谓“公共艺术”陷入这样的状态，仅仅在空间上把专业领域内自恋式的唯我主义摆在了室外，而非在精神上走出了象牙塔，甚至还可能隐含着将个人话语转化为话语霸权的企图。虽然“时空平台”显示了贴近大众的姿态，但是却未给予公众足够的阐释空间和接受空间。其结果只能是艺术家依旧未了解公众，公众依旧误读艺术家的作品。真正意义上的公共艺术只能在真正意义上的公共话语空间生长出来，而公共话语空间则以自由精神的觉醒和个体思想的高度自治为基础。毋庸讳言，个体思想的独立需要漫长的思想启蒙与心灵解蔽的过程。

[三]作品与空间环境关系的问题：介入公共空间的雕塑从一开始就必然面临选择：要么与既定空间环境协调同构，要么向既定空间的弊端提出挑战。然而，“时空平台”所做出的选择却是含糊而暧昧的。由于植被空间分布过碎、点缀草坪的石头过于杂乱、线型路径对人流的强迫性驱动，原本尺度偌大的西单文化广场在四周建筑的围合下显出捉襟见肘般的局促和小气。面对具体空间环境中的复杂问题，“时空平台”的作品无论在空间布局还是尺度设计上都显得目标模糊，这加剧了广场空间的局促与凌乱。如此看来，大尺度空间的问题并不像想象的那么简单。

尽管如此，对于“时空平台——2001雕塑作品展”这样一个极具发展潜力的群展而言，显露问题的意义并不在于问题本身，而在于照亮未来的道路。正如参展作者王少军所言：“办展览就像在黑暗里点亮一盏灯，会照见完全出乎意料的空间。”

（《雕塑》2001.03）

“2001四川室内雕塑展”在蓉举办

《四川雕塑状态——2001年室内雕塑展》于2001年5月10日至18日在四川美术馆举行。由四川美术家协会雕塑艺委会策办的这次室内雕塑展，包括了四川老中青三代36位雕塑家的99件作品。这是四川雕塑展览史上第一次由雕塑家策办的大型展览，是四川雕塑状态系列学术活动的一个部分，举办这一系列学术活动的目的是希望通过呈现、对话与交流，全方位清理四川雕塑的创作、工作和生存状态，研究分析雕塑面对的文化变更，多种展览模式和市场问题，进而确立雕塑在新的社会形态下的发展方向。

记者在展览馆现场看到，虽然前来参观的人并不是很多，但来的大多数观众是美术系的学生和艺术爱好者，还有两名来自澳大利亚的雕塑爱好者，他们对此次展出的作品非常感兴趣，不停地端起手中的相机拍下一件件精美的作品。在参展的作品中，雕塑家蒲果的《老板系列——钱眼看人》因其通俗而夸张的表现手法引起了不少观众的共鸣，许宝忠的《艺术系列——文化吹风》也因其巧妙的构思和独特的创意留住了观众的视线。

据了解，四川雕塑状态系列活动分为2001年室内雕塑展、室外公共艺术展、思想雕塑方案展和雕塑工作室系列活动，预计两年内完成。

（《西南商报》2001.5.15）

ToDay艺术与科学对话
——“艺术与科学国际作品展”暨国际研讨会侧记

文／李飒　周昭坎

为了深入探讨艺术与科学的共同基础和目标，展现艺术与科学的互动互补以及映射的深层人文景观和精神，促进不同人类文明的汇合与交融，交流国际范围艺术与科学领域的学术成果，拓展高等教育如何培养高层次复合人才的思维空间，由清华大学主办、清华大学美术学院承办的“艺术与科学国际作品展暨学术研讨会”，于5月31日至6月17日在北京中国美术馆举行作品展；同时，“艺术与科学国际学术研讨会”于6月1至2日在清华大学举行。

“艺术与科学国际作品展暨学术研讨会”是一次艺术与科学的国际交流盛会。由荣获诺贝尔奖的著名科学家李政道先生与著名的艺术家吴冠中先生策划并发起，取得清华大学和清华大学美术学院的合作，经过了一年多的紧张筹划。此次活动得到教育部、文化部、科技部、中国科学院等积极支持。教育部长陈至立、科技部原部长朱丽兰、文化部长孙家正担任组委会顾问；李政道、吴冠中担任学术委员会主席；诺贝尔奖获得者、著名物理学家杨振宁(美)、钱学森、著名建筑设计家贝聿铭(美)、吴良镛、英国著名学者贡布里希爵士和我国著名学者季羡林、王朝闻、英国著名艺术史家苏立文、著名画家张仃、靳尚谊、朱德群(法)和日本著名画家平山郁夫、著名工艺美术家常沙娜和日本著名设计家六角鬼丈、美国著名策划家菲利浦斯、南非共和国国会议员、艺术文化语言与技术委员会主席萨洛特等40多位国内外著名艺术家和科学家担任顾问。这次活动还得到了联合国教科文组织的赞赏和大力支持。

这次规模之盛大、题材范围、表现样式之丰富是空前的。19个国家和地区23所院校的近千件作品参加作品评选，评选出500多件作品展出，琳琅满目，摆满了中国美术馆10个大厅。这次展览分两大块，其中一块是纯艺术作品，表现艺术与科学的相互理解；另一块是艺术设计作品，本身就是艺术与科学的结合。国际研讨会也收到了国内外艺术家和科学家的论文200余篇，对艺术与科学之间关系的过去、今天和未来作了十分精彩的论述与展望。

在这次国际研讨会上，与会者的论文比较集中的讨论了以下这些课题。

艺术与科学原本是一体

许多论文作者赞同李政道先生的观点，即艺术和科学是一个硬币的两面，二者不可分割。艺术与科学虽然研究的角度不一样，但是，都是在追求真理。一些学者指出，西方历史上，早在文艺复兴之前，艺术与科学并没有分开，相辅相成；后来由于自然科学的迅速发展，使科学与艺术拉开了距离。时至今日，世界上许多科学家认识到，科学的创造发明，离不开艺术的情感和艺术的思维，离不开人文主义的关怀精神，所以又回过头来呼唤艺术与科学的互动和结合。

科学呼唤艺术

德国卡塞尔艺术学院院长卡瑞·斯特佩尔女士在论文《我们确切了解事实》中尖锐地指出：“上个世纪，各种艺术和科学发生了深入的分化。而在这个千年结束之际，人们发现，所有进步的变革大多是通过各个学科之间的融合得以实现的。相对于高度专业化的术语和工作方法，这种各系统相互分割的认知和思维方式的作用是致命的。科学和艺术应被视为同样重要的复杂系统而加以研究。它们体现了时空构架，并把物质和能量的关系作为一种关系构架。它们的缔造者是现实，现实又被它们定义。艺术创作和科学研究就像是一个断开的镜象系统的两面，在确立参数后，在现实中被反映，又反映自身。”

上海社会科学院研究员赵鑫珊在他的论文《从人脑看科学与艺术》中进一步阐述了艺术是科学的最高境界的观点。他指出：科学、艺术和哲学的最高目标都是增进全人类的幸福。

北京大学艺术学系教授丁宁先生在他的论文《艺术：在科学的映照中》指出：在某种科技理性占据特别重要地位的时候，艺术固有的非凡意义却有可能倍受轻视，她甚至会降格成点缀、附属和外设等。饶有悖论意味的是，这种情形恰恰又是科技理性产生致命盲点的时候，因为：当科技理性长驱直入于艺术的内部世界时，倒时不时地会有不虚此行的收获，从而真切地感受到艺术的某些独特而又迷人的品质。但是，我们从来不应忘记，艺术又确实有异于科学，或者说，是后者尚难穷究的特殊对象。其实，艺术远比一般的科学研究对象要复杂得多，也有意思得多。当然，这并不意味着科学对于艺术的切入没有丝毫意义。

艺术在科学的映照中

与会学者的多篇论文饶有兴趣地引用科学分析来证明艺术在科学的映照中。“黄金比”在艺术创作中向来被认为是“上帝规定的比例”。丁宁在论文中阐述了“黄金比”的科学奥秘。他说：“研究表明，艺术作品所体现的黄金分割现象恰好与人脑的电振荡有很直接的对应关系。当代的实验研究结果直接切入了黄金律的内部奥秘，至少让人们发现了人对艺术形式的黄金比选择和健康人的脑电波振荡之间有一种契合的可能性。尽管艺术家运用黄金比并不一定是自觉之为，但是这种形式比例的普遍和美妙却是很引人深思的。”

清华大学工程力学系符松先生在他的论文《湍流——达·芬奇的科学追求》里写道：“达·芬奇是崇尚科学的，对许多科学问题都有着深入的思考。”他研究了达·芬奇一生中为什么画了许多幅描写湍流的画。他认为达·芬奇画湍流是对流动现象的研究发生了兴趣。

清华大学美术学院教授王家树先生在论文《点与线——关于视觉艺术基础元素的思考》中解析了常见艺术符号的科学依据。他说："中国原始艺术中的点与线，是视觉符号的基础元素，但作为造型艺术语言，却蕴藏着深刻的、不易被人理解的文化内涵和科学内容。"

艺术与科学的结合将给人类带来福祉

许多学者用生活中的实例来说明艺术与科学的结合是人类进步的必然,并将为人类的未来带来无尽的福祉。王家树的论文还指出："在人类文明历史进程中,陶器的出现和发展,不仅是远古人类物质文化的创造,同时也是先民们的精神世界的智慧结晶、心灵王国的情感宫殿。应当说,这里凝聚着原始的然而是睿智的科学观念和哲学观念。"邹文的论文中指出："科学产品的制造者们相信,产品设计成功与否的审评标准、人体工程学程度的体现,均在于艺术化水平。这种思想被归结为人体主义精神。一切好的产品首先要让人在视觉上产生美感。至美而善,既是美的便会是善的，故有'完美'、'圆满'、'完善'之类的目标召唤我们。"

西班牙艺术家胡安·莫拉尔在论文《结合建筑和公共空间的艺术》中强调:"仅仅让一座广场、一个公园、一条街道或是高速公路发挥其物质的功能是远远不够的，应当赋予它们艺术、美感、和谐以及巧妙的设计。艺术的整合过程中将建立充满活力的作品与现有空间之间的一种有机交流,并且加强或是影响它们的价值构成。在这种交流的基础上，我们将使城市恢复其更有人情味的一面,人们也将生活在一种互利互偿的良性环境之中。"

艺术创造也离不开科学精神

丁宁的论文引用一位首次运用大脑分区实验研究来阐释相关艺术问题的科学家泽基的话指出艺术创造需要科学精神的道理。泽基说:"我的感受是,美学理论只有建立在大脑的工作原理之上,才会变得理性而又深刻,没有一种美学理论在缺乏坚实的生物学基础的情况下而可能显得完整,更谈不上深刻了。"丁宁认为:可以或可能在科学的观照下进行深入探讨的艺术问题无疑是太多太多了。他说:"一个幽灵在艺术世界里游荡，一个科学的幽灵！"

旅法著名艺术家熊秉明先生在论文《论绘画中的"线"》中进一步辩证地说明了"科学≠艺术"和"科学=艺术"的微妙关系。他说:"所以，在今天谈科学与艺术的关系，我们不能不同时说两句互相矛盾的话：科学=艺术和科学=艺术。字面上看这两句话是相矛盾的，但并不妨碍它们同时存在。这是两条不同的道路。中国艺术家比较容易接受前者，因为这是中国的艺术传统。而中国科学家比较容易接受后者，也因为中国哲学的人文精神使他们在科学工作中看到艺术与哲学。"

西班牙学者胡安·莫拉尔在论文《结合建筑和公共空间的艺术》中说："可以用倡导艺术融合先行者拉斯金和莫里斯的话来概括：'艺术作品是人类创造并且为人类而创造。它为创造和欣赏艺术的人们提供了一种追求幸福的方式。'艺术家应能够在公共空间探索并于其中建立一种艺术的秩序，从而在其作品中将人民的生活与艺术结合起来。他应以明确或暗喻的形式展示当地的历史，或者传播一个梦想，一个鼓励：满足资助并欣赏它的人们拥有的热切渴望。一件艺术品应与同它共有生存空间的人们——那些在它旁边游戏、散步、休息或者工作的人们的生活结合起来。"

美国海伦美术学院绘画系教授金·罗伯森和印第安那州立大学美术系主任克莱科·麦克旦尼尔在他们的论文《当代视觉艺术与地图绘制学》中说："我们所处的时代有时被描述为信息时代与电子时代。我们感知和理解这世界的方式，越来越少地是依赖于第一手体验，而越来越多地是依赖于通过诸如电视、电影以及电脑所过滤了的信息。许多活跃于当今的后现代时期(在西方约起始于1970年)的艺术家，对于考察所有种类的媒体是如何转换了对信息及结构的理解，发生了兴趣。一种将创作艺术品的方法加以转换的新范式兴起了，它相信是语境改变内容。这种信仰与西方艺术实践中已被取代的种种范式形成对照：它信仰本原与未改变的自我，信仰普遍的美。后现代艺术家们寻求的艺术创作，有点儿像地图绘制者们从事地图制作。这些艺术家企图利用视觉符号和包括地图语言在内的符号语言而以高度约定的方式，来记录和诠释这个世界；在现代，变化发生了：原本强调的重点，变为了对形式(即媒介特有的)统一的探求。"

熊秉明风趣地向自认为对科学还是"门外汉"的艺术家建议："在专业的工作过程中，科学与艺术是很不相同的，无论观察自然的角度、思考推理的方法都绝然不同。杨振宁先生在他的《美与物理学》一文中写出狄拉克的方程式，说'像诗一样的方程'。我想在座的艺术家没有谁能在这样的方程中看出诗来。至多能像毕加索说的：'有时我也会翻翻讲相对论的书。我一点也不懂，但让我想起些别的东西来。'在完成了工作之后，通过科学的理论观照到宇宙的大秩序而发出美的赞叹的时候，科学家和艺术家的心灵是可以相沟通的。他们已超越了专业的层次，对宇宙的庄严、神圣发生宗教感的激动。”他说：“百年来，中国在科学和科技上已获得巨大成就。在艺术上有过各种尝试，特别是开放之后，更引入现代和后现代各种流派。但是科学艺术的道路，没有人提倡过。很可能时机还没有成熟。今天工艺美术学院合并到曾经以理工为主的清华大学也许是一个开端。而在合并的第一年便举行这样一个‘科学与艺术’的展览会和研讨会是有深长意义的。清华大学已拥有知名的建筑系，建筑是跨科学与艺术的学科，在这样的背景下，我们似乎可以看到美术学院的航线和光辉的未来。”

英国诺瓦·斯高第亚艺术设计学院院长保罗·格林哈尔希在论文《复杂性理论与艺术》中欢呼：“更为令人激动的是，各门科学与各门艺术，终于显得能够终结已经尾随并侵蚀工业文化好几个世纪的‘两种文化’综合症了。在培训和研究的层次上，各门艺术与各门科学之间的隔阂，在20世纪扩大得太宽，20世纪是一个科目专业化的时代，此时，科学家们与艺术家们大体上是通过拙劣的摹仿而彼此理解的。这种情况由于这两个领域的文献开始揭示共同的趋势，且由于新技术与新艺术开始在全世界工业化大都市的道路上相会并融合，已经在逐步地变化着。今后几十年最好的产品，将会是先前被认为彼此对抗的一些东西和理解的结果，这些东西是：专业化与一般化、个人的与集体的、全球性与地方性、前卫的与大众的。每件事物均与每件事物有关。承认这一点且不散失我们自己或不牺牲事物的质量，我们就会战胜巨大的挑战。”

这次展览和研讨会由于众多国际顶级科学家和艺术家的参与以及研讨命题的广泛意义，通过国内外媒体的传播，已成为中国走向世界、走向未来的重要信息，在世界范围内引起广泛关注。

（《美术》2001.06 节选）

中国延庆国际雕塑艺术主题公园展示会开幕

以“人类、生命、自然”为主题的“中国延庆国际雕塑艺术主题公园展示会”经过四个月的紧张筹备、创作、安装，于2001年 8月15日在北京市延庆县夏都公园隆重开幕。

延庆县地处首都北京西北部，举世闻名的八达岭长城就在其境内。延庆县素有北京夏都之称，近年来城市发展异常迅速，已初步成为首都的旅游卫星城。去年，延庆县被命名为国家生态示范区，延庆县城被建设部评为全国优秀县城。

为了进一步开发延庆的旅游资源，提高延庆的城市文化品位，延庆县人民政府、中国美术家协会雕塑艺术委员会和中国民间文艺家协会共同筹划并联合主办了这次以雕塑艺术为主题的盛大展示会。展示会旨在通过雕塑艺术的媒介，增进中外文化交流，表现人类、生命、自然之间的和谐统一，营造延庆国际旅游城市的艺术氛围，同时也进一步推动雕塑艺术自身的不断发展。

此次国际雕塑艺术主题公园展示会，共有来自美国、英国、法国、荷兰、韩国、日本、俄罗斯、瑞典和刚果等9个国家的21位雕塑艺术家和国内30位雕塑艺术家创作的49件雕塑作品参加展示，所有作品都将永久安放在延庆夏都公园内供游人观赏。延庆夏都公园是目前国内拥有雕塑作品最多的主题雕塑公园之一。

北京市有关部门负责人，北京周边城市的领导，相关国家驻华使馆代表，中国美术家协会、全国城市雕塑建设指导委员会、中国雕塑学会、中国民间文艺家协会的负责人和著名雕塑家、评论家，延庆县委县政府主要领导以及参展艺术家，首都各大新闻机构的记者，各界知名人士共200多人出席了展示会揭幕仪式，并参加了此前一天召开的以“城市环境建设与雕塑艺术”为主题的研讨会。

（《雕塑家通讯》2001.05）

“新北京·新奥运——体育雕塑展”获得成功

由北京市规划委员会、北京2008年奥林匹克运动会申办委员会新闻宣传部、中国美术家协会、全国城市雕塑建设指导委员会、中国雕塑学会联合主办的“新北京，新奥运——体育雕塑展”，自5月中旬开幕以来，已接受了数以百万计观众的参观、赏评，在社会上引起了很大的反响。为了满足广大人民群众的观赏要求，声援北京市申办2008年奥运会，主办单位将展出时间延长至7月15日。

展览期间，参观群众积极投票评选“我最喜爱的雕塑作品”，36件参展作品获得“公众艺术奖”。同时，由主办单位12名专家组成的评委会，按照公平、公正、公开的原则，以集体评议和不记名投票相结合的方式，评出评委会奖18名。其中特等奖1名、一等奖2名、二等奖2名、三等奖5名、优秀奖8名。另外，还评选出加工工艺奖8名。

主办单位决定，对参加展览的80名作者的84件作品颁发《入选证书》及纪念奖章；对特邀参展的14件作品授予荣誉奖并颁发证书及纪念品；对获得评委会奖的18件作品颁发证书及奖品；对获得加工工艺奖的8件作品颁发奖牌；对获得“公众艺术奖”的36件作品颁发证书。评委会还评出了组织奖6名，颁发证书及纪念品。

（《雕塑家通讯》2001.04）

北京举办《北京市纪念中国共产党成立80周年——美术、书法、摄影、民间艺术精品展览》

由中共北京市委宣传部、北京市文学艺术界联合会、北京市文化局共同主办的《北京市纪念中国共产党成立80周年——美术、书法、摄影、民间艺术精品展览》七一期间在北京中国美术馆隆重展出。参展的艺术精品或恢弘大气，或细腻传神，或精致优雅，或斑斓多彩，以其丰富的内容和迥异的风格展现了中国共产党80年来走过的光辉历程，使参展者在美伦美奂的艺术海洋里经受了一次深刻的思想洗礼。

中国美术家协会副主席、中国雕塑学会会长程允贤的雕塑作品《巍巍中华，继往开来》，著名雕塑家、中央美术学院教授钱绍武的雕塑作品《闻一多》，著名雕塑家、中央美术学院教授曹春生的雕塑作品《毛泽东》，著名雕塑家、中央美术学院雕塑创作研究所研究员白澜生为深圳创作的大型纪念碑《邓小平》的设计稿，以及众多国画、油画、书法、剪纸、摄影界著名艺术家的212件作品参加了展览。

（《雕塑家通讯》2001.04）

追问观念艺术
——关于《旋转360度——中国方案艺术展》

文／王林

观念艺术是相对于架上艺术而言的，从类型上讲，它指的是装置艺术、行为艺术、环境艺术、影像艺术和方案艺术。当然，交叉自然不可避免，如装置性的雕塑、雕塑性的装置以及观念摄影等等，还有架上艺术的观念性。但区别始终是讨论交叉的基础，以此为基础，我们方能对观念艺术提出问题 。

问题一：观念艺术的“观念”是什么？

我想应包含三个方面：一是感觉的新锐性，二是问题的针对性，三是思维的悟性、智慧性。一言以蔽之，感觉中的艺术智慧或智慧中的艺术感觉。感觉有钝锐之分，问题有新旧之别，思维有愚慧之辨，故观念艺术有高低优劣的不同。

方案展中张婉的作品《这里有你最后的日子》，以中国结编制21世纪的日历，打结3万多个，将今天活在世上的所有的人一网打尽。让人在世纪交接的兴奋中惊觉，以中国人的独特的艺术经验反省个体生命存在的时间经历，即属于上乘之作。

问题二：观念艺术与当代文化的关系如何？

当代艺术或称后现代艺术，是从现代艺术中以杜尚为代表的行为——功能主义艺术倾向生长出来的，在其基因谱系中最重要的是现成品和波普。前者取消技艺在艺术中的首席地位，后者降低创作过程的精英权威。

既然以世俗物品和大众文化作为艺术资源，它就只能以文化观念的创造和消费作为契机。当代艺术属于文化学范畴，文化问题的针对性成为观念艺术凸现自身价值的中介，艺术感觉的智慧性和艺术智慧的感觉性由此得到统一和转化。

方案展中浦捷的《城市模式方案》以数不尽的木块，根据不同的场地条件，摆放成巨大的城市模型，计划泼上酒精燃烧，浇灭后成为一片废墟。当城市如失控的生物一般疯狂繁衍时，城市已失去未来。我们的确有理由质问，交通、污染、犯罪、吸毒、性别、种族、代沟、人口膨胀、贫富不均、恐怖主义等等诸如此类的问题有彻底解决的方案吗？

浦捷的作品以极其单纯的方式呈现了艺术家对当代都市问题的焦虑和反省，带给读者强烈的心灵震撼。

问题三：观念艺术的出发点何在？

《旋转360度——中国方案艺术展》立题的本意乃是对观念艺术出发点质问，旋转360，又回到起点，但这是经历过周遭世界的重返。艺术家以此作为创作诱因，需要寻找的是创作的起点。张永见的作品《自然状态》是这样开始的："讲中国方案‘旋转360’时，我就想到‘回来吧’的主题，一种归去来兮的精神，然后想到用石头这种原始材料来提醒这个主题。我想这是一个东方文化情结。在东方文化传统里面，老百姓知道什么是艺术，太湖石便是艺术。这正如一个零度的雕塑，它是立体的，有空间的，它能让人产生联想，这样便延伸出中国的哲学命题，东方的老庄精神，无为的、不为的。从这个角度讲，我把自然物放在那儿，让人能联想起雕塑的魅力，这就够了。"

从根本上讲，观念艺术是从个人对命题、问题的反应出发的，只不过这里所指的个人不再是古典时代被人类化的个人，也不是现代主义被英雄化的个人，而是从一种假设中摆脱出来，这种假设认为主体是自明的完整的没有问题的，在具体文化环境和时间经历中，作为个体存在的人是在生活中反省生活，在问题中思考问题的人。这种人格本身是不完整的、有问题存在的，惟其如此，它是真实的、具体的。因此对文化问题的针对性即是对人格问题的针对性，我们在对问题进行艺术解决的时候，既是对现实可能性的试探，也是对精神可能性的试探 。

由此，我们应该清理以西方艺术成功者为出发点的国际投机心态，在本土文化、中国经验和现实环境中去呈现人的精神经历和思维智慧，其价值在于促进人的精神自由和全面发展。这是我们对艺术的起码要求，也是观念艺术的出发点。

（《东方艺术》2002.01）

从多元提升看亚洲艺术展

文／一喻

亚洲艺术展本着增进亚洲各国及地区之间的美术、文化交流，传递各国现代文化信息，推动亚洲艺术发展为目的，自1985年在韩国国家现代美术馆展出以来，又相继在亚洲各国和地区举办了15届。此次由广东省文化厅、广东美术馆和亚洲艺术家联盟中国委员会主办的"第十六届亚洲国际艺术展"于2001年12月10日至2002年1月10日在广东美术馆隆重举行。

本次展览以"亚洲 · 多元提升"为主题，力图强调亚洲文化的多元性，以及在世界文化格局中提升自己以达平等对话地位的迫切性和必要性。有来自日本、韩国、新加坡、马来西亚、菲律宾以及中国的大陆、香港、澳门，还有澳大利亚的艺术家近400件作品参展。这次展览较全面地展示了亚洲当代艺术整体水平及实力现状，是连接历史和思考未来的国际性大展。

近年来，亚洲的当代艺术随着欧美艺术权利中心对亚洲及其他发展中的地区当代艺术的门户开放，亚洲艺术家在国际上日趋活跃并引人注目。另外，随着亚洲双年展、三年展群的崛起与当代展览体制的建构，给亚洲艺术家提供了更多相对宽松、自由的交流平台。在此次的展事中，始终洋溢着一种民间的、民主的自由交往的艺术气氛，体现的是一种互相观摩的平等关系。各国艺术家的作品远远超出了架上绘画的范围，不仅仅局限在各种具象的、抽象的油画、水墨或综合材料的架上绘画作品，还采用了多种媒体制作的立体作品、影像、装置作品。以及以印刷为媒体的观念艺术作品，充分展示了亚洲各国艺术家们各自独特的生存体验和艺术理念，也是亚洲各国本土生存鲜活生动的艺术呈现。他们正持着一种成熟、平和与开放的心态，审慎地推动本土当代艺术与一个多元存在的更理想的全球化架构交汇。但是通过这次展览，我们看到了亚洲的文化在传统性和当代性、地域性和人文性等的关系中存在着不少两难的问题，观念的冲突与文化的矛盾也将制约着各地区文化的有效提升和发展。

（《东方艺术》2003.01）

"上海APEC焰火"创世界之最

文／胡喜盈

"APEC焰火"于2001年10月20日晚上9时在浦江之滨亮相，经上海大世界基尼斯总部核准，此次焰火表演创下了基尼斯世界之最纪录。

黄浦江上的18艘驳船、游船和外滩23幢建筑都成了焰火发射塔，浦西长达1.8公里的瀑布焰火、盆花焰火以及东方明珠塔上三个球体喷射的焰火，共同组成的水上、陆地、建筑、空中的立体焰火表演，其品种、数量之多，场面、规模之大，不仅在全国空前，也为世界之最。

外滩沿线近两公里的建筑群彩灯齐明，江面流光溢彩，15盏探照灯和两台激光灯，与欢快的中国和西方经典乐曲共同构成一出声与光的交响。

这场历时约20分钟的大型焰火，投资1000万元，燃放1.5万颗礼花弹和15万个爆炸物。设计者把整个外滩建筑群当作了一架硕大的钢琴，23幢大楼就像是一个个琴键，楼顶上的低温焰火在电脑系统的控制下，按照《欢乐颂》的音乐节奏错落相间地向上喷射焰火。随后，在浦西外滩，一条高10米、长1800米的瀑布焰火瞬间喷泻而下，同时2001个红灯笼焰火布满空中，它们象征着21个APEC经济体共同开拓更加美好的前程。同时，23幢大楼上所有的焰火全部冲天而起。

最让人惊叹的是：焰火放到一半时，在中国最高的建筑物——东方明珠塔，突然同时从三个球体(最高的达300米)每一扇窗户里(呈360°)喷射出无数颗耀眼夺目的礼花弹，东方明珠塔顿时成了“一棵挂着三层树杈的大树”。

（《东方艺术》2002.01）

横滨三年展

文／彭禹

2001年的横滨三年展有来自世界各地的110位艺术家参加，可以说是亚洲最大的国际性艺术大展。所有的作品都是艺术家的新作，作品的材料费由组委会提供。所有的艺术家均被邀请参加开幕式，组委会负责艺术家在日本期间的住宿及交通费用。此展览的出资方倾注了大量的资金，使这个展览成为世界上投资最高的展览。用四位权利平等的策展人策划这样一个国际性大展，意在改变以往的国际大展中权利过于集中的现象。四位策划人分别负责邀请不同地区的艺术家，国内的艺术家和居住在海外的蔡国强、张恒都是建田哲先生邀请的。栗宪庭先生作为这次展览的组委会成员被邀请参加开幕式。从展览策划上的创新、展览的投资、全新的作品，加上政府的重视程度以及策划人的负责态度，都可以看出日本志在推动当代艺术的积极心态和渴望重新划分世界文化格局的雄心。

在展览的过程中，策展方认真负责的态度给我留下很深的印象。策展人建田哲在一年半的时间里来过我家三次，每一次都要聊两三个小时，了解我和孙原的作品以及我们的想法，并希望我们可以提供几个新的方案。通过在北京的日本国际交流基金会的帮助，我们与建田先生通过E-mail的方式交流了很多艺术上的想法和方案的实施计划。那时，我们并没有被正式邀请参加展览，一切还只是意向。4月份，我的一个日本朋友突然来信祝贺我们参加了这个展览，她说她的丈夫是展览的场地设计者，他在名单上看到了我们的名字。我和孙原半信半疑，直到几天后我们才接到基金会的正式通知。在正式入选后，我们又修改了一次方案，经过近一个月的忙碌才得到同意实施的表示。方案就是《文明柱》这个作品。7月，建田哲又来了一次北京，一是看我们工作进展情况，二是和我们商讨制作和运输的费用问题。到日本以后我们才知道，由于四位策展人策划一个展览，所以很多事情要互相协调，而我和孙原因一贯使用的材料和展览方式是否入选，策展人们的意见一直不能统一。而像杨福东、丁乙是早就通过的。乌尔善的作品也是经过争议通过的。所以我们大家商量要请建田哲吃一顿饭（这么多次接触我们惟一的一次一起吃饭），是在展览场地旁的小饭馆，有孙原、杨福东、乌尔善和翻译，而建田哲居然吃着饭睡着了(在开展前几天，他平均每天睡两小时觉，他要负责所有他邀请的艺术家的一切问题，超负荷工作使他睡眠严重不足，也令艺术家们很感动)。

我和孙原每次展览前做作品都像打仗一样，既紧张又辛苦，这次尤为厉害．但到了日本，我们的辛苦就显得不算什么了，我们领教了日本人闻名世界的敬业精神，在展览场里所有的义工(日本艺术大学的学生和其他大学的自愿者)和工作人员平均每天只睡四五个小时的觉，并且大部分都在场地里，而场地连简单的餐饮都没有提供，更没有报酬了，他们帮助所有的艺术家布展．谁需要他们就帮谁，常常在前一天已经把第二天的十几个小时就已安排满了，布展期间也有事故发生。在我们到的前一天，由于展览方的小小疏忽，黄永砯 的“大鱼饵”掉下来了，刚好下面没有站人，有惊无险，后采取作品下画了不许靠近的线。结果就有部分观众没看到黄永砯在鱼饵的肚子里藏的刀和书。过两天，我们又看到有学生头上流血被抬去医院。展览开始的头两天又有事故发生，有一位日本艺术家前辈村冈三郎用盐做作品，盐加热后腐蚀了地面，渗透到底下设备层，但问题最终得以解决。对策展方来说，布展工作用“好事多磨”来形容再恰当不过了。

蔡国强的作品与以往不同，这次他全部用了烟火的替代品，名为《烟火小会》，观众可以坐在“烟火”下的按摩椅里观看。黄永砯 制作了两个大鱼饵，其意显而易见。至于什么是什么的饵，用来诱谁，大家尽可以对号入座。张恒展览了一组图片，是在脸上用毛笔写相书的批字和成语，直到把脸写黑。在展览的开幕式中，又做了一件行为作品，名为《我的日本》。丁乙的作品是这个展览中惟一的架上作品。邢丹文、乌尔善、杨福东都是录像作品。邢丹文一直生活在美国，并在那学习的新技术，作品叫《梦游》，影像透过一个有机玻璃箱子投射到墙上，镜头重叠着一些树、楼和人。乌尔善的黑房间里有两个屏幕相对，一边是女人脱衣穿衣，一边是西服革履的男人脱衣穿衣，两边的画面快速穿插，并配着同样节奏的音乐。杨福东的作品名为《苏小小》，他说名字没什么意思．是从电视中听来的，只是一种感觉，女人体用特技叠加在拍摄的园林中，观众看到的是园林的树后、假山上、溪边有一组一组的女人体在动，很有南方味道。我和孙原做的《文明柱》是花了四五个月时间收集的大量的人体脂肪(吸脂手术的)，经过化学处理后，制作成一个像纪念碑一样的柱子。

在整个展览中，大野洋子的作品给我比较深的印象，这也是因为我们比较了解她的背景。日本年轻艺术家的作品特征比较明显轻松，有时代气息，以三维动画为主。而其他国家艺术家则因为对作品的说明文字不熟悉，在现场没有让我感受很深的作品。最近，展览会的画册印出来了，我发现了很多非常有名的艺术家，很多人的作品是需要把他的所有作品一起看才会有感觉的。

横滨是一个非常现代化的海滨城市，建筑设计与城市规划十分考究。我们晚上常在展厅和饭店附近散步，街道上人很少，但经常飞着震耳的跑车和摩托，大的游乐园里俯冲着过山车，宽阔的街道边林立着昂贵的商店和饭店。在日本的日子里，我们充分见识了日本人的高效率的工作以及他们承担高强度工作的能力。他们和街上那些染着各色头发，衣着前卫的日本青年一起向我们展示着这个新崛起的发达国家的独特面貌。

（《东方艺术》2002.02）

《西部·西部》艺术大展综述

文／程征

2001年末，一个规模空前、特大型的“中国·西安2001《西部·西部》艺术大展”使西安美术学院成为中国美术界的焦点。

“中国·西安2001《西部·西部》艺术大展”是由中国美术家协会、陕西省人民政府主办，西安美术学院承办的一项以西部题材、西部精神、西部时代风貌为对象的大型综合性美术创作和系列性展览、学术研讨活动。

主会场设在西安市南郊宏伟的现代建筑——西安国际展览中心。12月25日，中国美术家协会主席靳尚谊，党组书记、常务副主席刘大为，副主席刘文西，秘书长李中贵，陕西省省长程安东等来自全国各地的259位嘉宾与3000多名观众一道，在阵阵威风锣鼓声中举行了盛况空前的开幕仪式。

《西部·西部》艺术大展的内容包括13个专题展览，15个专题学术论坛或研讨会。展览有：

1、《2001黄土画派作品展》 黄土画派是自刘文西先生创立并领导，以西安美术学院为依托，以西安画家群体为主创力量，以西北黄土地的人物、景物以及审美特质为主要表现对象的艺术创作群体。43位画家的177件作品参加了展览。

2、《2001西安国际抽象水墨画大展》 展览由西安美院国画系筹办，刘骁纯先生任艺术主持，90位艺术家的157件作品应邀参展。

3、《西部·西部——写意中国·当代油画艺术邀请展》 除了凝重的美感，油画也具有独抒胸臆，“逸笔草草”的审美表达功能，在华夏文化厚积的西安举办一次更富中国情味的油画展，是其创意。北京、重庆、天津、南京和西安等地79位艺术家的177件作品参展。

4、2001西安《两岸三地现代版画展》 西安美院为推动版画艺术的创造性发展，邀请美国、中国大陆、台湾、香港等地100位艺术家的100幅现代版画精品参展。展览由西安美院版画系筹办，已提前于4月举行。

5、《“西部·西部——与历史对话”景观雕塑展》 策划者以奇妙创意将西汉元狩六年（公元前117年)的霍去病墓古石雕群，与62位当代雕塑家的58件现代型雕塑统统变成了一个大型艺术景观的各个部件——现代雕塑兴冲冲地从全国各地赶来，凛冽寒风中，与霍去病墓石雕相向而立，不同时代的语汇开始了无声的对话。

6、《“西部·西部”纤维艺术邀请展》 邀请了北京、沈阳、重庆、南京、广州、哈尔滨、汕头和西安十余所美术院校91位艺术家的106件作品参展。

7、《“西部·西部”主题海报展》 国内82位艺术家的235件海报专业设计佳作，无论其所表现的西部人文主题，还是新颖的形式，都传递出海报设计的国际化流向信息。

8、《2001年西部·西部——全国综合材料绘画作品展》系西安美院、中央美院、中国美院、鲁迅美院、天津美院及其综合材料绘画工作室的101位师生的127件作品会展。

9、《环境艺术设计展》 21世纪的建筑环境艺术学作为一种将现代艺术与现代技术相综合的学科，将全面依循可持续性发展战略，在保护自身生存空间的前提下，满足现代人类的心理和生理需求。西安美院建筑环境艺术系展示的41项具有西部人文特色的建筑环境艺术设计方案皆贯穿着这一精神。

10、《“生活·西部”时装展示会》 由西安美院服装系学生表演的服装展示会，排演为西部民族服装舞蹈和时装设计作品等节目。

11、《新视觉陶艺展》 由西安美院陶艺工作室提供的230件新作体现了他们在实用与审美之间的创造与冲突。

12、《全国美术学院附中学优秀作品邀请展》美术学院附属中等美术学校是美院的生源基地，其专业教学既具有基础美术教学的相对完整性，又与高等美术教育之间具有衔接和发展性。由西安美院附中向全国各美院附中征集的355件素描、速写、色彩写生作业，既反映了中国美术后备军扎实、严谨的绘画专业基础现状，也引起大家对于中国美术基础教育体系性改革的严肃思考。

13、《华夏纵横成果汇报展》 “华夏纵横”是一项带有行为性质的艺术工程，涉及美术、摄影、文学、音乐、语言、水土、地理等人文内容，中国美协主办，西安美院为艺术主体，于1998年7月28日至10月20日实施。由画家、摄影家、音乐家及相关人员组成四路采风队，从中国大地原点（陕西省泾阳县境内）出发，分别向中国版图东西南北四个方向的最远点挺进，每100公里为——坐标点，采集方言、土样、水样和音乐元素，作沿途写生、摄影、摄像和文学描述，纵横7万公里，覆盖全国33个省市自治区（包括台湾），完成速写2000余幅，采集土样、水样200余种、语音资料60小时。这里展出的是“华夏纵横”综合艺术工程的537帧照片。

以上累计共有1102位作者的2475件作品参加了展出。展览以创纪录的巨大规模、气势、丰富性、宽容性和当代性引起西部艺术界极大的关注及参与热情，观众如潮。

在12月26日举行的“《西部·西部》美术创作论坛”和其它一系列艺术研讨活动都呈现出学术上的宽容、求真、各抒己见的愉快气氛。理论家和艺术家们就“当代文化背景下的西部美术教育”、“西部传统文化资源与西部美术的当代性建构”、“抽象艺术与学院教学”、“全球化与地域文化”，以及对《西部·西部》艺术大展的学术意义等等共同关心的广泛话题展开了热烈的讨论。

譬如，关于“抽象水墨”的讨论，多数意见认为：虽然“抽象”在西方早已不是什么新鲜话题了，而在中国“抽象水墨”却是建构性的。这次以“抽象水墨”，甚至以“抽象”为专题的大型学术邀请展在中国是第一回，在西安举办，更是破天荒的艺术事件。它给予水墨的抽象一种历史的认可。

“中国·西安《西部·西部》艺术大展”收获丰硕，意义是多方面的、立体的。要义在于：在党中央关于“西部大开发”的战略部署全面实施的历史背景下，西部文化的开发建设是绝不可忽略的重要组成部分。西安美术学院在中国美术家协会和陕西省政府鼎力支持下，适时、主动地承办《西部·西部》大型美术活动，是一次开发西部美术的总动员，有一种崇高的象征性；而且对于西安美术学院的教学、创作和学术建设，以及西部美术家艺术观念的开拓将产生深远影响。

主题词“西部·当代·新视角；传统·未来·大融合”是此次大展选择的理念坐标点。它由“西部大开发”这个主题所派生，各个展区和全部学术研讨活动都围绕这个坐标点而展开。

西部美术如何面对当代性问题，以及如何在当代性这个老话题中重新面对西部丰厚的文化资源问题，是每一位西部美术家以及关心西部美术的每一位艺术家在众多艺术话题中最为关切的焦点。这一次《西部·西部》艺术大展比较全面和充分地告诉人们，西部艺术家在想什么？干什么？准备干什么？向世界展现的空前规模和气势不仅是秦人造兵马俑阵那样的勇力，更似火山喷发一般势不可挡，这是西部人蕴蓄已久的心力宣泄。从这个意义上可以说，这次活动对西部美术的发展有一种划时代的意义。人们将会看到，从今以后西部美术的格局会发生许多根本变化：更宽容、更丰富、更开放、更富于当代性。

“西部”不仅是一个地理概念，也是一个文化概念。今天作为偏于一隅的西部，其文化根脉却产生于中国文化上升期，积淀在长安——周、秦、汉、唐故都，以创造、兼容、雄强、博大、张力和活力为特质的传统文化精神并不是一般意义上的文化传统，而恰恰是上升期的中华文化精神。正在向现代化目标迈进的中华民族所需要的正是这种精神。因而，西部传统文化中的精神资源是全体中国人的，而非西北人的。用崭新的观念来激活它，用于创造，是我们的共同使命。

（《美术观察》2002.07 节选）

制 造 中 国

文／黄笃

克莱尔·乌欧（CLAIRE HUOT）在最近出版的新书《中国新文化景象——变化手册》中，用去整个前言部分对中国新艺术的变化及存在进行了讨论和陈述，最终得到这样的一个结论：“今天的前卫不是一种运动，或一种再现类型，或一种区域性／国家的现象。中国前卫艺术是一种可能性，是抽象和隐喻的。”和她的概念化的、古典主义的艺术史论的方法不同，中国艺术个体更注重具体、细节和物质化的东西。艺术既表明一种制作的抽象概念，又是一种物理过程的制造。艺术还是一系列事件的综合。在这种语境下，“制造过程”暗示的是艺术个体如何被他们个人的历史和感知的现实中渗透的信息所“制造”。

下面的对话记录了“制造中国”两位策展人的思路和在这个展览中处理的问题，比如：艺术家身份的表演和他们作品的表演性，地下文化的聚居方式和地方上的亚文化。除了这些大的话题，他们同时也在关注城市环境的宏观结构和每个个体的微观生活之间的联系。

黄笃：最早想起策划这个展览是几年前。走在北京的大街上，看到许多“西方身体，中国帽子”的建筑物，我就想为什么会把建筑作成这个样子。于是就想做一个以“制造”为主题，又对“后物质”的内涵有发展和延伸的展览。

冰逸：早先的时候想到了“中国制造”，后来，看到不管是娱乐杂志还是经济书籍，“中国制造”的题目到处都是。在主被动关系都不清楚的情况下就改成了“制造中国”。感觉上就是谈今天、现在的事情，也多了些动感。

黄笃：作为个体，每个人都存在于“制造”和被“制造”之间，所以“制造中国”和“中国制造”这两个概念是不能割裂的，一定要放在一起讨论。“中国制造”涵盖了工业化、社会化和商品生产方面的意义。“制造中国”则描述艺术家主观性的、主动性参与的对中国“现实”的一种再现。这种“现实”具有流动、变化和多层面的特征。

冰逸：那么，两个概念的联系点在哪里呢？

黄笃：就是符号吧！因为符号是艺术家制造出来的，是形式也是本质。透过符号，我们能够觉察到符号或形式与社会现实和日常生活的许多问题有着内在性的关联。符号可以重叠，也可以调和许多的冲突或矛盾。

冰逸：符号其实是整套设置好的话语体系。但是这个展览关注的不仅仅是“概念”，而是作品本身。我们希望把艺术家作为人来描述，把作品作为生活来体察。在讨论“制造”的时候，有些问题比如：谁在制造？制造了什么？在哪里制造？就自然的出现了。我们没有对这些问题进行简单的回答，而是忠实地记录这些问题的空间留给观众。

黄笃：除了这些浅显的问题，我们通过记录艺术家的陈述和作品的制造过程，探讨一些作品背后隐藏的问题。比如说，制造出来的东西是不是真正的中国？艺术家隋建国制造的大型“恐龙”，就是把粉红的塑胶玩具放大。值得一提的是，虽然玩具恐龙在中国南方的深圳生产，但主要销往东南亚国家。更有趣的是，隋是在日本的东京看到了这种恐龙，契合了他当时身处异地的体验，才作了这个作品。

当国际流动资本在中国大扬其道的时候，世界各地的反全球化的声浪也是此起彼伏。“流动资本”的跨国制造使得国家和地区的概念与内涵都发生了弯曲。

冰逸：在这个展览中，“中国”不再是一个传统的政治地缘的或历史的概念，而是作为一个个有生命能呼吸的人而存在。“制造”过程看似直接平板，但是它富有人性，也富有表演性。

黄笃：急速转化的中国式的“制造”引发了复杂而多样的社会文化现象。作家陈村和林白在一次关于捶背的调侃中剖析了当代中国人情感世界的精妙变化。

虽然当下的夫妻感情生活开始让位于变动而广阔的社会欲望空间，身体的社会化所反馈的社会问题直接影响和动摇了整个道德伦理体系。

冰逸：“捶背”本来是感情交流的方式，现在已经流动资本化了。温情举动的社会化造成了双方的疏离感。丈夫只有在外头捶了背才认为“有效”，所以有了强迫性，身体的欲望只有在参与到市场运作的时候才成立。老婆呢，也不愿意捶，因为太“乏味”了，这就是暗示了人对快感的追求中喜新厌旧的天性。

黄笃：我想，今天艺术更多地强调了表演性、娱乐性、生活化及快感。也就是说艺术与公众间的互动性体现在其传达视觉快感和精神快感的能力。

事实上，在日常生活中，艺术的娱乐性和表演性愈来愈立体。理念不仅存在于物质之中，而且存在于社会结构之中。艺术家的创作要通过物质作为中介才能实现艺术的表演功能，同时，作品的物化还向现存的社会价值系统提出了挑战。

冰逸：讨论“表演性”的意义还在于“制造”会给人以工业化和机械化的假象。但是展览中对制造过程记录充满了戏剧化的偶然事件。所以“表演性”不是简单地对观众身心的娱乐，它也有微妙的讽喻结构和复杂的感性语句，从中可以清晰地看到艺术家们的思考过程、生活方式和心态。

在这个展览中，有些作品直接地触及“娱乐”和“表演性”的问题。比如说赵亮的摄影模糊了表演性与纪实性之间界限，创造了独到的表达空间。

令人惊讶的是，现成品反而是最具有表演性的。尹秀珍的作品《移动中的城市》构建于一个常见的旅行箱上。虽然讲述的其实是同一个故事，但它更多地借助了媒介参与的表演方式。

黄笃：王强的作品带有调侃性。形式上不是纯粹的绘画，而是绘画与物体（衣服）的结合。他将包裹身体的衣服和身体的欲望叠画在衣服内侧的身体中。观众打开衣服观赏的过程是对“表演”这件衣服的参与。

在“创作”和“制作”之间，还有一种可能性，就是“记实”。贾樟柯在记实电影《公共场所》中，以他的视觉选择把普通人的日常生活中的细节转化为一种无意识的表演。但真正在表演的其实是贾樟柯导演性的观察。

冰逸：这让我想起马龙·白兰度的一段话：“谁都会表演……人，无时无刻不在演戏。”他的话意味着表演性无处不在，远远超出我们通常的认识。每个人都是表演的一部分。

黄笃：所以，策展人也是“表演”作品的一部分。身体与作品紧密相连。比如说，你将携带尹秀珍的旅行箱前往美国，经由海关和安检。这样跨文化、跨地域、跨时间的体验就具体化了。

（《视觉21》2002.07）

社会雕塑：一个老红军的私人生活

文／孙振华

1953年7月23日，离开家乡二十多年的老红军卢仕盛回到了故乡——安徽省六安县卢家集，他是一个幸存者，1931年和他一同入伍的那些伙伴们绝大多数已经永远长眠在异乡了。这对任何人都将是一种感慨万端的经历，在当天卢仕盛的日记中，他只写了这么短短的一句：“当日下午返家（一切一切都不一样了）离家二十一年之中第一次。”

这是《一个老红军私人生活》展览里面的一个内容。这个展览展示了一位历经二万五千里长征的老红军战士的私人生活。展品分为三个部分：老照片、个人文件、日常生活物品。

与过去不同的是：《一个老红军的私人生活》选择了一个新的叙事角度和方式。历来关于红军的叙事都是一种“公家”的叙事，宏大的叙事；在这里，“私人”是被遮蔽的，对于普通的公众而言，接受这种叙事就是接受洗礼，他们很难参与式地分享这种经验，“红军”离人们的日常生活实在太遥远了。

老红军卢仕盛或许不习惯儿女情长地表达他对于家的感受，但是，在他的私人珍藏中，却保留了大量的与儿女们的合影，每一个时期他都与子女留下了大量的照片，尽管在这些照片中，作为父亲的他几乎没有露过一次笑容。在信仰和家庭之间，在铁血生涯和儿女亲情之间，这样一个不苟言笑的职业军人的内心世界常常是通过一些极其细微的生活细节体现出来的：笔记本上一丝不苟地记下了每个儿女的生日；儿子买回的一套酒杯竟珍藏到去世……这些日常生活化的内容，为普通公众进入一个过去被光环笼罩的世界提供了一条通道，它为曾经只能仰视红军的人们提供了一个平等凝视红军的机会。

这是一个社会雕塑的展览，“社会雕塑”是借用20世纪德国艺术大师傅伊斯的说法，在博伊斯看来，“每个人都可以在这片土壤上从事创造性活动，体验、认识规定世界的本质。人人都是艺术家这个口号，曾令很多人激动不已，也曾引起误解。这个口号是指每个人不仅能够，而且必须参加到对社会机体的改造中去。……每个人，如一护士或一个农场主在其工作岗位上都能够认识到自己的创造能力并艺术性地发挥它。”在这种扩张的艺术观念的基础上，雕塑不再是一种艺术行为，而是社会行为，每个人的日常生活行为都是在塑造自己，同时塑造社会，作为20世纪的一批理想主义者，这些老红军倾其一生，就是为了接近一个宏大的、理想的目标，为此他们鞠躬尽瘁，无怨无悔。当那些惊心动魄的岁月离我们越来越远的时候，我们发现，这些红色的斗士如同艺术家一样，用自己的经历和行为在参与社会的改造的同时，也创作了自己的作品；他们的一生是雕塑的一生，他们塑造了一种社会制度和社会模式，他们几十年的浴血生涯创造中国最为壮观的行为艺术。

关注老红军，也是关注当代生活。当我们重新审视一个曾经十分红火后来又日渐趋于边缘的对象时，我们发现红军作为一种历史资源，他们当年提出和实践的问题在今天同样还是具有延展性。

红军革命的最初冲动在于穿衣吃饭；继而他们为穷人而战，为公平而战，他们尝试创造一个平等的、没有人压迫的、丰衣足食的社会，他们的这种理想在今天仍然有魅力；红军个人的道德实践也在尝试着一种人生的价值目标，诸如：为理想献身、英雄主义、集体主义，红军的这种道德化的生活方式在经过历史的澄清和梳理后，我们仍然可以过滤出富于诗意的人格内容。

在卢仕盛老人的笔记本中有一部分内容是上个世纪50年代，他工工整整抄录的“宿舍收费办法”、“租赁用具收费办法”、“途中差旅补助标准”、“非编职工、家属、保姆在军队中门诊、住院医疗费规定”等等。作为一个过了几十年军事共产主义生活的军人，他抄录这些规定的时代，正是军队由供给制向工薪制的转变的时候，一个有着节俭传统的农民的儿子，一个5个孩子的父亲，他不可能不在意金钱，他不可能放弃属于他的那一份。同时，当惯了公家人的他，在公家和自己的小家之间，看得出，他在小心翼翼地维持着一种平衡，不可不取，也不可多取。他在抄录这些规定时的心理状况甚至有着典型的标本意义。

作为军队一个部门的主管，卢仕盛这一代人很小心地使用他们的权力。也许是为了节俭，也许是家里的饭菜更合口味，他在出任海军湛江基地司令员时，每天中午是由家里送饭到营区的办公室，送饭的饭盒在展览中出现了，外面还由细心的老伴做了一层保温的布套；展览还包括一个破旧的小药瓶，这位戎马一生的军人会将几枚铁钉亲自收藏在这个药瓶里，外面写上“订箱用的铁钉”……

当经济生活成为我们今天主要的社会活动的时候，当代生活中的物质主义、消费文化与曾经充满激情的红色的资源形成了一种巨大的反差，而理性、历史地思考红军，思考他们的理想主义，将有助于帮助我们建立一种多向度的生活目标，塑造我们今天更有意义的生活。

（《艺术世界》2002.09）

融入自然　共享空间
——2003环保雕塑展

以“融入自然、共享空间”为主题的环保雕塑展将于2003年6年5日到6月22日在北京国际展览中心及王府井大街举行。本次展览由首都城市雕塑艺术委员会、国家环保总局宣教中心主办，北京城市雕塑建设管理办公室、北京沟通文化发展有限责任公司、北京空与间文化传播有限公司承办。

这是王府井大街继成功举办“新北京、新奥运——体育雕塑展”和“‘中国西部风’雕塑巡回展·北京展”之后的又一次艺术盛会。其目的是借助雕塑作品特殊的艺术表达形式宣传环境保护，使更多的人关注并投身到环境保护活动中来；充分发挥雕塑艺术特殊的感染力，使“环保”这一主题走进普通人的生活中；使人与自然的完美结合被淋漓阐释，使“绿色奥运”的精神得到更好的体现。在此次艺术展期间将展出近百件寄托着主办者与雕塑艺术家爱心的雕塑作品，同时还将举行义卖与捐助活动，主办者与雕塑艺术家要用实际行动来宣传环保知识、支持新北京的环境建设。

（《雕塑家通讯》2003.01）

与谁超越天堂
——从北欧艺术家的东方之旅所想到的

文／张晴

当前瞩目的国际艺术交流或是风起云涌的艺术潮

流，往往集中在美国和西欧，这就是平时人们所说的“国际艺坛”。谁在上面频繁亮相，谁渐渐就成了国际明星。久而久之，在国际各大双年展和重要艺术活动中反反复复地遇见几种熟悉的表情和永不磨损的陈词滥调，而这些表情和声音就是今日国际文化政治中的权力及其现实。在这个现实中我们清楚地看到：冷战之后的后殖民主义理论和全球一体化的进程引领着艺术潮流，并浸入到世界的每一个角落，使其发生深刻的变化。从文化上看，近东和中东以及远东的地缘文化、宗教、民族和风情成为了文化多元主义的佳肴。从政治上看，前苏联、东欧等前社会主义国家以及转型期的中国所呈现出特殊的意识形态的图像和话语，从此触动了被封存半个世纪的艺术敏感点，使疲惫不堪的“国际艺坛”再一次精神亢奋起来。从现象上看，在全球化的进程中，亚洲各国凭借着经济腾飞的良机，快速建立国际艺术对话的平台，并尽一切可能在此平台上获得文化的话语权和艺术的判断力。因此，横滨三年展、福冈双年展、光州双年展、釜山双年展，甚至是昆士兰亚太三年展和伊斯坦布尔双年展正在以迅雷不及掩耳之势越过亚洲的民族形象和文化姿态。从国际关系学的角度看，亨廷顿（Samuel P·Huntington）关于“文明的冲突与世界秩序的重建”(The clash of civilizations and the remaking of order)的理论正在被证明。正因为今日的文化、宗教、民族三大矛盾取代了资本主义与社会主义的矛盾，所以，在整个国际关系中也形成了霸权主义和民族主义的冲突，由此而导致了前所未闻的“9.11事件”和正在进行的伊拉克战争。人们像看电影那样目睹了使用武力占领一个国家的过程，目睹了战火中平民朝不保夕的现实，目睹了巴格达国家博物馆17万件文物被洗劫的场面。从此，改变了冷战过后的国家与国家之间关系，并进一步加深民族与民族之间的冲突、宗教与宗教之间的矛盾、文化与文化之间的差异，因此将改变世界人民的世界观和价值观及其对生命和文明的态度、对未来世界产生恐慌和不安的心理，并对未来生活产生暴力和厌恶的倾向。尽管如此，人类在历史上一直勇敢地穿越硝烟弥漫的疆场而追寻伊甸园，在美英联军向巴格达进军途中，来自欧洲的后花园——“北欧艺术家的东方之旅”展（Nordic Artists Travel East）在上海美术馆拉开帷幕。这种现实的反差使我们敬佩瑞典现代博物馆具有足够的勇气邀请泰国策划人阿炳那(Apinan Poshyanganda)作为此展的主要策划人，他在北欧用两年时间考察了当地的生活与文化，并以亚洲人的目光将此展的主题定为：“超越天堂”(Beyond Paradise)。今天，整个世界的视点被B52轰炸机和阿帕奇直升机的航线所牵引，被“非典”带来的疾病和死亡所威胁的同时，北欧的当代艺术在“超越天堂”(Beyond Paradise)的主题引领下进入了亚洲人的视线。此刻，不得不扪心自问：与谁超越天堂？

从历史上看，近东地区是文明的发源地之一，从埃及到美索布达米亚，文明的足迹遍及克利特、希腊、罗马最终到达北欧共体地区的非基督教圣地。公元10世纪来自巴格达的Ahmad lbn Fadlan是最早见证和记录北欧民族生活和社会状况的，从此，人们发现他们多为精细的工匠和勇敢的探险者，他们在航海方面的技能在哥伦布之前几千年就流传到了北美洲。从近30年的情况看，80年代北欧的经济从衰落到复苏似乎有了起色，在文化上则与西欧的主流艺术有点若即若离，总是温文尔雅，从不哗众取宠，这可能与冰雪覆盖的北极地区的生活习惯有关，他们在艺术中的热量和幻想总是冷藏在情感深处和潜意识中。当午夜的阳光照耀着雄伟的山河，孤独的人影却在凄厉的风中飘摇不定。这不得不让我们从斯堪的那维亚民族气质上来解读北欧艺术家的内心，从中可以体会到他们印在骨子里的浪漫主义和挥之不去的忧郁情结。

展出的作品使我们可以从一个侧面看到北欧当代艺术家的美学思考和艺术追求，如果将北欧当代艺术与东南亚当代艺术作一个比较的话，那么，彼此对人生的理解、文化的立场、生活的态度、艺术的表现的反差是很明显的。从整个展出的作品看，北欧的艺术家总是向内心拓展幻想与自慰，我们从这些静静的幻想中依稀能看到通往伊甸园的一缕曙光，而在此途中斯堪的那维亚人展露出了透明的心迹，并为之而付出了各种代价，这大概就是北欧艺术中地缘文化和民族性的实质所在。正如评论家John Peter Nilsson指出的那样：“我们是居住在被允诺的天堂吗？或者说所有的天堂梦幻都是建立在诺言的基础上？”如果是这样，那么，天堂与诺言就是一枚分币的两个面，它的价值就是梦幻的天堂，它的流通与交易也只能在梦幻中进行。反观今日亚洲，经济的迅猛发展使得整个亚洲处于焦躁不安和急功近利的状态中，似乎正在编织着梦幻的天堂，同时也正在自我妖魔化。当我们搭乘夜间的航班途经北京、上海、香港、台北、汉城、东京、曼谷等都市的上空，总是被一片夜色阑珊所迷惑。在这些灯火辉煌的都市中到处是载歌载舞，一片纸醉金迷。这种生活状态导致了亚洲当代艺术家的创作如此生猛和投机，原本是一个内向性格的民族突然变得不择手段地表现自我，而这个自我就是夸张的泡沫，这个泡沫似乎是一片海市蜃楼，而站在海市蜃楼中的人们一定是没有节制地竞争。在竞争中，仅有的善良和纯情渐渐地被遗忘和异化。亚洲在依附经济全球化的过程中，不仅抛弃了昔日伊甸园般的人性与伦理，而且切断了通往天堂之路。因此，同样是经济稳定、生活富裕的北欧人与东南亚人的心态差异是显而易见的，从中不得不承认亚洲的当代艺术，特别是中国的当代艺术存在着一种“大跃进”式的现象。如果这样，那么《超越天堂——北欧艺术家的东方之旅》对亚洲艺术家而言，如同注射了大量的清醒剂，让艺术家在文化竞争中头脑冷静下来，催促艺术家除了装模作样去世界各地获得各色虚荣之外，也应该想想我们应该去哪里？约翰·米尔顿（John Milton）在1667年的《失乐园》史诗中早已告诉我们：“人类的自由总是招致由于他们自己而引起的灾难和死亡，虽然仁慈的上帝为亚当和夏娃在地球上建造了一座人间天堂。”可是，人间天堂总是透支自由和欲望，因此，恐怖和战争以及“非典”随之而来了，这难道又是撒旦的诱惑吗？上帝还会把亚当和夏娃从人间天堂赶走吗？如果离开了人间天堂，亚当和夏娃再去哪里呢？到底谁又闯祸了呢？这是我们了解世界历史和世界文化以及正在发生的一切的同时应该思考的问题。如若我们在人生追求与艺术实践的某一个瞬间遇见了真我，那么就会发现天堂如同爱情一样，既有激情中的狂喜，又有惊人的伤痛。当这种刻骨铭心的颤动渐渐地融入到春夏秋冬，那么欲罢不能的天堂就无处不在。

（《苏州工艺美术职业技术学院学报》2003.01 节选）

北京国际城市雕塑艺术展的社会作用

文／于化云

“2002中国·北京国际城市雕塑艺术展”以丰富的内容和形式与社会见面了。这次国际城市雕塑艺术展是中国目前为止规格、规模、形式、内容等方面都有所突破的城市雕塑艺术集中展示活动，匈牙利籍的里奥楼先生在发言中盛赞道：“可以说是世界上最大的城市雕塑展览。”既是一次国际雕塑艺术的交流活动，又取得了艺术外交的成果；既丰富了城市文化艺术景观，又提升了北京的城市文化水平。可以说盛况空前，意义深远。

一、领导的关心，各单位的支持，是成功的关键

1、领导的关心和支持。这次国际城市雕塑艺术大展由中华人民共和国文化部、北京市人民政府联合举办。北京市委、市政府领导积极支持，很多领导作了批示并多次到现场视察、指导。筹备之初，组委会及时召开会议，研究协调解决重大问题。

2、组委会的通力合作。这次展览由首都城市雕塑艺术委员会、北京市规划委员会、北京市文化局、石景山区人民政府承办，由中国雕塑学会、全国城市雕塑建设指导委员会艺术委员会、中国工艺美术学会雕塑专业委员会、中国美术家协会雕塑艺术委员会作为艺术指导。有关委、办、局是组委会成员单位，市领导及时召开协调会议，解决重大事项，各单位给予了人力、物力上的大力支持。

3、专家把关。组织了艺术委员会和学术委员会。艺术委员会由来自世界各国的著名雕塑家和艺术评论家组成。学术委员会由来自各省市的雕塑、理论专家组成。艺术委员会的职责是：确定艺术大展的主题、定位、规模、风格；把握艺术大展的质量、艺术水平；对征稿进行评选，对立体稿进行足尺放大或现场加工的评选；负责艺术大展的评奖；对专题雕塑展的审查；制订艺术大展评审标准并对外解释。学术委员会负责学术研讨会的议题、定位，确保艺术展的学术水准。办公室下设立了4人组成的艺术总监组，负责艺术委员会和学术委员会委托的具体学术活动。

4、高效的运作机制。具体落实工作由北京城市雕塑建设管理办公室、北京画院负责。根据工作进度，为了节省资金，梯级组建班子，体现精干高效。首先组建：(1)综合文秘部。主要职责：负责印鉴、公文、议程计划、会议，统筹协调各有关部门关系，完成组委会交办的其他工作。(2)会议展览部。主要职责：方案的征集、汇总、评选、加工、制作、布展及各项展览展务安全保卫等项工作。(3)宣传企划部。主要职责：负责国内外宣传工作的整体策划、组织。负责争取资金赞助，征集现场、媒体展览广告，产品开发及有关专题展等事宜。(4)礼宾外事部。主要职责：负责联系国外的雕塑家和雕塑机构，外事报批、发文，办理海关、入境手续及其他外事工作。(5)财务资源部。主要职责：负责财务管理、审查，编制专项资金使用计划、支出、结算、财务报告，保障资金按计划进度拨款到位及人员等资源管理。(6)接待服务部。主要职责：负责国内外雕塑家的接待工作，负责翻译志愿者的管理工作，负责安排雕塑家在京期间的各项活动日程。(7)现场指挥部。负责石材打制现场的石材码放、供水供电、加工制作，助工调度等，负责雕塑公园雕塑的定位、基础、吊装、安装，负责现场的吃、喝、安全、救护等等。这是一次时间短、任务重、多层次、多环节、立体运作的艺术交流大展，是大家通力合作，竭心尽力完成的。

二、展览的内容和形式

本次艺术展内容有三大部分五个内容。三大部分是雕塑的主题展、专题展以及学术研讨会；五个内容，一是有40个国家和地区的艺术家参加的中国北京国际城市雕塑艺术展收藏作品展，二是以中国雕塑家为主的参展作品，三是举办了“半个世纪回顾——北京雕塑艺术文献展”，四是首次举办了“童心、绿色、未来——全国少年儿童雕塑设计大赛”，五是举办了“城市雕塑与公共艺术”学术研讨会。展出两个月，观众80余万人

1、雕塑主题展：内容丰富，共展出收藏作品141件，立体方案 111件，总计展出252件。这次雕塑主题展从加工工艺上主要分了三个部分，第一部分“点石成金”——42块荒料运至现场，露天加工制作，公开展示加工过程，经过雕塑家与石材40天的“对话”、“交流”，赋予了沉睡多年的石材以艺术的生命；第二部分“千锤百炼”——指的是锻造工艺，材料为不锈钢板或铜板，经过艺术家的巧妙构思，工人千锤万击，成型焊接，打磨抛光，展现造型之美，工艺之巧；第三“火中取宝”——指的是铜的铸造工艺，从蜡型之后就看不到其形状，经过挂沙、焙烧，高温铜水浇注，全凭精湛的技术和良好的感觉，打碎沙壳，才知是否成功，所以铸造工艺又称“火中取宝”。

2、专题展：专题展是烘托主题展的，同时它又具有各自的主题，自成体系，其意义深远，也确实收到比预期好的结果。

(1)“半个世纪回顾——北京雕塑艺术文献展”，全面、系统地回顾了建国53年来北京雕塑发展的历史。内容详实，资料丰富，很多资料第一次与公众见面，很多老同志看后，追忆当年，浮想联翩。这是带有抢救性质的展览，挖掘出很有价值的历史资料。如鲜为人知的人民英雄纪念碑设计方案、不复存在的大跃进时期建设在中山公园内的《劈山引水》，建设在前门老火车站前的《乘风破浪》等雕塑。

新中国的雕塑艺术与共和国同时诞生。从1949年9月30日毛泽东主席为“人民英雄纪念碑”奠基，到如今已经走过了半个多世纪的历程，雕塑艺术以其特有的表现方式记录了新中国50多年中的风风雨雨。在共和国经济繁荣发展的今天，我们有能力也有必要回顾这半个多世纪北京雕塑艺术的发展成果，展现建国以来北京雕塑艺术的风采，系统总结北京雕塑艺术的成就。通过展览的形式再现那些默默耕耘的雕塑家们创作雕塑作品背后的感人故事，这不仅可以使人们深入了解老、中、青三代雕塑艺术家的创作轨迹，梳理北京雕塑艺术发展的脉络，而且使更广泛的人群关注北京雕塑艺术的发展，支持北京城市雕塑的建设。

(2)“童心·绿色·未来——全国少年儿童雕塑设计比赛”与“2002中国北京·国际城市雕塑艺术展”同时展出。全国少年儿童雕塑设计大赛是为了营造丰富多彩的艺术氛围，鼓励少年儿童积极参与公共艺术活动，配合素质教育的大力开展，提高少年儿童的艺术素质，启迪少年儿童用雕塑设计等造型艺术手法来表现对生活和未来的憧憬，发挥他们的想象力和创造力，以及运用各种艺术材料的能力。

作品征集采用广泛征集与特别邀请相结合，在有条件的地方，设立若干个创作基地进行辅导和制作；力求办成内容丰富，形式多样，具有童趣的雕塑设计比赛。作品内容与主题可自由发挥想象，其题材、材料、形式，规格均不作任何限制。通过此次少年儿童雕塑设计比赛的形式，能提高和推动少年儿童动手能力和参与意识，培养和造就21世纪的艺术新人。该大赛是建国以来首次以雕塑为主题的少年儿童比赛，凡属雕塑、立体设计、手工工艺创作范畴的造型艺术作品均在征集范围之列，如石雕、泥塑、浮雕、陶艺、纸雕、木雕等以及综合材料和废旧材料的利用等。在“中国·北京国际城市雕塑艺术展”期间还组织少年儿童在北京国际雕塑园进行了现场观摩、制作、交流活动。

吴良镛先生在留言簿上写下：“儿童雕塑展慧眼童心”。马来西亚观众留言：“它是儿童的心灵世界，也是儿童的幻想世界”。这次展览受到教育界的极大关注，受到老师和家长的好评。此次活动，共收到来自全国十几个省市的设计方案1000多件。通过大赛，开阔思路，辅助教学，培养德、智、体、美全面发展的四有新人。

(3)“快图美杯——雕塑在城市生活中”雕塑摄影展。这是北京第三次举办的雕塑摄影展览，摄影艺术与雕塑艺术结合，用摄影的形式凝固了雕塑的瞬间美，扩大了宣传。

3、学术研讨会：以“城市雕塑与公共艺术”为主题，围绕“雕塑艺术与城市文化”为内容进行理论研讨，艺术展研讨会邀请了来自世界各国的城市雕塑、规划、建筑园林等行业的专家，以多种方式展示其理论成果，组委会还将正式出版本次艺术展的论文集，为本次艺术展在理论层面留下浓重的一笔。

三、社会反响和收获

1、艺术品的收藏。这是一次雕塑艺术的国际收藏活动，“雕塑营”的形式是国际惯用的以较优惠价格得到雕塑艺术品的好形式，可以集中、大量、优惠地得到好作品。艺术展组委会于2002年2月份开始向世界各地发出了征稿邀请，在3个月的时间里，收到来自62个国家和地区的2400件设计方案图。经过专家两轮评选，共有40件国家和地区的242件雕塑作品参展。

2、外交的收获。这次征集活动，得到62个国家的响应，最后确定了40个国家和地区的雕塑家参展。有的国家非常重视，比如，巴基斯坦伊斯兰共和国在全国举办选送作品展览。很多驻华使馆积极推荐著名的雕塑家参展，多次到现场看望参展作者并邀请组委会去使馆做客。

3、提升城市水平。通过这次国际城市雕塑盛会，将为北京的城市景点以及2008年奥运会场馆留下一批具有国际水平的作品，充分展现了进入新世纪的北京作为国际大都市的艺术风貌，提升了北京城市文化品位，提高了雕塑在城市文化建设中的地位，使更多的人群了解城市雕塑，关注城市雕塑，支持城市雕塑的发展。

4、主题提升。本次艺术展以“交流、融合、超越”为主题。目的在于通过此次艺术展扩大国内外同行在城市雕塑及相关门类之间的交流与合作，使城市雕塑与公众生存空间相“融合”，求得“超越”民族性与世界性的界限，并能有所开拓与创新，使北京在和其他国际大都市相互交流、相互借鉴中实现对以往城市建设中观念的超越。

5、新闻宣传。国内外各大新闻机构，各种形式的新闻媒体，电台、电视台、报纸、网站等均作了大篇幅、跟踪的系列报道。特别是网站把雕塑展的过程、作品图片全部推上网，展示的时间长和阅读的范围广是其他媒体无法做到的。主流网站如千龙新闻网、东方网、华夏经纬网、今日中国网、新华网、视觉中国网、国际在线、世艺网、视界网、魅力导航等，专业网站如中国雕塑平台网、中国雕塑网、中国艺术视窗网等，地区性的网站如浙江大学文比素质网、故乡网站等均有报道。

6、雕塑家的评价。来自世界各地的雕塑家盛赞这是一次“艺术奥运”。很多雕塑家在他们的留言中表示了他们的感受，有的人写到“中国像她的历史一样伟大”，“北京是腾飞的城市”，此次展览“我将毕生难忘”等等。

里奥楼讲道：“你们邀请整个世界的艺术家来这个公园里表达自我，这里成为世界最为巨大的一个石制雕塑工作间。明天，整个世界将来此观摩欣赏。在过去的六个星期里，一天又一天我们亲身经历着这个露天雕塑艺术殿堂的巨变，眼看着这个公园和我们的雕塑一起成型，曾经矗立在这里的那些石头、那些未成型的巨石，今天，已经变成了雄伟的雕塑。特殊的身份使我们深深地感受到中国人民是多么的勤劳和富有责任感。明天，我们都将回到各自的国家，但我们不会忘记2002年的中国北京!”他在留言中写到：“这是我艺术生涯中的一大盛事。同时，它也是中国至今规模最大的雕塑展，它向世界证明了艺术作品是全世界人民理解、融合的途径之一。雕塑家们将会永远记得这次盛会。在此，向组委会表示衷心的感谢并期待着下次的相聚！”

世界各地的雕塑艺术家离开中国后，新年到来。随着新年的问候，也表达了他们对北京的热爱、对艺术大展的难忘情怀。《风马》作者，墨西哥雕塑家杰维尔·阿斯托加来信：“我必须向你们说出埋藏在我心底的感谢，你们像魔法师一样拉近了雕塑与公众的距离。艺术的存在是文明和进步的标志。中国在多年的努力之后，通过成功地举办雕塑展研讨会，为梦想成真树立了最好的榜样。我多想有机会为中国人民贡献我作为雕塑家的一份微薄的力量！生活是由片段累计而成的，而我人生中若干的精彩已永远留在了中国北京!”

这次大展意义深远，为繁荣城市雕塑奠定了坚实的基础，在经济繁荣发展的基础上，中国城市雕塑艺术即将结出硕果。

（《雕塑》2003.01节选）

四川省首届现代陶艺作品展观察

文／周晓冰

现代陶艺是一门世界性的艺术。近年来，尽管比欧美国家起步晚，国内仍涌现出一批现代陶艺家，他们的作品区别于传统陶瓷工艺品，在纯艺术领域开宗立派。这些陶艺家所做的种种努力，目的之一是使陶瓷艺术在无数次的实验中超越原有技术因素的约束而达到表现上的新突破。他们的作品注重现代多元性的审美意识和陶艺自身的语言。在四川省，自20世纪80年代以来，以唐英、杨为渝、王明久、余祖信等为代表的一代陶艺家苦心经营，厚积薄发，在近年来取得令人瞩目的进展。

2002年12月6日在成都举办的四川省首届现代陶艺展向我们展示了这一点。展览没有组织者或主办单位预先安排的主题，但充分使用陶艺本体语言以展示西南地域特色和时代气息，却不约而同地成为参展的160余件作品的主旋律。其中唐英、杨为渝、尧波、李清、王磊、张玉萍、阎城、李东、陈瑛、周晓冰等人的作品尤获公众和评论界的好评。

唐英的《体》和《彝人烟魂》不仅仅展示了陶艺制作上的技术手段，更表达了作者对陶艺独特艺术语汇的领悟。作者观察世界的新视角和作品新的形式是陶瓷艺术通往新时代的桥梁。

杨为渝的《阴阳》系列作品似乎是以竹笋的不同形态去简单地比拟男女性器，实际上却是试图诠释生命与土地之间内在联系。陶艺这一独具品格的艺术，先天就注定它不宜追求自然主义和再现的表达方式，而适宜以某种隐喻和通感来传达人文哲理。

李清的《梦里真实》可以称为环境陶艺，它以各类人头像(包括现代中国人头像、安阳出土的中国古代人的小型石雕头像以及欧洲、非洲人的头像)为底座，上植修剪整齐的灌木丛，似现代盆景，同时也强调了思想与绿色与生命的血肉联系。作者试图藉此阐释这样一个观念：艺术能够使空间环境充满人类的情感。

王磊将自己作品命名为《泥·性》在陶器的质感上强调经火烧后的陶土所特有的那种水性光泽，并在水、土、火之间寻求某种难以言说的制衡之力。

尧波至今仍在校专门研修陶艺，他的参展品为《IVP系列》以不同的人体器官自由组合成奇异的“梦幻之河”。对自己作品的解释是：“游荡着各式各样半人半兽的怪物，他们在沉寂的黑夜中嚎叫……承担起在非理性中恢复理性再把理性还原给非理性的任务。”

阎城的《禅障》以方柱造型，在赭红色陶土质地上施以黑白釉色的象征着人体的符号图案，似乎是现代版的祭天礼器，又像是自上苍俯视西南广袤红土地的芸芸众生。

陈瑛的作品《潮汐》以一组贝壳、珊瑚为造型形象，在身处内陆的成都平原向观众陈述世事沧桑。青年女陶艺家申明的作品《起风了——彝人印象》似一首散文诗，以流畅的线条、抽象的组合和简练的造型，留给人无限的回味。邓国平的《明天》、徐洪斌的《西部牛》、李东的《东方，虚空》等作品的创意来自现实生活，却超越了对现实生活的模仿与再现。

周晓冰以《雨中残荷》参展，线性地表现了荷叶茎的柔韧，并借此表现出荷花那种被古人描述为“破铁舟”的力度。同时，作品以“残荷”传达出对世间万物轮回、生死交替的感慨。

四川自古有写实雕塑的传统，东汉时期的四川陶塑即以其浓厚的生活气息和夸张的造型名扬千古，作品的地域特征非常明显。源于这种文化积淀，与比较重视装饰趣味的其他省份的陶艺不同，四川陶艺家在继承本土传统精髓的同时，更执着地探讨陶艺自身语言的纯化与升华。

（《美术观察》2003.03）

公众语言
——2003对公共艺术的观察

由中国雕塑学会主办，空与间文化机构承办的“公众语言——2003对公共艺术的观察”于2003年8月6日在上海空与间综合艺术展览交流中心成功开幕。展览内容涉及公共艺术概念的讨论、国内外公共艺术作品欣赏、各国公共艺术百分比政策介绍、公众对公共艺术的认识和看法、城市规划者及艺术家就公共艺术展开的学术讨论等。展览平面部分以翔实的图片和文字材料，系统地介绍了国内外公共艺术的发展。国外部分以地域为线串接出欧、美、日等国家公共艺术发展的过程及经验，对于我国城市建设中公共艺术的发展有一定借鉴作用；国内部分以时间为主线，回顾了我国公共艺术的探索过程，通过摘录部分城市规划、艺术展览、艺术作品展示出我国公共艺术发展的现状和成果，对从学术领域观察我国公共艺术发展有一定研究价值。展览多媒体部分，通过街头采访，真实地反映了目前我国群众对公共艺术的认识和意见，同时，与现场采访配套的问卷调查表也为进一步研究我国公共艺术的发展方向提供了一些调查依据。展览还邀请了来自北京大学、清华大学的公共艺术研究者与到场的观众以一种轻松的方式讨论公共艺术的概念，就我国公共艺术的发展进行讨论与交流。

随着人类文明的进步及民主化进程不断深入，“人性化”逐渐渗入到人类社会的各个方面。从艺术的角度，公共艺术即是一个集中体现人性化的交流态度与公共性质的门类，它是艺术从精英群体走向广大群众的产物；从城市建设的角度，公共艺术是表现城市个性，凝聚、维系都市空间，增加其人文关怀及感性内容的方式；从人类心理学的角度，发生在公共空间、具有交流及参与性质的公共艺术，是满足人类更高层次的心理需求(即社会归属感、认同、自我实现)的途径。

展览摒弃了流派之说，汇集了各种表现形式、风格的作品。正如雕塑家章永浩先生所讲：今天的这个展览非常有意义，它将各个时期、各种流派，写实的、抽象的等方方面面的艺术作品，汇集在这里以图片、多媒体等多种形式，向人们展示我们今天的文化建设的确已取得了相当的成绩。

同时，展览也汇集了众多著名艺术人士，以及政府官员，发表了他们的看法。这次展览的参与者、著名画家陈逸飞先生说："我很希望这样的展示、这样的讨论能成功，更希望能把理论的、讨论的东西变成实践。"上海某区园林部门领导也表示，希望自己的区域有很好的公共艺术作品，并对艺术百分比概念表示了极大的关注。

这样一个发生在上海空与间艺术中心300平方米空间内的展览，被视为是一次推广公共艺术以及公共艺术百分比概念的公关活动。为了使这种推广能让更多人接受，而采用了公众参与的方式，来延伸展览的维度，以及影响的广度。对艺术展览来说，的确具有某种特殊性。

(《雕塑家通讯》2003.03)

双年展契机中的"中国雕塑精品展"

文／邹文

改革开放以来，中国城市建设催生了大批"城市雕塑"。20年间，全国各地的公共环境雕塑加起来，总数超过以往300年来中国公共环境雕塑的积累。这种反映为"量"的成绩，是有目共睹的。但20多年来公共环境雕塑的"质"，却不敢让业内人士拍胸脯。知名作品不多，形成地标性、景观中心的作品很少，被社会公认经典的雕塑屈指可数。发展中的中国雕塑，精品率令人担忧。数量的无限膨胀，造成分母增大，使精品更趋下降，要害的问题是，精品率微弱的高产数字，恰恰暴露了公共环境立项权的失控，被称为"城市垃圾"的雕塑为数不少，平庸的作品充斥于城市。

我们在为中国雕塑繁荣发展不胜欢欣的同时，非常担心中国雕塑的精品化问题。从伊拉克战争画面的间接报道中，我们甚至发现伊拉克公共环境雕塑的精品率，竟不在中国公共环境雕塑的精品率之下。 别无选择的选择是，必须响应中国美术家协会副主席、中国雕塑学会会长、著名雕塑家程允贤先生的倡议："当务之急是抓精品。"

"中国雕塑精品展"便是基于这样一种学术判断酝酿而成的。创意、策划的思想动力，来自2002年的"中国西部风"雕塑巡回展，创意的技术性细化，曾试图体现为"青铜当代——中国青铜雕塑精品展"。事实上中国美术家协会雕塑艺委会和中国雕塑学会在运筹这项以"精品"为名的大型展事活动时，尽管多有考虑和尝试，不变的总是在围绕"精品"这一灵魂性的主题做文章；"精品"是口号，是取向，也是一种规格层次。雕塑界必须集体行动，打起"精品化"的旗帜。

接下来只需要选择一个最佳时机"升旗"。要有社会与新闻关注，要争取政府及"高层"的支持，要能形成雕塑界的感召凝聚，还要尽可能产生国际影响，获得社会资金。天佑雕塑界，2003首届北京国际美术双年展的举办，为"中国雕塑精品展"创造了符合以上条件的绝好机会。经多方努力洽商，"中国雕塑精品展"终于被纳入2003北京国际美术双年展。北京国际美术双年展是中国拟按国际相关惯例在北京采用的一种美术展会形式，被定位为与全国美展共生互补的又一大型重要展事。北京国际美术双年展的动议者是中国美术家协会。首届主办单位是中国文联、北京市人民政府、中国美术家协会。北京国际美术双年展与各国双年展为松散联接的关系，将在寻求中国特色与东方立场的前提下，致力于促进全球更大范围的艺术交流于古老文明的北京实现。作为一种侧重反映中青年艺术家较富学术探索性的跨国展览制度，将保持运作的独立性，为集体策划，追求更大的社会文化效应。

2003北京国际美术双年展为首届，主题为"创新：当代性与地域性"，侧重绘画与雕塑。(第二届、第三届拟于2005年和2008年分别举办。)它不仅是本年度中国美术界的头等大事，也不啻为中国文化界的一项盛举。届时，中国画、油画、水彩、雕塑等将配合举办"双年展"名下的多个全国性展览，展期1个月，构成声势浩大的覆盖面。国内外新闻界将作密集报道。双年展在文化艺术方面有以下的意义：1、建造国际文化交流的一大通道和桥梁。2、开启展示本土当代艺术的窗口。3、孵化艺术新秀新观念，缩短艺术更新周期以激活创新。4、在国际范围内理性甄别精良艺术，促进艺术精品化。5、将艺术同国际潮流与国家利益密切结合，开发艺术服务社会、服务于人的资源优势。

由中国美术家协会动议发起组织的“中国北京国际美术双年展”正式启动，为我们的雕塑创造了在北京对世界亮相的绝好机会。新疆克拉玛依市与克拉玛依区鉴于“中国西部风”的影响，表示愿出资促成“中国雕塑精品展”走向西部，并作为专展主办单位支持此项盛事先后分别在美丽的克拉玛依和北京实现。程允贤先生指出，中国雕塑界应以此项活动为契机，集合成一股力量，在大规模的美术盛会中凸显自身的作用和影响，共同推动中国雕塑事业的全面进步。150 件雕塑的参展，将形成对双年展主会场雕塑展的有益补充与延展，并以露天展的别开生面的形式，增强双年展和北京建都850周年的节日庆典气氛。雕塑家们对此一良机多有明察，虽在“非典”之后，主办方才正式发出征稿通知，短短的半个月之间，全国400余位雕塑家向“双年展主会场”和拟于王府井举办的“中国雕塑精品展”寄送了作品。最近，“中国雕塑精品展”的前奏“走进西部——克拉玛依雕塑主题活动”，已在神奇、迷人的西域重地克拉玛依上演，这标志着“中国雕塑精品展”的序幕正式拉开。

（《雕塑家通讯》2003.03）

提高城市公共艺术品位的新形式

文／杜使恩　武永凡

当前，城市雕塑作为城市形象的一个代表、一面镜子，甚至是一个旗帜，已经成为了我国城市文化的一个重要部分，城市雕塑的发展与繁荣已是一个不争的事实。那么，如何理顺雕塑、环境和文化之间的关系，如何协调招标单位、雕塑艺术家和民众的审美口味等问题将是制约我国城市雕塑发展的瓶颈问题。很长时间以来，由于自身各种的局限性，各级政府、观众甚至是雕塑家都无法单独做出圆满的回答，导致城市雕塑建设的无序化发展，也出现了许多问题雕塑。值得注意的是，由中国《雕塑》杂志社负责策划实施的“2003 · 太湖明珠——中国长兴城市雕塑艺术方案设计大奖赛”为我们提供了一个很好的参照范例，而雕塑学术机构在“政府、艺术家、观众”关系链中的介入，将会成为当前城市雕塑建设运作项目的新模式。2003 年 4 月 25 日，历时 6 天的“2003 · 太湖明珠——中国长兴城市雕塑艺术方案设计大奖赛”圆满结束。本次大赛在长兴政府的热情倡导下，在长兴文联的认真配合下，经《雕塑》杂志社积极有效的策划组织，最终实施。在浙江省委宣传部、浙江电视台等新闻媒体的广泛关注下，在长兴地区的广大群众积极参与，与政府、艺术家一起开展参评、参选活动，从而在阳春白雪与下里巴人之间走出一条成功可取的新路子。

本次活动得到全国 24 个省、市、自治区数百名雕塑家的参与，其中既有中央美术学院、清华大学美术学院、中国美术学院、广州美术学院、湖北美术学院、西安美术学院、天津美术学院、鲁迅美术学院等大批学院派雕塑家，也有河北、浙江、福建等地的民间雕塑大师，更有一批从事城市雕塑设计的专家和在校学生。众多的参赛选手中间，既有功成名就的中年艺术家，也有朝气蓬勃的后起之秀，作品风格各异，构思精巧，在一定程度上体现了我国现代艺术设计和城市建设、城市文化的高水平。

本次活动共收到近千幅参赛图稿，从中选拔出 57 幅作品进入决赛。以著名雕塑家钱绍武先生为主任的评选小组，经过 15 轮将近一宿的反复甄别，共评出一等奖 1 名，二等奖 3 名，三等奖 8 名，优秀奖 8 名。《长兴报》倡导举办了“长兴人最喜爱的城市雕塑”的群众评选活动，使长兴群众在参与中对现代文化艺术有了深入而全面的认知。

长兴城市雕塑艺术设计大奖赛期间，当地政府组织艺术家们参观了“金钉子”地质公园，专门召开了“龙山新区环境艺术及城市雕塑学术专题座谈会”。会上，专家们畅所欲言，为长兴城市雕塑建设提出了大量宝贵意见。大家一致认为，要把搞好城市雕塑落在实处，还要由类似中国工艺美术学会雕塑专业委员会及《雕塑》杂志社这样的权威机构来牵头，通过大奖赛或其它有效途径，将雕塑家们请进来，这样才能真正将城市雕塑建设提高到一个崭新的水平上。

《雕塑》杂志社社长范伟民先生主持了会议，他说：城市雕塑的建设，有其自身的艺术规律，既要含有艺术的高标准，又要和当地的历史、文化、资源相结合。只有这样，才能创作出高质量的城雕作品，才能让广大群众满意。所以，城市雕塑一定要慎建，切不可着急上马，再快马一鞭，铸成大错。要认真思考城市雕塑建设的方式、方法，必需协调好“招标单位、艺术家、观众”和“雕塑、环境、文化”这两组关系，我们杂志社就是围绕着这个宗旨进行具体的策划实施这项工作的。今天请各位专家来共同为长兴的城市文化发展献计献策，相信这也是一个互相交流、互相学习的机会。希望大家畅所欲言，贡献自己的聪明才智，最好是把自己多年来的具体经验甚至是走过的弯路也谈出来，供长兴方面领导做些参考。

西安美术学院雕塑系主任陈云岗快人快语：长兴人民在城市建设和经济发展方面很有气魄，在搞城市雕塑方面很有远见，和《雕塑》杂志社合作很对路子。《雕塑》杂志社主办了不少这样的活动，很有经验，对雕塑家来讲有很大的吸引力。在城市的发展中要防止盲从，要防止垃圾雕塑，要有自己的文化主流、总体规划及整体方案，不能全国看到的城市雕塑都一样，要有自己的特色，更要突破一般化的程式。

湖北美术学院雕塑系主任项金国如是说：现在的领导与以前不一样，领导的爱好不同，要求不同。领导(投资方)、艺术家（创作方)、厂家(制造方)对艺术的理解和要求，三者是不一样的。艺术家要有责任说服领导。公共艺术一定要有，而且要精，要比品位，比修养，比文化。在总规划、公共艺术方面，请《雕塑》杂志社及雕塑专业委员会做这个工作，会将水平推的更高一些。

中国工艺美术学会雕塑专业委员会秘书长朱尚熹在发言中谈到：龙山新区采用的同济大学的规划方案中启用了公共艺术的提法，进行公共艺术的实践，建议研究一下西方的公共艺术百分比政策。所谓公共艺术百分比是抽出所有市政设施和建筑工程总造价的1%的资金，用于城市公共艺术事业的发展和购买艺术品(最高采用的比例为2%)。为了将公共环境的资金和管理纳入法制化轨道，北京正在进行立法前的科研，计划2005年前立法。如果长兴实践相应的百分比政策，将在全国同类城市中树立典范，具体的运作，我雕塑专业委员会可以进行咨询，具体的项目实施，可以充分利用雕塑专业委员会的优势，向更广的范围进行征稿，并组织来自全国的专家帮长兴进行艺术与质量的把关，也只有通过这样的方法，依靠专业组织，依靠专家，才能打造一个江南艺术化的文化城。

中国美术学院李秀勤教授的发言很有针对性：“我直截了当地提个建议，要实施，把当代的公共艺术与雕塑发展作为一个课题来做，长兴是一个很好的平台。公共空间是非常重要的。一个项目要有很多专家来加入才能全面提高和落实。长兴的古越文化很有特色，城市雕塑的创作也要与当地的环境有密切的联系，应该有个专家委员会，由园林家、文学家、建筑师、雕塑家等专家组成，由《雕塑》杂志来牵头，才能形成一个整合系统审美观的理念，这是一种新的理念，要有学术研究的观念，在中国会有很好的前景。”

天津美术学院雕塑系主任景育民讲到：公共艺术一定要有很深的文化底蕴，要具备整体规划思路与具体创作的完美结合，一定要有整体文本，拿出雕塑整体规划文本后再细化，分配到具体的人，才能将工作落实。

合肥雕塑院院长徐晓虹谈论的是有关城雕施工的问题：如果方案已经定下，一定要保质保量地实施，一定要在规定的时间内完成。在环境上要有各种不同类别的雕塑区域，不同风格的雕塑家的设计，才能让一个城市的文化面貌丰富多彩。

四川乐山市建委的李学雷首先感谢中国《雕塑》杂志社和长兴政府为雕塑家提供的这个交流平台。他说：这种形式拓宽和提升了城雕设计的创作资源。这次活动的总体规划给我触动很大，而作为公共艺术的雕塑在现阶段介入，显示了地方政府的远见和胆识。人文景观会让这个山水园林城市更具活力和灵气。这也是我们现在很多城市在注重现代化建同时，值得思考的一个问题。城市是由许多元素和符号构成，文化是活的，是有生命的，它应该贯穿城市的历史，是延续的，是恒久的。

长兴宣传部长陈丽霞认为：“发言中大家的意见很好，给我们启迪很大，我们将认真听取、采纳。城市化是浙江省跨世纪发展的战略化选择，也是长兴社会经济发展和文化、科技进步战略性决策。这次和《雕塑》杂志社合作，举办这项活动，让我们的广大群众对雕塑艺术有了深入了解，将会全面提升长兴的市容景观和文化气氛。诸位艺术家来到长兴，是对我们工作的巨大支持，我们感觉增添了信心，有了更大干劲。我们的合作仅仅是开了一个头，下面的工作再怎么具体实施，还需要得到在座专家们的进一步合作。发展建设中的长兴需要你们的光临指导，希望《雕塑》杂志社能多组织艺术家们来长兴观光考察，关注长兴的经济、人文发展。相信这些活动会同长兴的国际投资贸易洽谈会一伴，共同成为让全国乃至世界注目长兴的新亮点。

范伟民社长总结道：城市雕塑作为公共艺术的一

部分，必须是合乎当代文化发展的，必须要有益于人们的生活与审美。它有一个不断发展、完善的过程。取得成果的同时，存在一些问题是难免的。在座的各位对公共艺术这个领域是很熟悉的，谈得很好。各位专家富有审美高度和学术高度，并有实际创作经验和能力，而地方政府的领导们熟悉当地的现况，诸如历史、科技以及文化渊源等。两方面的意见都要互作参考，积极沟通与合作，共同促进城市雕塑建设的准确性、经济性、高效性。具体的方案和课题怎么落实，我认为这还需要有雕塑专业机构的参与，在了解当地政府的所需后，由专业机构按照较高的学术标准来选择、组织负责创作的艺术家们，再与政府沟通、交流，给政府提出合理化建议，最终在艺术上监督作品的落成实施。相信这样会使城市雕塑的建设少走一些弯路。这次的长兴的活动是城市雕塑建设新模式实施的一个新起点，今后还希望在座的各位专家在长兴所需的时候仍然能够给予有力的支持和帮助，使长兴城市雕塑更上一个台阶，从而成为我国城市雕塑发展的一个典范。

为配合本次活动，《雕塑》杂志社还策划了“中国当代雕塑家原作展”，既有全国知名雕塑家的作品，也有一批有前途的雕塑新人的新作。材质齐全，风格各异。高水准的铸铜、玻璃钢、木雕、金属焊接、陶艺以及装置作品，着实让参加长兴国际投资贸易洽谈会的中外客商和长兴人民大开眼界。这种立体原作与平面效果图共陈的多维布局艺术品与公众切实的零距离接触、广大群众们的参与评比，从形式到内容都可以说是当前艺术展览中的新尝试。

（《雕塑》2003.03）

艺术家六月雕塑生命

文／朱军

给思想者加口罩、为烈士叶欣塑像……“融入自然，共享空间，雕塑生命——雕塑暨艺术作品展览”于6月5日（世界环境日）至12月31日在“城市雕塑与公共艺术网站”www.bjsculpture.erg进行在线展出。

展览是一次用艺术的语言表达爱心、关怀生命的社会共益活动，又是集雕塑、绘画、书法、篆刻等多种艺术形式首次联合在网络上举办的展览。据介绍，从5月12日护士节发出展览的征稿通知，到现在已收到作品稿件400余件，其中雕塑作品280余件，绘画作品80余件，书法作品篆刻作品40余件。作品来自世界各地，有从美国、亚美尼亚、新西兰发来的稿件；也有中国内地及澳门的著名艺术大师、专业工作者、业余爱好者的作品送展；北京画院提供了速写稿，清华大学美术学院、北京市建筑艺术雕塑工厂雕塑研究室集体送来作品参展。

中国雕塑学会秘书长曹春生教授带来了他的具有观念意味的雕塑《反思2003中国》。此件作品在原来罗丹的《思想者》的脸上加上了口罩。曹春生说，面对2003年初突如其来的“非典”疫情，中国政府和人民众志成城，同舟共济，共抗“非典”。在这次战役中，也有需要政府和人民反思的地方，诸如不良好的生活习惯。通过思考，让人民改变陋习。在四川大学艺术学院任教的吴兵先的作品是《众志成城——龙脊》，表现中华民族在和平时期体现出来的万众一心、众志成城的龙的精神。

（《建设市场报》2003.06.27）

“农民”进城惹来麻烦

“看见这些雕塑，我就像看见自己的过去。”“这都是什么玩意，不是寒碜人么！”昨天，一组写实当代农民的现代雕塑刚一摆进小西天附近的今典花园，即引起一些居民的强烈争议，甚至有人当场声称砸碎雕塑。展出的组织者称，他们本意是想给社区生活增添一些文化色彩，没想到竟惹出这么大的麻烦。最后，主办方不得不中断原定一天的展出，中途将“农民”请会回了美术馆。

（《北京晚报》2003.08.25）

大醇小疵

——2003长春国际雕塑大会之管见

文／陈培一

秋高云淡，天朗气清，在中华民族的传统节日中秋节来临之际，来自一百多个国家的近千名中外艺术家共聚中国的“北国春城”——长春。为期三天的2003中国长春国际雕塑大会于2003年9月8日落下了帷幕。

本次大会由国际雕塑论坛、雕塑作品邀请展、雕塑作品艺术展（中国现代雕塑名家作品展、中国新具象雕塑作品展、中国鲁迅美术学院优秀雕塑作品展；中国北方雕塑艺术年度展、非洲马孔德现代雕塑艺术作品展等七个展区）、长春历届雕塑展方案图片展、雕塑摄影作品展等部分组成。

本次大会以弘扬雕塑艺术、推动国际间的文化交流、加强海内外艺术家的联系为宗旨，集学术研究、艺术交流、作品展览于一体，充分展示了雕塑艺术的博大精深和无穷魅力，同时也体现了长春市政府强大的组织能力、运作能力。本次大会的规模之大、艺术成就之高在我国近年来的雕塑艺术活动中是不多见的。

建设部原副部长、中国建筑学会理事长宋春华在精彩的大会发言中，用战略的眼光为大家勾画了一个城市雕塑与公共空间共存共在的关系，同时在列举海内外城市雕塑优秀作品的同时，也阐述了城市雕塑与地域特色、民族文化、时代特性、艺术家的个性密不可分的关系，并提出了创造城市文化精品的高要求，认为“不断创新，多出精品”就是城市雕塑建设需要坚持的一条基本原则。中国工艺美术学会雕塑专业委员会会长、著名雕塑家钱绍武先生在发言中，以自己如何发现、学习、吸收民族传统文化的精华，并有效地运用到雕塑创作中去为话题，提出了“保持民族艺术特色，发扬民族艺术的优势，才能丰富世界艺术”的鲜明艺术观点。清华大学美术学院雕塑系主任、本刊副主编赵萌用清晰的脉络梳理了中国当代雕塑的发展，概括了中国雕塑从“观念更新(启蒙)——走出国门(转型)——辉煌呈现（发展）”的进程，展望了世界文化艺术多元化格局中中国雕塑艺术国际化的前景。清华大学美术学院教师胥建国在发言中，从社会发展、文化交流、艺术实践、公共艺术建设、雕塑理论研究等方面，肯定了长春雕塑展对中国雕塑乃至世界雕塑产生的积极作用。著名雕塑家潘鹤、程允贤、何鄂都从不同的角度，对雕塑艺术的民族化、精品化、国际化提出了自己的独到见解。著名建筑学专家吴良镛先生则从文化的角度精辟地诠释了雕塑艺术。评论家殷双喜以《雕塑的开放与开放的雕塑》为题，描述了中国雕塑艺术狭义和广义上的变化，叙述了雕塑从材料、语言、艺术史到空间的开放，指出了所取得的成就和存在的问题，认为：在进入新世纪的社会转型时期，多元化的雕塑创作并存，将会逐渐改变人们对雕塑的欣赏与审美观念。澳大利亚评论家肯·斯加利、刚果金沙萨美术学院院长里耀娄·利姆·穆卜安加、加拿大雕塑家大卫·鲁宾·皮特肯等都对本民族的雕塑艺术进行了介绍，坦桑尼亚华侨李松山、韩蓉则给大家展示了一个“黑非洲的精灵”世界，详细介绍了鲁伏马河畔的马孔德民族和它的雕塑艺术。东北师范大学雕塑系主任殷小烽代表所有与会的雕塑家在闭幕式上向长春市政府和大会的组织者表示衷心的感谢，感谢长春市政府为中外艺术家提供了一个广阔的交流平面，提供了一个展示自己才华的天地，也衷心地感谢老一代雕塑家对中青年雕塑家的关爱与扶持，表示在今后的艺术创作中要紧扣时代脉搏，扎根民族文化的土壤，力争创作出符合时代要求的、有个性的作品。

长春国际雕塑大会的运作，无疑是非常成功的，但是，任何一件事情都不可能是尽善尽美的，都存在着这样或那样的不足，都难免有些遗憾。长春的国际雕塑大会亦是如此，总的说来，今年的会议主要存在以下几个方面的问题。

一、有些论文的水准欠考量，不能给人以教益、启迪，不同国度的艺术家彼此之间相互介绍交往的多些。不同国度的艺术家相互认识、相互了解、相互推崇、相互学习本无可厚非，但是如果在大会上用较长的时间来谈论对某些艺术家的认识、看法，似乎有些欠妥，这样的交流似乎是有些太肤浅。还有的专家学者的论文则是近20年前写就的，有的专家则把民族私密性的东西和民族传统文化“等同”。在神圣的国际雕塑论坛讲台上，谈论这些话题，这样的做法，也似乎有些不严肃。为了给精心打造的长春市“政府名片”增加魅力，为了确保这个国际雕塑论坛的学术水平，衷心地希望大会的学术机构在甄别论文时要求更严格一些。

二、雕塑公园和展览会场的作品，中国当代最优秀的老中青几代雕塑家的作品荟萃一堂，形态各异，风格杂陈，交相辉映；而海外艺术家的作品除了非洲马孔德木雕震撼人心，让人激动不已之外，好像打动人心的作品为数不多。开放搞活、增进交流，“请进来”固然重要，关键在于要请进来什么东西。如果仅仅为了上规模、上数量，请进来平庸之辈而滥竽充数的话，则大可不必。中外文化艺术的交流要进行实质性的，要交流优秀的文化艺术，而不应该流于表面形式。

三、亲临现场，看得出长春市民对雕塑家的作品表现出极大的兴趣和热情。虽然长春市政府也出台了关于爱护的雕塑作品的保护条例，长春市民的整体表质也很高，但是诱惑是挡不住的，踏着草坪去近处观摩雕塑作品，把自己和孩子放在雕塑作品上合影拍照的现象时有发生。反过来想，既然市民有如此强烈的参与意识，那么为什么没有得到满足呢？如此的尴尬局面的出现，就是对会展组织者、策划者工作不足的批评。在工作中，第一位应该考虑的是全体市民，要有足够的空间让市民来参与。如此，艺术作品才会有永久的生命力，艺术活动才能得到有效延展。

四、在作品的布置陈列上，是组织者代雕塑家本人捉刀，致使雕塑公园里有些作品的处理欠妥，和作品的题材、立意、风格不太协调。例如，作品《大江东去》，那解衣磅薄的大气与脚下的一串红花草显得格外滑稽，使作品的艺术感染力顿减。如果把那些花草换成几块石头，则会增添几分高古，效果会截然不同。另外，有不少适合城市雕塑的作品被安放在雕塑公园内，显得不伦不类，城市雕塑和公园雕塑对环境的要求是截然不同的。显然，在雕塑作品的位置选择与陈设布置上，没有征求艺术家本人的意见，或没有专家的参与和把关。究竟如何，就不得而知了。如果在选址上、布置陈列上，组织者、专家和艺术家本人共同商讨的话，肯定就不会是目前这样。

另外，本次大会主、分会场分散，不集中，安排稍显松散不紧凑。雕塑公园里的有些作品和原创作品有些距离，可能是在作品放大、加工制作的过程中缺少艺术家本人监理的原因所致。

以上观点，仅供会议的决策者和组织者参考。希望今后的长春国际雕塑大会能够认真听取专家的意见，让专家从整体上予以参与和把关。就像宋春华同志所提出的处理好城市领导、规划师与雕塑家之间，艺术标准与艺术市场，本土雕塑与外来雕塑，质量与进度，大型雕塑与小品等多方面的关系的同时，改进不足，调换部分不合乎要求、欠水准的作品那样，也正如长春市副市长王学战在《长春城市雕塑规划建设管理构想》中所畅想的那样，“有计划，有选择地增加世界著名雕塑大师的精品，以提高雕塑园的品位”。相信不久，不仅长春国际雕塑大会举办得更好，长春也将会建成一座闻名于世的巨型雕塑城，中国的雕塑艺术也会得到巨大的飞跃，中国城市文化建设也将进入新的历史时代。

（《雕塑》2003.05）

全球扩展的国际艺术双年展

文／朱伯雄

近几十年，各国的国际艺术大展越办越兴旺，使现代艺术越来越易于冲破国界，输入国际传媒网络，为更广泛的人们所认识。其中欧洲各国的“双年展”中“威尼斯国际双年展”最具有权威性。它自首届展览（1887年筹划，1895年正式首展）以来，有一百多年的历史了。1993年，我有幸参观了第45届威尼斯双年展。在位于威尼斯城东庞大的加尔第尼·迪·卡斯泰诺公园里，设置了好几十个国家的展馆。我差不多用了一天的时间，还只能“走马观花”，当时我忽然发现有一个中国大陆和日本合并展出的展馆。如果没记错的话，我想这是中国艺术家首次参加这个双年展。往后第46届、第47届、48届，据说都有中国艺术家的作品参展、而且这些“亮相”的现代艺术作品也比以往更趋成熟。

事实上，威尼斯双年展在西方艺术世界的权威性和认同性，就是建立在这种招募策划人的民主、灵活的机制上的。比如奥利瓦、让·克莱尔和杰尔马诺·切兰特他们都只主持了一届双年展，而塞曼得益于经验和时间的延续性，1999年以纪念性装置艺术和大胆的录像作品吸引广大观众，并能发现中国新一代艺术家的独特艺术语言，得以继续主策2001年的双年展。他经过改组组委会，提出了扩展的新计划，并允诺缩减开支。众所周知，双年展的筹展经费在逐届膨胀，展地也在相应扩大。为解决展览的新空间，塞曼多次向该国政府和民间的机构，如与威尼斯建筑与环境遗产监督局、海军部、国家财政局、造船厂、市政公园等单位协同合作，才得以满足展区需要。还有就是筹募基金问题，显然，一次双年展的活动资金是相当可观的，仅靠社会赞助有时仍然捉襟见肘。威尼斯双年展大约从第48届起，不再由政府包办，而以基金会的形式来组织，这样，筹措展览活动的经费得由国家拨款、个人赞助和展出收入三部分共同组成，这不仅减轻了国家的财政负担，还能消除以往由于经济来源不稳定而使展览陷于瘫痪的尴尬局面。

这些国际性的双年展所展示的绝大多数是属于所谓后现代主义的作品，即多数是装置艺术、摄像艺术和多媒体综合作品，已很少有架上绘画或传统雕塑品，但第45届上我看到部分来自中国大陆的艺术品仍以架上绘画和传统雕塑为主。由于观念与思维方法不同，许多后现代作品往往匪夷所思，观众驻足半晌也难弄懂其所要表达的本意。不过，也有不少作品极易引起人们的联想，如意大利馆有一件作品：展厅门前悬挂着两幅希特勒与墨索里尼肖像，走进厅内，徒具四壁，地上的面砖已全被砸碎。有几个孩子在跳着游戏，清脆的瓦砾声响起，这一切不由使我联想到战争的破坏。又如俄罗斯一件名为

《红色帐篷》的装置作品，高音喇叭用俄语在宣传，这些宣传内容对于我这个20世纪50年代就学了俄语的人来说也是耳熟能详的。在第48届双年展上容纳了少量非洲艺术家的作品，如南非的行为艺术家特拉西·罗丝的录像、尼日利亚的桑德·杰克·阿克潘的彩色水泥雕塑《首领》，以及肯尼亚的一些综合材料装置《Mau Mau装置》。看来这届双年展有点抵消了历届的欧洲中心思想，比如视像艺术越来越被人们所接受，有两项大奖授予了阿尔巴尼亚艺术家安里·萨拉和美国年轻的视像艺术家约翰·皮尔逊，前者拍摄了在米兰大教堂外长凳上打盹的老人，后者则拍摄一个神情焦虑的商人正在处理桌上成堆的文件，似乎不处理完毕就逃离不了他的办公室。这意味着这些后现代艺术已开始关注起芸芸众生的平凡生活，作品内容在日常生活中尽管琐细到人们不屑一顾，可是一旦经过艺术的提取，会引起人们的联想性反应，“人的平台”所展示的正是这种让观众的心灵与经验相通的理念。

第二大权威性的国际艺术双年展是德国的卡塞尔文献展。卡塞尔(Kassel)位于德国中部的黑森州，在二战时期那里是德国飞机和坦克的制造中心，二战结束前该城几乎被炸弹夷为平地，首届卡塞尔文献展是在1955年举行的，以后每4到5年办一届，由于主持策划者对当代艺术的远见卓识，又善于组织，因而获得了官方的大力支持，最初以绘画、雕塑、装置和素描为主的大展馆，直至今天已发展成为国际前卫艺术的实验场和当代各种新思潮的交汇点，其权威性就建立在以4至5年为一个思考周期的冷静观察力。称为“文献”，即意味着卡塞尔展出的艺术品被认定为是当代最重要的。因此，卡塞尔文献展已成为定期的国际性大型展览。1997年的第十届卡塞尔文献展历时三个月，参观人数突破了历史最高纪录，因为这一届也是上世纪最后一次。主策人是一位来自巴黎的女士卡特琳·戴维(Catherine David)，她是自有双年展以来唯一的女策展人。她打算把此届展览办成一个“文化教育宣言”，通过所展示的所有艺术品，要人们对诸如城市化主义、区域性与全球性、人权、“社会的民族国家”、国家和民族主义、市场的全球化、民族政治、宇宙主义、文化主义等等问题的学术性加以关注，用主策人的话说，第十届文献展是“对现实社会批判性的讨论”。全世界的艺术舆论给予这一届展览极大的支持，几乎所有的传媒都对其作出了充分的肯定。

实行主策展人制度大约是在1930年的威尼斯双年展上，由于它是国际性的，各国设置了国家馆，并增设国际性评审机构(后来一度因种种原因取消了评奖制度)，作为颁奖的评定权力中心。两年一度的国际性美术大展，便成了美术界的“奥林匹克”盛会。二战后，最初的20年仍以威尼斯双年展为核心，各国纷纷建馆参展，如日本早在1931年就在民间募集基金去威尼斯建设展馆，后来日本向中国和东南亚发动侵略战争，建馆的事也搁置了。当西方艺术出现反对现代主义的趋势并形成高潮时，澳大利亚的悉尼歌剧院落成了，它标志着建筑艺术的一种反现代即后现代倾向。1973年为庆祝这座新建筑建成，举办了首届悉尼双年展，目的是向全世界展示澳大利亚当代艺术发展的最新成就。自此以后，连办了11届双年展，共向观众展示了来自60多个国家的一千多位艺术家的作品。悉尼不仅是世界旅游的胜地，两年一度的双年展也吸引了世界各地的艺术爱好者、艺术经纪人和艺术品收藏家们。通过座谈、讲座，那些富于挑战性的艺术形式给澳大利亚的视觉艺术增添了新的活力，各国的艺术团体和艺术家们竞相前往汲取新的艺术理念并建立起相互对话，于是，这种艺术交互“碰撞”的新形式——国际性与地域性的双年展活动，普遍在欧、亚、美各地先后举办，成了一种全球化行为。

去年三月，美国推出了惠特尼2002年双年展，其主题是挑战世俗，重弹杜尚与波伊于斯等艺术家的老调，试图模糊艺术与生活之间的界限，这很符合美国人的欣赏口味。在南亚，也出现了许多开放性的国际艺术双年展，如孟加拉首都达卡在前年举办了“2001年孟加拉国第10届亚洲艺术双年展”(简称“达卡双年展”)，表明它也有20年历史了。这是1981年在孟加拉总统齐亚·拉赫曼向亚洲国家敞开一扇文化交流窗口的倡议下开始举办的，它现在已经是亚非太地区(Afro-Asia Pacific belt)一个重要的国际展览中心。第10届双年展我国应邀派遣全国美协主席与南亚美术史家王镛先生参加。在东北亚，最著名的应数“光州艺术双年展”，它从1995年的首届开始，已经举办了四届，作为亚洲的国际性艺术双年展，它应是这一地区最大的双年展了，而且在每届展览前夕，韩国就像欢度民间节日一样十分热闹。上述这些国家的双年展已在国际上跃登世界艺术展览的知名排行榜，尤其是“光州双年展”，一开始就标榜“超越界限”、世界乃是一个“无地域性的地球”等等，极为引人注目。这一双年展上参展的国家已达到50个左右。中国艺术家的作品差不多在上述国际性大展上都有展示，但主要是一些旅居海外的中国艺术家的作品。除此以外，欧洲与美洲各国尚有无数个地域性的双年展，如里昂双年展、圣保罗双年展以及1998年加拿大蒙特利尔的首届双年展等等，这些地域性的双年展近来都弘扬一种主题精神——注重普通对象、展现平凡生活。我想，现代艺术的特征是它的多元性和包容性，现代艺术品可以熔铸更多普通人日常生活中接近的事物与精神理念，唯一的差别是民族心理的“异己性”。

我国上海的国际艺术双年展也已办了3届，通过交流与对话取得了很多办展经验。现在北京即将举办第一届国际艺术双年展，相信此届双年展一定能更上一层楼，让世界各地的艺术家们在这里广泛对话，更期望新一代艺术家们的优秀作品能给各国艺术“朝圣”者们带来美好的心灵感受！

（《美术观察》2003.11 节选）

红色的记忆与想像

——关于策划“左手与右手——中、德当代艺术联展”的札记

文／冯博一

但凡涉及到两国或几国的艺术联展，共同展示和相互的交流是不言而喻的，却也是很空泛的。交流什么？如何交流？其共性与差异性体现在哪里？怎么体现？这都需要策展人和参展艺术家考虑。关于这次展览，我最初的想法是在中、德两国的历史和现实文化中寻找一个连接点，同时这个连接点也应该是针对当下的现实文化情境而生发的，从而使两国参展艺术家能够面对一个共同的主题进入创作语境。基于这样的考虑，我想到在中、德两国的现代史中，都经历有不同的社会主义历史阶段，尽管其历史进程有所不同。由此我提出了“红色记忆”的命题。但在具体的现实操作中，由于受到了某些限制，我又将展览更名为“左手与右手”。

“左手与右手”是一个比较日常化的名词，对这一概念也可以从一个很宽泛的角度去理解。因为从世界范围上来说，文化全球化是人类文化发展的总趋势，它意味着人类文化正由机械的单一化走向多元化的共同共存以至交流融合。而世界文化融合的实质在于各个文化个体吸收和融合了世界其他文化个体的多样性而形成新的文化格局，即“合而不同”。以“左手与右手”作为展览的题目，是试图将“全球化”概念比附于人的身体机能，“左手”与“右手”比附于不同地域、不同国度的本土概念。它象征着在文化全球化趋势下，不同文化之间建立的相互守望、相互扶持、相互依存的支撑关系，展示了个人价值观和传统的集体主义价值观在全球化过程中的相互中和，借此寻求文化在全球语境中自我发展和自我更新的可能性。

我们邀请、选择的中、德参展艺术家正是面对全球化冲击之下的各自特殊处境，为世人提供了一种对于全球化的另类的想象与表现。他们以本土的方式处理了不同的跨越时空的个人生存状态，展现了在文化混杂时代里的不同体验。这里有来自传统价值与新环境的结合，也有对存在于个人价值之外的相互了解和沟通之不可或缺的有力表达，从而为当代文化打造出一种新的、有趣的经验和样式。

尽管展览的名称改变了，但在文化全球化的框架内，我仍坚持以“红色记忆”作为此次展览的主题。“红色记忆”是特殊历史环境下的产物，相对封闭和对某种政治神话的迷狂是它产生的不可缺少的时代条件。在以往的岁月里，这些作品以强烈的情感色彩，实现了艺术为政治服务和教化功利的目的，也使革命的艺术找到了适宜表达这一内容的相应图式，为视觉艺术积累了丰富的红色经典创作经验和样式。这类作品不仅为人民大众所熟悉，培育了他们独特的欣赏、接受趣味，而且成为支配艺术家创作的主要目标，并在持久的传统中变成了大众的集体记忆。因此，作为重要的、曾经的主流文化资源，它得到当代艺术家的重视并不断地被发掘和利用。

但目前的挖掘和利用，尽管媒介、材料及样式各有不同，可大多还是停留在质疑、消解、反讽、戏谑等层面上。其原因在于那时作品的内在精神是高度意识形态化的，所有题材都严格地服从当时的政治需要。它的图式是标准化的构图，人物形象是公式化的，没有性别特征和人性内容，所有的艺术场景也都在革命浪漫主义的名义下，远离了真实的生活。所以这样的解构有其逻辑上的必然性。

然而，倘若剥离这些作品为政治服务、宣喻教化的一面，仅从这些作品的图像上分析，则具有纯粹、力量、极简的特征，可见创作它们的作者是满怀激情和真诚的。我的策展主旨是试图在剥离之后提示一种积极的甚至是亢奋的革命激情，通过图像和造型来表达艺术家对当下文化场景的立场和态度，并从上述的模式中试验、转化出新的创作起点，促使一种新的语言表述方式的生成。

我在选择艺术家时是在"红色记忆"的规定性范围内的，所以，展览的题目和主题没有必然的联系，如果说有关系也只是一个大概念和具体的小概念之间的词汇转换。这是在大的文化全球化框架内的一例来自民间的交流行为，属于现实策划中的技术性处理，因为任何当下的文化艺术交流项目尽可涵盖其中。

"红色"和"记忆"在这次展览的语境中是富有象征意义的限定词。"红色"是诱惑、召唤、激情甚至疯狂的颜色，是在历史中完美体现革命者理想的亮色；而"记忆"是试图将已获得的经验保存下来，由此也产生了抗拒丧失的想象，两者相互构成彼此的表层与深度结构。这样的诉求方式带有针对我们当代艺术现状的忧患和祈盼。所谓忧患是指，自上个世纪末以来，民间的活动空间已愈来愈大，中国当代艺术的问题已不是来自于外部的限制和压抑，而更多的是来自于我们内部系统的自甘堕落。形成这种状况的原因，并不是利益化生活本身对艺术家精神深度的强制性伤害，而是艺术家面对多重利益的纠结与诱导，已越来越无法找回自我坚定的艺术信念和必要的自省能力，忽视了作为一个艺术家对一切扭曲个人立场的世俗利益与物质欲望的必要反抗。换句话说，就是一些艺术家在作品中所批判、揭露、消解的对象恰恰是其在现实生活中所享受的内容，这就在创作逻辑上形成了一种悖论与怪圈。所谓祈盼是指，对于一个真正的艺术家来说，创作只是对自我恪守的文化立场的一种检视与张扬。真正的艺术家是以时刻警惕和时刻怀疑的方式，融入喧嚣生活之中又退到其后，然后以独特的审美发现来展示自己对现实、历史以及人的生命的独到认知。即把那些对当下物欲横流的焦虑和对人文精神的急切呼唤投射到历史意识之中，通过对"红色记忆"的重新解读，为我们这个缺乏精神原创力的所谓"全球化"发掘出历史的红色遗产，也为21世纪缺乏英雄主义和理想主义的无所适从的现代人寻求存在的合理依据。"红色"对有过这些经历、经验的艺术家来说是"记忆"，对于年轻的艺术家来说是"新知"。它重新接续起人们久别的历史情感，使人们通过"红色记忆"再次与历史发生联系。它修补了因断裂而造成的无限恐慌，使人们重新凝聚于历史想象的红色旗帜之下。

当然，这次展览，尤其是中、德两国的联合展览，究竟能在多大程度上体现我的策展理念，也不是由我个人来评说的。我也深知这多少有一点乌托邦的理想主义色彩，但这是我目前观察和思考的一个问题。在文化多元主义的时代，在与断裂的历史建立微妙关系的现在，红色记忆的重新书写与想象，不仅为本土文化资源的开掘提供了另一种可能，而且作为一种文化追求，或许会受到观众的某种期待和欢迎。如果它能成为一种新的文化现象而引起关注，那是我的希望所在。

(《美术观察》2003.11)

北京双年展：一次突破性的尝试
——首届"中国北京国际美术双年展"报道

文／徐沛君

并不轻松的运作过程

北京国际美术双年展是一个官方色彩十分浓厚的双年展。自一年前开始筹备以来，双年展各机构尤其是承担具体工作的中国美协机关一直在高效、紧张甚至超负荷地运转，筹办工作自始至终都处在重重压力之下——捉襟见肘的经费本难以应付各项开销，今春"SARS"又肆虐北京，使许多事项被推迟或取消。它还有一些无形的压力。作为特殊的政府行为s，展览既不能"出格"(即不搞行为艺术)，还要表现出"开放"的姿态；它既要体现出鲜明的"当代性与地域性"，还要体现出"创新"；它既要按照国际双年展的规则和模式操作，又要体现"中国特色和东方特色"……双年展有近30位策划委员，老中青三代俱全，各自在观念上难免有差异。如何协调诸多策划方案，也需要进行艰难的平衡。由于缺乏人手、经验和时间，北京双年展的后期运转已经显得仓促，展览场地的纠葛也让主办者大伤脑筋。直到开幕的前一天(9月19日)下午，仍有部分国外参展作品滞留在海关待运回。下午5时，一位来自法国的女艺术家还在世纪坛展厅里为自己的作品润色。10月5日，也就是双年展颁奖仪式举办十多天后，记者登陆北京双年展网站想浏览获奖者的有关信息，却发现网页上仍是几个星期前的旧内容。而网站主页上面向国内征集作品的宣传标语仍赫然在目——"入选北京双年展可作为加入中国美协条件之一"。以如此的"优惠条件"征稿，当属"中国特色"之一。

四平八稳的展览模式

北京双年展是中国有史以来最大规模的国际美术展览，它虽然只定位于绘画和雕塑，但四平八稳、面面俱到的做法足以使之不堪重负。单是国内部分的绘画就已经包括国画、油画、版画乃至漆画、水彩画，而国画又必须涵盖山水、人物、花鸟以及某些“创新”的题材，油画必须有写实、古典、抽象之分。国外作品中自然要有油画、日本画乃至韩国画。为了求得“丰富”与“多样性”的效果，策划委员们必须一一兼顾这些画种。这种评选指导思想集中体现在中国美术馆展场中——空间有限的几个展厅里陈列着150余件中国作品，种类堪称面面俱到，兼有年长艺术家和新秀的画作与雕刻，作品堆砌的密集程度几乎达到极限，让观众觉得视觉疲劳。一位观众不无讽刺地将展览模式概括为“国外大红人＋全国美展明星阵容＋著名老教授＋优秀和勤奋、有探索精神的青年艺术工作者”。多数观众并不排斥绘画与雕刻，相反，他们不喜欢视像、装置等新的艺术形式，但他们仍对北京双年展的模式表示失望，原因是它与历届全国美展的模式过于类似，而且选题中庸，缺乏冲击力。

模糊的主题与宽泛的“创新”

首届北京双年展的主题是“创新：当代性与地域性”，这实际上是个过于笼统宽泛的主题，因为单单“创新”这一个词就有很多解释。本届双年展定位于绘画和雕塑(即通常所说的“架上”)，但是看过展览之后，何为“创新”，“架上”的创新究竟是又个什么概念，观众仍难以找到答案。

表面看，“创新”这个主题合乎时代节拍，而实际上策划委员们在策展方向上选择了一个大难题。

展览尤其是国外展品缺乏明确的观众定位。因为，对于专业人士而言，无论是德国画家彭克的作品还是意大利画家山德罗·基亚的作品都不会让他们觉得新奇，因为当今传媒发达，他们对此早已司空见惯。而对于普通大众而言，他们也难以对新表现主义等流派的作品怀有很大的兴趣。主题中“当代性”也似乎名不副实。而唯一能与展览内容吻合的是“地域性”，因为展览首次将大量的亚非拉国家的作品集中展示给中国观众。

评奖

2003年9月21日上午，“双年展”颁奖仪式在中国美术馆举行，靳尚谊宣布了评奖结果。获奖作品是从参加主题展的四百多幅作品中选出的(特展作品不参加评奖)。这次评选，对国外艺术家的年龄有所宽限，而国内艺术家的参加评奖年龄严格限制在45岁以下。据悉，在中国青年艺术家作品奖的评选中，中外评委争论较多。尤其是油画部分，国外评委一致认为中国油画整体水平较高，只评出一幅优秀作品非常困难，并请靳尚谊先生在颁奖时说明。经过了长时间的讨论，才最终确定《哥们姐们》胜出。国画部分的评选也经历了一番争论。只有雕塑作品的奖项得以顺利通过。

“特展”的意味

相比较而言，中国美术馆的展览比中华世纪坛的展览更能吸引观众，原因之一是前者的展区包含了四个特展，即中国齐白石特展、法国秋季沙龙特展、日本高山辰雄特展和韩国美术特展。四个特展虽然和双年展主题没有多大关系，但是相对集中而且有历史感，因而吸引了不少专业人士。将三个东方国家绘画作品的特展与一个欧洲国家的作品特展相并列，似乎显示了强调东西方文化平等、反驳“西方文化中心论”的策展意图。但仅从三个东亚国家的特展中仍可以看出民族文化企图确立各自独立地位的自觉。韩国艺术策展人金润洙以“苦难的一个世纪”为题目，为韩国特展撰写前言，藉此回顾了20世纪韩国文化被殖民化以及摆脱殖民化的愿望和曲折历程，韩国版画家郑园澈展出了三幅写实版画，其中两幅为《慰安妇肖像》，另外一幅为《统一运动家文益焕肖像》。从其他作品中也能看出韩国美术企图抹去周边大国文化带来的一切影响，文化心态敏感而自尊。但韩国美术在实现文化“独立”的同时又进入了另外一种“文化殖民”中，因为在韩国的“现代主义”绘画里明显带有欧美文化的影子。相形之下，日本高山辰雄特展的东方地域色彩更明显一些。虽然早在一个世纪前日本就提出“脱亚入欧”的口号，但高山辰雄的作品却无多少“入欧”的痕迹，相反，他展出的《牡丹》、《奉献——进入密教》以及《唐诗选》都取材于中华文化，一些作品中有大量的书写规范的汉字书法，倒也落落大方。颇有意味的是，某些中国画家的作品却带有日本画的痕迹和韵味。

在双年展“外围”

按照惯例，国际双年展将持续3至4个月，而这届北京双年展只有一个月的展出时间。与北京双年展同时进行的众多序列展，如全国粉画展、漆画展、第二届中国画大展精品展以及陈列在北京王府井街头的雕塑展等持续时间则更短。

这短短的一个月被一些行为、装置艺术家、策展人视作天赐良机。在展览的开幕式与颁奖仪式之后，一位身穿艳红色旗袍、扮作新娘状并怀抱一绒毛玩具的中年男性“行为艺术家”在展厅里招摇穿梭，欲与众展品争艳。另外一批人在北京周边地区

"新艺术家"们的聚居区和海淀区某房地产开发商办的美术馆内大张旗鼓地行动起来，企图露一下脸。这一类的展览至少不下10个。这情形似乎很热闹，但忙活的只是艺术家们自己，而且未出现预想的轰动效应。主要原因是这些展览场地大都处于京郊的角落里，而北京又太大，看完中国美术馆和世纪坛的展览足以使人筋疲力尽，除非专门的研究者和热心的艺术爱好者，一般人很难有精力和耐心去一一欣赏前卫艺术家们的杰作，观者寥寥无几。这些展览的策展人和艺术家经常在"等待戈多"似的状态里度过一整天。值得注意的是，这类展览大都打"北京双年展"的擦边球，以"外围展"自居，而官方则宣称"中国北京国际美术双年展"的名称已经注册，只承认"序列展"而不承认所有的"外围展"。

反响与思考

北京双年展引发了一些温和争论，但多集中在美术圈内部，而社会上反响不大。展览也没有唤起一般媒体的兴趣，这与主办者的期待相去甚远。2003年10月9日的《中国青年报》第8版刊发了一篇题为《疑惑的北京双年展》的文章，第一段末句为"这也是国内外名为'双年展'的展览，第一次在一个国家的首都举办"。这足见作者的浅陋与编者的无知，因为孟加拉国首都达卡、埃及首都开罗以及英国首都伦敦都举办过规模不等的双年展。这样的谬误出现在发行量巨大的《中国青年报》上，造成的影响不可忽视。这个"笑话"也说明"双年展"对普通中国人仍是个陌生的概念。威尼斯双年展之所以能取得巨大的社会与经济效益，与主办者重视宣传有很大的关系。政府希望借双年展显示北京的开放和活力，而主办者也充满各种利益的期望，而这届展览在宣传上的投入非常薄弱，至于展览的收益，恐怕主办者自己最清楚。据悉，2005年和2008年，北京将举办第二届、第三届双年展，若是仍不重视宣传以及学术研究的支持，怕是赔本也赚不到吆喝。

（《美术观察》2003.11 节选）

应切实体现国家文化战略
——"中国北京国际美术双年展"引发的思考

文／彭迪

在现代世界格局中，维护国家整体利益、加强国家综合实力是谋求民族生存和发展的基本方略。国家力量的当代衡量不再局限于经济和军事力量，在国家发展和国际政治中，文化已走向前台，文化国力已成为综合国力的重要组成部分。利用文化交流弘扬民族文化，宣传自己的国家，提高自己的国际地位和影响力，已是世界各大国家特别是发达国家的战略选择。在当代国际关系中，冷战思维并没有随冷战时代成为过去。与政治主权和经济主权相对应，文化主权日益成为国家间主权斗争的重要砝码。有学者指出：以美国为首的西方发达国家凭借其雄厚的经济、政治实力和发达的全球信息网络带给他们的文化传播优势，一方面将大量的精神文化产品、社会政治理念、价值观念等输入其他国家，推行文化霸权主义，一方面竭力垄断和操纵国际舆论，利用文化手段巩固其强权地位，维护其全球利益，以至追求政治经济手段难以达到的战略目的。在西方的文化渗透中，发展中国家的文化格局遭到破坏，文化传统受到严重威胁；西方国家的文化产品不仅通过市场占领严重影响发展中国家的文化产业，更使其民众特别是年轻一代接受西方的生活方式、思维方式和价值观念。这一切最终会对民族文化生存构成毁灭性打击。因此，对发展中国家而言，实施文化战略——捍卫自己的文化主权，维护自己的文化传统，以文化手段抵御西方文化霸权和文化殖民的强大冲击，避免被西方文明"格式化"的深重灾难——在所必然。

在艺术领域，实施文化战略的重要手段是展览，尤其是大型展览。

现代展览样式和制度，缘自欧洲资本主义对世界市场的需要。自1851年维多利亚亲王阿尔伯特创立"大博览会"后，各种大型博览会纷纷兴起。在博览会上，欧洲国家竭力炫耀各自的工业力量和殖民地的广阔资源。1895年，威尼斯双年展开风气之先，将艺术变成大型博览会，逐渐形成一种以欧洲中心为本位、以革命性的"现代艺术"为标榜的展览模式，西方国家于此进行体现其文化选择性的精永久性的支配力量。美国不是艺术的神话，其决策者们(包括那些赞助艺术的阔佬)绝不会袖手旁观“世界文化发展的前沿”，也绝不会客观反映“世界当今美术发展的面貌”，他们会用“自由”、“民主”这种具有明确政治蕴涵和战略针对性的概念而非“真、善、美”这类浮泛的词藻，强力实施其文化战略，最终把一切调理得合乎自己的口味。

今天来看，如果没有苏联的解体和冷战的结束,也就不会有奥利瓦对第45届威尼斯双年展思路的调整。他提出的展览主题——“艺术的基本方位”，力图以“开放”的“新国际主义”营造“艺术领域中的和平游牧主义”(奥利瓦语)景象，表露了“西方”阵营在国际意识形态斗争取得胜利后的一种“怀柔”性质的同时又是重点目标转移的文化战略姿态。然而，实际上,那条为中国当代艺术家铺设的“东方之路”却逼仄得很，那些“和平游牧”了一回的“中国羊”——通常被我们得意地理解为中国当代艺术在新的国际文化格局中获得合法身份的标志,并没有被邀约表现我们的和平祖国意识，带回来的“新国际主义”精神却是“以西方现代艺术的规则作为一种普遍的语言规则,是中国艺术走向现代化的必然途径。”面对至今还自以为荣获了“国际地位”的这种“胜利”，我们悲叹之余倒是特别佩服洋人文化战略意识的高超。“不战而屈人之兵”，这中国的征略智慧竟被他们发挥得这么好。

“文化的征服是人心的征服,人心的征服才是真正的征服。”此话精辟。不幸的是，种种人心被征服的迹象，已在我们的文化艺术领域表现为“与国际接轨”、“按国际惯例”、“走向世界”一类的意向、主张或行为，一些体现所谓“普遍的语言规则”和“全面开放的姿态”的展品、方案甚至得到了专家和政府有关部门的肯定与支持。这一切，包括“中国北京国际美术双年展”的实际表现，让我们感觉到我们的理论界、策展部门似乎还缺乏从国家发展战略和国家文化安全意义上来研究、对待和把握美术创新实践的明确性；缺乏在创作激励、遴选评价、展示交流、评论宣传等各个环节上体现应该有所明确的战略意向和策略。

作为第一次由政府举办的国际性质的双年展,“中国北京国际美术双年展”的意义是深远的。它会在未来更加明朗的情形中,显示为国际美术格局因中国崛起而始呈历史性变化的一个界标。有鉴于此，仅仅探询规模宏大的北京双年展取得了哪些艺术成就,无疑会蔽障它表现在更高层面上的文化意义。以目前的眼界来看,它的象征性以及应该由此引发的关于国家文化战略的思考,已经使那些仅仅关注艺术内部的任何价值判断都变得无足轻重。因为，无论如何，它作为一个重大事件即这项大型国际性文化活动得以举办，这本身就显示了政府对国家文化战略的重视和主动出击的姿态。我们当然为之鼓舞，为之兴奋。

前提肯定是好的，组织工作也是出色的，但是,就切实体现国家文化战略而言,北京双年展的缺憾是明显的。譬如,尽管北京国际美术双年展办公室为本届双年展标志所作的阐释——“红色‘✓’形表示以中国文化立场和眼光对国际美术的遴选与评价的主裁权”,以及展览正式文案中的一些措辞,似乎都从字面上表露了一种战略意识和色彩，或者我们情愿往这方面去理解,可是在一些应该体现了“遴选与评价的主裁权”的入选作品以至获奖作品上,我们却难以解透这一切:我们究竟追求怎样的文化战略目标?我们究竟保持怎样的文化立场和眼光？我们究竟体现怎样的文化选择？我们究竟坚持怎样的文化导向?我们究竟希望国人接触怎样的“世界文化前沿”?……倘若以为提倡“架上艺术”就是一种文化立场的话，那么,这种“立场”显然不够“文化”；倘若以为把安迪·沃霍尔列入特展计划就是一种文化眼光的话，那么，这种“眼光”显然缺乏“立场”。

（《美术观察》2003.11）

民工赤膊出展，作秀还是艺术？

文／胡劲华

社会学研究和艺术家创作组合展示，表现民工的生存状态和其所反映的社会心态，《我们在一起“民工同志”当代艺术展》于昨天在北京今日美术馆开幕。本次展览由联合国教科文卫组织和中国社会科学院、今日美术馆联合主办，为期八天展览以摄影、雕塑、装置、录像、多媒体的多种艺术形式进行展出共分为三个展区。

记者下午1时许赶到现场，在电梯就遭遇到几名光着膀子的“民工艺术表演者”。

随后在侧门记者遭遇了一群正在宽衣的民工，他们将要为参观者表演“与民工在一起”。联合国项目官员、地产商、自由艺术家、大批媒体记者则在画廊静观开幕式。与大批相关人员现场形成对比的是，参观的普通市民寥寥无几，而民工参观者除了表演的200多名民工外更是没有一人。当正式参观的众人从民工身边经过或者拍摄，神态各异、高矮肥胖不一、皮肤颜色深浅不同的民工也在用不同的眼光观察着这些从身边经过的人，眼中流露出各种复杂的“符号”，有的发出笑声，有的还交耳低声下气议论，年轻的民工腰间多有手机，年长的民工则是鬓间白发，还有浑浊的眼神。

（《信报》2003.11.23 节选）

何处寻梦

——观第50届威尼斯双年展之我思

文／ 聂危谷

创建110年，欣逢第50届双年展，今年的水城威尼斯令艺术家心驰神往。本届双年展策展人弗朗西斯科·博纳米(Francesco Bonami) 有感于因“9·11”事件、巴勒斯坦问题、恐怖主义、萨斯病毒、伊拉克战争、反战等各种争端而分别针对不同国家和民族，几乎无人幸免的歧视眼光，不禁联想到40年前马丁·路德·金一生中最著名的演说“我有一个梦”，试图以艺术的方式，为人类重寻“梦想”。

大展主题“梦想与冲突”本身是一个矛盾体，博纳米阐释为：“现实与历史永远充满了矛盾，这就是为什么我会这样命名本届双年展的原因。同时，威尼斯双年展本身也存在着冲突，因为我们认为艺术是无国界、无语言、无种族的，但实际上，我们为每个国家都设置有展厅，而在这个国际化的大展览中，每个国家的标志及界线都不相同，这本身就是一个冲突。”策展人对主题的阐释勾起了我们的好奇心，为双年展凭添几分戏剧性的诱惑力。

我们搞艺术史的，对具历史感的东西都会有解不开的情结，况且威尼斯双年展曾推出过我所心仪的美国波普艺术大师劳生伯格和中国行为艺术家蔡国强。于是我不在意自己并不是雕塑家，而只是南京航空航天大学的学者就欣然随《雕塑》杂志社组团赴欧考察，恰好在双年展闭幕前一天赶到威尼斯。

当天上午海水涨潮，更加雨意绵绵，威尼斯的水巷、屋宇、广场大都浸泡在倒灌的海水和淤积的雨水之中。旅游鞋泡湿，风衣淋透，寒气逼人。终于跑进了双年展“避难所”去大开眼界，算是一举两得。

装置作品占了大半，地上摆的，墙上挂的，天花板上吊的……叠床架屋式、一盘散沙式、对影相怜式、半遮半露式、坦然直陈式等等。加上黑白五彩，灯火明灭，影象变幻，若非我辈轻车熟路的道中之人，恐怕早就如堕五里雾中，哪有心力体验“爱丽丝梦游仙境”？

五花八门的作品是否演绎着博纳米斑斓的“梦想”？以至连一群黑白男女当街裸交的录影也能代表“一个当代的梦想和希望，是对传统城市历史概念的一个颠覆”？我弄不明白博纳米葫芦里面卖什么药。至于“冲突”，不见得来自博纳米所谓“国家的标志及界线”，依我看来，倒是由各路当代艺术“巫师”乱七八糟祭起“法器”酿成了“冲突”的腾腾“杀机”。

英国艺术家史塔尔林(Simon Starling)将一辆意大利生产、远征波兰时更换过零部件的菲雅特小汽车悬置在展墙上，虽有可能隐寓着冒险、跨国资本、全球化等观念，但在视觉上却平淡无奇，表达意义的语言方式贫乏无味。匈牙利建筑师费得曼(Yona Friedman)用凸凹起伏、形状不一的碎保丽龙泡沫板拼接成巨幅貌似新奇的壁画，有眩人耳目于一时之效，笔者以其为背景拍照留念，照片印出来后却觉得索然寡味——作品苍白的泡沫质地与花哨琐碎的形状，恰如当代艺术浮躁乏味的品质以及百孔千疮的碎片状态。

“广东快车”的郑国谷，在其布展的半封闭蜗居内挂满了机器成批制造的锅铲瓢勺现成品，除了让人觉得是对超市生吞活剥的压缩模仿之外，实在不能提供更多的想象空间。林一林则以乱砖铺床并在上面搁置电视机，让人联想到的仅仅是建筑工地民工的单调生活。这种连粗制滥造都说不上（因为纯属挪用而非制造）的大拼盘，除了烘染出“乱哄哄你方唱罢我登场”的窒息气氛，观念启迪和语言感染力皆乏善可陈。

当然，参展作品良莠不齐，并非一味地都使人乏味和窒息。已故巴西观念艺术家欧伊提契卡(Helio Oiticica)以五彩油漆的门、窗、梯子集成壁挂式的平面装置，以象征贫民窟的希望，倒算得上既见气势，又有憧憬，并能产生视觉力量和美感的作品。阿尔及利亚艺术家本尼雅(Samta Benyahia)利用阿拉伯风格的彩色玻璃窗，以及置放水晶物质的八角形地面符号营造了一座乌托邦神庙，倒有点“室雅何须大”的味道，明净宁馨的氛围配合着本民族诗歌的朗诵声，似乎在为多元文化和平相处的美好愿望而虔诚祷告。兼长摄影的德国艺术家范普雷森(Magnus von plessen)以照片为人物画范本，却以一律横向的超常宽笔触强调“刷”的肌理，并极力简化形体细节，从而有力地消解了照片的摄影品质，不仅手法有趣，且内隐观念而耐人寻味。我猜范普雷森或许是以绘画作为手段，对由摄影滥觞而今泛滥成灾的图像话语霸权提出质疑。这与里希特(Gehard Richter)“画”照片用意显然不同。若非我目力不济或因时间所限而失之交臂，我敢说本届双年展上，类似这些令人寻味的作品实属凤毛麟角 。

一个发人深省的对照是，我有幸于1985年在北京观看了前威尼斯双年展金奖得主劳生伯格艺术展，时隔将近20年，至今脑海中仍可浮现其作品一幕幕景象，而今观威尼斯双年展不到一个月，脑海中的印象已经黯然。有人说劳生伯格早已过时，姑且不论所谓大师与经典是不朽的，单就其艺术语言而论，除了录影之外，劳生伯格 的创作早就囊括了迄今为止艺术家们仍在采用的一切手段。而劳生伯格艺术中所体现出来的观念、气度、品位、智慧、视觉冲击力和心理感染力，都是当今的艺术新锐之作无法望其项背的。

无论是其以枕头和床单打响美国的《床》，还是用照片拼贴而成享誉世界的《平底船》(威尼斯获奖作品)，以白棍系铁丝悬吊玻璃杯的《美国旗舰》，以及山羊、轮胎、公鸡、枕头、椅子，种种俗物，经他鬼斧神工，与摄影、丝网版、率意的笔触、雕塑、标本相嫁接与构成，顷刻之间点石成金，化腐朽为神奇，变成了艺术经典（尽管他采用大众媒材）。

西方美术史学者王瑞芸从美国回来探亲，闻我此言深有所感，她说当代美国艺术混乱肤浅得简直没法观瞻，她打算写一本书予以清算。今天的艺术家过度自负，转瞬之间就不认昨天的传统而惟奉时尚所好，因此文化和艺术的根底太浅而飘若浮萍，所谓的创意成了无源之水，浮躁而缺乏生命力。难道杜尚真的是“一招鲜，吃遍天”？自从他将小便器命名为“泉”，堂而皇之地送进了美术馆从而一举颠覆了大众与精英、艺术与生活、创造与挪用、美术馆与洗手间的屏障之后，再也无人超越。劳生伯格虽亦没有超越杜尚，至少以其信手拈来的大手笔和大智慧、与全球对话的博大胸怀，将杜尚精神发扬光大。如果说劳生伯格已经过时，那么劳生伯格之后，杜尚的徒子徒孙们到底还能在哪一点上与杜尚一较高低?

前年威尼斯双年展蔡国强捧走金杯，中国人也算出了一回风头。但说句老实话，且不谈其挪用经典《收租院》而惹来涉及著作权的浑身腥膻味，就是把雕塑作场挪到展出现场的“前无古人”之举，也实在算不上什么高明的金点子。值得反思的是，在一个资源日渐匮乏、生态日益恶化并且由于交通发达而日渐狭窄的小小地球村，有没有必要炮制如此大量的文化垃圾（同时也是不断恶化环境的物质垃圾）？

守在国门内的艺术家至今不入大道，总爱钻牛角尖，在“笔墨等于零”与否之类的艺术枝节问题上小题大做，而“走向世界”的艺术家，又立刻与西方艺术界的野小子们沆瀣一气，挖空心思出一两个馊点子自欺欺人。究其根本，都脱不了跟风的毛病，不是跟古代洋人邯郸学步，就是跟当代洋人亦步亦趋。

有人诧异于鲁美学生一窝蜂地存心画丑画(Bad painting)，认为国人至今缺乏健全人格，没有足够的自信心发掘自我。而今美国艺术家虽然手段笨拙，但至少人人都以为自己是老大。其实岂只是中国艺术家不自信，恐怕第三世界艺术家皆少有自信者，也就是好歹依赖鲁迅所说的“他信力”过日子。要不然既然看不到皇帝的新衣，为什么偏偏人人还要效法“穿新衣”的皇帝呢?

西方艺术已经步入了第三次历史性的大衰落期，昔日大破大立的创造性锋芒不复可见。世界文化同样处于低谷。在全球一体化的表层下面，刀光剑影的文化冲突肆虐，灯红酒绿的消费文化横行，这是一个理想失落、缺乏关怀的时代，博纳米记起了马丁·路德·金在孟菲斯梦想破灭的前车之鉴，纵使今日博纳米有梦要圆，但所依靠的艺术家大多却是身陷时代囹圄，只知追名逐利、及时行乐的戏子，何处可以寻梦，何人可以托梦?

通过实地考察西方艺术，可以印证我们对西方乃至整个世界艺术发展的理性思考，作为我们认识本土艺术现状、推动本土艺术史进程的镜鉴。不必鹦鹉学舌地跟在西方人后面侈谈什么艺术衰亡，或者模仿西方人以艺术的名义玩世不恭，把一切的理想、抱负、关怀统统踩扁在脚下。以井蛙观天的方式臆断他者深浅高低固属庸人，但跟着洋人或买办恭维皇帝的“新衣”漂亮更属愚蠢。只有知己知彼，学会静观、默审与反思，才能拥有可贵的文化批判意识，平心静气地在艺术中体现真诚与真知，做出对历史和文化负责而非故弄玄虚的作品。

（《雕塑》2003.06）

四、交流平台

首届国际彩色沙雕节在中国

文／曹春生

中国陆良首届国际彩色沙雕节暨沙雕大赛于2001年3月10日，在云南省神奇美丽的陆良彩色沙林风景名胜区隆重举行。这次活动由世界沙雕协会(WSSA)、云南省旅游局和曲靖市人民政府主办，由陆良县人民政府和中国沙雕组委会承办，大赛邀请了美国、俄罗斯、意大利、加拿大、丹麦、墨西哥、荷兰和澳大利亚等八国代表队，及国内北京、上海、云南、浙江和广西等六个代表队参赛的。

这是全球首创的唯一国际性彩色沙雕大赛，也是世界沙雕协会2001年全球七大赛事之一，各路选手首次用彩色沙进行创作，显得格外兴奋和激动。

首届国际沙雕节的主题为“千年梦幻”，通过各路沙雕专家精美创作，把3亿4千万年前形成的彩色沙林古陆风貌与21世纪相衔接，使彩色沙雕艺术融入到彩色沙林独特的自然生命中，展现沙雕艺术的生命魅力和彩沙神韵及在新世纪人与自然和谐的发展 。

正如世界沙雕协会主席、美国艺术家格雷先生在开幕式上所说：“陆良彩色沙林是个迷人的地方，让我们的沙雕选手在亿万年前的海底世界里创作天然彩色沙雕，这实在是件奇妙的事。大自然鬼斧神工的造化为沙雕艺术赋予了全新的概念”。

以往的沙雕活动均在沿海沙滩举行，是用单一色调的沙子进行塑造的。而中国陆良虽为内陆地区，远古的海底却留下了有12种色彩的沙林，本次大赛所用的色彩沙就有8种，第一次使国际沙雕活动如此色彩斑斓，实为杰出创意。

各路选手自3月3日开雕到3月10日开幕，仅用一周时间，所创作的作品都为长宽各八米，高度为5至6米的巨型雕刻。完成创作十分辛苦，选手们付出巨大劳动和智慧，令专家、群众赞佩不已。

（《雕塑家通讯》2001.02 节选）

中央美术学院安娜·罗歇特教授国际交流课程训练

文／隋建国

安娜·罗歇特教授的专门训练班作为中央美术学院与巴黎高等美院教授互换课程的第二阶段，历时50天，授课内容为建立在现代材料语言及现代观念艺术基础上的公共艺术。参加课程的有四川美院教师曾岳，鲁迅美院教师鲍海宁，天津美院教师景育民、谭勋，湖北美院教师田喜，在校研究生李险峰，景德镇陶瓷学院教师曹春生，山东东营市规划局干部任勤斌及中央美术学院雕塑系教师蔡志松，在校研究生李亮、马军、孙毅。他们先后参与了“资料与观念”和“公共环境与艺术观念”两个阶段的课程，并在中央美院通道画廊举办了结业观摩展。从训练班的成果中可以看出此类国际交流课程所特有的直接性、前沿性、实践性。通过国际间的校际教授互换课程，可以把国际上最新的、最具前沿性的当代艺术课程体系纳入我们原有的教学体系中。这也是我们当下教育改革实践的一个组成部分。

安娜·罗歇特(Anne Rochette)1957年生于法国Oulins，1979年获巴黎高等美术学院造型艺术雕塑专业证书，1982年获纽约大学艺术硕士学位，在巴黎、柏林、纽约多次举办个展。曾获法国外交部达·芬奇奖(1993)、纽约艺术基金奖(1991)、国家艺术天才奖。

文／安娜·罗歇特

这6星期的工作是应中央美术学院的邀请，以巴黎高等美术学院和中央美术学院的学术交流与对话为目的而举办的。在此之前，2001年1月份，隋建国教授应邀在巴黎高等美术学院主持了一个工作室，那也是两个学院间的第一个工作室。之后，在隋教授的建议下我主持了这个以公共艺术为主题的训练班。我把这个工作室的教学分成两个阶段。第一个阶段，是在很短的时间内完成一件作品，对媒介、材料、尺寸和作品的永久性没有任何限制。唯一的要求是做一件有关在北京的特殊体验的作品。我发现做一件作品来回答这个问题并不像看起来那么简单，对我来说，它倒是引发了当前艺术中的许多问题，同时导致我们这个班产生一系列相当激烈的对话，当然是在一种非正式的方式下，所涉及的话题如下：艺术家思考方式的一般性与特定性；材料的一般性与特定性，以及艺术家与观众的关系；艺术家的意图的相对重要性；艺术作品的真实性以及实际的效果；观众的观点与作品意义的呈现之间的关系；当代艺术中传统与破坏之间的关系；在评价一件作品的时候，不管是否意识到我们都有某种评判的标准，但我们在面对不同的文化，面对古典或当代艺术时，是否有不同的评价标准；在当代艺术实践中，是否有某种规则存在，它有多大的必要性；题目或其它文字材料在作品中的功能。

如果这些交流与对话产生了什么结果，那就是大家开始认识到在当代艺术中每一个单独的因素都重要，这意味着你必须运用眼睛和大脑对一件作品进行无情的剖析，不管是自己的或是别人的。

这个工作室的第二阶段，是为一个公共空间设计一个雕塑或装置方案。感谢西城区规划局提供这个机会，使我们能够在北京“什刹海”地区这样一个特定的环境下做一个实地训练，感谢西城规划局对我们班的信任及孙伟教授，是他促成了这件事。

在对这一地区进行了一次集体考察之后，学生们被要求确定他们感兴趣的某一地点，解释他们选择这一地点的原因，并为实际的地点作文献，搜集资料，设计作品方案。以假定每件作品都将会实现为前提，意味着它实际上是在一种可行的方式下执行。这些方案我们都集体讨论过，并提出了问题，特别针对如下一些问题：具体特定的环境和人的关系，包括在此环境中生活和经过这里的人们；一件作品怎样改变或是否改变了我们对这一环境原有的感受和经验，相对于放在美术馆或私人空间里的作品，艺术家对于他的放在公共空间的作品有什么样的期望；作品的可行性、技术问题，是否能被接受的问题，材料、尺寸；把一个大尺寸的方案转换成模型和可视的文献资料，传达所有可能的与方案有关的信息资料的能力，从而促使有关公共艺术委员会或是个人能够作出实施方案的决定。

在集体讨论的过程中，强调能够提出问题，以及艺术家怎样发展并解决这些问题，在提出问题之前没有任何答案，我相信这是艺术实践的重要因素，既从旁观的角度，也从艺术教学的角度来说。作为一个教师我的角色是提出问题更甚于去解答问题，答案经常是集体努力的结果。

在有限的时间内，这里呈现的方案只是艺术家在做公共艺术作品过程中的第一步，它们将被提炼、发展并接受挑战。但我希望这些方案能为进一步的发展提供一种激励作用，这种发展既需要年轻艺术家的努力，也需要政府部门更多地参与到中国公共雕塑的发展中来。

我在此感谢中央美术学院让我能够得到跨文化的教育学经验，感谢隋建国教授无价的帮助以及孙璐和刘立蕴，没有他们的帮助，学生和老师之间的对话和交流不可能实现。

（《美术研究》2001.04）

2001中国宜兴国际陶艺研讨会暨陶艺展

本次研讨会于2001年5月29日—6月3日在著名陶都宜兴举行（展览延长至6月10日），有国外陶艺家如美国的理查·诺金、日本的高桥弘教授等及数十位国内外各大学、学院的专家学者参加学术研讨，同时展出国内外陶艺家的作品，出版研讨会并组织参观和制作表演，举办两天的西方陶艺研讨和讲座。

（《陶艺家通讯》2001.12）

我与我的中国学生

文／托尼·布朗

我在中央美术学院进行的为期5周的短训班分为两个部分：第一部分是同来自中央美术学院及其他地区的中国学生一起工作；第二部分是一个合作项目，由短训班的中国学生与8名来自巴黎的我的法国学生一起工作。第一部分的时间是5周，而第二部分中国与法国学生的交流只有10天时间。

短训班的第一部分是帮助并鼓励学生发展出更具创造性的、自我激发的个人化工作方式，它不同于传统的目的是进一步提高学生技艺水平的短训班。我强调的是“为什么”，而不是“怎么做”。这样的教学要求我同每一名学生交流并一起工作，并通过我们之间的讨论让每一名学生发展出自己的工作计划，因而学生们的作品各不相同，不再是同类的作品。

短训班的第二部分是一个有主题的实践活动，它要求法国和中国学生结为小组工作。根据要求，学生们参观了在现代化过程中被拆毁的传统建筑并针对这种情况做作品。10天以后，中国学生和法国学生都拿出了自己的合作成果并在中央美院进行了联合展览。此次短训班让我有机会第二次访问中国。这一次我的感受与第一次大不相同，那一次是旅游，而这次的5周时间我已经真正开始了解中国。我喜欢我的中国学生，他们聪明而且勤奋。我喜欢法国和中国学生通过交流项目一起工作。这样的交流让法国学生和中国学生都可获益，不管是在文化方面或是技术方面。我希望今后在中央美院和法国国立巴黎高等美术学院之间有更多这样的交流。

（《美术研究》2002.02）

光州艺术双年展之 中国当代六人展——“0＋1”

这次双年展采用了新的结构体系，在“暂停”的主题下多项推进，由几个部分组成。“中国当代艺术6人展”是2002年光州双年展的组成部分之一，主题是“0+1”；地点是双年展文化艺术馆第一展厅；展览时间是2002年6月1日——7日。来自中国大陆的当代艺术家任戬、李象群、毕建勋、安昌奎、周细平、陈连富拿出他们的近期优秀作品参展，在展览期间，配合有包括音乐会在内的多种艺术交流项目。

关于主题“0+1”：艺术从来就不是一个孤立的文化概念。它同社会生活的各个方面，包括政治、经济、文化等领域形成了一个有机的互动体系。社会学家马林诺夫斯基总结为“文化的真正单位是‘制度’”。因此，在人类的历史中随着社会生活、社会结构的变化，艺术的内容、风格、样式也在不断的变化，谁能说艺术的历史不是人类的文明史呢？可以这样说，艺术与不同时期的社会生活的各个方面形成了一个完整的逻辑系统。主题中的“0”代表着完整、圆满，也是一个句号，一个结束。

现代科学技术的突飞猛进，在很大程度上已经成为了我们今天的生活内容，它不仅改变了我们的生活，更是改变了我们本身，人类文明“合理地发展”到了今天，它促使我们重新思考“文明、进步”这样的概念：主题中的“1”代表着“重新开始”。

主题“0+1”的概念所强调的是：系统与逻辑的完整并不意味着生命结构的完整，平和地看待过去，重新开始，和谐将重新成为我们期待的理由。本次参展的六位艺术家，多年来在中国大陆一直受到人们的关注。

李象群——作品的外表呈现出一个由不锈钢板，同透明的有机玻璃板所构成的三角形状，在两层板的中间是一个由真人翻制的塑胶女人体，被挤压、变形。不锈钢板、有机玻璃、钢钉、塑胶女人体构成了作品的全部内容。

一个扭曲的人体“标本”被挤压在一个冰冷的空间中。下面是供人类以及一切生物立足而又状态日益严峻的地球，上面是使人类或者所有生物能存在于地球的大气层，地球上所有的生物就存在、寄生存在这两层物体之间。于人类而言《寄生》不仅仅是作者对于现实生存状态的认识与反应，宏观意思上也是对一种文化、精神上的存在状态的诉求与思索。

任戬——“卡通”在今天不但是一个流行符号，更是一个极为复杂的词语，是一种具有极高含量的文化现象。《大声唱系列》等八幅作品仿佛一个洋洋大观的社会学的世纪图，把政治、经济、文化等不同领域的“精英”符号化。在跨国语境与中国当代文化的关系的层面来讨论艺术与政治、与生活等多重复杂的关系，重新探讨艺术与生活的边界。文体的解读意义在于同观众形成了一种“真正的对话”。

毕建勋——曲折的艺术经历与多种文化基因，使其从既平常又特殊的角度对于问题重新发现，不仅仅是感悟，更是道义、责任、良知和情感。

安昌奎——企业家、艺术家的多重身份和复杂的阅历使他对于艺术与社会的思考具有了一种多向的维度，油画作品《长白魂》、《时代的交响》在激昂的情绪与张力中，透着一种理性与秩序，巨幅的作品配以音乐，在一个极具私密性又极具公共性的空间中，形成了观众与作者之间的“自然——生命——社会”的多元交流通道。

周细平——条形码，是一个公共制定的进行交换的规则，条码代表科技，是一个权力标识。不同的政治、经济领域，不同的意识形态，都必须遵守公共规则——条码，建立一个规范、健康、合理的国际新秩序。

《交易规则》是由不同时期推动世界的政治经济代表人物与条形码的组合构成与图式的“布告”。

陈连富——宗教情感一直是陈连富的内有特质，也使他的作品具有了一种复杂性。

《危险的游戏》由几十个巨大的浮在空中的十

字符号所组成，同时期配有大量的带有美国国旗的飞镖，十字符号既像十字架又像飞机编队，飞镖既像武器又像东方的“针灸”。在这个有机体中，“伤害”总是被我们认为是距离与矛盾的重合，作品本身就是一个“场所”，这个“场所”给予我们足够的权利和手段来医治“伤害”，这同时又是一个游戏的进程。

《战俘》系列，是4个巨大的被宗教符号所综合了的女人体，很容易让人想起“迷宫”这个词，谁能说不是一座“迷宫”呢？“迷”对于人类似乎有着永恒的吸引力，不同肤色与文化背景的人们在这座迷宫里面会根据自己的文化经验重新整合出新的秩序与结构，最后形成了一座座新的“迷宫”。

他们本次的参展作品虽然风格各异，但强调艺术本体、重新解读生命是他们作品的共同的特点。他们的作品不仅体现出人的生命状态与智慧，重要的是作品本身所引发出来的历史与文化的思考。

这次展览将再次吸引人们的目光，这种关注，不仅是关注“艺术”，重要的是关注我们自身。

（《雕塑》2002.03）

著名青年雕塑家吕品昌赴美讲学

文／一品

应美国西弗吉尼亚大学艺术学院、纽约州立大学阿弗雷德陶瓷学院和阿其布瑞陶艺基金会的邀请，中央美术学院雕塑系副主任、中国雕塑学会副秘书长吕品昌教授于2002年初，对美国进行了为期两个月的讲学、考察、访问和交流。

吕品昌先后在西弗吉尼亚大学艺术学院、阿弗雷德陶瓷学院、哈佛大学艺术中心、麻省艺术设计学院、波士顿艺术学院、波士顿艺术博物馆学院、北伊立诺州立大学、加州圣荷西州立大学艺术与设计学院和蒙大拿州阿其布瑞陶艺基金会等15所大学进行了讲学交流。讲学内容包括：中国当代陶艺和雕塑艺术创作、中国陶艺教育状况、个人的艺术创作介绍和雕塑与陶艺的示范表演。讲学交流在美国陶艺界引起了广泛关注和好评。当地的新闻媒体都有相关报道和专题评论。访美期间、吕品昌还应邀出席了3月在堪萨斯城举办的第35届全美陶艺教育年会，与世界各国的艺术家进行了友好交流。

（《雕塑家通讯》2002.04）

我在加拿大打石雕
——记加拿大沃肯纳根汤普森国际雕塑创作营

文／朱尚熹

我和我的同事赵磊刚刚结束了在加拿大大不列颠哥伦比亚省（British Columbia Province简称BC）的沃肯纳根地区举行的沃肯纳根国际雕塑创作营活动(Okanagan Thomposon International Sculpture Symposium)，于9月15日回到北京。

关于本次活动

这次创作营对雕塑家的选拔沿用了国际上常见的办法，即先通过对所有申请作者所交作品的幻灯片和简历等资料进行筛选，形成入围作者群。缩小范围后，再在入围作者中征选本次创作营的创作方案。我们连过两关，获得参加资格。

本次国际雕塑创作营历时三个多月，从2003年5月18日到8月30日为止。参加创作营的雕塑家分别来自加拿大、中国、美国、英国、奥地利、日本、以色列等国家。按照要求，参加此次活动的雕塑家应在3个月内独立完成一件永久性的公共艺术作品。雕塑家们采用的材料有大理石、花岗岩、不锈钢、青铜甚至玉石。作品尺度大多在高2−4米间，个别超过5米，达到6−7米。

与国内的以及世界其它创作营相比，这次创作营最大的不同之外在于工作环境。首先，沃肯纳根地区是一个南北走向的狭长的山谷地形（约200公里）。山谷之间有众多湖泊，其中最大的一个湖名为沃肯纳根湖（Okanagan lake)。这个湖形状狭长，约100公里，有8个主要城镇、地区坐落于湖畔，风景优美，空气新鲜，阳光充足，这里是BC省重要的旅游地区之一。25位雕塑家被分派到各个城镇，每个城镇拥有的雕塑家从1个到4—5个不等。就创作营的覆盖范围来说，方圆数百公里，在世界上都是首屈一指。举办此次活动，除了推动文化建设、美化城市和社区环境之外，另一目的是试图拉动该地区的旅游产业，所有艺术家的工作地点都被安排在人流很大的公共场所及公园内。艺术家在工作时有责任与游人百姓交谈，回答问题，显然，主办者希望活动引起公众的关注。

关于作品的环境，大都很理想。加拿大以自然风光美丽而闻名，而BC省是气候环境最好的省。这里的城市都很年轻，什么都是新的，所以，有很多环境适合建设艺术品。当地政府很注意构建文化景观，克罗纳城就正在建设艺术中心。城市中有很多公园，一个城市拥有大小公园20来个，是很普通的。参加活动的雕塑家大都在被指定的公园和社区里寻找到了适合作品安放在地点。有的艺术家还根据环境制作了景观作品。

对于中国艺术家来说要自始至终地在完全没能有助手的情况下独立完成一件大的石雕，确实是一次挑战。对于这一点，国外的艺术家有较大的优势。不过对我和赵磊来说，只是一个适应过程：开始慢一点，待掌握石头的特性以及运用各种工具的技能后，最终可以达到得心应手的程度。对于我们，这次不仅是一次挑战，更是一次锻炼。

看来，中国雕塑家要走向世界，最好先熟悉一两种材料并掌握其制作处理技巧及相关的工具。

关于我的作品

按创作者的有关文件要求，作品方案在作者去加拿大之前必须提交，并经作品安放地的艺术委员会讨论同意通过。我提交的作品名为《大地之梦》。作品的做法及风格基本上沿袭了我曾经在国内的威海、桂林和惠安参加过的创作营所做的作品，女人体，浮雕的方式处理，坦率地讲，这样的作品在国内有助手的情况下，完成作品也就一个月，剩下一个月就可以去旅游了。

可是，去了加拿大，到了我的工作地之后，我改变了方案。原因有二：一是事先准备好的石头完全不是我需要的形，而且石头中裂纹较多；二是当地的艺术委员会对我做一个大裸体有顾虑，希望我以某种方式（比如做衣纹）进行处理，少露肉体。前者是我改方案的主要原因，后者使我非常震惊。

改后方案的创作灵感基于我对中国传统盆景、石窟的印象。沃肯纳根地区是一个多湖的峡谷地形。新设计的方案用三块大小不同的石头搭成门的形式，保持石头自然的造型和表面肌理，置于"盆"形的水泥台座上。在此基础上，我刻满了代表石窟的大小不同的方形孔二百来个，在稍大的二十来个洞中，我雕刻了风格各异、内容不同的浮雕。整个作品就像一处被微缩过的名山和古迹，宏伟而精致，可观，可居，可游，使人饶有兴味。当然，新方案得到了我所在地区的艺委会的一致通过 。

使我没想到的是，要达到理想的效果，实际上给我自己提出了重大难题，工作量实在太大。打这么一件石雕，三块石头，完全没有助手，我起早探黑整整干了一百天！当然包括操作安装。通过应付这次挑战，我自己还是非常满意的，至少我取得下以下几方面的收获。

一、还了一个打石头的心愿，锻炼了意志。这次到加拿大参加雕塑活动，被逼上了梁山。一件尺寸不小、设计复杂的汉白玉雕刻，从开大形到刻画细节，再到安装，自己来了个独吞，那个爽！圆了我一个长达20年的梦。现在我逢人便说：现在我可以打石雕了！

二、体验了一次古代大师直接石雕的快乐。由于这次活动是一次国际雕刻活动，再加上加拿大人说，加拿大文化是具有玛赛克特点的文化，所谓玛赛克文化就是五颜六色的拼凑文化，各种文化并存的状态。所以，我作品中的浮雕从内容到形式完全是东西相融，古今共处，我说我的作品是为加拿大人民上了一份沙拉，里面什么都有。这次雕刻活动，使我体验了一次古代大师直接石刻的胆量、气魄和快感。现在我们中国雕刻家做的石雕，先放泥塑，再交给厂家石刻，可以说完全体验不到直接雕刻作品出的形的张力。我这次干活，就是勾线的毛笔和石刻工具，完全没有泥塑这个环节。这样，感觉很好，很特殊。

三、以不同的方式与西方艺术家进行了一次成功的交流。在与其他雕塑家相处、共同创作雕刻的经历中，我以自己特殊的中国式的创作理念和作风以及艺术处理方式，形成了与其他国家艺术家创作作风及作品风格的明显区别，得到当地老百姓和其他国家艺术家的赞誉和尊重。在相互尊重和热情温暖的交流中，我也学到了别的雕塑家的创作经验以及他国的文化。

关于信息的获取

我加入爱尔兰雕塑家协会已六七年了。当时有一个功利的目的，是想长期地得到他们的一本内部杂志《雕塑通讯》。在这本杂志上，有我一个特别感兴趣的栏目"机会"。在那个栏目中，登载即将发生在世界各地的雕塑比赛、展览、创作营、论坛会等信息。我就是在这本杂志上获得了加拿大沃肯纳根汤普森国际雕创作营活动的信息。并在我的研究室内进行了传播。凡是懂英语的同行伙伴都递了报名申请，结果，我和赵磊同时被选中了。

据我后来了解，国际上的雕塑组织所主办的杂志和网站通常都有"机会"这个栏日，为普通的雕塑家，特别是会员，做信息桥梁的工作。这方面我国的学会和杂志社还得增补这一块工作。有了这种工作，才有可能让我国的雕塑家走向世界，让我国的雕塑工作与世界接轨。当然，我国的雕塑家们必须真正解决自身的语言问题。有了语言能力，你才有可能获取信息。

结束语

国家的改革开放政策，为中国的雕塑家提供了各种各样的渠道，越来越多的人走向国外，或参观，或交流，或学习。今天的中国雕塑家们出一趟国并不是一件稀罕的事。我已发现过去存在我们心灵中的过分的谦卑与不自信正在慢慢地消失。在学习与借鉴中，中国的艺术家的眼光已经开始趋于理性。在谦虚礼貌的倾听之后，我们开始有了表现自我的自信和传输自己国家的文化与文明主动。这才真正是一种中国艺术家良好的平常心态与生存状态。我为有一个适合我们正常生长的大气候而感到高兴，并祝福我的祖国繁荣昌盛。

（《雕塑》2002.04 节选）

转悠八周

——在佛蒙特艺术中心的日子

文／蒋铁骊

第一周

我是从加拿大进入美国的。

这是2002年1月5日。

这之前我从多伦多一户新移民家庭的地铺上打点行装，乘灰狗大巴赶往蒙特利尔，这儿有我的加拿大朋友史蒂夫。根据约定，他将开车送我到美国佛蒙特艺术中心。从地图上看，我要去的地方离蒙特利尔距离之近就相当于上海到无锡。

我来蒙特利尔是与史蒂夫会合，当晚，史蒂夫与我住宿在蒙特利尔乡间他妈妈家中，第二天清晨开车上路。

一路上的景色都因北美冬季特有的铅灰色天空而显得异常寂寞。留有残雪的乡间公路上鲜有车辆驶过，即使路边的小村镇也是清静的出奇。当我正觉得索然无味时，史蒂夫将车停靠在一所砖房前。要不是旁边飘扬的美国星条旗，我还以为到了一个北美常见的路边小店。砖房就是美国海关的边检站，从里面出来一个高大肥胖、身穿美国警服的大婶，问我几个估计是常规的问题，但我的蹩脚英语不知她是否听懂，转头将我的邀请函看了数遍，又与旁边几位同事说了几句什么，便给我的护照上戳儿一盖，摆手放行，我们客气地互致再见时，我才发现这位警察大婶的硕臀上吊着把特大号手枪。先前设想过多遍的入关情景并未出现，我就这样进入美国。

车子又跑了一个钟头左右，我们到达了一座看起来与其它地方别无二致的小镇——佛蒙特艺术中心所在地詹森。

詹森之小，宛如国内的小村庄，而佛蒙特艺术中心却名气极大，每个月都会接待50位左右来自美国本土及世界各地的艺术家及作家前来访问和创作。月月如此，常年滚动，如此规模在美国也很少见。而这之中，每年又有一项专门针对亚洲美术家的赞助计划：在亚洲10个国家中每个国家每年挑选2人，中心全额赞助他们前来工作8周，我便是因为这个原因而来。

在规定的报到时间内，艺术家们从五湖四海赶来了。

安顿好之后，大家聚集到餐厅，朴实但温馨的晚餐便算是每期活动的开幕式。晚餐之后的晚会便是大家相互认识和自我介绍的时候，也许是欧美人的开朗天性，大家已经像重逢的老友般聊得热热闹闹。有一位气质高雅的女士热情地向我伸出手并自报家门，但我那可怜的英语使我没太听懂她说什么，并且有可能使我看起来十分矜持。但过了几天之后我才知道，在她自报家门之后我应当使劲握握她的手或是再热情一些，因为她的名字便是在我邀请函上签字的名字——艺术中心的一把手。

第二周

来艺术中心按我们的说法多数是“业余”的，因为他们有很多人从事着另外的行业，教师、医生、木匠、职员、甚至牧师。但在詹森小镇，在佛蒙特艺术中心，大家俨然是纯正的艺术家或是作家。詹森小镇提供了机会让大家像走红的艺术大腕一样互不买帐地自我欣赏。众人年龄也从二十多岁跨越到六十多岁。

每人都分得一间工作室，画家、雕塑家、作家，按工作条件的区别各自占据了艺术中心的几幢房子。工作室门上都贴上自己的名字，还有自己代表作品的照片，从敞开的门口看进去，墙壁上迅速布置起来的气氛昭示出渴望交流的自信和内容。

餐厅中的告示栏上每天都有人踊跃写上名字，向大家推出晚间的幻灯介绍。而幻灯讲座的地点便是镇上一间由废弃的乡间教堂改成的小礼堂。画家和作家每边一晚，艺术家用幻灯自我介绍，而作家们则朗读自己的作品。

人人都是平等的，人人都是自信的。

平静的詹森小镇每月的最初几日都会因为新艺术家的到来而热闹几天。小镇上唯一的超市，小吃店，书店，杂货铺都繁忙起来，艺术家都忙着做开工的准备。

我的工作室在雕塑部的二楼，对门是韩国艺术家车基律，左面是另一位韩国女艺术家金燕，楼下的工作间就像一间小工厂，金工、木工……所有设备一应俱全。管理员则是一位来自波士顿的姑娘，大学刚毕业，在艺术中心打工，一大堆各种工具的管理及房子的打扫全由她一人负责。在艺术中心工作报酬不高，但换来的是一间可以免费使用的工作室，以及与不断来访的各类艺术家交流的机会，她似乎更看重后者。像她这样的工作人员占了中心工作人员的绝大部分。他们包办了中心的诸多杂事，如清扫、管理、文秘、帮厨甚至人体模特……

我因考虑作品保存及运输问题不打算做太大或重的作品，想来石膏是可行的，中心便有那种细腻坚硬的优质石膏。而有些小材料便去镇上唯一的杂货铺购买，所购物品中价廉物美的东西便是中国制造的，如老虎钳、木刻刀、铁丝……

第三周

我的工作进展还算顺利，除了每天弄作品外，还有一个好的去处，绘画部楼中有一间工作室专门用来画人体模特。两位固定的女模特，一位是中心兼职艺术家，另一位是附近大学的学生。来画模特的艺术家们有时挤满一屋子，有时又只有两三个人。有做雕塑的，有画速写的，有画油画的，风格五花八门。因为这间房子的结构有点像走廊过道，经常会有穿堂而过者走来走去，而懒洋洋窝在模特台上的模特就会和过往者打招呼。还有诗人干脆将手提电脑拎来此处，艺术家一边画模特，诗人则在一边写作，写到兴头还会念出一段，旁边画画儿的人便成了作品的最初读者。

几个星期下来我也画了不少速写，走的时候竟然厚厚一叠。

餐厅是大家每日聚会的地方。吃饭时间大家鱼贯排队，然后取食找座，边吃边聊，天南海北，其乐融融，只是伙食极其单调，想来是因为厨师只有一人，而帮厨的又全是艺术家。对艺术家来说快乐与自由比吃得好重要的多。只是苦了几位亚洲人，日益面露苦色。韩国艺术家车基律已经打电话请纽约的韩国朋友寄些方便面来。而我在多伦多时买的两瓶中国辣椒酱已成为珍贵之物，每餐只肯分给亚洲哥们一点点。和大家一样，我的工作室也弄出来一些氛围，墙上是速写、雕塑草图，地上是石膏、木头、铁丝。每天的安排不是摆弄铁丝、石膏，便是去餐厅弄杯咖啡喝喝。

第四周

因为大部分欧美艺术定的工作计划是四周，所以这周便要结束，节目之一便是开放工作室，相互展示四周来的工作成果。

平静的中心再次迎来热闹的晚上，连续两晚。每个艺术家都把工作室打扫干净并将作品陈列布置好，开亮所有的灯然后把门打开。

这个场面有点使我回忆起儿时过年的情景，一群一伙儿参观工作室的样子像极了相互拜年。

照例到处都是赞赏和鼓励，明知多数出自礼貌和客气，但也深受感动，当真起来。生出的自信甚至觉得进入纽约的画廊也不过是易如反掌。

热闹持续到很晚，意犹未尽者端起酒杯来到餐厅开起PARTY，直到天亮，然后鸟兽散，各自回程。小小的詹森在迎来又一批艺术家之前的周末恢复了平静。

餐厅里吃饭的人除了八周计划的亚洲艺术家之外，就剩下中心工作人员，伙食更加简单。周六的晚上，简单的餐桌上突然多出两瓶葡萄酒，原来今天是中心养的那条狗的生日。狗蹲在桌旁，大家举杯向它唱起“生日快乐”。这时我有点觉得别扭，偷眼望去，韩国人车君的样子也是尴尬得要死。

第五周

对于新来的艺术家，我们已经度过四周的显然已经成为“老人”了。我们的工作室几乎每天都有新来的人来照面。

新的一轮忙碌又开始了，雕塑工作室又买了一大堆木头、石膏、钢板。画模特的艺术家又换了一批新的面孔。

第六周

我的工作仍然不紧不慢地进行着，只是心情多了些空寂，虽然新来的艺术家给这里的生活注入新鲜的活力，但几位亚洲艺术家的工作节奏明显慢了下来。

来自菲律宾的小个子诺尔曼，那几幅以他自己为模特的油画好几天了也没见什么进度，倒是天天看他跑到女艺术家的工作室串门。

来自越南的黄是搞漆画的，最近频频与他教师的女儿，一位在芝加哥留学的越南美女通电话，从照片上看与黄还挺近乎。

车君则坐在工作室中望着墙上妻女的照片发呆，照片的旁边贴着女儿稚气的韩文来信。他的那些木头装置好几天了，还原样堆在工作室中。

搞装置的韩国女艺术家则跑到底特律去看朋友了。她几年前曾在那里留过学。

我则背着相机整天漫天遍野地瞎转。

周末难得天气放晴，我便走上白雪覆盖的乡间公路，公路沿着丘陵有些起伏或是拐几个小弯。路过村庄有人家的地方会有几只大狗很近地围上来狂吠。一路走走看看，不知不觉过了三四个小时，到了旁边相距二十英里的另一座小镇。恰巧发现一家小中餐馆，进去打一顿牙祭。想到艺术中心吃饭只用刀叉，临走时又问浙江来的老板要了几双筷子。回去时无力再走，便学电影上的镜头，伸出胳膊摇晃大拇指拦了一辆车。来时走了三四个小时的路乘车也就二三十分钟。将筷子送给几个亚洲艺术家，大家都极喜欢，韩国人一高兴，将藏了很久的几包方便面拿来煮了。味道好极了。

第七周

几乎平静得没有值得一提的内容。

第八周

按邀请书上的要求，我将在展厅中举办一个作品展览，大家帮我将作品从工作室搬到展厅，一共选出15件展品，连搬东西带布展、调灯光，一个小时搞掂。晚餐结束后便是展览开幕酒会。所谓酒会不过是我从超市买了一些啤酒、葡萄酒，还有几瓶其他艺术家送的。而诺尔曼更把每餐后必须吃的甜点和水果盘提前搬到展厅。朴实而热闹的开幕式上照例少不了大家对我的祝贺和表扬。我也装模作样地表示感谢，还有诗人为我的作品即兴作诗，但我一点儿也没听懂。展览中有些艺术家希望“收藏”我的作品，所谓“收藏”其实是意思一下。艺术家们大多只是拿自己的作品换来换去，倒是作家和诗人中时不时有些医生和律师之类有些闲钱的主儿。半是奉送，半是收藏，十五件作品全都订上了红纸条，这倒正合我意，因为我结束佛蒙特的交流之后，还将在美国逛些地方，呆些时间。这些作品无法携带，而邮寄回国一则费用太高，二来这些石膏制成的作品也不经折腾。

接下来的几天便是帮别人订箱包装。几个外国艺术家的东西决定运回国内。已经有耐不住寂寞的主儿的先走了，大家见面便是互留地址，当然还有分手的“PARTY”，大家相约来日再见，互道鼓励，意犹未尽，还有人掉了泪……

周末早上，中心的车送我到省城伯林顿，我将在这里搭坐“灰狗”前往纽约，车子一路驶出小镇，书店、咖啡馆、杂货铺、超市……都还没有开门，下周他们又会迎来一批新的面孔。

“灰狗”驶近纽约的时候天已经黑下来，我正靠在椅上昏睡，当我恰巧睁开眼时，大巴正拐过一座小丘陵，丘陵的背后便是一马平川的哈德逊河口，纽约城巨大的一片灯海向我们迎面扑来，但我却平静地觉得自己正行走在熟悉的詹森小镇。

（《雕塑》2002.04）

“空洞”的意味与组合

文／郭秋英

欣赏亨利·摩尔的艺术作品不仅令人感觉新奇和愉悦，而且他的作品中无处不在的空洞，让我们充分地分享丰富多变的空洞形式，蕴含着无穷意味的不同符号，则给我们以浓重的感情提示。在雕塑语言上，摩尔追求形式的完美，他不仅把空洞一个个雕琢得十分赏心悦目，而且充满了神奇、神秘和幻想。这是人们一直在谈论、难以穷尽的话题。

原始意义上的洞、穴，是大自然的造物，是时间老人不厌其烦的磨砺结果。不管怎样，它们带给人们以空间的深邃感、神秘感和恐怖感，同时还令人感觉圆润、光滑和温柔。空洞，它是一种形态、一种形状，也是一种诱人想象的符号。它在形态上是空空如也，在精神上则充满了神奇与遐思的诱惑。物质上的空洞，带给我们以思维上无限的可能性。一个空洞，它可以用来容放任何能容放的物质。这种对自然界空洞的直观判断与取用，是出于对生活的最直接最简单的需要。真正的空洞给我们提供的是一个想象的空间，而我们对它产生联想与遐思的过程，也便是我们把某种精神存放在空洞之中的过程，换言之，空洞也是精神与思想的容器。

人类对大自然产生的敬畏、崇拜、利用、依赖激发了人们的模仿性思维。人类先有了模仿，随之开始出现了最初的创造。人类的凿洞由模仿自然洞穴开始，这种模仿无疑首先是生活的需要，而后才是审美与创作的需要，于是洞穴在人们的生活中成为一种必需品。大自然建筑应用的各式各样的洞、孔、通道，小至一个可以穿线的针眼、一束激光穿过的超微型孔，大到人们生活的空间与宇宙。无疑，人造孔、洞的大与小都将会成为人类未来创造工作的目标，也将成为人与自然相协调的一种能力——仿自然能力。

在摩尔的艺术世界里，人们之所以重视他的空洞，并不在于它的自然原义，也不在于他对自然的模仿，而在于他把自然纳入艺术中并加以延伸与改造，因而使它具有了双重甚至更多重意义。它既是虚无的又是实在的，既是物质空间的，也是精神空间的。因为，空洞往往存储着人类无限丰富的想象。像摩尔这样的艺术大师，他创造性地发现了别人所不曾发现的空洞。在他的眼里，空洞具有超越空间的性质。他运用空洞来表达他的艺术精神、艺术理想以及他的艺术主张和追求。他借用自然空洞的启发，把自然空洞置换于艺术作品之中。这种置换既是一种神秘的创造，也是一种高明的模仿，所以它与自然空洞很相似而并不相同。在摩尔的手中，雕塑启发于自然，创造于自然并超越着自然。

人类很早开始在石头上凿洞，那种洞穴标志着原始人在创造原始文明的同时，也在创造着人类原始艺术——最初的雕刻。而亨利·摩尔在他的空洞艺术中，对洞穴的借用和淋漓尽致的展现以及他的有关空洞的独具匠心的语言，有力地显示着他的艺术魅力。他那种极度夸张的、非对称性的，变形的手法，时时都在唤起我们的创作激情与欣赏热情。在摩尔的自传著作《观念·灵感·生活》中，曾经有过这样的记载：他经常将他的雕塑与自然形体相互比附，将自然分成的形体看成是岩石、山峰和人体的混合体。亨利·摩尔的空洞与本无关联的多方面发生了直接的相互贯通的关系，不仅增强了雕塑的空间感，同时也增强了雕塑与观众、空间、环境三者之间的沟通。他将自然形体分成几部分的创作手法，促使人们积极地从不同角度去欣赏和感受雕塑的形式，并在一定程度上扩展了雕塑需要表现的艺术空间，实现了摩尔自己曾经所说的“由三维空间向四维艺术的转换”，我们在欣赏它时也自然地将“空洞”概念艺术地融入环境雕塑之中。

（《美术观察》2002.06）

“艺术史之旅”讲座

文／洪义

2002年6月27日，中央美术学院附中的大电教室里座无虚席，来自北京及国内其他地区艺术院校的师生在这里聆听了来自美国的四位艺术史教授的精彩演讲。演讲进行了一整天，并于次日在北京大学举办了四个与之相关的讨论。演讲与讨论，本是高等院校中常见的教学与研究形式，但由于讲座的演讲人均为造诣精深的西方艺术史学者，讲座的内容精炼、丰富、深刻，可反映西方美术史研究的最新方法与成果，所以引起了我国艺术史学者的关注，也必然会对我国今后的美术史教学产生良好的影响。

第一个演讲人是美国加州大学伯克利分校的韩答文副教授，他的研究方向是古代艺术与考古，演讲的题目是“奥古斯都大帝与和平的意象：对奥古斯都和平祭坛的新研究”。他介绍了一些西方近年来对古罗马纪念建筑——奥古斯都和平祭坛——的研究，主要是以历史考证的方法来探讨罗马人修建公共纪念建筑的方式和途径。演讲人将研究目标锁定于和平祭坛的两幅浮雕，因为现在对这两个浮雕有两种不同的解释，而从逻辑上看，第一种情况是只有一个阐释是对的，所以研究者必须自行判断哪一个能更好地重现往昔；另一种情况似乎是设计者们自己构造了一个名副其实的矛盾的意象，可能是有意识的，因此几个“正确”的解读同时存在是可能的。演讲分析了艺术史家建构关于和平祭坛的问题的过程和他们用来支持对这个意象进行特定解读的证据。

第二个演讲人是纽约哥伦比亚大学的大卫·罗赞德教授，他多年来从事文艺复兴传统的研究，演讲的题目是“拉斐尔：绘画的结构和内涵”。他使用的是西方自文艺复兴以来就存在的形式分析方法。他对拉斐尔的壁画《圣典辩论》作了一个精彩的形式结构分析，证明这幅至今为止仍然悬挂在梵蒂冈签字大厅的壁画表现了神学院对圣体的讨论研究，而签字大厅正是文艺复兴全盛时期的信仰与主张的缩影。讲座试图论证布局结构和人物姿势是怎样建构出基督教教义的视觉性宣言的。这些基督教教义包括：神性通过三位一体而下到尘世的宗教界以及它在信徒中的传播。和拉斐尔在此之前所创作的其他作品的布局一样，这里的经营位置涉及到了最早期的教堂形制。除了订件人要求的题材以外，正是拉斐尔自己在图形设计方面的聪明才智赋予基督教教义以图像形式，藉此使它可被感知。最后，讲座通过三维动画的形式直观地揭示了《圣典辩论》中的形式结构和意义。

第三个讲演人是普林斯顿大学的艾尔·艾柯思副教授，这是一位年轻的教授。他的讲座是以图像学的方法，通过分析画面中的若干细节来解读15世纪尼德兰画家德·维登的油画作品《下十字架》的涵义．该作品现藏于西班牙马德里的普拉多博物馆。这是一幅最初为鹿汶的同业礼拜堂而作的祭坛画，长久以来被视为早期尼德兰艺术的关键作品之一。一般研究者多用形式归属、图像志和情感表达分析等方法研究该作品。而艾尔·艾柯思教授指出，通过分析这幅画中的那些对于时间的多层次的新颖体现因素(包括一支弓箭的图案、蜘蛛网和画中人物身上的血痕)，这些必要的研究可以被深化。他还通过分析相关作品，提出在绘画中的对于时间含义的表现，包括短暂的瞬间、一个时期甚或悠长的几个世纪的浓缩表现，都是罗吉尔·凡·德尔·维登及其同时代人最持久和富有创造性的关注中心。在熟悉的空间及光的探索之外，15 世纪的艺术家开始在作品中表现时间这一看不见的因素，并使之成为艺术表现中最复杂和最强烈的领域之一。

最后演讲的是华盛顿州立大学的玛莎·金斯伯里教授．她专事研究 1800—1950 年的欧洲和美国艺术，演讲的题目是《乔治·鸟川的‘鄂博’ 雕塑》，这是对一位亚裔美国雕塑家的艺术成就及成长道路的分析。“鄂博”本是中国西藏地区的一种由过路人依次堆积的石堆，与此类似的石堆还在日本的丧葬传统中出现。长期与自己民族传统疏远的乔治·鸟川，在其得到广泛赞赏的“鄂博”作品中，成功地融合了欧洲的现代雕塑(如布朗库西的作品)和北美部落艺术(如墨西哥土著的木雕)中的能引起西方观众共鸣的部分，同时他也深受喜马拉雅地区的民俗和宗教事物的影响，甚至间接地还吸收了他的祖父辈的日本文化的些许因素。考察这样一种融合，有助于我们了解西方当代艺术家如何综合使用历史文化资源以构成新的艺术品类。她的演讲反映出最近50年来美国艺术史家在考察近代艺术时广泛运用的研究方法：(1)风格分析，涉及艺术家运用的原料、个人的选择和受众情况；(2)个人经历的深究，涉及心理、创造性、表达等与艺术相关的问题(3)最新的方法论，涉及文化认同和个人认同的心理动力学，特别是后殖民主义文化语境中的海外散居和少数民族种族性及相关情况。

（《美术》2002.09 节选）

雅典陶艺盛会

——2002 年希腊雅典国际陶艺协会年会

文／邱耿钰

2002 年 8 月 26 日，国际陶艺学会（Intenational Academy of Ceramics，简称IAC）年会暨学会成立 50 周年庆祝大会在希腊首都雅典 Hotel Divani Caravel 召开。共有来自几十个国家的两百多各IAC会员和近两百名非正式会员共四百余人参加了此次活动。应大会之邀，以中国陶瓷工业协会理事长杨自鹏、景德镇陶瓷学院院长秦锡麟为正副团长的中国陶艺家代表团一行12人专程赴希腊参加了这次国际陶艺界的盛会。美国陶艺家温·黑格比先生于当天在会上专门介绍了中国现代陶艺状况。

会议主要内容是学术讲座，来自美国、英国、法国、西班牙、希腊、日本、韩国等国家的多位陶艺家发表了专题演讲，介绍了各自国家或个人在陶艺创作、陶瓷研究以及现代陶艺宣传与推广方面的研究成果。

大会分为会员会议和非会员会议两部分。会员会议由协会主席托尼·佛兰克斯和副主席兰斯·曼宁主持。大会对新发展的一批新会员的情况进行了详细介绍。当天的会议还讨论了协会的章程、协会主席和常务理事的人选、人数以及会费的使用问题，商定常务理事会中再增加一位新的副主席。会议还就扩大国际陶艺协会队伍、增加新会员的问题展开了讨论。大家认为现在大部分会员都集中在欧美国家或地区，各地区会员的发展不够平衡，提议应多发展中青年会员，扩大协会的规模。非会员们参加了大会主办的电影节活动，观摩了各国选送的多部以陶瓷为主题的电影。这些片子既有介绍各自国家民间陶瓷情况的，也有一些是介绍现当代陶艺家的纪录片，由许以祺先生带去的一部介绍秦始皇兵马俑的专题片也参加了此次影展，并获得了大家的好评。

会议期间，中国陶艺家代表团正副团长杨自鹏、秦锡麟还和大会正副主席进行了会谈，通过友好协商达成了三项决议：一是邀请陶艺协会主席及会员在 2004 年参加韩国举办的陶艺年会后，到景德镇参加景德镇置镇一千年的活动；二是最终商定 2008 年国际陶艺协会的年会由中国主办；三是邀请陶艺协会主席团的七位陶艺家们十月份到中国参加在广东佛山举办的 2002 年佛山国际陶瓷博览会，之后到江西景德镇进行访问和至龙泉参加第七届全国陶瓷艺术创新评比活动。

除了白天的学术交流和讲座外，大会在晚上也安排了各种活动。如参观“希腊当代陶艺展”、“希腊陶艺国际交流展”、“国际陶艺学会会员作品展”、“希腊当代艺术展”和“希腊古代陶器展”等展览。其中希腊现代陶艺家的陶艺作品，其新颖的创意和精湛的工艺都让人耳目一新，使大家对希腊的现代陶艺有了重新的认识。

大会第四天，全体与会人员参观了雅典卫城的巴底农神庙和卫城博物馆。

为纪念国际陶艺协会成立50周年的庆祝活动，希腊陶艺家还特意在雅典美术学院门口的广场上现场制作、烧成了一件近三米高的大型陶艺作品。8月29日晚，各国陶艺家在这里举行了隆重的开窑仪式，当围盖在作品上的耐火棉被揭开后，通红的窑火映红每个人的脸庞，大家举杯欢呼，现场的气氛非常热烈。

在锡夫诺斯岛（Siphnos）的Kamares港的小镇上，我们看到了几家陶器店，有的专卖民用的素陶，有的专卖彩绘釉陶，陶器的造型样式、装饰风格有着很强的民族风格。后来我们又乘车到了岛上的Fyrogia修道院。修道院的许多房间都陈设出各种各样的民间陶器，修道院的院中放有一台脚蹬辘轳，有位老陶工还现场为大家演示了当地陶器的成型方法。后来在当地民间陶瓷组织送给我们的《锡夫诺斯岛人的陶器》一书中了解到，在锡夫诺斯全岛至少有二十余个村镇都有规模不等的制陶作坊。民间制陶成了这个岛上一道美丽的风景。

8月31日，我们到了克里特岛的雷西姆农港。在港口码头上，有来自希腊、中国以及非洲一些国家的数位制陶艺人现场演示大缸的成型方法，丰富多彩的制陶手法让在场的陶艺家们大开眼界。

在爱琴海游览的几天给大家留下了深刻的印象，众多的文物古迹让大家感受到了古代希腊文明的灿烂与辉煌。结束了三天的海上旅行，各国陶艺家在比雷埃夫斯港挥手告别，相约再见。中国代表团一行则于当天乘车前往博罗奔尼撒半岛，参观了迈锡城堡遗址和被称为“阿特柔斯王宝库”圆顶古墓。

通过这次访问，增强了中国陶艺家和国外同行间的相互了解和交流，这必将对中国现代陶艺的发展产生积极的影响。

（《中国陶艺》2003增刊节选）

《中国当代陶艺大展》在瑞士日内瓦阿琳娜陶艺馆开幕

筹备近两年、由许以祺及杰克·考夫曼策划、阿琳娜陶艺馆艺术总监霍龙布来德尔及广东美术馆艺术总监左正尧主办、以印记与当代为精神的《中国当代陶艺展》顺利地于2002年9月18日下午6时在日内瓦阿琳娜陶艺馆开幕。来宾近200人观礼及参观展览。此次展览规模之大，规格之高为国内外首次。阿琳娜博物馆为世界顶级陶艺博物馆，也是国际陶艺学会所在地。中国陶艺家（包括香港）共23位被邀请参加。展出作品约80件组，总件数近200件。《中国当代陶艺展》在阿琳娜展出4个月，于2003年1月15日结束后转往丹麦陶艺馆展览。六月后将转往美国费城、圣路易斯、圣地安那及檀香山四地展览，最后于2004年回到香港。

中国陶艺家罗小平、白明、海晨、周定芳、郑仪、左正尧、许以祺及广东美术馆副馆长蒋悦参加了《中国当代陶艺展》的开幕式，并于展览前一周，由中国陶艺家6人在日内瓦及附近4所艺术院校及基金会举行陶艺表演及演讲。

（《陶艺家》2002.01.07）

澳大利亚黄金海岸陶艺大赛

文／韩添任

第21届澳大利亚黄金海岸陶艺大赛于2002年9月13日晚在澳大利亚最美丽的城市黄金海岸市隆重开幕。来自中国、美国、澳洲、日本、丹麦、挪威、德国、韩国、新西兰等18个国家的陶艺家参加了本届陶艺大赛。大赛组委会从选送的255件作品中选出76件作品参展。

澳大利亚黄金海岸陶艺大赛已举办过20届，经历了几十个年头。最初由国内陶艺展发展而来，随着澳洲经济的迅速发展，现在已经成为世界颇负影响的陶艺大展，从某种意义上讲，黄金海岸陶艺大赛已成为南半球陶艺界的盛大赛事。大赛的所有经费均由政府和企业赞助。本届大赛从规模到质量都远远超过往届。从作品风格看，有表现陶、实用陶、观念陶，其中观念陶的作品占有较大比例。在经作者本人同意后，组委会将参展获奖作品作为黄金海岸市国家美术馆的永久收藏品。

我本人作为此次参赛的作者，所提交的作品是《太极·圆·声》，获得本届陶艺大赛的最高奖项，作品已被黄金海岸市国家美术馆收藏。

我受组委会主席杰夫·沃克先生的邀请初到澳大利亚，黄金海岸金色的沙滩、热情好客的澳洲朋友给我留下了深刻的印象。此次行程共15天，其中9月24日至27日在黄金海岸市国家美术馆参加本届大赛赛事；27日至10月1日飞往悉尼，参观国家美术馆、陶瓷博物馆、现代艺术馆；10月1日至

10月7日飞往墨尔本，参观墨尔本国家现代艺术馆和传统美术馆，10月7日返程回国。

（《弄埴》2002.17）

美国阿尔弗雷德大学陶瓷艺术学院纪行

文／廖志豪

在美国阿尔弗雷德短暂的交流和学习中我接触了几位艺术家，现将对他们的陶瓷艺术作品的理解和认识作一简单的评述。

Wayne Higby

Higby作品的主题，像许多艺术家一样，从童年的回忆中吸取灵感，童年回忆是Higby创作细腻有序风景画卷的不竭源泉，他创作出来的作品能使人体会到完美。他的风景陶瓷作品如1999年的《海滩》，它们被饰成土红断崖临着一潭碧绿的池水，峭壁及溪流把观者的视线引向一个虚幻的空间，使作品更令人折服。这些作品成功的一个秘密是使它们生出绿锈的奇妙 raku 焚烧技术。这个工艺流程，就是将装满的窑烧到大约1000度，然后用火钳将每一件红热的烧制品夹出，放到湿稻草上，湿稻草当即燃烧，激发快速的化学反应，使釉冷却成熟。每一次烧制的场面都令人欢欣鼓舞的，火候和修正很重要。Higby冒险通过混合利用氧化及还原釉等方法获得了他那典型的红棕色与蓝绿色之间的鲜明对比。要想取得 raku朦胧的表面的不规则性，运气是个不可或缺的因素。他的窑太小，这就增添了额外的风险和难度。他的窑一次容不下五个部分，所以他必须无比精确地掌握移走和还原釉的时机，以使得各个部分保持一致。

Anne Currier

Anne Currier的陶瓷雕塑似乎违拗泥土介质的物理属性。她的作品在物理上近乎完美，没有不规则的形状，没有瑕疵，也没有人为因素介入的痕迹，相反，她运用一种质朴的趣味盎然的造型手法，使每一个几何图形都与其它图形结合得天衣无缝。例如，在1999年的作品《接合点》中，柱形和锥形相互交融，三角形和圆构成一个多边形的有机整体。非对称的平衡效果使作品无论从哪一个角度看都是一种视觉享受。实用性并非是Currier在其雕塑作品中经常考虑的因素。她的构图蜿蜒起伏，使人浮想联翩。它似乎违背一切常理，把观者由一个平面引向另一个平面，或者由一个维度引向另一个维度。

Currier的雕塑作品使用非现实的造型，利用类似未来派画家所采用的技法，但不像他们直指主题，她却使其作品清晰明白地展现出瞬间的感觉。光的作用先于对作品的理解，让阴影造成幻觉。

Andrea Gill

Andrea Gill是由画家改行成为陶瓷艺术家的，因此，她对表面和造型同样关注。她对陶瓷艺术的兴趣源于对文艺复兴时期色彩大胆的意大利锡釉面陶器的迷恋。她用人体雕塑改变了传统的陶瓷艺术造型并毫不避讳地认定陶瓷造型是女性的。她的作品有着直立的造型和曲线、优美的肩膀和臀部。Gill的全部作品要么是可辨识的女性人体，如戴头巾的或安放在神龛内的圣母和春天的女神，要么是仅仅点明她们性别的作品。她把意大利陶瓷花瓶和水壶的传统外形变成更加生动活泼的造型，用翼翅、平面以及突起或起伏的形体延伸中间的柱体，并在表面饰上各式各样的图案。Gill还以更现代的方式重新分布和重叠不对称区域的各式花纹，改造了意大利陶瓷上的绘画和颜色。除肖像画或有机的金银细丝嵌丝工艺之外，历史故事、神话故事或宗教故事图案经常出现在意大利陶瓷上。以此为基础，Gill在她的作品中融入了民间艺术特有生动性和不规则性。

John Gill

尽管他的罐子与众不同，John Gill总是在创作实用的器物。他的作品已在现代艺术博物馆充当“经纪人”。John Gill受到青睐，并不值得大惊小怪。在赋予三维空间以永恒地位的情况下，他的美学思想融合了对传统的陶瓷艺术的继承和对立体主义20世纪的抽象派艺术的借鉴。Gill把他的作品称作造型与表面的对话，他的兴趣在于揭露和隐藏那些必须放在一起才能有完整的视觉享受的元素。以他的大口水罐为例，仅通过加装把子和喷嘴来借鉴古代造型。换言之，罐子的造型已被重新定义，使每件作品从形式上而言，都作为一个复杂的变体的大集合而存在。它给人的感觉仿佛是勃拉克或毕加索所画的静物从画布上跳跃下来了一样，或者更确切地说，就像一幅抽象派的拼贴画，攥在你手中，可以从每一个可能的视角同时对它进行赏析。造型的多样性反映在Gill对釉面的广泛运用上。为了达到视觉上吸引人的效果，他呈现给观者丰富的色彩、质地及图案。为了获得预期的暗度和化学涂色效果，釉面是一层一层做成的。他对传统的釉面表现出敬意，通过传统与现代并举的方式暗示了这种敬意。通过多元的方式，通过对雕塑和绘画的融合作视觉上的呈示，Gill 延伸了雕塑和绘画语汇，他的思想在某种程度上属于体主义，通过融合单个元素的拼贴及组合术，产生出对现实更全面也是更精确的理解。如果说语言是一串不断变化的符号，语义因此而不断变化的话，那么Gill就是用一串不断的符号，表达他那不断变化的对美学历史理解，尤其是与线条和造型有关的瓷艺、绘画、雕塑艺术理解。

有人把陶艺当作过时的玩意，有人将它视作艺术的载体，并将此易碎且难捉摸之物制成两维的饰品或三维的雕塑。幸运的是全世界的艺术家们都在努力保持陶艺的活力、震撼和刺激。Wayne Higby 等一批陶艺的精英就是其中的成员，他们通过陶瓷艺术表达他们的思想，与观众见面，激发人们的想象。他们的艺术，可以追溯到史前时代，并还将一直存在下去，成为科技时代的优雅艺术。

(《装饰》2002.11 节选)

艺术的奥林匹克峰会

文／陶勤

2002年10月27日，在希腊首都雅典举行的第15届国际造型艺术家协会（英文简称IAA)成员国代表大会上，中国美术家协会经过3年的不懈努力终于成为这个国际美术大家庭的一员。当会场为中国的正式加入而响起经久不息的掌声时，我们深切地感受到，中国美术家渴望走上国际舞台，世界美术家也同样希望了解中国。

在一国召开国际造型艺术家协会代表大会，通常被认为是一国美术发展的水平及国力的象征，它无疑会给这个国家的美术提供一个展现形象、寻求合作的机会。因此，第15届大会的主办权曾一度在德国和希腊之间游移。最终，由于希腊文化部的支持及希腊要举办2004年奥运会的综合影响，更重要的是，希腊美协那种能够提供一个重现IAA本质，并明确它今后的工作任务的决心打动了IAA领导层，而决定让希腊承办此次大会。

参加IAA第15届大会的有来自五大洲、60多个国家的近百名代表及观察员。中国美协主席靳尚谊、常务副主席刘大为率五人代表团赴会。会议使用英、法两种工作语言，采用同声传译方式。大会的主要议程是改选IAA领导层——执行委员会换届。我们发现各国代表对此次选举都非常重视，领取、投放及宣布选票的全过程都相当正式、科学。经过激烈的角逐，希腊的莉莉(女)当选为IAA的主席，日本的小田襄为亚太地区主席，德国的斯考伯为欧洲区主席，黎巴嫩的克瑞罗斯为阿拉伯地区主席，巴拿马的马蒂耐斯为拉丁美洲主席，毛里求斯的多索亚为非洲区主席，冰岛的斯特英森为IAA财务部长，另外，圣马利诺的纽斯尼、波兰的玛瑞亚(女)、保加利亚的伯亚斯伍、土耳其的古乐优兹、法国的安妮(女)也进入了执委会。从这份名单中不难看出，在IAA的领导层欧洲人占绝对多数，这也是IAA今年5月在德国召开欧洲区会议确定要将原来划分为东西欧的欧洲区合而为一，使其成为国际美术界的“大欧洲”这一梦想的初步实现。墨西哥代表当即表示“对IAA的东西欧合并弃权，因为我们没有地位”，引起全场一片哗然。而日本.韩国的代表都曾公开和私下表示，要尽快提高亚洲在IAA的地位，并相信中国美协的加入会促进IAA的整体发展。新任IAA主席在会议总结时说：IAA欧洲区原本比较活跃，因为欧盟有项目援助。希望欧洲区今后与其它地区多交流，欧洲并不排外，一定要注意加强与其它地区的关系，这样才能把彼此的合作提升到国际水平。

此次大会的另一个目的是为各国美术家设立一个自由论坛，让其倾诉各自所代表的艺术家的心声。在国际会议上，讨论本身就是目的，它可以显示国际同行当下的聚焦热点究竟在哪里。通过大家的发言，我们直接感受到，在全球化日益加深的形势下，各国美术家普遍关注文化多样性是否会被文化同一性所掩盖的问题。代表们根据各自的文化背景，从不同角度不约而同地探讨了这一主题。在此不妨引述一下他们的发言。首先希腊文化部长致开幕词：在全球经济一体化的今天，召开一个集合全球艺术家的会议很重要。这次会议也是艺术界的奥林匹克，它可以促进全球艺术的交流与融合。与奥运会不同的是，这是艺术家的结合，而非运动员的竞技。联合国教科文组织的代表则强调，这次IAA的大会对联合国教科文组织也很重要，因为它可以号召所有成员把各自独特的最有创造性的东西拿出来。这符合联合国教科文组织最近通过的“文化多样性宣言”。毛里求斯代表无奈地叹息：文化同一性的现象令人堪忧。任何文化交流都必定由政治及经济作基础，毛里求斯人的生存环境天然地充满着浓厚的艺术氛围，但许多人为生计所困而无力向世人展现自己的艺术才华，为文化多样性做贡献。摩洛哥代表附和：非洲艺术家生活普遍困难，而他们却坚持不懈地创造着独一无二的作品，他们的价值应该得到承认。突尼斯代表呼吁：IAA的任务就是增加彼此交流，对于全世界艺术家来说，一个行之有效的机构很重要。IAA要成为一个名副其实的代表性组织，IAA应与联合国其它一些下属机构一样繁荣。通过不同国家的交流超越地域的限制，促进彼此的对话。这就要求IAA今后要更加实用、有效。我们在地球村生活，通过电视了解世界，我们虽然有传统艺术，但全被广告占领，最后影响人的品位，商业文化侵蚀每个国家。有必要通过艺术教育改变现状，因为艺术教育能够使人有所选择，树立自己的价值观。经济全球化带来了一些问题，其解决的办法可以寄希望于艺术教育。电视广告全球一致，只有艺术教育才能让人表现个性。埃及代表认为：IAA有义务使各国美术日益繁荣。我们现在都面临全球化的危机，我们的信息来源是不同的。艺术创作对艺术家来讲是很残酷的竞争。政府应拿出2%的预算支持美术，让艺术家安心创作，为人类留下美好的财富。希腊代表强调：IAA要充分体现各国艺术的现状，每个国家都面临研究并让别国充分了解自身艺术的问题。艺术是有助于不同民族沟通的。艺术本身就是意识形态的东西，各个国家的意识形态不一样，不同的人有不同的艺术观点。艺术能让不同意识形态的人相互了解。艺术家的创作、生活不可避免地受到政治影响，这个问题不是第一次放到桌面上。不论是威尼斯双年展，还是墨西哥出现的新的行为艺术，都说明观念艺术的发展值得注意。我们应尊重每一个地区的历史、文化、哲学，共同研究当代艺术的发展趋势。艺术反映社会，社会既然是不同的，艺术当然不尽一致。罗马尼亚代表指出：每个国家都要保护自己民族的艺术，每个国家都有自己的风格。第二次工业—信息革命对造型艺术的触动很大。各国有不同的文化背景，也有难以回避的冲突，这就更需要相互交流。丹麦代表断言：电视代替不了绘画、雕塑，它们不应受到影视业的冲击。造型艺术无法通过影像反映其效果。法国代表感慨地说：所有的发言都是关于国际化的讨论、所有的问题就因为经济是基础。现在法国艺术家正面临一种竞争。由于东欧的艺术品便宜，西欧画商大都愿意成箱地购买东欧艺术品，可事实上东西欧生活水平不一样，西欧画家必须卖那么贵，因为他要生活。意大利代表发言：在当今全球化的时代，我们应该更加关注不同的和弱小的群体，而不是强权者的联盟。要防范丧失文化自主权的情况的发生。亚美尼亚代表则诚恳希望IAA能给该国政府致函，促请其重视本国的视觉艺术。德国代表提交了名为《为了更加自由平等而行动!》的书面倡议书，文中写到：“我们深信战争不是结束恐怖主义行为的最佳途径。”这一倡议得到了绝大多数代表的赞同。大家一致认为，艺术家应该是珍爱生命的人，我们要争取幸福、和平与更好的生存环境。以色列代表也提议：有冲突的国家应进行美术交流。

德国代表还为IAA的未来工作提了几点建议，如创建IAA新闻信箱和网络新闻联络组；调整IAA提出并支持的国际交流方案和建立国际工作室的有关程序；调整国际专业艺术家身份证件的印制与发放，并扩大其世界性的接受范围；扩大颁发IAA的“艺术家的灵动之作”证书。会议还对大家所关心的IAA与联合国教科文组织的关系进行了评估。法国代表在谈及艺术与全球化问题时重申：柏林和佛罗伦萨的协议以及免费参观博物馆的IAA会员卡，都证明联合国教科文组织的重要性。联合国教科文组织虽然对任何国家的政府都不具备行政权，可它有代言权，可代替下属的国际组织与各国政府联系。除此之外还涉及著作权的保护，这也是联合国教科文组织所能做的。当今社会艺术家的交流更加国际化了，这就更需要联合国教科文组织帮助保护其著作权。IAA是联合国教科文组织在全球艺术界的发言人，双方应保持密切联系。挪威代表说：每个国家包括国际社会都有义务保护艺术家的作品及其资料，从这一点考虑，我支持IAA在联合国教科文组织的框架下工作。

由于中国美协在大会的最后一天才获准加入IAA，所以在正式场合我们尚不具备发言资格，但在会议间隙我们总是主动创造机会与各国代表广泛交流，争取更多人对中国美术有所了解。事实证明，我们的努力得到了大会的充分认可。当IAA新任主席建议将3年后的IAA全体大会交给中国美协承办时，我们切身感受到外国同行对中国的友好与信任。 IAA创建48年来，恐怕还是第一次将大会的主办权交予新会员。对于中国美术界来说，要想在21世纪这个发生新转折的世界中提升自己的地位，只关注国内肯定是不够的，参与乃至组织国际间的美术交流，将给我们带来新的机遇和挑战。我们既然历尽波折才加入IAA，就应该在其中多有作为，利用机会扩大中国当代美术的国际影响。可以预言，中外美术交流会向着更深的层面、更广的领域推进。

（《美术》2002.12 节选）

新中国，旧方式
——一位澳洲雕刻家看2002中国（东阳）国际木雕艺术比赛

文／迈克

本月初我有幸成为中国(东阳)国际木雕艺术大奖赛的两名国际评委之一。由于在此之前从未去过中国，我必须调整以适应一种完全不同的环境与文化，同时保持评审大量木刻雕塑品的能力。

我对中国传统文化的知识理解有限，因此必须强调本人的评审能力在于个人的雕塑问题的处理，这问题就我个人而言，是跨越时空、跨越文化的。

在中国期间，我尽自己的理解来尊重这个国家的文化价值，这种理解几乎和我的短暂停留一样有限。与此同时，我的出席显然是有意义的：这是因为个人深厚的艺术涵养有时候比进一步的全面了解更为重要。我觉得除了作为评委之外，本人亦可能通过对现代雕刻现状的观察而有所贡献。

这次大赛基本分为传统作品和现代作品。传统作品在室内进展出，现代作品在一个露天的院子里展出。一般说来两种不同的流派都有应给予公平的考虑，但传统作品显然因其更高的“身价”得避风雨。大部分的监护措施用于室外的现代作品展区。整个展览在一座有千年历史的宫殿里进行，殿内雕梁画栋，体现了木雕工艺是源远流长的中国文化的一部分。评件前夕，评委开会讨论评选标准。我有幸聆听了中国雕塑界前辈谈论同样为我所关注的话题：材料的选用、制作、革新、创造力。

经过充分详尽的评议过程之后，评委表决通过，一等奖颁发给一件荷花浮雕作品。

在评选之前的讨论及讨论之后的评选过程中，现代作品引起了很大的关注。人们普遍认为这些作品有望给传统作品带来生机，传统模式限于工业和经济的现实，雕刻家和他们的工厂助手们依靠于大量销售以维持生产运转。我们看到这些雕刻家同样限于工业生产的预测，他们的作品按此制成后上市。由于市场压力的影响，这些作品的主题不能对已经形成的审美观构成威胁，而这种审美观又得到一种经济价值观的全力支持。

传统作品采用了对雕塑工艺的更多理解，采用了更高的工艺技巧，我担心这样又有变得一本正经、过分聪明以及过分技巧化的危险。艺术各界一直有争议的问题是：艺术家如何驾驭材料而又不致失控？对雕刻争议的相对无知有时候正是在现代作品中得到解放。

因此，我们的任务是，必须得到一个折中点：无知和有知在一个创新的结合处相会。

我的脑海里升起一个问题：如何给中国木雕的力量和传统注入新的生命？传统力量能够多大限度地妥协包容与之相异的主题？有些现代作品明显带有西方影响的痕迹，在我看来这些作品一点不留与中国情思相结合的余地。尽管现代作品制作欠佳，在我看来更为糟糕的是，许多不过是些自命风雅、唯美主义的工艺造型而已。

我的结论是：传统木雕源于山水画的表现手法，即如何视人物本身与山水之间的关系的方法。在这些山水画中，人和自然融为一体不可分割。这种关系是哲学和宗教的一部分。感觉人为万物生息及可知世界的一部分。有几件作品表现了没有任何介入的自然，在这些作品中，一种人类存在的暗示及自然界的敬畏惊叹之情深深打动了我。

我相信传统雕刻家们可能机械地照搬这些人与自然的传统观念，从未有过与作品主题相关的直接经历和独特人生观。他们没有那种经历和独特人生观。他们没有那种经历是因为那只是记忆，而记忆总是靠不住的。他们没有那种动力去创造新的形式，给作品注入新的生命。

中国不需要放眼世界为雕刻家们寻找下一步该做什么。传统上一直是艺术家，而不是社会领航员在不断地进行控索。那么，这位艺术家就是一位制图员，通过纪录和定型，辨认出变化之所在。

现代中国对我来说是一个谜，我相信对中国人来说仍是一个谜。他们犹豫不决用什么眼光来看中国。艺术的眼光，独特的眼光，更大的挑战是用雕塑的眼光。

这一新中国的立体雕塑表现正是我访华期间一直希望遇见的。我深为看到的一切所感动：我感觉到一种迫切的、意义重大的新事物将要问世，也许是新瓶旧酒，也许是旧瓶新酒。

原材料对新技术而言，在于这一文化在何种程度上将自己连根拔起并设法找到确定自己的新环境，在变化万千的中国，我们看到巨变之后尘埃尚未落定。在急于修补、重建的同时，有一种困惑的气氛。我们在下降还是在上升？我们在行动，因为我们不想停下来看个究竟。

我有一种感觉，人们迟迟不愿反省。因为这些变化尚未完成，下定义还为时过早。就像照像，镜头的景物太过模糊，也许我们想象这世界在我们能用比喻赶上之前需要放慢节奏。

正是这种变化无穷的状态需要描绘。

变化的状态能不能得到表现呢？我相信在未来一段时间内，变化的状态和速度仍是中国的持续状况。因此，忧郁和害怕都是一种拖延。中国的艺术家和工匠具有综合这些变化的技巧。这些作品的模糊也是一种美好的事物。这种美不同于传统木雕经常参照的那种美，只有当艺术家定义了之后才能成为真正的美。

我不想看到群马倘佯在似曾相识的美丽山谷。我也不想看这种大自然的完美。在目前的阶段还没有达到可能达到那样的超凡境界。有一种全新的生活，中国的雕刻家们必须将其体现出来。

在艺术上我们寻求表现一种建立于历史基础之上的当代状况。大多数艺术作品开始时是成功的；一旦发现其摄取的艺术瞬间稍纵即逝，而取材又未从深刻真实的自然角度充分考虑，一切便很快的归于失败。

我的目光浏览到一些现代作品，却并未受到多少吸引，我的目光不会停留在细枝末节上，停留在调和的细致差别上。我欣赏s更新的作品，这些作品构思机敏，但我并没有受到感动。现代作品被认为掌握着传统艺术语言如何发展并延展到另一生命中的线索。这里就提出了这样一些问题。

能够像过去的生活一样受到崇敬的新的生活是什么？

存在于新旧中国之间的沟壑是否意味着艺术革命势在必行？我个人认为适度的调整就足够了。

我在中国的时间不足以了解周围正在发生的事情。我知道这变化和进步的同时，很多旧的事物也保存了下来。我为中国人充实的生活所感动，为人与人之间的紧密联系、为在滚滚的尘世中寻找一块净土、一片安宁所感动。我留意到人与人之间所表达的温暖情意，当然还有食物，这个社会围绕食物所产生的无限愉悦。

一旦安宁为“现实”的标准下了定义，哪儿是新的现实？哪儿又是新的安宁？当年的山水今天风景如何？人物又是怎样在山水之间得到体现？艺术将会告诉我们一切。我们应当给我们的艺术家们以时间和自由去表现这一切。

我相信中国不会参照西方庸人自扰的方法来理解本国发生的变化，邀请外国的雕塑家搞雕塑无济于事，要请外国艺术家做评委最终也于事无补。我在这件事上想说明的是：作为个人我将逐渐过时而被废弃，我的观点只想在此阐述一次。

雕塑艺术，无论是雕刻、模型，还是建筑，是最无情的领域，其它艺术都为自己留有变化和修正的显著余地。雕塑则表现了强有力的抵制。对材料的要求抑制了诸如绘画所能提供的激动。对雕塑来说，这种礼物不是欣然就能接受的。雕塑因此大量避免了其它艺术形式所遭受的激变。雕塑没有遭受所谓“当代艺术”的庸俗化。

在东阳，展出的雕塑不仅限定在一段雕塑历史的范围之内，更进一步限定在木雕艺术的范围之内。无论一件作品成功与否，雕刻的本质一览无遗，不容伪装。这正是透明与成长的最理想条件。

我们相信你们增加了限度也增加了潜力。提供多种选择只会使自己深陷泥沼。

任何地方的任何文化业务，不论是绘画、石雕还是木雕，艺术作品都有如何找到市场的问题。我知道东阳木雕集团亦面临着建立市场和不断巩固市场的问题。传统木雕及与之相关的主题总是有较强的市场需求。我相信寻求表现当代中国的木雕作品亦将会有一个较强的市场需求。因此，进行这方面的研究，探索新的主题，发现可以综合或雕刻的新方法，对财政、对艺术都是有益的。

传统艺术带有工艺技巧感的危险亦将得以避免。对这些作品会有一个相应的重新审评的标准：根据其艺术价值而不是技巧价值。

我建议多少保留一些传统工艺，并继续重视发展木雕工艺，这种工艺非常适合木雕，手动工具的使用也很适用于显示木雕造型的方法。工艺制造里的技术不必因此而改变，在雕刻工艺阶段还是需要保持它。

我对东阳的朋友说过“只需六个字，便可以清楚地概括出我要表达的一切：新中国，旧方式。”

（《雕塑》2002 增刊）

曼努埃尔·希梅内斯
从墨西哥到中国

文／埃德加多·贝尔梅霍[黑西哥]
译／张莹哲

墨西哥艺术家曼努埃尔·希梅内斯和他的儿子伊利伯利托及伊萨亚斯·希梅内斯的木雕作品在20

世纪的墨西哥造型艺术领域里有着极其特别的地位，因为他们的作品在民间传统和高雅的美学艺术创作之间架起了一座桥梁。也就是说，农民出身的曼努埃尔·希梅内斯制作的神奇的动物造型作品，最初只是出于为了谋生而做的获利微薄的手工艺品，但随着时间的推移发展成为一种具有自己艺术发现的、其创作的独特风格得到当今国际认可的个人作品。

希梅内斯大师的作品超出了传统手工艺的范围，即不单是在家族内部世代相传的传统工艺，而变成真正意义上的现代艺术，这也就是说，他创作、寻找和发现了自己的美学语言。

唐曼努埃尔("唐"是墨西哥对老年人表示尊敬的一种称谓方式)1920年出生于瓦哈卡州南部的名为阿拉索拉 (Arrazola)的村镇，他的童年是在农村度过的，大部分时间他作为牧童在蒙特阿尔万老城的废墟周围放牧，那曾经是西班牙人入侵之前的墨西哥的首府之一。他没有上过学，但身处农村和动物之间，他找到了灵感。很年轻的时候，他就开始在一块掉下来的树枝上雕刻他眼前看到的绵羊和山羊。那时候他从爱好中得到启示，凭借自然的艺术天性，几年后他创造了自己色彩鲜艳、造型奇妙的动物天地，这些生灵生活在现实与梦想交织的魔幻世界里。

瓦哈卡(Oaxaca)是印第安传统很浓重的一个州，正是由于她深厚的传统文化底蕴，成为墨西哥充满现代艺术气息的众多州政府中的一员。上世纪墨西哥伟大的画家鲁菲诺·塔玛尤(Rufino Tamayo)和弗朗西斯科·托莱多 (Francisco Toledo)也为希梅内斯家族的创作提供了灵感。从塔玛尤那里他们掌握了色彩的运用，而从托莱多那里，他们又学会了如何创造出外形奇特的动物。

在希梅内斯家族的眼里，木头不只是断落树木多余的部分，而是有血肉的，它不是一块死的材料，而是等待他们重新给自己生命的机体。只需要用自己的双手和一把小刻刀，他们就可以工作。他们使用雪松木来创作造型，但此后需要颜色使作品显现出生命的迹象，从而变成独特的木雕作品。色彩运用的重要性对他们来讲不亚于作品雕刻本身。

今天，阿拉索拉的曼努埃尔·希梅内斯家族的作品在国际上有着广泛的影响，并且幸运的是，他们应邀参加了中国工艺美术学会雕塑专业委员会和浙江省东阳市政府组织的国际木雕大奖赛，其作品在中国及亚洲都是第一次展示。

这些墨西哥艺术家能来到中国是非常幸运的。在与中国和其他国家艺术家相处的将近一周的时间里，希梅内斯家族的兄弟艺术家有机会认识了中国木雕艺术中的艺术传统和流派。特别是中国高超的木雕艺术给他们留下深刻的印象，因为他们觉得中国的木雕作品都经过细致的雕琢，这需要很大的耐心和不断的训练，同时还要对中国数千年的文明有深厚的了解。

他们把带来的两件作品赠给了活动的组委会。不久，墨西哥驻华使馆将在北京展出曼努埃尔·希梅内斯大师的30多件作品。

(《雕塑》2002 增刊)

程兵、杜春梅在美国举办雕塑·绘画联展

2002年10月，中国艺术家程兵、杜春梅应邀在美国大学城波士顿Buckingham Brown & Nicholos School 举办了雕塑和绘画联展。

这所坐落在美国麻州剑桥市的著名学府已有100多年的历史，在日常教学的基础上，更提倡多元文化和着重培养学生在艺术等方面的综合能力。学校建有不同的美术、音乐工作室和学校专属的画廊，每年举办一次艺术家专题展览。该校此次特别邀请中国艺术家程兵、杜春梅举办雕塑和绘画联展，是为了结合该校东方文化周的活动。展览为期一月，共展出雕塑、绘画作品60余件。雕塑家程兵的作品以青铜和大理石为主，画家杜春梅的作品则是中国独特的传统绢画和水墨画。二者结合，形成刚与柔、立体与平面的艺术效果。这富有东方传统审美内涵、充满个性的艺术表现形式，增加了美国观众对中国文化艺术的了解，起到了桥梁的作用。该校校长 Rebecca Upam 女士称赞这个展览是该校历来展出的最好的艺术展览之一。当地报纸进行了专访，并做了专题报道。美国麻州另一所著名学校 Philips Brooks School 艺术中心的艺术总监 John Norton 先生参观之后，对程兵、杜春梅的作品表示了浓厚的兴趣，当即邀请了他们于2003年到该校艺术中心举办展览。

在Buckinggham Brown & Nicholos School举办的这个展览在当地产生了广泛的反响，给美国观众留下了深刻的印象。

(《雕塑家通讯》2003.01)

法国新现实主义

文／蔡涛

在现代艺术史上，“新现实主义”是以平和的姿态出现在20世纪60年代的法国的。现代艺术运动发展到当时，似乎有了与大众更为主动而密切的交流，而公众对新的表现形式和新作品的震惊感已经消失了，这种情形迥异于一次大战前的现代艺术。“新现实主义”创立者的宣言也回避了早期运动的革命性和反叛性，取而代之的是一种更加理性的融入社会的温和态度，雷斯塔尼指出：“在欧洲同美国一样，我们正在自然里寻找新的方向。所谓当代的自然，就是机械的、工业的和广告的洪流……日常生活的现实，如今已经变成了工厂和城市。在标准化和高效率这两个孪生的标记之下所产生的外向性，是这个新世界的规律。”

新现实主义运动的艺术家在关注社会现实的同时，更为广泛地开拓了艺术表现的领域与手法，行为艺术、人体艺术、装置艺术等成为他们最引人注目的艺术实践方式，伊夫·克莱因作为运动的重要发起人和艺术家更是法国自二战后最为耀眼的艺术明星，此外还有阿尔芒、凯撒及雷西等人成为运动的中坚力量。虽然除克莱因之外的艺术家后来都参加了在纽约的新现实主义展览，从而使这一运动更为国际化，我们还是能够从艺术家的作品中解读出新现实主义艺术与法国母土之间的血缘关系。

（《苏州工艺美术职业技术学院学报》2003.01）

印度雕塑家巴拉特
——在京举办“爱的颂歌”雕塑展

文／玖口

中央美术学院雕塑系印度访问学者巴拉特于2003年3月7日至16日，在印度驻华大使馆举办了题为“爱的颂歌”的个人雕塑作品展。

巴拉特1996年毕业于印度新德里艺术学院雕塑系，1999年获该院硕士学位。2001年巴拉特作为研究学者来到中国并进入中央美术学院雕塑系，根据个人爱好，选择了陶瓷工作室。在将近两年的时间里，巴拉特以其苦干实干、勤奋好学的工作精神，热心助人、平易可亲的朴素品格和扎实的雕塑功底，富有民族特色的艺术风格，博得了工作室全体师生的尊敬。

巴拉特善于通过作品来表现自己的真实感受，在他所创作的一系列人物作品中，将“男人、女人”仅作为一个符号来表现和颂扬人类之爱。他的人物造型、手法、釉色处理都显示出与其性格相同的特点：单纯、朴实和饱满。巴拉特喜欢用陶土直接塑造，这种直接性使他的作品具有了一种特征和品格，即尊重感觉，依附材料特性的整体把握。从他对人物形体的处理上我们能够隐隐感觉出他对印度造型方式的传承，这是他在表现对象时抒发性情的体现，也蕴涵了他对传统艺术的态度。

中国和印度这两大东方文明古国，在雕塑艺术领域有着悠久绵长的交流史，巴拉特以其独特的艺术追求和对泥土的诠释，为这种交流注入了新的时代内涵。真正的艺术源于艺术家的心灵感受，巴拉特是个率真、纯朴、执著的艺术家，他热爱印度，热爱中国，热爱生活，热爱人类，他的作品正是这种博大的爱的结晶。

“爱的颂歌”巴拉特雕塑展受到首都雕塑界的关注、欢迎和好评。

（《雕塑家通讯》2003.01）

黎巴嫩“第一届国际陶艺展”记

文／蔡孟

2002年9月20日至30日，由联合国教科文组织所属的“国际造型艺术家协会”(IAA—AIAP)及黎巴嫩国家文化部联合在黎巴嫩苏埃法特(CHOVEIFAT)市举办了“第一届国际陶艺展”，以纪念这座拥有悠久制陶历史的小城，促进世界陶瓷艺术的交流。

本届陶艺展是该国举办的首次国际性陶艺展览，得到了政府的大力支持。“国际造型艺术家协会”的代表对展览给予了充分肯定，近20个国家的约400件(组)作品参加展览。应黎巴嫩文化部及展览组委会的邀请，我有幸受中国美术家协会选派成为来自中国的唯一参展者，并在研讨会上作了专题讲座，向与会者介绍了“现代陶艺”在中国的发展状况。

参展的陶艺家大多来自中东地区，如沙特、阿联酋、伊拉克、埃及、叙利亚、约旦、巴勒斯坦、黎巴嫩等，也有一些来自法国、挪威、荷兰、加拿大等国。中东的陶艺家大多非陶艺专业毕业，他们学习绘画，雕塑等其他门类的艺术，陶艺创作处在业余状态。他们的作品地域风俗明显，大量造型优美的阿拉伯文字、符号、图案在作品中运用，作品飘溢着浓郁的阿拉伯风情。

阿拉伯国家由于地缘因素的影响，大多数艺术家都有着良好的西方艺术教育背景。他们通说法文、英文，但在他们的作品中民族本土文化的表现和探索却显得非常自觉。

黎巴嫩陶艺家纳萨尔·阿·哈拉比（NA·SSERAL—HALABl)的作品，多以阿拉伯人物、文学和建筑为造型语言，让人仿佛置身于美丽的有着“阿拉伯的灵魂”之誉的的黎波里(TRIPOLl)。

来自埃及的世界著名陶艺家穆罕依·胡塞因(MDHIE HUSSEIN)，是历届开罗国际陶艺双年展的执行主席和评委，他用作品和言辞真诚地表白：“我来自埃及，来自阿拉伯”。

展览期间偶遇已过六旬的伊拉克职业陶艺家塔拉克·易卜拉辛(TARIQ IBRAHIM)。他1964年毕业于北京的中央工艺美术学院陶瓷系，随后在莫斯科艺术学院学习两年，毕业后在中美洲国家工作十余年，国际化的求学历程，使得他的创作在题材上表现手法上相对宽阔、成熟。

对中东陶艺家的言辞以及那份来自作品中的对民族文化的自信，正是中国国内陶艺创作所缺乏的：改革开放20多年后的今天，看不到中国陶艺家们已经从2世纪80年代初席卷中国每个角落的西方现代艺术思潮中的抛弃与自觉，继承传统文化艺术与走向世界的渴望交织在一起，在陶艺实践中显影成一份无奈与挤压，我们的陶艺家们过分执迷于所谓“全球化”、“现代性”及至争论了百余年的“民族性与世界性”这类伪问题的争辩中，更有扮演“思想启蒙”的角色之意。

或许，对于中国的陶艺家，在艺术实践中尊重民族文化、艺术的自信，比“走向世界”更实际。放慢一些，中国陶艺家“走向世界”的脚步。

（《美术》2003.02）

英国雕塑家菲利浦·布斯和戴安·高纹

文／赵磊

我第一次认识菲利浦和戴安是去年五月份在加拿大的沃肯纳根汤浦森国际雕塑创作营。记得当时是在开幕式上，寒暄过后相互介绍，才知道他们是一对搭档，他们一起构思、创作、完成作品。

在以后将近4个月的创作活动中，我们进一步加深了相互的了解和友谊。我们一起到饭馆吃饭，聊天，讨论艺术和雕刻的技法、思路……

可以肯定的是我从他们的言谈话语中学到了不少有益的东西。

他们从20世纪70年代后期到80年代初开始了他们的艺术创作经历，在迄今为止的近30年创作生涯中，他们所参加的艺术活动及完成的任务大部分在英国。世界各地也有他们的公共艺术作品。与其说他们是专业雕塑家，我看倒不如说他们是在环境与公共艺术方面很有建树的艺术家。他们的作品并不是像我们所理解的传统雕塑家的样子（像亨利·摩尔）。在他们的作品中，形式上的变化是极其丰富的，并不拘泥于单一的艺术风格、单一的方式方法、单一的制作材料和单一的表现形式。

他们的作品中所使用的材料，几乎涵盖了所有我们能想到的：铸铜、木材、石材、钢铁、纸、树枝、土、草、玻璃、陶瓷、灯光、火等。

从风格和表现形式上看，他们从不拘泥于一种表现形式，从钢板焊接的大公共艺术作品，到街头小型环境艺术品不一而足。写实和抽象相结合构成有趣的空间感受。他们还创作过由树枝架构而成的动物形象，写实的铸铜作品、2–3米高的木刻作品、玻璃铸造作品、大地作品甚至是为某项公共活动创作、用方便材料搭建而成、而后烧掉的装置作品。

他们的创作方式也很有趣，菲利浦长于雕刻木头，戴安更喜欢写实的铸造作品，当他们在若干年前走到一起时，他们就决定联合创作作品。这样一来他们的作品开始了不断的变化，层出不穷的表现方式。两人合作从作品的构思就开始了，在接受委托后他们共同参与构思、相互更新想法，在对自己的方案满意并确信适合甲方所提供的环境后，向甲方陈述自己的方案，并等待甲方艺委会审定通过。

在方案确定之后，作品进入制作时期。如果作品中有木刻部分与写实部分，菲利浦会负责木刻部分，戴安则负责写实部分。戴安从不用雕塑泥来作为塑形的材料，她总是用石膏直接塑造到最后效果。其余部分由两人共同完成(金属)。

在作品制作过程中与中国雕塑家不同之处在于，他们会做他们力所能及的一切工作，包括搭架子和石膏。哪怕是大型作品，也很少请助手或小工，对于他们来说雇用工人费用太高。像青铜铸造和金属加工这样的工作，他们会请专业人士加工制作。在这一点上我很有感触。我才三十出头儿，但像搭架子、翻制模型这样的粗活儿早就不干了。对于抽象作品，有了不锈钢加工行业后，我只要制作一个等比例小稿，就可以放大十倍。而对于写实作品，可以请助手从搭架子工作到塑造80%–90%完成，实在是太省心了。怨不得同住的加拿大同行在得知我们的创作过程后开玩笑说："哇，你们中国雕塑家都是懒蛋啊。"

对于创作过程的问题我们在饭桌上也讨论过。我认为在我把这些工作分配给他人时，我可以利用雇人而得到去干别的事的时间，当然，不是100%的工作都可以交给助手或工人去做的。菲利浦和戴安则认为作为艺术家应该从自己的工作中得到乐趣，但如果助手的价格不是像他们国家那么贵，他们会很高兴以中国雕塑家的方式去工作。好像除了中国雕塑家以外，其它从欧洲、美洲来的雕塑家都是以这样的方式工作。当我提到在中国举办的国际雕塑创作营时，他们都表示了极大的兴趣，而当听说在活动中每人都至少免费拥有一个助手时，他们甚至开始羡慕中国的雕塑家了。

菲利浦和戴安作品的形式之多样性是艺术家中不多见的。这里展现给大家的是几个不同形式的作品，也许在将来的某一天他们会来到中国构思并创作一件作品，这也是他们的愿望。希望这一天早点到来。

（《雕塑家通讯》2003.02）

天竺之魂

——印度古国青铜雕像展在京举行

文／刘中铠

由中国文化部和印度旅游文化部联合主办、中国对外艺术展览中心承办的《天竺之魂——印度古国青铜雕像展》为期三个多月的中国巡展，在西安的旅程已经落下帷幕，将于2003年2月14日开始在北京中华世纪坛艺术馆展出。

古代印度是神话之邦，宗教、哲学异常发达。因此印度古代的青铜造像往往是神话的象征、宗教的偶像和哲学的隐喻，融铸着诸神之灵。印度青铜造像的传统非常悠久，可以追溯到约公元前的2500——1500年印度河时代的青铜小雕像《舞女》。公元前9至公元前6世纪相继兴起的婆罗门教(印度教的前身)、佛教和耆那教，为古代印度艺术包括青铜造像提供了永恒的主题。印度中世纪（公元7—13世纪），印度青铜造像达到鼎盛时期。

此次来华的80件青铜雕像都是印度的无价之宝，其中大部分属于古印度波罗王朝(750–1150)与朱罗王朝(846–1279)，它们曾经是古印度佛教密宗和印度教诸神造像的两大中心。特别是出土于比哈尔邦巴特那附近那烂陀寺的15件铜像更把中国唐朝高僧玄奘联系在一起。1300多年前，唐僧玄奘从古都长安出发，历尽千难万险到达印度，在那烂陀寺留学达5年之久并且取回600多部佛经。今天，那烂陀寺早已不复存在，但那烂陀寺遗址发掘出土的青铜造像首先来到中国古都西安展出，成为中印两个文明古国文化交流源远流长的历史见证。

《天竺之魂——印度古国青铜雕像展》的中国巡展，分别于2002年12月27日至2003年2月7日、2003年2月14日至3月11日、2003年3月24日至4月2日，在西安陕西历史博物馆、北京中华世纪坛艺术馆和天津市艺术博物馆展出。这是印度青铜文物首次以整体展览形式出国，亦是印度文物首次整体到中国，是新世纪中印文化交流的一件盛事。

（《美术》2003.03）

漫谈达利与二战后西班牙雕塑概况（上）

文／邢啸声

达利在艺术上并未达到毕卡索和米罗的高度，但却同样在20世纪西方艺坛出尽风头。对于此人的评价，至今毁誉参半。因为他与他的艺术也确实颇有令人发生歧义的地方。一方面，他确实在超现实主义运动中做出独特贡献，具有突出的位置；另一方面，他擅长招摇过市，哗众取宠，不但精于利用传媒为自己做商业包装，而且常以故弄玄虚的游戏之作愚弄世人。他是一位有明显缺点的天才。所幸，他毕竟是一位天才，尽管有点缺点。

达利以其超现实创作著称，但在超现实主义以外，还多有探索，特别是喜欢将科学上的新发现引入创作，进行实验。例如他从原子核裂变而想到解散现象，作《拉斐尔式头颅在爆裂》（1951 年）、《升天圣女奇切利亚》（1955 年）；又如，他按照全息术和体现术的原理，画《背景的达利画加拉的背影，她因在六面真镜子里临时照出的六个虚角膜而变得永恒》（1973 年）、《云中之战》（1974 年）。诸如此类的探索，似乎都未能得出更积极的结果；但当世人提及达利，还是记得他是一位超现实派大师。

为达利树立不朽荣名的，是他的超现实主义创作。他于1926年首访巴黎，次年便以《蜜比血甜》开始了这一伟大事业。

达利和其他超现实主义者一样，实际上不可能超脱现实。超现实主义归根到底也还是一种认识现实、反映现实的方式只不过这种方式是反传统的。

虽然达利在社会生活中一惯标榜自己不问政治，并且西班牙内战期间立场暧昧，1956年又欣然接受佛朗哥召见，都使他受到进步人士的严厉批评，但是他毕竟生活在堪称“多事之秋”的20世纪现实中，他不能不对他生活其中的世界作出反映，甚至对时局的变动不断作出敏感反应。面对世界的动荡，他作《未来派战争》（1935 年），又作《软体结构和煮熟的豆子》（又称《西班牙内战预感》（1936 年），将内心体验的恐惧“物化”为恶梦里骇人的景象；西班牙内战爆发，他又画《西班牙》（1938 年），以激战背景上一位无头女子正在逐渐消失的身影，道出自己对祖国命运的焦虑；不久又作《地理政治看到新人诞生》（1943 年）和《死肉复生》（1940 年至1945 年），并撰文《反动与革命之后是复兴》（1942 年）表达自己对人类未来的希望与信心；美国原子弹炸广岛，他便创作《忧郁的原子弹》（1945 年）；1967 年他为毛泽东诗词作八幅干刻铜版画的插图，由巴黎阿尔古耶出版社出版；中国红卫兵运动的影响波及欧洲，他向巴黎索邦大学的造反学生散发传单，阐述己见，认为“真正的、深刻的文化革命无需街垒，其造反暴力仅仅在于活跃作为时空主宰的思想”，它“必然要同某种新风格联系在一起”……列宁百年诞辰（1970 年4 月24 日），他在巴黎寓所门前放了一束白丁香以志纪念；1971 年中美恢复对话，他为同年第十二期《时髦》杂志作《毛——玛丽莲》封面，把象征美国文化的影响的五官安在中国政治领袖的面庞，并在答记者问时称：“这是把世界上两个伟大的国家（……）融合在一张面孔上；美国文明和中国文明会在将来发生巨大的相互利用。在今后的两年里，即1972年和1973年，人们谈论的，将只会是这一点”……由此可见，作为超现实派的达利尽管不像许多同派人物，不像毕卡索和米罗，在重大政治问题面前没有表现出坚决的革命态度，社会责任心的艺术家的真面目。这也是他在20世纪50年代宣扬深处始终对20世纪西方世界恶梦般的现实怀着忧虑，而将警世、醒世、喻世视为自己的职责。他的《圣十字架约翰的基督》（1951年），《基督钉上十字架》（又称《超级文体之躯》，1954年）和《最后的晚餐》（1955年），堪称当代宗教画的杰作。

在达利的艺术创作中，有一个十分有趣也十分重要的现象，即他在观念上不断背叛传统的同时，却在技法上越来越回到传统。达利坚信：“绘画是手工的摄影。”而他的传统写实功力在当时也是一流的。菲格拉斯达利剧院博物馆所藏的两件达利中年时期的作品《加拉丽娜》（1944年至1945年）和《面包筐》（1945年），无疑都可在古今肖像画和静物画中占有一席位置。他的娴熟画技为其超凡想象的发挥和梦幻世界的显现提供了必要的保障。

达利自称信奉弗洛伊德的理论，并于1938年到伦敦去“朝拜”过这位精神分析说的鼻祖。他将自己的创作方法称作“偏执狂临界状态作画法，”认为可以最完美地“物化”潜意识领域中的那些反理性和非逻辑思维引出的意象。其实，达利的方法并不如他自己的声明，倒是企图使观众进入偏执狂临界状态的解释似乎更为恰当。这是因为，他进行超现实主义创作，或许起初出现过那么一点无意识的因素，有过那么一点跳跃式的联想；然而，待到形成想法并付诸实施时，必得精心的、既绝对理性而又全然逻辑地去构图，去考虑画面的布局，然后去工细又逼真地描绘各种形象，以便以一种仿佛十分可信的方式诱使观众堕入他的陷井，相信他那些古怪离奇的杜撰。

实际上，他在创作时，有一系列常用的方法，而这一构思立意荒诞不经却描绘制作精确乱真的“意”、“象”背反法，则是贯穿其全部超现实作品基本作法。其它手法，如变形嫁接、象征隐喻、一相双关、时空错位等往往结合使用。所有这些，或者将现实世界的正常形象变成畸形，发生错乱；或者含沙射影，借此喻彼；或者使一个画面出现错觉，从双重形象得出双解，从而格外扑朔迷离；或者将事物置于错误的时空，产生悖谬……都有效地制造出达利所需要的效果 。

于是，在世界超现实主义画廊里，出现许多打上达利标记的作品，从以柔软的钟表借喻时间停顿和记忆沉睡的《记忆永驻》（1931 年）到《天使风景中的软怪物》（1977 年），从童稚视象的《性觉醒的景象》（1932 年）到《自以为是女孩的六岁达利揭开水皮，要看睡在海的阴影里的狗》（1951 年），从恶梦惊魂的《软体结构和煮熟的豆子》（1936 年至1937 年），从扑朔迷离的《无穷尽的谜》（1938 年）到《谜之路》（1981 年），从一相双关的《有隐形伏尔泰胸像的奴隶市场》（1940 年）到《幻觉斗牛士》（1969 年至1970 年）……凡此种种，才是达利得以立足于20世纪世界画坛并能名垂青史的基石。

达利一生创作，涉及许多领域，如电影、舞美、插图、著述与演讲、服装与首饰……而雕塑则在其中占据十分特殊的地位。

《第一台会思想的机器》（1935 年）是在改装的旧铁炉上放一堆墨水瓶，炉膛内用电灯照明。《刺激性欲的便装》（1936 年）则在一件便装上衣上，挂满盛饮料并放着吸管的玻璃杯。《带抽屉的米洛斯的维纳斯》（1936 年）在这尊著名雕塑的石膏像上额、胸、腹、膝等处装上了抽屉。《钉在十字架上的天使》（1960 年）用发动机转动。《但丁头像》（1965 年）以传统手段雕成，但是桂冠却用许多金属小匙组成。此外，早在1939 年，他就以龙虾作为裸女遮羞的“服饰”；而1954 年，则指挥七位裸女搭成骷髅。1974 年，在他故乡的菲格拉斯达利剧院博物馆建成向公众开放后，他又使观众看到他层出不穷的“装置”。如大门口被我称之为“忧郁的卵形思考”的《雕像》，庭院内的《汽车上的女神》，以及用帷幔、镜框、鼻形壁炉和唇形沙发等物布置成美国性感女影星《梅·韦斯特的朱颜》等等。至于他本人或精心设计，或即兴偶发，亲自粉墨登台演讲，或抬奇长无比的面包招摇过市，做出不知多少别出心裁的表演。

总之，他有超现实的的创作，又有达达的游戏；他为雕塑配上灯光，又使雕塑转动；他用了活人，而且自己参与。他敢于“胡作非为”，走在“流行艺术”、“行为艺术”、“偶发艺术”等许多实验的前面。他的功过成败姑且勿论，就其魔鬼般的想象力和上帝似的创造精力而言，他的雕塑艺术的迷宫中设了许多门，有些或许可以引人走出迷宫，有些或许使人误入歧途，困死其中。

对于世间的人或事，如果出于偏见或无知而盲目否定或肯定，都无法使我们得到正确的认识。再者，如果没有自己价值观念和审美标准，那就只能落到人云亦云的可悲境地。

达利也罢，毕卡索也罢，世界艺坛似乎早有定论的古今伟人或大事也罢，都应该在我们面前得到分析。须知，我们有这个权利。诚然，为了发言权，我们必须作全面深入的了解。比如，要彻底研究达利，还不能忘记他的一些晚年之作，竟是由加拉请人捉刀由达利签名的这件后来不了了之的公案。

在西班牙本国一如在世界范围，达利的影响是存在的，而且主要在超现实主义的余波，以及一些大胆的前卫探索中。但是，这里并不去进行传承上的具体研究，因为以达利这位千古鬼才的奇崛，难有嫡传后继。倒是达利以及历代西班牙大师的强大想象力和充沛创造力，特别是所体现的西班牙天性，在当代西班牙艺术创作中，依然鲜明顽强地体现出来。

（《雕塑》2002.03）

漫步在合理与荒谬之间
——贾克梅蒂创作思维透视

文／卓凡

从艺术家的努力可以看出贾克梅蒂拒绝做“物质主义”编年史的奴隶，他试图证明：对艺术而言，被人的“内心火焰的闪光”所删除的理性印迹远比外部世界的短暂物象来得重要，而人的内心每天都“接纳了成千上万的印象——琐屑的、奇异的、倏忽即逝的或者用锋利的钢刀深深地铭刻在心头的印象”。许多评论家在1948 年观看贾克梅蒂在纽约的Pierre Matsse 画展后会激动地宣称世界都改变了。实质上，世界并没有变，而是人们观看世界所持有的预设的认知方式有所改变。当然，也有人指控他作品的荒谬，并指责定义现代主义为逃避现实的颓废主义，这其实是对其作品全部作品现象所共有的意义的误读，显然，以现实主义的艺术成规来否定现代主义是美学上的偏执与懒惰。事实上，他的细长雕塑与现实主义的初始一样具有一种批判现实精神，旨在拒绝道德与文化趣味上某一统治性文明的整体原则，并用一种把个人主义引入某一时代的方法，试图打碎传统社会程序和文化结构的稳定性，达到一种极端个人化的实验艺术的真实批判。

贾克梅蒂作品的建构模式中不能仅仅归结出一些后现代雕塑前夕的一些端倪，它最根本的源头可以追溯到古埃及雕塑的伦理概念与思辨传统，如果仅仅通过时代背景的单一线索去解析这些作品，是无法把握艺术家组合、陈述的不同修辞方式的。无疑，贾克梅蒂对整个后现代主义艺术道路的影响是不可否认的。从20世纪60年代末到70年代出现的概念艺术，甚至动态艺术和极少主义在逻辑上都和他有着千丝万缕的关系。所以，把他认定为后现代主义运动的鼻祖毫不为过。

对历史神话传说而言，女神在古埃及的宗教信仰中象征爱情、生育、欢乐和智慧，是“真、善、美”的女性权力概念的化身，这与他们崇尚光明的拜太阳教是有着可推想的关联。这个判断虽然很难一下子为创作缘起找出明确理由，但是古埃及留下丰富的建筑和雕塑遗产若被重新置于当下话语中进行的解读，其所认定的美好理想背后，隐藏着古埃及传统价值的导引——剖开、填充、浸泡死去的尸体，在当代伦理看来近似于残酷的手法。这种等待复苏木乃伊的行为理念，至少在现在人看来，具有一种极度欢乐又极度恐惧的道德对立。而这矛盾统一体之中的道德描述，似乎暗示了古代埃及人对待光明与生存、死亡与黑暗的折衷式文化的多变性。

贾克梅蒂受超现实主义艺术思维的影响要更多一些。特别是20世纪20年代中期，他倾心于关注梦境和幻觉的表现。但凭目前流行于艺术界的那种弗洛伊德关于“潜意识”和“艺术即做梦”的说法，而认定他获得了某种理论和表现上的新武器，并不足以概括他在艺术上超越观念与形式的探索。根据他的挚友兼摄影师所提供的回忆录和部分图片，也许可以从他站在满地石膏碎碴中的工作室的场景，可以找到与他如同枯枝一般的雕塑形象之间的非偶然性线索。在这个过程中，他曾经以学院主义定制出的眼光观察和表现世界，逐渐找到某种为自己定制的主动规律，来表达他对物体和空间关系的理解，并以之调整各个角度与不同视点的距离与体积关系的再分配。他的挚友回忆说，除了用粘土塑造形体外，他使用了一种直接塑造法，他试图真正忽略那些物体的细节，而用石膏直接塑造或用碎片的直接嵌入来体现对象抽象性历史的一贯性。艺术的表现技法的条条框框与它的精神界线的打破，总是一样重要地从虚构的同谋关系中澄清出来，在他的精神追求与创作表现链接的不确定认识中，人物的崇高地位在创作语境中慢慢消亡，人物与世界似乎陷入隔绝的、对世界无能为力的偶然性状态。

贾克梅蒂在他的巴黎卧室里认真摆放了一件埃及女神Qsim的雕塑，这是他房间里极少的装饰物之一。有美术史学家试图在他的雕塑与“木乃伊”之间找到一种定量的分析关系，来辅助翻译一个艺术家的图形来源，参照艺术家生平记载，在欧洲巴黎博物馆里展览的埃及木乃伊的考古发现，极有可能激活了他正面对视死亡的心理沉积，以如同被切断咽喉的女神为图像和垂直站立的姿势为起点的状态描述，在充满和谐及理性的自我意识与非理想伪现实的虚空之间，达成了某种非折衷主义矛盾的对话。在找到一个重估灾难和繁荣的图形叙述途径之后，贾克梅蒂认为支配图像的核心是形体的垂直性——这种仿佛被唤醒并试图行走的阴府女神，采用了明显的埃及雕塑中站立姿势。但是这描绘的Mant埃及披着高高的头巾的裁判女神，不能简单以“无意识才是精神的真正实际”的观点来解释现代艺术的创作。随之，他放弃了这一具体的头巾的图形研究，逐渐把描述重点放在垂直的形体与背离潜意识的晦涩方法，这种在后来的批评家认为是创立了“自由联想，内心独白，时空错乱”的创作方式，舍弃了古典主义情节雕塑创作的完整性、丰富性和连贯性。此后在 1947年纽约个人展览中，他所塑造的人物由历史转回到了现实生活多层次的关注。展览作品中的Patriciu形象——他经纪人兼经销商的妻子，身材依旧是瘦纤且显得异常虚弱，另一件男性雕塑的双臂来回地晃摆，他大步迈向黑暗的背景唤起了某种巫术活力，而这视觉上让人觉得阴森形象似乎从石膏碎片含糊的堆积中捕获。他的主观性和内倾性使耐久的解释层次变得不再具有任何问题，创作也如同现代游戏一样变抽象变为具体，而形体感觉由情绪思想变为意象，那表面凹凸的黑色侧面与高低不平的表面，试图在完成一场不让目光停留的不稳定运动。由此，而承认一种称之为借助于自身的“内心的真实”、“心理现实”的内化为一种“纯粹的真实”或“最高的真实”的思想转植。

从当时哲学与社会思潮的角度看，贾克梅蒂的作品更具有从非理性中转让、回收和重复的特征，当然否认他的创作与二战的人类灾难性危机的关系，显然是不再去一味弄清个人与社会灾难的连续性，但是，仅把他的创作作为是表现纳粹集中营的难民的苦难，显然不足概括他的艺术探索，包括贾克梅蒂本人在内也在多次，在不同场合激烈地否认集中营的生还者是他的艺术灵感。在雕塑家的访谈录中，我们可看到他不止一次暗示地提到家庭亲密成员的逝世对他的影响，那种瘦弱如同尸体的雕塑，可能以一种特殊的含义，唤起他心灵的伤痛记忆刺激——贾克梅蒂的父亲是一名印象主义画家，父亲强壮的体魄使小小年纪的他觉得有被保护的安全感，而他的天分和才情让父子两代艺术家仿佛有着默契的“真实的灵魂之交”，零落的父子时间印记和父亲的逝去让他沉痛于生命脆弱与人生荒谬的描述结果。虽然在二战以后，他逃离了超现实主义的阵营，而主张用一种可断裂的语意直接排除不可言传的分析，以内心体验来传达对事物的认识，而不是仅仅依据理智的唯一意图来推动一种独一无二的从现象到本质的前景，所以他所描述的许多雕塑的版本，都在显示一个形象不清、上半身已经被烧焦、双手紧贴在躯干上、外形怪异荒诞的心理模式支点。很显然，并非所有的超现实主义或反现实主义的雕塑及其主张，都可以归类为可定义的超现实主义创作意图。韦勒克曾言：“真实就如‘自然’或‘生命’一样，在艺术、哲学和日常语言中，都是一个代表着价值的词语。”如同达·芬奇是意大利文艺复兴的镜子，鲁迅是中国反帝反封建决裂的镜子，而现实主义那种公正无私的记录方式为最高评价和荣誉，最引以为自豪的正是在于它能“真实地”如同“镜子”一样地再现，贾克梅蒂也在借助镜子为其消除客观事件的对作品的介入而取得了某种合法性，这细长而表面粗糙的雕塑也可以认为与现实具有一种镜相关系，只不过它没有像左拉所说的那么薄和完全透明，而是带有变形和扭曲，甚至蒙尘于对无生机遗迹的主观偏见，部分折射出试图重建前人思想现实的努力。贾克梅蒂以不依附于现实主义典籍文明所定规的规范角色，挑战传统含义中的“真实”，为主观真实的非因果逻辑争得了一个潜在席位。事实上，艺术家比平常人更为敏感，贾克梅蒂以自己或隐或现的荒诞生命观去看待艺术世界，而由此产生负载着个人的意识模式的现实图像，直至完全有理由呈现的内心理性，而进入客观真实的不可能编成的缩略模式。

（《雕塑》2003.04）

新中国的公众艺术
——美国艺术家的观点

文／约翰·扬

像中国的整体发展趋势一样，中国艺术处于戏剧性的巨大变化中。自从20世纪80年代中国实行“改革开放”政策以来，西方国家可以真切地看到这种变化。世界各地的艺术馆和博物馆开始展出当代中国艺术家的作品，大多数是画家的：这些作品表现了一种独特的、动态的文化。它蕴含着矛盾：是“发展中国家”，却有着5000年的历史；是个还没完全摆脱贫困的社会，却能制造世界的大部分商品并以最快的速度来发展技术；是社会主义的人民政府，却实行市场经济。所有这些矛盾和随之而来的思考正是促进艺术创作的最好素材，如今这些作品已经走出了中国的国门。

但是，什么是中国的公众艺术呢?是那些摆放在广场和交通环路处的雕像和纪念碑吗?当这种艺术被摆放在固定的地点并代表公众的利益时它看起来会是什么样?什么决定这些纪念碑的主题，决定艺术家“表达自由”的程度深浅?政府和改革开放后社会的迅速发展对公众艺术有什么影响?当一个社会开始排斥自我封闭并倾向国际参与时，它对艺术又会产生怎样的影响?这些问题是我当时在华盛顿大学“皇室研究基金授权委员会”工作时打算研究的。由他们支持赞助，1995春季我来到中国，在这里度过了几个月的时间，照了许多图片，访问了尽可能多的从事这方面工作的艺术家。我去了30多个城市，行程几千英里。这之后，我出版了一本照片集。我在华盛顿大学任教授，是研究现代雕塑和公众艺术的专家。所以中国的艺术家把我看成他们的“兄弟”来欢迎我，让我接近并深入了解他们的作品。

一些照片表明我此次之行具有特殊意义，例如，在纪念堂和天安门广场拍摄的毛泽东雕像的照片。等成千上万名游客离开后，只剩下制作雕像的五位雕塑家中的一位、一名士兵和我的助手时，我才开始拍摄。我的一些同事是研究中国艺术的专家，他们说我是唯一一位能拍摄到这尊雕像和它背后墙上悬挂的绒绣照片的美国人。此外，我对制作此雕像的五位艺术家中的四位进行了录音采访。他们向我讲述制作过程中的小故事和他们的美学观点；我们就“表达的自由度”坦率地交流看法。这是我走遍中国进行课题研究的特点。

毫无疑问，公众艺术对中国来说很重要。自1949年来，1万多尊公众艺术作品被创作完成。

有四种类型的公众艺术在中国的艺术团体内发展起来。当然，在通常情况下，公众艺术是刻画领导人、特定的英雄人物和政治艺术家的传统肖像雕塑。一些一流的艺术家都汇集在北京并且加入中央美术学院。他们包括中央美术学院雕塑系主任曹春生和美术学院教授司徒兆光。王克庆是另外一位颇有成就的雕塑家并任全国城雕委代主任。他们都六十多岁，其中一些人在中国实行“闭关锁国”政策30年前的20世纪30、40年代，曾留学于法国、意大利和前苏联，学习人物绘画。他们曾创作完成了国家委任的重要人物雕像。根据作品人物的身材特点连同人物表达出来的个性特征及艺术角度的诠释，他们的作品被分类结集出版。他们是当之无愧的肖像艺术大师。程允贤是北京肖像艺术大师中举足轻重的艺术家之一。他在中国军事博物馆“雕塑艺术研究中心”任主任并且负责为当代的政治和军事领导人创作肖像雕塑。他是一位才华横溢的艺术家。根据作品人物体现的英雄主义精神、崇高力量、他们取得的成就和他们的人道主义思想所产生的影响，由程老创作的大量的作品被分类结集出版。

公众艺术中的第二类作品，即中国众人皆知的“现实社会的浪漫主义”艺术。根据它所展现的主题，这类作品可以分为以下几类：或是无名英雄、或是工人、或是辛勤劳作的农民，他们体现了对共产主义信念的追求。这些工人和农民通常被刻画成辛勤工作劳动，但脸上依然挂着喜悦的笑容，心中被共产主义信念鼓舞着。这些士兵通常被描绘成勇敢的战士并随时准备为了共产主义理想的实现奉献自己的生命。站在这些雕像前，人们会情不自禁地感觉到团体精神和信念的强大力量，尽管雕像具有明显的宣传倾向，但他们确实鼓舞了人们的斗志。同时这是对艺术家把握作品精髓的能力的一种证明。

另一类颇有影响的“现实社会的浪漫主义”艺术是“纪念烈士”的公众作品，它们遍及中国。这些作品纪念了那些为革命事业而牺牲的共产主义者。作品中的人物或被链条拴着、或被布蒙着眼睛、或背着死去的和将死的人。艺术家通过刻画这类人物形象展现作品的特定主题。这种创作风格中，叶毓山是最有成就的艺术家之一。

上海“城市公众艺术委员会”主任章永浩是我要提到的另一位伟大的社会现实主义者和肖像艺术家。在他指导下创作出来的作品有一些是国内规模最大的和最具影响力的。由于上海开展国际贸易，可能是中国最富裕的城市，它也投入了大量财力，建设了许多的公众艺术项目。通过把公众艺术和城市环境的某些最显著的特点相结合，从而来界定城市本身的性质是上海的公众雕塑有效利用艺术的体现。

这类作品带有典型的中国特色。虽然可以清晰地感觉到它受前苏联的社会现实主义雕塑影响，但是中国式的这类艺术通常以更戏剧化的手法来描述作品的主题。

第三类公众艺术即抽象雕塑如雨后春笋般涌现出来，它们通常由不锈钢、青铜、喷漆焊接钢或石头制成。这些作品和20世纪60、70年代美国一些城市的抽象雕塑很相似。这些抽象作品通常象征了被纪念的场地和事件。有些作品是一只球，表示人类居住的地球和全球化；有些作品描绘了飞翔的形象，它代表了精神上的自由。另一种常见的作品是将抽象符号和人物形象融合在一起。看到数十件类似的作品后，我被大部分抽象艺术的融合方法深深地吸引了。这其中有几件抽象作品非常精致漂亮，尤其是成都于志强创作的作品，将抽象符号和人物形象组合在一起非常精致漂亮。

第四类公众艺术被我称作“当代激进艺术”。这种艺术类型并不多见，只有一小群年轻的艺术家在社会的支持下努力地开辟这块艺术新领域。这些作品主要反映处于20世纪90年代的当代中国文化中的现实问题。如超现实主义雕塑家展望，将要刻画一个大肚腩腩的中年男人，他着实不是一个完美的英雄形象。一些艺术家则关注引发生态问题的临时性建筑（在拥挤不堪、环境被破坏的国家刚刚发动起来的抗议），或是逐渐壮大的国家所面临的财富和发展问题。展望最近刚刚完成一项“复原工程”。他在刚被拆毁即将要建摩天大楼的地方呆了许多天，因为他想把那里被毁坏的建筑物恢复成原来的样子。他把废墟中的一些陶瓷瓦片打磨光亮，给破旧的门喷上新漆，重砌并刷亮坍塌的墙壁。引起他注意的这些地区将成为他作品的主题，以提醒人们古老文化和建筑的消亡，取而代之的是国际化的“新玩意”。这些艺术家走在使用艺术的前沿领域里，像他们西方国家的同行那样审视并公开抨击他们的文化，没有人知道，这些艺术家的所作所为要经过多久的评说才能被认可。

早些年，尽管在决定作品主题方面受政府影响和来自社会的压力，但是艺术家能在政府控制的范围之内，通过他们的公众艺术作品来表达一种精细微妙的个性特征和艺术的美感。我的一些照片展现了这些作品。广州的潘鹤就是这样一位艺术家，尽管已75岁高龄，但依然精神矍铄。潘鹤经常采用一种并不被公众认可的艺术手法来表现人物形象。这两个士兵想尽力逃脱摧毁性的战争转而寻求一种精神上的宁静。他的许多作品在刻画主题方面都很细致微妙。并且你需要灵活地做事情。如果你不介意，其他人也不会介意。但是，如果你处理问题太过灵活，表现的过于适应形势，你将无法生存。同样，如果你为了适应大环境而放弃了作为一个个体应有的个性，这也是不好的。

同时，我对艺术创作的地区性差别，也实行了研究。我找到一些艺术家，他们全心投入到国际当代潮流中，创作出具有十同特色的艺术品，既融入世界大环境，又注意将中国的传统和历史融入作品中。湖北美术学院雕塑系主任刘政德就是这方面很有影响的雕塑家，作品备受人们喜爱。他用20世纪石雕美学的观点和技艺来摸索创作以中国古代传统为主题的作品。他的融合历史传说和思想教育的艺术作品是将古代与现代相结合的最有力的诠释。

当我把中国和西方在创作公众艺术的方式加以比较时，我发现二者之间有很大差异。

政府主办艺术学院和艺术协会，其影响是深远而巨大的。这些学院与美国处于学院水平的艺术学校大抵相同。那里，学生和教授常常一起对艺术的所有方面进行学习和研究。然而，由政府主办的艺术协会就不是以教学为主了，他们是一群严格选拔出来的专业人员，以他们自己的一套规定经营着充满活力的工作室，进行艺术创作。跟随那些学院的教授，从公众艺术／雕塑协会选出来的寥寥无几的专业人员去制造大型的委任的公众艺术作品。艺术协会成员的学术头衔也是“教授”。如果一个人没有从属于任何一个艺术机构，他受委任制作雕塑的可能性就极小。事实上，正是通过这些艺术机构中国的艺术家才被官方认可，被正式授权来创作公众艺术作品。我认为，这种体系既有优点也有缺点。优点是，它造就了一批高素质、有能力、思想一致的艺术家，他们配合默契，工作效率极高；缺点是它导致了机制化问题。试想，如果这些学院和协会中的所有位置都已占满，那些年轻而富于冒险精神的艺术家怎么办呢？

自从20世纪80年代以来，中国在公众艺术的政治方面出现了一种奇怪的现象。艺术家在指导政府就雕塑主题、摆放地点和筛选程序方面所起的作用极其之大。这意味着政府官员尤其是那些在艺术方面未受训练的官员们，越来越依靠专业艺术家来决定欲完成项目的最好的实施方法。但是，美国的这种体系运行远远不同于中国。

另一种影响中国艺术发展的重要因素是中国缺乏当代博物馆和艺术馆体系，也没有追随国际潮流和运动的素质较高的艺术评论家。直到现在，中国也没有像西方国家那样的商业性质的艺术馆，更别说他们可以获知国际艺术信息了。这种孤立产生的影响是双重性的，一些艺术家自认为是评论家，然而现在的国际艺术杂志正慢慢地进入到中国，有关艺术的交流活动也开始出现，这就在某些方面影响了中国的当代艺术。尤其是年轻的艺术家，他们只是表面上响应着从美国和欧洲的杂志上看到的艺术走势。结果，他们做出来的作品仅在视觉效果和外在形式上“复制”了国际艺术，但没有理论上的深度和升华，所以这些作品看起来很肤浅。如果有更多有修养和学识渊博的评论家。更多展现世界优秀艺术作品的博物馆、更多将国际艺术家引入到中国的交流活动、更多展示边缘艺术的艺术馆，这种情形会有所好转。这样，中国的艺术家就会紧随世界艺术领域的新发展而不断地提高自己。

中国的公众艺术与西方艺术在创作方式上的另一重要差异是合作精神。20世纪80年代前，由政府提倡兴建的所有大的项目都是由几位艺术家一起完成的，他们共同设计、制作作品小样、评论彼此的贡献和指导安装做好的各个部分。最大的合作项目就是在天安门广场侧面修建的“毛泽东纪念堂”，有108位雕塑家投入到这项工程中！几乎没有一个艺术家在作品上留名，只有在最近出版的书中才有提到这些合作者的名字。此外，这种合作精神让所有的参与者投入了极大的热情和默契的配合，有时，在一年内他们可以完成好几件规模宏大的工程项目。

但是随着效仿西方的经济模式，在中国，所有这一切都在改变着。尽管也有需要合作完成的项目，但是政府资助的公众项目大多数委任个人完成，虽然付给他们的报酬并不多。然而，近来许多艺术家第一次接受了中国或国际的私营公司委任的工程项目，负责修建大城市里的摩天办公大楼和现代国际化的宾馆。像他们的国际对手一样，这些中国公司和旅馆要求艺术可以作为期望中的环境的一部分。中国当代艺术家的辛勤汗水换来了丰厚的报酬。结果在艺术领域里产生了一种新的竞争模式。从艺术家怎样才能被选中创作作品和作品如何组装来看，在某种程度上，它有点“腐败”的意味。有时，经纪人从艺术家那里买来构思和草图，然后以自己的名义参加竞标，为的是取得委任权来组装作品。有时，他们甚至不买艺术家的创意而直接将某位著名的艺术家的名字写在他们自己画的草图上，谎称那就是某著名艺术家的作品。很明显，这一新出现的情况使大多数艺术家愤怒而焦急，它着实有待于解决，其他资助人的新来源是那些私人收藏者，尤其是来自香港和日本的。许多中国艺术家的珍贵的作品被那些精明的收藏者在国外结集成册，这些艺术家都是20世纪30、40年代留学欧洲、极有才能的具象雕塑家，他们中的许多人现在都已退休。

中西方在如何将纯粹艺术转化为城市艺术的方法上很相似。

在由男性主导文化的社会里，有相当一部分成就显著的女雕塑家。使我惊奇的是。我所采访的公众艺术家中没有一个人认为由于性别差异而受到歧视、排斥或者受到政府或艺术委员会的阻挠，事实上，有许多中国女艺术家获得嘉奖的事例。譬如：江碧波设计制作的成都“交响乐大厅”的镶金浮雕或是吴慧明制作的石雕和青铜作品。最近，吴慧明的一件作品获得了“荣誉奖”，她的获奖作品被摆放在纽约的联合国大厦前，这是任何她的男性同行所没有取得的辉煌成就。我高兴地从中央美术学院的公众艺术系的女学生那里得知：她们从来就不考虑性别歧视的问题，她们喜欢创作大体量的作品，她们真的就这样做了。

中国的公众艺术所面临的最严峻的挑战是如何保存这些雕塑。在每个城市都有雕塑遭到严重的破坏，或不被人重视，或生锈了，或倒塌了。政府仅仅拨发一小部分资金用做艺术委员会保护和维修公众艺术。在人们不懂得欣赏艺术的社会里，故意毁坏公共设施的行为必然发生。

（《2003中国长春国际雕塑大会主题论坛文集》节选）

拉那雕塑公园参观札记

文／范伟民

“拉那”，英语为“Lana”，在意大利语里为纺织品的意思。Lana后面缀加“rt”为“lanart”，则是比利时著名雕塑公园的名字。雕塑公园的创建公园的创建者Bart Verheyen原来是比利时著名的毛纺织商人，其父为著名雕塑艺术家，后来他秉承父志，投身于艺术传播事业。上个世纪末，他创建了著名的拉那国际雕塑艺术创作营，在每年的七、八月邀请近百名艺术家参加展览，对众多的雕塑作品评奖并标价出售。这个活动目前已以举行了6届，因为其成功的商业运作和当地优良的交通条件，使得安特卫普乃至比利时的艺术家们纷纷前来参加展览并进行作品销售，也吸引了世界各地的观光游客，成了比利时著名的艺术中心之一。

《雕塑》杂志社最早将其介绍到了中国。2001年8月，《雕塑》杂志社组织的艺术考察团曾来到拉那举行艺术交流，并在随后的《雕塑》杂志上刊登了拉那的有关介绍及艺术作品，引起了许多读者的注意。

2003年8月，《雕塑》杂志社考察团再次访问拉那雕塑公园。当考察团一行30人乘大巴来到这个公园的时候，雕塑公园的主人巴特先生早已在门口等候，并热情地接待了我们。巴特先生是一位肖像漫画艺术家，其漫画作品多次参加世界级别的展览，曾在日本获奖，许多作品发表于多个国家的报刊杂志。他向我们介绍说，在比利时单纯依靠绘画维持生活是远远不够的，因此他做起了拉那床上纺织品的生意，做得很成功。出于对艺术的酷爱，他在自己的庄园内筹办了第一届Lanart雕塑展，同时他的室内画廊内还不定期地举办个人绘画作品展。由于拉那雕塑展是纯粹面向普通大众的，为追求尽可能大的商业价值和轰动效应，同时也由于观众的观赏条件的影响，这个展览较之其它纯艺术的展览，在参观人数以及作品展出数量上都要大许多。今年的Lanart雕塑展雕塑一等奖获得者杰夫先生曾于2002年8月来到中国，参加了《雕塑》杂志社参与举办的“中国雕刻艺术节雕刻大奖赛”。

随后，在巴特先生的陪同下，考察团一行参观了拉那公园的雕塑作品。许多作品如面具、诗人、独轮车等，洋溢着浓厚的地方文化色彩。部分纤维织物、鲜花、婴儿、睡莲、小丑题材作品则显示着恬然的生活情趣；还有许多作品关注人生，反映人文精神，如人狮共舞、断臂、躯干、瘸腿的人等，从哲学意义上体现了对人类生命本原意义的探求与思考。这些作品材料丰富，青铜、丝绸、木雕、石雕、塑料、玻璃、陶瓷应有尽有，塑造手法多样，既有东方写意色彩的概括，也有希腊瓶画里的简约，同时还有大量西方超写实的具象作品。值得注意的是，这些作品虽然纯粹用于商业展销，但并没有因其运作上的商业性而使其艺术含量有丝毫降低，也许这受惠于比利时灿烂而悠久的传统文化，因为早在文艺复兴时期，这里就诞生了勃鲁盖尔与鲁本斯这样的艺术大师，再加上当地人富于幻想的浪漫天性，艺术早就与生活联姻而融合为一体，自然不足为怪。但由此联系到我国举办的各种艺术主题的展览、比赛中所出现的顾此失彼的现象，的确值得我们深思。

当我把近期的两本《雕塑》杂志和一盘会员作品光盘送与他时，他非常高兴，激动地赞叹：没想到中国还有这么一本精美的刊物。光盘中上百人的几百幅雕塑作品也让他深受震撼，急切地与我商谈有关下届展览时邀请中国艺术家展览交流一事，并在送与我的一本书中画了一幅自画像，题到：盼望早日见到这些精英的作品！当地有关部门对此事较为看重，电视台和报社做了跟踪采访报导。

目前，《雕塑》杂志社在同拉那雕塑公园就展览的有关事宜和细节进行商洽，准备组织国内艺术家参展。

（《雕塑》2003.05）

探访比利时著名的雕塑家 劳德·埃柯曼斯

文／项金国

由中国《雕塑》杂志社组织的赴欧雕塑艺术考察团，在比利时皇家美术学院院长、雕塑家和油画家巴特先生、比利时著名的雕塑家杰夫先生以及临时翻译阎淑芬女士的带领下，走进比利时安特卫普市一条僻静的小街。当巴特先生走到一栋极普通的楼房前，打开尤如两扇车库的大木门时，我们艺术考察团全体成员眼睛豁然一亮。这是一座幽静的小庭院，面积不大但古木参天，两层的雕塑工作室和三层楼的住宅。从庭院到工作室，从楼道到房间，从地面存放到转台、展台存放，从墙壁固定到空中悬挂，密密麻麻，琳琅满目，全是雕塑作品。这就是巴特先生的父亲，比利时著名的雕塑家劳德·埃柯曼斯曾经居住和创作的地方。感官的捕获和触觉的体会，使我们在为每一件作品的“质”倾倒的同时，我们更为作品这么大的“量”而叹服。

劳德·埃柯曼斯（Lode Eyckermans）1919年3月7日出生于比利时安特卫普市（Antwerpen）。毕业后s在麦赫伦市美术学院任教，后任麦赫伦市美术学院院长，直到1998年逝世。他一生都在从事雕塑艺术教育和雕塑艺术创作，培养的学生已是桃李满天下，创作的雕塑作品随处可见。他不善言谈，性格内向，但对艺术的专注、情感的投入、刻画的细微均体现在他的作品中。从不同时期的雕塑作品，我们可以感受他一生都在不断寻求、不断改变，走自我意识、自我表达的个性化创作之路。

当他还是学生的时候，由于个人的天赋，加上严格的正规教育，多次获得奖项。虽然第二次世界大战后，许多艺术家迎合公共兴趣盛行简约艺术风格的潮流，但劳德却持不同的态度，他认为包豪斯风格及装饰风只是追求一种形式，没有“意义”存在。他采用非常写实的塑造手法，只用一个人物的形象表现主题，如作品《夏天》（1953年）、《诗情》（1947年）、《母子》等。此阶段雕塑的创作作品中，我们不但从这些优美、典雅的造型里，看到劳德坚实的基本功，更从那刻画圆润细腻的女性形象中看到作者经过二战后对青春活力的向往以及对生命的讴歌。

50年代初，虽然毁掉了自己的百余件雕塑作品，但他并没有怀疑他的创作手法，而是在追求塑造更完美的作品。这时期，他开始制作大型纪念碑的室外雕塑，第一件作品是受政府委托的《纪念战斗中的烈士》（1954年），高7m。二战后，许多被毁建筑开始重建，人们的社会意识也在不断增强。他创作的雕塑作品很强调“再生”意念，如室外雕塑作品《工作》（1955年）、《家》（1959年）和《母和孩子》（1959年）。他在雕塑作品创作中吸取了埃及雕塑艺术的语言——简朴、概括，注重作品中线的走向，注意线和面的关系，紧固而不松散。

社会在发展，艺术家在改变，欧洲艺术的“金色60年代”，艺术家们开始考虑个性的发展，艺术风格“从共性到个体”或“从社会意识到个人意识”。此阶段，他转变了完全写实的创作思想，用一种构成手法创作作品。这种塑造法是先用金属制作作品造型的骨架，然后用大泥制作轮廓，按形象的块状用木棒砸出表面肌理。他认为这种塑造方式融汇了他个人的经验和相关知识，更有表达性和想象力，作品始终保持有一种上大泥的新鲜感，动态夸张，块面扭曲。如作品《三个天真的处女》（1966年）、《生活中的恶魔》（1967年）。此时劳德的创作题材大多取自他熟悉的生活和生活中的故事。

像每个成功者一样，在70年代初他的创作思路转向平衡，但在形式上超过原来的造型方式，在观察视角上多侧度，如作品《八音盒太太》(1974年)、《神圣的压迫》(1976年）等，作品透出幽默和讽刺。作品的创作手法是写实的，但造型却是超现实的，融合着一种实虚的幻觉。到70年代末，他在体味自己创作中写实、解构、平衡、抽象的过程中，重新激发他的创作灵感的是男人和女人的世界，生活的流逝使他希望凝固最激动的一刻、最亲密的瞬间，如作品《他与她》(1977年)、《二人世界》(1978年)、《生活》(1979年)。创作最有特点的是造型的联体，大胆截去基础部分，使主题表达更加鲜明。

劳德的父亲是家具制作者，由于从小受其影响，所以到80年代，年老的劳德又热衷于木雕创作。他创作的木雕作品与原来作品的造型风格有很大的不同，如作品《口哨演奏家》(1986年)。在材料上他不是用一块整木料的削减，而是根据造型需要一块一块进行拼接。这种工艺给了他极大的创造空间，在强烈的扭动、伸展造型中，打破了传统木雕的团块结构，成为占有绝对空间并赋予作品旺盛生命力的动人形象。

在劳德的雕塑艺术生涯中，他的创作一直在不断地追求，不断地否定，不断地融合，不断地超越，他的作品展现了不同造型和不同主题，但始终是围绕人类永恒的话题：生命与爱。

(《雕塑》2003.05)

情系非洲
——赴莫桑比克创作小记

文／徐晓虹

非洲，这块充满着神秘、纯朴、热情与野性的热土，是我向往已久并为之痴迷的地方，仿佛那里的一切都是我想要知道的，未曾想到，真诚的心愿竟会变为现实，机缘真的把我带进这非洲，有幸为其创作雕塑并能作为中、莫文化交流的使者，将作品永久地留在了非洲南部的莫桑比克共和国。

2001年，我应邀参加了中、莫二国关于莫桑比克外交部办公大楼艺术作品国际性设计招标，经过严格的审查程序和三个多月的精心创作，大型雕塑《生命之源》设计稿获得初步认定，并根据要求，对作品进行长达一年多的反复修改完善，最终获得了两国政府有关部委的确认。为了慎重起见，莫国文化部艺术处处长柯萨先生与著名雕塑家瓦伦萨先生于2002年10月前来中国合肥进行考察与交流。在合肥期间，他们对我的作品给予了充分的肯定。特别是参观了我为合肥市创作的百米铜浮雕《科技·和平——上下五千年》时，瓦伦萨先生高兴地拥抱着我说：“你是我见到的最优秀的雕塑家之一，相信你的作品一定会获得成功。”之后，历经了八个月的认真创作，在各方大力支持与配合下，雕塑创作进展顺利。

应莫桑比克政府邀请，我于2003年7月中旬赴莫国对作品进行最后的艺术效果处理与安装。历经17个小时的飞行，我终于抵达马普托。马普托的机场大厅是我见到的国外最小和最具特色的首都机场大厅，厅内装饰以深色木质为主，墙壁上挂满了油画与木雕，使人仿佛置身在艺术画廊之中。汽车飞快地行驶在马普托的街道上，当看到那似曾相识的街景，独具特色的热带植物和那熙熙攘攘的身着鲜艳服饰、头顶物品的黑人时，我才忽地意识到，我真的已经踏上了非洲，眼前的一切令我十分激动，犹如我第一次前往欧洲丹麦参加国际艺术节一样的心情。

莫桑比克共和国与南非、津巴布韦接壤，东濒印度洋，莫桑比克外交部大楼就坐落在马普托海湾边，西邻总理府，东为艺术画廊，背依松林，面向大海，15000平方米的四层现代建筑与环境极为和谐地融为一体，景色十分迷人，能将作品置于其中，真是深感荣幸。莫桑比克外交部大楼是集政治、外交、文化教育为一体的综合性建筑，是向外展示莫国悠久历史及人类文化的地方。这里的人民具有非凡的创造力，其音乐、舞蹈、雕塑享誉世界。他们热爱生活追求大自然中的生命与永恒。我的系列雕塑正是基于以上立意而创作的，雕塑根据环境与特有的政治氛围，结合我曾两次为北京人民大会堂安徽厅创作浮雕的经验，吸收了建筑上的艺术构成语言，将写实与变形相结合的镶嵌式手法进行塑造，力图在人物的处理、体块与虚实空间造型的结合上下功夫，并在材料与色彩、浮雕与圆雕的相互呼应上与环境保持和谐。系列作品分别为：主厅的主体木浮雕《日月之神》，立于主墙壁上，作品歌颂并表现了莫国人民对生活的热爱、对生命的追求，并以善良、虔诚的心祈求美好的未来，希望从祖先与神灵那里获得超自然的力量，画面将田园般的生活与辛勤的劳动相结合，以静穆为主，从中求动，使人感受一种静穆中的空灵与天人合一的境界美；铸铜圆雕《生命之源》，坐落于观光庭院喷水池中，3.1m高，作品取材于莫桑比克寓言——阳光的到来，人是自然之源泉，并将之与生命之树相喻意，以现代、生动、动感的艺术语言塑造，结合莫国木雕的特质，造型立意与喷水池较好地融为一体；系列作品锻铜浮雕《智慧之光》立于侧厅主壁上，作品吸收了莫国木雕造型特征（面具及神像）将艺术、劳动、舞蹈、音乐节律相结合，加强了画面的节奏感、层次感和生命的震撼力，并用横线、竖线贯穿其中，使画面生动而不乱，内容丰满，具有悦目的视觉冲击力。铜与木、软与硬、平面与主体、空间的转换与组合，是我作品要达到的目标。工作紧张有序地进行着，我的四个黑人助手和一名中国助手工作精益求精，一丝不苟并和我有着良好的默契。一到收工，我就到海边，这里有许多来往的小贩，和他们逗乐，十分有趣。黑人们的性格开朗，富有激情，似乎个个都是天生的艺术家，和他们在一起，情感就会得到净化。为了使作品更加生动完美，工作间隙，我数次进入部落考察，和土著人交谈，亲身感受到他们的热情和纯朴，有了很大的收获。我还去过许多木雕市场，特别是每个周末自发形成的市中心木雕市场，那里可真是莫国民间艺术品的集中地，琳琅满目的黑木雕，色彩鲜艳的蜡染画、彩塑，木雕与竹编样样都是上乘的艺术品。黑人们神采飞扬的叫卖声和来自各国的观光客之间的讨价还价声形成了一个整体的艺术作品，这一切无不给我以工作上的激情与创作上的灵感，并注入到作品之中，产生了令我满意的效果 。

工作期间，我也得到了中国驻莫国大使馆工作人员和专家的关心与帮助，解决了许多工作中的困难。莫国政府官员也常常来到工地看望工作人员。八月中旬的一天，莫国外交部官员马赛塔与莫国驻美大使克里芒多先生，来到雕塑前，认真仔细地看了每一件作品，当他了解到这些作品竟出自一个此前没有来过非洲的中国艺术家之手，感到非常吃惊，并对我表示出非常尊敬，并对作品给予了极高的评价，这使我感到十分快慰。期间有许多黑人们来到这里，模仿作品中的动作表演起来，且快乐地叫着，一种人与作品间的情感互动，场面很感人。

作品完成了，两年多的辛勤工作终于有了收获，辛勤的汗水浇灌着中莫两国人民的友谊。

（《雕塑》2003.05 节选）

五、雕塑教育

质变的泥性

——关于中央美院雕塑系陶瓷研究班的教学和创作

文／吕品昌

在陶瓷烧造上，自然的泥土，经火的“洗礼”会产生“瓷化”的质的变化。任何一件陶艺作品的诞生，都经历过这样一种质变。

这种物质意义上的变化，也可以从人文角度来看待，赋予它以“升华”的精神涵义。强化表现技能、深化艺术思想、纯化陶艺品格，以至提高综合创造能力，是每个参与研究班学习训练的同学所抱定的目的，也是研究班设置与教学展开的主旨。彼此都认定一个主题，那就是升华。教学上，我努力为这一主题的展开创造相应的条件。

研究班课程安排坚持按陶艺的传统技法要求开展基本功的训练，重视一般造型能力和工艺操作技能的培养，使学生形成按陶艺的特性和本体语言，并立足现实生活经验进行艺术表达的综合创造力。

基础训练我们分为两大块，即雕塑基础和陶艺技巧。

雕塑基础训练是按美院传统的、严谨的学院派方式进行的，训练其科学地认识和表现对象的能力。但更多的是将雕塑和陶艺造型技巧的训练糅为一体，把形成综合创造力的最终目标落实到每一个教学环节，也就是说：既锻炼同学的空间体量感和结构感，又锻炼学生用陶艺技巧把握雕塑造形体对象的能力。

在开始的教学过程中，我们有意识和同学们一起工作。这样做是很重要的。学生们可以领悟到老师和他们做着同样的努力，会遇到同样的难题；这对老师来说无疑是一种挑战，但这样可以给学生以信心和启发。学生和老师为追求同一个目标而相互促进。我们的训练是多层次的。有的同学可能只是热衷于一些技术枝节，但我总是要求他们应同时涉及各个方面，去感受周边的环境，去感受那些有利于发展个性、增进修养的事物。具体而言。就是不仅要做陶，同时也应画画、听讲座、看展览、参与学术讨论，总之充分地感知这个世界……要超越技术，发展自己的思想，不要死蹲工作室，而要善于在生活和学习的环境中发现闪光的东西。

技法训练和创作训练，我们是平行并进的。目的是促使每一个同学找到解决问题的方法和手段。我们把这视为教学工作的关键。学生的创作有时非常简单地接受外来影响，而非真正地独立思考。因此，教师的引导是重要的。当然我并不是一开始就给学生规定什么。他们必须先有自己的想法，然后一起探讨、交流。一旦方向确立，技术上的问题就变得更明确、更具体了。在这一过程中，教师应根据每一个同学的个性和具体方向提供尽可能多的前沿资讯。作为学生则应努力遵循自己的表现意图，一直往前走，直到达到希望的目标。

同学们在学习训练和创作实践中，注意思想感情和个性特征的表达。他们明确地意识到，唯有注重精神内涵与语言形式统一，从思想情感和层面出发，寻求语言的自然表现，才有可能产生高水准的陶艺作品。他们根据自己的生活经验和从艺经验，从不同角度进行艺术思考，探索个性化的道路。从目前的创作实践来看，同学们都显示出了良好的状态，他们所追求不再是表面的形式趣味，而是与心灵相对应的语言形态和精神品格；他们所关注的不再是浮泛空洞的作品主题，而是寄寓在造型中的人文价值和思想意义。他们把目光投向了当代文化，从社会变革的现实和个人成长的经验中提炼兼具理性感性深度的作品主题，涉及到一系列的社会文化问题和人类当下的生存经验。

通过作品，我们不难感觉到，同学们走过的路程犹如陶冶，从生料到熟料，从粗疏到精致，最终推进到“陶化”或“瓷化”的新境地。这是一个自我塑造的过程，一个由量变到质变的品格提升过程。最重要的是，他们已用自己初见规模的作品，雄辩地表明：他们没有持技术主义态度来把握陶艺，而是以它为媒介或方式来表达自己的人文情怀。正是这种人文情怀，让泥料浸透情感，让粘土浸透思想，使他们和他们的作品一道经历了质的变化。

（《雕塑》2001.03）

造型材料与创意

——艺术设计99级造型训练课教学随感

文／杨文会

造型材料是雕塑家展开艺术思维的翅膀，借以表达情绪、寄情抒怀的物质载体。雕塑创作缺少了材料的支撑必然造成艺术语言的贫乏。古今中外的雕塑艺术品浩若烟海，凡是能汇入雕塑艺术历史的，都有所创造、有所表现、有自己独特的美。这独特之处，其中必然蕴含着造型材料的独创性。

“雕”和“塑”的概念在目前我国的雕塑教学中虽然已相当明确，但在教学实施上还存在问题。

我国艺术院校雕塑专业的教学体系基本上是西化的，在造型基本功训练上，强调用泥塑方法对物写生，利用素描、雕塑手段表现人体。这样的训练也可以说造就了不少造型基本功扎实的雕塑家，但要说这有什么不足的话，那就是“塑”的过多。这种训练方法容易造成千人一面，创作的能力受到制约，缺乏面对中国传统的雕刻、雕木、刻石的技巧；缺乏用现代材料表现空间、体积、运动感的创作冲动；缺乏对雕塑的本质的理解和研究。

在打制石雕的过程中，我们都有这样的体会，当钢钎与石块接触的部分出现雕痕、划痕时，由于这种痕迹的排列，出现一种肌理，这都是表现过程中偶然性的变化，从而使感觉与形体找到新的契机和面貌，使作品的主题深化。这种在创作过程中对所加工材料的信息不断接纳，这种对作品进行改造、综合、深化的过程，使作者充满灵感与机智，有了创作的原始冲动，其结果是新的创作观念和创作技巧的产生。在完成创作的过程中，随时受自己审美理想的驱使，审视作品与理想之间的差距，而恰当地停止雕凿，这种雕塑家与材料之间的共生关系可以促使主体精神活动过程的升化，也是在纯泥塑的“加法”中难以享受到的快乐。

在造型基础训练中，雕塑专业学生应加强具象塑造能力的培养，但关键是采用什么方法。在加强泥塑基本功的同时，应鼓励学生多用“减法”，可以借助石膏材料的切削、充气水泥的雕凿、软木的雕刻、金属的焊接来达到训练的目的。还要让学生学会在“限制”中造型。德国诗人哥德曾经说过：“在限制中才能显出身手，只有法则能给我们自由。”诗人的语言、高度的艺术化辩证理论，揭示了造型艺术的规律。我曾师从玉雕老艺人王树森学玉石雕刻，他利用玉石的自然形，出人意料地赋予顽石以艺术生命，平凡之中见珍奇。

现代社会艺术的多元化发展趋势，决定了作为载体的雕塑材料的广泛的扩展，众多的艺术家开始寻找和发掘各种原始材料或新科技的成果带来的现代材料，使其直接成为造型要素。毕加索作为立体画派的代表做了有益的尝试，他利用陶抒发自己的创作激情，出现了《鸽子》这个著名的艺术品，而后用一个旧自行车把和一个自行车座相拼，赋作品题目为《牛头》，大师毕竟是大师，他没有用更多的语言去诠释自己的作品，然而人们从作品中却感受到作者在利用人的感情知觉逐渐升成审美知觉的思维过程中，使材料脱离了原始意义而赋予艺术生命的玄妙。

在造型训练中，这种材料意识应逐渐过渡到创作的境界。学生的创作训练课在材料选择上显得尤为重要，不是愈前卫愈新，拾人牙慧，更非愈洋愈妙。应该让创作的种子深深地扎在中国的土壤里。正如鲁迅先生所说的：“越是民族的，才越是世界的。”非洲木雕，无论如何都是世界的艺术，从材料到造型，从题材到装饰，都是彻头彻尾的民族性。印度雕刻、古希腊雕刻，无一不是本民族的艺术精华。之所以称为精华，是因为艺术品本身，除了材料的选择以外，不可偏废的是作品的形式和内容。只有恰当地利用材料，注重形式的表达，合理地体现作者的表现欲望，才是完美的作品。任何种类的艺术，都需要仔细地阅读和玩味，当人们终于发现一些作品具备欣赏价值时，那么，必是题材、内容、形式和所用材料的高度完美的统一。

在教学中，强调造型基本功的提高，强调材料的美感，强调善于发现新材料。要想获取雕塑艺术创作的成功，需要多方面的艺术修养。

在雕塑创作教学中，对材料的开发和研究是一个长期的任务，这需要学生有广博的知识，以精深的学识和创作的灵感与独特的造型材料相碰撞，产生智慧的火花，这火花便是作品。材料是手段，要认识到雕塑艺术的本质。著名的雕塑家布朗库西曾谈到：“当你雕琢一块石头时，你将发现你手中的这块石头的精神及其它属性，你将跟着对这块石头材料的思索，而展开你的艺术构思”。这就表明，当你发现这种材料美感的同时，艺术思维有一个强烈的精神对位，通过材料来实现作者的理想。这便达到了一个雕塑艺术家所企盼的自在境地。

（《雕塑》2001.03）

清华大学美术学院的实验雕塑教学

文／傅中望

以“实验性雕塑”为课题的教学，本身就意味着某种实验。有没有规律可寻？有没有评判标准？这是同学们在上课时所提及的问题。我理解的“实验性雕塑”，首先它不应是传统意义上的雕塑，或者说传统是需要借鉴、挪用，同时亦是需要疏离和超越的对象。其次，它不是一种形式风格、语言样式，而是探讨多种可能性的思维方式和工作态度。在实验过程中体现个人的智慧，是一种智慧的物化体验。应当说自20世纪80年代以来，中国的雕塑艺术一直处在实验过程中，以至形成了多元并存的走向。这个大背景无疑为这次教学提供了重要的参照。

通过系统的幻灯展示，让同学们了解近20年来中国当代雕塑的发展过程，感受中国雕塑如何从传统形态到现代形态的转变，如何从审美性思考转向对文化意义的思考。在对雕塑家个案分析的过程中，引发了同学们对相关问题的讨论。

在作品实施阶段，要求同学提出创作方案和创作意图文字表述，运用现有技术、材料进行制作。让同学们知道自己想做什么、为什么做、怎么去做。作为该课程的作品展示，同学们开放了思想，改变了观念，以自己的方式作出了判断和选择，创作出他们认为有意义的并且乐意去表达的作品。由此，我很赞同展览命名——“自言自语”。

（《雕塑》2002.01）

适形装饰雕塑教学初探

文／叶炽坚

学习适形雕塑设计，首先要使学生了解当今的建筑形式与装饰雕塑之间的关系。建筑大约可分为古代建筑与现代建筑两大类。古建筑豪华繁琐，而现代建筑简洁明快。特别是现代建筑的形式，基本上是由方匣子、大玻璃、光面墙、平屋顶、横竖线等几何形组成，而室内的家具、电器也都是各种几何形体。我们设计的装饰雕塑形式如何去为这一环境服务，如何使两者之间更协调、统一，要做到这一点，我们着重在适形雕塑形式上作了一些尝试。在课程安排上，装饰雕塑设计一般适合安排在二年级，最好安排在上完图案、平面构成、立体构成课以后。当学生已基本上掌握了一定的构成与装饰知识后，这门课程就容易接受了。

在装饰雕塑设计这一门课程中，为何要选择适形雕塑这一形式呢？因为适形雕塑是装饰雕塑的一种形式，更着重研究其美感的形式，它比一般雕塑更注重形式美的变化。以其优美的线条、简洁明快的影像，在一定形体中去充分表现其优美的造型，突出其特征，以少胜多。运用对称、均衡、对比、协调、韵律、节奏、统一等形式去组织形象，给形象以秩序的美、装饰的美，发挥其艺术想象力，突破自然形态的束缚，去创造出自然美、理想美的多样化适形艺术形象，使其更具艺术情感。其目的是使这种适形雕塑形式更好地与当今的现代建筑、家具、电器相协调，更能融为一体。

形有各种各样，如几何形、物体的形、字体的形，而我们辅导学生去探索雕塑构图形式，就是如何在这几种形里进行适形设计，这样设计出来的适形雕塑，既有浮雕的线面结合，还有与圆雕优美影像的结合，而外形又基本保持在某一种形体里，这种形式的雕塑不论挂在墙上或摆在陈列柜里都与周围的环境非常协调。

适形雕塑属于装饰变形一类的艺术，它不需拘泥于解剖学、植物学或其他科学的精确性。巴尔扎克说过：“艺术的任务不是摹写自然，而在于反映自然。”选用什么形式去构图，主要是看其内容和它的特定功能而定。

我们知道，各种不同的几何形体、物体的特定形都会给人们有着各种不同的情感和形式感。当我们掌握了各种图形给人们的不同感觉后，就可以根据不同的内容、功能而取用不同的适形雕塑构图形式。要做到这一点，就要侧重于以主观因素为主的造型。由于主观因素的想象、升华，更突出地去表现为强调形式因素的完美，客观因素被有意识地强化规范在形式因素里。这就有意识地摆脱了客观形式的自然标准与规范的约束，从而使客观固有的形状得以夸张、变形，打上了强烈的主观精神的色彩，给人以新颖、别致、独特的视觉感受，这种造型方式更能给人以形式的美。

以下介绍适形雕塑形式上的一些尝试性构图。

首先，我们取用圆的适形造型，利用它给人们那种紧凑、完美、和谐、亲密的感觉，可以辅导学生如何去利用同一形体创作出不同功能的作品。另外，我们还进行了其它的一些尝试。

单纯设计浮雕还是不够的。我们还创作了一些圆雕的适形设计。如《吻》这一雕塑就是在双环的形式中去适形构图的。它利用双环给人们的紧凑、完美、亲密感觉去增强一家三口的那种亲密欢乐气氛。《舞》是一蛋形中进行适形造型，使少女体态更优美并富于动感。以上只是一些适形装饰圆雕的尝试，这种形式的雕塑与园林、建筑均能互相协调，并得到委托设计单位和人们的好评。

这些尝试，只是我们在教学中的探索。实践使我们认识到：只要学生掌握了适形造型方法，其它的装饰雕塑设计就好办多了。因为通过适形雕塑造型练习，能使学生开动脑筋，摆脱自然形态的束缚，充分发挥想象功能，多角度地变动形体的各种有机因素，大胆寻求和探索形体在轮廓里的动作、姿态，不流于一般直观的生活动作。把强化了的形体成为理想的装饰形态，而不满足于一般化形态。这种适形雕塑构图，由于受到特定形体的局限，使得形体结构、比例不能合理，也限制了人体的活动范围。因此，这种形式的雕塑只能追求一种神似，而不应被一些细节束住手脚。在进行这种形式构图练习时，都要有侧重地改变生活的原型，但这种改变不应失去人物客观属性的主要特征，要“万变不离其宗”，才能达到“似与不似之间”。

对于如何制作，因为上课时间比较短，在做浮雕上，我们可以直接在石膏板上去制作，一般的大小不超过50厘米，用铲刀、木刻刀去进行制作，这样，可以节约制作泥稿和翻制的时间。若制作双面的透雕，亦可以取用在前后两面进行线与面的雕刻，壁挂一类的可以薄些；而放在室内外的装饰雕塑，可以做成上薄下厚，这样会显得更加稳重。

（《装饰》2002.05 节选）

程允贤肖像雕塑教学一周记

文／韩鹏

中央美术学院雕塑系研究生主要课程班的同学来自各个地方、各个不同的岗位，都有过雕塑创作的实践经历。大家抱着对雕塑艺术的热爱来到美院这个具有浓厚学习氛围和优良雕塑传统的地方再次“充电”。当前，高等美术院校美术教学都面临着教改，王中老师结合我们的实际特点邀请享誉国内外的雕塑家程允贤先生到美院教授一周的泥塑肖像课程。在此谈谈我个人的学习感受。

泥塑肖像属于基础课程，程先生长期致力于肖像雕塑的创作和研究，成绩斐然。大家都十分珍惜这个难得的机会。课程开始之前，程先生不是急于让我们立即就做，而是就自己半个世纪的艺术经历与大家进行了一次深入的座谈。通过座谈，大家认识有明显提高，特别是增强了对基础造型能力在肖像雕塑创作中的重要性的认识。在接下来的两天里，按照程先生的要求做了课堂习作，加深了对形体的理解和对肖像雕塑造型语言特殊性的认识。之后，程先生安排我们到中国人民革命军事博物馆观摩了程先生个人雕塑艺术馆及工作室。程先生现场对照自己的作品就解剖、造型、形式等多方面问题与大家交流，同学们也就作业中遇到的问题向先生请教。先生循循善诱的教导、认真治学的态度使大家不仅解决了课堂上遇到的一些问题，同时得到了更多的启迪。置身于程先生的雕塑艺术馆，仿佛步入了历史长廊，经历了一次美的历程、革命的洗礼。同时，被其高大雄浑的艺术风格和完美的艺术技巧所折服。肖像雕塑能够赋予如此充实饱满的内涵，可以看出程先生作为雕塑大家的艺术魄力和高度的道德修养、人格境界。现场看原作加上先生的讲解对于具体的艺术处理和形体的过渡转折有了直观切实的认识。随后的课堂教学，程先生不顾74岁的高龄对每一位同学作业中的问题予以耐心的指导。经过这次学习，同学们在创作中遇到的问题都得到了及时、形象、清楚的解答，同时对自己的创作提出了更高的要求。先生刻苦敬业、胸怀宽广、性情朴实不仅使我们的专业受益良多，而且也是我们生活上学习的楷模。

这种以情境互融、思想互通为基础的教学关系，通过师生间、同学间的自由交流使大家迅速自觉地增强了基础能力。学院良好的传统、对于基本功的严格要求、课上课下结合时空的灵活运筹，这种互动的教学模式对于我们掌握雕塑语言非常重要，无论是造型技巧还是雕塑观念，经历了这一周的学习，大家都觉得有了显著提高。

（《中国雕塑学会简讯》2002.04）

居高临下　深入浅出
——浅谈师范院校美术教育中的雕塑教学

文／周子强

就我国目前美术教育的机构而言，主要分为两个部分：一是美术学院，以培养适于创作的专业性较强的美术设计专业人才；另一部分是以培养美术师资队伍为主的高等师范院校(综合院校里的美术学科)，无论是本科还是专科，他们是以美术专业各学科课程的综合学习为主要特点，实际上也是以一专多能为主要模式，以适应高初中、大中专学校的美术普及教育工作。

谈及“师范性”，我们必然会联系到未来的人民教师的职业特点以及对他们要求的三个方面，这就是：1、结合时代特点，应该具有渊博的知识；2、懂得教育和教学规律；3、为人师表，具有良好的美术教师素质与教学能力。这三方面也体现出了师范独特的教育规律性。因此，在教学大纲和课程的设置上也应注意突出这个特点：既有技巧课，又要有理论课、欣赏课、实践课及选修课等。对各门基础课的学习中，要掌握美术各画种技术特点(国画、油画、水粉画、雕塑、素描、版画、实用美术、书法等)及对各门画种的历史知识的了解和学习。从这方面来说，将“师范性”理解成纯实用主义和简单化及在艺术上满足于低标准是错误的。

雕塑教学应使学生认识到：从视觉观察力，到形象记忆力与想象力、表现力与创造力、审美理解力与鉴赏力的实现，是和雕塑的特点、特性及美学原则密不可分的。提高学生对雕塑空间的感悟、对艺术共性的体验，指导学生用感觉去把握，用心灵去完成雕塑作品，最后达到的是对情感空间、精神空间的一种认知。因此，注重培养学生把握艺术的美学原则，并以此原则去完成对雕塑以及对其它美术学科的创造是十分必要的。

一、观察力的培养

雕塑教学的基础训练，首先谈到的就是怎样从一般的观察到多方位的观察的转换。观察是人们最基本的生理活动，也是造型艺术的基本活动。但二者是不尽相同的。前者偏重于对事物的物质特性、偶然性的把握，或者说是对客观事物表象所进行的照相式录制；而后者则是通过心灵的感悟获得事物的内在蕴涵，这样也就进入了用艺术的方法把握事物的一种体验。当学生们进入大学校门后，他们将开始以转换观察方法为宗旨的专业训练。他们借助于构图法则、透视法则、解剖法则、色彩法则等尺子，把所看到的物象如石膏像、头像、人体等复杂形体的构成与变化正确地塑造出来，从而去感觉这些复杂的物体中所蕴涵的艺术美和艺术灵性。

二、塑造能力、创造能力的培养

塑造能力的培养离不开对空间的把握。雕塑的特征是空间形式的三维性、实体性构成，它是在三维空间中如何显示运动性和生命力。而对空间感受力的培养有以下四个层面的内容：第一，对现实空间的把握；第二，对心理空间的理解；第三，对创造空间的构想；第四，对情感空间、精神空间的感悟。

除了上述四条对空间感受力的培养外，对艺术想象力的培养也是一个十分重要的方面。

在雕塑教学中，如何处理好基本功和创造力、习作和创作的关系，是很值得研究的问题。创造力的培养是一个循序渐进的过程，培养学生把握正确的创作方向和尽可能高的创造力，是雕塑专业教学的重心，必须在从低年级到高年级的整个教学过程中予以充分重视。

雕塑创作教学目的就是充分刺激和唤醒学生们的内在创造潜能，使他们成为由里向外散发艺术气质的、能创造性地从事工作的人。从艺术的发展史看，想象力总是推动艺术家进行创造的动力，而艺术家的创造力又推动了艺术史的发展。

三、对工具材料技术的掌握是实现雕塑作品不可少的环节

工具和材料是创造艺术形式并为之提供媒介与载体以表达意象的手段，没有工具材料就没有具体的艺术作品，并且其性能及质量直接影响艺术品的好坏。而制作技巧是对这些工具和材料的性能与质量的理解以及使用方法和熟练程度，同时制作技巧的高低也对作品的质量产生绝对的影响，雕塑翻制过程中，由于人与人使用方法和熟练程度以及对材料性能理解的差异，最后的作品会与原来泥塑物相差甚远。

我们在雕塑教学中，应在充分认识到工具和技术的重要性的前提下，注意对新工具、新材料的发掘和开拓；重视专业技术的训练，发现并恰当地驾驭新技术，以便提高学生的表达能力和实现能力。

(《雕塑》2002.04 节选)

科技·工程·艺术

文／武真　程英

不知不觉我们建筑学院环境艺术专业已度过了它一年的风雨岁月，这是我校40年来设立的第一个艺术专业，学制为四年本科。在我国，环境艺术专业大都设立在美术院校中，而在建筑类工科院校设立尚属首例。它就其专业特点及专业性质来说，究竟应属于哪一类院校，将值得研究与探讨。

环境艺术设计不同于普通的绘画及平面造型设计，不同于纯欣赏性的艺术品。它有它所依附的母体，要受环境的约束，符合周围的环境，同时又要有很强的艺术性。它是一门特殊的艺术门类。环境艺术设计又大多是为具体工程项目服务的，它不是简单的纸上谈兵，它需要与实际工程紧密结合，所以它又是一门特殊的工程学科。它的艺术性与工程性既对立，又必须相互统一。可是就近年来美术院校环艺专业培养出的学生来看，他们虽具有较扎实的理论基础和较好的设计表现能力，但解决实际工程的能力却较弱，有的甚至缺少实施方案的群体意识，将自己孤立于他人之外。这样的学生与社会需求相距较远。

针对以上问题，我们作了以下分析。

首先，从一定角度上说，我校的相关专业对环境艺术专业构成了先天优势。

由于环境艺术具有工程性，所以它与建筑有着深层联系，且环艺专业所需的相关学科及与之配套的水、暖、电、建筑材料等学科在我校也完善无缺。环境艺术与建筑学相结合，构成了完整的系统。其次，我校为环境艺术专业学生的实践操作提供了方便，学生参加实践的机会更多、更好、更理想。环境艺术设计是一门实际应用学科，它当然离不开实践。我校在加强学生理论基础的同时，又给他们进行一些定项工程接触与工程设计，甚至可将教师手中已做 完设计的实际课题，再交给学生进行方案设计。这不仅可以形成一种良好的交流，还可使学生在实践中理解环境艺术的深层涵义。

还值得一提的是，我校环境艺术专业采用文理兼收的招生形式，使其艺术性与科学性两者并存。这些是我校环艺专业的独特之处。

环境艺术又是一门综合性很强的艺术门类，故我校在专业课方面除开设有关环境、空间、艺术形象等课程外，还设有与环艺直接相关的装饰绘画、装饰雕塑、装饰壁画、装饰造型等实践课。环艺与建筑直接相关，而在这些课程中，与建筑密不可分的当然要算雕塑。

美是造型艺术的最高要求，雕塑当然也和其它艺术一样，是为了反映美。但它又有着自己独特的语言。

首先，它是立体的，占有一定空间的。它的立体，使它可以从不同方面去反映美。从任何一个角度看去，它都应该是美的，它的美是直观的。其次是它的体积感。从感观上来说，它应该是重的、整体的和简洁的。它虽然是由团块构成，但展现的却应该是整体感。它也不是简单地去摹拟和重现某一人，某一物，而是从简洁的形式中表达主题、表达思想、表达美。再有，它可以采用多种材料，它可以采用不同的材料来雕、来塑、利用不同的颜色、不同的质感来表现它要表现的内容。

由于这些独特的语言，雕塑具有了独特的魅力。

人们通常根据不同的材料、不同的环境、不同的作用等等，给雕塑命名。例如钢雕、石雕；例如：群雕、浮雕；例如：城市雕塑、园林雕塑；例如：装饰雕塑、纪念碑雕塑。其实有很多雕塑作品都很难界定它的概念。更何况这些概念本身就互相联系、互相涵盖。我们认为，雕塑就是雕塑。可为了称呼上的方便，雕塑又不能没有一个名字，就像人不能没名儿一样，哪怕那只是一个代号。于是，我们又极言不符地称呼下面的雕塑为环境雕塑。就雕塑而言，我们这里说的“环境”主要是指室外环境。环境雕塑，顾名思义就是把雕塑放到环境中去。随着现代社会的发展，越来越多的雕塑走出“闺阁”，走向室外。室外雕塑跟室内的小型雕塑有着较大的区别。

室内雕塑可以自由地选材，采用自由的形式，它可以是抽象的，可以是变形，也可以是写实的。相对而言，它可以更自由地表达创作者的意图。室外的环境雕塑虽然也可以自由选材，也可以是抽象的、变形的和写实的，但这样都得符合周围的环境，受环境的约束。它不是简单地把室内雕塑放大多少倍就可以的。但也并不是说雕塑一旦走入环境，就完全受到限制。环境雕塑只是要求设计者在大环境中去展现个人风采，它是雕塑与环境的完美结合，两者都可以充当主体，也都可以充当客体。换句话说就是主体与客体可以相互调换：当你感受环境时，雕塑是点缀它的，当你欣赏雕塑时，环境又是烘托它的。而设计者所要作的就是怎样去寻找这个个人与周围环境的最佳切入点。同时，室内雕塑与室外环境雕塑又是不能一一分开的。只要有合适的环境，只要作品能适合周围的环境，那么将室内雕塑放大后，也可成为一件好的环境雕塑作品。一件好的环境雕塑作品，往往是它所在空间环境的点睛之笔，它可以使美的环境变得更美，使无序的空间变得有节奏。活动雕塑不仅具有很强的可视性，还可使人主动前去触摸，使人对雕塑、对环境产生一种亲切感。环雕与周围环境应该是谐和的。

然而仅仅与周围环境谐和还不够。在我们看来，环境可大可小。它小可指周围一小片地方，大可指整个国家。所以一件好的环境雕塑作品，不仅要与周围建筑相协调，与周围环境相呼应，它还需要与当地的历史文化相吻合，与人文风俗相统一。它更得结合整个民族的历史文化，甚至还要考虑与国际接轨。环境雕塑有很强的地域性、民族性，同时又不能忽视它的国际性。只有这三者协调统一，它才能具有恒久的生命力。

可是有时一件作品的好坏也并不完全取决于创作者本人。毕竟，环境雕塑建设是耗资甚巨的工程项目，在我们这个尚不富裕却又处处需要建设的国家，根本不可能将足够的资金投在环雕上。除了资金短缺以外，政府机构人员对环雕的认识和城市的整体规划等问题也往往使艺术家陷入尴尬境地。环境雕塑建设不仅仅是艺术家的事，它与社会方方面面的发展都关系紧密，环环相扣。而我国环雕事业的发展与完善可能还需要一个过程。

尽管困难重重，我们还是在为能培养出优秀的规划师、建筑师和雕塑家做着种种的探索与努力。同时我们也作了大量实践工作。一个时期以来，我们已经为一些大专院校、研究院、工厂和公共场所创作了一批环雕作品。这批作品与以往的雕塑有所不同，它是我们对环艺认识的外延，是我们关于理论的实践。当然其不成熟的地方在所难免，但我们希望在这里与大家交流，更希望能得到大家的指正。

（《东方艺术》2002.08）

学习贯彻十六大精神
深化教学体制改革
培养优秀艺术人才

文／付友庚

当下在深化教学改革、提高教学质量中，如何学习贯彻十六大精神，把“三个代表”的重要思想作为高校各项工作的指导思想，是目前高校各级党组织面临的首要任务。

中国美术学院在院党委的统一布置下，组织了广大干部和师生员工，深入全面地学习十六大精神和“三个代表”的重要思想。在学习与研究中，大家畅所欲言，一致认为十六大报告不仅为我们学校深化教学改革指明了方向，同时对我们在新世纪、新阶段培养什么样的专业人才提出了更高的要求和目标。过去在深化教学改革中，总会遇到这样和那样的一些深层次问题，难以解决，现在，通过全面深入地学习十六大精神和“三个代表”的重要思想，大家提高了认识，统一了观念。许多教师还结合自己的专业谈了学习看法和体会，他们认为，高校是现代化建设的教育重地，是培养新世纪优秀人才的摇篮，作为一名教师，肩负着历史的重任，因此，在今后教学改革和教学实验、科研创作方面，学院都应该着力培养既有创作实践、又有理论研究能力，既能深入认识本专业特征与发展方向、又能融合拓展海内外有关研究成果、具有高水平的美术创作能力与新思维理论研究的复合型优秀人才、学者型美术家，同时对深层次教学研究课题要明确，立意要高，力争在保持自己的传统特色、深入研究中国传统文化形态与精神基础上，又能回到当代的生活形态中来，结合教学、结合实践和创作，打通传统文化与当代精神的联系，打通个人境遇与民族社会境遇的联系，打通个人原发性与历史原发性的联系，在当下的平台上，保留传统、创造现代。只有这样，才能在新世纪新阶段知识经济迅速腾飞崛起、全球信息化迅速发展的时代里，不辜负历史赋予我们的重任。

面对着我们党领导全国各族人民在新世纪、新阶段全面建设小康社会的决心和信心，面对着现代社会知识经济的迅速腾飞崛起，面对着高校现代化教学改革的飞跃发展，许多党员干部在学习中一致认为，十六大精神和“三个代表”的重要思想，不仅是我们党在新世纪、新阶段的政治宣言，更是一篇全面建设小康社会，加快推进社会主义现代化建设的行动纲领，是科学地继承和发展了马克思主义的纲领性文献。因此，作为新世纪、新阶段的高校工作者，应该如何认真地学习十六大精神和“三个代表”的重要思想，认真全面地贯彻到高校深化教学改革，提高现代教学质量的思想意识中，统一到继往开来，与时俱进的现代化教学与现代化管理和现代化服务上，是“三个代表”的重要思想真正成为我们高校教书育人、管理育人、服务育人的指导思想和行动指导，就需要高校师生的共同努力，加强对十六大精神和“三个代表”的重要思想的深入学习与全面贯彻落实。过去，在高校教学改革中，总是存在着一些深层次、高标准的传统办学与现代化教学改革中的一些新思维、新观念不能与现代管理方式和服务意识达到统一，随着现代科技和全球网络信息化的飞跃发展，对满足现代教学发展提出了更高和更为科学的要求。为此，更需要高校师生员工加强学习，深化教学改革，同心同德，实事求是地解放思想、统一观念，共同为党的教育事业、为创造一流的文明校园、为培养一流的新世纪优秀人才无私地奉献自己的一份力量。

（《中国雕塑学会简讯》2002.05.06 合刊）

“中国历史文化名人肖像”的教学探索

文／黎明 高蒙

（一）课程的形成过程

广州美术学院雕塑系“中国历史文化名人肖像”课程的设置是逐步发展成熟的。1977年以后，雕塑系在泥塑课教学中，一直把纪念性肖像教学视为重点。具体是：充分发挥每个同学的主观能动性，从个人的生活经验、兴趣爱好、价值判断和艺术视角出发，创作一件半身纪念性肖像。鉴于此，后来肖像课程教学做了适当的调整，同学们可以根据自己选择的人物(历史文献和照片)确立构图，然后创作出半身纪念性肖像。

在总结了前两种教学经验之后，我们决定把等人大人体与肖像课程合二为一，将“肖像课”紧随“等人大”人体课程而形成一个体系。后者名为“中国历史文化名人肖像”课程，作业尺寸为两米。其宗旨是：全方位的人物肖像创作，其中包括创作过程的展开、艺术范式的选择、工程技术的体验。在实际操作中，由学生自己选定将要塑造的人物，然后查找文字和图片资料，撰写人物小传，做出构图小稿，经师生互动的共同评议，定出方案之后，才开始实施。教师的作用在于因势利导地根据不同的学生分别加以方向性的启发，而把最终的判断留给学生本人。

把原来的半身像改为全身像，把人物的选择范围规定在“中国历史文化名人”是基于以下考虑：首先，可以丰富创作的内容，全身像较之于半身肖像，无论是表现人物情境、阐释主观意图，还是在空间关系的结构方面，都更加完整。其次，限定相对范畴的人物，不仅避免了教学的随意性，而且使师生在目标一致的情况下，通过启发、感悟、迁想和引申等一系列的思辩过程，最终使创作思路明晰起来，锻炼了同学们的适应性，根据既定的方向完成自己的作品，为以后走向社会接收委托而设计作品或自己定向创作作品打下基础。

（二）教学内容业已系统化

经过几届师生的共同努力，“中国历史文化名人肖像”课程逐步完善成一套系统的教学内容。如今，在课程课时的设定上，从四年级上学期第7周至第12周共6周时间为“历史文化名人肖像”课。此时同学们的文化公共课程已全部修完，能够集中精力投入到创作中去。在教学内容的安排上，同学们报上选定的人物，经老师认可后，便开始查找资料、整理素材。主要是收集文字和图片资料、考察人物故地、熟悉人物环境和主要活动场所等。这一阶段通常是在进入四年级之前进行布置，三年级最后一个暑假期间完成。在完成了素材收集后，写出人物小传，列出精选的图片，此时作者本人的选择倾向已渗入其中了。

接着便是找出创作的切入点，确立作品的艺术形式：是表现人物的成长阶段还是成熟阶段是用文学性情境化表现还是用隐喻的象征性表现、或者是纪实性的直观的再现？是用封闭的团块构造还是用开敞的跨度结构？这时都应有了一个约略的判断。通过一系列的创作变体稿把游移于心的观念形态明确之并显现出来。经过比较、综合、概括、重新审视对人物的理解。看看是否符合人物的典型性格特征，是否最大限度地表现了人物的历史真实感和时代风貌，同时建立起涵盖这一切构想的载体——做出雕型定稿。

在此基础之上，工作进入了实质性阶段。对于学生而言，首次独立面对两米高的作业，前期的工程技术问题不容忽视。在雕塑骨架的搭建中，尺寸和结构的精确至关重要，它已不是一般人体课的简易人体架，而是外部造型和内部结构的统一，这一切要由学生亲手做出。

从定稿到放大稿的转变，并非简单放大制作的机械过程，它仍然需要创造性的思维。在小样定稿中，人物的精神面貌和形体构造都还是一个简略的雏形。这好比一篇文章的提纲，只是起到方向性的标识作用，只有把详实的内容和丰富的细节补充进去，给人以有理有据的印象，才能算是一件完整充实的作品。因此，同学们这一阶段往往需要投入大量精力，反复揣摩人物生平照片和文献资料，力求准确把握住人物行为举止和精神气质的可信度。为此时以借助于模特的易妆演示、服装假设、心理揣摩、形象推理、气质凸现等手段来获取直观的印象。

同时，学习和借鉴也十分必要。可以翻阅画册寻找出自己喜欢的雕塑作品作为参考，优秀雕塑作品具备了范本和参考借鉴的作用，借助它们可以更加有效构筑自己的语言系统。此外在塑造中，大到人物的重心、动态和体量，小到人物的神态、衣褶和肌理，无不关系到基本塑造技能。只是此时已不可能亦步亦趋地抄录模特，必须综合运用已掌握的塑造技能，创造性地构建出人物内在的组织结构和形象性格特征。

在整个肖像创作课程中，教师的职能应该是设身处地地融入到同学们不同的思路之中，既扎进去，又跳得出，只有如此，方可因人而异地引导出不同人物的不同表现方式，才可以有效地挖掘出同学们的潜质，使得每个同学的表现个性充分发挥，而不至于使一个教师带出的学生如出一辙。另外教师在同学们的塑造过程中，可以利用自己的经验来启发学生，并在恰当的时候鼓励同学做出肯定的判断，以免陷入过度或不及的无休止的调整之中，自始至终教师都在起着拐杖和导引作用。

（三）“中国历史文化名人肖像”引起各界关注

自“中国历史文化名人肖像”课程确立之后，我们一直把它列入毕业创作的范畴之中。此课程的设置，全面提高了同学们的创造性思维能力，从习作转向创作，在实际操作中初步掌握了大尺寸作品的工程技术要领、材质肌理效果的表现、雕塑与环境的结合等。同时学生们通过对课程的学习，接受了优秀的传统文化教育，培养了同学们的民族文化自豪感和自信心，以积极的态度和现实的成果，在颓废和萎靡的文艺思潮压境之际，弘扬了主旋律。

从1995年至今，雕塑系的教学计划十分重视此项专题创作课程，除委派强有力的教师担任此课的教学任务外，还密切关注课程的进度和实际效果，并在系教学会议上进行认真的研讨和组织全系教师观摩与讲评。学院领导也对此课程的设置高度重视。

实践表明，设置“中国历史文化名人肖像”课程，不仅收到了较为理想的教学效果，为新时期美术学院雕塑积累了有益的经验，而且还收到了良好的社会效果。广州美术学院美术馆、岭南美术馆和黄少强美术馆都收藏了部分学生的作品。1999年，广州雕塑公园举办了主要以同学们创作的“中国历史文化名人肖像”为主的专题展，此外，在校园中还常年陈列着一批批同学们创作的肖像作品，对营造校园文化氛围起到了潜移默化的作用。

1998年省教育厅（当时的省高教局）对“中国历史文化名人肖像”课程所包含的爱国主义和优秀传统文化教育效能给予了表扬。在与兄弟院校的交往中，鲁迅美术学院、西安美术学院雕塑系先后与广州美术学院雕塑系就“中国历史文化名人肖像”课程进行了广泛的交流和切磋。

（四）教学仍要与时俱进

随着经验的积累，同学们在创作纪念性肖像方面已经日趋成熟，这体现在对人物的选择、主题的确定、形式的裁定和形态气质的综合方面。但当今社会资讯丰富、信息畅达，多元的文化教育形成了多元化的个性，这对纪念肖像课程的改革和发展提出了新的要求。

基于此，我们设想：首先在人物的选择方面放开限制，无论是中国人还是外国人，是活人还是故人，只要他对人类历史进程做出过贡献、体现了全人类共同价值的都在选择之列。此外，在表现形式方面，一方面注重引导同学们将四年所学知识结合到创作中去，避免因技能的缺失而使形式塌陷、主题模糊；另一方面，我们更加注意同学们在雕塑本体语言上的突破，此时非彼时，每一代人都有他们自己对现实的敏感性，都有自己的表达方式。此外，对各种材料属性的掌握、作品尺度的调控方面，我们也计划做些调整，适当的缩小尺寸不仅可以缓解扩招带来的空间压力，而且为雕塑材料的转换提供了现实的可能性。

（《雕塑》2003.04 节选）

中国美术学院雕塑系教师第二回作品展——“突围”

文／李秀勤

中国美术学院雕塑系与学院同岁，伴随着钱塘江的浪潮，走过了75周年的历程。在这漫长的岁月中，雕塑系与共和国的政治风云、国家灾难、运动思潮、学术教育方针风雨同舟，历经坎坷。

上世纪20年代初在独立精神、自由思想开放性的文化背景下，在传统与现代、东方与西方文化精神的碰撞中，具象雕塑教学体系由西方涌入中国。中国美院雕塑系的前辈们以开拓者的身份接受并介绍了这具有新文化先进思想的教学体系，经几代人的努力不断完善而建立起一套完整的教学体系，是中国美术教育的一次重要的突围，这是中国美术史上一个重要的里程碑，它是对中国的传统美学思想和美术教育一次巨大的冲击和革命，同时也丰富了中国的美学思想，是中国文化产生重大进步的重要组成部分。今天肩负着雕塑系学术使命的11位教师，具有严谨深厚的写实功底，为今天的基础教学和具象雕塑创作发挥着重要的作用，均受益于前辈们的教导和这种西方的美术教学体系。

自上世纪80年代中期以来，是中国政治体制变革的时代，西方的哲学思想、艺术思潮与西方的经济管理模式、科技传媒同时涌入中国大地，几乎每位中国人都能感受到这种变革的波澜。由原来的大锅饭、群体意识代替个性解放的状态，取而代之的是自我生命价值的体现，随之而来的商品意识市场竞争，追求物质消费的欲望日益膨胀与精神理想家园的建设急剧退缩，作为一位艺术学院的老师，不但是一个身怀雕刻技艺的先生，更重要的是在社会这部大机器中善于思考的人，是一位当代文化的观察和体验者，是一个以学术的方式能对生存空间提出问题的人。由于观察体验生活的角度不同，传统的知识结构对表现当代精神生命的状态正在产生潜在的危机……80年代中期迎来了中国美术史上第二次突围，同样，这次突围的动力是随着中国社会的政治经济文化的变革之势，来自西方的哲学思想和艺术思潮。通过两次西方艺术思想对中国美术产生的重大作用，我们不得不思考东西方文化的差异之处：西方文化的发展是不断产生叛逆和异端的新陈代谢过程，而中国的老庄思想和孔孟之道则主张无为退让和忠君报国中国式的智慧。任何一个民族文化都具有自身的局限性，但重要的是对自己文化的深刻思考和检讨：它是否对社会的进步变革起到了积极的作用?是否以开放的胸怀迎接变革，从而建立起自己的富有当代精神的思维方式，并且成为这一变革中的实践者?

第二回雕塑系教师作品展应该说是一个圈内的学术活动，但是透过这些作品我们可以感悟到中国当今社会、文化、经济、政治的波澜，同时也可以看到作为一位教师对学术的深层思考和生命的体验。这些作品不是限于一个形式游戏和肉体的痛苦，而是以艺术的方式探究关注人生在世界中生命的终极价值和人的生存空间所产生的困境与精神的超越，包括对自身的知识结构敢于提问和突围的勇气。人类的进步史正是在于不断地产生疑问，不断地产生异端，在突围的过程中而得到发展。

这时我又想起了钱江潮……

钱塘江潮的迷人之处在于她在归于大海之际排山倒海之势的汹涌澎湃，逆流而上的精神力量和她生生不息、年年照旧、天天如此的生命意志。

（《雕塑》2003.04）

为公众培养艺术设计师
——江南大学设计学院公共艺术专业培养模式

文／周阿成

国内一些艺术院校近年来相继组建公共艺术专业，招生量逐年增长，公共艺术专业将会在艺术院校专业设置中如同工业设计、环境艺术设计、视觉传达设计、媒体艺术设计、广告学等专业一样成为热门专业。伴随着日益繁荣的城市文化建设，社会对该专业认知度和需求量在不断地扩大，该专业的角色定位长期以来的不确定性逐渐得到社会的认同，形成了良好的发展空间。江南大学（原无锡轻工业大学)设计学院在国内较早开设的公共艺术专业，经过8年的探索与发展，逐步形成自己鲜明的办学特点和具有独特的优势。

我们在思考教学模式时，首先确立的是学科的概念，从内涵到外延对公共艺术要有独立科学的界定，我们认为公共艺术从终极意义上追求的是公众的共鸣与认同，是公众生活的背景和环境，所以我们培养的公共艺术设计师从根本上说不是为艺术而公众，而是为公众而艺术。研究公众的审美和需求成为公共艺术的必要前提。

从学科建设方面来说，围绕“为公众而培养设计师”的主旨，我们从几个方面做出了尝试，即：从公众文化出发，研究公众的心理——文化结构，从而指导设计方向；从环境艺术出发，研究公共艺术存在的空间结构，从而进入公共空间；从传播学出发，研究公众的接受程度，从而介入公共传播；从造型艺术出发，研究公众的审美，从而确立公共作品。可以说公共艺术是一门复合性的交叉学科，我们恰好处在一个良好的教学环境中。

公共艺术专业是在现代设计理念背景下、在设计学院设计学科群的推动下、在设计学院浓厚学术氛围中逐步完善其学科体系，基本形成了一套适合市场经济发展需要的公共艺术教育体系，既有自己特色，又有实际针对性并且符合学生成才和发展需要的公共艺术专业的教学理念及培养模式。

一、为公众而艺术的设计培养

以人为本的人文原则是知识经济时代社会发展的大趋势，人的主体地位和人与环境、人与信息的双项互动关系得到充分地确认，人人都能感受到从未有过的温暖和关爱。作为文化福利的现代公共艺术，提高了人们的生活品质，成为人们生活中不可缺少的组成部分。在现代化建设中，公共艺术如何与环境相和谐，如何融入大众，获得公众的青睐是公共艺术设计师努力的目标。在公共艺术教学上，引导学生确立为公众而设计的设计理念，始终站在公众的立场上，将自己置身于公共艺术的主体之中，满腔热情地投身到设计中去，给公众以最大限度的创造。针对课题设计时，要了解公众的心理、文化结构、审美倾向及接受程度。在满足大多数公众欣赏层面的同时，强调方案的超前设计，提升公众的欣赏品位。在尊重地域文化、环境空间、功能等因素的基础上，尽可能地赋予公共艺术以创造性、时代性、趣味性、互动性和人文关怀，让公众从中感受到是真正属于自己的公共艺术。

二、宽专业、厚基础的人才培养

公共艺术是一门新兴的跨学科的专业，涉及的专业面较广，属于多元复合的主体。根据设计学院教学环境，在公共艺术专业教学上，目前主要侧重于公共环境艺术品(包括公共设施)的专业方向。依托学院40多年积累的具有雄厚实力的工业设计、环境艺术设计、视觉传达设计等学科的资源和近年来形成的艺术设计学科群的专业资源，依托设计学院健全的结构、合理的富有开拓精神的教师资源，发挥设计学院相关学科交叉互补的优势，在教学上立足宽专业、厚基础的指导思想，在注重专业基础和专业设计课程的同时加强开发性思维课程，技术性、知识性工程类课程，设计创意课程，当代艺术研究、公共艺术前沿研究等课程。另一方面压缩必修课程，增设选修课程，使学生根据自身的特点、爱好以及毕业的走向选择自己喜爱课程，拓宽学生专业面有益于专业的纵深发展，也为学生未来的发展提供选择的空间。

三、加强动手能力的培养

公共艺术设计同其它门类艺术设计一样重在设计理念，设计理念要经过视觉化的表达才能得以实现，因此，在教学实践中必须重视学生动手能力的培养。动手能力的课程主要集中在一、二、三年级，在单元课程的教学环节上，注重培养学生的认识能力、理解能力和表现能力，强调专业学习理论性与实践性，加强理论授课与工作室实践相结合。在教学上加强专业的系统性、创造性及深层研究的同时，强化学生的动手能力，使他们具备较强的造型能力、材料塑造能力以及设计方案的表现能力。

四、创造性思维能力的培养

培养学生创造能力，首先要求教师树立创新意识，走出既定的模式，肯定学生“出格”，赏识学生“叛逆”，在课程设置和教学环节上启发学生的创造性。一方面，可以在单元课程的选题中对课题的内容及范围进行限制，在限制中寻求无限的可能性，同学们根据各人的不同视角、理解、感受、兴趣及创意赋予不同的内涵和视觉语言形象。另一方面，可选择某些课题练习，不给学生限制、要求，让学生针对课题自由地学习、思考，敢于向传统挑战，突破传统成见，标新立异，创造性思考问题。此外，采取角色转换的方法，在高年级实践课程教学中，针对公共艺术某项设计，在实地考察中，对其做出正确的评价，提出“让我来设计会是怎么样的思考”，选择在原方案上寻找突破或彻底否定原有设计思路等。通过这些方法的训练打破学习上的被动，培养他们创造的主动性。

五、激发学生的个性设计

公共艺术尽管它注重环境与材质因素的综合设计原理，但却一向强调和肯定艺术设计的原创性与自身精神性，公共艺术日趋市民化与通俗化，同时更需要艺术形式的多样化和不乏个性张扬的设计以满足不同层面公众的需求。因此在公共艺术的人才培养上不可忽视个性的培育，在教学环节上不轻意否定学生的初始方案，对方案中流露出的富有个性的设计思路加以肯定，激发他们自身潜力的挖掘，鼓励学生施展个性。任课教师在教学中对每个学生心中要建立一份“个性”档案，并经常与学生进行沟通，引导学生合理地选择适合自己的选修课程、毕业课题以及继续研究的发展目标。

六、传统文化素养、国际战略视野

当代社会人类学家向我们揭示了一个事实，即传统中有生命力的事物并没有随着现代化进程而消失，在全球化的当今世界里，吸取传统文化中有利于发展现代社会和生活文化的养分以满足社会的多种生活需求，应该说公共艺术在此方面受益尤为突出。在跟随时代、追求新文化品格的公共艺术建设中，渗透着对传统文化的复兴和人文精神表达的作品在国内经济文化相对发达的城市比比皆是，因为公众喜爱与认同决定了它的存在价值。公共艺术与国际接轨无论怎样发展都离不开本土文化的根基和丰富的营养。在公共艺术课程的设置上，我们加大传统艺术的课时量，集中在一、二、三年级，开设了中外美术史、工艺美术史、民族艺术研究与考察、装饰艺术史、艺术设计史等课程，培养学生具备深厚的传统文化素养，为专业设计打下扎实的基础。在注重传统文化学习的同时，吸收发达国家和地区公共艺术建设好的经验，对优秀公共艺术设计进行梳理与研究，开阔学生的视野，提高他们的评价能力。借鉴公共艺术基础较好的国家和地区设计理念及教学模式，提高教学质量，让学生了解公共艺术的发展前沿，明确学习目标。

七、实行产、学、研一体的办学模式

江南大学设计学院多年来结合对外交流和参与社会实践开门办学的道路与市场接轨，结合设计教学和理论研究推动了学科建设健康稳定地向前发展。实践证明了只有走产学研相结合的办学模式，设计学科的发展才能得到强有力的保证。在当今城市化的快速进程中，公共艺术同其它设计专业一样获得了越来越多的设计空间和机会，在公共艺术人才培养的过程中，让教学面向社会，将相关的课程针对项目设计或高年级的教学与社会挂钩接轨的方式，参与方案招标竞争，在竞争中不断学习、不断提高，使得教学的内涵在创造性、质量、效率、可行性上得到提升，参与社会市场竞争机制，从失败中总结存在问题，在成功中坚定信心，促进学科教学体制的完善。在实践教学中，扩大科研实践的规模和能力，使公共艺术学科更具有系统化、科学化和规范化。

（《雕塑》2003.04 节选）

不仅是一次公共艺术活动

文／霍波洋

今年春季，鲁迅美术学院雕塑系和沈阳金融商贸开发区一起主办了“沈阳CBD杯公共雕塑大奖赛”。我们组织了本科三、四年级和两个研究生班的学生，根据位于市中心的金融商贸开发区的特定环境进行创作，由我系5名教师评选出16件获奖作品，并放大制作永久陈列在沈阳金属商贸开发区的地界区。应该指出的是，开发区领导完全信任和尊重专家的评选，在我的城市雕塑生涯中还是第一次，非常感谢开发区领导的开明之举。为了展示起见，我们在开发区的一块绿地把作品集中起来举办了一次展览，展览后我们将根据环境另行安置这些作品。这次展览在沈阳市引起了不小的轰动，各新闻媒体纷纷报道炒作，老百姓评头论足，一种文化味道一时充满沈城。

这里我也想说明这次展览又不完全是一次公共艺术活动。它因于几年前我系的教学调整。近年来我系在本科生低年级进行了两个基本功的训练，也就是具象与写实基础的训练和造型基础的训练，我们力争在本科生低年级的课程中将两个基本功的训练相融合，提高学生对形的认识。在本科生高年级，我们加强对学生艺术文化素质的培养和对当代艺术的理解，以及引导学生将课堂上的作品展示给社会。这次展览中的许多作品都源于他们的课堂作业，在平时课堂上不停的构图训练和对于艺术文化知识的深入了解，使他们有了一定的艺术创作上的积累。今年学生艺术创作上的热情和收获不仅体现在这次“沈阳CBD杯雕塑展”中，在福州举办的“2003中国福州国际城市雕塑艺术展”中我系有9名同学入选，在北京举办的“2003环保雕塑作品展”中我系有5名同学入选，在今年长春举办的“北方雕塑年度展”中有8名学生入选，在上海举办的“环境雕塑展”中有2名学生获奖，另有一名学生的作品入选北京“双年展”。这些作品都是他们在课堂上的作业，这些学生的表现使我们以往的教学组织获得了鼓励，也对学生们未出校门获得的成功表示祝贺。

（《雕塑》2003.05）

雕塑创作基础教学初探

文／吴雅琳

专业实习构图课，是广州美术学院雕塑系本科生主干课程创作课的基础训练部分。如何做到切实有效地实施和执行创作课教学大纲精神，通过本人在广州美院雕塑系先后四次的教学实践，特归纳总结出几点方法，是否确实行之有效，还有待与同行共同探讨研究。

一、明确目的　思路清晰

专业实习，传统教学上俗称“下乡体验生活”。今日说来，不免显得老土且不合时宜。但不管是何种称谓，也不管是去乡村还是城市，是近是远，都必须体验到“有感觉”的生活。因为太熟悉的生活未免缺乏热情，容易麻木，于是乎，同学们只要经济上允许，便会舍近求远，甚至舍本逐末，跑遍天涯海角，去寻求新鲜刺激的生活，去感悟深邃的哲理人生。从长远角度看，潜移默化地体验生活，对将来从事艺术工作的学子而言，是合理且必不可少的。但就构图课而言，专业实习的目的还在于“学会和解决雕塑创作中的A、B、C”，即用专业的眼光观察社会，将自然生活转化为雕塑

艺术样式。

在三或五周内，一、二年级的学生即要做到在生活中将自然形转化、提炼成雕塑艺术形，也即在课程结束时，每人必须完成一至二件以上的完整构图作品。因此，从（1）搜集素材（2）完成小稿（3）定稿放大（4）翻制成型到（5）制作效果等共需五个过程，环环相扣，缺一不可。因此，在专业实习出发前，学生明确此行的目的，是非常必要的。但如何才能使目的得以实施，这就必须由任课教师在课前先设计一套完整的教学方案并有计划地逐步贯彻和执行。开宗明义，教会学生如何去发现生活和掌握创作规律，使学生指导思想明确，这就是行之有效的教学方法，如此，才能确保学习成果立竿见影。

二、掌握规律　突出造型

“悟性”和“开窍”，这些充满禅学和东方文化意味的词汇，在艺术教育界被经常运用。譬如说：“有没有悟性”或“开不开窍”等。但所谓“悟性”也好，“开窍”也好，不是简单的指分析能力和理解能力。教师如对低年级学生进行辅导时使用类似词汇，往往使学生如坠云里雾里而无所适从。毕竟，艺术修养不高、缺乏审美积累的低年级学生，是无论如何也“悟”不出来和开不了窍的，尤其是针对当前普及性教育而并非精英式教育而言。

其一，用形象思维和理论分析去引导学生，特别是运用创作规律去启发学生，这是专业实习中重要的第一环节。

创造性规律，我们一般指“创造四律”，它归纳了自然科学或社会科学界的一切发明创造活动的方法方式，而对我们从事艺术的学生，这也是一种行之有效的教学方法。“四律”一般可分为：择优律、相似律、对应律和综合律。择优律：对生活中的事与物进行选择、优化。相似律：运用举一反三、触类旁通的思维方式。对应律：互为关系、相互对照和相互启发等关系。综合律：打散构成，集众为一，是由两个或两个以上不同物体去进行分解和重新组合。即如古人所云“搜尽奇峰打草稿”和“熟读唐诗三百首，不会写来也会诌”等文艺创作方法，用理论去指导学生的思考，只要学会运用自如、巧学巧用，让其掌握内在必然联系，那么，这一规律应该是亘古不变的创作法则。

其二，对大造型的掌握。这是雕塑构图关键的关键。我经常提醒学生：将生活中的无序变成有序。把杂乱的圆变成明确的圆，把无章的场面归纳成某一型和线的视觉效果。判断一件构图的成与败，关键就在于大的造型。当无数件雕塑同时陈列于展厅时，远远就能将你吸引过去的，无非就是靠它的大造型。一旦上前，才会进一步去品味它的内涵和研究它的材料。因此，造型是皮，材料是毛，“皮之不存，毛将焉附？”而思想内涵就构图课而言，暂时不必过于刻意去加以考虑。

三、注重形式　淡化内涵

形式，在这里是重点研究的课题。我们可以在三度空间中，将“点、线、面、体”作为雕塑形式的基本要素，也可以把“圆形、弧形、方形、三角形和不规则形”等作为一种基本形的选择。通过对生活中素材的优化，用对比、重复、夸张、变异等形式语言结合基本的要素进行灵活运用，主动靠近某一种型，这种运用鲜明形式语言的构图作品，必定给人留下深刻的印象。

低年级学生，解决和掌握形式规律问题，在创作基础课中，就是解决其基础——“A、B、C”的问题。这就如同上低年级的素描课一样，学生首先要掌握构图、比例、形体、透视等规律性问题而尚不能奢谈情感表现和独特技巧一样。过早地接触材料和过度地关注思想内容，势必会分散注意力而两头抓瞎。内涵应在构图中自然体现，当你在生活中概括出形式上不同的点、线、面、体的时候，不同的线，不同的体，已将其内涵自然表露出来，如等边三角形表示稳定，弧形线表示和谐等。而过分刻意地追求，反而会导致精力分散，喧宾夺主，没法突出该课掌握形式规律的主题。

四、忽视技巧　保持感觉

在学生的速写和摄影作业中，往往会捕捉到一些生动鲜活的素材，假如能结合以上对创作规律的运用和对形式语言的掌握，构图作品将能顺利完成。但某些学生由于过分拘泥于对技巧的琢磨和对技法的研究，最终导致顾此失彼——对“形”的丧失和使生活中的生动精彩荡然无存。因此，告诫学生何为主、何为辅，是非常必要的。技巧固然重要，但要运用自然而不必刻意。因此在上第一课时，开宗明义，必须阐明：不是写生课，不是技法课，不是材料课，也不是“纯”创作课，而是构图课（创作基础课）。要多对具有构图形式感的作品进行观摩和鉴赏，举一反三，触类旁通。

以上四种方法，是基于本人对雕塑构图课教学上的思考，权当一点经验，但尚不足为凭。毕竟艺术教育不宜运用唯一的模式，否则，个性安存？创造性安在?正所谓一师一法，丰富多彩，才可能营造出百家争鸣、百花齐放的局面。否则仅此一家的教学方法将会违背艺术创作原则。而作为一种方法，如能往此基础上再进入三年级的材料创作课和四年级的自由创作课(即毕业创作)，本人认为，那时就思想内涵、情感表达，和对材料的运用、选择以至有较充足时间去进行思考和表达，那将更容易达到挥洒自如，而学生在训练上也能更加臻于完善。

（《雕塑》2003.05）

情感·体验·创造

文／吴兵先

《创作与制作》是环艺系雕塑课程的最后一个单元课题。为了把已有的基础知识进行主观能动的创造性发挥，作为这堂课的主讲教师，我设计以陶泥为材料进行课题的一部分，时间限制在10天之内。征得学院领导同意，我带领同学们到工厂去实习。

重庆荣昌泥精陶瓷厂是一座专门从事民用工艺品的私企陶瓷厂，这里曾经是四川美术学院陶瓷专业实习的基地。而我们去实习的目的与四川美院陶瓷专业不同。因为我们是主攻室内的环艺专业，陶瓷对于我们来说只是创作材料中的一个门类。由于陶瓷的制作过程包含了雕塑创作中的许多元素，而在短短的4周教学中又能很好体现同学们对作品的构思、创意和制作，陶是一个最为恰当的选择。

实习的车间低矮、潮湿，6月的太阳出来时，极为闷热。

在这里同学们集中起来，我为大家做了10天来的工作安排说明：第一，熟悉泥性(1–2天)；第二，创作思维拓展(2–3天)；第三，灵感的突现，作品制作和提炼（5–6天)；第四，后期底色与釉彩的运用（1天)。在以上四个环节中，每天轮流安排同学们在工作间隙学习拉坯技术。

在教学任务下达后，同学们对泥的运用放得很开，正因为他们不是陶瓷专业的学生，而是把陶瓷作为种材料进行创作的一批学生，所以他们肆无忌惮地玩弄着陶泥，颇有一种冲破世俗观念的感觉，每一位同学都顶着烈日在低矮闷热的车间里工作了一整天。

按理说这里作为农村，条件应该是不错的了，只是与四川大学相比的确太差。晚餐我决定召集大家上一堂课。从情感、生活到作品进行讲解，借外出实现球迷们的“爱国热情”为契机，也从同学们当中产生的作品为诱因，让同学们自己发表意见，谈谈自己的创作思想，大家热情很高，一直到深夜00:30。

第5天到第7天这是同学们创作高峰期，许多优秀作品涌现出来，王琦同学的写意作品、宋礼凤的儿童时尚、龙瑶的现代家装、陈彩的调侃作品、王燕的情景作品、甘蜜的灯罩作品等等。几乎所有的同学都已经找到良好的创作题材。再加上技师们教同学们拉坯技术，同学们从中领略到制陶的乐趣。《人鬼情未了》的经典浪漫情怀开始在同学们当中愉快的传唱起来。也真是老天照应，几乎天天都下小雨，气温非常适宜工作。在生活上同学们更是不辞辛劳，每天早上6点轮流到小镇上买菜。午餐和晚餐也轮流由同学们自己做，洗菜的、打下手的、主厨的，同学们在厨房里乐开了怀。

第6天是一个传统的节日。这一天全中国人民都在纪念伟大的爱国诗人屈原，我们也不例外。

第7天厂长答应免费请一位师傅给同学们拉坯制陶，同学们提供设计图，技师帮忙拉坯。连续4天轮流把自己的设计展现出来，累得技师几乎直不起腰，但同学们知道关心拉坯的师傅，晚上准备了酒菜给技师们表示谢意。

第8天，受同学们热情感染，我的创作灵感一触即发。在后来的两天时间里完成了自己的作品《生命树》和《鱼我所欲》。在创作间隙，还设计了两套茶壶。

第9天，我们的实习生活就快结束了，这些天许多同学开始着急了。泉思涌动，更多想法涌出来，纷纷放弃休息时间，做出更多的作品。有的甚至在此期间已经作了大大小小近20件作品，还嫌不够。师傅是很好的人，不厌其烦地为同学们工作，性格内向，心地十分善良，同学们也十分喜欢他。就在这一天，同学们把自己的作品通过底色和釉彩，完成了最后一道工序。

第10天，经过前面9天的辛苦劳作，也正赶上了四川美院毕业生作品展，我决定带一部分自愿去四川美院的同学们学习、参观、交流，开阔视野。另一部分愿意留在工厂继续创作的同学，在当天工作完毕直接回成都。

后记：2002年7月“第二届四川青年美术品展”在四川美术馆举行。李巍、龙瑶、向旭、杨天、宋礼凤等同学的作品入选，其中杨天同学的《山城遗韵》获得优秀奖。

（《科技与艺术》2003.07 节选）

创作离不开认识

文／史锺颖

由于我们特殊的实践，即雕塑创作活动也会反作用于我们这个特定群体并形成我们特殊的认识思维，而这一定是与艺术评论家不同的，并有着自己独特的魅力。这就是我的第一点创作认识，既作品一定要有特点。在视觉艺术中就是要有新视点，独特的创作切入点。因为人们往往有这样的习惯，即对自己不熟悉的东西更感兴趣，而这就需要作品具有别具一格的品质去吸引人们的眼球，调起人们的胃口使人产生进一步了解的欲望。

创新对于人类的发展和进步起着至关重要的作用，失去了创新我们的社会不但会停滞不前，而且会出现逆水行舟，不进则退的现象。在艺术领域中创新就更是举足轻重的了。艺术失去了创新就几乎是失去了存在的理由。解放思想是创新的前提，要想创新就不能总是抱着陈旧的观念和老的经典不放手，不敢直面各种新生事物和思想。我们应对身边的各种事物充满好奇心。不见得去亲身尝试每种艺术形式但要尽可能多的了解，从各方面汲取营养，进而达到它山之石可以攻玉的目的。什么是创新？哲学中普遍联系的观点认为创新往往表现在把人们通常看来似乎没有联系的事物联系起来，发现事物新的联系。

创新需要有灵感。灵感在哲学中被定义为一种非理性因素，在艺术创作中十分重要，但也经常被神话。因而使人对“灵感”是艺术的源泉往往产生一种浮浅的理解，认为要想具备突发灵感的能力，必须抛弃理性思维，进入一种癫狂的境地，从而把灵感说的很玄，甚至导致了有些人不想通过努力去获得灵感而想靠多喝二两酒或来点毒品去寻找灵感。通过对这个问题认识的不断深化，我现在倾向于认为灵感是给那些有准备的人提供的，而且灵感并非艺术家的专利，所有的工作都需要灵感。

技法是实现创新的手段。要想通过一件作品充分表达自己的思想更是离不开技法。但对这一点我也曾有过很多迷惑。就在这样一种不得不被动接受的环境中，通过上课做人体，下课搞些自认为有思想的当代艺术的不断实践使我逐渐对中国古代哲学的知行观，也就是实践和认识的关系有了些认识。技法就是实践，思想观念就是认识。而这两者是紧密相连互相促进的。在练习技法实践中一方面可以使技法不断纯熟，另一方面在这个过程中会不断产生新的认识迸发新的灵感。反过来新的认识又会指导实践更好地进行。这样就使我们在实践，认识，再实践，再认识的永恒发展的过程中达到一种良性循环。

我认同执其两端而用其中的方法论，也就是中庸之道。为了不成为技法的奴隶，我再强调一下智慧。艺术从某种角度说是一种享乐，而享乐只有在占领智慧的那个尺度内，才能永久受欢迎。因此在做一件作品前我们的手和工具应首先得到理智的浸渍，应让人思考的比给人看到的东西更多。因为智慧的缺乏也可以表现于热爱劳动，有时智慧甚至可以在缺乏热爱劳动的地方表现出来。用很少的手段表现得很多比与其相反的更为困难，真正的智慧宁愿用少的而不是多的手段来表现。我觉的天才就是那些非常纯粹的人，他们能直指事物的本质，抓住问题的主要矛盾，在艺术创作中就表现为看不到修饰的技法，而作品却有非常整体的品质。作为学而知之者就需要通过不断的提高自己的修养和技术上的熟练而达到这种境界了。

我反复强调的“智慧”与聪明是有区别的。这就引出我在下面要谈的一点——“执着”。我在教课时经常演绎罗曼·罗兰的一个观点去询问学生“我们要用一个月的时间在一个地方打井，你想打一眼井呢？还是尽量多打几眼？”我会告诉他们这样一个常识“越深的井，水越好喝而且在大旱之时不会枯竭，浅井的水则会咸涩难喝，旱季往往由于地下水位的下降而成为枯井。挖井越往下越难挖，如果总是回避这个困难去再挖新井，看似多打了几眼，甚至在总深度上要远远超过一眼深井，但一眼深井的作用要远远大于几眼浅井。”说白了就是要执着些，笨些，把一些事情进行到底，看的长远些，尽量做深入做深刻——当然把握好这个度就很难了，这个度我想就是智慧。

对于独特性、创新、灵感、技法、智慧、执着，这些我们都要用普遍联系的观点去看待，他们是一个有机的整体，是相互联系相互促进的。我想把他们紧密相连的应该是“真诚”。

艺术带给我们的应该是幸福快乐，当然这个幸福快乐对于不同的人在不同的时间有不同的含义，不同的境界。只要我们每个人都能真诚的对待我们的生活，我们就会体会到艺术对于我们的意义。我们的一生就是一件艺术作品，如果能真实的感受到生活的幸福，就是完成了一件好作品，是一个好艺术家。因此只有先作好人才能作好艺术。

（《河北省人文社科研究项目成果》2003.12）

河北大学艺术学院装饰艺术课程建设简述

文／杨文会

河北大学艺术学院艺术设计专业自1995年开始设置装饰艺术设计课程，结合国家、河北省面向21世纪和新世纪校改工程的实施，以提高教学质量为中心，以强化素质教育，培养学生创新精神、实践能力和深化教学内容、课程体系、教学方法及手段等方面的改革为重点，以全面加强课程体系建设，提高装饰艺术设计课程的质量和水平为中心，经过7年的建设已经积累了雄厚的教学经验与丰硕的教学、科研成果。

在本科培养思路上，按照国家关于加强素质教育的要求，注重对本科进行设计思想的系统化、深入化、科学化的教育，注重发挥导师教书育人的作用，重视教风、学风建设，在教学中形成良好的学习氛围，力争培养出现代艺术设计全面发展的高素质人才。同时，装饰艺术设计课程强调了各专业之间的联系，拓宽了相关专业的课程内容。在整个本科教学中给学生以系统全面的知识，该课融平面和立体训练于一体，全面贯彻了教育部拓宽学生知识面、加强创造性思维培养的要求。通过设置实习基地的形式，如曲阳灵山的陶瓷实习基地、唐县田家庄村的锻铜实习基地，曲阳石雕实习基地等，以实习基地的形式来增强办学水平，充实办学思路，开阔学生的眼界，提供给学生锻炼、实习、接触社会的机会。增宽学生的知识面。在教学中重视我省的地域特色，深入挖掘我省的地域及历史文化，树立自己在全国范围内形成的装饰艺术设计教学风格。

1、课程简介：课程编排以学生接受知识的规律为主线，培养学生的创造性思维；主要提高学生的整体素质和能力。在授课中首先阐明装饰艺术设计的概念及与人文、社会时空的联系性和装饰艺术设计的必备条件，历史流变中的多种风格及时代特性。其次，讲授装饰艺术设计的种类及其应用，通过对材料的理解、应用，培养创造性的思维，并对材料进行了解。再次，运用装饰艺术设计的形式、法则和原理，对材料进行设计变形与形式结构的设计，按照装饰设计的方法步骤进行操作，形成自己的设计语言。最后，通过运用装饰设计的色彩，对装饰设计艺术作品及观念有整体性的把握。通过对装饰设计语言熟练的运用，提高理论及实践的深度。

2、课程时间设置：为72学时。在注重讲授装饰艺术概论的基础上（装饰艺术的基本概念、特征、形式、类别及发展），对平面装饰和装饰雕塑进行细致讲解，并使学生对装饰艺术的发展趋势有客观的认识，所以在教材的选择上，我院采用了能够完整、系统地反映培养学生能力的自编教材《装饰艺术设计》由河北美术出版社出版。

3、主要建设成果：课程自95年设置以来，学院领导、老师和学生齐心协力，奋发开拓，该课程得到了飞速发展，在教学实践过程中老师悉心教导、耐心讲解，让学生准确把握艺术造型的特质，学会思考问题的方法，训练并加强学生的装饰设计能力，从体积、体量的感受开始培养学生的空间感和立体感，在装饰画面造型的基础上学会精练、强化立体造型能力，体会并掌握体积的概念，进而体会到层次、空间深度的变化，从而使学生的立体思维能力和创新能力有了质的飞跃。在教学中强调造型基本功的提高，强调材料的美感，强调善于发现新材料，从而使学生全面系统的理解和把握各种材料的特性及其在实践中的运用。通过在三个实习基地的亲手实践，他们不仅整体性的掌握了全部艺术设计的流程，而且具备了直接投入工作的实践能力。一些学生的实习作品在国家级专业杂志上发表。如马飞、侯志刚、李伟、张彦辉、柴野、苏会杰、王卫军、赵方新、孙涛等人的作品。

毕业生走向工作岗位后在各自的领域也都卓有建树，受到用人单位和社会各界的好评。1998年，我院师生为保定市制作的《纪念保定解放50周年》大型浮雕受到了有关领导和广大市民的赞扬；2002年举办的《铜之意》锻铜艺术展，保定市电视台进行了专题采访报道，河北电视台英文频道也进行了转播报道，收到了良好的社会效益。

（《河北省人文社科研究项目成果》2003.12）

装饰艺术的公共存在

文／侯志刚

装饰艺术是最古老的艺术形式之一，在历史的演进过程中，装饰艺术以其广泛的内容和丰富的表现形式，向人类生活的各个领域延伸。装饰艺术发展到今天，更以其独特的魅力在公共环境中，在人们的生活环境和活动空间，扮演起重要的、新的角色。而如何认识装饰艺术与建筑和环境的关系，认识装饰艺术的公共存在就成为公共艺术设计者们关注和探讨的问题。

首先，作为存在于公共空间的装饰艺术，创造的是装饰与人共融的空间，并通过公共空间对公众产生持久的精神影响。作为公共空间中的装饰艺术与架上艺术有诸多的不同，架上艺术在于创新，而创新只有通过个性化才能够得以实现，重复的作品没有生命力。艺术家们为了发现具有个性的独创，往往采用一些不同种类艺术的结合或是运用艺术与科学的结合，或是运用装置与行为的结合以实现自己的艺术目标。对此，公共空间的装饰艺术的创作绝对做不到的。它与架上艺术最大的区别在于其对公共空间的依附性上。公共空间的装饰艺术必须赢得观众的信任和满意，最终实现作品的价值，它必须通过公众的检验，作品最后的成功与否在于它能否达到装饰环境和与观众沟通的目的。也就是说，我们需要这样的作品，它们是中国当代艺术的一个重要组成部分，它们不是存在的装饰，而是真实的存在，它们是一种表达，一种关于真理和价值观的表达。装饰艺术所装饰的空间是它与公众的自由对话交流的精神场所，因此，它是当今装饰艺术对当代精神生活的最有价值的奉献。而装饰艺术的空间是公众与作品本身精神互动的场所。正如黑格尔的说法："一切艺术本质上都是诗"，诗本身是一场对话，不仅要求能说，而且要求能听。整个的过程应是互动的交互式的，应该这样说，存在于空间的装饰艺术品，是建立在对公众的深刻把握之上的。正如装饰艺术品的创作过程中。艺术家的个性与创新是依附在被公众确认的基础上的，所以作品内所传达的或隐喻的信息，是一种开放的态势，它不仅仅体现在外在的艺术语言形式上，更多的体现在信息的传达上，它所营造的是一种自由交流的公共性特征。艺术作品的意义不再是艺术家个人的意志，而是一种途径，艺术家创造这种途径，并促使这种沟通成为可能。

其次，装饰艺术从室内的架上走向室外的空间。成为一种媒介，展现出艺术品的又一重要功能，对艺术品的艺术价值和社会价值的最终实现起着至关重要的作用。艺术品一旦产生出来，必然要通过诸多环节，才能与公众产生联系。传统的艺术品的传播方式主要是通过美术馆、博物馆、画廊等场所展览，因此不同程度地受到时间和空间的限制，这样的传播是有限的。这就是让这种艺术形式从美术馆走出去。装饰艺术的这一变革，决定了它的存在形式的公共性。作品不再是一个只供观看的对象，公众不仅可以观看、触摸，也可以参与操作与改变。具有了某种参与性与偶发性。公众甚至可以参与其中成为活的作品的一部分，甚至可以改变作品，形成变化的景观。由于装饰艺术的这一改变，促使了它在对材料和艺术的语言形式的变革。在材料方面，从传统的泥土、石膏、铜等到木、石、玻璃钢、PVC等多种材料的变化，它包含了各种各样的现成品。它们使雕塑与现实生活的界限成为模糊的融合状态，形成一种虚幻的生活场景。在艺术语言上也向多元化发展，从比较单一的写实体，传统符号的拼凑到多样化的装饰语言形式，如抽象、极少主义、超现实主义、构成主义、后现代主义等，在艺术的表现形式上出现了较多的面貌。从这些变化我们可以得出公众在现今信息化社会中的审美取向和精神层面的变化和提高。社会发展的多元化，促使公众在审美情趣和观念思想进行重新架构。

再次，装饰艺术进入公共空间，对环境产生了积极的影响。古代埃及的艺术家创造了奇迹，宏伟的金字塔和庞大的狮身人面像，不仅表现了古王国法老的威严和至尊，也体现了建筑师和艺术家对环境空间的把握，并以其庄严、伟大、对称、肃穆的气势影响或者说震撼了周围的环境，中国人也曾以自己独到的智慧和美学思想创造了辉煌的无以伦比的石窟艺术（龙门、云岗、麦积山等）在这些工程中，不仅体现了我们祖先所具备的造型能力和惊人的艺术创造力，也体现了他们利用大自然环境和材料，并将艺术与环境相融合的一种超凡的把控能力。

我国从20世纪80年代中期开始兴起"城雕热"，随之而来的如火如荼"广场热"，其作品良莠不齐。我们在很多场所都能看到古希腊罗马人体雕塑的拙劣摹本。许多商业空间门口前放置的丑陋的石狮，许多广场能看到装腔作势的美女像，以及象征科技与未来的星星与火箭、地球所拼凑的所谓现代雕塑。这些装饰艺术品成为城市的景观垃圾。当然我们也看到了发展进步，我们的城市广场，公园绿地的确也矗立起了一些具有自然美学和文化美学的作品，但我们仍然十分缺乏与当代公共艺术空间和谐统一的装饰艺术品。

装饰艺术必须具备人民性，这一点不容忽视。无论是意大利文艺复兴时期的经典装饰艺术，还是中国的石窟艺术，深刻的人民性才是装饰艺术持久不衰的生命之源。

（《河北省人文社科研究项目成果》2003.12）

六、人物评传

大地之子
——袁晓岑的艺术道路

文／殷双喜 汤静

1915年袁晓岑生于贵州省普定县一个偏僻的独家村，半耕半读之家只有房屋数间、薄田数丘，但“山花野卉四时不绝，飞禽走兽出没其间”。大自然的神奇优美、农家小院的质朴温馨，为画家幼年构筑了美丽幽静的童话世界。9岁，袁晓岑入普定县沙家马场镇的自励小学读书。当时正规师范毕业的校长为他的刻苦感动，借给他许多美术教材，这是少年袁晓岑第一次接触到正式的美术书籍。

1930年秋天，袁晓岑以优异成绩进入贵阳省立师范学校。老师的一次肯定给了这个山村的孩子极大的信心：“侃侃而谈，举重若轻，非操之有素，曷克臻此。”从此，他不忘学业的同时把更多的精力用于心爱的美术上。专业的绘画教师、严格的课堂训练使他得到了较正规的培养。而向当地名画家景小楠拜师学艺的过程则更丰富了他的绘画基础。

1935年，云南大学文史系开始招生，于是他努力学习，最终以第二名的成绩考取，但因没有高中毕业证而不得不中途退学。为了能够继续读书，他毅然来到昆华中学插班学习。他在一位名为黄禅侠的书店老板处偶然得到一些珂罗版画片，那正是岭南画派的作品。从这位书画鉴定的行家那里，袁晓岑了解了高剑父、高奇峰兄弟和陈树人等创立的岭南画派，心中非常喜爱，此后一直以对恩师的敬意私淑他们，吸收其所长，扬弃传统中旧的程式，强调性灵，借鉴西法，追求新意，画风为之一变。1938年春首次在昆明举办个人画展，展览中，不仅近百件作品销售一空，而且极受书画界前辈及社会名流所称许。由此，袁晓岑开始走向社会，他更加坚定了艺术创作的信心和学习岭南画派的决心。

这时，抗日战争爆发了，中国北方的广大土地遭到日军蹂躏。许多大学纷纷南迁，远离中原的昆明一时成为文化教育的中心。袁晓岑也因获得了高中文凭，第二次考取了云南大学。这里汇集了众多著名的学者和教授，不但在专业上拥有较高的实力，最重要的是在思想上对学生的引导和启发，这为他提供了充分展现才华的广阔空间。文学修养的提高、坚持不懈地创作，使他逐渐成熟起来。

1941—1942年徐悲鸿出访印度、新加坡之后，经缅甸来到昆明，住在云南大学。袁晓岑经校长熊庆来介绍得见徐先生，在西法写生和艺术理论方面收益颇多，也坚定了日后发展自己面貌的决心和信心 。

从此，袁晓岑对二高进一步研究，分别对其所长加以吸收，寻找自己的艺术发展道路。同时也更注意法国雕塑家的作品，反复揣摩，探究中西雕塑艺术的异同点，为将来的艺术创作打下基础。

国内革命战争时期，袁晓岑在任中学美术教员的期间仍不辍创作。他不仅凭着极大的热情自己在家中熔铜、铸铜，浇铸出当时国内第一件铜雕(由于工作条件和经验所限，铸铜的作品几乎全是实心)，而且发表了一系列反映革命、盼望解放的作品。解放后，他的个人风格已经成型，创作日趋丰富。

1986年，他又与其他9位画家一起访美，并成为美国雕塑家协会第一位中国会员。“画家、雕塑家袁晓岑的作品，不只创造性地体现了两种艺术形式的差别和联系，更可贵的是诗意与民族性与地域性的统一。”这是王朝闻先生对袁晓岑艺术的中肯评价。袁晓岑一生正是经历了从中国本土出发，目的明确地研究吸收西方重要艺术门类的表现技法为我所用，最终返回传统形成自身独特面貌的过程。此过程并非简单的“中学为体，西学为用”或是“中西融合”，而是互补所短、互取所长，使袁晓岑成为中国现代美术史上在国画与雕塑两种艺术形式上均取得较高成就的艺术家。

袁晓岑自小长于山林乡间，对大自然钟情热爱，充满勃勃生机的花鸟泉石便成为其艺术创作的重要题材。

袁晓岑在自己的努力下首开了描绘野生孔雀的先河，于高贵典雅中展现孔雀另一种原始野逸的山林气质。他的许多作品大都将孔雀置于西双版纳的林泉之中，与曲折盘桓的古藤、郁郁葱葱的热带植物、叮咚作响的山间清泉以及奇崛古朴的苍岩怪石一同构成充满灵性和野趣的独特意境。

在造型上，主张“美”的夸张先是孔雀的脖子。他认为此刻是孔雀最美的瞬间，便用破笔散锋描绘脖子边缘以表现羽毛的蓬松质感。其次是孔雀的爪。孔雀因其体形较大，爪也较为粗壮。他抓住此特点，将孔雀的爪放大处理，并把三个前趾画得特别分开，尤其从正面看，后两趾几乎成为一条直线，再利用笔的顿、按和墨的渗化使三趾连接处显得非常厚实，这样画面中孔雀爪就给人一种步履稳健的实在感觉。

在笔墨上，讲究取岭南画派之长而更求新意。为避免疲软艳俗，讲究笔与墨的结合，从而使袁晓岑笔下的孔雀在当代画坛上独具一格。1988年他应邀为人民大会堂创作的5米长、3米高的《瑞鸟图》，构图巧妙，设色沉稳，意境清雅幽静。

袁晓岑画鹤也颇有个人特点，除了常用技法外，尤讲求力度和动感。

除孔雀与仙鹤外，袁晓岑也擅长其它花鸟走兽题材。无论采用何种题材，袁晓岑都是以手中的画笔抒写对大自然和生活的热爱。

如果说袁晓岑的花鸟画较多地保留了传统国画的韵味，只是有选择地吸收了西方造型艺术注重解剖、讲究结构的特点，那么，他的雕塑创作则是对中西艺术形式的高度融合。基于本土性与民族性的审美理想与追求是袁晓岑的一贯追求。尽管他既深受传统石刻、泥塑的熏陶，又从法国诸雕塑大师的作品中得到过启发、但他的雕塑却极富地域色彩和个性特征。可以说，近百年来的中国雕塑，在学习研究西方雕塑方面，取得了长足的进步，涌现了不少大家，但真正从中国艺术传统出发，在雕塑作品中自觉地表现东方审美精神使之具有真正的中国气派的雕塑家并不太多，而袁晓岑的雕塑就是真正在中国文化土壤上成长起来的雕塑。长期的观察体会、艰苦的自我历练、有效的取长补短以及人格修养不断地提高，这是中国传统艺术的历来要求，也是每一位成功者的必备条件，袁晓岑自然非常明白。他一直在创作中不断地学习，力求达到作品的物我合一和状物抒情的至高境界。如今他对所塑之物早已可以信手拈来，但一有机会仍要到动物园观察写生，在教学时也时刻提醒学生们主客观统一的重要性。他曾说："一个人要成功必须具备六个因素。一是才力，要有一定的资质禀赋。二是学力，要提高自身学识修养，须认真学习前人的成功经验，站到巨人的肩膀上。三是识力，必须具备相应的生活和劳动知识、经验、技能。四是体力，要有胜任工作的身体。五是毅力，做事不能见异思迁，半途而废。六是胆力，要有突破前人的胆识和独辟蹊径的创造。但只有由此历练积聚而成主观能动性与客观物象表达的真正契合，才能创作出成功的艺术作品。"

袁晓岑丰富的人生经历，使他具备了较为深厚的传统文化素养和扎实的基本功。因此，他不仅在自己的花鸟画中自辟新径，在其雕塑作品中也自觉运用中国艺术的造型手段或表现法则，提高作品的审美品位，尽力传达"象外之致"、"味外之旨"。画家对传统审美价值有独到的见解："我认为以形写神不够，求神更要有韵味。神里要夸张一点，突出主观的地方。要做形的主人，不是形的奴隶。""主要是讲气韵生动，也要注意经营位置。在形准的基础上抓神。"因此，他对西方雕塑的写实技巧也是十分重视的。结构、解剖是重点吸收利用的因素，他将此与中国画的"经营位置"和"虚实相生"等加以融合，创造出了源于个人气质而独具面貌的雕塑作品。袁晓岑在写意孔雀上的成就不少方面也得益于其坚实的雕塑基本功。雕塑对于解剖结构上的要求比中国画更高，他作过许多孔雀雕塑，对每一根骨骼、每一块肌肉谙熟于胸，应用于写意花鸟画中自然游刃有余。在面对白纸时早已胸有成竹，信笔拈来，自然头头是道了。

已经85岁高龄的袁晓岑回顾自己艺术历程的一段话值得每一位后学深思："发自我之性灵，探求自然之美，汲传统之精华，走自己之道路，此乃予半个世纪以来之艺术观和座右铭。而今予仍将此观点继续坚持之也。"

（《美术研究》2001.01 节选）

小屋里生成的伟构

——记雕塑家刘焕章和他的创作

文／李松涛

刘焕章说他有一篇未发表过的随笔，题目叫《我的三个小屋》还由此衍生为一篇小说的构思。

那第一间小屋嘛，是一间小储藏室，刘焕章在1947年中学时代曾向篆刻家金禹民学习过篆刻制纽，这储藏室便是他猫在里边刻印纽的工作室了。

第二间小屋是文革期间中央美术学院师生下放河北磁县时，分配他当菜倌住的小草屋。

第三间，是人们从1982年中央电视台以电视报告文学形式介绍刘焕章艺术的电视节目中看到的，那个塞满大小石头、大小木头、转不过身来的"工作室"。当初，导演想给他换个宽敞、漂亮些的地方拍，刘焕章说：就在这个小院里拍多好！多真实！导演同意了，是什么样就什么样，没编造，拍出了一个真实的刘焕章，其艺术的献身精神令观者为之深深感动。

刘焕章对他的处境十分得意，说"虽然艰苦点但是自由哇。"确实，独坐小屋成一统，不用参加点名，听小排长讲话，也不用跟着抓"5.16"。

那间小屋真正令刘焕章感到惬意、也令别人艳羡不已的自由，是使他可以在空闲下来时想想创作。而那时美院教画的教师若想自己画画是要被批判为“不务正业”的。他的土坯床下堆着好多捡来的碎木料、石头，闲时就拿出来端详一番，构思可以雕成一个什么，但似乎都未能完成，因为没有条件，许多精彩的构想都只能存储在头脑中。只有一件小木雕，刻的是他女儿的头像，回到城里以后，对照着女儿雕成的后来被中国美术馆所收藏。为这件事，他一直懊悔，说是纪念品，应当自己留着。

文革、下放劳动，对于艺术家是折磨，也是一种特殊的生活体验。磁县小屋中没法完成的创作思考，从另一角度讲，也可以说是雕塑家新阶段创作的酝酿期，和对人生、对社会认识的深化过程。20世纪80年代初刘焕章如有神助的几百件硬质材料雕刻的产生和主题的深化，我猜想，有不少可能正是孕育于这段特殊的生活际遇。

刘焕章1930年生于今内蒙古自治区的八里罕，出生后母亲病逝，父亲带他回到祖籍河北省乐亭县。1945年考入北京育英中学，1951年入中央美术学院雕塑系。毕业后又当了两年研究生。在学生时代，他所创作的运动员题材作品已屡见于报刊，并参加了一些重要的大型雕塑创作活动，以此形成刘焕章早期写实风格的雕塑创作面貌。

真正确立刘焕章雕塑创作个人风格特色的是作于1961年的木雕《少女》等作品。

刘焕章是一个倔强，不肯屈己从人的热血汉子，在北京生活多年，却乡音难改。他的作品也如其人，具有燕赵风骨，坦荡大气，却又含蓄内在，风流蕴籍。其基本风格特色偏于粗犷、豪迈，而在粗犷、豪迈之中，却又时而流露出似水柔情，刚与柔两种对立的审美因素奇妙地结合，使他的作品耐看、令人难忘。《少女》一作，手法洗练，而整体造型十分完美，其庄重、娴雅、温婉的内在情态，令人想到麦积山泥塑女性化的北朝佛造像那含而不露的笑容。刘焕章创造了一个完美的东方女性形象，她是古典的，也是现代的。

刘焕章在1958年参加农展馆雕塑创作时，曾赴北京雕塑工厂向老石工学习石雕技法。1960年以后开始木、石硬质材料的创作。文革前有些作品，如《渔民头像》、《女人体》、《山》等，由于被人说是“有毒”，他愤而自己砸掉了。真正放开手脚，从心所欲打石头、刻木头，主要还是70年代后期，结束下放回到北京以后，他精力弥漫，思如泉涌，几年功夫，竟雕刻了300多件作品。事后连他自己想想都感到吃惊。1981年，在美协主席江丰鼓励下，于中国美术馆举办个人展览，展出作品372件，其中重要的有《摔跤手》、《顽童》、《新书》、《无题》、《儿时的回忆》等，中国美术馆先后选藏了16件作品。不少评论家为这次展览撰写了评论文章。不过，刘焕章对这次展出的作品并不都很满意。后来，他把不满意的作品全都砸了。同年底，他作为中国美术家代表团成员访问西非三国并举办小型展览。非洲之行对刘焕章的创作发生了影响，他后来创作过非洲生活题材的作品，并在艺术表现手法上反映了非洲雕刻的影响。

接着，他又把自己关在东石槽胡同那间小屋里叮叮咚咚地继续刻下去。他使用的材料有的是花岗岩一类的坚硬石料，錾刻要花大力气，他不愿借助他人，“开大荒”，找大形，自己动手，细部加工，更不假手于他人。因为助手难以充分体会雕刻家创作用心之微妙处，于是只有自己包办了。

1989年2月，刘焕章在中国美术馆举办了第二次雕塑个展，他自己评论说：“第一次个展轻松些，第二次个展深刻些。”不少作品在思想内涵上都有着文革以后对社会、对人生、对艺术的反思印迹。

他的作品绝不漂亮甜美，而是比较厚重、比较深沉。即便是表现少女的温婉(如《木梳子》等)也并不妩媚，而是保持着矜持与端庄。刘焕章创作的人体姿态甚至有些太平板，有的迳直取正面律，初看时不会讨人喜欢。他说，在审美表现上，他有意避开甜美。为此不得不付出“甘于寂寞”的代价。刘焕章的雕刻大气、单纯、凝练。刘焕章说他确实喜欢古埃及雕刻“不俗”、“无媚骨”而嫌希腊雕刻外在、表面。他说埃及雕刻虽然冷、板，但结构的形式感、建筑感特别强。不过，他更喜欢中国古代艺术的饱满、不僵死，静中有动，富于生气。具体地说，他最崇尚西汉霍去病墓石刻之对民族气质的表现，也喜爱六朝雕刻之超尘不俗。对于唐代，他肯定顺陵石狮之威镇八百里秦川的气势，而对那个时代的佛像却说了一句大不敬的话：“肚脐一块肥肉都快流出来了，特别腻俗。”不过仔细想想，却也不无道理。

他的大理石雕刻《乐在其中》，那女人躯体肥硕如柱，三角形结构的头部让人想到埃及金字塔前的狮身人面像。其中之“乐”何在呢？原来是表现洗冷水澡所得到的快适。刘焕章说这个形象创造中有这么一层意思：一个人为了事业，可以不管不顾，苦中有乐。“比如我怎么能长期钻在小破屋里苦干呢？就是因为这里面有乐趣，而且能自娱。”说来，这个裸女竟然表现的是作者自己的一种精神向往。这个形象十分单纯、洗练，但对人物的动态、精神则刻得异常细腻、准确。由于水冷而抱住双肩，两腿紧贴和膝头微微屈起的动势，以及仰头眯住眼睛承受水淋的神态都很生动。肢体相接处的有意模糊与浑身的周身轮廓，让人觉得水还在不住地流淌而下。至此，我又想起黑格尔说过的另外一句话："精神只有在面貌和姿势上才能表现出来。"

刘焕章的许多作品像是大型雕塑的小稿而不是架上雕塑的格局。他的才、艺术气质都更适合在大型雕塑创作中自由驰骋，但是社会给他提供的机会并不多。

刘焕章出入三间小屋，留下了艺术发展道路的清晰轨迹。如今他已年届古稀，依然留恋着东石槽那间小屋，不知疲倦地劳作着，许多佳作在叮咚声中接踵而出，为当代美术创作增添着光彩。

近几年，他受原始雕塑艺术的启发，塑造了一些饶有意趣的陶艺人像，创作心态愈发自由、放松，走向了天真烂漫的新境界。

（《美术研究》2001.01 节选）

麦积山中"一把刀"

文／邵文海

1978 年，柳太吉刚 20 岁，高中毕业，回村劳动，就随生产队到麦积山石窟搞副业，做小工。那时，文革结束不久，麦积山石窟艺术研究所刚刚成立，整个石窟真是满目疮痍，百废待兴。洞窟要打扫，资料要整理，栈道要重修。他的具体工作就是给拍资料片的老师们打杂。拍摄前，他先打扫干净洞窟，然后拉电线、抬机器，老师们拍摄时他就站在一旁给打灯光。虽说是打杂，但毕竟生平第一次接触到文物知识。

所里看他聪明好学，文化程度也高些，就将他和另三名农村青年送到敦煌去学习文物修复。和泥、粘结、加固……这一整套泥质文物修复技术他一学就是一年。

1980 年，他们学习回来后，接触到第一个"患者"就是石窟正面那个 16 米高的泥塑大佛。大佛与崖壁局部开裂，表层泥皮脱落，如不及时抢救，就有塌坠的危险。这次工程是在当时的敦煌保护研究所李云鹤所长直接领导下进行的。先搭起高高的脚手架，将向外开裂的大佛用几个大千斤顶顶死，然后在崖壁上打眼加铆，钢铆伸进足有两米，硬是将摇摇欲坠的大佛给固定好了。然后就是修复表层。他那时还没有动手的资格，只是和泥。专家们已化验出佛像所用泥的各种成分，他的任务就是试验用不同的比例泥土、沙、石灰、麻丝等和成不同的泥，有的还模仿古人加进棉花、鸡蛋清和糯米汁。总共和了 20 多种泥，10 斤一堆，20 多堆，一堆一堆地排放着。老师们从中选出了两种，反复比较实验后又确定了一种。这种泥直到今天还在沿用，只不过粘结剂已由乳胶代替了鸡蛋清和糯米汁。

他对记者介绍说，他的工作的确和外科医生动手术有点相似。首先，要详细检查"病人"，将其艺术特点和病危程度研究透，并进行全面的摄像记录，特危部分要用特写镜头拍摄；同时要提取一小块泥进行"临床检验"，看其内部结构和成分到底如何，以便修复时按比例配制。虽然对泥他们已有成熟方案，但还要根据每次的具体情况将配方做些微调。这一切工作做完了，就要准备一套详细完整的"手术方案"，方案要经过专家论证和领导批准方可施行。在修复过程中，洞窟每天的温度、干湿度都要记录。这一点，也不亚于手术室的严格。

壁画最常见的就是泥层酥松、脱离墙面、颜色起翘。修复前要首先清理壁画表面和泥层后的鸟粪、草枝、浮土、碎泥块等杂物，掏不出来的就用吸尘器吸。这项工作犹如外科手术中的备皮和清创，看似简单却马虎不得，否则就会包脓养疮。然后用特制的注射器注进乳胶，进行渗透加固，再用喷雾器大面积喷以胶液，待胶液全部渗透后将干未干时压平压紧，直至干后粘合。对即将完全脱落、已不便这样粘合的壁画，就只好采取揭取后再粘固的办法。

佛像最常见的是佛像倒卧、肢体残断和背光开裂。有时，高大的佛像前倾，与崖壁裂开三四十厘米，就只有在崖壁上打眼，用钢板、螺丝将像拉固。佛像背光常常裂得可以塞进一只拳头，就用铁丝拉固，胶泥粘结。

他说，修复中首要任务就是保证文物安全。泥质文物修复整天与泥打交道，看起来有点像泥水匠人，但又绝对不同于泥水匠。泥水匠把房子修坏了可以重来，而文物一旦修坏就不可再生了。没修好的，反倒损坏，那就是对祖国文化遗产的犯罪，对子孙后代犯罪。所以，要求每次都必须成功。

修复工作说起来轻松、简单，完工后也看不出什么，但做的过程却十分麻烦、困难。泥质文物修复不比青铜器修复、陶瓷修复，有的酥得动都没法动，可以说一触即毁，但他们必须动，还得动好。

有的洞窟小得人钻进去蹲着都转不过身，但他们还必须钻进去，猫着腰一干就是多少天。更要紧的是，虽然他实际上已可称为专家，但因一直轮不到招工转正的机会，至今仍是一个什么都没有的临时工。临时工工资当然低，直到今年5月份也只有270元(从6月份开始收入增加了)。为了生活，他只能一有时间就赶回他在20里外的家里，拼命地去种种他的责任田。当初同他一起到敦煌学习的3个青年，早就不愿干了，走了，只有他默默地留下来。现在，年龄也渐渐大了，对工作的感情更深了，就更舍不得离开了。

让柳太吉欣慰的是，所里已给他配备一个很得力的助手。这个小伙子叫马千，1984年进所，1986年就开始给柳太吉当徒弟。现在，所里又给修复室增添了两员大将——周刚和郑卫权。

只是，泥质文物的受潮损坏是一个永无休止的过程，即使现在已修复，以后也可能再次损坏，尽管他们这个“外科”班子已加强至4把“手术刀”，但面对着四处告急的“疫情”，将永远不会有轻闲日子。而柳太吉，这个临时工专家，看来也将很难有放下“手术刀”的一天。

(《文化艺术报》2001.03.23节选)

滑田友先生的艺术之路

文／沈吉鹏　张铜

滑田友，原名庭友，又名舜卿。1901年5月8日出生于江苏省淮阴县渔沟镇一个贫苦木工的家庭。

1929年，滑田友为他的3岁儿子雕刻了木雕头像。这件《小儿肖像》受到大家的称赞，他将作品照片寄给当时中央大学美术系主任徐悲鸿先生，徐先生即刻复信曰：“中国现在恐怕还没有人能刻出这样的雕像，你不必进中央大学，我愿与你作朋友，要把你送到法国去学雕塑，并希望你春假时来南京相见。”当徐先生看到原作后，非常高兴，并把它推荐给《良友画报》和《新闻报》发表。同时还为滑田友筹募旅费。

经徐先生介绍，滑田友曾给上海写实主义雕刻家江小鹣当过助手，后经江小鹣推荐，于1930年任当时教育部所属江苏　直保圣寺保管委员会技师，负责修复寺中工程很大的一壁彩塑罗汉像。

时年32岁的滑田友，在中西文化冲突、碰撞、交融的大背景下，跟随出国办画展的徐悲鸿先生，于1933年1月28日毅然背井离乡，远渡重洋，前往当时的世界艺术中心——法国巴黎。

到法国后，滑田友先生在巴黎高等美术学校布夏工作室做工，然后半工半读成为预备生，第二年他以雕塑、素描均获第一名的考试成绩被录取为正式生。学习期间，他语言不通、囊中羞涩、孤独无靠、逆境横生，靠打工割麦子、砸泥、送豆腐、刻商品砚度日。曾因饥饿昏倒在地铁车厢里、过街桥下。但他为寻求艺术的真谛，跑遍了巴黎所有的博物馆，罗丹博物馆更是他流连忘返的地方。他居住在条件极为恶劣的顶楼里，但在这里却结识了音乐家冼星海，由于对民族、艺术的忠诚与执著，二人结为患难之交。

1936年，滑田友以作品《沉思》(坐姿)获巴黎春季艺术家沙龙展览铜奖而宣告学科毕业。该作品被里昂中法大学收藏，滑田友也获得了中法大学公费留学的名额。

1939年第二次世界大战爆发，滑田友再度失去了公费赞助，生活重又陷入绝境。

1941年圆雕《浴女》获巴黎春季艺术家沙龙展览银奖。1943年圆雕《沉思》(站姿)又在同一沙龙展上，以最高票数获取金奖。同时他也获得H．C(Hors—ConCours)资格，从此以后滑田友的作品可以不经评审参展。他还获得“艺术家之友”独立派画家颁发的奖金，《少女头像》(陶)就被独立派艺术家收藏。他的圆雕《小儿头像》和《少年中国》及一批素描、速写均先后被法国、瑞士收藏家收藏。

1944年速写《沉思》被法国教育部收藏。水彩《恐怖》(《轰炸》的平面构图)被巴黎中法协会收藏。《女坐像》被中国新闻局驻法办事处收藏。二战期间，他耳闻目睹德日法西斯对世界人民犯下的滔天罪行，他创作的《轰炸》等反战题材的雕塑稿，也因德军入侵巴黎而不得不被隐藏。直到德国战败，《轰炸》稿才得以放大。1946年圆雕《轰炸》被法国教育部收藏，后又收藏于巴黎近代艺术博物馆，并入编《世界美术百科全书》(法文版)。1947年圆雕《母爱》被巴黎市政府收藏。当时法国的一些报刊、文集也对滑田友的作品进行了广泛的评论与赞美。法国大雕塑家德斯比欧对他的作品也一再赞扬，徐悲鸿先生更惊叹为：“罗丹再世！”

滑田友于1948年1月28日作为成就卓著的中国雕塑家，在徐悲鸿与吴作人先生的邀请下，结束了在法国颠沛流离的15年生活，携带他的大量雕塑作品从马赛登船回到了祖国，开始了他实现自己学业有成、报效祖国的初衷。

他先后在南京大学附中礼堂和北平艺专大礼堂举办中国有史以来正式的个人雕塑(及素描、速写等)展。他的归来，不仅为当时极度贫乏沉闷的雕塑界带来震惊与激励，而且为整个文化艺术园地带来了一股强劲、清新的春风，更为后人认识和迈入中国现代雕塑艺术领域指明了方向。

滑田友回国后，在徐悲鸿任院长的北平艺专雕塑系任教，使本来就实力雄厚的学院教师队伍更增添了骨干力量。解放前夕，他断然拒绝国民党教育部将他及其全部作品南迁的要求，与徐悲鸿院长及艺专全体师生一同，坚定而热情地迎来了新中国的诞生。

从1952到1966年文革前，滑先生一直担任中央美术学院雕塑系主任、教授，同时不断承接并负责多项国家重大雕塑创作任务。如1952——1957年承担了首都人民英雄纪念碑浮雕这一杰出的历史性巨制的工作。开始他总负责，后来任美术组副组长。他不但承担了许多组织工作，还呕心沥血完成了《五四运动》大型浮雕创作。

滑先生是中国美术家协会理事，1984年加入党组织。吴作人院长对他的评价是："滑田友先生是近百年来涌现的中国大雕刻家。他的艺术的确做到了中西合璧、融古铸今，既体现了西方雕刻的精髓，又充满了中国文化之神韵。他对中国的现代雕刻贡献极大，影响极深。"滑先生在近40年的教学生涯中，桃李满天下，在雕塑创作、雕塑理论、雕塑教学上均取得了卓著成就，1986年2月 19日病逝于北京，享年85岁。

滑田友先生是现代雕塑艺术的拓荒者和奠基人之一。他那不畏艰难困苦，勇攀世界雕塑艺术高峰的坚韧品格与赤子之心，将永远铭刻在我们心中。

滑田友在法国前期的学习与研究，虽历经困苦磨难，却取得了卓著的成绩。但他认为自己是中国人，很想做出中国风格的东西。他不断研究谢赫"六法"，除"气韵生动"外，还用"应物象形"来强调对形体的认识和概括。他说："传统的画法不是像西洋那样照着模特写生，而是靠观察、记忆，找对象的规律，有时还揣摩对象究竟像个什么。"他说："例如中国的写像秘诀中，把人的脸型写成几种，长方脸像'目'字，方脸像'国'字，上方下削的脸像'甲'字，下腮广阔的像'风'字……这正是一种很好的观察对象的方法。人的动作当然也可以有种种象形。抓住了这样的象形，就是抓住了对象最扼要的地方，在观察记忆当中，已经把对象简练、夸张，突出了对象的特点。"这种由个性到共性，由"形"而至形而上的审美升华，以超越的目光对终极的把握与追求，是有其深厚民族文化渊源的。

哲学是文化的思想基础，也是文化的核心，每一个民族的政治、经济、文化、艺术、风俗等等，都受着这一民族哲学思想的引导和影响。中国哲学中，从观物于时空到立象于心理，进而取意于认识，升华为境界，无不以对偶范畴形式显示着中国哲学辩证法与艺术辩证法的优质与生机。滑田友在雕塑创作中，抓住了雕塑艺术的本体——"意象"构成，即"情与景"这一对偶范畴，也就揭示了艺术家与生活、生活与艺术、艺术与欣赏者，乃至东方与西方、传统与现代、艺术的运动与发展等等种种辩证关系的根本规律。

滑田友在远离祖国的巴黎——当时的世界艺术中心，站在世界的大格局中，以民族文化为背景，无论人生、艺术应该说都进入了更高境界。而正当此时，第二次世界大战爆发了，个人的苦难、民族的苦难、人类的苦难给艺术家带来的是接踵而至的心灵撞击。

在二战前后，滑田友在巴黎不仅负责中国留法艺术学会工作，以实际行动屡履抗战救国之举，还创作了圆雕《轰炸》和《母与子》。可以说，这两件作品是历史、时代、人性的折射；也是面对人类苦难所造就的滑田友人生追求与艺术真诚的时代成果，更可以看出滑田友对时代两大主题——战争与和平的关注与表达。

1945年法国出版的论述艺术家的文集中，对滑田友获得的奖项和所取得的荣誉均有报导，还特别评述道："滑先生希望创立中国的现代艺术，他对中国传统艺术的全面了解和对我们的绘画技术的研究，使他实现了这一愿望。"

1946年3月5日法国《欧陆每日邮报》对他的艺术也曾有大意如下的评论：他是优秀的中国画家，又是雕塑家，具有个人独特风格。他从西方学到了技术，但不是简单的写生，而是具有形式上的美。中国艺术的主要特点，并不是简单的写实，不单讲外貌的真实，而是更着重于神似。

当时滑田友还和法国著名的大雕刻家德斯比欧、纪蒙、杰尼奥等都有广泛的交往与交流。在法国出版的《世界美术百科全书》中对他的介绍占有整整一页，他在国际上享有崇高的声誉。

吴作人先生曾评述滑田友说："自从30年代初，滑先生在深入研究中国古代塑造盛期的精英，又在此后的15年在西欧，主要是法国的现实主义艺术和浪漫主义的熏陶，结合上他民族艺术方面的反馈。他的作品在中国艺术园地有如一股清风，不仅给艺术学徒们带来美的享受，更重要的是让学生看到了西洋传统的真东西，及经他提炼并创造的中西精华结合之全新面貌，给我们研究西欧传统的工作带来极大好处。"

滑田友先生作为20世纪的知识分子，他的命运和时代休戚相关，也如中国近代雕塑事业一样，无论坎坷、艰辛、荣辱升沉都和民族命运紧紧相连。滑先生秉性忠厚善良，聪敏勤奋。他意识到中华传统文化的优越，然而又当如何继承和发展呢?当他毅然走到世界大格局中，才更清醒地认识到要为发展中国现代雕塑艺术事业而毕生奋斗。在他的奋斗历程之中所创造的全部精神财富，包括他的雕塑精品、理论见解以及他和他的同道者所共同创建的严整的雕塑教学体系，都不愧为"古为今用，洋为中用"的典范，堪称时代的楷模。

解放初期，他跑遍了北京市区，设想树立城市雕塑，并打报告给市政府。也曾撰文主张在高山峻岭上用雕塑表现民族英雄事迹，激励人民，他希望雕塑走到人民中间去。

在滑先生任中央美术学院雕塑系系主任期间，他和他的同道们一起在引进西方艺术教育的同时，将欧洲综合分析的科学造型方法，不断地与中国传统文化相结合，在反复的实践中，总结创建了一整套相对稳定的、适合中国的教学体系。在广泛深入调查研究的基础上，筹建了"民族民间工作室"，责成编写5年制民族雕塑班教学方案，试图在教学中推行双轨制。在他主持工作期间，充分发挥各家之长，调动各方面的积极性，分工考察、研究中国古代雕塑遗存，开办学术讲座，聘请民间艺术家来校讲课，不断丰富中国教具的创作和使用，并在适当的时机把课堂教学与国家重大雕塑创作任务相结合，等等，这些都是为寻求中国雕塑民族化、现代化的开创性举措，在当时是具有预见性的思考。在多年的反复实践中，这些努力为学生能具有独创性的发展奠定了坚实基础，为新中国造就了一大批雕塑人才。

滑田友先生还撰写大量理论文章，发表过《我的美学》、《巴黎铸铜厂两周记》、《中国雕塑美术建设计划》等，解放后又发表了《游云岗石窟后的感想》、《我对雕塑基本训练的看法》、《雕塑的组织结构》、《传统与继承》、《美好的回忆》等。这是滑先生在学科建设上做出的历史性、开创性的贡献。

滑田友先生辗转考察中国一些著名石窟的雕塑遗存，畅谈中国汉唐雕刻之雄伟，以及如何学习历代雕刻之精髓。他曾告诉我们：现代西洋雕塑也吸收了中国的艺术形式和表现手法，但只学到了表面，形成了"为形式而形式"。他还明确指出"我们传统艺术形式的精髓是'神似'"。他也告诫我们，清代以后，有一批艺术家向西洋学习，很好，有必要，推动了我国艺术的发展，但缺点是容易被具体形象牵制(包括自己在内)，因此需要突破这个局限，发扬中国"神似"的传统。正所谓"洪钟万钧，夔、旷所定，良书盈箧，妙鉴乃订。"(《文心雕龙·知音》)

今天纪念滑田友先生百年诞辰，举办他的作品展，重温他的奋斗历程和谆谆教诲，一方面可以告祭他的在天之灵，同时，他的崇高精神品格也将继续鼓舞我们不断进取。

(《美术研究》2001.03 节选)

东方"无境"的魅力
——黄永砯的艺术观及实践

文／林春

样子平平常常，瘦瘦小小，说他是干哪种行当的都像，就是不像艺术家，当你在一问一答中他说艺术，再看他的作品，你立刻就会被他吸引，被他迷住，痴迷与迷惘同时产生又一直消退不下去，这是黄永砯给大家的印象。

搞清永砯的艺术，难。作品量大，特别是思想内涵复杂，从目前确认对他有影响的有马克思辩证法、维特根斯坦理论、形而上学、索绪尔的符号学、结构主义、马塞尔·杜尚的艺术思想，波斯的艺术精神、禅宗、佛教、老庄思想，易经，风水学说。

从史学观点来系统评价永砯的艺术我没法子做到，可能也为时尚早，就让我们来解读他的作品吧。《<中国绘画史>和<现代绘画简史>在洗衣机里搅烂2分钟》(1987年厦门)，这件作品是他最著名和影响最大的作品，可以与杜尚的《泉》相媲"美"。看似不起眼的行为和看似不起眼的东西，正应了杜尚的那句"为思想的艺术"。试想能够被两本史书载入史册的诸神，但被黄永砯放入水中搅拌了！结果无论你多么伟大，无论你是东方还是西方，是过去还是现在，多少不朽的作品，多少观念与思想，多少正轨与非正轨，多少唾沫四溅的艺术争论，经过洗衣机搅拌，命运只有一个——一团纸浆，纸浆而已！他说："这是一件洗衣机的作品，洗衣机里面2分钟比人们争论一百年更好地完成了东西方绘画的结合。"这是他早期"无意义"非表达作品最为深切的表达。它让我想起禅宗的几则公案。赵州和尚因僧问："狗子还有佛性也无？"州云："无！"这"无"就不是字面上的"无"，而应作"有"解，老子说："无即有有即无"。另有一则洞山和尚因僧问："如何是佛？"山云："麻三斤！"转换一下套永砯水洗作品"什么是艺术？"答曰："烂纸浆！"这也就是此件作品的内在玄机和之所以被东西方业内人士大为喜欢拍案叫绝的缘故。

《沙的银行或银行的沙》（2002年，上海），策划者的主旨思想缘于上海的城市精神，永砯选用建于1923年的上海汇丰银行为创作内容，一步到位。汇丰银行是殖民时期上海建筑的代表，它可以说是剥削、压迫、丧权辱国的同义词，它曾经风光过，但如今它默默无闻几乎被人们遗忘。永砯用沙复制了这座建筑的外形，沙是松软的，易于崩塌，是不牢靠的东西，象征着殖民者的宿命与非永久性。在展厅天花板上，他把原有的八角灯罩换成圆形"洋帽"，把殖民历史中明显隐藏的象征符号并置起来，让今人反省警惕，寓意深远。由此，他获得联合国教科文组织授予的"文教科学推广艺术奖"。

我们的解读可能贴近原意，也可能谬以千里，这不重要，有一点可以肯定，永砯的艺术正在欧洲中心主义意识形态，从而展现了一个东方"无境"的可能与魅力。

（《雕塑》2001.04 节选）

刀痕留青史　塑铸颂中华

文／钱海源

（一）

著名美术评论家迟轲教授在为《李汉仪雕塑作品选集》所作《序言》中这样写道："李汉仪不但创作了许多好的雕塑作品，同时，也是一位好的艺术老师。"迟轲先生对他的评价是很贴切的。作为新中国培养的第一代雕塑家，几十年来，李汉仪创作了许多在国内外有影响的雕塑作品，早在20世纪50年代的学生时期，他就有《义务劳动者》和《搏斗》问世。其中《搏斗》先后在北京、武汉等八个报刊杂志发表，并荣获湖北省青年美展一等奖和全国青年美展二等奖。60和70年代，他长期深入生活在珠江三角洲农村，创作了楠木雕《珠江岸边》和《水乡女民兵》，这些作品均为中国美术馆所收藏。80和90年代，李汉仪主要集中于大中小型的城市雕塑的创作，并获得了丰厚的成果，他先后创作的30多座大中型优秀城市雕塑作品，分别建立在全国20多个城市中。李汉仪的雕塑作品，就像他的为人一样，其艺术风格可用"朴素、自然、生动、真切、感人"十个字加以概括。

欣赏李老师的雕塑作品，人们会发现，李老师除了致力创作重大主题的如《搏斗》和《烽火年代》一类重要作品外，还有像《东坡笠屐》、《洪秀全》、《洪宣娇》、《苏兆征》和《容国团》等一批受到社会各界广泛好评、为历史名人树碑立传的优秀纪念像，显示了李老师在肖像雕塑创作方面的杰出成就，鲜明地体现了李老师作为有使命感和责任感的艺术家，把歌颂时代、为对人类的文明和进步作出杰出贡献的历史人物树碑立传当作自己义不容辞的神圣职责。

（二）

艺术家总是在他所生活的具体时空中进行艺术探索和追求的，因而他的作品自然会折射出时代的光彩。贴近时代、贴近生活、艺术风格质朴深沉，是李老师雕塑作品的一个鲜明特点。李老师曾经说过，属于他的作品，可以分为两个方面：一方面侧重于描写人与人、人与自然之间的抗争；一方面侧重表现人与人、人与自然之间的和谐。这既是时代生活演进的反映，又是他对艺术进行思考的积极成果。广东已故著名书法家秦谔生给他写了"刻绘人生"四个大字，可见生活对他的影响之深。

李老师的早期作品，大多强调整体的气势和力度美。如1956年获湖北省青年美展一等奖和全国青年美展二等奖的《搏斗》，便是一件这样的佳作。曾经亲身参加1954年夏武汉长江大堤抗洪险斗争的李汉仪，企图通过这件作品，表现人定胜天，人与大自然抗争中所体现出来的那种英雄豪迈的气派。在《搏斗》中，雕塑家所着力塑造的两个工人形象，同心协力，拉住粗大的缆绳，与狂风恶浪展开英勇的搏斗，生动地体现了共和国建国初期，人民群众的英勇献身精神。从艺术形式看，青年雕塑家注意到了对艺术形式美的追求，形式感鲜明的斜线，造成气势强烈的张力和动感，从而增强了作品的艺术活力。

安置在广州市人民公园的石雕《烽火年代》，是李汉仪根据自己童年时代对抗日女战士的深刻印象和解放后间接生活的影响，奉献给广州人民的一件有意义的礼物。在这件动人心魄、感人肺腑的作品中，年轻的女游击队员在炮火连天的战场上，找寻到了一个暂时的隐蔽处，解开衣襟给小宝宝喂奶……雕塑家采用情意真切的艺术处理手法、简洁凝炼的雕塑造型艺术语言，巧妙地将生与死、战争与母爱、刚与柔、“英雄颂”与“抒情诗”完美地聚集在一起，作品较深刻地表现了革命战士的人性美，为我们展现了年轻女战士那无比丰富的感情世界。

近几年来，有些人宣传和鼓吹一种这样的观点：认为“英雄主义”过时了，认为在文学艺术中不再需要宣扬“英雄主义”的主题了，认为“英雄主义”这种主流艺术风格应当消解了。这是一种立论偏狭的有害观点。因为，人类在与自然、与愚昧和疾病、与罪恶和错误做斗争的时候，总需要作出不同程度的英勇献身和自我牺牲。这其中必然就包含了“英雄主义”的因素，“英雄主义”乃是人类社会发展和前进的重要动力。正因为如此，我们坚信，“英雄主义”也与母爱和爱情一类主题一样，是个具有永恒意义且经久不衰的文学艺术的永恒主题。我们今天建设社会主义，需要大力提倡爱国主义、集体主义和英雄主义。因此，致力于通过作品颂扬我们时代的英雄主义的艺术家，会赢得人民的敬重。著名老画家关山月先生在李汉仪出版雕塑作品集时，欣然命笔书写了“刀痕留史册，塑铸颂中华”十个刚劲有力的大字，体现了关老对李汉仪努力用雕塑创作颂扬我们时代的英雄主义精神和在雕塑艺术上所取得的成就的肯定。

（三）

李老师也与他同时代许多中、老年雕塑家一样，在艺术上有两个非常鲜明的特点：一是在1949年至1979年以前的那30年中，从创作题材到艺术风格，基本上是单一的写实风格。可是，自党的十一届三中全会以来就不同了，不仅作品的题材多样，而且艺术风格上也发生了很大的变化，或采用写实技法，或选取夸张变形和具有抽象美的不同艺术语言，显示了处于改革开放大潮中的李老师，时刻不忘艺术新形式和新风格的探索，并取得了丰硕成果。其二是，与许多壮、老年雕塑家一样，在前30年中，李老师只留下了像《搏斗》、《珠江岸边》和《水乡女民兵》等数量很少的几件室内架上小型雕塑，而没有做一件室外的大型城市雕塑。可是，自1980年以后，李老师除了担负教学任务、忙于日常的行政事务以外，雕塑创作方面也成果累累，而且主要是在城市雕塑创作方面做出了引人注目的成绩。

为人朴实的李老师，在谈到自己的作品的时候，总是淡然一笑，说：“我做这些作品，和农民种稻麦、工人造机器的意义一样，既然命运分工我干雕塑专业这一行，我就应当尽力干好，力争能够不断地奉献给时代和人民较好的作品。我知道，与一些雕塑大家比较，我这个人比较呆笨，但求上进的精神还是有的。周总理所说的‘做到老，学到老’的金玉良言，一直在鼓舞着我，我的唯一的长处是，尚能清醒地认识到，要做一个好的雕塑家，一是要认真研究和吃透中国古代的优秀雕塑艺术传统；二是要认真研究、大胆吸取包括西方现代艺术在内的世界各国的优秀艺术因素，三是要勤奋刻苦地坚持搞创作实践，才能使自己不断跟上时代生活的大潮。”

（四）

正如迟轲教授所说的，李汉仪老师不但是一位艺术成就卓著的优秀雕塑家，而且是教书育人的“一位好的艺术老师”。他自50年代中期毕业留校任教来，几十年来先后历任广州美术学院雕塑系创作教研组组长、雕塑系副主任，被评为讲师、副教授和教授、雕塑艺术学科学术带头人。李汉仪除了创作之外，把主要精力放在教学上。1979年他协助系主任、著名雕塑家潘鹤教授积极全面进行教改，1982年该系被中央指名为全国首批可授硕士学位的两个雕塑系之一，1986年被评为省重点学科，对外招收外国留学生。他带过的留学生分布在美国、日本及南美等国家和地区。李汉仪教授在珠海、深圳、广州与政府部门商讨制订城市雕塑计划，他被聘为珠海市城市雕塑顾问，广州城市雕塑艺术委员会委员、中国雕塑壁画总公司艺术委员。

李汉仪作为一个人品和艺品高尚的良师，赢得学生们的真诚的敬意，岁月虽然流逝，情感却有增无减。

（《美术》2001.06节选）

朴素·率真

——略谈蒙古族雕塑家阿·占布拉的艺术实践

文／陈泊萍

罗丹给青年艺术家的“遗嘱”中有这样一句话：“不要扮鬼脸、做怪样来吸引群众。要朴素、率真。”

我与占布拉共事十余年，略知这位科尔沁草原养育出来的“孺子牛”的性格，敦厚寡言、以诚作人，谦虚好学、以诚从艺，始终恪守民族风范。所以，每当我欣赏他那以朴实感人而不追求时尚的作品，就想起罗丹的名言和占布拉的经历。

“时运交移，质文代变”的道理，占布拉是懂得的，但他更明白自己的人生和艺术道路，以及作为艺术家的社会责任。他出生于科尔沁草原的一个贫苦家庭，当他于1956年被录取到中央美术学院附中时，已经20岁了。1966年由中央美院雕塑系毕业后，又赶上文化大革命被下放“锻炼”，种过水稻，造过酱油……待到十年动乱结束重新拿起雕塑刀，已逾“不惑”之年。所以，面对随着改革开放而来的西方艺术思潮，能比较冷静地看待。对于当时在青年画家当中流行的一些西方哲学不盲从。他不否认对西方艺术借鉴的必要性，因为自己所受的雕塑专业训练，基本是西方的写实、技巧。他也曾喜爱过艺术性较高、材料考究的现代派抽象雕塑，但当他考虑到国情民情，考虑到草原父老对他的殷切期望，还是选择了现实主义的创作道路。

占布拉的艺术实践，在解决文艺为谁服务与如何服务两个基本问题的过程中，着意探索雕塑的民族特点，以取得群众的喜闻乐见的艺术效果。他喜爱我国古代雕刻洗练、概括和夸张的造型手法，他说：“我虽欣赏西方古典雕刻，但我走的是中国传统雕刻之路，在雕塑手法上不喜欢对于细节的不必要的琐碎描写，更赞同白石老人的‘妙在似与不似之间’的主张，汉唐雕刻就有这样的优点和特点。”他创作《未来冠军》，形体塑造遵守了西方古典雕塑对人体解剖和结构的要求，以取得造型“大体”准确；形象的处理则借鉴我国古代雕刻的表现手法，舍去服饰、衣纹的精雕细琢，着意通过人物动态体现其内在精神。小摔跤手双臂抱拢胸前，挺立静观现场比赛，面目刻画虽然模糊，但对即将上场一决胜负充满信心的神态，在特定意境中表现得却很鲜明，能唤起人们对“未来冠军”的期望。影像的明确和形象的朦胧，可能是受到了汉唐雕刻风化效果的启示。他很同意罗丹对意大利某些雕刻家“专以模仿刺绣、花边、发辫为能事”的讽刺，认为塑造这个小摔跤手的形象，“意到笔不到，让人大体明白那个意思就够了”。但他很重视造型的体积感，避免平面描写，力求“使每个角度都向你飞突起来”，虽不能说这件作品已无瑕可指，但作者对空间艺术特点的求索精神是可嘉的。

占布拉的艺术实践，很注意“源”与“流”的关系。他学习古人和外国人的艺术经验，主要是领会其艺术技巧和表现方法，探索艺术表现的基本规律；至于表现什么与如何表现，则取决于自己对生活的体验。他认为，艺术创作的模仿会扼杀独创性，应该像罗丹说的那样，“用自己的眼睛去看别人见过的东西，在别人司空见惯的东西上能够发现出美来”，所以，他非常重视生活体验。占布拉是在科尔沁草原长大的，离乡后每年总要挤出一点时间回去看看，看看乡亲们的生活变化，看看草原的新气象。他热爱草原的父老乡亲，热爱草原的牛羊，一草一木，所以，他的雕塑创作总是围绕着表现草原人民生活的母题发展，他的确在别人司空见惯的东西上发现美。如《接羔员》那怀揣幼羔的妇女，曲膝躬背小心翼翼的样子，简直是在表现一种深沉的母爱，形象很是感人。占布拉告诉我：“草原上人与羊的关系是相依为命的，妇女们常用自己的奶喂养初生羊羔，就像奶自己的孩子，这种感情是不熟悉草原生活的人难以理解的。我们蒙古族牧民一年四季生活离不开羊，所以我们对羊有一种特殊的感情！”《接羔员》形象的具体性是作者对生活特殊感受的结果，所以才能在别人采用过的题材中，创造出富有个性的形象。

民族英雄嘎达梅林的形象镌刻在世代人民心中，表现历史人物同样需要深入现实生活，了解现在活着的人们对他是如何理解和评价的，这能使史料在你的心目中形象化地“活”起来。占布拉创造嘎达梅林形象，就是从蒙族人民“心碑”中得到启示的。《嘎达梅林》的骑马像，英雄勒马沉思，民众领袖人物的内在品质刻画得很鲜明；人与马的整体造型溶为一体，就像一座磐石屹立在草原上，体现了辽阔的草原永远属于人民的爱国主义思想。造型吸收了民族传统雕塑厚重、洗练的手法，与民族英雄题材在内容和形式上取得了和谐统一的艺术效果。

20世纪80年代后期，占布拉创作了不少大型表现蒙古族人民新生活的城雕作品，造型不拘一格，或粗犷豪放，或细致幽雅，根据题材内容与安放环境的不同要求，变换多种表现手法，都取得了较为理想的环境艺术效果。

占布拉的造型基本功是很扎实的，但是他不在作品中孤立地玩弄技巧，也不故弄哗众的“风格”，而是为求朴素、率真，把注意力集中在所处理的主题和所表达的感受上。占布拉在艺术上的追求非常刻苦。他默默无闻地工作，默默无闻地创作，他的作品就像他的为人一样朴实无华。

（《中国艺术报》书画家专刊2001.09.07节选）

林庆全的木雕艺术

文／李砚祖

福建省仙游县榜头林庆全的木雕，不仅在仙游有名气，在整个福建也是出类拔萃的。而福建的木雕尤其是宗教题材的传统木雕在一定意义上又代表着中国传统木雕的水平。林庆全自幼随父林龙藻学艺，林龙藻擅长木、牙雕刻，尤以寺庙佛像雕刻为杰出，林氏几乎完全继承了父辈的技艺传统，并有所创新和发展。

林庆全所从事的木雕生产和创作，从题材看，有花鸟、山水、历史人物、现代人物等，尤以宗教题材的神佛像为主。人物如老子、《红楼梦》中的十二金钗、惠安女等；花卉如荷花、菊花等，既有单独表现的“荷花”，又有集花鸟于一体的“大吉大利”。从形式上看，有圆雕、浮雕，有座像和壁挂。材料以檀香、黄杨为主，还有紫檀、沉香等木料，所用木料都是珍惜树种，是雕刻的优质材料。

林氏的神佛像雕刻可以说真正做到了形神兼备。获2001年中国工艺美术精品博览会银奖的作品《日月明》日月观音像（一对），结体准确，比例适度，神态端庄，衣带临风飘举，线条生动流畅，雕刻精致，栩栩如生，是不可多得的精品佳作。被博览会评为铜奖的《娇》，表现的是一位唐代仕女，作者着意刻画仕女的雍容华美，气度不凡，仕女衣裙若瀑布奔流，细微处亦十分精致，如头发丝丝呈现，花叶卷曲自如。林庆全对木雕有着自己独特的追求，认真对待每一创作，作的作品虽然不太多，但精品很多，他善于学习和借鉴传统，如他将德化佛像瓷塑中水和衣纹的表现借鉴到木雕中来，并用高超的木雕技艺加以表现，使当代的神佛像木雕形成了新的样式，如达摩、钟馗、笑佛、飞天、天女散花等，并多次获奖。

林氏的木雕，继承了父辈的技艺，又不失时机地吸收其它民间工艺和当代艺术的精华而有所创新，产生了许多佳作、杰作，并使传统的民间木雕工艺得到传承和发扬，甚至在技艺上超越了前辈们的创造，而使民间木雕工艺进入了一个新的发展时代。

（《雕塑》2001年增刊节选）

解读蔡国强
——兼记《蔡国强艺术展暨蔡国强收藏马克西莫夫作品展》

文／杨春凯

2002年2月1日上午10时，《蔡国强艺术展暨蔡国强收藏马克西莫夫作品展》在上海美术馆开幕。来自五湖四海的艺术家及各界朋友和新闻记者600多人参加了隆重的开幕仪式。

本次展览的内容包括：两座巨型装置艺术作品《上网》、《梦》，2001“APEC”会议大型景观焰火表演的巨大草图、方案、图片、录像，包括近期创作以他所设计实施的爆破作品为主题的油画作品13幅和有关文献图片，十多年来在世界各地设计的爆破作品的录像，以及由其收藏的前苏联艺术大师、中国油画艺术的传经者马克西莫夫的作品91件和马克西莫夫在中国的部分照片、文献。所有展品将上海美术馆一、二、三层展厅全部占满，这一阵容庞大、内容丰富的展览也是上海美术馆开馆以来所举办的规模最大的个人艺术展。

在蔡国强创作的所有作品中，我们几乎都可以看到中国传统文脉的延续，他承认自己是一个怀旧的、有着古典情结的人。“……我不会把现代的和传统的、极端前卫的和相对保守的完全割裂开来。我总是在所谓的国际化、全球主义和本土化这样的两极之间跳来跳去。我想对我最有魅力的是不是有另外一种可能，就像APEC，一般的时候你会想到这是在现代艺术体制之外的，我没有那种割裂开的体制内体制外的概念，关键是你要知道你在做什么。”

蔡国强，1957年生于福建泉州，1981——1985年就读于上海戏剧学院舞台美术系，1986年赴日本留学。1995年移居纽约至今，曾荣获1995年“日本文化设计奖”和第46届威尼斯双年展的“威尼斯奖”，1999年第48届威尼斯双年展国际“金狮奖”，2001年美国“欧柏特艺术奖”。十多年来，他的艺术足迹几乎遍及所有的国际大展，如日本京都建城1200年和广岛亚运会的计划、以及在美国内华达核实验基地的蘑菇云计划，引爆台湾省立美术馆计划和在嘉峪关外的万里长城延长一万米计划，2001年10月他承上海东方电视台委托，策划设计了APEC大型景观焰火表演。

蔡国强除了在世界许多重要的美术馆展览之外，还步态轻盈地优游于其它领域，与科学家、服装设计师、建筑师等合作。他的艺术美学观念和艺术形式涉及到全球主义与民族主义、传统性与现代性、人与自然、时间与空间等当今学术前沿论题。他的作品在国际引起了广泛的评论。今天，蔡国强已成为目前国际当代艺术领域中最受瞩目的艺术家之一。

十多年来，蔡国强的作品以东方性的智慧和语言展示于世界各大艺术展览会上，并且在西方当代艺术为背景的艺术创作中提出了一个独特的艺术思考，这个思考对于东西方文化对话与交流起了重要作用，特别是在“文化全球化”的过程中，对于开拓中国当代艺术观念与思考具有积极的启发意义。

（《雕塑》2002.02 节选）

闻香的蝴蝶
——陈志光的“蝴蝶”系列

文／王鸿

陈志光是一个精力充沛的艺术家，具有闽南人典s型的拼搏性格，他不断有新的设想，并总是马不停蹄的忙碌着，于是，总有关于他新作品问世的消息传出。他的“蝴蝶”系列是去年夏天开始构想构思的，到了初秋，工作室的墙上已经挂满了数十件作品。

“蝴蝶”系列的创作多少有些出人意料，因为，它似乎已经成为陈志光雕塑创作的一个明显的转折，也可以说，这是他从关注艺术的公共性向注重艺术的纯粹性的转折，可以更理解的是，在目前中国的文化前景中，能够最大程度地释放艺术的公共色彩是相当困难的，它要求艺术家在艺术、经济、社会环境等各个层面做非常周全的综合考虑，而艺术家的创作观念往往并不能成为艺术成立的根本原因，这样，环境雕塑的创作每每成为艺术家同自我的挑战。从这个角度上看，作为环境艺术家的陈志光无疑是成功的。几年间，他所创作的大量环境雕塑基本上都可在为社会所接受的同时，清晰地呈现出艺术家的个人特征，也许，在他看来，他所关注的艺术的公共性问题已经在一定程度上得到圆满的解决，当然，这仅仅是也许。只是，可以肯定的是，“蝴蝶”系列作品本身已经不再拥有广泛的接受面了，它成为艺术家同纯粹自我的对话的产物。

滚圆的体积构成过于肥硕的局部身躯，同时，在结构中明显地将形象引向对女性的暗示，使造型成为一个不那么和谐的真实性，抛光的表面和耀眼的荧光色彩在造型上留下明显的工业化痕迹，在不断地翻模复制过程中，艺术家的手消失了，激情之类的情绪感在相似的的作品组合中荡然无存，此举使作品呈现出明显的“波普”状态，像一件件通过标准的工艺流程生产出来的玩具，和那些需要颇费周折方能成立的环境艺术品相比，这样的玩具自然休闲轻松多了。

除了亮丽的荧光漆，“蝴蝶”系列中还大量使用了传统的大漆，严格地按照工艺流程完成，传统漆艺术“推”、“堆”、“贴”、“撒”等工艺在作品中均有采用，不同的色彩亮度和材料质感使作品在媒介层面传出一种朴素而深沉的气质。陈志光在学生时期有过制作漆画的痛苦而刺激的经历，借朋友的手来实现对大漆的挑战，虽有些不情愿，却也获得了意想不到的成功，这多少算是了了一个多年的心结吧，可以想象，只有在一种纯粹的非功利艺术过程中，这样的事情才有可能发生。

具有数百年历史的漳州年画已经沉寂多年了，陈志光以一个艺术家的敏锐的眼光发掘并利用了这个具有典型南方文化特征的本土艺术形式，由年画中门神、辟邪、善财童子等造型拷贝而来的形象将立体的造型罩上了一层神秘的面纱。而在《蝴蝶·牡丹》中那些精致而妖娆的花卉形象往往能引发关于语言游戏的联想，这种联想在《蝴蝶·支雨》的形象中同样成立。具有传统中国画特征的形象在另类的立体造型中丧失了诸如“吉祥”、“自然”甚至“仁智山水”的经典性象征，在特别的语境中，呈现出具有挑衅意义的暗示，艺术家甚至在日常生活中就为这种挑衅设计了专门的“场”——《蝴蝶·烟灰缸》，在烟雾缭绕的过程中，艺术家和他人达成了对这种挑衅意识的共识。

其实，在作品的制作过程中，陈志光很大程度上充当了一个雇主角色，带着意象，揣着现成的图片去挑选各个环节的制作人员（包括别的艺术家），给他们下单生产，而自己呢？更多的时间是泡着上好的高山茶，审视身边那些成品或者半成品。兴奋之时，哪怕是在子夜时分，常会迫不及待地设法邀请艺术同好共同欣赏——他努力把自己置于观众的位置，像一只闻香的蝴蝶，成为了自己作品的看客。

（《雕塑》2002.02）

任世坤乡情雕塑之我见

文／王少军

认识任世坤是从他的作品开始的，许久以前的某个时期，中国美术界曾有一批以表现农民为题材的作者，任世坤当属这类作者之一。他的这类作品吸引我的注意是因为那里面的确有一种打动人的东西，即便在当时这种题材盛行的情况下，任世坤的作品仍显示出少有的一种气质。尽管在他的作品中都是抓取的北方农民的风俗生活瞬间中那些风趣、甜美的情态，少有当时流行的苦涩、压抑之状，但那里总让我隐隐感到有一种潜在的能量，特别难能可贵的是他具有一种内在真实性，这是促使我主动与其相识的重要原因。

在泥塑塑造方面，任世坤具备一种可贵的敏感性，尽管他在技法上没有接受过高等专业学院的训练，但他的天生聪慧加上勤于学习实践，使他在完成其作品的过程中，能够运筹帷幄，驾驭适度，充分发挥自己的特长。

时隔不久，再见到任世坤的新作，真让我有点吃惊和意外，他的这批新作是近一个时期连续完成的，这些作品较之他以往的同类题材作品发生了质的变化，尽管依然是他所钟爱难舍的题材，但从表述的角度、视觉的焦点却都发生了变化，自然又引起我想进一步了解他的兴趣。

经过对任世坤近期新作的欣赏和与他本人的交流，我产生了对他的艺术创作的全新的认识。纵观任世坤的雕塑创作，我们可以认为他所关注的是近代中国经济文化的重要特征，即农业社会基础发展的特征。任世坤从最初对自身身份的甜美农谣式的自我界定和陶醉，演变为今天游离于身份之外的理性化思考，其结果由于世事迅猛变化使之在情感和图像寄托的连接方式上发生了刻骨铭心的错位效应，即任世坤痛苦地告别了小农经济的温馨，头脑清醒地编织起新现实的农民寓言。无论他的这套寓言多么地自以为是，我们依旧能从中读到任世坤牵肠挂腹的一腔深情，这不仅是对悠远过去的一种怀旧，也是对生存延续和发展的一种深切关怀。任世坤以牛与人的非现实的形式意象塑造，隐喻着对当下农业文化哲学式的思考。这本身就是这一类艺术创作的有价值的个案范例。

当然，任世坤是一位正在发生着嬗变的雕塑家。这使不少同行都会有兴趣去了解、认识他。近期任世坤的个人展览也正是在他的这种嬗变过程中取其具代表性的作品展示，以期美术界同仁借此接触这位作者和他的作品，也使任世坤能够获得这次展览给他带来的宝贵的回报——中肯的建议和见解。

我同样以一位同行的身份真诚地祝愿任世坤，祝愿他不断获得艺术创作的新的进展！

（《美术研究》2002.02）

蔡若虹同志革命的一生

中国共产党的优秀党员、忠诚的共产主义战士、新中国美术奠基人之一、著名美术家、社会活动家、中国文联荣誉委员、中国美协顾问蔡若虹同志于2002年5月2日在北京逝世，享年92岁。

蔡若虹同志1910年1月26日生于江西九江市，原名蔡雍，笔名张再学、雷蒙、雷萌。“济南惨案”英烈蔡公时是他的叔父。他受“五四”运动的影响，在少年时代就产生了爱国主义思想。他自幼爱好诗词、绘画，1926年开始在由共产党人主办的《火炬画报》上绘制反帝反封建的宣传画。1930年秋，他考入上海美术专科学校西画系，1931年参加上海左翼美术家联盟。其间，他以犀利的笔锋创作、发表了大量的揭露旧社会的黑暗、宣传抗日救国、抨击法西斯暴行的讽刺画及诗歌。他于1933年至1937年先后在《生活教育》与《大众生活》等刊物上创作发表了数百幅漫画作品，在社会上产生了很大的影响。他于1936年参加了上海文化界救国会。

1938年，蔡若虹同志奔赴革命圣地延安，1939年任教于延安鲁迅艺术文学院美术系，后任主任，为培养革命美术干部作了不懈的努力。他于1940年8月加入中国共产党。1942年4月，他在延安枣园聆听毛泽东主席的亲切教诲，并于5月参加了延安文艺座谈会。

解放战争时期，蔡若虹同志分别在《解放三日刊》报社、《晋察冀日报》社、《人民日报》社任美术编辑。1946年、1947年两次参加土改工作。他于1946年根据贫农诉苦材料创作的组画《苦从何来》，揭露了地主阶级对农民的残酷剥削和压迫，发表后在解放区轰动一时，有力地配合了土地改革工作。蔡若虹同志在抗日战争、解放战争时期，作为抗日根据地和解放区美术活动的重要组织者之一，为推动革命美术运动的发展作出了重要的贡献。1949年7月，中国文联成立，他当选为中国文联全国委员、中华全国美术工作者协会常务委员。

新中国成立后，蔡若虹同志先后在中央文化部和中国美协工作，1949年任文化部艺术局美术处处长；1952年任文化部艺术局副局长；1953年起当选中国美协副主席，长期主持中国美协工作；1957年担任中国美协党组书记；1976年任中国艺术研究院研究员、院领导小组成员；1981年任中国画研究院副院长；1998年任中国美协顾问。蔡若虹同志是第三、五、六届全国人民代表大会代表。

蔡若虹同志在几十年的工作中，坚定不移地贯彻执行党的文艺方针政策，始终不渝地把握社会主义美术的发展方向。他于1950年根据毛主席的指示参与组建了大众图画出版社，为新中国的年画、连环画的推陈出新作出了突出的贡献。他在长期主持中国美协的工作中，呕心沥血、尽心尽责，对协会建设和推动美术事业的发展发挥了重要的作用。20世纪80年代后，他虽不再负责美协的日常工作，但仍然一如既往地关心中国美术事业的发展，关注美术界的现状，他为年轻一代美术家的成长和大量优秀新作的涌现而感到欢欣鼓舞，常常欣然挥笔著文，予以支持鼓励；同时，对美术界出现的某些不利于社会主义美术事业发展的现象，他也作诗撰文，仗义执言。

蔡若虹同志作为美术理论家，坚持马克思主义的观点和立场，尊重艺术规律，关心创作导向，发表了许多具有独到见解和令人信服的美术评论文章。其鲜明的观点、严密的论证和朴实的文采，赢得美术界的广泛称誉。他倡导美术题材、体裁、形式和风格的多样化，主张改革美术教育，提出以四学(透视学、解剖学、构图学、色彩学)、四写(慢写、速写、默写、摹写)代替以素描作为造型艺术基础的近代传统。

蔡若虹同志博学多才，在美术工作之外，还从事文学创作。他改编的《鸡毛信》曾获得第一次全国连环画评奖的文学脚本一等奖。20世纪50、60年代，他创作的小说《路遇》、《十八度》及叙事诗《摆渡》等在《人民文学》发表。他出版的主要著作有《蔡若虹文集》、《若虹诗画》、《理想的美比实际生活更美》、诗集《灵犀小唱》、回忆录《上海亭子间世代风习》及《赤脚天堂》等。

鉴于蔡若虹同志对我国美术事业所作出的杰出贡献，他于1996年和2001年被中国文联第六、七届主席团聘为中国文联“荣誉委员”，2001年获得首届中国美术金彩奖成就奖。

蔡若虹同志在其革命、战斗的一生中，满怀对共产主义坚定不移的信念，始终忠诚于党的事业，为中国人民的革命事业，为中华民族美术的发展和中国社会主义美术事业作出了重要的贡献，他的业绩永载史册！

蔡若虹同志永垂不朽！

（《美术》2002.06）

罗旭和他的“土著巢”

文／李小山

去年夏秋之季，我在昆明，叶永清和毛旭辉都向我谈及一个名叫罗旭的“怪人”，他们用了很多形容词，所以未见面我就有了一个先入为主的印象。初见之下并没有多少特别，一个黑黑瘦瘦的汉子，年龄与我相仿，个子矮了我半头，说话不多也不少，像我结识的许多艺术家一样，说“怪”不怪，——我想等熟悉之后，他的“怪”或许会如狐狸尾巴一段一段地暴露出来。

终于，等我了解了这位“怪人”的一些想法后，不禁有点肃然起敬，记得当时我脱口而出问道，这么大的范围和地盘、这么奇形怪状的建筑，这么多的艺术创作、这么大的狗全是你的吗？——说实在话，我真的没有料到在中国还有这样的艺术家，在根本不懂建筑原理的情况下弄出几千平方米的“建筑物”，而在其“建筑物”内堆积了无数由他创作的艺术品：雕塑、绘画、数码作品……我简直难以相信一个人能够具有如此旺盛的精力和体力，除非他吃喝拉撒之外根本就不休息不睡觉，否则怎么会做出这么多活？

说起他的“建筑”，罗旭似乎有点腼腆，声称自己对于建筑原理一窍不通，但又立即补充，某位美国建筑学家参观过“土著巢”后，指着高楼林立的昆明市区说，如果发生地震，所有楼厦全部倒塌，“土著巢”仍会巍然屹立。他这是在证明，“土著巢”虽不是精确计算和严密设计的产物，却是按人对力学概念的直觉判断完成的。从外观上看去，一撮撮一堆堆乳房样的形状很难与“居住”联系起来，倒像土著的祭祀场所或烧陶的窑炉。我没数过有多少个参差错落的形状有异的“乳房”，只是设想里面的通风采光如何解决。几十米高，围圈大小不一，主要是形状太让人奇怪了。这叫什么建筑啊！当我走进去，问题似乎一下子烟消云散。而且我马上就喜欢上了这里：石柱、穹壁、花岗岩地面、四通八达的台阶、高高的穹形……通风、采光全被恰到好处地加以利用，令人怀疑置身于中世纪的城堡或神话传说中的异域……我不想过多地对“土著巢”进行描述，因为它的异样已经超出语言能够表达的范围。我只想说，它是当今最怪诞的建筑。当初，它的主人在没有设计图，没有施工方案的情景下，手持一根数米长的竹竿，领着一群民工，依着高低不平的地势，指到哪造到哪……

罗旭更感兴趣的是雕塑。在他的“土著巢”里，弄不清他究竟捣鼓出了多少作品，成品、半成品、石膏、陶土、油漆、图片、玻璃、钢……我看到一堆又一堆的被破坏的作品残骸——真是惊人数量。罗旭的雕塑基本上延续了现代主义路数，形式内容很统一，讲究人文内涵，突出作者的思考和感受，手法上显得比较单纯，而表现的精神则十分个人化。罗旭的图式已经形成，女人的腿是他最爱沿用的素材，无论是单个的还是重叠的，红色的还是白色的，都是他用来观照生活及艺术的窗户。另一些作品，同样离不开性别，离不开女人的躯体。当然，他还做过许多烧陶制品，规模巨大，照他的解释，他自己是这些作品的总指挥，就如一个乐队的指挥一样。题材并不决定一个艺术家的思想，但与整个当代艺术的前沿相对照，罗旭在观念上存在着某些距离，他的自我封闭既使他高大，也使他迷失。我不是指他对民间、民俗的迷恋，是指开创性的观念，这是一个玄而又玄的东西，它有个指标：是否具备前沿的性质。

毫无疑问，罗旭是一位被埋没的优秀艺术家，是一个创造力极其旺盛的怪才。他身上有一种天然的素质：民俗、民族艺术和现代艺术巧妙地熔为一炉，达到了相当的高度。我在结识他的第一时间内，就产生了这个强烈的念头，要把他介绍给更多热爱艺术的人、热爱人生的人和懂得人生的人。

（《艺术世界》2002.04）

林乐成自述

1978年我考入中央工艺美术学院，当时恢复招生的工艺美院被视为全国美术院校中最开放、最具现代意识的艺术院校，师资队伍群英荟萃、人才济济。庞薰琹、张仃、雷圭元等老一代艺术家注重装饰艺术领域的开拓，形成的装饰艺术教育体系对中国现代美术教育产生了深远影响。当时，袁运甫教授领导的装饰艺术系和温练昌教授领导的染织美术系，是培养中国现代壁画、壁毯和装饰织物艺术设计家的摇篮。我们这一代年轻人正是在这如此宝贵的学习环境中，获取了前所未有的知识，激发了对艺术的酷爱和热情。1982年我毕业留校任教，真正开始从事纤维艺术的教学与研究。

我始终坚信深入生活的重要性，并十分重视绘画技巧锤炼，多年坚持黑白装饰画写生创作，相继出版了《大地风情》和《装饰画写生创作技法》。

作为访问学者，我去过格鲁吉亚、俄罗斯、法国、英国、德国、意大利、瑞士、比利时、西班牙、韩国等二十多个国家，并在国际著名纤维艺术家基维·堪达雷里教授工作室学习研究，感受颇深，受益匪浅，对自己专业的发展产生了重要的影响。

我的创作状态总是在作坊式的工作室环境中，以“工匠”方式予以发挥。一个真正投入在纤维艺术领域里的艺术家，应该具有的创作素质是从自身的生活环境和文化背景中自然生成，在直接参与创作的过程中发挥想象和创造能力，善于运用纤维艺术的语言和语汇来表达自己的情感、思考和理念。

《美术观察》2002.07 节选）

东方精神的现代演绎
——朱铭雕塑艺术论

文／李青

20年前，建筑大师贝聿铭主持北京香山饭店设计时，曾建议陈设台湾雕塑家朱铭的作品。1997年贝聿铭设计香港标志性建筑——中国银行大厦时，再次提出陈列朱铭的雕塑，经香港知名人士徐展堂先生的资助，朱铭的青铜雕塑终于在中国银行主体建筑前落成，并成为香港的文化景观之一。贝聿铭如此看重朱铭的雕塑，绝非偶然。朱铭的艺术在当代国际雕塑界具有一定的学术地位。他的作品曾在世界各地巡回展出，得到了东西方艺术界的高度评价。在美国、日本及香港等地某些大型公共设施中，他的作品被收藏或永久陈列，在中国台北建有大型的极具现代风格的朱铭美术馆。许多评论家认为他将是21世纪中国雕塑界最具代表性的人物之一。

2002年初夏，经香港李嘉诚基金会的资助，朱铭以《人间》为题材的12件青铜雕塑在全国“211工程”重点大学之一——广东汕头大学落成。为此，朱铭先生专程从台湾赶赴汕大并在汕大艺术学院举办画展及讲学活动，香港著名爱国人士李嘉诚先生亦亲自出席了朱铭雕塑落成及画展开幕仪式。此项艺术活动的策划是李嘉诚先生和汕头大学的一个特别的文化举措，它促进了海峡两岸艺术家的沟通与了解，成为港台艺术和新闻界关注的热点。

朱铭1938年出生于中国台湾省苗栗县。自幼即跟随民间雕刻家李金川学习木雕。李金川先生是以庙堂雕刻为业的，职业的性质决定了他的艺术局限。朱铭跟随师傅学到了一手精湛的木刻技艺，又在1968年投奔于台湾现代雕塑先驱杨英风教授的门下，从此，朱铭在杨英风教授的指导下，对现代雕塑进行了10余年的苦修。

20世纪70年代中期，正值台湾乡土文学的热潮时期，在杨英风教授的推荐下，朱铭的雕塑首次在台北故宫博物院展出，此时恰逢乡土画家洪通的作品亦在故宫附近开展，朱铭与洪通这两位带着浓厚个性特色的艺术家，一时间引起了台湾各界的瞩目。原本计划展出一个月的朱铭雕塑展，由于观众络绎不绝，不得不延长为一年的常设展。从此，朱铭和洪通被评论界认为是台湾乡土文学热潮中的艺术代表人物。

奠定朱铭雕塑艺术地位的是他的《太极》系列作品。朱铭以太极拳法作为创作的题材，这不仅代表了中国传统文化的一种特质，同时也是他现实生活的写照。朱铭自 20多年前开始练习太极拳，至今每日不辍。他说：“练太极拳后，并没有想到要做《太极》系列，创作并不是原先没想出来的，一切都要顺其自然，不能刻意设计。我当时正迷太极拳，练了几个月后，整天满脑子都是太极拳，记着太极拳的各种招式，自然而然手就痒了，就想创作。因为它已成为我生活中的一部分”。朱铭的《太极》系列作品大都以青铜为媒材，作品体积庞大，极富震撼力。在表现形式上摒弃了一切琐碎的细节，借助于太极拳法最为内蕴和最具表现力的静态线条，以其凝炼、概括、夸张的体积造型语言，塑造出极具东方神韵，又具有抽象艺术张力和厚重体积感的现代雕塑。正如杨英风教授所说：“他的任何一件作品，都充满了一种从内部迸发出来的力感、跃动感，作品上粗略的刀痕，以没有修饰的赤裸裸形式与构造保留下来；在细部的表现上，每一刀又精准无比，使立体的生命活生生地显现出来。”

罗丹说过：“生命的幻想是由于好的塑造和运动得到的。”朱铭《太极》系列雕塑的艺术震撼力，正是来自于他对中国文化精神与现代艺术形式的有机结合方式，从而在传统与现代之间取得了微妙的平衡。在他那抽象而凝固的太极造像中，洋溢着浓厚而神秘的东方意味，并能使人感受到强烈的生命力的存在。“在雕刻里感性因素本身所有的表现都同时是心灵因素的表现”。朱铭的作品中，渗透着道家的辩证哲理，那凹凸的团块，聚散的结构，以及几何式的构成，充分体现了阴与阳、虚与实、动与静的艺术境界。而这种独特的审美特质不但具有鲜明的民族性和时代性，更重要的是它熔铸着作者强烈的艺术个性。

朱铭的雕塑以大气势的《太极》系列著称于世，然而，他并没有就此止步，恰恰相反，他是一位创作力丰富并且不断向自我挑战的艺术家。自80年代初始，朱铭又以《人间》为题材，连续不断地进行了10余年的探索。朱铭说：“我的个性不愿重复，喜欢变新。我所创作的《人间》系列，比较生活化，制作态度也比较接近现代雕塑的理念——随兴而自由。创作《人间》系列作品时，无论是用木头刻、用海绵、用纸捏……用不锈钢做或用图画，或用草绳绑，需要怎么做就怎么做，这样的态度接近现代雕刻精神，也属于现代生活的精神”。他的《人间》系列作品从题材上看，有执伞伫立的人群，有跳高、跳伞的运动健将，也有茫然静坐的群体……，这种贴近现实的题材选择，表现了他对现代都市中人的生存状态的关怀。亨利·摩尔说过“对自然的观察是一个艺术家生命的一部分，这会扩大他的形体学识，使他保持新鲜的感觉，防止他仅仅靠模式进行创作而且得到灵感的滋养”。朱铭的《人间》系列作品正是他对现实生活观察与思考的抽象表述，反映出强烈的时代气息。

在朱铭的《人间》系列作品中有一个显著的特色，就是对各种材料的广泛应用。对于雕塑艺术来说，材料的应用是至关重要的。雕塑的形象表现必然要借助于物质材料媒介，而材料媒介本身也构成了雕塑作品在视觉和触觉上审美传达的一个重要部分。现代科技的发展和艺术表现抽象化的趋势，亦使材料本身所具有的独特审美价值显得尤为重要。

朱铭的《人间》系列作品在材料选择上的丰富多样性，正是他所要传达的艺术观念的物质化体现。朱铭的《人间》系列作品在表现形式上采用了具象、意象与抽象等不同手法，并涉猎陶艺、水墨、拼贴以至装置艺术，呈现出典型的前卫艺术风貌，流露出了他对生活的激情和敏锐的观察力。

朱铭所取得的艺术成就，与他的艺术与生活的价值观念有着密切的关系。台湾艺术评论家曾写到："朱铭的创作紧紧扣着他的生活。艺术不是他生活的全部，但是生活却是他艺术生命的全部。他的生活是一种修行，从中他获得了生命的开展，契人了生活的源头活水"。对于朱铭来说生活与艺术有如合金般地熔铸在一起，静修艺术成为他生活的实质内容。他曾说："艺术家若只在工作室中才拼命画画，平常却做与艺术无关的事，这就错了。不然和尚就可以等到念经时才赶快念经，平时就去卡拉 OK，他也可以结婚等等，为什么他们不那样做呢？这就是修行。艺术家要过单纯而自然的生活，要回归自然，要有童心，才不会被感染，要找回自己，才能够壮大自己的本性，这就是修行"。朱铭的"修行"观念代表了他对事业执着追求的意志和献身艺术的精神，也是他生活与艺术高度统一的理念之体现。正是由于朱铭具有这种"修行"的功力，他的艺术才会达到一种超然的审美境界。朱铭认为："创作不应单纯用技巧或理性去解决。在创作中达到一种浑然忘我、非常感性的态度，才能把情感与精神表现出来。理性太多则无法发挥想象，脑子里记太多别人的东西，那东西再好也不一定是你自己的，我认为艺术不是'学习'而来的，而是要'修行'，风格在我心"。具有了"修行"的精神，才会在艺术上产生不断创新的勇气。朱铭说："创新的东西，在最初往往不被人们接受，而世俗所欢迎的东西，里面却常常隐藏着平庸。真正的艺术家对此应有警惕。艺术如失去创新，也就失去生命。"

（《美术研究》2002.04 节选）

金色阳光为谁而灿烂

——谱写世界蜡像艺术新篇章的艺术家尔宝瑞

文／炜鸣

尔宝瑞——中国现代蜡像艺术的一个代表人物，经其作品和理论确立了中国蜡像的世界地位，从而成为现代中国蜡像艺术的奠基人之一。他成功地独创发明了一系列具有重要意义的蜡像工艺技术，使他的蜡像在表现皮肤的质感、生命感上刷新了英国蜡像维持了200年的标准，创造了超级写实主义的艺术效果。他的深厚的文化底蕴和肖像艺术的功底，使中国的蜡像在艺术上跃入世界前列，高度形似，在表现人物的风采和复杂的人格特征上，在刻画他们独具的性格魅力上，达到了出神入化之境。尤其在揭示最难以表现的东方人的含蓄、内在的精神气质上和那些仅凭遗存照片创作而不能靠测量被创作对象身体及头部尺寸制作的蜡像方面，达到了西方艺术家难以企及的高度，被西方艺术家誉为"中国可以为之骄傲的艺术家"。

是什么促使尔宝瑞走进蜡像这门艺术，除了偶然的外部原因，最重要的是以他自身复杂的艺术经历所铸就的一双慧眼，看到了隐藏在蜡像和超级写实主义艺术的表现形式中的尚未被人认识和发展的巨大的表现潜能。是他作为艺术家的精神内在地需要这种艺术，"人令我痴迷，蜡像能把我对人的种种感悟和痴迷更深、更多重，因而更立体也更超我地表达出来。"

但是，在他眼里做蜡像比别人心目中更难。有些人以为难点是在技术上，但对于他，蜡像的难点不在技术，"由于蜡像表现的是人，而人是一切社会学、文艺学、人文科学的中心课题，所以蜡像的难度首先是关于'人'的课题的难度"。"如果超级写实主义仅仅是对人的表皮的高度写实，而不能达到人的精神和内心的真实，那么，超级写实主义就可能变为最为尴尬，最为糟糕的艺术。"这是尔宝瑞对于超级写实主义的手法与精神实质的矛盾的揭示，"蜡像的秘密在蜡外"，是尔宝瑞对于蜡像真正秘密的揭示。

他的关于蜡像艺术"三个层次"的理论，无论对于认识蜡像艺术还是蜡像创作都具有深远意义；他的

"蜡像非蜡像馆化"的理论，使蜡像艺术从单一狭隘的功能中解放出来，为蜡像打开了更加广阔的艺术表现天地；他的"蜡像——超级写实主义——未来艺术"的论述道出了他对艺术本质的深度思考。

按其艺术所达到的高度而言，他的作品应当有高于英国蜡像的价格，但他并非为了挣钱而从事艺术，他说，"我也不是为了满足人们的好奇心去做那些伟人的蜡像，我想通过蜡像讴歌人类最可宝贵的精神。"十年夜以继日地忘我工作，集全部幻想、感情、心血的高度投入，以他的身体健康为代价，以超常的速度，创作百余尊蜡像，写下了几十万字的笔记，他的创作迎来了国内外赞誉。国家文物局长张文彬说，"尔宝瑞为中国蜡像事业做出了杰出贡献。"中国博物馆学会艺术委员会副主任费钦生说，"这是我们中华民族一百年来艰苦奋斗的结果，是我们精神上的一次胜利。"在冯骥才先生和许多著名艺术家的推举下，天津市政府授予他"津门新绝"的艺术称号。美联社、德国新闻机构、新华社、中央电视台、人民日报、中国日报等几十家国内外媒体和国务院新闻办报道了他的艺术成就，他说，"我是骄傲的，不是因为荣誉，而是我对艺术的真诚和对人的爱。我感谢每一位关心、支持我的人，更感谢生活。"

（《雕塑》2002.04 节选）

卢晓峰自述

这个时代是不寻常的，空气中充满着欲望，但对于我又多了一种欲望，那就是雕塑。今天，技术革命正在迅速而又深刻地改变着人类的社会生活和生存方式，作为雕塑创作者我思考，我尝试。

雕塑的本质是三维的立体结构，也是直接诉诸人感情体验的艺术。

闲暇时我整理着自己的思绪，体会着生活的感受，体会着对艺术魅力的探寻。作品在我的实践中丰富着、发展着。

我执著地品味着生活，如同它给我的感动一样 。

（《东方艺术》2002.08）

让泉州雕塑在继承中发展

——记民间艺术家黄华宗

文／林轩鹤

在日前由中国轻工业联合会等主办的第四届中国工艺美术大师精品博览会暨中国工艺美术优秀作品评选活动中，泉州工艺美术家黄华宗一枝独秀，引人瞩目。黄华宗选送的脱胎佛像《三世尊佛》、木雕作品《绢索观音》分获金奖和银奖，他的儿子黄艺渊的作品《三大药王》获铜奖，他的徒弟黄荣博的作品《长眉罗汉》获优秀奖，他们的不俗表现在博览会上引起轰动。

梅花香自苦寒来。黄华宗取得骄人的成绩不是偶然的。

黄华宗出身于泉州雕塑世家。从其祖父算起，他家的传统工艺已有百年历史，为国内外制作过无数工艺精品及神佛造像。黄华宗祖叔父黄友泽从小跟随哥哥学艺，在海外享有盛誉。黄友泽曾为菲律宾大乘信原寺等海外寺庙中的三世尊佛、观音、关公等造像。黄华宗父亲黄三红1周岁时丧父，黄三红便跟叔父黄友泽学艺，后来成为远近闻名的雕塑大师。1959年新中国建国10周年大庆时，黄三红的瓷雕作品《花木兰》和《耕读》赴北京参展，后来又被选入《福建省工艺美术选集》。

家庭的熏陶使黄华宗从小迷上了雕塑。初中毕业后，黄华宗跟随其父黄三红老先生学艺。1976年，黄华宗在晋江国营陶瓷厂当技术员，指导工人制作瓷雕。1978年，他调到泉州开元美术工艺厂当技术员。20多岁的他，就开始闯天下，这使他的雕塑工艺更加成熟，眼界更为开阔。改革开放的春风吹拂古城泉州时，黄华宗深深地认识到：传统工艺要发展，必须改变过去家庭作坊式、分散型、规模小的状态，走产业化的道路。1984年，黄华宗创办南安榕桥美术工艺厂，工厂从小到大，已经发展成一定的规模。可是谁也没有想到，正当黄华宗事业蒸蒸日上之时，一场无情的大火烧毁了凝聚黄华宗大量心血的南安榕桥美术工艺厂。但是，他没有灰心，对雕塑工艺的挚爱以及坚信这一传统工艺一定能走向辉煌的信念，支撑着他走出困境。心若在梦就在，黄华宗带领原有的30多名工人投入新一轮创业。经过多年的努力，如今他的鑫华雕塑工艺有限公司已取得可喜的成绩。

黄华宗在从事公司经营的同时，对雕塑艺术深入研究，在弘扬优秀传统工艺的基础上，博采众长，雕塑艺术日臻成熟，工艺作品形成鲜明特色。黄华宗的作品主要采用脱胎、樟木雕、泥雕、铸铜等工艺制作，他根据民间传统工艺，发挥高超技巧，制作的作品赏心悦目，令人陶醉于博大精深的传统艺术中。

黄华宗的作品力求有较高的艺术价值，为人们的生活增添审美情趣。他的作品曾获1996年新加坡木雕比赛第二名，获2001年第三届中国工艺美术大师精品博览会银奖，获2002年中国(惠安)雕艺节三等奖。同时，他为许多著名的庙观造像，作品主要有漳州南山寺脱胎佛像、泉州开元寺 6米脱胎五方大佛、泉州崇福寺4.2米的木雕千手观音，并指导制作崇福寺木雕十八罗汉及泉州道教元妙观的木雕神龛等。

源于对传统雕塑艺术的热爱，黄华宗走向成功。经福建省第二届民间艺术家评选委员会评审通过，他被福建省文联、省民间文艺家协会授予“福建省民间艺术家”荣誉称号。

“只有民族的，才是世界的。民间传统工艺越来越焕发出活力。我非常热爱雕刻艺术，可以说，是用心血来经营这个传统行业的。把传统的东西发扬光大，让泉州雕塑工艺在继承中发展，是我们泉州民间艺术家的心愿。”黄华宗如是说，脸上充满着自信。

(《泉州晚报》2002.12.03)

生命状态的物语
——解读杜宏宇的雕塑艺术

文／赵萌

生命，是人类与生俱来的话题，亦是艺术创作中历久弥新的主题。古往今来，圣哲们对深奥的生命意义的不断发问，医学界直面生命的挽救及对玄妙的生命质体的不断揭示，虽迥异于艺术家的创作，但在终极意义上（即对生命价值的体现）却殊途同归。无处不在的生命充盈于无限的宇宙，在流变中轮回着奇妙的节律，成为艺术家用之不竭的创作之源。在生命延续的过程中，多变的生命状态流溢着生命的华采，丰富着生命的历程。因此，透过瞬间的生命状态，便能达到对生命的澄彻观照。多年来，杜宏宇一直上下求索，试图在实践中用独特的方式将自己对“生命”的体验、感悟呈现于雕塑作品。其作品撷取了生命流变过程中的若干片断，谓之《位》、《虚像》、《自然意象》等，系列地诠释对“生命”的理解。随时间的递进，其认识亦日臻深刻。很显然，用空间艺术表现时间性的“生命”，用具体的形象语言体现一个形而上的生命概念，本为不讨巧又颇难见效的主题，却在他执着、不懈的努力中渐成体系，卓有造诣。由此，足见其匠心独运的可贵。

系列作品《位》将人物拟化为椅状形象，隐喻了生命的存在，并暗示着地位、尊卑、大小、性别等等相关社会关系。生命本体之“位”与存在外延的人际环境，构成了生命存在与生命之场的因果和多种潜在的可能。存在即状态，“位”改则状变，以“位”切入而展开生命的种种状态亦受生活感知经验的限定。这一系列作品，偏重与社会现实的对应：端庄的坐姿造型矜持、内敛，甚至颇有几分优雅，其中所演绎的社会角色仍然依稀可辨。力撑千斤的小小足尖，随时倾倒或逝去的状态，体现了生命不安的躁动和生命存在的忧患，呈现出一种莫名的震撼，并从独特的角度深化对某些社会状况的思索。对于人类的生命而言，“求生”可谓本能的动因，亦是生命存在价值的体现，反映着人类的发展状态。在“靠天吃饭”的农业社会，基于本能的生存要求，人类只能依赖自然而获得生存的保障；在工业社会，随着人类自身能量的扩大，财富成为一种社会的标识，物质的占有衍化为人类对自然资源的掠夺。今天，人类日益认识到人与自然是一种和谐共生的关系，人类行为方式的自律性随之得以加强，生命意识在自觉中逐步确立了这样的价值观——人与自然共同遵循着“多元共存”的规则。若本能地依赖自然，人类生存方式即顺从自然；若主动地占有自然，人类生活方式与自然关系即发生倒置，成为人类对自然的掠夺；若寻求与自然共生，人类生存方式即出现自律的节控。历经农业文明、工业文明之后，人类社会正在步入高智能文明的阶段。正是在这一背景中，杜宏宇谓之《虚像》的系列作品力图呈现出一种冥冥之中的“上帝之手”。无论是表现人，还是表现自然，这些形象皆有纤细的弧线外形，从而使思维空间在虚空间的营造中得以拓展。

随着“知天命”之年的到来，丰厚的生命体验使他更为深刻地感受到生命的无常和脆弱，其雕塑也越来越倾向于对生命的直接表现。生命稍纵即逝，反而愈显生命存在是如此这般的真切和具体。

正因生命之“无常”，永恒的意义才更显宝贵；正因生命之“脆弱”，生命的存在方愈显鲜活绚烂。由此，他的视域从“生命状态”、“生存方式”转向了对生命意义的观照，通过对平实、真切的现实的把握来体现生命的实在。

将“植物”作为生命的载体，杜宏宇赋予了“植物”更为浓缩和抽象的“生命”语意，而成为一个具有个性话语的“生命符号”。这一符号的形象特征自然、真切、明晰，具有普遍意义上的通识性，大众喜闻乐见。由“人”转向“自然”，从自赏性的架上雕塑转向公共性的室外雕塑创作，体现了雕塑家本人由重“我”的自状转向关注“他”的自在，从而对生命的认识有了更大的诠释空间。清华校园的作品《栋梁》、北京经济开发区十年区庆主雕《十年树木》等等有较大社会影响的作品，标志着杜宏宇雕塑出现了一个新的飞跃。

值得指出的是，在公共艺术范畴，雕塑应强调艺术品与公共环境的“和谐”，必须将甲方的意志、特定的环境和受众的审美心理有机地融入创作之中。“和谐”意味着甲乙双方均不能只重视“自我”而“排他”，也不可一味将“和谐”视为“附和”和“顺同”。如何把握其“度”，是令人困惑的问题。“仁者见仁，智者见智”的不同见地使“和谐”成为一种难以企及的理想境界，而很难变为一种现实。杜宏宇的雕塑创作以“植物”的形象为母语，造型样式随环境与要求不同而有所变化，博得甲方和受众的喜爱，但是创作主体的“自我”并未因此泯灭。或许，杜宏宇在此领域的实践成果，能为我们提供一种启示和借鉴。

生命的意志，贵在坚韧中发展。曾记得上世纪70年中期，杜宏宇创作的陶艺作品两次获得国际大奖。作为艺术家，他并没有沿“获奖”之路去发展，而是在踏踏实实的实践中不断地实现着对自我的超越。

作为我国著名雕塑家郑可先生的研究生，杜宏宇深得郑可先生的艺术真传，尤其在装饰雕塑的语言及形式研究方面颇有心得，由其学，化为其长。文化因积淀而成，其发展是传承的结果。杜宏宇雕塑的风格及语言样式，无疑深受我院几代人造就的“装饰风”的惠泽，并且在这个基础上发展出独具原创意义和特色的艺术语汇。

杜宏宇的雕塑既是他对生命意义的感悟，亦是用生命的物化语言写照自己，对应社会，关注人类的发展。也许，他在今后的艺术道路上还会有新的发现。或许，这就是生命的价值所在。

（《装饰》2002.12）

观千器而后识剑
——叙说著名雕塑家李林琢

文／商颂

有人说雕塑艺术是一种有着纪念碑意味的艺术，此话不假。观李林琢先生的作品，似能领受到像“正史”一般的凝重感，而少有“野史”的野逸。在这种“正史”样的展开之中，叙述着他心波激荡的艺术才华和与众不同的艺术切点。

符号论美学中指出知觉所揭示出意义的一切现象都是符号，尤其是对其进行描绘时。的确，从这一观点来看，一切知觉到的有意义的存在都可理解为符号。李林琢正是调用了知觉到的有意味的符号，指出它们深层的意义，并为之进行着意义上的联结，因而能揭示出深藏在符号背后的意义。

一、时空并置

李林琢与侯一民主持并合作的巨大规模的大型石刻壁雕《东方文明》，座落在深圳“世界之窗”入口处的“世界广场”上。全长200米，高10米，与6个古代社会不同地域、不同风格且具象征意义的大门和10座古建筑的柱式等组合一起，总面积达800平方米，可谓宏大磅礴。李林琢在此幅巨制中打破时空的制约，将东方不同国家、民族、地域，不同历史、时间、风格的创意符号并置在这一宏大的构图之中，说起来，这种构思方法也应归属于他对中国传统文化精神的理解。李林琢的愿望可否认为是一种愿把古老东方文明中之最具说服力的形象跨越时间界限，喻染出对东方文明犹如圣徒般虔诚的情感呢，而又将此情感铸炼出东方文明的丰碑以昭示人间呢？

二、危险之美

诗歌中有时仅凭一字之出则险奇顿生。艺术中善用险奇者往往能收到“惊讶”、“震憾”等的审美效果。李林琢为纪念唐山地震20周年所制的不锈钢雕塑《新生凤凰》便是一例。此作品塑造了一只尾羽攀升的凤凰在线体流升的交叉升拉中昂首挺立，相互交叠攀叉的长尾如飞升的火焰，飘然升空，势不可挡。侧翼则向左右徐徐拉开，似有冲极飞天的姿势。而整个雕塑“力”的支点几乎是处在千钧一发的危险状态中。艺术中大胆地用“险”能予观赏者以心理上的刺激，刺激的感觉是，虽然觉得其造势危如累卵，险象环生，但结果却是只有艺术的“惊”而无生活的“险”，正所谓“有惊无险”。

三、象者之征

《井陉煤矿死难同胞纪念馆装饰透雕及纪念碑》是为纪念河北省石家庄市井陉煤矿矿工死难而做的纪念性雕塑。作者用意到笔不到的表现手法，省略了表现人物场面的繁复手法，只截取了这一最富传达绝望、恐怖场面的“手”做以特写，便将这种灾难题材的全部特征，富有感染力地强烈地表现了出来。

四、雄浑之下的小憩

古罗马艺术的雄健、汉唐风格的气势能融解在李林琢的风格中，就此而言好像应能对他的美学主张做一个归纳了，但这还不是他风格的全部，轻柔闲逸的作品在他雄浑作风的对比之下，仿佛是他闲暇之时的玩耍。

用气势恢宏这句成语来说李林琢的艺术特征，可能不为之过，许多重大题材在他的笔下表现得几乎臻于完美。许多悲剧般的内容在他的处理中都能昭示着其沉痛之后的觉醒认知，这便是悲剧的价值。因此，悲剧对人生来讲是一种通过挫折之后来揭示人的存在的价值。是近乎超然的人生价值，刚才讲到他的作风气势恢宏，这虽不为过，但寻思之余总觉有点空泛的意味。更深切地讲是否还应加上“雄浑典重”四个字呢？

李林琢确能如此，他的才情是不受任何主义制约的，他的构图是自我内心世界的意象的翻译。在这“翻译”过程中他依靠的是坚实的造型功底，依靠的是对艺术风格构成的独到的理解和跳越出罗马、苏联等造型体系的制约，更重要的一点还有赖于他对中国文化的理性把握。

李先生的艺术创作是一种不太注重纯形式夸耀的稳朴雄浑的锋利之剑，是与时代同步的“现实主义”，是“观千器而后识剑”的美作、美文、美意……

（《科技与艺术》2003.01 节选）

潘毅群金属雕塑作品

文／易英

潘毅群近年一直在探索金属焊接雕塑，他从室内雕塑到公共雕塑的转变是由一般的金属焊接变为废旧金属焊接，这个转变是现代雕塑史上的一个发展过程，对于个体的艺术家来说，则面临着更多的选择和可能性。金属废件不同于一般的原材料，它除了具有一般的材质特性外，还具有成为废件之前的功能特性。从严格意义上说，废件焊接雕塑也不同于一般的抽象雕塑，这种前在的功能性已经超越了单纯抽象的构成，而具有超越抽象的文化与社会的意义。艺术家不仅要利用这种预定的特性展开想象，观众的联想也会受这种前在功能的制约。艺术家对于这一点是有充分考虑的。公共艺术面临着三方面的要素：材质功能性、作品的构成，以及作品与环境的关系。具有动感的雕塑以富于变化的造型协调于自然，这种协调也可视为自然对机器力量的制约。潘毅群在从室内雕塑转向公共雕塑的过程中，也实现了从现代艺术的形式主义向后现代主义主题的转移，也证明了潘毅群是用思想来铸造作品的艺术家。潘毅群1956年生于湖北武汉，1982年毕业于中央工艺美术学院，获学士学位，1997年赴法国巴黎国际艺术城进修，1999年应邀访问澳大利亚新南威尔士大学美术学院，现为清华大学美术学院副教授。

（《装饰》2003.01）

千刀万凿总生巧
——简析倪世杰先生木雕成就

文／庄春枝

细品世杰先生的近期佳作，令人看到其超越传统的实现和创新的成功。作品《心中佛》（又名《佛的源泉》），作者选取红豆杉的节头，充分利用其外形的自然形态，在节中的实木处，细腻地勾画雕刻出一个栩栩如生的达摩形象，不但给一块朽木赋予新的价值，而且意义完全超出物体作品的自身，让人感悟天地万物造化的自然之道，生命之所以生生不息、永葆顽强力量的源泉，是生命的母体孕育出来的。

作品《苏武牧羊》，利用树根的原形经面部艺术化处理，丰富地表现了苏武的顽强和坚贞。作品不仅从大的气势上把握了主题，在细处也一刀一凿地烘托出主题。看似无关的枝节处，恰好表现了冬衣破烂不堪不能御寒的凄惨境地，二只小绵羊缩着头天寒地冻下的无奈，犹如阵阵刺骨寒风扑面而来。如一首感天动地的诗章，一幅风云漫卷的画卷。作品《九品观音》和《果硕累累》，已经把中国画的风格融入其中，疏密、大小、远近、意象具象，布局上已是得心应手，表达上已是准确无误。这些从一个侧面反映了作者对现实的参透和对理想的追求，反映了作者艺术创作路上兢兢业业的探求。

千刀万凿总生巧，点拨技艺成名人。俗语说熟能生巧，木雕的千刀万凿可以造就灵巧的技艺，但是技艺的进一步发展，则需要悟性、需要对艺术的不懈追求，需要老师的点拨。而世杰先生被福建省人民政府授予名人和民间艺术家称号，正是其虚心学习不懈追求，悟性较高的必然结果。

（《科技与艺术》2003.01 节选）

书卷隽永　文思集泉

——说著名宜兴陶艺家储集泉

文／宋伟光

储集泉出生于宜兴名门望族。先祖储南强是宜兴政治、经济、教育、文化界著名人士。起初他随大师朱可心学艺，1971年又师承高丽君、范洪泉二位花货名师，并研习书画，有一手好丹青，运用泥绘、嵌泥、贴塑等艺术表现手法，鱼水交融般地体现在他的制壶艺术中。如果说他所制的花货古今有之的话，那便是对他艺术的误解，误解的原因便是观赏者未能从其文化意境的深层上去着眼。品评者是通过对艺术家作品的理解、解释去欣赏的，理解的过程是将作品的外观与内涵在自我心理中重新组织构造的过程，在这个理解的过程中，自然地便对作品意义的感受有着自我的解释，但作品的基本意义是不会因欣赏者的理解或解释的不到位而改变的，如果当作品的基本意义理解了并明确之后，那么其有趣的意味便往往又出现在基本意义之外的衍生意义(或伸延意义)上试看，"试逐微风远，聊随夏叶繁。轻飞避楚雀，饮露入吴园。流音绕丛藿，余响切高轩。借问边城客，伤情宁可言。"此为梁·萧子范《后堂听蝉诗》诗中借听蝉之悲鸣感怀异乡之行客，意境伤感而冷彻。储集泉的《听蝉》壶，几乎表达的也类似于这种感觉，其造型虽不见诗中之"楚雀"、"吴园"、"边城"等意象，但传移的情致，可否算得上《听蝉》壶创意之外的伸延意义呢，精细生动地写实玉雕蝉似有"流音绕丛霍，余响切高轩"的美妙，与变化到一种几乎找不到竹的痕迹但却有"竹"的律动的造型，形成了有些像齐白石先生写意中粗中一细的表现手法。蝉虽无声，意却无穷，微妙地塑出了饮露聆风的蝉之"含不尽之意见于言外"的韵外之致。

宜兴地处太湖之畔，曲院风荷般的幽雅风光时有所见，储先生具有画家的敏锐和心境，很善点化自然状物并能将之汇匿于他的壶艺之中，《荷塘系列》中的《冷香绿云》可见一斑。整个壶的造型是将荷叶的意态归纳融化在壶的形式之中，壶盖与壶腹的外径恰好是两个同心圆，盖钮的造型是荷杆的切面，入微详实地将荷杆切面的圆洞之细部自然状态地体现了出来，至此，盖钮成为整个抽象荷叶造型的画龙点睛之笔。它提醒和解释了整体的造型本源，起到了类似注解式的作用。

集泉先生的壶艺可谓是中国绘画中诗、书、画三位一体的壶上移植，说起来这种移植可不简单，许多知名画家也曾身手一试，但在坯体上书画决非宣纸上那样得心应手，这不仅要求绘者是一位画家，同时更应是一位谙熟紫砂特性的行家里手，并于其间苦苦研求，非一日之功而可为之。不然便会虽由得一时兴发，却受不得败笔之败兴。从《天趣》、《逸趣》、《荷塘月色》等作品中，你会看到储集泉已将中国文人画的精神渗透，变化到他的壶艺中去了。

对于传统文化，储先生并不是以模仿其外观为满足，也不钟情于老秀才式的抱残守缺，而是极大可能地化解和削弱传统造型艺术的外观特征，将传统文化特性潜伏在外观之内，而又能随时控制着外部特征的视觉效果。

储集泉有一句话叫做"我不可能重复自己"。这句话听做平常，但不平常的正是这种"不重复自我"的个性与见地，许多艺术家都在不自觉地重复着自我。其目的是为了完善自我的风格建构。久之，风格未成却记号有加，最终视记号为风格，错将记号与风格混同，这是对风格的误解。真正有生命力的个人风格是敢于否定自我的"壮举"，是否定自我中的有效控制，是控制之中的有效变异，是符合否定的哲学规律的。在风格的发展中，从肯定到否定，又从否定到否定之否定，此过程往往会出现原来旧的肯定中的特性，但这并不意味着重复，而是一种升华，这规律也正适合着储集泉所说的"永不满足"之自勉。愿这种"永不满足"集结出永不满足的艺术之花，泉涌出永芬永芳的艺术妙思。

（《科技与艺术》2003.01 节选）

让灵感臣服自然　把情感寄寓刀下

文／肖男

站在陈家木雕精品屋跟前的时候，我以为，陈木林这位福建惠安陈家木雕厂的创始人，这位积累了三十多年雕刻艺术经验的老艺人，和他毕业于福建工艺美术学校的儿子陈敬忠，无疑就是这么巧妙地利用了材料本身的象征性和暗示性，从材料无比丰富的质量、结构、肌理、色泽及表面差异中去获得形态启示，找到表现其视觉张力和意念显示的创作支点的。

陈木林找到了自己与自然双向选择的创作机制，也就确定了陈家木雕的风格。在陈家精品屋里稍作停留，你就会发现每一件作品无不是从树杆的自然形态中去捕捉到灵感，而后又顺应物象本身的天然属性寄情于刀下的。这件被无数客商出了天价至今仍舍不得卖出的《苏武牧羊》是陈家的镇宅之宝，也是陈木林最为得意的代表作。陈木林告诉我，这块1米多高的天然龙眼木开始并不起眼，但去掉表皮后那充满动感的天然木纹肌理却一下子触动了他的灵感。苦思冥想，揣摩年余，用了整整三个月的时间方才大功告成的这幅苏武北海牧羊图，那狂飚四起、风云突变中，苏武手执汉节，右手紧揪头上风帽，打起手棚，仰首翘望大风雪来临之际变幻莫测的苍穹，衣襟下羊群为躲避风雪纷纷往里钻的悲凉意象，恰是最大限度地利用了材质本身的木纹，启动了自然材质原有的象形因素，调动出材质自具的深度空间，使繁简有序的刻画、点缀与其相合统一。那止于当止处的老到刀法一下子指向明确地托出雕像明晰起伏的线条和形体冲击感强烈的动势。

记得德国诗人歌德曾经这样说过："在限制中才能显出身手，只有法则能给我们自由"。诗人的语言，高度的艺术化辩证理论，揭示了造型艺术的规范。显而易见，陈木林善于在材质的制约中游弋自己的情感，于是他的创作便不断逸出所归纳的制约，其造型也因情而异，各具特色，最终以形态的变异见出陈家风格形成的脉络。陈敬忠，这位比他父亲幸运的年轻人，自不例外。从他的《悠悠岁月》、《杜甫》、《传说》和《思》等作品中，我们不难看出自小耳濡目染，执手相教，得其父亲真传的痕迹。然而受过美校专业训练，并以习中国画见长的陈家新掌门人，既喜欢激情奔涌的汉唐艺术，也喜欢充满浪漫想象的西方经典雕塑。与时代同步而行的他认为，传统艺术的意义和精神是可以用某种法则或规律加以重新解释的，这就使他在摹拟或重复以往雕塑造型的过程中，总要赋予作品以新意，总是有一种现代精神与文化传统天然融合的躁动，因此，他的作品最终也就必然具有传统和现代的双重意味。

在艺术创作的长路中，单靠气力的持恒不一定能到达终点。重要的是要有智慧的头脑，能在主观意识和自然的联结中发现美的内核，紧紧地抓住这一契机，并把它变成艺术的奇迹，方才显出创造的玄妙。陈家木雕在两代人的传承纳新和自我蜕变中，慢慢地确立了自己，让灵感阵痛在造化的自然里重生，把情感潜藏在呐喊的刀下漫游，若能长此以往，那么距离成功的伊甸园该不会很遥远了。

（《科技与艺术》2003.01 节选）

守局存格　独抒性灵
——读杨冰的几件陶瓷艺术作品

文／顾正耀

近十年以来，杨冰以她的黑地剔白陶瓷饰纹艺术之魅力，夺人神魄，享名东西南北中。对于杨冰这种黑地剔白形式的陶瓷饰纹艺术的特色，我们不再只是要强调地指出这样几点，作为我们评说的必要前提。

一、将黑白木刻平面的艺术的功能叠合在立体的瓷器上，从而产生了一种特异的陶瓷艺术全新的表现形式，杨冰是最早从学术角度上进行开拓的代表人物之一。我们这样说，并不是忽视了宋代产生自邯郸一带黑釉剔白的陶瓷装饰风格的存在。我们深信，千百年之后，杨冰的这种陶瓷艺术作品将是一种断代依据。

二、在学术上，杨冰的黑地剔白陶瓷饰纹艺术，是美学上"离远合奇"律的标准范例。所谓的"离远合奇"，就是把外表看似不相关而内在本质却有联系的两件以上的东西接合起来，这种接合会产生一种奇突攫心的效果。

三、过去美术评论家多认为杨冰的黑釉白胎相互华耀的陶瓷饰纹艺术为"刻瓷艺术"这似乎不确。现在民间工艺中有一种已经约定俗成的"刻瓷工艺"，在已经涂釉烧结完毕的瓷器上，用合金钢刀凿进行图案刻凿——被刻凿的瓷器上，釉面被凿去了。而杨冰的黑釉白胎相华耀的陶瓷饰纹艺术，却是在白内胎外黑釉表上进行剔刻——这种手法的特点是剔刻去挂在胎上的无光或弱光黑釉，留下内里的白胎，然后在高温下烧结，从而产生的迥异以往所具有的陶瓷饰纹的艺术效果。

让一个人的本该自由自在的性灵因守着一个局限，一个格式看来是矛盾的，但做为陶瓷艺术家的杨冰来说，这却是一种现实：因为，她的艺术，是在陶瓷这一种特定的局限下，按这特定局限所允许的格式来发挥她的性情的，而这种局限、格式下的性情的最大的发挥，不仅使她在黑釉白胎相互华耀的陶瓷饰纹艺术上有了空前的成就，也使她目前正在着手学术研究的青花瓷取得了可以更加远大的成就。

杨冰的青花是其新近作品，但它仍透着她黑釉白胎相华耀之作品的许多优点，所不同只是它把青花虚实关系(青是实，白色瓷地空间为虚)代替了黑釉白胎相华耀的关系(白是实，黑是虚)，而无光黑釉的空间更替为青花“水路”所带来的想像空间。

（《科技与艺术》2003.01 节选）

陶行者的自白

——伍时雄访谈录

文／艾黎

艾：我们知道您已从艺三十多年，曾涉及绘画、艺术摄影、雕塑、设计、艺术收藏、编辑出版以及项目策划等工作，近两年又做起陶来，是什么原因会令您做起陶来？您对陶有什么特别的认识？

伍：1973 年我在广东省工艺美术研究所任职，被派赴北京到中国美术馆筹办“石湾美术陶瓷展”，这是我第一次接触到陶艺。1976 年曾随省厅工作组进驻石湾美术陶瓷厂，其间也在车间参加过生产。但真正做作品是在 1999 年才开始。在一些人印象中，我是个经常转换角色的人。什么时候想做什么，完全凭个人的感觉、兴趣和机遇，只要投入我都会自觉付出，就算与艺术无关的事，只要我判断是有意义的，都会乐意去做。因为人既然来到这个世上，就必然与社会发生关系，现实与理想、艺术与生活都是人生中纠缠不清的种种体验，是面对还是回避完全取决自己的人生态度。不管机遇好与坏，我觉得都很难得，因为在这过程中可以考量一个人的综合素质，同时也能锻炼人的应对能力。

艺术是精神领域中的一种形态，它应与生活融汇贯通才有意义，没必要把艺术实践囿于某一门类中去束缚自己的激情与灵感，应该以开放的态度从不同的形式或角度去探索艺术和人格独立的最大可能性，这就是我喜欢各种艺术、同时也喜欢做陶的原因 。

虽然我在努力学习制陶的工艺，但我只具备一些基本的工艺常识，确切地说够不上陶艺家的称谓，自视“陶行者”更贴切些。多年来我一直在做《状态系列》的主题雕塑，这是我赞颂生命繁衍这一最古老主题所进行艺术语境的探求过程。我曾用石雕、木雕、金属进行表现，都不尽人意，最后我发现用最原始的泥去表现是最贴切不过了，陶泥可塑性强，烧成后刚中带柔，非常质朴，具有难以抗拒的亲和力。

艾：《状态系列》的主题较为专注，釉色和表现肌理都较朴实无华，造型手法简约形成了与许多其他陶艺家作品明显不同的个人风格，这类作品的构思与风格是怎样形成的?

伍：宇宙万物始于混沌初开，阴阳互动。因此，生态、生命的运动源于阴阳之内核，外延于表象万千的不同形态，对生命状态的关切与赞颂是我喜欢表现的主题。综观艺术史，对生命体形态的观察与表达，东西方存在着较大的差异。自古以来，中国人对此观察较为宏观，表述含蓄而到位；西方人的观察较为微观，表述则淋漓尽致。魏晋时期古人曾以“O”象征母性，而“O”如环无端，隐义“无限”，表达了万物无始亦无终的宇宙观。这是一个无法再简约的符号，我的作品较为简约，其中一个重要的原因是受到了中国象形文字的影响。中国文字是象征意味很浓的符号，如果把埃及象形文字中的“鸟”字与中国象形文字“鸟”相比，埃及的“鸟”字从形态与比例上非常接近真实，中国的“鸟”字则着重在鸟的内在结构上提炼成符号，而非注重它的外型。我们祖先早就具有对形态进行抽象归纳的审美意识和基础。正是这种审美基因的传承使中国古代的雕塑与绘画和西方相比，明显有“意到笔不到”的独特品格。

我在《状态系列》的部分作品中借用了中国古语“一体同观”作主题，这四个字道出了万物“同”与“异”的辩证关系，同时也体现了古人从生命内核到外延形态之间去剖析事物的判断智慧，虽然现代“基因分析”令生命的遗传和变异得到初步的解码，但生命形态的无穷变幻依然让人们目瞪口呆，这也是我无法对《状态系列》每件作品注释和无须注释的直接原因。我会继续寻找符号般的语境去延展自己的作品。生命体两极似乎没有其他符号能比“O”和“I”更为简单了，倘若我的作品《状态系列》真能找到东方人的艺术语境的话，那肯定是一种血缘与本能的缘故。

艾：您如何评估中国现代陶艺的发展趋势？

伍：首先我想对中国目前的“现代陶艺”一说提出质疑。人类陶艺发展史从来没有过断层，都在传承中变异与发展。诚然，当代中国陶艺家为了拓展个性化空间，争取进入中国当代艺术领域，于是提出与“传统”断绝“父子关系”，以“现代”区别于“传统”，为此找到了断面划界的理由，但从严格的学术定义上考量是极不确切的。我们可以试想一件用陶制作的作品，一旦进入装置艺术展览时，观众和艺评家不会把它当作陶瓷艺术看待，而会准确地把它判断为用陶作材料的装置艺术作品，在这一学术层面上，作品是不是陶艺并不重要。然而“现代陶艺”则既揽括前卫陶制作品，也包含了非传统形态的各类器形作品，尽管两者都不在同一个学术判断层面之上。简单地在“传统”和“现代”之间作假定的分界是缺乏精确定位的，尤其不利于陶艺个性化向纵向发展的研究和评介，虽然陶的艺术都在同一个“工艺共生”的环境之中，“现代陶艺”一说现已流行，但是其定义不清，尤其会导致学术判断细分的忽略，令史学评介与研究走入无法阐释的误区，是经不起时间转移的考量的。难怪近年来国内几次重大的现代陶艺学术研讨会上被力邀出场的国内知名艺评家都免为其难地道白：对陶艺我们没有足够的认识，理论上如何切入还需要一些过程云云。值得我们反省的是，“现代陶艺”所揽括的品类多，层次参差，每次重大展示都在同一平台之上，正是缺乏判断上细分的原因，反而给学术研究衍生出一个又一个的“外行”来，这是当前中国陶艺界在学术上正面临的尴尬和悲哀。

在欧美，假如你说自己从事现代陶艺，听者反而不明白你是做什么的。在国际上我们几乎没有看过以“现代陶艺”冠名的杂志，把与陶瓷专业相关的艺术统称为“陶瓷艺术”，这是一种国际公认的共生概念，但对不同门类、不同流派都被严格细分在学术层面的评介与判断之中，这才是真正的陶艺史学观。

我觉得中国当代陶艺界应走出“现代陶艺”的误区，在创造多元共生和分类发展的优化过程中，坚持学术判断原则，重建史学规范的理论结构，本是今后发展的一大前提。只要有了共识，切实做些有意义的事，才能形成健康发展的趋势。

当代波普艺术运动曾以其丰富的大众语言和习以为常的面孔出现，为当代国际陶艺带来极深刻的影响，几乎没有什么东西不可以用陶瓷进行仿制，为此对陶瓷工艺提出了前所未有的技术诉求，大量现代技术手段被借用，大大拓展了在传统手工艺之外借用其他技术的可能性。传统意义上的那种津津乐道于由火作中介，企求烧出偶然的“惊喜”的陶艺品格，着实让艺评家对这种“偶然”不敢妄加评论。技术性的偶然发现本该留在工艺研究层面，艺术家没有时间去等待“奇迹”。反而是更注重作品原创意图能通过各种技术的借用来达到预期的控制，以确保作品可以更加系列化，这将会成为陶艺发展的一种新趋势。

（《雕塑》2003.01 节选）

未竟的哀思

——怀念秉明

文／杨振宁

秉明在20世纪80年代为吴冠中画展写的序中说：“我们六十出头了，好像老了，好像剩下的日子不多了，又好像还很年轻，才从严冬的冻结中跳出来，精神抖擞，对未来重新计划。”他还说：“卷起袖口，肩膀的肌肉犹实，我曾写信给一个在自贡翻译西洋哲学史的老同学说‘我们这一代的话还没有说完’。”

确实没有说完。二十多年来他写文章，写书法理论，写诗，写诗评，作画，做雕塑。他的文章，他的诗，他的雕塑，都是千锤百炼，敲打出来的。

在北京中国现代文学馆陈列的大型鲁迅头像就是熊秉明的杰作。鲁迅的深沉、鲁迅的倔强都被他捶打出来了。

秉明的《母亲》是他母亲的头像，也是所有母亲的头像。

秉明在南京大学陈列的大型铜塑《孺子牛》，生动地塑造出了20世纪中国知识分子的自我认识。

秉明和我是同一时代的人，同一个大时代的人。我们都有话要说。我们走了不同的道路，采用了不同的语言，但是我们要说的却有同一底线。请看他的一首诗（《静夜思变调》："一序／大诗人的小诗，从椽笔的毫端落出来，像一滴偶然，不能再小的小诗。而它已岸然存在。它已是我们少不了的。在我们学母语的开始，在我们学步走向世界的开始。在所有的诗的开始，在童年预言未来成年的远行，在故乡预言未来行人的归心，游子将通过童年预约的相思。在月光里俯仰怅望，于是听见自己的声音伴着土地的召唤，甘蔗田、棉花地、红色的大河，婆婆家的小桥石榴，织成一支魔笛的小曲 。"

（《雕塑》2003.02）

走在文化的边缘

文／于俊峰

社会经济的增长与公民文化素质的提高，充分激活了环境雕塑的活力。作为文化现象，在近20年的快速发展过程中，环境雕塑已经被人们接受。公众对它的了解与认识程度，已经超过以往任何时代。特别是在一些经济发达的大中型城市，环境雕塑建设已经成为城市文化的重要内容。环境雕塑成为沟通环境与人的重要文化载体，作为城市的形象与标志，逐渐成为人们生活中不可分割的一部分。

但是，由于环境雕塑市场运行机制不健全，给环境雕塑建设事业的发展带来许多不利因素。作为环境雕塑家，在从事环境雕塑的创作设计时，面临许多不容回避的具体方面：其一，甲方要求同创作设计中的艺术含量之间的矛盾；其二，工程创作与经济之间的矛盾。因此，作为一个环境雕塑家，能在这些矛盾的夹缝中寻找一片天地，而且做出了卓有成效的业绩，真可谓令人钦佩。环境雕塑家时振营先生就是这样一位勤恳耐劳、默默耕耘的人。

时振营毕业于西安美术学院雕塑系。时代的感召，使他积极投身于环境雕塑的创作与研究工作，十几年来，踏踏实实地闯出了一条属于自己的发展道路。他在环境雕塑创作设计时，有一个非常明确的指导原则，就是对自己负责，对环境雕塑艺术负责，对社会负责。他认为，作为从事名胜古迹专业的环境雕塑创作设计人员，一定要有高度的艺术责任感，要有严肃的创作设计态度，还要有扎实熟练的工艺技术水平。这样，才能在创作设计与工程制作过程中，得心应手，游刃有余。听起来，这些话语是那样质朴简单，然而，它却是区别思想格调与艺术品位的分水岭。其次，时振营能够站在文化的角度，从建设城市文化的高度上去对待环境雕塑的创作，不断提升自己的文化品位。我们常能听见"菜雕"这个词，它表明时下环境雕塑创作设计还同艺术创作有一定的距离。暂且不谈建设方面的责任，就是承建者也有未尽初衷的愧意。因此，某些城市的大拆除，就是这个问题的典型反映。鉴于这些问题，时振营能够保持清醒的头脑。无论遇到什么问题，努力坚持艺术创作设计的原则，把握环境雕塑的文化品位，提高环境雕塑的艺术感染力。

学院派的坚实功底，给时振营带来了宽广的创作设计空间。他不仅对金属材料、石材、木料等材质有充分的研究，掌握了材料的工艺性能、制作工艺特点及表现特性，能熟练运用。他还努力探索环境雕塑的语言手段、表现形式和创作设计风格，不断提高环境雕塑作品的艺术质量。时振正值当年，还行更遥远的领域需要突破和探索。他就像一个走在文化边缘的人，在艺术与社会公众之间，不知疲倦地搭建那座桥，一座连接人与环境的文化桥梁。

（《雕塑》2003.02 节选）

解读梁硕

文／凯伦·史密斯

梁硕是2000年11月举行的上海双年展中最年轻的艺术家，也是少数几个展出当代雕塑作品的艺术家之一。展览开始时，他才从中央美院毕业四个月。也许现在讲他的成功已证明了他的天才还为时过早，但毫无疑问的是他在"城市民工"系列雕塑中抓住了民工的精神和表情。他的成功源于他对人体解剖的充分理解，也源于他能使观众走进这些未受过教育的贫苦民工的世界，理解和同情他们的遭遇 。

在中国的主要城市里，尤其是北京这样的国际化大都市里，农村来的民工已经是不可分割的一部分了。城里人有舒适的生活和稳定的工作，但他们没有想到这些一部分要归功于这些民工的努力。相反，他们对民工充满了偏见、蔑视，随着农村和城市距离的加大，随着城市人的社会经济地位优越感的增强，人们很容易就忽略了他们的乡下同胞对城市建设所做出的巨大贡献。城里人对他们的农村兄弟多的是屈尊大驾的可怜而不是真心实意的同情，尤其当农村人在城市里的工作条件和性质使他们显得并不纯朴，而是邋遢和麻木时。梁硕作品中最成功的点就是展示出了这些民工人性的一面，告诉人们贫困和教育程度低下并不能抹杀民工的优点，我们不能因此就否定占中国人口总数一大半的农村人口。

“城市民工”系列还在其它方面展示了梁硕的才能。这九个雕塑作品是梁硕的毕业作品。中国教育体系中严格的课程设置要求学生在毕业时创作一件人物作品作为对五年学习的总结。许多学生只从表面上理解这一要求，草草摹拟一件米开朗基罗的大卫或者其它著名雕塑作品，好腾出更多的时间来搞他们的个人创作。梁硕决定创作他的民工系列，借鉴了乔治·西格尔和杜安·汉森的现实主义风格，充分发挥了自己的长处。

我并不是说中国当代雕塑里没有人物作品。事实上我们可以轻而易举地找到很多人物雕塑，如精力旺盛的老人，对镜梳妆的美丽少女和纯真无邪的孩子。然而这些对普通老百姓的关注从未延伸到位于社会底层的农民阶级或现在的民工阶层，因为中国还存在着很强的阶级观念，而农民在高尚的美术界里一直是被鄙视的一群。对梁硕而言，创作这件作品并不是简单地把泥巴捏成三维的肖像。首先，他要说服他的老师，取得他的赞同。

梁硕的灵感来自于他在城市里的生活体验。在中央美术学院周围，民工是常见的景观。每天他都可以看见民工们从工地里走出，到简易的移动餐车打饭，蹲在路边狼吞虎咽，叼支廉价的香烟在工地边闲聊一会儿，等着工头吹哨催他们继续干活。他们行动笨拙，和城市里的环境极不协调，他们的眼神空洞，很难理解这个和他们的农村有天差地别的城市，也不适应城市生活的快节奏。他们的遭遇深深打动了梁硕，他决定用艺术来反映这一日益严重的社会话题，引起人们对这一话题的关注。因此，他创作了这个“城市农民”系列。

“城市农民”系列表现出来的人性使他们在2000年的上海双年展上获得了巨大的成功。在上海艺术博物馆里，以前一直鄙视这些民工的人们排起了长队和这些泥塑的乡巴佬们合影。在这里，梁硕的民工不仅远离了他们贫困的山村，也脱离了他们现在的城市，而被放进了艺术的殿堂。

好的艺术作品总能使观众反思自己的观点和态度。梁硕的作品也做到了这一点。仔细观赏他的“城市民工”系列作品之后，您再也不会对与你擦肩而过的中国民工熟视无睹了。

（《雕塑》2003.02）

林胜煌

文／立山尚武

林胜煌，生于中国，2001年任东京艺术大学客座研究员。2000年，入选日本行动展(东京都美术馆)；2001年，入选日本立川国际艺术邀请展、日本大阪双年展；2002年，入选日本亚洲雕刻展（大分）、首届艺术三年邀请展等。

我关注林胜煌，是从前年的“澳大利亚雕刻双年展”和去年美国当代艺术中心的“50年新进艺术家选拔展”开始，了解更多的是其在双年展上的创作活动。至于他在东京都美术馆的发表评论尚属首次，在此谨作介绍。他来日后也参加了美术馆的公募活动，并取得了成就。如1998年的新人奖（新构造奖）、2002年的富士电视国际奖（亚洲现代美术展）等。就《大对偶》而言，蕴含着中国文化的症结，富有哲理性。其运用古汉字“穴(大)”字为引子来构筑“人”字造型的框架，叙说“大”字人生旅程的艰辛。他形象化地借助中国传说《白蛇传》中，雷峰塔镇压白娘子的典故来隐喻男女爱情所面临的道德礼教的束缚和重压，如何取舍人生的困惑，诉说人间的悲欢离合，从中可窥见其脉，以人的生活空间为总体对象／表现来尝试造型的可能性实践，并以此为鉴触发蕴藏在人深处的萌感，诱导人们置身于这传奇的现实／情感因缘中，进而演绎出一种人与雕刻空间共呼吸的通感。这也许正是作者所追求的用最传统的题材来表现具有现代意味的实验艺术，试图寻求一种稽古而焕新的现代实践。

（《雕塑》2003.02）

廖慧兰的雕塑

文／梁明诚

广东女雕塑家廖慧兰，和我们同代的艺术家一样，有着相同的成长过程——从戴红领巾开始沐浴在新中国的阳光下；20世纪50年代考入美院附中，以苏联美术为榜样，一边做着小天才的梦，一边勤奋地苦练基本功；60年代进入本科学习专业，同时如饥似渴地吸收中外古今的艺术，全面提高修养；到离开学院的时候，令人不知所措的“四清”和

“文化大革命”就汹涌而来，在精神压抑中痛苦地坚持着艺术上的磨练；终于到了改革开放年代，精神上的解放催发了我们的积蕴与潜能。于是，开花了，结果了，开始了我们这一代人最灿烂的时期。

廖慧兰的雕塑，最有感染力的是她的肖像创作，这与她饱经训练的头像写生功底分不开。她在学生时期就在生活中画了大量的头像写生，各种身份、各种性格的人物在她笔下，都有很生动、精彩的表现，使同学们无不佩服。对形神的把握、对人物内在世界的洞察、对不同人物不同的表现手段以及取舍提炼功夫，使她得心应手地转移到泥、铜、石等立体材料上。她的肖像雕塑大致可以分为两种类型，一种是特定人物的肖像，要求在外形肖似的基础上，刻画人物的个性、心理特征、精神状态，让人感受到人物的经历与思想深度或个性魅力。如她为梅州博物馆创作的“黄遵宪”肖像，把这位著名的思想先驱从形到内心均刻画得十分到位，一个思想深邃、意志坚强的民主革命家的形象充分展示了出来。又如她为一位华侨领袖做的肖像，把人物饱经沧桑、历尽艰辛又坚毅善良的长者形象表现得很可信，保持了“这一个”的特色。再如她为日本友人、武术家松山五郎做肖像，只有一个头部就让人“看”到他的坚强的体魄和仁慈乐观的个性。她为中山大学创作的另一座“黄遵宪”全身像，除了特有的服饰外，强调了他特有的手势的韵致，传达出一个精神领袖和文化精英的风采。她的肖像雕塑第二种类型是不以刻画特定人物为追求，把目标定在通过头像造型表达人们共同的审美与情怀，造成一种宽阔的艺术境界。如《南海渔妇》，把所有南海渔妇的特色综合起来，让人想像到南方的阳光，南海的辽阔，海边生活的浓烈气息扑面而来，而同时，南海人的基本品格——坚强、耐劳、大度和善良——也让感觉出来。另一件头像《在希望的田野上》，以一个如花般美丽纯洁的南方少女形象，利用头巾做成像新苗一样的造型，让我们强烈地感受到一种青春的魅力、一种生机勃勃充满希望的信息，得到一种舒畅甜美的审美享受。头像《瑶胞青年》，形象敦厚，形体拙实，铁蛋般的造型使我们感受到山区少数民族的可爱可亲而又倔强、勤劳的性格。《拼搏》是一个运动员的头像，强烈的体面造型造成了强烈的黑白效果，让我们看到了作者的版画功底以及娴熟的体积处理能力，造型本身就传达出拼搏精神与必胜信念的信息，使人受到“力”的鼓舞。

肖像艺术是一门很考验人的艺术，它除了要求艺术家有比较强的理解力和感受力之外，还要具备全面的写实功底和形式想象力。廖慧兰能够达到今天的水平，靠的是几十年孜孜不倦的艺术锤炼和修养积累，靠的是她热爱雕塑，不计疲劳不怕苦累的劳动精神，这种精神应是雕塑家必备的素质。

她为梅州市创作的大型花岗岩高浮雕《过去·现在·未来》，高3.5米，长50米，表现客家人民长期的生活与斗争的史诗般画面，人物近百个，从泥稿放大到指导工人打石，到最后亲自加工，对于一位女性雕塑家，光是劳动量之巨，就值得我们敬佩。男女老少，各色人等，人物刻画与构图韵律都情态生动，真实可信，而又能统一在深厚、朴实、强劲的风格下。花岗岩的肌理，或粗或细，或曲或直，都处理得有节奏，有力度。这种大型的群像雕塑，又从另一侧面证实了廖慧兰的功力。还有她为暨南大学做的一组群像《五洲学子》，表现五大洲不同民族的青年学生欢聚一起，无论种族特色、气质性格、表情动态以及构图组合都是一件广受欢迎的佳作。

艺术无止境。“花甲”之林，坚韧挺拔，风姿俊发，花果繁茂，一派旺盛的生命力。其中廖慧兰这一“棵”，从她目前的状态看，相信还有更加出色的表现、更加丰盛的收获。

（《美术》2003.03 节选）

泥塑宇宙

——陶艺家徐敏小记

文／陈培一

徐敏出生在上海的一个充满艺术气氛的家庭，父亲和母亲都是刘海栗先生上海美专的学生。父亲是我国早期卡通片制作者之一，早在20世纪40年代初期，就在上海创立卡通片工作室，绘制与拍摄了许多卡通短片。徐敏的母亲从事油画的研究与创作。因此，徐敏受到父亲的影响，自幼对艺术有着浓厚的兴趣，五岁开始习画，中学毕业后在农场技术科从事绘制建筑透视图与色彩效果图，1978年以优秀的成绩考入中央工艺美术学院陶瓷艺术系，1982年毕业后留校任教，后移居美国。

徐敏的陶艺有着相当独立的风格，既有着东方传统文化的精神，又有强烈的时代特色。他的作品具有很强的艺术震撼力，在无生命的陶土中塑造生命，透过他对釉料及色度的适巧掌握，可以看出他对老子“有之以为利，无之以为用”哲理的体会。此外，徐敏的许多作品中将内壁向外的颠覆性手法可谓是一个创举，反映了现代社会的透明度，则隐喻了新世纪到来之后，人们对某些传统观念所必须有的认识。

他的作品追求自然、纯朴。恰如中国画所讲究的“惜纸如金”、“惜墨如金”一样，他也讲究“惜釉如金”。他认为，上满釉的陶器犹如“浓妆艳抹的人”，失去自然的感觉。所以，他在制作陶器时，力求体现“清水出芙蓉、天然去雕饰”的艺术效果，追求一种质朴的内在美。

徐敏认为，世间物质材料中最佳的塑造材料之一就是陶土，它能与时间抗衡，又能抵御天地间水与火的考验。中国的传统民族文化以金、木、水、火、土五行代表天地宇宙，而陶艺的制作、陶器的构成也正是金、木、水、火、土五行结合的过程。所以，一件陶艺作品可以说是宇宙万物的高度浓缩。艺术的发展就是寻找新的形式，以及新的艺术语言，陶最接近人本，因而陶也被列为与铁、石等并重的表现素材之一。

十几年来，徐敏潜心于陶瓷艺术的创新，把西方艺术的精髓融入到东方的陶艺中去，给世人展示了丰富多采的陶艺世界。

（《雕塑》2003.03）

徘徊在现实与意象之间

——商徐宏的装置艺术作品

文／杰类·卡伦（美籍艺评家）

作为一个多年旅居美国并长期活跃于国际艺术展览的中国艺术家，商徐宏是中国在海外的为数不多的几个极其冷静、毫无虚张声势地从事观念性及极简主义与抽象意识相结合的艺术创作和研究的艺术家之一。他的作品明显地试图在传统与现代、意象与现实之间建立一种新的视觉方法与秩序。

商徐宏的作品明显是操作于不同的文化及不同的现实之间，因此现实更为延伸、更为广泛而被常人所忽略的，他的艺术作品并不在仅仅满足于表达传统的哲理性问题——关于意向与现实之间的关系，当然在他的作品中存在着这种趋向确是一个不可否认的现实。他的作品为观众所提供的美妙视觉效果，正如伟大的西方哲学家康德警告他的学生们：“小心地思考这个世界和宇宙，难道它正是我们所见吗？”

商徐宏的装置作品表达了许多意向与现实的矛盾及冲突。他的作品常常运用整个展览空间制造出一种自然景观的形式；或是庭园，在四周墙角边配上天空景色的图像，并让观众登上他特意制作的观景台，或在展览空间的四周墙上于常人的视平线上安装一个简单的架子，并在架子上放上各种小型的风景图像及建筑模型等物品使观众产生一种无限自然的空间。但同时也在告诫我们：这也许不仅仅是风景和庭园。

天空景色呈现在观众的视平线的架子上，或天空景色沿着墙角的边沿四周围绕，无论这些景色如何地呈现，而且在不断地变换着色彩随着景色不断地沿着四周墙角延伸，这同时也正在再一次地暗示从晨间到傍晚的时间变换和移动。当观众走过整个装置作品的同时，时间也正在过去，或者，观众根本也没有朝下观看或根本没有关注沿着墙角四周的景色图。事实是，这不也是一种提示吗?现实是观众的姿态是正确的并保持着自然状态往前走并同时往前看——平视，而那墙角边的景色是并不自然的。或许本身这两种姿态及现实都是一种意向，或同时是一种现实，难道这两种形态中都有着重要的关系吗？事实是我们的意识给予了事物的名称，制造了距离感，创造了世界为我们所生存。我们所谓的“重要及关系”及“现实与意象”其实都基于现实所制造的使人信服的框架之中并且在我们的思维中突现，而且也源之于我们各自的文化背景及想象。就像在生活中常常会遇到的有些事物发生时会提醒我们这种精心设计的框架就有着肥皂泡沫般的固体性和永久性。

商徐宏的作品所提供的这种深刻的东方及西方文化经验的思考，以及那股非永久性和无法预测性的力量使人感到震惊，同时又具有一种神秘性，能够把观众的视觉和感受带到更远的深处。就像杜桑怀着不同的动机在其作品中的力量，商徐宏的本身意义远远高于扮演一个顽皮的游戏者，他更希望我们作为观众能不确定自己的期待并抱着一种更广泛的视觉去感受生活中的一切。

（《雕塑》2003.03 节选）

我看蔡志松

文／隋建国

雕塑家大致可分为两类，一类对造型比较敏感，一类对材料比较敏感。蔡志松属于前一类。

人类文明史中的雕塑，已有几千年的历史，若上溯至石器时代已有几万年。塑造研究人类自己的形象，是人类对自己生命的热爱，也是对自我的反思，把自己对象化。因此写实雕塑的传统是很大的一块。只是从现代艺术开始，材料才成为人类审视的对象，因为工业文明改变了人类看世界的方式。他不再满足于跟在上帝后面拷贝上帝的作品，而是要创造一个与上帝所创造的世界平行的世界。

蔡志松对人的形体在空间中的构成、变化及其节奏韵律很敏感。他也知道自己在这方面的长处，因此就有了《故国》系列。他在大学期间就显出这方面的能力，毕业作品被学校收藏。

蔡志松是一个较真的人，认准一条路走下去。我认为这是成为一个艺术家的必要素质。

他选择的这条路其实挺难的。在世界范围的前卫艺术圈子里，十多年前，难得见到纯粹的写实雕塑，人们都忌讳回到传统的老路上去。但要走出一条新的道路又很难。到后现代主义兴起，才慢慢有了好转。但这时的写实艺术其实是有观念在背后支撑着。

这个世界上的艺术应该不只有一种，而是每个人都可以选择自己所喜欢的一条路走下去。在不同的层面上，各自把自己的事情做好。

蔡志松选择这条路我是支持的。毕竟已有几千年的积淀，要比古人做得好。难与不难是一回事，要有与常人不同的想法才是最重要的。他用现代人的眼光看古代人，在巴黎秋季沙龙上获了奖，算是一个好的开头。

（《雕塑》2003.03）

东方神韵的造像

文／朱庆

著名雕塑家、南京大学雕塑研究所所长吴为山教授的作品《睡童》，最近在英国皇家雕塑年展上获得英国皇家颁发的攀格林奖。这是亚洲艺术家第一次获得这一国际大奖。吴为山同时还作为第一个亚洲人被英国皇家雕塑家协会和英国皇家肖像雕塑家协会吸收为国际会员。

吴为山认为，模仿西方的艺术是缺少文化自信的表现，在世界文化对话中必然失去自己的方位，不会被西方人所接受。他的雕塑并不迎合西方人，是中国传统文化精神的表现，对东方哲学、美学有着整体的观照与思考。当然，这种写意不仅是东方式的，在形式上他也吸收了西方自古希腊雕塑、文艺复兴到罗丹的艺术精华，以及贾格梅蒂、布朗库西、亨利·摩尔、马里尼、马里诺等一批现代艺术大师的营养。吴为山教授曾为近现代二百多位文化、科学大师塑像，并通过雕塑研究中国文化发展的轨迹。他提出的“写意雕塑”正体现了雕塑文化的民族性。他说，现在的社会不能光做土著艺术家，还当进行国际性交流，开阔的胸襟、包容的心态才能使艺术生生不息。

（《光明日报》2003.07.06）

郑胜宁大师木雕艺术简论

文／杨成寅

要说郑胜宁的木雕作品给我的第一个鲜明印象，那就是“大气”。这里的“大气”有两个意思：一个是气派很大，大大方方；另一个是虽然作品尺寸小但却好像是尺寸大的大型雕塑，它们大多数可以放大数十倍，放在广场里。我有时想想这“大气”产生的原因，感到可能是整体感较好，细部都从属于一个艺术整体。例如根雕《东坡行吟》、《达摩》、《岁月》，黄杨木雕《弘一法师》等作品，都会给人以这样的感觉。从构思和制作过程来看，很可能是雕塑家对于要创造的视觉形象成竹在胸，意象鲜明而确定；从思维方法上讲，就是处处从“大局”出发，重视整体与局部的对立统一，因此雕出来的东西既丰富，生动，又完美整一。

郑胜宁的木雕里一个突出特点，我感到是生活气息非常浓厚，生机勃勃，感到作者对生活的观察非常敏感和深刻。不管是来自现实生活的表现母子之情的《亲昵》，还是来自取材于历史的表现我国历史上著名人物精神面貌的《神医华陀》、《大江东去》和《东坡行吟》，雕刻家创造出的形象都是活生生的人物，他们都有自己的独特的思想感情，都有自己的风采。

郑胜宁的大多数木雕作品，不论小巧的黄杨木雕，也不论是奇特古朴的根雕，或是大型城雕，都具有坚实的造型和强大的表现力，都具有很高的审美价值，它们都具有我国传统木雕艺术精雕细刻，曲高和众的优点，而避免原有传统木雕谨毛失貌、陈陈相因的程式；它们吸收了来自西方的学院雕塑的造型严谨、表现力强大的长处，却并非照搬西方现代派雕塑排斥具象造型，脱离现实，一味抽象怪异的毛病。郑胜宁木雕艺术，奠基于黄杨木雕，逐渐向根雕延伸，近几年又向大型城雕艺术扩展，但都同样取得了引人注目的重大成就。在小型黄杨木雕的创作上，郑胜宁传统题材和现代题材并举，在造型上精雕细刻，传神表情入微，而又不失阔大的气派。在根雕作品上，他善于利用原材料天然的形状、肌理，巧妙地运用、对比、调和、单纯、均衡、整一等形式美的规律，在关键的部位稍雕凿处理，就能创造出各种理想的艺术形象，天物与人工创造不露痕迹地结合成为一个真善美统一的整体。

郑胜宁的木雕艺术在近几十年来之所以能够取得如此令人注目的重大成就，其原因是多方面的，除了王家木雕艺术学派给了他的丰富的滋养外，在笔者看来，还在于他不断地在木雕艺术之外丰富自己的文化素质，不断提高自己对美和艺术的鉴赏能力。郑胜宁写的文章并不多，但他所发表的文章，如《根艺雕刻技法述要》、《谈黄杨木雕现代人物的雕塑》和《根雕“鱼篮观音”的创作思考》等，都具有高度的学术水平。

对郑胜宁木雕艺术的研究和评价，在笔者看来，还应当从中国雕塑艺术在当代发展的大背景上来进行思考。中国当代雕塑艺术在近20年来确实获得了相当大的发展，但在发展的过程中也还存在一些值得思考的问题，例如雕塑教学中的造型基础和创作方向问题，对中西方雕塑的优秀传统的正确评估和学习借鉴问题，对西方现代派雕塑艺术的批判吸收问题，在中西方雕塑的交流融合中如何坚持民族风格问题，以及民间雕塑和学院雕塑的相互借鉴吸收、取长补短问题。笔者以为，郑胜宁大师木雕艺术的发展道路对以上这些问题似乎都在一定程度上作了正确的回答。中西雕塑艺术是互补的；民间雕塑艺人学点西方雕塑的造型基本功，有助于提高民间雕塑的表现力；学院出来的雕塑家学点中国传统雕塑或民间雕塑，有助于扩展表现手法，并有助于雕塑的民族化。郑胜宁大师木雕艺术之所以能够在前进的道路上披荆斩棘，硕果累累，正在于他学兼中西，两面开弓，舍二家之不足，取各家之长，熔铸古今中西于一炉。加之他好学深思，不断从大自然中、从生活中、从历史上、从书本中、从师友交流中、从一切接触到的事物中吸收营养，为雕塑艺术时时蓄积力量。这也许就是人们之所以公认郑胜宁大师“后劲极大”的主要原因吧。

（《科技与艺术》2003.03 节选）

视觉感染心
——曹学堂雕塑作品浅析

文／王奕

应该是科学技术蓬勃发展、空前繁荣的缘故吧，现代的人们，脚步迈得飞快，思维转得迅捷，商业化、模式化的运作遍地开花，对人对物的观瞻洞察，又总立于一个高度、一个纵深的层次。至于起点倒淡了，好象已经是古旧年代值得纪念的一个标记，更多地关注驻足于刻意的追求，这华丽的展演成了事物发展的必然过程，并且，经过无限制地扩大、蔓延，反而忽略了本体精神，而只流于繁琐的细枝末节。

欣赏曹学堂的作品，却大出意料之外。没有矫揉造作，没有曲意逢迎，更没有牵强附会或者凭空臆造。在个性鲜明的线条、锁扣的自然链接中，有一种困惑。是的，或者说是一种玄奥，他不避讳，他敢于展示，敢于拿出来与观众一起解读，一起推敲，正是这种展示凸显他的人格美。因为人类原本就出生于困惑，成长于困惑，因为困惑而求索、而探寻、而发展。透过这朴质的外表，一种平和、一种自然、一种本真、一种纯挚即现于眼前，人心、人性在这一刻苏醒了，这是一种特有的感觉，这是一种艺术独具的境界。

曹学堂是传统的，这在现代人来说，也许有些不可捉摸。雕塑艺术在西方，应该是在文艺复兴初期就奠定了它尊贵而又显赫的地位。陶纳德罗15世纪初塑造的《使圣徒约翰》以他的眼睛、粗大的腰以及全部形象令人几欲疑惑是米开朗基罗的《摩西像》的先驱。许多人在对意大利顶级大师米开朗基罗、“巴洛克”艺术最早最完满的代表裴尔尼尼趋之若骛的时候，似乎淡忘了中国的传统，而他不，他崇尚传统，因为他知道那里有我们伟大民族开天辟地的艰辛卓绝，因为那里有我们中华五千年文明的灿烂辉煌，更因为它是华夏儿女勤劳的佐证、智慧的结晶。所以，他怀着朝圣的心理去亲近、去触摸。他说："敦煌、麦积山到大足再到龙门、云岗，无论是泥塑还是石刻，从头到脚，圆圆乎乎，从天王到力士，其形态栩栩如生，圆而不肉，光而不腻，圆中带方，结构严谨，比例恰当，把神的那种至高无上的形象表现得活灵活现，甚至你都可以感受到它的呼吸和体温。"由此，他对于泱泱中华文明的深厚感情可见一斑。在作品中，更能深切体会到是他剖析传统的内蕴、吸取传统的精华所创造的独有的气韵，这正是他的特质。

曹学堂的作品涉猎极广，从线条明晰的立体架构到端庄闲雅的天佛祖，其色彩、肌理、结构，形态直至人体，均进入了一种状态，一种融真实于虚幻的状态。就说释迦牟尼像吧，禅意永远不代表表象，单纯的本体在经过世世代代的传承和解读后被赋予复杂的意味，因此神秘感有了，神圣感有了，光环熠熠生辉，直至永远。再看低头、平胸、凸腹的女人，却是十足放松的形象，没有束缚的感觉督促我们回溯到人类的起源。

现在，我能够理解曹学堂之与雕塑的情结了。那就是，如果有沉溺，就仅只沉溺于心。

（《科技与艺术》2003.07）

一切归于形式感

——论黄泉福先生佛教造像的形式美

文／张朝阳

形式感首先来源作者对生活的感知，形式感形成的基础是形象，自然万物无时无刻不以自己的形象特征显示自己的客观存在。生活的形象对于艺术家而言是特别受到关注和留意的。由他不断去发现、创造去感知。自幼受尽贫困、冷漠和歧视的黄泉福先生，更能懂得人性的爱、恨、忧、烦，这些经历对他创作的人物内心情感表现更为深层，更为微妙，因为人对每一形象的感受是按他自己的标准吸收、整理使之成形，其中由于每个人的社会性差异就必然带来形象感受的差异，丰富的社会经历、坎坷的成长道路，对艺术创作来说是一种财富 。

黄泉福先生雕刻形式感的形成，是对中国传统雕塑表现手法的认同，对传统形式的认知是获取形式感的有效过程。中国古代雕刻，在形体的处理上非常独特，体量的饱满，成为其鲜明的特征，作品往往采用大弧形圆线为形体表面轮廓线的手段。"最大极限地放足体积，使之在空间的扩散感达到饱和的高度，造成一种无量宏阔的氛围。"如黄泉福先生创造的"佛像"，在体积的高表地方，尽量减少层次等差距，使光能够流动自如以保持无阴影的光态，同时于形体之低处又常运用小圆弧刀法的浅处理，使低凹的地方也能够缓和地统一在有节奏的平和层次上，从而使造像能产生一种明亮开朗的感觉，当然也是与佛祖光明感的意念所一致的。中国古典造型艺术的形体，是以线为手段来诠释，线始终贯穿中国传统佛像艺术作品之中，这与西方以面为主的造型理念截然相反，线的构型成为中国雕塑本土语言的主要特征。从黄泉福先生早期传统佛像创作中，我可以体验到，富于气韵和律动感的线与饱满而涌动的形体在空间中融合，相得益彰，构成了生机勃勃、充满生命的人物造型。这也正体现了郑永川教授所提出的"中国雕刻艺术最鲜明、最可贵的特色"。冲破已有造型规范、寻找新的形式感，是一切艺术发展的规律。中国佛教艺术从魏晋至今，"曹衣出水"、"吴带当风"、"腴骨清相"、"体态丰腴"、"装饰古拙"、"富丽堂皇"……艺术形式莫不在一变再变，特别是西方造型手段对中国传统造型手法的冲击，激荡出一批以传统内容为题材，表达纯精神状态而非膜拜性质的优秀作品，黄泉福先生所创作的《单刀赴会》可以说是对旧形式感的一次跨越，改变以线为主的传统形式，是向体与面的构型延伸，对传统形式感的否定，是他拓展与丰富传统造型语言的有效探索。

世界雕塑在10世纪产生了造型的巨变，无论从内容题材、方式方法还是材料手段等众多方面，均超越人类世代延续的审美规范和既定模式，并涌现了许许多多有着不同探索精神的雕塑家，他们从非洲原始艺术、美洲玛雅艺术、东方意象艺术之中不断吸取养分，不仅对造型形态本身进行分类探索，更加寻求造型形态所传达的观念意识。在这个风云变幻的世纪，在这个传统与现代、东方与西方艺术大融合的世纪，不能不对中国传统工艺美术家有所冲击。和西方艺术家一样，东方艺术家也从异域拿来可利用的东西，丰富自己。就艺术形式感而言，各种夸张、变形、省略、概括、简化、负性、渐变、透视、共型、色彩等处理方法纷纷纳人传统造像之表现当中，而不仅仅以沿袭传统的造型再现一统天下的单一模式。我想黄泉福先生宗教题材艺术之所以在艺术形式上不断前进，是对现代雕塑造型形态的变化规律进行各种角度的切入与研究、探索雕塑艺术语言的新形式、寻求形体传达的新意境的结果。他创作的《单刀赴会》、《郑成功》等木雕，是从传统出发追求新的蜕变和扩展的代表作。

不管怎么说，黄泉福先生的木雕艺术秉承传统命脉，深受现代造型语言影响，前期、中期和现在形式感上都达到了深刻的探索程度，形成他自己对艺术形式感的独立认知。

（《雕塑》2003.04 节选）

雕琢人生的足迹
——李刚艺术道路初探

文／薛乃艺

1995 年，在新疆艺术学院，李刚举办了《李刚雕塑作品展》，推出了60 件雕塑作品。这是新疆有史以来的第一次雕塑作品展。我国当代著名的雕塑家钱绍武先生看了李刚的雕塑作品后，称李刚为“雕塑艺术的希望”。

春天和希望是永远连在一起的。

《李刚雕塑作品展》之后，李刚依据自己丰富的创作实践与感悟，在创作风格上提出了自己的见解。1997 年12 月，他在与金华的《答问录》中，提出了“追求不完整的完整”的命题。一个艺术家，总是喜欢别人欣赏理解自己的作品。面对一件画面形体不完整的艺术作品，社会上作为个体的人，由于其处境、立场、思维方式、阅历的不同，通过各自的想象，就会对这一不完整的形体在大脑中产生多个不同但却是完整的个体形象。“追求形体不完整的完整”，李刚追求的是作品表述上的完整性，并不是形体本身的完整性，他孜孜追求的是作品带给读者形体以外的宇宙空间的遐想，这就是李刚的创作理念。追求不完整的完整，它首先要求作者既要有飞翔的思维，又要有哲学家睿智的头脑，有见微知著、以小见大的本领，才能给读者营造想象的空间，才能做到智者见智、仁者见仁。从“不完整的完整”艺术表现手法的形式突破到熟练掌握运用，表明李刚的造型艺术创作已进入一个新阶段，也可以说，他已从雕塑艺术创作的必然王国进到了自由王国。

人类美的核心是女人，母体是人类最本质的美，女人繁育着人类，支撑着人类。从古至今，女性自然就成了雕塑艺术家竞相表现的最重要的主体。女性的形体最适合表现雕塑的语言，尤其对女性双乳、肥臀的艺术处理，更能达到突现主题与美的奇效。李刚通过母体所涌动、孕育着生命的力量，来寄托自己的思想情感，如作品《触》中，女性的双乳变形为人类加入大地的二个支点；《萌动》中，有位女性的双乳变形为破土而出的萌芽，蕴意丰富，引发人们无穷无尽的遐思与畅想，唤起人类灵魂深处的波动。

李刚的艺术造诣是多方面的，雕塑与绘画同时起步，恰恰就在这点上，促成了他在艺术道路上的快速发展。1998 年7 月，第二次《李刚雕塑作品展》在五星级的银都大酒店展出，各种风格的作品共计30 余件。这次展出的作品形式多样，如《欧力弗》、《村姑》属写实性的；《9 8 陈述》、《欲》、《萌动》系列，归于抽象与写意；《母与子》、《延伸的季节》、《遥远的回响》等则是写实与写意的结合。面对这一件件形态各异、魅力四射的艺术品，新疆艺术界的名流们禁不住挥毫泼墨，赞扬有加。陶然先生写道：“积健为雄。”翁柏祥先生题词：“神和乃润，气厚则苍。”新疆艺术学院教授李竞成的评价更具体：“这些作品较全面地反映了李刚扎实而多变的雕塑造型能力和多样化的艺术表现力、难得的艺术修养以及可贵的艺术探索勇气。”

21 世纪之初，李刚成功地塑造了中国西部歌王王洛宾雕像，得到了王洛宾生前好友和亲属的高度评价。他还有意运用“不完整的完整”创作风格结合新疆的雅丹地貌，把历史的厚重、人生在世的沧桑、时间的悠远表现得淋漓尽致。

第三届《李刚雕塑作品展》又要开展了，新的思维、新的视角必将产生新的作品，新的艺术风貌标志着李刚的艺术创作达到一个全新的阶段。

（《雕塑》2003.04 节选）

罗小平的《时代广场》

文／格伦·R·布朗（美国）

在中国艺术家罗小平最新创作的一组装置作品《时代广场》中，那些站立着的、具有卡通风格的雕塑通过运用一种完全忠实于重大时刻的表现手法，极大地吸引了观众，恰似为了利用人们对好莱坞巨片的迷恋而十分策略地推出的一批动作派人物形象一样。这些看上去有橡胶弹性质感的人物雕像掩饰了他们烧成后陶土的结构。创作这些雕像似乎并不是为了达到经年累月的目的，恰巧相反，仅仅是为了某种短暂的存在而创作的，如同人们的视线掠过一个十分普通的孩子。出乎意料的是，正是这种把它们变为时尚玩具的新奇构思给它们带来了某种不可避免的晦涩费解之意，抑或至多可以称作是在未来岁月里的某种怀旧心结，这一点十分明确。显而易见，持久性并不是它们要刻意表现的，这也正是罗小平所要表达的目的。在这种蕴藏着深刻寓意的瞬间中包含着某种可以慰籍心灵的内容，因为罗小平创作的这些矮小塑像所代表的真实世界中的人物，远远不是儿童假扮游戏中的那些温和慈祥的角色。

然而，这些人物塑像的确来自某种孩童般的幻想，而且，把他们塑造成为玩偶形式而不是雕塑作品，似乎并没有亵渎他们的尊严。这个用词十分有益，因为它十分清晰地表明了罗小平作品中的创作动机：一种内涵更为深刻的而非追逐某种瞬时即逝的时尚的创作动机。玩偶是媒介，孩子们正是通过这样的媒介来获得对世界的一种想象力，而在除游戏世界之外的各种环境中，这个世界时刻不停地对孩子们施加着影响。因此，玩偶常常是一种催化剂，通过使用这种催化剂，可以诱惑那些家庭暴力的心理受害者讲出真相，这一点并非偶然。玩偶是无害的，而现实却可能是可怕的。如果不存在任何其它因素，那么，玩偶的大小是可以把握的，反过来，它也可以使我们能够把握那些与玩偶可以象征性地联系在一起的且更为复杂和更具威胁性的问题。

事实上，罗小平《时代广场》人物的这些玩偶化的特性是与某种解决问题的手段（一种加强力量的手段）密切相关的。在大众传媒的迅速传播下，通过采取这个手段，可以时时地集中表现世界重大事件中那些占据主导地位的各方力量。在罗小平装置作品中，象征国际间冲突的各种符号能够按照共同的基准点融于一体。为了达到这个目的，罗小平在创作这些人物雕像时很明显地采用了可以互换的身体，所有的身体都穿着相同的唐装，唐装上印着古代中国表示积极乐观态度的四个字——福、禄、寿、禧。在罗小平装置雕塑作品的幻想空间中，披上相同的服饰（一种集体性的制服），这种行为本身就足以在观众的心中唤起一种伙伴式的精神。如果有人相信，在这一瞬间，那些敌对的人们可以达成和解；如果有人相信存在着这样一种可能性，即那些曾发誓要对他人不惜一切代价使用暴力手段的国家首脑们，或许可以真地将他们的分歧弃之一旁而悠闲地边喝茶边聊天，那么，这种乐观态度就真的有点荒唐了！

艺术可以使人暂时忘却某种现实，从这个意义上来讲，罗小平塑造《时代广场》人物的愿望也就没有什么不合理之处了。在由这些装置作品所构成的想象空间中，和谐占据着主导地位。理想主义找到了自己的位置。即便那种符合现实世界类似环境条件的希望永远都不会存在，那么，他所做的这一切并不是微不足道的。显而易见，罗小平是对某种心理现实的担忧，因而没有必要与物质世界相吻合，同时也不能将之视为对物质世界的一种曲解。就艺术本身而言，罗小平似乎在向人们表明，物质世界是一种被扭曲的形象，而真正的状态却决定于想象，因为想象是任何东西都无法逾越的。正如安德烈·布莱顿所说的那样，这种相信幻想世界的能力——参与游戏以及坦陈梦幻中的现实——不仅对在现实环境中真正获得一切积极变化是必要的，而且它是一种心理健康的标志，并非是一种逃避现实。如果使自己完全沉溺于超出自我控制能力的权力之中，或者固执地坚持某种不可违背的抽象逻辑，那么，这种行为似乎更加毫无疑问地使人走向疯狂。

在罗小平作为一位艺术家的追求中，装置作品的排列形式具有十分重要的意义，因为，作为分割多重空间的一种方式，装置作品的组合就使得它能够有效地模拟现实世界的复杂性。这种充分考虑到各个组成部分之间关系的方法与充分了解日常活动中物体与空间之间的联系的过程是并行不悖的。与此同时，不要简单地将装置作品视为现实世界的一种继续来进行排序或去认知。尽管给人的印象是装置作品会令人联想到现实存在，但它与绘画、素描和雕塑一样，也是取决于艺术家精心的协调和组合。虽然装置作品将真实的物体和真实的空间融为一体，但在由这些组成部分构成的特定结构中所蕴含的逻辑性并不是日常现实中的逻辑性，而是艺术中所包含的逻辑性。

罗小平采用装置艺术的形式是近两年来才开始的，这与他目前居住在美国有密切的关系。与他的国家相比，这里用于展览此类作品的场地更多。尽管如此，他与陶瓷雕塑的关系可以追溯到20世纪80年代初，那时，他正在中国最重要的陶瓷研究中心之一的景德镇陶瓷学院读书，1987年获得学位后，他在上海的同济大学做了五年的美术教师，此后开始了独立陶艺家的艺术生涯。在以后的七年时间里，他竭尽全力地去复兴中国传统的宗教陶瓷雕塑，用宜兴的“红玉”陶土塑造了具有道家思想的泥片结构的雕塑作品，最终，他所雕塑的一个个人物形象开始组合在一起，逐步发展成为装置雕塑的组成部分。

如果让观众沉浸在罗小平最新创作的《时代广场》装置雕塑作品的幻想中，那么，对罗小平来说，其行为本身与构筑这些作品的过程密切相关，这一点较以往更为明确。这些人物是按照两组、每组10件进行创作的，第一组是2002年他还在中国时用宜兴陶泥制作的，而第二组则是2003年他在美国亚利桑那州菲尼克斯市梅萨公共学院担任雕塑教师使用美国陶土创作的。他的创作方法并不复杂，动手创作一件人物雕像大约需要二天的时间——第一天是制作雕塑躯干的下半部分，一旦这个基础有足够的硬度去支撑其它部分的重量，第二天就可以完成这件作品。但事实证明，按照各自面貌特征去塑造人物在艺术观念上却是一种更为复杂的行为。因为，同我们大多数人一样，罗小平所了解的这些人的面孔并不是他的直接经验，而是完全通过电视和报纸中的图片来熟悉的。

把来自新闻图片中的一幅人物肖像变为一件雕塑作品，可能比从二维空间到三维空间的转变过程包含更多的内容，特别是当所表现的人物特征是一位已经获得偶像般地位的人物的特征时更是如此。在《时代广场》中所表现的人物形象都能被人们立刻认出来，他们并不仅仅是个人的形象，而是国家、组织或运动的象征，这些国家、组织或运动今天已被人们所谙熟。就这一点而言，除了它们自身的重大意义外，几乎所有最具现实主义风格的写实性人物形象都是以漫画的风格出现在观众面前的，这或许是不可避免的。事实上，罗小平的这些人物形象的确具备了这种特征，然而，他并没有把作品纳入某种特定的政治批评的范畴中，这一点十分引人注意。作品本身并没有维护任何一方。而且，作品中的这种漫画性倾向——将知名人士的面孔演变成为具有弹性的面具——就是一种拉开距离策略的一部分，这种策略就是以同等的尺度拒绝任何一切。

或许，拒绝这个词太强烈了，因为罗小平的作品并没有采用直接排斥他们的方式，恰恰相反，他以一种将他们视为略带喜剧性的、完全娱人的却又根本不会有损于其形象的态度来接受它们。如果从最初就用它们去具体地表现令人可畏的、潜在的全球冲突，那么，其最终结果则是这些作品从整体上完全失去了个性，更多的则会很容易地唤起观众的心理痛苦，如同慈眉善目的玩具一样，《时代广场》中那些人物形象具有某种与思维层面基本上相一致的使用价值，从而进一步增强了人们头脑中要给这个世界施加魔力的想象力，即在这个世界中，所有的冲突都得到安宁。当然，罗小平并不是在鼓吹永远遁入理想主义化的国度里，也不是在妄言仅仅简单地采取对邪恶漠不关心的态度就可以驱逐世界上的邪恶。正好相反，他的作品向人们表明，无论事情是好是坏，总要在我们自己的内心世界里保持一份宁静，而这种选择可能需要依存于幻想。

《时代广场》所产生的这种特定的幻想还反映在这件装置作品的名称上，它并不是纽约那个著名场所的错拼的名称，而是借鉴了想象中的一系列环境因素，在这些环境中，那些充满生命活力的、相互冲突的世界政治力量的代表形象或许可以在一个有着共同的空间和时间的范围内排列组合。这种想象中的公共空间与某种舞台的相似性并非偶然，因为，在这种空间中和谐占有主导地位，它在很大程度上是人们思维范畴中一种游戏的结果。这一点很明显是正确的，其原因是《时代广场》首先有助于肯定作为一种活动的游戏中所具有的心理价值。这种实践可以用一种方法来描绘这个世界，而在这种方法中，理性十分冷静地化为幻想，这是十分必要的。就这个方面而言，罗小平装置作品较少地包含了当代国际政治生活的特征，而更多的是强调了艺术的必要性，这一点十分明确。在《时代广场》中，想象与实现那些具有威胁性的面孔，进而把一个用于展示这些意志坚定的人物形象的且气氛严肃的美术馆变成了一个不含有任何恶意的玩偶游行队伍。

（《雕塑》2003.04）

王克平和他的东方写意木雕

文／余熙

尽管已被醇香的法兰西葡萄酒浸润了近20年，王克平仍然不失中国北方汉子的铮铮本色。大约是整天需要用粗实的双臂搬弄和凿刻沉重坚硬的树根大材的缘故，他的体形和举止粗犷豪放、孔武有力，两眼虎虎生威。那圆型的脸庞上线条刚毅，一袭光头引人注目。只是浅浅的发碴和胡碴，正以参差的花白色提示着他正不断逝去的年华。

王克平驾驶着一辆陈旧的TOYOTA白色面包车载我去他在巴黎的住处。在这间不足一百平方米的、没有窗子的室内，竟陈列着多达几百件精美绝伦的木雕艺术品！它们一水的褐赭色，高高低低地一层一层地叠摞存放着，大大小小的每一件作品都屏声静气地面朝我们。

这些木头凿刻的作品简约抽象，奇形怪状，无一不是被极端地强化生命的本质而删除一切细枝末节；它们没有脸部、四肢，只有极其夸张的头颅、臀部和性器官——生命之源被充分强调。当你注视着其中任何一件作品的时候，发现它们每一个都有自己独有的生命力。它都是那么专注地在与你交流，或沉默，或欢欣，或严厉，或调侃……

王克平一定感觉到了我喜爱他作品的真诚，又带我到距此地仅两个街区远的另一处工作室。那里也有一个差不多同样的院子，以及几间装有木雕的大屋子。室内藏放着已经完成的木雕作品，和几尊正在雕刻的半成品。

黄昏之际，王克平再带我到第三处——他在市区内的寓所。

但见墙面上挂有多件粗犷的非洲抽象木雕，门框上方，则悬挂着两件印度神佛题材的写实木雕。在那尺余见方的黄褐色木板上，细密风格的精细刀功，将两尊佛像的人体结构、衣褶、饰物等凿刻得惟妙惟肖。但是，两尊神佛的面部却非常不和谐地呈现出一片白白的光板——原来，王克平将这两件作品买回后，就毫不犹豫地将其细腻的面部五官全部用凿刀铲平。他说：“我喜欢简约。我看中的是神像木雕的巧法，而面部太俗气！将它铲掉后，感觉顿时不一样了。”

“你的审美原则是否强调自然是第一性？”

“艺术要与自然相结合。面对现成的自然的东西，我们既要利用更要尊重它，还要打破它。”王克平回答。

“我1984年到法国后，猛地一下看到那么多的来自非洲的木雕，它的粗犷、简洁、大气、灵动，都非常令我喜爱。那时的我，天天都一家一家地跑现代艺术博物馆、原始艺术博物馆。来自大自然的原始艺术和追求人类本原的现代艺术，让我迷恋不已，对我的影响也非常大。

“我于是在想，自己在创作上是走西方之路，还是走原始之路？我曾经做过一些纯抽象的创作，但最后决定还是利用自然，做自己喜欢做的风格 。”

这位艺术家认为，简练就是抽象。“我创作之初并不考虑作品是否抽象，而是更关注自己对木头的感受。我在要确定一块木头之前，首先得从人体造型的需要考虑。例如，我做了一批女人头部(有些就是发髻)，它们最初就源自我对木头本身所产生的灵 感 。”

雕塑家指着木雕《大嘴》向我举例：“我在做这件作品之前，一直跳不出罗丹的、非洲的雕塑样式。这些年个人鲜明的风格很难出现，令我很苦恼，于是总想找到一个新的突破口。有一天，我突然从‘树洞’上发现了‘嘴’的意向。它是一个非常简约的形式，它看起来只是一个黑洞，但同样具有说话、进食以及性的欲望。”在欣喜地发现了这类样式以后，他的创作之路被启迪和拓宽了许多。他通过研究古代很多残破的雕塑，进而又发现了女人“发髻”的题材：“发髻的组合很像云纹的图案，挺好的！女人头部又是题材的新路。我兴奋地做了一批系列作品。”事实上，这类系列作品很受画廊的青睐，也为他换来良好的经济效益。他于是又接连做了一批女人和男人相抱一起的木雕，同样大受欢迎。

然而，灵动飞扬的王克平何等聪明！

就在市场一片叫好之时，冷静的他却频频意识到，曾经一度那么吸引自己的新鲜感，正在悄悄离他远去：“往往在对一个题材越做越顺手，也卖得很好的当口，我就会产生忧患意识：又到了头！我又要寻求新的东西了，我往后将怎么发展？”

没有屈从于市场的他，很快就意识到：“自己不能被市场所左右，我常会有‘我现在才明白！’的顿悟。当务之急是进一步地提高和充实自己。”

笔者问他：“中国知识分子在中国传统文化的熏陶下，创作上常常体现出儒家和道家的意识形态。你这些作品中的传统文化特点主要体现在哪里？”

他笑答：“我感到在自己的作品中，‘色’与‘情’两样全有。其中好象‘道家’的东西更多一些吧。其实我自己的创作态度，更接近道家一些。也就是‘出世’的意识更多一些。我要求自己拥有更高的抱负，不屑于小名小利。我常常提醒自己要看得更远一些，不要急功近刊。即使我死了也无大碍，以后肯定会被人珍惜的，会进博物馆的！”

这位特立独行的雕塑家谈起自己心爱的木雕时，兴致盎然，神采飞扬，对周遭充满感染的力量。

（《雕塑》2003.04 节选）

新陶艺创意的诞生

——姚永康的艺术历程及其思维

文／宋伟光

有一次，美国著名陶艺家、教育家温尼·黑格比教授在景德镇陶院门口遇见姚永康先生时说："你的优势可能就是你一直呆在这里不动。"在这个强调"交流"的现代社会里，在一个有影响的外国艺术家眼里，姚永康的"不动"反倒成为了优势。这一非同寻常的"说法"，值得我们当今"玩现代"者深思。

将姚永康的"造型艺术"放置中外同行中进行纵横对照，你可能会发现难以觅见与其同出一辙或似曾相见的影子。用句美术学的专业语汇来说即是"独创的艺术符号（形式）表达着其特定的艺术信息（内容）"。还可以说"他的审美意念化构成的形式，拉开物象与意象的平衡，以达个人感觉冲破客观真实限制的个人想法。"

因何能锤炼出这种独特的造型语言，对比姚永康的艺术历程能知他有自己独特的思维方法，姚永康说："搞现代陶艺应该看很多现代陶艺作品，然后创作时尽力回避它，做出自己的陶艺作品来。"这一"回避"便是怕重复别人、重复自己。这一"回避"必然就与其他人的作品、与其现实的客观性感知效果发生了背离。因之，可抒其个人之"不像"的风格，这所谓的"不像"便是不像传统的；也不像现代的；既不像别人的；也不像自己的；因而愈发是"自己"的，因而愈发"现代"了。

每一位艺术家都有其个人艺术发展的历程。如果说在1969——1979年期间，他的代表作《东方驹》是对于文革政治美术"高、大、全"的逆反(这是第一阶段)。那么到了上世纪80年代改革开放以来，西方文艺浪潮冲击中国之时，他能镇定自若，靠的便是一位真正的艺术家所持有的真正的艺术感觉和思辩能力，因而不可能受什么潮、什么流之羁绊，选定了以中国意象、写意手法为自己的艺术方位。其代表作有《陶》(这是第二阶段)。到了1989年——1997年这一时期，据姚先生讲："这个时期是我痛苦、动荡、消沉的黑色时期。"这时他的青铜雕塑《和谐》虽在第七届全国美展中获奖，但也被政治审查所取消。家庭生活，以及自身也发生变化、动荡。从这个时期作品的风格上看，自然带有这个时期的情感烙印，严峻而又冷酷。

自1997年至今应视为姚永康艺程的第四阶段。在这个时期中，他的新艺术观念之产生大致可从三方面来加以归纳。一，由于痴情艺术半个世纪，所掌握的技能已化为了他的本能，艺术已成为他生活中一个不可或缺的有机组成部分，由于人生坎坷，得失沉浮已近麻木，因而比较旷达超脱。二、由于中国现代陶艺之普遍兴起，并获得了可独立作为一种造型艺术品类参加标志着中国美术最高水平的全国美展的资格。因而可见重视的程度以及其学术地位，但综其当时陶艺的艺术风格、观念大都存在着一种伤痕意识甚至还有无病呻吟、矫情之状态。向来独具个性的姚永康自然对此现象逆而反之。这种逆反心理随即化为他一种新的美学意识的动力。三、试图建立属于东方的、中国自己的"陶艺"，以制衡或打破"陶艺"似乎是西方专利之局面。

艺术经过多年的锤炼与积淀之后，厚积而薄发了。综上述诸种因素，使得姚永康的艺术人生中生产了一个充满灵性的，且具独特美学切点的辉煌的"艺术之子"，这便是其代表作——《世纪娃娃系列》之诞生。

《世纪娃娃系列》塑造了一位充溢灵异之气的不合一般常规雕塑概念的青瓷娃娃。他那双虽细小但却很传神的双目充满入骨的穿透力，似乎在瞪视着所有注视着他的人。这双眼睛似是运用了中国画的白描之法。他的这件作品中体现出的形与意的关系，应视作为中国艺术理论关于形与神的辩证，开启了一扇新的窗口，这扇窗口即是笔者认为的重神扬形。

姚先生新的视觉语言决定了一种视觉形式的产生方式，即这种视觉化的意味决不是因其表面形式的新颖而可称奇的，而是因为不可忽略的形式背后之艺术观念。这种艺术观念之焦点就在于本文前面提到的他的"不像"之立论。对此他有精辟之见："表面上像有现代陶艺的作品往往会是舶来品，或是仿摹品。现代陶艺作品首要就是要有个性，做得不像以往的作品，要有创新。我认为有时既不像传统陶艺的作品，也不像现代陶艺的作品反而往往就越具有现代的艺术价值，有个性。'不像'应是现代陶艺最为讲究的，也是最难讲究的一点。"总之，"不像"即是"独特"，即是"特殊风格"。从他的追求"不像"的艺术观点中，我们得出这样一个道理。这就是对于自己的作品既不要太重视是否符合"古典"，也不必顾及是否前卫"现代"。不必追求所谓古典或现代。而应探寻一种不是什么

“主义”的主义，是一种“创新”。姚永康是特别强调“创新”的，并认为提出“现代陶艺”不如推出“新陶艺”一词更加确切。因为艺术只有不断地求新才能变异，才能有所感染力。他的这种“新”是集他的环境、个性、天赋、文才于一身的“综合反应”，他提供的是成就“个人风格”的思维之路，一种不落于俗套或回避“类同”的创意手段。综观他的近期作品便反映出了这一点。他的艺术思维超越了逻辑所难以达到的高度，因而在此个人的标新立异的价值，应比“法则”、“程式”更为重要了。

（《科技与艺术》2003.09 节选）

袁运甫，公共艺术的旗舰

文／王梅芳

今年，清华大学美术学院装饰艺术系主任、教授、博士生导师袁运甫先生70岁了，与美术携手54载，与共和国同步发展，所以，今年是很有纪念意义的年头。因此，袁运甫先生将自己的作品，重新收集整理了一下，出版了集艺术大成的画册，画册体现了袁运甫先生的艺术主张：艺术要更宽泛地发展的“大美术”思想，从对纯艺术的爱好开始，落脚点是和人民生活最紧密最广泛的社会需要，因而，“大美术”重视装饰艺术并涉足实用美术的各个方面，对象扩大，趣味升华。艺术家把自己的审美理想转化成艺术实践。

袁运甫坚持不懈地注重艺术实践与理论研究的相辅与融通，成为了中国当代公共艺术最杰出的开拓者。他十分关注艺术审美与当代城市建设和城市化进程的紧密联系，并认为这是艺术服务于社会的时代使命，特别是近20年，他把主要精力投入了我国当代壁画——公共艺术的事业，成为了我国当代公共艺术的旗舰。

时代机遇与自身的素质，成就了袁运甫在中国当代公共艺术历史上不可取代的重要地位。

我国现代的公共艺术事业，张光宇先生是拓荒的元老，张仃先生领导并实现了老一代的梦想。而袁运甫则成为推进壁画艺术和大美术理念的不断发展的实践者和组织者，因而，袁运甫先生被称为“公共艺术的旗舰”，应是当之无愧的。

几十年间，袁运甫以极大的热情，致力于装饰艺术与公共艺术的教育事业以及彩墨画的创作。

袁运甫的公共艺术创作，艺术形象极为尊重当地文化的渊流与发展，让普通人看得懂、觉得美，激发向上精神，陶冶幽雅情操，因此，他的作品形求其美，神求其远，具象而不止于描摹，抽象而不流于荒诞，深蕴中华民族传统文明的风骨与理念，又富有时代的意韵情致。为建立城市的艺术秩序，提高城市文化品位，鼓舞城市的奋发斗志，激励城市的追求精神，营造起广阔壮美的艺术空间，使曲高和寡的艺术走入了寻常百姓家。

袁运甫的壁画创作是时代催生的。从1977年，袁运甫与画家黄永玉合作设计毛主席纪念堂大型壁毯《祖国大地》开始，袁运甫就新作迭出，1979年10月1日落成北京首都机场壁画群，共有六幅，这是我国现代壁画的重要开端，其中以张仃的《哪吒闹海》、袁运甫的《巴山蜀水》、袁运生的《泼水节》最为引人瞩目，这是袁运甫从“纯艺术”转向“大美术”的重要起点与契机。

表现辉煌的文化传统和壮丽的祖国山河主题，是袁运甫壁画创作永恒的题材。比如建国饭店的《长江万里图》、燕京饭店的《智慧之光》、北京中国社会科学院的《山魂水魄》、美国纽约现代艺术博物馆的《献给国际和平年》、北京地铁建国门车站的《中国天文史》、陕西西北轻工业学院的《文明的飞跃》、南通港客运大楼的《历史的脚步——继往开来》、北京发展大厦的《翔》、新加坡国家贸易发展局的《胡姬圆》、尼泊尔加德满都国际会议大厅的《祥和之都》、北京世界公园的《世界之门》、中央电视塔的《群山俊秀》、大连经济技术开发区的《升腾的彩》……算起来，袁运甫所创作的壁画已达3000余平方米。

近几年来，袁运甫在公共艺术实践中，更重视城市建设的艺术规划。袁运甫以整个城市为审美视野设计的“桂林七星公园华夏文化广场”、通州的市民广场等等，都是经过宏观思考的，广场中的壁画、雕塑、舞台、灯光、水面以及周围的山体、草坪、林木、道路是否和谐美观、浑然天成，是他设计时最费脑力的事情。袁运甫的设计，还十分注重材料的选用。根据主题与环境的需要，他采用重彩、丙烯、金属、陶瓷、石雕、印染、刺绣、编织、玻璃、镶嵌、木雕、漆艺……几乎涵盖了所有的工艺材质。袁运甫运用多种艺术手段，求新、求变、求美！材料随环境取舍，为主题做势。现代艺术的价值趋向逐渐地向尊重人、关怀人方向发展，是公共艺术的新课题，更是袁运甫先生在公共艺术领域的最大的贡献。

袁运甫认为：只有理论上的高起点，才有可能领悟自身的社会责任，才能开阔视野，才能使笔下的反映对象臻于壮美的精神境界。作为教育家的袁运甫先生，决不单纯地培养画面上的艺术家，他推广“大美术”的培育方法，十分注意综合训练。他的学生在校期间都要接触三种以上的绘画种类，使学生有很宏观的艺术理解，有更广泛的发展余地，才能最大限度地展现自身的社会潜能与价值。

（《美术大观》2003.02 节选）

吴祖光的雕塑艺术

文／景育民

25 年前，初识祖光是在天津泥人张泥塑工作室，那时他的作品就已不同于传统的泥人，而具有时代感和思想性。其中，《踏新途》以生动的造型语言表现了那个时代中国青年激情燃烧的岁月与时代精神。

祖光是同龄人中的佼佼者。路，本可以顺利地走下去，并可成为泥塑名家吴祖光。然而再听到祖光的信息，他已经下海了，惋惜与怅然在我心头挥之不去。二十几年后，国画家李津先生几度邀我再见见祖光及其作品，便产生了令人震撼的一幕……

走进祖光低矮阴暗的家，便进入了他的工作室，不大的房间各个角落挤满了数不清的木雕、石雕，可见生活与雕塑、艺术与生存对于祖光已没有了界线。他随时在“物”、“我”之间穿行，在叫做家的工作场所劳作，从商海中回归，满足了祖光精神的需求。在金钱的物质诱惑与精神追求之间，祖光毅然地选择了后者，便有了十年闭门、成果斐然、作品颇丰的今天。人到中年的祖光，两只眸子依然单纯、执著。

欣赏祖光的雕塑，单从数量便体现出其忘我的追求和巨大的投入，而其作品切入点又折射出作者深厚的文化素养和卓而不群的性格特征。从《思想者》到《岁月》反映出作者对中国传统造像的深刻理解与语言拓展。有汉代雕塑的浑然天成与智性技法，同时又吸纳了民间砖石雕刻和木雕的构图方式与装饰手法，在单纯的石与木之上雕凿出浑厚、质朴、富有装饰与象征意义的造像，其作品中依稀可见老子的哲性思索与民间的趣性图式，同时在二维与三维之间随意挥发。大到浑然，小到极致，点、线、面、体充分调动。在题材的切入上关注生命的本体，于冷峻与孤寂之中引导触发人们的心灵追问，于天地荒原之间耸立起座座生命的图腾。在当代生活喧嚣与慌张的情境之中，引领人们进入一个清虚之境。在美的造物面前得到心绪的澄清。而仅仅把祖光的作品界定为传统精神的再现与理想主义乃至乌托邦式的超然，便低估了作者的精神探索及作品的学术深度。

祖光的《野渡》系列，超越了一般木雕竖向构图的思维惯性，以反常规的横向构图建造出一只只生命之舟，构成一个个精神与生命的载体。每一件作品既可独立成章，又可以当代艺术的场景展示方式成为装置，以矩阵式、序列式组成不同的视觉传达方式，给人不同的心理感受与语言表述。因此祖光在传统与当代之间以智者的聪慧进入了自然转换与语言对接，在东西方文化的分析与吸纳之中，在传统艺术与学院艺术的探索之中，祖光找到了自我。因而身处当代文化情境中，祖光不可能完全游离于当代社会而自我封闭，思想深邃、探索不息、个性化特征正是其雕塑作品的价值所在。

（《雕塑》2003.05）

与心灵对坐

文／王芃

我是一个做艺术的，原因只有一个：在一年的一些时间里，我会用一些材料让它们为我说话——说我爱什么、怒什么、想逃避什么。

性别不应该是做艺术的理由，但作为一个女性，选择艺术为职业真的不是件好的差事。记得美院毕业的时候，随之而来的是一切对未来想象力的枯竭。我尴尬地站在茫茫的人海里，看着匆匆忙忙走过的人群。以前的一点点成绩，像天空中的浮云，变得不那么真切。孤独总是像影子一样跟着我。初感生活的艰辛，使我紧张、敏感、不知所措。我思考了许多的问题，我开始习惯思想中的世界。“椅子”作为稳定生活的暗示，不时地出现，而坐在前面的人变换着模样，诉说着故事。我想逃避，便有了《奔跑的人》。当我看到镜中的自己，想到命运的无助，便创作了《宿命的大脸》。我创作了许多作品，它们像镜子一样反映着我内心的世界。我渐渐习惯了独行，离开自己熟悉的地方到远方，我发现陌生地方的阳光使我安宁。

记得我曾对一个朋友说过，我的心里总有一股美丽的东西。是的，我一直在守候着它，怕它离我而去。也许那是一种爱。它是我创作的源泉。我创作了一件又一件的作品，就像一个石钟乳，斟满了生活的水份，不得已而滴下。

人们都说神拥有金手指，轻轻一点，万物生辉。我一直想拥有金手指。

（《雕塑》2003.05）

艺海逸鹤

——潘鹤访谈

文／邱晨

邱晨：您致力于美术事业至今已经60多年了，能简要介绍一下您是怎样走上艺术创作道路的吗？

潘鹤：我走上艺术的道路很大程度要归结于60多年前与我表妹的那一段恋情。年少的时候，因为一个偶然的机会受到了她的赞扬和鼓励，便下定决心要做一个艺术家。然而她的家庭以及当时的整个社会对艺术家地位的歧视，终究没能成全我们的感情，于是，感情的痛苦恰恰激励了我下定决心誓把艺术家这个职业的整体地位抬高。

邱晨：没想到少年时的冲动能成为终身坚持的事业与信念。那么在您艺术创作的历程中，除了感情上的激励和波折，还有什么对您影响最大呢？

潘鹤：我这个人比较任性，解放前总看不惯当时的社会黑暗，但又无能为力，只有寻求刺激放荡形骸来麻痹自己。在这彷徨迷惘的时候得知共产党的军队已经渡过长江，挥军南下，使我望到了一线曙光。我在香港立刻放弃出国的念头，决心等待广州解放。当1949年11月广州真的解放了，我便满腔热血乘坐省港第一班火车回到祖国的怀抱，四处奔波想参军解放西藏，但由于出身不怎么好，属于资产阶级那一类，结果四处碰壁，只能迫不及待地考进新成立的标榜培养革命文艺干部的华南人民文艺学院。入学不久便被派到农村发动群众斗地主分田地、清匪反霸的土改队，随后又到城市工厂反贪污反腐化反官僚主义的民主改革工作队，又到街道反偷税漏税的五反运动工作队。总之，这一段日子和昨天在香港的日子是180度的转变。当时有很多亲戚朋友为我惋惜，为什么放弃出国深造雕塑艺术的机会，而投身在与艺术毫无关系的政治运动中去?但我自己清楚，作为一个立志从事艺术的人，在我来说就是缺少这种生活基础和创作素材，缺少对劳动者的思想感悟，缺少自己的立场、观点、世界观和价值观。对于这段重要的人生经历，对于这段看上去与艺术无关的日子，我决不后悔。

邱晨：是历史的积淀和激情的迸发这两者，共同形成了您创作的动因，这样说对吗？

潘鹤：对，而且我认为创作激情更为重要，只有把握创作的激情来进行创作，才能真正主宰自己、主宰作品。那样的作品，才是作者自由精神的表达，才能拥有长久的生命力。直至今天，我仍忘不了那段激情岁月。

邱晨：那么面对现代社会艺术商品化的趋势，您认为搀杂了商业目的与手段的艺术，还能纯粹地表达艺术本身的理念吗？

潘鹤：艺术对于社会的方方面面来说，是有利用价值的，被利用是不可避免的，艺术家只能好自为之。就像历史上许多伟大的艺术作品，如米开朗基罗、罗丹这些伟大的艺术家的创作，很多都是为了满足政治家彰显功绩教化民众的需要，或者是出于生存的需要用于交换的目的，都无可厚非。大家都可以看到今天的人们看到那些人类艺术史上的精品和瑰宝，不会记得过去的政治家或者商人的功利目的，只有艺术家的灵魂和思想在作品中永恒。艺术家不可能拒绝所有的利用，否则就失去了一切发言的机会。艺术家应该利用这种被利用的机会，言说自己的思想，表达自己的观念。那些短期的商业行为的泡沫很快就会散去，之后，艺术为人类和历史留下的将是永恒的真理。

邱晨：那您认为在艺术商品化的过程中，当大众审美情趣和艺术家想要表达的艺术理念本身发生矛盾的时候，艺术家应该更多迎合消费者的口味，还是应该更多坚持自己的表达？

潘鹤：如果是真的艺术家的话，其实不应该用“迎合”这个词。艺术家与大众的关系，我形容为“情人”的关系，因为艺术家和大众就是通过一件件艺术品来进行感情的沟通和交流，进而达到共鸣与愉悦，正如热恋中的恋人一样。既然要沟通和交流，艺术就不能跨越大众的感官所及自说自话；既然要达到共鸣和愉悦，艺术就必须确切表达作者独特的真情实感。真正的艺术家能够在大众的审美情趣与个人的情感表达之间找到合理的契合点，这也是一个优秀的艺术家对创作灵感和表达手段驾驭能力的表现。艺术家与大众这二者之间融洽和谐的关系就是艺术本身的宗旨之一，而真正的所谓矛盾是极少数的存在，所以不存在一个刻意迎合的问题。

当然，不排除一些人为应付当前需要所做出的一些短期行为，的确有可能是为了标新立异或者哗众取宠，迎合他人的好奇心。这种偏离了艺术核心价值或者离开了时代背景的行为不应该是艺术家所为。艺术家不应该违背良心或者违背艺术本身去达到其他目的，因为艺术给历史留下的是永恒的东西 。

邱晨：您能够简要概括一下您创作的历程以及风格吗?

潘鹤：我创作没有刻意追求某种个人固定风格，只顺其自然，无所为而为，服从当时某瞬间的冲动和情绪的疾走，顺手选择表现形式。技巧也不大讲究，全凭爱好随意表现，得到满足就收手，得不到满足就继续。但有一点值得回顾的，就是为什么在不由自主、不知不觉中，我的大部分作品却反映了我们民族百年的兴衰，我觉得这可能与我的时代背景有关。出生以来我在广州、香港之间经历过16次战乱，殖民地的小资产阶级烙印很深。对于我这样一个容易冲动的人来说，与所见、所闻、所感有关的东西，哪怕不自量力、词不达意，都要想方设法，把那萦绕心中的感受抒发出来以得到满足。回顾这60年来二百多件雕塑，如果不按创作时间先后顺序的话，可以捡出一部中华民族百年的兴衰史。从《张之洞》引入西欧工业文化，到国力衰退时忠臣的《报国无门》，从太平天国的《洪秀全》到辛亥革命的《孙中山》，从五四运动的《女青年》到《追穷寇》，从《忍无可忍省港罢工》到《艰苦岁月》和《得了土地》，从虎门《烧鸦片》到《大刀进行曲》，从《无名烈士》到《怒吼》和《黄河在咆哮》，最后从特区的《开荒牛》、《珠海渔女》到开发西部新疆的《水来了》和放在日本的《中国和平少女》等等，都是中华民族从受尽凌辱到坚强崛起的历程，这可能与个人的历程有很大关系，掩盖不了，亦回避不了。

（《美术观察》2003.11 节选）

唐绪祥与他的水墨和金属艺术作品

文／卢新华

我与唐绪祥是同学，相识已有20余年。当时在中央工艺美术学院学习期间，我们彼此并不熟悉，而是在他的水墨画展上我们才认识。那时，他的水墨画无论是用笔、用墨、构图还是对生活的观察力和表现力，以及审美的视角，都让人感到一种清新之气，并显露出扎实的绘画功底和创作才气。特别是著名艺术大师李可染、白雪石先生分别在他的画上通篇跋语的指教更是少见，着实让77、78级的很多同学们羡慕不已。绪祥自号“唐大”，同学面对这位个头不算高大、一头卷发、清瘦面庞上闪着一双智慧的大眼的广西人总有一种高山仰止的感觉。1982年大学毕业后，同学们各奔前程，绪祥便不知踪影。1986年冬天，一个偶然的机会，我在学院对面的居民区意外地发现了他，同学相会一见如故，他便将我领进了他的临时居所兼画室。室内物品极为简陋，可以看出绪祥的生活面临的窘迫之境。但在这清贫的房屋里，四壁和地上，及几块木板搭起的画案上，却被大至丈二匹、小至盈尺斗方的水墨山水画和彩墨人物作品撑得满满的。在这清贫的屋里，我感到艺术创作的火焰在激烈地燃烧着，艺术的神圣与崇高境界的诗性在弥漫着。那一瞬间，我惊呆了，这“唐大”四年不见，果真是了得！同时也生出些嫉妒来，他太富有了！这时我们才算真正相识。

大学毕业后的四年多时间里，他作为一个对艺术至诚至爱的寻路人，遍游祖国名山大川，踏遍西部的戈壁和荒漠，奔走于西藏高原，寻找自己的艺术道路，寻找自己的艺术语言和风格，寻找中国绘画的创新之路。他不善在众人面前表白自己，更不会夸夸其谈，只默默地探索和辛勤地耕耘着自己的诗意家园。他通过诗性境界的追寻，用震动人心灵的艺术形式和语言表述自己的创新见解和观念。功夫不负有心人，执著的探索，终于使他获得驾驭绘画艺术的表现技巧和创作实力。他无论画山水、人物还是花鸟，都能够以自己对生活的敏锐观察力和对形式的高度敏感性，寻找和发现美的独特性。80年代中期，他就赢得了很多著名画家和专家的赞誉，认为他的画笔墨朴实厚重，有生活、有功力、有后劲、有时代精神，是中青年画家中难得的新秀。当时人民美术出版社出版的《新美术画库》专门选编了他的水墨山水画专辑。

从绪祥画的名山大川、江南小景、西部的古土厚塬、藏族的古朴风情等一系列作品中，我们既可看到严谨的布局结构和精微的表现手法，又能感受到充满诗意的笔调和色、光、形的视觉形式美。他的用笔凝重深沉，刚柔相济，动静互补，虚实相生。在“外师造化”、“中得心源”的创作过程中，他用心神滤去自然光色的侵入，在寂静中寻找景物所溢出的神圣和崇高的诗性，充分调动中国传统绘画写意的泼墨、破墨、积墨、宿墨的艺术表现力，容各种皴法为一体，用浓浓的笔墨之情将景物层层包围。你看那墨色：轻、重、浓、淡、焦，黑重重，重重黑；再看那“知白守黑”，白重重，重重白，笔与墨会，相抱相斥，细温中见鸿蒙，活跃着生命的气韵和宇宙的精微。特别是在西藏人物画创作中，他大胆发挥西方绘画色彩冷暖变化的视觉形式的对比特点及工具和材料的性能，将西方绘画的色彩块面与中国绘画的笔墨点线融为一体，以景物寄情思，化物凝神，在写实和写意的虚实对比中，使人的心灵由强烈的视觉形式的实，至虚的诗意境界。绪祥的作品创新，发挥了中国绘画的艺术精神，但摒弃了中国传统绘画视觉形式的弱化。他以熟练的技巧，将心灵与自然碰撞产生的情感振动，将那一瞬间的主观和客观、外在的形式美与内在的精神凝固在作品的诗意中。因而无论谁看他的作品，都会被他大气磅礴的绘画语言带进一个“道法自然”的诗意家园。

1988年，绪祥的宁静创作生活发生了重大的转变，他调到北京服装学院工艺美术系工作，并负责金属艺术专业学科的建设。我听到这个消息后很不以为然，甚至劝他放弃这一选择，但是人毕竟要生存，漂泊和无所归依的生活也是不现实的。转眼十几年过去，没听说他再有绘画新作，却听说他主持的工艺美术系办得很有特色，他组建的金属艺术专业在全国艺术设计专业院校中可谓佼佼者，因此他也成了有名的“铜匠”。以我所知，他的执着、勤奋、一丝不苟的作风，加上他的艺术天分和深厚的艺术修养，他十几年做下来的事情肯定不会太差。果然，他东渡日本学习金属艺术的刻苦钻研精神和一丝不苟的作风及所取得的成绩受到日方专家的赞扬。但他在研修中感到，当代日本的金属艺术的发展成就基本是继承和发扬了中国古代唐宋时代的金属艺术的精华。因此他回国后，继续深入研究和挖掘中外传统金属艺术的宝藏，虚心向传统学习，向民族民间学习，到西南少数民族村寨拜当代优秀的民间金属艺术家为师，并帮助他们整理和挖掘民族民间丰富的优秀文化艺术遗产。让人意外的是，他不仅出了一部金属艺术的专著，而且这一隔十几年，一个优秀的画家，转眼却真成了一个优秀的金属艺术家。

走进绪祥的金属艺术工作室，我看到，雄浑厚重的人物雕像、精巧的现代首饰，还有充满设计智慧的银器，件件精彩出奇，富有诗意。厚厚的铜板在他手中不补不焊，只靠铁锤锻打就能塑造出丰富多彩的形态。这些作品按行业归类，可能被称为工艺品，而工艺品与艺术品的距离仅一步之遥。按传统的说法，这就是“技”到了精熟的地步，便能生“巧”，“巧夺天工”就直通“道”的诗性境域，进入了艺术的境界。他的金属艺术作品将锻造技艺和材料的性能发挥到极点，与他的绘画作品风格一样，那铁锤、那火焰在锻造中融于他的心神，并以宇宙之理表达他的情怀，作品的内在张力，弥散着生命的昂然生机，已是难得的艺术佳作。我想，也许这铜板是绪祥笔下的宣纸的延续，否则他怎能那样得心应手。但有一点是可以肯定的，他能在绘画和金属艺术两个造型领域自由地创造，这与他当年在陶瓷专业四年学习打下的扎实的绘画和造型功底及对形式的诗性把握是分不开的。

20多年在历史的长河中是一瞬间的事，而对于个人来说，特别是对于艺术家来说，却是漫长岁月的苦心探索之旅。没想到，当年母校的绘画才子，20多年后又被母校作为“铜匠”请了回来，这也真是一件幸事。可以看出，绪祥这20多年一直在探索之途，从未办过个人作品展。昔日的“唐大”究竟如何了?关注他的人们不知他的去向。绪祥回到母校后，开始筹办个人作品展览，我想，也许这20多年来，他一直情系母校。如果说那第一次在母校的作品展是他艺术的起点，那么，事隔20多年后再办的这个绘画和金属艺术作品展，就不仅是向母校和关注他的人们报告自己做了些什么，而且更重要的是他要告诉大家，“唐大”的新起点又开始了。

当然，也许有人会说，绘画就是绘画，金属艺术就是金属艺术，金属艺术与绘画艺术串在一起乱了行当。但我的看法却相反。造型领域的一切创造形式都应该是相通的，造型艺术家对不同工具和材料的熟练掌握、对形式语言的诗性把握和控制能力，能使他们自由地穿梭在诗性的境域。这种具有综合实力的艺术家才更有后劲，才更富有创造力。串行可以说是艺术大师们艺术创造的综合实力的诗性发展过程。虽然绪祥自称“铜匠”，但我想，从宣纸到铜板，岁月和苦心使绪祥能锻打出一个自己的世界，那么，“铜匠”也同样能再从铜板回到宣纸来铸丹青，成就艺术事业。

对于一个勇于创新和进取的艺术家来说，探索的路是无尽头的。绪祥作为一个年富力强、拥有综合创造实力的中年艺术家，他将会沿着自己开创的道路，朝着新的境界走去。

（《装饰》2003.10）

紫砂雕塑：材质张力和形式创新
——读徐秀棠紫砂陶艺作品

文／山谷

当代紫砂工艺美术大师徐秀棠先生，以紫砂雕塑独步陶艺界，他的紫砂人物雕塑以其厚重的文化内涵和独特的艺术表现，受到海内外陶艺界的广泛好评，有人指出，他的作品已将一般意义上的传统的工艺品，提升到艺术的殿堂上。这对于有着几百年历史的民间工艺来说，这个说法具有特别的意义。

从文化发展和前进的方向看，任何艺术和工艺都不可能没有与时俱进的形式要求和艺术要求。缺乏文化创新的意识和理念，文化的先进性要求也必然会大大降低。从这个角度去认识徐秀棠先生的紫砂人物雕塑，他致力于这个形式门类的创新，其实是充分发挥紫砂材质的特点，拓展其表现空间的了不起的艺术创造。

紫砂雕塑的这一艺术样式，既是在继承传统的基础上走出传统的阴影，摆脱传统的束缚，又是充分挖掘紫砂陶的材质潜质、形式创造的全新体现。它以内在的张力和非具象性的精神向度以及形式美感承载传承了民族文化精神。

这种创新精神，对于紫砂陶的发展，对于将一个只局限在功能性的民间手工艺品提升到艺术的殿堂是至关重要的。这种艺术突破，弱化或降低了实用功能，使其成为个人面向当代社会、文化、历史和传统发言的表现手段，就使紫砂陶艺具备了与现代陶艺接轨的可能。当然这种文化创新的成功与否，还在于表现手段的成功与否，没有足够数量的成功作品的支撑，是无法体现这种意识和努力的。

“即嫌脂粉污颜色”的紫砂陶，不施釉，不敷彩，深沉、凝重，以素朴、单纯和野趣见长。从一开始，徐秀棠先生就努力赋于紫砂雕塑以深厚的文化内涵，把紫砂的特殊材质在雕塑上最大化地张扬开来。他早期的一批写实风格的作品，如《雪丹学画》、《萧翼赚兰亭》、《饮中八仙》等，努力营造浓郁的文化氛围，用典型环境去再现人物的精神风貌，揭示创作对象复杂的内心世界，具有曲折动人的故事情节和鲜明的人物性格，充满了人文气息。这种全新的文化含蕴为其人物雕塑创作注入了永不衰竭的生命力。

紫砂泥优良的可塑性被他充分地张扬开来，既用来大写意也辅以精雕细刻，无论衣袂花纹、袍带装饰、须眉、服饰褶皱、面部表情都可以十分细腻逼真，富有独特的雕塑语言和深沉的文化品格。他的作品突破民间工艺美术的观念、手法造型的程式化，讲究个性色彩，用不同的手法和形象来表现对艺术、人生的理解。《始陶异僧》、《供春》、《八面观音》、《丈天》、《蓬莱》、《有朝一日》等作品，线条走势清晰，讲究细部刻画，都可看出他具有扎实的写实功夫和新颖的审美态势，有着令人深思的哲学意味和生活情趣。

内涵的深刻性是与作者的个人素质、艺术修养、创作能力紧密相连的。徐秀棠在作品中所透露出来的文化底蕴，是与他终生从不间断的读书、书法、绘画分不开的。更重要的是他始终保持一颗对新生事物敏感的心，能够吸收并借鉴现代艺术的长处，赋予紫砂雕塑以新的语言。

其后，他又一变创作思路，在变形、写意、夸张方面另辟蹊径，用新的理念表现传统题材，《新四大天王——推、拉、压、举》就是这样，老题材被赋予新的诠释，不再注重他们威严的外表，而是从四个不同的用力方向，凸现人物的动态美感和肌肉质感，使之实际上成为一个具有现代题材意义的作品。《禅——恒、空、善》、《济公》、《流行四题》是感悟生活的形而上的艺术追求，运用现代陶艺的艺术语言和现代视觉经验的表现手法，来表明个人的哲理思考，对社会、对人的价值的审定，颇具先锋意识。

这些具有当代文化态势的作品，不仅有形式美感，有现代艺术语言和表现力，着重于审视、表现当代生活的共同经验，同时也是将紫砂陶艺推向现代艺术平台上的努力。不管时间有多长，紫砂陶艺都不可能全都是纯粹意义上的艺术品，它的功能性和实用性是别的材质作品无法替代的，但也必须强调，现代陶艺的理念和精神也是不可避免地要进入到这一领域的，赋予它们纯艺术的文化品位也是可能的和必须的，否则，表现个人精神的手工艺品也无法从根本上保持它强大的生命力。

（《中国陶艺》2003增刊节选）

七、传统雕塑

佛光普照下的雪域藏族美术

文／康·格桑益希

藏族美术的萌发期可上溯到五千多年以前，其美术覆盖面先后包括了西起拉达克(今克什米尔地区)，东到横断山一带，北自青海高原，南达丽江流域，以"西藏四茹"、"阿里三围"、"多康六岗"为大体范围，腹心一直处在拉萨、日喀则地方，具有明确的地域性；以藏民族文化为主体，形成了一个藏文化圈，它自始至终同本土原始文化、本波教文化、藏传佛教文化和民间民俗文化联系在一起，具有鲜明的民族性、宗教性；并长期不断地同南亚、中亚、中原的文化乃至渐接的古希腊、古波斯文化相濡以沫，兼收并蓄，相互影响，相互促进，且在历史上形成了几次较大规模的交融高潮，使其带上了独特的生态特征，具有包容性和整一性，从而在世界美术和中华民族美术的圣殿中能调理出自成体系的藏族美术和藏传佛教美术源流。

藏族人普遍信奉佛教，藏族美术的主流是藏传佛教美术，是佛教的哲理内涵，用美术的形式手段，表达人生愿望、理想，以超现实的手法，达到理想的境界。有的是直接的，有的是迂回、曲折、隐晦的。藏族美术作为佛教传播的重要手段和艺术形式，不仅是佛教信徒所崇拜的偶像和模式图解，也是藏传佛教必须遵从的仪理法则，其表现内容特征是对宗教教义、教规的阐释，是宗教内容的艺术化，并随着佛教的兴盛和流传而蓬勃发展。但同时，藏族美术作为人民大众的艺术，发自深厚的民间土壤，产生了许多散发着雪域芳香的不朽之作。

藏传佛教前弘期，大小昭寺和第一座佛、法、僧三宝具全的桑鸢寺等一大批寺院的广建，为壁画和雕塑的发展提供了广大的场所，绘画有了完整的人物刻画和情节描写，并在硬底固定画幅的壁画之余产生了画在羊皮、麻布、棉布、粗纸、绢、绸等软基底上的既可收卷又可移动的绘画种类，这种新颖的绘画类别是唐卡的原初形式。原野石雕、摩崖造像、木雕、铜铸、泥塑等分别独立，相互促进，产生出了各自的体裁式样。建筑与工艺也在实用目的中更多地带上了审美功能，开放宽容的吐蕃美术使本波教与佛教内容、民间气息和王统意志、本土风格和引人体式获得整体的统一。美术呈现出一派欣欣向荣的昌盛局面，并相当程度地影响着敦煌艺术中的许多绘塑作品，形成了大体明显的吐蕃风格，为藏族美术打下了根本的基础。

11世纪，藏传佛教后弘期，经过上路律传和下路宏传，佛法的巨灯再次被点燃，藏西北一带以古格王朝为中心，其美术一展先期象雄文化和本波教美术特有的活力和雄浑凝重气势，佛教美术结合民间乡土美术，玛尼石刻、"擦擦"泥模塑、风马旗张挂、小型佛像雕塑、小型佛龛"呷乌"、小型画片"孜各利"、民间"喇嘛玛尼"布画及轻便布幔画等应运而生。佛造像技法被用于"念、鲁、赞"等本土地方神祇造型，美术形式中表现出强烈的人民意愿，并结合中亚美术风格影响而别于南亚风格，绘画呈现出与古波斯细密绘格调融汇的特色，形成古格美术鲜明独特的地域风貌。

萨迦时期，藏族美术受到萨迦政教权势的高度重视，并顺应元朝中央扶持藏传佛教的机遇得以中兴。广建寺宇之风遍及全藏区、蒙古及内地一些地方，带动建筑艺术、雕塑、绘画、金石书法、木刻版画、面具、密宗曼陀罗艺术和工艺美术的全面兴盛。西藏文明东西发展，在广袤的藏文化圈兴起了继吐蕃美术以来的第二次梵式高潮，萨迦寺被后人誉为第二敦煌。这一时期美术界著名工匠辈出，师徒承袭形成画派，有关美术方面的理论著作开始出现，有关佛造像的译著《佛说造像量度经》、《造像量度经》、《画法论》在民间工匠中传行，使美术趋于学术化、规范化。在雕塑和绘画中对神佛形象理想美的追求，形成了藏传佛教艺术理想美的高峰。

13世纪，帕莫竹地方政权时期，宗喀巴大师以"宗教改革"为旗帜创建的格鲁派奇峰突起，以统领天下之势，带动了藏传佛教各派的兴旺发展，藏传佛教美术盛极一时，对外来美术从引进变为交流，形成融汇贯通的状态，南亚、中亚、中原和本土风格并存的美术面貌向一体演化，并开始确立了"藏式"这一民族风格，使藏族美术基本成型。频繁的美术活动伴随着宗教大潮，更是趋于集约化和规模化，巨型殿堂、巨型铜佛、巨制佛塔、巨幅展佛，体现着构思和题材的宏大气势，与此同时产生出布基壁画、酥油塑、剪堆绣唐卡等艺术样式和人物肖像、纳祥祝福、天像医药等美术题材。勉唐、青孜、噶玛贡则三大画派并驾齐驱，相互促进，活跃于雪域画坛；印度、尼泊尔、中原和藏式本土三大画风交融互补，延续千年不断的现实主义和相对写实的手法向更高层次发展。

至17世纪甘丹颇章时期，五世达赖喇嘛阿旺·洛桑嘉措主持了布达拉宫的重建工程，标志着藏传佛教美术昌盛兴旺成熟期顶峰的到来，藏族美术的民族性和宗教性、神性与人性水乳交融地合为一体。雕塑以大型铜塑扎什布寺强巴佛为标志，有“历史画卷”之称的壁画艺术进一步走向现实性。据史作画，以画言史的《布达拉宫修建图》、《庆典图》、《文成公主进藏图》、《五世达赖觐见顺治图》等，技法以唐卡的精湛为准，获得尽善尽美的体现，唐卡更是以其题材的拓展和独到特有的精、细、艳、美艺术风貌，树起了藏传绘画艺术的高峰。同时，图示画、插图画、纪实画、肖像画等画种画科不断出现，使佛像形制更趋活脱自由，进一步通俗化。纯金镶嵌、编织服饰、涂墙绘、牛羊头装置等民间美术别具风采。藏族美术理论技法作为佛学“五明”之一的“工巧明”经典，在社会得到提倡和普及，许多高僧大德常亲手操持佛像的绘塑制作，以积累成佛的资粮。专业绘塑匠师组成的民间行会和官办画院、“角楼”机构空前活跃，佛教美术普及到民间基层，产生了“热贡艺术”这样世代承袭的美术之乡和以德格、拉萨、纳塘三大印经院为代表的传播藏民族文化的宝库。

20世纪的藏族美术在世界东西方两大格局的整体形势中更为鲜明地突出着藏民族特有的审美特征和创造优势，并与中华民族的整体风格趋于同步同向的发展，一方面有选择地接受着世界共通的科学化美术现象、当代美学思想、现代美术材料技法；另一方面，传统美术在新的时代氛围、社会环境和文化结构、艺术需求中仍能从容地保持自身特质，发挥自身的长处，并在相当程度上积极地影响着新兴美术的民族化和地域性，使藏族美术的当代化和现代化，在藏民族美术的基础上得以发展和提升。

尤其是20世纪50年代以来的藏族美术呈现鲜明的当代性。这一时期，以现实主义为主流，源于生活的写实风格，自始至终贯穿在绘画、雕塑中，并逐步深化固有的本波教、藏传佛教等文化背景决定的宗教性美术与新兴美术共同发展。对国外美术的参照和交流广泛开展，对西方欧美、中原各地现代各流派的美术风格从引进到接受，经融汇贯通进而纳入到藏民族美术的现代化中。

佛光普照，人杰地灵。藏族美术和藏传佛教美术以现实主义的再现性、浪漫主义的表达性、审美内涵的神秘性、情节深刻的感染性、寓意生动的象征性、整体完美的构成性、优雅精致的装饰性建立起庞杂完美的艺术体系。博大精深的佛教伦理、圣洁崇高的理性追求、卓越精妙的工巧形式，以永恒的魅力千年相承，辉煌依然。它为藏族历史的兴衰奏出了动情的音韵和深宏的旋律，也描绘出了苍茫岁月中一代又一代藏族人在雪域高原生存奋斗的历史长卷。

（《美术研究》2001.02 节选）

吴地魂瓶上的佛像初探

文／邹清泉

一、小引

魂瓶，又称谷仓罐、神亭，是主要流行于我国魏晋南北朝至唐宋时代的一种明器，它最早可以溯源于春秋时代的五谷囊，《古今事物考》载：“今丧家棺柩中必设粮罂者。昔鲁哀公曰，夷齐不食周粟而饿死，恐其魂之饥也，故设五谷囊。”它是我国古代灵魂信仰发展至一定阶段的产物。汉代的陶谷仓与五联罐是它早期的主要形态。三国、西晋时，发展为堆塑装饰型，主要特点是在主体罐上堆塑大量的装饰。这种堆塑装饰型魂瓶是魂瓶发展至鼎盛阶段的基本形式，它在造型结构和观念上所确立的格局，在以后的数百年中，没有根本性变化。明代出现纸明器后，堆塑装饰型魂瓶遂不为世人所重，日渐衰落，成为历史的遗迹。

二、问题的提出

佛像在魂瓶上主要位于瓶上(顶)部、瓶肩(盘口、沿)和瓶腹三个位置。近几年来，在该研究领域，对于佛像在魂瓶上的堆塑位置，有一种比较普遍的看法认为，佛像最初贴塑于瓶腹，与飞鸟、朱雀、鱼等混杂相间排列在一起，明显不受尊重，后逐渐上升至瓶肩盘口处，再升至瓶上部楼阁建筑中的“主神位置”，呈现一种上升的发展规律和逐渐受到尊敬和崇信的过程。

我以为，第一点，纵观吴晋两代的佛饰魂瓶，佛像位于魂瓶的顶、沿、腹三个位置，并非完全截然分开的，总的来看，没有呈现一种佛像由瓶腹向上渐升的发展规律。第二点，有3件目前来说最早的佛饰魂瓶，它们都出土于南京地区。其中两件有明确纪年，分别为吴凤凰二年(273)和吴天册元年(275)。另一件为吴五凤至天册年间(254—275)，这件作品被认为是目前南京地区考古发现的魂瓶中最早的一件，也就是至迟要早于吴凤凰二年(273)，在这件作品上，佛像整齐地排列于瓶沿上。这样，佛像最初是出现于瓶腹的说法，显然就站不住脚了。由此，魂瓶上佛像是否存在由下至上渐升的规律也就有商榷的必要了。进而，对于魂瓶上的佛像堆(贴)塑的具体位置是否能反映出佛的形象在吴地普通百姓心中日益受到尊敬和崇信的过程，贴塑于瓶腹的佛像与仙人(羽人)、神兽奇禽和水生动物相间排列，这是否就是明显不受尊重的体现的探讨，也就不可回避了。我想仅就上述问题，结合我所掌握的资料，作一初步的讨论。

三、对吴地魂瓶上佛像的初步探讨

1、吴地目前出土的3件年代最早的佛饰魂瓶

从目前的考古发现来看，三国两晋时期的魂瓶主要出土于浙江东北部、江苏南部、安徽和江西东部地区。在这4个出土地中，以浙江东北部出土最多，并多集中在上虞、嵊县、绍兴等地区；其次是江苏南部地区，以南京、吴县两地出土最多；安徽地区出土数目不多；江西地区，目前仅在瑞昌县马头地区出土1件。

在这些魂瓶上堆(贴)塑佛像的，一般被称为佛饰魂瓶。佛饰魂瓶目前主要出土于浙江的衢州、兰溪、鄞县、慈溪、湖州、温州、杭州、绍兴、嵊县、临海、上虞、武义、金华、天台、萧山，江苏的南京、金坛、仪征、吴县、常熟，安徽的广德。

从时间上看，在吴时的佛饰魂瓶中，佛像堆(贴)塑的 3种位置都已出现，就堆(贴)塑的位置来看，没有呈现一条明晰的先瓶腹、后瓶沿、再瓶顶部的发展脉络，西晋和东晋的佛饰魂瓶在整体上的情况也是如此。

总的来看，佛像被塑于顶部的魂瓶数量不多，在数量分布上也不均匀，年代晚一些的佛像塑于顶部的魂瓶较年代早一些的同类魂瓶，在数量上，并不占绝对的优势。

佛像位于顶部上层的魂瓶，其腹部往往也贴塑佛像。如果说，佛像位于魂瓶顶部，是受尊崇和佛像地位在人们心中得到提高的表现。那么在佛像已经位于魂瓶上部或楼阁最上层后，佛像仍不断地被贴塑于瓶沿和瓶腹，有的还与堆塑于瓶顶的佛像共存，这难道不显得矛盾吗？

就我目前所掌握的资料，佛像位于瓶腹的魂瓶，最早的一件是1955年在江苏南京赵士岗出土的吴凤凰二年 (273)的釉陶佛饰魂瓶，此处称之为魂瓶A。

佛像位于瓶沿的最早一件是1979年在江苏南京江宁殷巷五库东吴墓出土的五凤至天册(254——275)年间的红陶佛饰魂瓶，此处称之为魂瓶B。

1979年，在江苏南京江宁ss县上枋棱角山出土的一件东吴天册元年(275)的青瓷佛饰魂瓶，瓶上的佛像，是位于瓶顶部和腹部两个位置的。

这是目前江浙地区发现的佛饰魂瓶中，最早的3件，也是最关键的3件。在这3件魂瓶上，佛像分别位于瓶腹、瓶沿和瓶顶部3处不同的位置。这3件魂瓶中，第二件，即魂瓶B，在时间跨度上较另两件大一些。我认为，吴晋佛饰魂瓶上的佛像堆(贴)塑的具体位置呈现出一种没有等级差别和尊卑体现的特点，佛像位于顶部和腹部都同样受到人们的敬奉，这是与汉末奉佛的社会背景联系在一起的。

2、汉末奉佛的社会背景

佛教在汉代进入中土后，即受到皇族贵戚及诸侯王的尊奉。

虽然汉时“浮屠之教既为斋戒祭祀，因附属于鬼神方术”，但它受到敬奉，是可以肯定的。

永平三年，楚王英以罪被废徙至今天南京西南方的丹阳泾县，赐汤沐邑五百，随英迁徙者达数千人。“佛教或因之益流布江南。故汉末丹阳人笮融，在徐州、广陵间大起浮屠寺。”笮融奉佛反应了当时徐海地区的佛教信仰已深人民间，并产生了很大的影响。后人多将此事作为佛教传人中国，由弱转盛的标志。

汉代末年，“关洛扰乱”，一些传法高僧相继入吴，他们得到了吴主的礼遇和敬奉。史载月支僧人支谦“来　汉境”，“汉献(190——220)末乱，避地于吴。孙权闻其才慧，召见悦之，拜为博士，使辅导东宫，与韦曜诸人共尽匡益。”

汉末，帝王诸侯敬奉佛法，为佛教及佛教艺术在汉末社会的发展隆盛创造了条件。湖北省鄂州塘角头六朝墓出土有一件不依附其它器物，独立存在的吴时的佛像。这件佛像，脸形短而圆，顶似肉髻，着通肩大衣，两手交叠于腹部，作趺坐状，出土时其两侧分列一侍俑，二侍俑均作站立状，双手环抱于胸前。这件佛像被认为要早于吴永安五年(262)的鎏金佛像铜饰件，是目前所见我国最早的佛像，其不依附于他物，独立存在的形象特点，约可体现汉末敬奉佛像的历史情况。

吴地出现魂瓶亦是接续此风余绪，并在“世俗宽于行而求于鬼，怠于礼而笃于祭”(《盐铁论 · 散不足》)的汉末厚葬之风的影响下产生的。人们从中国鬼神方术的传统角度去看待佛这一外来的新形象，使之也来参与保佑死者灵魂升天和佑福子孙，服务、附属于中国传统信仰和神鬼崇拜术。佛像与神仙一样被敬奉于地下，这是特定历史情况下特定的产物，佛像与神仙并重一时。

3、吴地佛饰魂瓶上的动物形象

在吴地的这些佛饰魂瓶上，除了佛像外，还在瓶上部、瓶口沿和瓶腹三个位置堆塑了大量的动物

形象。在瓶上部主要有飞鸟、凤鸟、蹲兽、蹲熊、麒麟、铺首、凤凰、怪兽、狮形柱、朱雀、吻兽、坐熊式檐柱、辟邪、狮头；瓶口沿处动物形象较少，主要有走兽、卧羊、龟、熊形柱、坐熊式檐柱、虎；瓶腹装饰动物形象较多，有团龙、舞猴、铺首、麒麟、熊头、朱雀、飞羊、飞鼠、天禄、蜥蜴、龟、坐猴、凤、瑞兽、鱼、蛙、蛇、双凤、立羊、卧羊、四首龙、双首凤(或朱雀)、神兽、天鸡、天马、鹿、狗、狮、蹲兽、辟邪、孔雀。形象复杂生动，多种多样。

我在这里提到魂瓶上的动物形象，主要是我觉得杨泓先生在论及吴地魂瓶上的佛像与动物形象时，忽略了一些问题。我的疑问是，既然佛像塑于瓶腹，与仙人(羽人)、神兽奇禽相间排列是不受尊重的，那佛像被塑于魂瓶顶部后，仍有禽鸟相伴，这作何解释？如果说佛像被塑于瓶顶部后，反映了吴地人们对佛的尊敬，那这些禽鸟也应该是受人喜爱和尊重的。吴地民众既然对佛有了尊重之感，我想，他们是不会把所谓低级的、不受人敬重的动物形象与他们敬重的佛像堆置在一起的。除非这些动物形象具有某些特殊的内涵，它们在吴地人们的心中具有非常不一般的地位。就我目前所掌握的资料，我认为，佛像被吴地的人们塑在魂瓶上的不同位置，有的与飞鸟、鱼等动物堆塑在一起，这种堆(贴)塑的安排方式，没有对佛像的不敬之意。

4、吴地魂瓶上的佛像与三高僧(支谦、安世高、康僧会)

在阅读材料的过程中，我发现吴地佛饰魂瓶及一些盂、香熏、四(双)系罐等青瓷器上的佛像皆施禅定印，而且这些禅定像在形式上，具有基本一致的形象特征，皆穿通肩衣，结跏趺坐，施定印坐于双狮莲花或莲花座上，头有肉髻，背有项光，通肩衣纹褶相同，具有类型化与程式化的特点，这些小佛像在吴、西晋两朝100多年间，一直保持着它初入吴的形式，没有发生根本变化，直到它在吴地魂瓶及其他青瓷器上消失。

这种禅定的坐佛以我们今天在吴地魂瓶上所看到的形象特点，出现在吴地。这种形式，与四川早期施无畏印的坐佛存在着差别，与山东沂南、连云港孔望山的佛像也有明显的差别和不同。禅定式坐佛像以这种形式大量出现在吴地魂瓶上，显然不是历史的偶然。“禅法”侧重在坐禅的行为，我觉得，此时吴地流行的禅定式佛像与汉末入吴传法的三位高僧(支谦、安世高、康僧会)有一定的渊源关系。他们一入吴，便受到皇帝的尊敬，为他们在吴传法大开便利之门，对禅定式佛像粉本在吴地的流行，起了直接和积极的作用。

如果佛法传入吴地，没有得到当时统治者的重视和扶持，我们显然就要作另一番考虑了。但这三位与吴地佛教有密切关系且见诸史料的高僧，除安世高外，支谦和康僧会都与皇权保持着密切的联系，并受到吴帝的尊重。在当时皇权占绝对统治地位的历史情况下，皇帝的趣味对民众有着决定性的影响，在没有发生重大政治变故的情况下，皇帝尊重的事物，民众不尊重的可能性是极小的。

四、小结

通过以上四个方面的探讨，我认为，吴时魂瓶上的佛像最初位于瓶腹，后位于瓶口沿处，最后又升至瓶顶部，进而构成“规律”的看法，在目前的情况下，是不能成立的。在这一前提下，魂瓶上佛像位置的变化也不能反映出佛的形象在吴地是逐渐受到尊敬和崇信的，或者说，目前魂瓶并不能作为反映这一情况的可靠依据。吴晋时佛饰魂瓶上的佛像，其堆(贴)塑于瓶腹、瓶肩以及瓶顶楼阁三个位置，并非完全截然分开，它们更多的是两种或三种堆(贴)塑形式结合在一起，在吴晋两朝若干年间，反复出现，贯穿吴地佛饰魂瓶发展的始终。吴晋佛饰魂瓶上的佛像堆(贴)塑的具体位置，没有等级差别与尊卑体现，也没有自下而上的发展规律，佛像位于瓶腹与位于瓶顶部同样是当时人们敬奉的对象。

吴地作为中国早期佛教传播的重要地区，在佛学、宗教哲学和佛教美术研究领域都具有重要的地位。佛教传入吴地与吴地的地方文化相结合，产生了具有中国文化特点的新现象，佛教传播的载体之一——佛像，也同时具有了更为复杂的文化内涵。对于它的探讨，显然既要关注它的原始文化内涵，即印度的佛教传统，同时，又不能忽视吴地的民俗与民风，我认为，只有这样，才能获得对吴地的佛教艺术更为完整、准确和深刻的认识。

(《美术研究》2001.03 节选)

泥咕咕

文／刘朝军

咕咕叽叽杨玘乇儿，
小猴八戒骑马人儿，
狮子双响大小燕儿，
能看能玩真有神儿。

这四句顺口溜，既概括了浚县泥咕咕的种类，又说明了它的作用。

每年秋收后，一种上小麦，杨玘屯便热闹起来。全村近八百户人家，捏制泥玩具的就有六百多家，大街小巷，村头院落，到处都是忙着捏泥咕咕的人们。大人、小孩，老者，没有闲着的。有的取土，有的打泥，有的捏形，有的烧制，有的涂底色，有的彩绘。由于技艺十分熟练，所以边制作，边说一些有趣的事儿，充满了对未来美好生活的向往与憧憬。只需一顿饭功夫，就能做出一大篮子来。于是，家家户户的窗台上。墙头上、平棚上、桌子上、灶台上、筐子里，到处都摆满了泥玩具，整个杨圮屯人都沉醉在一片泥咕咕的世界之中，成为杨圮屯一道独特的风景。对于杨 屯人来讲，捏泥咕咕已是他们生活中一件很重要的事，也是他们生活中的经济来源之一。

农历正月初五到二月初五，是浚县一年一度的庙会，临近几省的游人香客都来赶会。一来烧柱香、磕个头、许个愿，祈求全家人平安幸福；二来忙了一年，到会上耍耍，缓解一下生活的疲惫，寻求一些生活的乐趣。庙会上，人来人往，川流不息，出售泥咕咕的队伍便排列两旁，大大小小的摊儿从城里一直延续到大伾山顶庙门口；各式各样的泥玩具，琳琅满目，是庙会必不可少的一大景观。游人香客往往要选购一些回去，一是回家好哄孩子玩，二是赶完庙会回去的路上，往往要途经一些村庄，有成群的小孩拦路要泥咕咕，不给是走不掉的。拦路的孩子边拦路边唱道：

不给个响泥哨，
叫你吃不肚(饱)饭
不给个泥泥狗，
回家死你老两口。
上山的给咕咕，
不给脱你个光肚（脱光衣服）。

面对这些顽皮的孩子们，不理是没有用的。为了急于赶路和图个吉利，香客便不得不撒一大把泥咕咕，好引起小孩的一阵哄抢，在纷乱中香客们便趁机“逃之夭夭”。

在全国众多的泥玩具中，浚县咕咕是较为大气的一种，有不少令人叫绝、堪称“大手笔”之作。

浚县泥咕咕表现题材十分丰富。在传统的海螺、战马、武士等与军事有关的内容基础上，逐渐发展到戏剧、历史神话人物、动物、禽鸟、怪兽等人民喜闻乐见的内容。这些造型简洁概括、大胆夸张、取舍随意、以形写神，其风格豪放、热烈而亲和，往往把动物拟人化，着力表现其内在的神韵，或喜悦、或威武、或悲伤、或顽皮，无不让人玩味，为之开怀。

在色彩的运用上，以黑色、棕色打底，再以白、红、黄、蓝、绿等原色加以点缀。除人物、动物面部写实借以体现其形象特征之外，多以花草加以装饰。由于艺人们大都是从小就跟自己的爷爷、父亲玩泥巴，所以技艺十分熟练，操作自如，其手法极其轻松洒脱。线条的粗细、强弱、徐、急、轻、重，达到游刃有余的地步。

由于庙会需求量大，加之赶庙会的迫切性，浚县泥咕咕在敷色上表现出较大的随意性。不少纹样已程式化，成为一种“符号”语言，似是而非，几近抽象，点、线、面重叠呼应，甚至给人一种强烈的现代感。在制作技法上，就地取材，取村边胶泥，打碎后掺入适量清水拌和成泥巴，用木棍捶打几遍，使其细腻柔软。即可使用。捏制的形式有四种：一是模制，这种做法快、省力，但“千人一面”，没有变化；二是用手捏，这种做法慢，但神韵较好，艺术性强；三是模子扣和手捏相结合；四是在泥玩具上加弹簧，头或尾可以活动，极有趣味。成型后，再根据其形状在不同的部位扎眼通孔，用嘴能吹出各种各样的声音。晾干后烧制使其略呈陶质，然后上色、上光，一件生动的作品就诞生了。

浚县泥咕咕明显继承并发展了古代雕塑的传统，于古拙质朴中透出其灵性，与许多石窟中的泥塑和出土的泥俑装饰手法同本同源。而且，作为泥玩具这样来处理，由于没有过多易坏的立体细部而更适合把玩，且更有审美性。这种适用性与艺术性的有机结合，是中国古代雕塑基本特色的体现。

昨日不再来。遗憾的是，现在走进杨玘屯，已很难寻找到昔日的喧哗了。在商品经济的冲击下，这种“吃力不挣钱”的泥活已渐渐被村民们冷落，大伾山庙会上成片成片的泥咕咕摊已不复存在，许多知名艺人已相继作古。看着案前活泼可爱的小猴，还有威武中带微笑的狮子，我仿佛听到泥咕咕的叫声在渐渐低落，有一种夕阳西下的感觉。我多么希望杨玘屯昔日喧哗的景象能够再现，我多么希望能够重新听到泥咕咕那亲切纯朴的哨声。

（《艺术世界》2001.06 节选）

果园佳制剔朱红

文／吴少华

在今年香港春拍中，爆出了引起世界轰动的新闻，一件直径 32 厘米估价 120 至 160 万港元的“明永乐剔红牡丹花卉圆盒”，却在佳士得拍出了 1214.5 万港元的天价。

永乐剔红何以能创世界新高，值得研究。剔红是中国古代漆器雕刻的一个品种，称“雕漆”。而“剔红”又是雕漆中的一个门类。剔，雕也，因这种器物呈朱砂红色，故又称“雕红漆”。剔红，以金、银、锡、铜、木、竹、皮甚至陶为胎坯，在其上髹以朱砂漆，即加入呈色剂的大漆，漆层多达数十至数百道，以形成厚厚的漆层。然后将图案纹样描绘上去，用各种刀具，经刺、起、铲、片、钩等各种工艺，将漆层雕刻成浮雕，再经干燥与打磨退光处理，就形成了古朴凝重的雕漆艺术品。常见品种有碗、盘、匣、盒、炉、瓶、屏、桌、椅等。雕漆品种，除剔红外，还有剔黑、剔黄、剔绿、剔彩、剔犀等。这次在香港佳士得漆器专场成交价排行第二的拍品，就是一件元朝剔黑花卉鸟纹莲式盘，从 90 万港元叫价，以 334.5 万港元成交。

据历史文献记载，我国的雕漆始于唐代，但我们今天能见到的雕漆实物是宋代遗存。张应文《清秘藏》云：“宋人雕红漆器，多以金银为胎，妙在雕法圆熟，藏锋不露，用朱极鲜，漆坚厚而无敲裂痕，所刻山水楼阁人物鸟兽，俨然若图画，为绝佳耳。”谢　在《金玉琐碎》说道：“宋人有雕漆盘盒等物，刀入三层，书画极工，竟有黄金为胎者，盖大朋内物也。民间有银胎、灰胎，亦甚精妙。”

我国的漆艺是从距今七千年前的河姆渡文化时期开始的，雕漆虽然出现较晚，但却后来居上，成为漆器中最灿烂的品种，这个飞跃是在元代出现的。元代涌现了一批杰出的雕漆名家，并在江南一带形成了当时的雕漆中心，而最主要的制作地在浙江嘉兴西塘，今属嘉善。在这里出现了像张成、杨茂、彭君宝等雕漆大家。

明代是我国雕漆工艺最辉煌的时期。清代乾隆皇帝的《咏永乐漆盒》一诗，写于乾隆四十一年（1776 年）。诗云：

果园佳制剔朱红，蔗段尤珍人物工。
无客开窗眄秋宇，携童持杖听松风。
细书题识犹堪辩，后代仿为究莫同。
三百年来此完璧，文房思古念何穷。

乾隆诗中的“果园”，原来是明朝皇家御用漆器作坊——果园厂，它位于明朝皇城内。明代果园厂的雕漆是一种与官窑瓷、宣德炉一样的御用器，果园厂也犹如清代的内府造办处。果园厂御用漆器作坊的建立，使当时的中国漆艺中心从南方转到了北方，又为明代漆器的腾飞创造了条件。明朝永乐时期，社会经济迅速上升，手工业得到空前的重视，像瓷器一样，漆器也成为国家重点发展的项目。为了发展漆器的制作，明朝政府从南方调集了大批漆艺名师高手，以充实果园厂的生产能力与水平，其中最负盛名又起到至关重要作用的漆器工匠是张德刚，此人是元代制漆大师张成之嗣。张德刚不仅子承父业而且还成为果园厂的管理人才。这样事例，在明朝还有主持修造紫禁城的苏州香山匠人蒯祥。

明朝果园厂雕漆器生产，使我国髹漆工艺达到了登峰造极的地步，它的主要成就表现于永乐与宣德年间。在果园厂的漆器生产中，尤以剔红的数量最多，同时又最精美，这与皇帝本人的喜爱有着极大的关系。永乐皇帝朱棣不仅自己喜欢，而且还将剔红器作为礼品，赠赐给日本国王室及将军。这就是日本人追捧中国剔红器的由来。

永乐剔红器有盘、盒、碗、盏、瓶、尊、凳等器物，其中以盘与盒最杰出。盘的造型有两种，一种是圆形盘，另一种花边盘。花边盘的形状有八瓣、十瓣、菱花、葵瓣等。盘内的花纹以山水人物为主，而盘沿则花卉居多。盒的形制也有两种，一种是“蔗段形”，它平顶、直壁，平底微内凹。另一种叫“蒸饼形”，它的盒盖呈隆起状，形似馒头，斜壁内收，底略内凹。

宣德雕漆艺术继承了永乐风格，制作地点仍为御用官办作坊果园厂，除剔红器，还有剔黑与剔彩，特别是剔彩，是宣德年间果园厂的雕漆工艺的重要发展。在纹饰工艺处理上，宣德剔红器出现了“开光”技巧，“开光”形有圆形、莲瓣式与葵瓣式等。宣德漆器的款识处理也与永乐时期不同，它采用刀刻款，而永乐则为针划款。总之，永乐与宣德剔红器同属为明早期产品，又以果园厂的制品为杰出代表。

宣德年后，即明朝中期，社会经济的衰退，官办作坊陷入窘境。一直到明嘉靖年间，我国漆艺再度出现新高潮，剔红器仍占据主导地位。至明隆庆年间，我国漆艺经典著作《髹饰录》问世，该书对中国漆艺的发展、制作方法及漆器品种都第一次进行全面的论述，是研究我国古代漆器的主要历史文献。同时《髹饰录》也是明代漆器工艺成就的体现，当然更是明朝御用官办作坊果园厂的艺术结晶，为清代雕漆工艺的再次辉煌奠定了基础。

（《辽阳时报》2001.09.02 节选）

中国古代陶瓷佛教造像考

文／吴明娣

佛教自东汉传入中国后，即与陶瓷结下了不解之缘，二千年来中国佛教从造像、法器、供器到普通的日用器皿，均与中国陶瓷保持着密切的联系。从传世和出土的陶瓷文物中，我们可以发现东汉以来各个时期的佛教艺术品自成一体，承传有序，具有鲜明的的民族特色和时代特征。

一、东汉魏晋南北朝陶瓷佛教造像

东汉以后佛教在中国得到了广泛传播，对人的思想观念的影响和对日常生活的渗透超过以往。三国、西晋时期陶瓷佛造像显著增多，主要见于丧葬用的明器谷仓罐上。谷仓罐上堆塑的形象以反映当时现实生活中的人物、动物、建筑等造型居多，还有各种祥禽瑞兽及神仙，佛像也位列其中。有的佛像堆贴在罐腹部，与铺首、仙人、瑞兽等相间组成装饰带。谷仓罐上佛像数量多寡不一，少则二，多则数十尊。

已知最早的陶佛造像是四川彭山崖墓出土的东汉摇钱树座上的一佛二菩萨，这是东汉佛教图像中特征较为鲜明、造型较为完整的一组佛造像。除陶瓷谷仓罐上堆塑佛像外，三国、西晋时期南方的日用青瓷器上也常见堆贴的佛像。这些佛像多出现在器物的肩、腹部，与当时青瓷器上常见的铺首衔环和模印几何纹结合构成装饰，表明佛教艺术已渗透到人们的日常生活当中。佛不仅是高高在上的供人膜拜的偶像，也被作为如铺首、朱雀一类的装饰。三国、西晋时期青瓷器上的佛像多为贴塑，有时一件瓷器上的多尊佛像均为同一模样，显然这是用印模制作的结果。堆贴模印装饰是这时期瓷器的主要装饰手法，只有少数青瓷运用彩绘装饰。

东晋及南北朝陶瓷佛像罕见，在陶瓷器、铜镜及其它工艺品上不再用佛像装饰。一方面是由佛教教义的礼仪制度转向正规和完备以后，佛像尊崇的地位得到确立与加强的缘故。另一不容忽视的原因是这时期大兴开窟建寺，佛教造像体量宏大，材料珍贵，更能表达信徒对佛教的虔诚信仰。陶瓷受材料和烧造工艺的局限，未能如泥、石佛像和金铜佛像盛行，仅有少量制作。

二、唐代陶瓷佛教造像

隋唐时期陶瓷生产较魏晋南北朝有了较大的发展，工艺提高，品种增多，制作精美。陶瓷器已在很大程度上取代了铜器、漆器等物品，更广泛地运用到生活中。随着陶瓷器在生活中地位的提高，人们对陶瓷开始另眼相看，上层社会也将唐三彩、越窑青瓷等陶瓷名品视同珍宝。这类陶造像尺度虽小，但雕塑精美，其艺术水平已非唐代以前陶瓷佛像可比。唐代陶佛造像尤其是泥质无釉陶佛像与同时期石窟寺的泥、石造像作风相近，其中不乏堪与石窟寺造像媲美的作品，如唐陶塑佛头像，肉髻、螺发，眉清目秀，既具有佛的慈祥庄严，又有人间佳丽的神韵。唐代陶佛造佛中，唐三彩像最具特色。这类三彩陶天王像与同时期各类佛教造像一样体现出鲜明的时代特征，反映出唐人将外来佛教艺术吸收融合后形成了具有民族特色的造像风格。唐代在大量烧造陶瓷佛像的同时，也制作堆塑佛像的陶瓷明器。

从传世和出土的唐代陶佛教造像作品看，自成一体的陶瓷佛教造像已有了独立的发展空间，制作量大，已形成了一定的生产规模，往往在一处窑址遗存中即可出土数十件陶瓷佛像；分布范围广，从中原腹地到偏远的广西均有发现；种类丰富，既有民间窑址出土的小型佛像，也有上层社会随葬的三彩陶天王像等。

三、宋元时期陶瓷佛教造像

唐以后中国汉传佛教由盛转衰，大规模的开窟造像活动锐减，昔日创造大型佛教造像艺术辉煌已难再现，而陶瓷佛教造像并未因此而受到影响，原因是佛教信仰在民间还有深厚基础，为满足信徒的信仰需要，置于寺院室内或家庭佛堂的佛教造像，仍在大量制作。造像趋于小型化后，更便于采用陶瓷材料制作。宋辽金之际因战乱导致铜资源匮乏，也促使佛教造像更多地采用陶瓷材料制作。

瓷器生产在宋代得到空前发展，瓷质佛像增多，各地民间窑烧造的瓷佛像虽缺乏大型佛教造像的气势，但釉色有别，样式各异，造型丰富多样，别开生面，体现着民间艺术的多姿多彩，直接反映了民众的佛教信仰。宋代已发现的瓷佛造像还有定窑罗汉像、吉州窑罗汉像、景德镇窑佛像和观音像等。宋代瓷佛造像尤其是北宋时的作品多素胎。

元代瓷佛像烧造工艺和艺术水平较之宋代进一步提高。首都博物馆收藏的1969年出土于元大都遗址的影青观音像是元代瓷佛像的代表作。观音头戴宝冠，身披璎珞，袒胸、垂足，面庞丰满，神态安祥。脸部刻画极细腻传神，满身的璎珞及衣纹处理也十分细致妥帖。釉色莹润，与造型相得益彰，体现了景德镇窑工高超的瓷塑艺术水平。元代景德镇窑、龙泉窑的瓷佛像与其同时烧造的日用瓷器作风相同，做工相对细致；而其它民间窑的瓷质造像则较为粗放，更具有民间乡土艺术的淳朴风格。

这一时期陶佛造像一定程度上为瓷佛造像所取代，元代陶佛像，以藏传佛教的各式模印小型浮雕像（“擦擦”）最具特色。辽代三彩陶的烧造较为盛行，辽三彩继承唐三彩的工艺而具有自己的民族特色。辽三彩陶佛像在历代陶佛像中成就突出。

宋元陶瓷佛教造像中占主流的是独立的单体佛造像，然而在陶瓷明器上仍有堆塑的佛教造像。

四、明清时期陶瓷佛教造像

明清时期陶瓷佛像的烧造较之以前更加盛行，明清瓷器生产繁盛，新品叠出，工艺精益求精，为各种高质量的瓷佛造像的出现提供了技术上的保证。

明代瓷佛造像以福建德化窑的最负盛名，其胎质致密，釉色白如堆脂，塑艺精湛，美妙的色质与生动的造型结合，独树一帜。明代嘉靖、万历年间瓷塑高手何朝宗的作品代表了德化瓷塑的最高水平，为“天下宝传之”。明清德化窑涌现出一批批瓷塑名匠，作品广为流传。明代的张寿山、林朝景、陈伟文、许世华、林学宗等皆长于塑造佛教人物，也均有佳作传世。明代的除德化窑盛烧瓷佛像外，景德镇窑、龙泉窑、宜兴窑、石湾窑及其它民间窑也烧造各式陶瓷佛像。清代瓷佛造像以景德窑品种最为丰富，代表了清代瓷造像的高超水平。景德镇的窑工几乎将清代所有的制瓷工艺手法都运用到了瓷佛像的烧造上，已知的清代瓷佛品种就有青釉、白釉、哥釉、窑变釉、胭脂水釉、金彩、粉彩、五彩等。无论是一色清纯的单色釉瓷佛，还装饰华丽的彩绘瓷佛，均以官窑的制作最为精美。

清代石湾窑、宜兴窑等民间窑场均烧造陶佛像，作品精粗兼备，与精巧的瓷佛像相比，更显浑朴而有生趣。传世陶像中以三彩琉璃釉十八罗汉像、达摩像最具特色。十八罗汉像高在60–70厘米，造型夸张，每位罗汉不同的身份、个性均被生动地刻画出来。元以来流传内地的藏传佛像明显受到藏传佛教金铜佛像的影响，小巧精美。西藏寺院供奉的佛像和民间随身携带的佛像除铜、铁、泥、骨、木质之外，也有陶质。

结语

综观东汉以来的陶瓷佛造像，在唐代之前多以浮雕的形式出现，附着于器物之上，独立存在的陶瓷佛像较少见。从表现题材上看，元以前的陶瓷佛造像，诸佛、菩萨、罗汉、天王等均占有一定的比重。菩萨像中既有观音，也有普贤、文殊。元代观音、布袋僧（大肚弥勒）、罗汉在佛造像中所占比重逐步增加。从造像艺术风格上看，元以前的陶瓷佛造像，除部分出土于大型墓葬和寺院遗址中的制作较为工细外，大多数作品由民间施主订烧或由窑工自主烧造，做工不甚考究，不尚雕饰，具有民间艺术质朴的特点，但仍不失宗教的庄严神圣感。总之，中国陶瓷佛教造像的产生、发展、演变与中国佛教的兴衰密切相关，同时受到各个时期政治、经济及其它因素的制约，其艺术面貌是随着中国陶瓷工艺的提高、创新而不断丰富、完善的，既体现出鲜明的时代特征，又因窑场所处地域不同、烧造品种殊异而显出地方特色。

（《雕塑》2002.02 节选）

中国砖雕艺术概述

文／张晶

砖雕是中国独特的建筑雕刻艺术，它是在建筑的砖面上来进行雕刻的，并且通过不同部位和不同内容的雕刻之间的配置、组合、呼应，构成统一而完美的艺术形象。

我国砖雕的发展源远流长，至少已有二千多年的历史。在不同的历史发展阶段中的砖雕，各自呈现出不同的工艺手法和风格特点。区域文化和多民族文化的个性特征也反映于砖雕艺术中，形成了中国砖雕艺术博大精深的面貌。

中国砖雕的形成和发展，是和中国古代采用的独特建筑方式分不开的。与外国古代的石材建筑不同，中国古代的高级建筑是以砖木为主要材料的。我们的祖先在八千年以前已经学会在陶器上装饰附加堆纹和雕刻花纹，他们不断演绎着雕、塑、印、贴等多种装饰手段。在距今四千年左右的四坝文化遗址中，已经发现了成型的日晒砖，由黄土加羼和料再晒干而成。战国时，完成了由土坯砖到烧制砖的转变，并且砖开始作为装修材料，在墓室中大量运用。秦砖素来享有盛名，目前所见的主要在始皇陵及周围遗址出土。其色青灰，坚固耐用，制作规整，浑厚朴实，尤其是模印的各式花纹，更是以细密的纹理效果产生丰富的视觉层次感著称于世。

西汉时，画像砖已成为一个独立的门类出现，装饰意味较强，内容题材进一步丰富。西汉画像砖基本上采用流水式模印的生产方式，内容和形象重复出现。而东汉画像砖出现了以一块砖表现出一个完整而独立的画面的情况，此时的画像砖已成为真正意义上的单个独立艺术品，蕴含着更加深入细致的艺术匠心。

魏晋以后，墓室砖雕仍在延续地发展。金元时期，山西等地的墓室砖雕发展到相当规模。山西是我国戏曲发展的胜地。在墓葬发现众多题材的砖雕中，戏曲砖雕的艺术表现是最为生动和引人入胜的。明代，砖作为民居建筑材料开始普遍使用，此时砖的质和量都有所提高，而戏曲题材的砖雕也由墓室壁饰转为建筑装饰。由于明代经济、文化的发展，中小地主、商人、手工业作坊的数量不断增加，地方建筑有了较大的发展，出现了许多新的城镇，在各个地方，增加了很多书院、会馆、宗祠、寺庙、戏院、旅店、餐馆等公共性建筑。随着这些建筑的美化要求不断提高，砖雕也成为了这些公共建筑和私人住宅的主要装饰形式。

随着商业贸易的流通，地域之间的文化也在进行着传播。最早从事盐业活动的山西、陕西商人把他们对戏曲的爱好也带到了各地的会馆中去。比如，现苏州市戏曲博物馆的旧址就是三晋会馆，在其前门门楼、门额上就有着戏曲人物的砖雕；甘肃天水市陕西会馆的门楼上也同样有着戏曲的雕饰；原为山陕会馆的安徽亳州大关帝庙内的花戏楼，也是得名于雕有“郭子仪祝寿”等戏曲人物故事。晋商和徽商之间的贸易活动，将山西一带流行的砖雕艺术传入江淮流域。徽州受二程儒家理学影响，再加上徽商强烈的宗族观念，所以徽派砖雕给人以秩序井然布局严谨之感，有一种威严的气派，但却也不乏民间喜闻乐见的题材。徽派装饰的重点是门楼、门罩、门额，由于特定的装饰格局决定了其砖雕特定的组合方式，装饰位置多于大门上方，以繁密连续的图案带作为间隔，起着装饰框架的作用，增添了厚实稳重的感觉。在这类图案的框架中，填充了不同形式的开光画面。画面里排列有不同类型的高浮雕塑像，使整个门面在方正的基调中，突出了主题部分活泼的变化。处于江、淮、运河、五湖转接之地的徽派文化为砖雕文化向东南发展起了一个枢纽作用，扬州、苏州、松江等地的砖雕无不受其影响，但由于各地人文环境的差异，也发展出自身的特色。

苏州园林宅院中也有砖雕，由于其主人许多是退隐的官员，因此它们的建筑和陈设也就多了几分书卷气。苏州是昆曲的发祥地，当时的豪门经常在家中设堂会，享宴作乐，以示风流，因此面对堂屋的门罩上都刻有戏曲故事砖雕。

上海也保存着明清时期的砖雕，最早的是松江城隍庙。明洪武时期的砖雕照壁，内容丰富，雕琢有走兽、花卉、树木、珍宝，属于这一地区明代早期砖雕的代表作。位于上海南市区的书隐楼，是清代乾嘉年间兵部尚书沈初住宅的藏书楼。在该楼上的雕砖十分精美，“三星祝寿”、“八仙游山”等图，都为国内砖雕珍品。鼎鼎大名的豫园，最早也为解甲归田的官员所建，豫园中得月楼等处饰有“广寒宫”、“群仙图”、“郭子仪上寿图”等人物故事砖雕，但豫园屡经废兴，其中又经商人数易修葺，唯砖雕为豫园故物，也是豫园建筑中的点睛之作。砖雕之风在我国东南沿海广东、福建和台湾皆有延伸，风格趋向繁丽，砖面施以浓艳色彩，显得金碧辉煌。值得一提的是，这一区域的灰塑艺术仍脱胎于砖雕艺术。

西北地区明清时期的砖雕，同样受到中原地区砖雕的影响，但这一地区自古以来是多民族聚居之地，汉文化、佛教文化、伊斯兰文化等多种文化在这里交汇，因此形成了气魄宏大、多姿多彩的艺术风貌。这地区的砖雕主要饰于寺院之中，最早者为建于明永乐年间的藏传佛教寺院青海瞿昙寺，其中偏殿上刻竹、菊等独幅砖雕，虽为清初之作，但风格遒劲苍古，犹有明代雕刻的遗风。甘肃永登妙因寺也是建于明代的藏传佛教寺院，后经清康熙重修，留下了大量精美砖雕。在大殿三面外墙上满饰的巨幅砖雕，为我国现存砖雕画面最大一处，其砖雕装饰手法沿袭元代，底纹为浅浮雕，主体为较高浮雕，以浅浮雕变体钱纹为地纹，团形四方连续的莲花、瑞鹿、神鸟、仙桃、石榴簇拥着主体佛像，形成中心的开光画面，内容丰富、结构复杂，但富于层次、主次分明。甘肃张掖大佛寺为西夏所建古刹，清康熙重修大殿，殿门两侧各是一幅大型故事砖雕，上施金碧重彩，风格明显受壁画影响，图像密集，场面宏大。在砖雕上施以彩绘的风格以后仍见于青海湟中塔尔寺的藏传佛教寺院中，其中“大鹏金翅”砖雕，明显受藏族绘画唐卡的影响，密集的山水、云气拥着大鹏金翅鸟，具有浓郁的藏族艺术气息。

西北的清真寺院和纪念性建筑，多饰有大幅砖雕，这成为西北地区清真寺院的艺术特色之一。最著名的有西安清真大寺、宁夏同心清真大寺、青海平安洪水泉寺和甘肃临夏大拱北。在这些地方，砖雕成为建筑的最主要的装饰。砖雕依据建筑的整体布局设置，形状、规模、数量、内容各异。在寺院大门前方，多迎立砖砌照墙，墙上一般有大幅砖雕作为引首，大门和两旁侧门的门楼、门罩和樨头刻以不同幅面和形状的砖雕相辅助，具有多样统一的装饰效果；在大门内的过厅左右两墙上往往设以屏风式砖雕；屋顶两侧的人字墙上多有浮雕的圆形纹样；在过道门上也设有不同形状开光画面的砖雕，可以说以砖雕装饰错落有致地贯穿了整个寺院。西北清真寺院中的砖雕虽然受到汉文化的影响，但伊斯兰文化特点也很明显。由于伊斯兰的习俗在造型艺术中是不表现人物的，所以植物花卉纹就成为它的主要表现对象，像伊斯兰图案中常用的缠枝花纹，散点花朵纹、菊状纹在清真寺砖雕中并不鲜见。源于西方的葡萄也成为其砖雕主要题材之一，并且以独幅画面出现于照壁上。清真寺院照壁上的大幅山水砖雕，也为其它地区罕见。用飞舞的阿拉伯文字组成的砖雕，更焕发出伊斯兰文化的风采。甘肃临夏回族自治州是持续保留砖雕传统的地区。至民国时期，砖雕普遍用于回族的豪门宅院，其中以回族政要马步青的住宅东公馆为代表。它以大门两侧砖雕花瓶式立柱呈现出鲜明的伊斯兰特色，宅院中主要砖墙上都饰有精美砖雕，构成了一个砖雕艺术馆。以砖雕装饰农村民居门楼的风气相沿至今，长盛不衰，形成当地特有的文化景观。

砖雕也见于土族、东乡族、白族等少数民族建筑中，中国多民族、多种文化的砖雕构筑成中华文化的砖雕艺术殿堂。

经过二千余年的发展，中华砖雕艺术自成体系，蔚为大观。其发展过程，经历了由原始社会到金元时期的演变，至明清达到极盛。其装饰手法经历了由线刻、浅浮雕到高浮雕、镂刻的变化；画面也经历了由平面的独幅画面到浮雕的立体画面的发展；画面内容由最初的几何图形演化到以几何图案陪衬人物和动物的形式。至明清，砖雕已经成为一种独立的工艺美术门类，题材日渐丰富，技法趋于成熟，展现砖雕的环境和摆放的位置也随时代而发生着变化——由地下到地上，由私人空间到公共建筑，由最初的墓室装饰到近现代以吉祥题材为主要内容的民居砖雕。

（《装饰》2002.02 节选）

胡家塑泥

文／马宏杰

凤翔县位于陕西省，距宝鸡市约60公里，古称雍。唐朝曾称为西京城，后称为凤翔府。曾是古丝绸之路的第一驿站。是秦周文化的发祥地之一，史称嬴秦创霸之区。凤翔城东南低坊乡六营村捏制的泥塑彩绘是当地一种独具特色的民间艺术品，也正是这个村子里捏制的泥塑小马走上了2002年的生肖邮票组图。这是继1995年陇县民间工艺品枕头猪入选生肖邮票以来的又一喜事。生肖邮票两次选中同一地区的民间工艺品作组图，这在中国邮票史上绝无仅有。

在六营村，我第一个走进的是胡深老人的家。胡老先生家墙上挂的、窗台上摆的、地上放的，全是形态各异、五颜六色的泥塑工艺品。他的老伴胡凤珍正坐在火炉旁赶做生肖泥塑马，儿子在和泥入模，女儿、儿媳在挥笔描线涂彩……俨然一艺术世家图。今年已72岁的胡深老人告诉我说，咱凤翔有三绝，“西凤酒，东湖柳，女儿手”。他们的手艺都是祖传的，村里大人孩子人人都会做，他的父亲胡开勤曾是当地很有名气的泥塑艺人。父亲58岁才有了胡深，在胡深3岁时母亲便去世了，早年丧母的胡深从小便和父亲学会了捏做泥塑去庙会和集市上卖了钱来养家糊口。“文革”时期老人被定为“四旧”的代表人物，经常受到批判。老人告诉我说对他是“东西没收，模具砸烂，人受批判，心受摧残”。上世纪80年代初改革开放后，他们才又开始了“泥活”的生产。

泥塑在当地被称作“泥活”、“玩具”，大概有六七百年的历史了。相传明太祖朱元璋派兵驻扎在凤翔，其中一部分善做陶瓷的江西士兵，就地取材“板板土”，在泥土中糅以纸筋，利用闲暇做些玩艺儿去卖。这种技艺一直传到现在。六营村由胡、韩、刘、杨、杜、黄等十几个姓氏组成，经过了600多年的繁衍发展形成了今天的六营村。在过去，泥塑是作为一种玩具来送给孩子们玩耍的，尤其是泥塑中的“长命虎”、“狮子”，是小孩满月、周岁外婆必送的礼物。虎和狮子是人们心目中威武勇猛的象征，人们将其作为图腾加以信仰，借以威猛驱邪保平安，寓意长寿吉祥，凤翔一带作为风俗代代相传至今。过去艺人们做的泥塑大都是赶庙会作为玩具来销售。当地有句口语称“能舍二分地，不舍周公庙”，赶庙会来销售泥塑在久远的过去就已成为当地农民的一项重要的经济收入。

凤翔泥塑真正被世人所关注是1985年陕西省组织的民间艺人赴美国各地进行的现场制作表演，轰动了海内外。各国友人纷纷邀请凤翔泥塑赴海外进行表演，那时艺人们才知道祖宗留下的手艺是个传家养家的宝贝。凤翔泥塑1988年时达到了非常红火的时期，艺人们所捏制的泥塑不但继承了传统，同时也有创新，形成了彩绘、素描等多种绘制手法。其中挂虎脸、挂牛头、喜狮、十二生肖、坐虎、坐狮、斗牛、西游记等代表作品造型生动夸张、形体饱满、线条流畅、色彩纯朴、笨拙之中皆显人之灵性，散发着浓郁的乡土气息。

我在胡老家住了3天，看到胡老每天从早到晚不停地接待一拨又一拨的来访者，各地的学者、新闻记者、来买货的等。胡老是当地的名人，今年泥塑马又上了生肖邮票的组图，前来祝贺的当地部门的领导络绎不绝，公安、邮电、交警和与文化根本没有关系的其他部门的领导都由当地官员们领着到了胡老的家。他们走的时候，热情的胡老都会送上一匹他做的小马。有一天胡老便送出了近50匹泥塑小马。为了能赶出更多的小马来给客商交货，胡老一家从早一直忙到夜里十二点，连女儿胡小红也放下自己的活来帮助父亲。

12月22日，胡深老人一大早便领着小儿子和孙子，带着泥塑来到父母的坟地上。他用这种祭祀方式告诉祖上的先人们，他们传下的手艺在他的手中得到了发扬和传承，凤翔泥塑的泥塑马被选入2002年生肖邮票组图，祖先们的技艺走向了世界。

（《东方艺术》2002.03）

宗教·历史·感悟
——关于藏传佛教造像锻铜艺术

文／武真

佛教艺术在西藏以壁画和唐卡为主流，内容题材以佛教故事为主，用以教化众生。画面构图饱满，线条流畅有力，人物刻画细腻生动，造型写实，尤重心理刻画。唐卡，又叫帛画，唐卡是藏语音译，意为“平面画”，绘制在布幔上，后装边加轴可悬挂在墙壁上。它流传广泛，题材有历史人物、著名学者，也有天文、历算、民俗传统和风土人情。

藏传佛教的另外一种艺术形式是锻铜雕塑艺术。它历史悠久，世界各大洲、各民族都有灿烂辉煌的锻铜艺术。与中国唐代的金、银、铜器相比，西安法门寺出土与佛教相关的各种用具精美绝伦，无论从造型装饰和技巧上都达到了至善至美的程度，闪烁着盛唐的光辉与智慧。

通过对藏传佛教历史的感悟，近年来我创作了系列藏传佛教锻铜艺术品，这批创作是根据藏传佛教艺术唐卡进行再创造，运用传统的制作手段和新的艺术构思来完成。传统的锻铜雕刻是一种古老的手工工艺艺术。它使用的常用工具有：铁锤、木锤、橡皮锤、沙袋、胶板、喷灯、氧气、铁錾子、木錾子、钢锉、硫酸槽等。使用过程如下。

对造像进行线描平面绘制与布局在锻造之前先给紫铜板进行加热（火）；将绘制好的造像图案贴在加热（火）的铜板上，再将铜板上胶；用铁錾子将造像的形体轮廓錾在铜板上，然后开始制作，用锤子在紫铜板上锻打出凹凸不平的浮雕效果或立体造型，在击打过程中需要不断加热（火）软化铜板，反复进行锤击造像的正面与反面，先锻出大的造型与体积，逐步涉入细节刻画，从整体到局部，再由局部到形体结构，气韵与西藏本教及历史、民俗、文化相协调，在锻铜造像的过程中锤击锻打可产生丰富的肌理变化，体现锻铜手工工艺之美感，也是我对佛教艺术情感的显现。最后调整画面完成造像的创作过程；进行铜雕面腐蚀效果的处理，着色、打磨、抛光、上蜡等。

在制作藏传佛教锻铜艺术品时要严格遵守《造像量度经》的造像准则，将佛、菩萨、明王、护法等形象的尺度、手印、标识以及台座绘制成平面线描稿进行布局，经常用的尺度单位为“搩”，来比量确定其它部位的尺度。除搩外，还有若干个小单位，如肘、足、麦、芥等等。诸佛、菩萨罗汉、佛母、天王、忿怒明王以及各类护法造像的搩度各不相同。

锻铜雕塑造像的坐式以金刚跏趺坐为主，即双足掌向上，先以左足压右股上，为释迦牟尼佛之坐式，此为吉祥坐，莲花跏趺坐为两足稍展，足胫左上右下并略交二膝之下者，为右舒式，反之为左舒式。另有善跏趺坐，坐式为身高座而双足下伸，弥勒造像多取此式。

通过创作系列藏传佛教艺术，使我感悟到藏传佛教的魅力，这些忿怒尊神的塑像更是将艺术魅力一展无余。抽象的佛理一变而为具体可视的形象，或手舞足蹈，腰曲身旋，或兽首人身，或多手多足。而其众多的手足如伸展的羽翼，既威慑庄严，又美妙绝伦，音乐的韵律与舞蹈的节奏同时弥漫其间，由此到达一种高度安静、和谐而又奇妙非凡的境界，传达出震撼心灵的情感力量，又带给我们难以言传的审美愉悦。此外，它巨大的艺术感染力还因兼具宗教超越凡情的神圣而熠熠生辉。

（《雕塑》2002.03 节选）

尹志平道教雕塑思想初探

文／申喜萍

道教是中国的本土宗教，与中国传统文化浑然一体，密不可分，研究道教对中国艺术的影响，是十分有意义的。

1227年，丘处机去世，尹志平继任全真教第六代嗣教。在其嗣教期间，推动全真教继续向前发展，创造了一个鼎盛的局面，1251年仙逝，享年83岁，著有《葆光集》、《清和真人北游语录》传世。

在尹志平留下的著作中，有关论述雕塑的思想，甚有价值，如《清和真人北游语录》，尹志平就塑师王才问“道像法”而作答：“凡百像中独道像难为，不惟塑之难，而论之亦难。则必先知教法中礼仪及通相术，始可与言道像矣。希夷大道，视之不见，听之不闻。声色在乎前，非实不闻不见，特不尽驰于外而内有所存焉；耳而谓实不见闻，则死物也。如内无所存而尽驰于外，则是物引之而已。道家之像，要见视听于外而存内观之意，此所以为难。世闻虽大富贵人，其像亦甚易见，谓如富有之人则多气酣肉重，颐颔丰满，然而近乎重浊。道像则不失其风骨清奇而有大贵人之气，见于眉目之上，天庭日月之角，又背若万斛之舟，喻其重厚也。必先知此大略，其为像庶几矣。虽然但当有其意，甚不欲圭角呈露，此所以为尤难。世之富贵虽大至于帝王，犹于术之中可求，惟道像则要于术外求之。术说外像则穷，到妙极处，至于内相则术不能尽。然有诸内则必形诸外，而可见于行事。事，迹也。所以行事者，理也；寻其事，而理可知。故知内外可通为一，惟道家贵在慎密不出，故人终不可见。”

这段文字着重论述了3个方面的意思。

一、“希夷大道，视之不见，听之不闻”

道家思想是道教思想的重要组成部分，因此老庄的思想被道教当作圭臬。老子认为：“大音希声，大象无形。”“有物混成，先天地生。寂兮廖兮，独立而不改，周行而不殆，可以为天地母。吾不知其名，强字曰‘道’”。也就是说，道是一种本质上的形而上的东西，是无名、无形、无象，不可知见，也不可用具体的形而下的形象来表征的。在道教思想中，这种思想继续保持——“道至尊，微而隐，无状貌形像也。但可以从其诫，不可见知也。”“形而上者，无体无方；形而下者，有物有像。”到元代时，这种思想仍然占据着一定的地位：“希夷大道，视之不见，听之不闻。”

受这种思想影响，道教初创时候，是没有道像的。随着汉代佛教的传入及不断传播，其崇尚造像和崇拜佛像的礼仪，对道教产生了深远的影响；加之先秦时代人们祭祖要以童子为尸，即将童子作为先祖的替身来供奉，其原因是“孝子之祭，不见亲之形象，心无所系，立尸而主意焉”。显然这种认识方法和思维方式也影响了道教，其不再满足于去捉摸和体悟那无形无色无声无象之大道，代之以制造道像，以使心有所依：“所以存真者，系想圣容，故以丹青金碧摹图形相。”在这两种合力的作用下，道教渐渐克服了“道”的不可见知观念，开始塑造道像。王淳《三教论》云：“近世道士，取活无方，欲人归信，乃学佛家制作形像。假号天尊，及左右二真人，置之道堂，以凭衣食。宋陆修静亦为此形。”又据玄嶷《甄正论》卷下云：“开辟以来，至于晋末，戴斑毂之冠，披黄衫帔，立天尊之像，习《灵宝经》，称道士。”《佛祖历代通载》卷十五也记有“道本无形，形之于周魏”的言论。《隋书·经籍志》载，自北魏武帝时，道士便“刻天尊及诸仙之像，而供养焉”。《周书·宣帝本纪》中也有道像的记载：“大象元年(579)初，复佛像及天尊像。帝与二像俱南面而坐，大陈杂戏，令京城士民纵观。”可见道教供奉道像，当始于魏晋南北朝。由于唐代把老子尊为祖先，玄宗更亲注《道德经》，要求每家各置一本，因此，对道教的尊崇必然带来道教塑像的极大发展。至元代时，道像的塑造已达到相当大的规模和相当高的水平。元代设立专门管理画塑人匠的机构将作院，下设“诸路金玉人匠总管府”，辖有“画局”、“大小雕木局”、“梵像提举司”等，这些机构为元代的雕塑发展起到了极大的促进作用。

二、“见识听于外而存内观之意”

老子在建构其宇宙发生论时认为：“道生一，

一生二，二生三，三生万物。万物负阴而抱阳，冲气以为和。”这种观点对我国古典美学产生了非常深远的影响。具体到雕塑、绘画上，也就是“形”、“神”统一的问题。《淮南子》对此有精妙的论述：“故以神为主者，形从而利，以形为制者，神从其害。”“神贵于形者，故神制则形从，形胜则神穷。”即以“神”作为整个雕塑、绘画形体的灵魂、主宰，“形”处于附从的地位，这样才能把形体生命的生机完全表现出来。

尹志平继承了这一传统思想，并把它运用到道教的雕塑上。他认为，神仙本来就是“道”的直接体现，在造作道像时，更应该体现出本质性的、形而上的“道”，而不能流于平俗，以便于教徒在顶礼膜拜时，更能思索“道”的本质意味。在“形”“神”关系上，尹志平重视以“形”传“神”，但二者又紧密不可分。不同道像的形貌塑造，道教对其有详细而又严格的规定。在不同的形貌上，要体现出不同的神仙品阶、所司职能的内在精神。“道家之像，要见视听于外而存内观之意”，即是说要把道像的内在的、区别于别的道像的本质表现出来。“盖以能传古圣先贤之神，垂诸后世也，不曰形曰貌而曰神者。以天下之大，形同者有之，貌类者有之，至于神，则有不能相同者矣。”在造作道像时不仅要体现出物象上的“神”似，也要把物象上的“形”体现出来。这也是尹志平就“形”“神”问题而做的另外一种解释。

既然“神”如此重要，怎样来表达“神”呢？尹志平认为道像的“意思所在”在于“眉目之上，天庭日月之角，又背若万斛之舟，喻其重厚也。”由于风格不同，内在精神不一，因此每个道像的“神”也千差万别，而不能千篇一律。“术说外相则穷，到妙极处，至于内相则术不能尽。”

三、“先知教法中礼仪及通相术，始可与言道像”

道像是承载“道”的物质媒介，其目的在于用具体可感的艺术形象来宣传道教的教理教义，加强信徒的宗教感情。怎样赋于道像以神圣性，使其成为信徒的崇拜对象呢？这就要求把信仰和深厚的思想感情始终渗透到制作道像的过程中，逐渐形成一整套符合宗教要求的模式和规范。

因为道教是多神教，因此，在塑造不同的神像时，有不同的要求和规定。《洞玄灵宝三洞奉道科戒营始》卷二《造像品》中对造道像有着详细的规定，各种神仙、真人都有自己的服饰、相貌要求。

在制作道像前，要先选好优质木料，于吉日良辰开工。开工时，要伴以焚香颂经，驱除污秽，引领神灵的到来。准备工作做好后，就进入雕造道像的具体工作中。在制作中，要把道像的“神”表现出来。而怎样把道教的神圣性表现出来，则是至关重要的一环。这可以通过“装脏”仪式来完成，其用意是使神灵能贯注到神像中，让神像真正成为神灵的载体。“装脏”是指把经典、五谷、铜镜、药物、金银财宝等装入道像中，以代表道像已经具备了智慧、丰收、辟邪、光明、高贵等特性。最后，要举行开光点眼的仪式，期间，要伴随一系列的颂经礼拜，造什么神像，要颂相应的经文。经过这些程序后，道像就被赋予了神性，具有了自己的神格，道像也就塑造成功了。只有具备了这些最基本的道教知识和素能，即“先知教法中礼仪及通相术”，才可以“与言道像”，也才可以制造道像。

道教雕塑和佛教雕塑在时代的发展上存在着一致性，而在民族的艺术上则存在着差异性。

1、时代的一致性

在塑像的塑造上，道教和佛教都经历了从“无形”到“有形”的这样一个过程。

道教、佛教虽因信仰对象、思想仪轨等的不同而呈现出不同的塑像。但在历史的长河中，同一时代，道佛二教塑像则又被打上了鲜明的时代性。在魏晋南北朝时，二教塑像多为高高在上、给人不可亲近之感，体现出来的是神性，而非人性。而到了唐代，二教的塑像又都呈现出雍容华贵、丰满圆润的形象。这是因为唐代是中国封建社会的极盛期，相当于人的青年时期，国力强盛，文化繁荣，是一个开放的时代，正是那时的自信力，使得一切文化、艺术都被打上了那个时代的特色，宗教雕塑概莫能外。到了宋代，佛道二教的塑像也跟着发生了变化。宋代一直处于内忧外患中，封建社会走到了它的中年期，不再像唐代那样意气风发，光芒外露，而是睿智内敛的，体现在塑像上，则更为清矍、含蓄、端庄，也更贴近下层人民的生活。明清时期，宗教世俗化，佛道的塑像形象取材于下层人民，就像日常生活中的人物走进了神殿中，人神之间的距离被拉近了，人性被更多地体现出来。

2、民族的差异性

由于佛教起源于印度，后传入我国，因此在其思想、雕塑中，都还保留有印度“炎土文化”的痕迹。道教塑像则明显保留有中国式的“冕服”衣服样式。除了服饰上的不一样外，道教、佛教塑像的区别还表现在装饰纹样或者其他的陪侍物上。佛教艺术深受犍陀罗、笈多艺术的影响，其装饰纹样有莲花纹、火焰纹、缨络、飞天、狮子、金翅鸟等，其中尤以莲花为著。佛教经典《法华经》记载："若生人天中，受胜妙乐。若在佛前，莲花化生。"《无量寿经》云："此诸众生于七宝莲花中，自然化生，跏趺而坐。"因此莲花作为佛教的装饰，更具有象征意义，其用在雕塑中也较多。在中国影响较大的观世音像，就是足踏莲花台，手持玉瓶的这样一位菩萨形象。道教作为中国土生土长的本土宗教，其塑像就必然带有中国传统文化的特色。"玄帝为北方大神，当魔之精，是故图之者有剑、有龟、有蛇。"玄帝即真武大帝，其在四川大足的塑像就是披发仗剑，穿甲罩袍，脚踏龟蛇的形象。在其他的道教造像中，则以中国神话故事中的吉祥物龙、凤、麒麟等为陪衬，力图营造出一个引人遐思的神仙世界。

（《美术研究》2002.04 节选）

看南阳的玉雕艺术

——浓缩的地方传统文化精华

文／刘剑丽

河南南阳的玉雕艺术，带有鲜明乡土气息和地方色彩，闻名中外，这与当地闻名于世的独山美玉有密切联系。南阳市北郊之独山，因一山独立，满目苍翠，而得名独山。山中珍藏的美玉"独山玉"，又称为"南阳玉"，其主要矿物成分是斜长石。南阳独山玉在我国是非常古老的玉种，是我国四大名玉之一，以色泽鲜艳、艳淡兼备、质地细腻、光泽感好、硬度较高而著于世，在国内外享有很高的知名度，有"南阳翡翠"之美称。

从考古发现看，独山玉有着悠久的开采、加工、使用历史。南阳独山玉以其悠久的玉雕开采加工史和自古以来文学作品对它赋予的丰富深邃的文化内涵，魅力倍增。

归纳玉雕的工艺表现手法，主要有以下几种：1、线刻，即以单线条刻成花纹图案。2、薄意，即有画意的极浅的薄浮雕。3、浮雕，即在平面上雕刻出凸起的图案或造型。4、圆雕，即为三维立体的雕刻造型。5、镂雕，也称透雕，即雕琢不局限于玉料一面，而是穿透玉料，镂空雕刻，从而在玉件中构成许多两面目通的空间。6、俏色雕，即巧用玉料的多种颜色，使不同的颜色恰好分布在玉雕需要部位，使作品有巧作天合之感，7、内雕，是深入玉料内部雕出圆雕及浮雕造型的玉雕手法，又称阴雕。8、凹雕，与浮雕相反，是在平面上雕出凹下的图案或造型，又称阴雕。

就玉雕题材而言，有人物、花卉、植物、动物等。其内容自然不离本土文化。玉雕题材的繁多，表现形式富于想像，给玉雕艺术增添了强烈的生活趣味和艺术感，积淀了民间传统文化精髓。因此，深得大众的喜爱，究其原因，应该说其中反映着中华民族独特的文化和审美心理。在玉雕题材方面除沿袭习惯的器形之外，更注重创新突破和更具时代生活气息。玉石品种也不断有新的种类发现，使玉石制品品种繁多，绚丽多彩，美不胜收。

南阳玉器的形制和纹饰主要包括以下几方面：1、首饰类装饰品；2、陈设工艺品；3、保健玉器；4、实用器皿。由上述可见，南阳现代玉器的类别，较古代玉器要简单得多，琢工与纹饰更讲究简洁大方，突出玉石本色及莹润之美，用途也主要集中在装饰与保健两个方面。

综观河南南阳玉雕艺术，它是从古老的东方艺术中汲取创作灵感，积累了丰富的表现方法和内容。无论是琢工书，是雕刻画，都充满想象，化平庸为神奇，给玉雕艺术增添了多少生花妙笔。无论是工整华丽型，还是浪漫奔放型，应有尽有，立意新颖，着色运用巧妙，既有高贵的风范又有自然之美。精雕细琢和单纯浑厚都在具体的玉器中和谐地运用，玉雕工艺水平达到空前高度，为我国玉石文化发展和玉雕工艺的发展做出了很大贡献，也促进了地方经济文化的繁荣发展，标志着中华民族地方文化艺术的源远流长。

（《东方艺术》2002.10 节选）

中国传统彩塑的继承与创新

文／张昌

中国的传统彩塑艺术，涵括了宗教彩塑、石窟彩塑、民俗风情等彩塑。它们有着悠久的历史和优秀的艺术传统，在其传承与演进的过程中又不断地变化与发展，取得了巨大的艺术活力，并创造性地形成新的造型特点、新的样式风格。

秦汉以前作为"明器"使用的彩俑，以它古拙质朴的塑造与彩绘结合的技巧，奠定了隋唐以后彩塑发展的基础，而隋唐又在新的外来艺术营养的滋养中有了新的变化，但它又不失秦汉以前塑造与彩绘结合的技巧以及追求神韵的艺术特点。宋塑承晚唐修长纤丽的造像传统，又形成流畅、俊美典雅的风格，下启元、明、清风俗小品彩塑的发展。传统彩塑作品从内容到形式也愈加丰富，给人类留下宝贵的文化遗产，它们至今仍有着经久不衰的艺术魅力。

中国传统彩塑植根于中华五千年文化沃土，无论是题材内容，还是形式技巧都表现了民族的艺术风格。分析其创作，有两种倾向：一是服从于宗教或功能需要；二是以描写社会生活及表现人的思想感情为内容。前者是以精神信仰为导向，后者是启发、认识、追求美好生活情感为目的。但两者在每一时期都有产生，在内容风格上互相影响，在艺术技术技巧上互为启发和推进。它们在互动渐进中形成传统彩塑创意巧妙、造型优美、线形流畅、色彩明快、形色统一的艺术创作语言。这种特有的艺术语言，具有强烈的民族性和艺术的感知力。我们的先辈运用其艺术语言为建构艺术形象的媒介手段，通过构思想象创造了众多不朽的彩塑艺术精品。从它们的造型特征、线形样式、色彩关系的综合表现中，可见传统彩塑的精妙。其突出的表现是内容与形式的和谐统一、写形传神的妙笔生花、意境感染的视幻传达。

意境，是情景交融、虚实相生的最高审美层次，是中国传统彩塑着力追求的理想境界。像文殊和普贤都是佛教中的大菩萨，是虚构的法力无边的神。但他们都是取材于生活，是浪漫想象与生活中人的结合而虚拟为人的化身。为了突显他们的威力无穷而采取反衬的特殊手法，让法力无边的神拂去概念式的青面獠牙、举臂挥拳的形象，而是以美丽温善的妇女形象组合成掌兽人与猛兽，形成鲜明对比的生动造型，象征善良与美的胜利，使观者意喻联想，百看不厌。

传神，是造型审美的内核，是中国传统彩塑孜孜以求的艺术本质。我们的艺术先辈对自己表现的对象，不是满足于外形的如实摹写，而是着力于刻画对象内在的生命，传达出心理、气质、精神、性格的特征，人们习惯称之为“传神”或“气韵生动”。传统彩塑中菩萨那端庄美丽、风度典雅、心灵聪慧的仪容是生活真实与高尚理想在造像中的体现，而近代泥人张第一代张明山的代表作《蒋门神》，是仅在7厘米的寸余型体中，塑造了古典文学名著中一个有代表性的可憎形象，具有社会意义的典型性。这些生动的例证仅仅是中国传统彩塑中的沧海之一粟，那些各种题材、各种类型、各种形式风格的传统彩塑也都共同体现了以形求神，以神感人的审美追求和“形神兼备”、“气韵生动”的艺术特征。

如上所述，这些富有生命活力和永恒价值的民族精神和经验、理法、规律是艺术不死的灵魂，是应继承的宝贵遗产。

继承固然是艺术发展的内在需要与本体规律，但继承与创新是一对相对的概念。没有继承，创新无从谈起，没有创新，继承就失去目的。归根结底，继承是为了创新发展。鲁迅先生说：“旧形式的采用，必有所删除，既有删除，必有所增益，这结果是新形式的出现，它就是革新。”所以只有善于分析地继承，才有益于创新，创新是艺术发展的质的飞跃，而创新又不能割断传统，现代艺术是古代艺术的继承和发展，而不是它的隔绝。我们研究、论及传统彩塑的继承就是追溯它的形成、发展乃至艺术形式与风格变化中的因果轨迹，以此继承传统，接受遗产，其目的是在继承优秀彩塑传统的基础上推陈出新，创造当代彩塑艺术。那么如何继承，怎样出新呢？我们的态度是有分析、有选择、有目的地继承，取其传统彩塑艺术的精华，看其思想内容是否反映人民性、艺术形式是否有着发展性；审美意向是否具有民族性、工艺技术是否含括前瞻性，同时还要继承传统彩塑中那些优秀的艺术特点、特色以及规律性的艺术要素。继承的选择性固然应是立足于本民族的优秀传统基础上，但也要兼收并蓄地吸收西方有益的艺术营养，使民族审美心态、民族生活现实、民族心灵感受与西方文化艺术的有益养分交融，形成适于民族艺术中有机体的养分，发展传统，创造新的时代彩塑艺术。

时代在发展，新的艺术也必将随着时代的发展而产生，为此新的彩塑也一定要以新的观念和思维创新于新时代。那么，当代彩塑如何贴近生活、反映现实？如何以新的视点营造新的视觉形象，满足人们心理变迁而形成的审美取向的变化要求？这就要求当代彩塑除了创作已有的传统题材和内容，更应关照生活，贴近时代，创造反映时代风貌，歌颂自然美、人性美、生活美以及“主旋律”的艺术新作。在艺术形式上，要不拘泥已有的传统样式特点而应多元地结合具体题材、内容以及展示与功能的不同或放置的空间与环境的不同进行设计创作，使之形成丰富多彩、琳琅满目的彩塑表现形式和方法。在材料上不仅运用软质的传统材料和构造方法，也应运用已有的艺术技艺技巧与多样的工艺材料的结合；甚至运用现代声光电等高科技手段，使之形成综合材料同构的视听新彩塑。在空间上不仅有传统架上欣赏性彩塑，还要以更高的创作理念，充分发挥彩塑艺术家非凡的想象力和创造力，设计创作大尺度的能与建筑环境相协调的彩塑公共艺术性作品，获得艺术与现代科技结合的更深层的设计理念。

继承与创新是建立在探索与实践的基础上，中国传统彩塑是在探索实践中获得创新与发展。今天的当代彩塑艺术家更要以时代的审美和创作理念进行探索、实践，在不断的渐进变化中使当代彩塑艺术形态完善与发展，并焕发勃勃生机。

（《装饰》2002.11）

红陶红

文／张尧

一、红陶的起源

所谓红陶，是指在陶器烧制到一定程度后，将窑内火焰的性质控制为氧化焰，在氧化焰气氛焙烧下，陶土中的金属铁大部分转化为三价铁，还原比值低，烧成后外观呈红色陶器。红陶是中国最早的陶器品种之一，颜色一般呈土红色、砖红色、褐红色等，原始红陶一般烧成温度在800℃－900℃之间。

迄今为止，已知红陶最早的出处，当首推中国南方江苏省溧水县回峰山神仙洞文化遗址发现的11000年前的红陶实物以及中国北方地区河北省徐水县南庄头文化遗址发现的10000年前的红陶实物，这不仅证明了中国是最早有陶瓷的国家，而且还把世界陶瓷发展史向前推进了二千多年，这无疑是中华民族对世界人类的一大贡献。同时，也表明世界陶瓷的发展始于红陶的制作。

二、发展过程

红陶从10000年前进人新石器时代文化以后，开始向其它方向辐射。距今8000年的新石器时代文化中，就已经出现了大量的红陶、灰陶、黑陶、白陶、彩陶、彩绘陶等陶器。红陶从10000年前进入新石器时代文化以后，都是以红陶土(在北方地区俗称甘子土的一种风化石原料)为基本原料的。这个时期的仰韶文化、马家窑文化、马家浜文化、河姆渡文化、大汶口文化、半坡文化、半山文化、大溪文化等文化遗址中出土的物件，基本上都有大量的红陶实物。大汶口文化遗址发现的红陶兽形壶，则是这一时期的杰作之一。这说明人类的制陶史几乎都是相近似的，在这一个时期世界各地都几乎同时出现红陶制品或者是以红色陶胎为基础的器物。但是由于文化背景的差异，它的表现形式不尽相同，除中国的原始红陶器外，还有彩陶、彩绘陶以及稍后的希腊瓶画等，都是很好的例证。

在中国进入奴隶社会以后，红陶、灰陶、磨光黑陶、彩绘陶以及各类陶塑艺术品、建筑陶构件的大批量生产和使用使陶的发展呈现了一个新的面貌。尽管夏商时期青铜器得到全方位的发展，使得陶器的发展在一定阶段受到制约，但是由于当时铜的原材料价格昂贵，而陶土资源却相对廉价，这使得陶瓷的发展后劲勃发，于是在当时作为冥器的神兽、神人俑和建筑陶构件以及相当数量的生活器物中也有一部分红陶制品。进入封建社会以后，战国时期发明了低温铅釉，这种陶器的装饰效果得到了一个飞跃。尤其是汉代以来佛教从印度传人中国后，不仅增加了陶瓷创作的内容，而且也导致了陶瓷器型的变化，这时期大量的陶俑、陶车马、米粮仓等许多受佛教文化影响的器物大量出现。这从客观上促进了陶瓷产业的发展，同时也促进了红陶的发展。这方面，西汉时期的彩绘陶壶，基本上成为这个时代的经典作品之一。魏晋南北朝时期也有很好的延续，在此基础上产生了琉璃制品。在日常生活用品中也大量使用红陶制品或者红陶为胎的其它制品。隋唐时期大批量生产的三彩釉陶，反映了当时的社会面貌，而且有很高的艺术性。但是进入宋元明清以来，由于当时的宫廷对瓷器的高度重视和青睐，使得瓷器在正统文化中几乎完全取代了陶器的位置。因而，在这一时期陶器的发展主要依赖于民间力量，这使得陶器的发展受到了很大的限制，当然红陶的发展也必然受到束缚。

三、红陶与现代陶艺

在经历漫长的历史发展过程后，20世纪初陶瓷的发展进入了现代陶艺时代。从此人们的制陶观念产生了新的飞跃，这表现在陶艺创作和制作的方方面面，世界各地陶艺家在全新的观念下，充分利用自己的才智进行各种创新。这时期各国的陶艺家在自己的作品中，都不同程度地使用了红陶原料，这些可以从他们的作品中得到证实，比如美国的陶艺家彼得·沃克斯（这是一位对美国现代陶艺作出巨大贡献的陶艺家）的许多作品，美国陶艺家李查·赫胥著名的“三角器”都是用红陶制作的；英国的陶艺家安东尼·吉罗姆在《1999荷兰阿姆斯特丹千年陶艺大会》期间，用2万个陶俑组成的《田野》也是用红陶制做的;此外还有日本的著名陶艺家八木一夫的许多作品；法国陶艺家彼埃尔，比利时的陶艺家弗兰克 · 斯提亚特及中国本土的陶艺家谢跃、吕品昌、罗小平、陆斌等和中国台湾的陶艺家阿亮、李永明、徐明稷等在其作品中都不同程度地使用了红陶材料。

这主要是得益于红陶陶土可塑性好，对陶土的加工条件要求简单，制作也比较容易，而且红陶的烧成方法相对方便，并且可以适应多种烧成工艺处理。比如说用乐烧的方法就会得到更加意想不到的效果。基于这些原因，红陶的使用又将以新的面貌兴旺起来。

四、红陶研究的一些体会

20世纪90年代我到北方工作以来，便开始持续陶艺研究。这基本上分为两个部分。1993年之前，主要使用瓷土原料、炻器原料，从传统的中国陶瓷作品（比如宋代的各大名窑的器物造型和釉色品质）中吸取艺术精华，同时也吸收一部分民间窑的制作和装饰方法加以利用。这时期的作品，显示出的基本上是南方意味的，还有一些学院痕迹，后半段开始使用大缸料和琉璃土。

1995至1996年间，我们使用自制的倒焰窑，用当地的风化石和粘土，加入一定量的三氧化二铁（粉状）做陶胎，并在烧成过程中加入其它的燃料，使它出现区别于传统红陶的效果，由此给人们带来一种新鲜的感觉。同时，在制作手段上充分利用传统制陶中的各种制作方法如泥条盘筑法、泥板成型法、印坯成型法等，以及有选择地使用一些传统的装饰手法如绞胎、镂空、彩绘，上化妆土等，使之尽可能丰富。

随着研究逐渐深入，把各个阶段的各种可行的方法加以利用。比如，利用煤烧的不稳定性加以控制，就可以得到更为独特、并且极难复制的作品。

五、红陶的瞻望

当然，任何存在于社会之中的事物都不是孤立的，就如人之于人、人之于物、人之于社会，红陶的发展也是伴随着整个陶艺行业的发展而发展的，所以它的前进，就必然依附于陶艺的大环境。尽管红陶有本身的特点和品质，但如果一味地延续传统的模式，就可能陷入单调乏味的模式之中。因此，在红陶的材质处理过程中，就可以采用一些新的处理方法。比如，在甘子土中加入适量的红粘土，这样有助于陶土的可塑性，如果使用的甘子土中加上一定比例的耐火材料或匣钵材料，这样又可以提高烧成温度。在陶土中加入适量的三氧化二铁、氧化铜、氧化锰等金属化物，就可以从颜色上丰富它的品种。假如在烧戌过程中，利用煤烧的不稳定性，用氧化焰烧戌，在结束前三、四个小时加入一定量的工业用盐和野草，就可以让红陶的效果变得偏冷紫红一些加入适量的大红枣和狗尾草及木屑等就可以使作品呈色偏暖桔红。前一段时期我使用了高温玻璃掺和红陶处理，就烧出了作品《水中花》。可见法无定法，术无定术。

（《装饰》2003.01 节选）

从“土与火的艺术”谈起

文/陈进海

目前，有关文化问题的讨论已成热门话题。尤其在经济发展之后，人们开始关注传统文化的保护和人文精神的发扬。不应忘记，文化大革命曾以破旧立新的名义，对传统文化造成严重破坏。即使是近几年，在城市建设中仍存在有意无意地改变古城原貌，致使文化特色丧失殆尽的事情不断发生。究其原因，应是决策程序失误。整个社会曾经缺少保护传统文化的意识，以至形成喜新厌旧的风气。因此，当保护和发展成为一对矛盾时，应该在保护传统的前提下找出发展的措施。古人留下的文化遗产如果毁掉的话，是无法恢复的。显然保护要比建设更难，我刚刚完稿的《土与火的艺术——作为文明和文化表征的世界陶瓷发展史》一书，就是试图通过文化比较研究，作出保护传统工艺的回应，力求使优秀的传统陶瓷艺术不致边缘化。为此，仍从我所熟悉的土与火的艺术谈起。

土，遍及大地，可谓自然之本；火，催生万物，可谓自然之魂。古人云“野火烧不尽，春风吹又生”应是对自然本身生生不息的赞叹。

而土火交融，生化为器，既造福了人类，又展现了辉煌无穷的智慧，历史地留存着物态化的人的情愫。

然而，循着历史的轨迹，找出土、火烧结物产生、发展、演化的进程和相互关系，揭示它们不同的文化表征，寻求它们与人类文明的关联，虽说有益却很艰难。说其艰难，并非单指梳理和获取这样庞大的资料，难免会挂一漏万；更是指这种努力能否被人理解和认同。

我曾担心，把土制的盆盆罐罐与历史文明相联，将陶工们的劳作与民族文化挂钩，是否有小题大做之嫌。谈到文明和文化，人们自然会想到火药、指南针、造纸、印刷术，而同样应该让我们感到自豪并且早于四大发明的瓷器，却因其是土与火的烧结物，往往让人感到不足挂齿。原因可能在于：火药能克敌制胜，虽说当初只为制鞭炮和放烟花；指南针的导航作用已经帮助人类征服了海洋，即使当初仅仅是风水先生谋生的工具；纸和印刷术具有传播知识的巨大功能，但据说最初也只是为了印佛经。因此，从功能意义上讲，出于陶工之手的土与火的烧结物，仅仅与人们日常生活相关，似乎无法与其它重大发明比肩。不管文明如何演进或变更，陶瓷制品服务于普通生活这一基本功能从未发生根本变化。具体而言，一是实用，二是观赏，或二者兼有。似乎基于它的观赏性，人们称之为陶瓷艺术，并因此纳入文化范畴。

有人认为，艺术一词标示着艺术作品与艺术家互为依托。艺术作品以其原创的形式和独特的内涵，供人欣赏和体验，并在这一意义上才能称之为艺术品，作者称为艺术家。但是，我们却无法从任何一件无名陶工烧制的陶瓷作品中，体验和欣赏诸如齐白石或毕加索绘画艺术所展现的独特风貌及其鲜明个性。虽说他们都曾从陶瓷艺术中吸收过营养。而在特定时期基本定型的器物形态和相对稳定的纹样装饰，又是生产方式所决定的。也许基于生产原因，使得土与火的烧结物与纯粹艺术似乎拉大了距离。

其实这些看似简单以至重复的陶瓷造型和图案装饰，却积淀着更为久远和深刻的文化内涵，凝结着高超技能所赋予它的美感形式。人类学家和美学家已经指出，几乎需要几代人完善的陶瓷纹样，蕴含着人类文明特有的丰富内容，展现着近乎永恒的艺术魅力。而抽象简洁的陶瓷造型，又包含着各类艺术不可或缺的韵律、节奏、体量、尺度，构筑了视觉艺术必须具备的形式基础。显然，土与火的烧结物除了物质上的实用功能之外，还是人类精神活动的物质载体，或者说是基于物质和精神的双重作用，使之成为一种特殊的艺术形态。

随着文明的演进和新的生活需要，陶瓷艺术必然出现不同的样式或面貌，但从未减弱其物质和精神的密切联系。虽说陶瓷艺术的作者常常是群体，而且是以产品的形式由集体分工完成的，以至“物”的因素如此稳固，毋宁说它自身就是“物”。但是，这里所说的“物”，不单是指它最终的存在形式，更是指动态地掌握和驾驭陶瓷材料、陶瓷工艺、陶瓷烧成等复杂的物质对象和加工物质的技艺过程。于是，土与火的烧结物，体现了科学与艺术的必然交融，人们完全可以说土与火的艺术其实是物质与精神的完美结合。正是这种物质与精神或艺术与科学天衣无缝地结合或交融，才构成了它对于人类文明的根本价值，以至中国陶瓷由于举世无双而震惊世界，国名也因之被外国人称之为China，即瓷器之国。

应该指出，“艺术”和“科学”的概念，来自西方近代文明所主导的理性分类。而分类的严格与准确，也标志着艺术和科学趋于分离。尤其是科学独自迅猛发展，使得陶瓷生产已由手工制作单个产品变成机械生产大批量产品。从科学技术的角度看，这无疑是重大进步。于是，曾经先进于西方的中国制瓷业，被西方近代机械文明所超越。为此而从科技方面赶超西方就成必然的头等大事，以至无视物质产品的精神价值，手工技艺被人轻视并逐渐丢失。

这使我记起《庄子·外篇·天地》第十二讲述的一个故事：“子贡南游于楚，反于晋，过汉阴，见一丈人方将为圃畦，凿隧而入井，抱瓮而出灌，滑滑然用力甚多而见功寡。子贡曰：‘有械于此，一日浸百畦，用力甚寡而见功多，夫子不欲乎？’为圃者仰而视之曰：‘奈何？’曰：‘凿木为机，后重前轻，挈水若抽，数如泆汤，其名为槔。’为圃者忿然作色而笑曰：‘吾闻之吾师，有机械者必有机事，有机事者必有机心。机心存于胸中则纯白不备。纯白不备则神生不定，神生不定者，道之所不载也。吾非不知，羞而不为也。’子贡瞒然惭，俯而不对。”这即是说机械虽然为人提供了便利，但过分依赖机械的结果，必然导致人的心灵也会变得像机械一样冷漠，那将会多么可怕呀！

长期以来，由于科学极大的提高了生产力，推动了社会的发展速度，以至人们曾经普遍认为科学决定一切，而文化遗产中的人文表述却因其更多的道德情愫而被当作不切实际的形而上学，甚至被看成落后保守加以批判，认为它严重阻碍了中国的科学进步，应该加以抛弃。努力赶超西方虽是当务之急，却不应失掉宝贵的人文精神，扩大科学与艺术的裂痕。应该看到，近代科学强调的清晰头脑和冷漠意志，仅仅计算相互作用而不定义本质，注重功能效率，很少思考形而上的人文价值，已经造成人性缺失。当今的世界，“科学技术的发明创作，产生5万枚核弹头；工业化经济导致各大洲的生态灭绝；财富和服务的社会分配产生1亿贫困而饥馑的众生。一个无可争辩的事实是：人类作为一个物种和一个星球，正处于可怕的境地。”基于上述认识，我们应该从人类文明的高度，努力挖掘传统工艺所蕴涵的文化表征，历史地考证“陶瓷文化”对于人类文明曾经意味着什么，发挥过什么样的作用，以及它在当代文明中的地位和意义，这绝非是小题大做。在当今信息社会里，电脑已经强于机械百倍的效率，给人带来工作和生活上更大的方便，但也出现一批整日沉浸于虚幻世界而不能自拔的“电脑虫”。应该强调，电脑绝不能替代人脑，更不能取代手的作用。只有实在的人脑支配下的手的操作，才能使我们不断地从虚幻重返现实，充实自己的真实世界。为此，我们倡导“手工文化”应以不同的方式进入小学、中学、大学的课堂，并以大众参与的方式重新复兴，呼唤人文精神的回归，深刻体会《庄子》记录的警句所蕴含的深层意义。

历史上一切文化的发展都需要平衡的过程。即物质与精神的平衡、实用与审美的平衡、科学与艺术的平衡、理工科与艺文科的平衡、传统学科与现代学科的平衡等等。任何失衡都会对人类至高无上的自身生存和普遍人性造成威胁。而文化的差异性决定了它的多元发展，尤其伴随经济全球化，更不能连带世界文化也一起趋同。因此一切文化的发展方向，必须建立在自己民族的文化传统和现实基础上，进而不断加强文化间相互交流，促成相互理解，形成不同文化各自价值的相互尊重和认同。

我相信，只要人类和地球不致毁灭，以“手工文化”为特点的土与火的艺术必将延续和永存。

（《苏州工艺美术职业技术学院学报》2003.01）

龙南关西客家民居门窗雕刻艺术初探

文／黄明秋

遍布在蜿蜒逶迤的赣、粤、闽交界崇山峻岭中的客家聚居区，有着世界瞩目的客家建筑，在这些绚丽多彩的围屋建筑中，有着许多雕刻精美的石柱、础、梁、门、窗、墙、檐，在我国建筑史上书写了诗情画意的一章，以其别具一格的风貌表现了中国民间和民族建筑文化的生命底蕴，也以民间民居的身份丰富了中国建筑文化的内涵。龙南关西客家围屋虽然经过岁月和风雨的侵蚀，许多已经残败，但其绰约的风姿依然犹存。那些用青砖、鹅卵石堆砌的墙体、盖着黑瓦的老房子掩映在绿野的丛林之中，点缀着宁静的群山，绿野丛林装饰着“回”字形构成的城堡围屋建筑，造就了建筑与环境的统一和谐。

关西围屋是以“回”字形来建造的。从里到外共三层，中间是天井，是客家文化的“四檐聚水”的综合体现（水是代表财）。围屋的门窗雕刻颇具特色，外围墙上的窗，其尺度一般只能容纳一个人头通过（称人头窗）或者是“十”字和方口喇叭形。外围一个三层楼房的庞大建筑，有着许许多多这样小小的窗户，小的仅够用于枪械的瞄准，这是出于安全的考虑。为了防御外来的侵袭，窗子开得小且深，而且都是用石材或砖块建造。于是从远处看，整幢建筑就有些像碉堡。里面的一圈建筑窗户较大，尤其是朝中心天井的窗，窗户设计体现了中国古代设计文化中实用与审美统一的重要理念。这一理念反映了人类造物的根本要求和终极目标。客家人有着较强烈的敬祖崇宗观念和集体意识，在一些稍具规模的建筑设计和布局上，往往有着严格的等级之分，即使在门窗雕刻摆放位置上也反映出这一点。雕刻精美的，一般出现在祠堂或公共大厅，用在厢房的门窗上，与厅堂中的复盆式础、门廊、神台雕刻相吻合。门与窗是关西建筑文化中十分活跃的因素，除了明显的透风实用功能外，还以其多姿多彩的立面造型面向世界面向人生。多种图式造型的门窗体现了客家人审美的品位，从立面看，一般总呈长方形，给人以挺拔、修长之美感。这主要是因为方形门窗建造与安装方便之故。

内围建筑的门窗是用木材作基本建材，就窗一般的形态来划分，有独立长方形，也有中间方形两边长方形对称形窗，在关西围屋厅堂两边厢房上有着两扇大窗，以两个图形重复出六扇窗页，“六”在客家语中象征着“顺”。窗子的雕刻十分精美，并且强调构架组合方式，使得每一个最细微的建筑部件都可以作为独立的装饰对象。图案的构成以“回”字形的造型来构成，四周用约3厘米宽呈半弧形线条围着，在中间两个正方形的主窗中央雕着梅花外形，里面雕有鹤、蟾、兔、花等吉祥物，形态栩栩如生，工匠采用高浮雕、透雕和镂空等雕刻技巧，花瓣线条流畅，表达出花的层次，并且不断重复同一形态，使其线条重叠、剪缺，在每个大小“口”不断重叠时产生了“九”个“十”型，根据“口”的大小配以精美的大圆花卉和小菱形花卉雕刻，象征东西南北，仍有“四檐聚水”的含义，大小完整花卉共九朵，这除了对构件本身的修饰之外，也充分反映出客家文化九九长的含义。装饰主要集中在结构的框架连接部位，集中在内外空间的沟通部位，集中在惹人注目之处，同时起到了内外间隔作用。花卉雕刻还出现了不完整的半圆，放置在四周等边形的中间，起到了点睛作用，使画面既完美对称又富有变化。两边长方形的对称窗花结构一样，是构成原理中的重复。在中央有四朵重复的荷花对称造型，正中央放置一个菱形的三层雕刻，这种处理极大地丰富了雕刻的空间与层次，营造出点、线与面的强烈节奏感，以达到结构紧凑、布局合理的构成，雕刻精细令人啧啧称绝。这一设计理念在今天看来仍是非常现代的，我们现在的设计仍常用此手法，如解构主义就常常应用这些手段。这一处理方式表明中华民族的构造水平之高，我们不得不为客家建筑和制造者而喝彩，他们创造出一种极具文化意蕴与审美魅力的建筑构件。

“门面”一词在汉语中的特殊含义从某种程度上表明了中国人对门窗的重视。重修饰的审美要求以及重自然沟通的心理，使门窗成为中华建筑的装饰重点之一。在围屋右侧的小厅房由于建筑是以木材建造，木材的可构筑性与墙的不承重性又给门窗创造了良好的装饰条件。各种圆形、方形、多边形、月牙形、扇形等规则或不规则的门窗形状使人赞叹不已，而各种门饰与窗棂更让人目不暇接。

门的蛇形图案也是关西围屋的一大特点，就结构来划分，整个门呈长方形，分三段式或二段式。三段式分上段雕刻纹样，中间雕有梅花鹿、鹤、桃等题材，与“福、禄、寿”之谐音而被当成吉祥图案；中段有十条蛇形条纹组成九串镂空的灯笼形，象征着吉星高照，客家人认为蛇是祖先派来巡视平安的，进了谁家，就预示谁家居庄平安；下段雕刻呈横形，图案中有荷花、雀等吉祥物。客家人喜欢把他们所爱的物品、他们所求的愿望，通过艺术的手法，直观地反映到柱础、门窗的造型装饰之中，满足心理上的需要。上下横向长方形，中间竖向长方形在布局上是非常对称的，整个雕刻图案占上部三分之二，几乎是平板，在实用价值上是防地面潮湿，在审美价值上雕刻处在与人视觉等高的位置上，能引人注意，并起到一种文化普及与审美陶冶的作用。在门的下段我们还发现了雕有双龙戏珠的图案，形象生动活泼，造型简练，采用对称构图，雕刻手法具有汉砖韵味。从这些雕刻可以看出客家始终保留着中原文化的审美。客家人根在中原，历史上的战乱和自然灾害迫使他们举家南下，辗转迁徙，世代的流动使“根”在他们心目中至高无上。“宁丢祖宗田，不忘祖宗言”的口头禅正是客家人这种思想的反映，以至在今天的许多客家人方言中还保存了不少中原口音与审美情趣。这些来自于北方的审美品位，经历数百年乃至上千年与土著艺术的融合，终于形成了自成一派的风格。

（《装饰》2003.02）

甘肃临夏砖雕的艺术特色

文／隋建明　黄丽珉

临夏古称河州，地处甘肃省西南部，为古丝绸之路的南道重镇。临夏历史悠久，文化发达，民间艺术丰富多彩，临夏砖雕更是极富特色的少数民族艺术品。长期以来，这种艺术形式形成了以回族为主体、又融合其他民族传统的独特风格，在西北地区颇负盛名。当地的寺院庙观、馆舍建筑及民宅的山墙影壁、大门通道、屋脊栏杆等处，可以看到许多立意新颖、构图饱满、形象生动、雕工精湛的砖雕作品。它们既有独立的观赏价值，又和整体建筑浑然一体，极具生活情趣。

一、砖雕的历史渊源

据考证，临夏砖雕有着悠久的历史，北宋年间就已产生，到了明清工艺渐趋成熟。但因历史上战乱，民族迁徙频繁，历代的砖雕精品被破坏殆尽。解放后陆续发掘的宋金砖墓中，均有大量砖雕作品，给我们提供了研究砖雕的第一手历史资料。1980年在临夏南龙发掘出一座金代砖墓，距今已800多年，墓为仿木结构券顶式砖雕单室，墓室呈正方形，砖雕斗拱、滴水、方檐、门窗、四壁均刻有花卉走兽、仕女童子、二十四孝故事等。另外，在红园路金墓、铜匠庄金墓、邓家庄宋墓等砖墓中也有雕刻墓砖。其题材内容有两大类：一类以人物情景为主，受汉代墓室画像砖的影响，宣传孝道思想，多以哭丧吊孝为主，如“仕女启门图”、“灵前吊孝图”、“坟前哭孝图”、“二十四孝故事图”等；另一类以花卉、动物为题材，如牡丹、荷花、飞龙、麒麟、奔鹿等反映中国民间传统的祥瑞、祈福心理。宋金古墓砖雕最具艺术价值的当属人物情景图。与其它地区宋代墓室画像砖不同，临夏宋金古墓中的人物情景皆世俗化，无仙云缭绕，似乎是生活中的常景。宋金砖雕虽然技艺不如当代精细，但所刻人物、动物、花卉造型生动质朴。

现保存较为完整的砖雕作品主要集中在临夏市八坊三道桥的东公馆（修建于20世纪30年代），另外红园、大拱北、俞巴巴寺、蝴蝶楼、万寿观也有许多精美的砖雕作品。位于临夏市八坊北寺影壁有一清代（1741年）保留至今的大幅砖雕，影壁高6米，宽13米，以雕花青砖装饰，仿木结构飞檐斗拱为壁顶，下部为雕花台座。采用三联画形式，主题雕刻为“没龙三显”，左面为“丹凤朝阳”，右面为“彩凤望月”，三幅画同刻于一壁之上，寓意龙凤呈祥，象征太平盛世。四周均以对称的花卉纹、几何纹装饰。整幅作品构图形式疏密有序，形象生动，雕刻精湛，技法娴熟，为临夏砖雕之精品。

二、砖雕工艺及手法

临夏砖雕的制作工艺可分为“捏活”和“刻活”。所谓“捏活”是先把配置“窝”(泥巴调和黏化的过程，当地方言称为“窝”)好的粘土泥，用手工或模具捏制、压制成各种图形，然后入窑烧制为成品，主要用于民宅、舍馆建筑屋脊之上，俗称为“脊兽”。其形象多为龙凤狮虎、花卉虫鸟等民间喜闻乐见的题材。所谓“刻活”，则是在烧好的青砖上用刻刀镂刻成各种图案，工艺比“捏活”复杂得多，即使最外行的人来品味，“刻活”都要比“捏活”更赏心悦目，因为它在表现物体的质感上更加细腻精致，形象更加生动逼真。“刻活”砖雕主要装饰门庭、影壁、甬道、墀头等。

临夏砖雕中多见山水、花鸟题材的独幅作品，雕刻手法继承传统的砖雕技艺，用浅浮雕、高浮雕、阴线刻的手法，表现画面中的远、中、近景，并根据需要，各种手法相互交替运用。传统的装饰图案或纹样多采用浅浮雕手法。而大幅作品正中多为主体雕刻，以传统的开光形式出现，四周配以各种装饰纹样。重重叠叠，高高低低，阴阳互补，内外呼应，构成一幅立体的装饰画，极具观赏性。临夏砖雕广泛借鉴中国画的意趣和构图形式，还创造性地将国画皴法运用到砖雕之中，如临夏红园南侧照壁的《泰山日出图》在手法上就借鉴了荷叶皴的技法。临夏建筑多砖木结构，常常在同一建筑上兼有砖雕和木雕，长期的并存使得砖雕和木雕技艺相互影响，相互借鉴。在砖雕中就常使用木雕的镂空手法，以增强画面的空间感和形式感。

三、砖雕题材及特色

临夏地处祖国的西北，为回族聚居区，伊斯兰文化和回族风情独特。在与其他民族的长期共存和文化交流中，形成了多样性特征。砖雕艺术受宋代以来的中原文化和汉族雕刻影响很深。但在题材的选择、装饰形式及艺术风格上，仍然保持着典型的伊斯兰特色。临夏砖雕主要装饰建筑物的山墙、影壁、券门、山花、墀头、屋脊等。为了和整体建筑的风格统一和谐，题材选择常因物设图，山墙、影壁等主要部位多以独立成画的山水、花鸟作为主题性装饰。另外，中国传统的吉祥图案如龙凤、仙鹤、梅花鹿等动物形象也是砖雕中常见的表现题材，多象征吉祥、安康的美好意愿。而梅、兰、竹、菊在临夏砖雕中多有表现，且引人注目。这类传统文人画乐于表现的题材给临夏回族砖雕增添了些许书卷气，从中可见传统雅文化对砖雕艺术的影响，以及当地回民审美情趣的多样性。在临夏砖雕中数量最多、广泛采用的当属花卉草木题材，如牡丹、葡萄、荷花、石榴等。表现形式多样，或独立成画，或用于其它主题雕刻以及建筑物的装饰。这类题材风格突出，技艺娴熟，装饰性强，作品更富感染力。东公馆内有一造型独特的双瓶门楣，双瓶仿景泰蓝外形特征做门柱，瓶中盛开的牡丹相交组成典型的伊斯兰风格圆拱造型。整幅作品在立意、表现手法上均属罕见，给人以典雅、华贵之感。花卉草木作为临夏砖雕的主要表现内容，从文化背景分析，带有明显的民族情结。如葡萄、玫瑰等植物都是从原产地中亚经丝绸之路传人我国的西域，而临夏回族又擅长种植牡丹、葡萄、葫芦等，特别对牡丹情有独钟。所谓“河州花儿甲天下”的“花儿”即指牡丹。因而，砖雕作品多花卉，与当地穆斯林民族的历史文化传统和日常生活情趣有着密切的关系。临夏砖雕的装饰纹样多传统的卷草纹、祥云纹、几何纹、字环纹、博古纹，用于影壁、山墙、门楣、斗拱、腰束的装饰，与主体雕刻遥相呼应，在形式上动静有序，疏密相间，刚劲有力的直线与柔和丰满的曲线交替使用，显得极有秩序感且富有变化。俞巴巴寺内建筑腰束装饰堪称此种装饰的杰作。

临夏回族砖雕中还有一特殊现象，雕刻中均不见人物形象出现，即使是表现八仙过海这样的神话题材，也不显现真实人物，而使用暗喻的手法，以八仙使用的宝物为雕刻内容。这与伊斯兰文化中禁止偶像崇拜有关，因为回族笃信伊斯兰教，真主独一，不崇拜任何偶像。这也是临夏回族砖雕的重要标志。

临夏砖雕，至今已有800多年的历史，涌现出不少民间艺人，留有不少佳作，实为西部民间艺术的奇葩。在今后的发展道路上，应广泛吸取其他姊妹艺术的精华，努力保持临夏砖雕朴素淡雅的艺术特色。

（《装饰》2003.05）

中国微雕艺术研究

文／傅黎明

中国的民间艺术历史悠久，源远流长，博大精深。在民间艺术宝库中有一朵奇葩显得格外微妙、神奇，那就是微雕艺术。中国微雕艺术涉猎的内容甚广，总的来说，它是集绘画、书法、篆刻、雕刻于一体的艺术形式。在民间艺术领域中，它是一支独具风格的“特技”之一，它以微小、神秘、新颖、奇特而著称于世。

一、微雕艺术的起源与发展

我国的微雕艺术，从上古时期的微雕细字，到近古的时期的立体圆雕，发展至今，已有三千多年的演变历程。最早可以追溯到殷商时期甲骨文中的微刻，其字“小者细如芝麻，或峻峭苍劲、或秀丽多姿。”

东晋著名书法家王羲之的老师卫夫人在《四体书势》中记载，汉朝末年书法名家师宜官善于书法，“大则一字迳丈，小则方寸千言”。在方寸之间，能写上千文字，其微小程度可想而知。

到了唐代，出现了在象牙笔杆上的微型雕刻。如铁马云雕的《将士行军图》，其人物塑造栩栩如生，笔法简炼，构图也颇为完美壮观。

宋朝人龙衮在《江南野史》中曾记载，当时有人善于微书细字，曾经在一个铜钱上写了一篇《小心经》，在一粒芝麻上写“国泰民安”四个字，笔划像头发丝一样微细。除外还有一位善于写微书的和尚，他能够写像半个芝麻粒那样大的楷书字。

根据陈标《负暄野录·论细字说》记载，黄长睿为《华严经》写的序言中说：“书是经者尺纸作七万字”。意思是说，写这部经书的人，在一尺见方的纸上，可以写七万字。

最著名的立体圆雕是魏学伊的《核舟记》。记述了明代精工巧匠王叔远，在长八分、厚仅两个小米粒的核桃片上，刻有峨冠长髯的苏东坡与黄庭坚观看手卷、佛印别坐等五人泛舟赤壁的场景，其中船篷、窗、楫、炉、壶俱有，人物形神兼备，臂上念珠历历可数，34字对联细若蚊足，达到了引人入胜的微妙境界，是立体圆雕的精品。

到了清代，微雕艺术出现了不少旷世佳作。其中有书画文人于晓轩的作品，他能在指顶大小的象牙戒指上正面刻黛玉葬花图，背面刻葬花诗，共三百六十余字。其画面人物造型准确、形态传神。

微雕作品固然要小，但要能微小中见大气象，小而不失艺术魅力，才最难能可贵。遗憾的是，这类艺术大师为数太少，作品尤其罕见，传世甚少。相比之下，倒是近现代的微雕作品比较多见。

新中国成立后，微雕艺术有了长足的发展，尤其是微书作品，在我国长江以南沿海多为普及。其微书的形式千姿百态，绚丽多彩，而微画作品和立体圆雕作品则发展缓慢。

进入20世纪80年代以后，微雕艺术进入了一个崭新阶段，国内多家媒体争先报道了许多艺术家的惊世之作。例如，福建的一位作者在百枚寿山石上刻上百万余字的微书《毛泽东选集》，另精雕了《香港基本法》，《澳门基本法》等作品，堪称一绝；广东的一位作者在一根头发丝上刻下了《岳阳楼记》，全文共382个繁体字，它是刻在一段长为9．6厘米的白发丝上；四川的一位作者能在一根头发丝上刻出中国四大文豪鲁迅、郭沫若、茅盾与巴金的头像，他还能在长2厘米、宽1厘米的象牙片上刻上大观园的全景，里面共有360多个人物、720多间房屋、1300多棵树，令人称叹；杭州的一位作者能在人体汗毛上雕刻出“为国争光”等10个字；吉林一位作者能在虎须上雕100只形态各异的老虎，并配有40余字的诗文。

二、微雕艺术的表现形式

中国微雕艺术的表现形式种类繁多，它是中国的书法艺术、雕刻艺术、国画艺术、西方油画等艺术的浓缩和精华。它的发展是随着上述艺术的发展变化而相应变化的。近年来常见的微雕作品多以三种形式表现。

1、微型书法

微书的表现形式多以楷书、隶书、行书、篆书四种书体出现，也可用微书组成人物、动物、景物等形象。

2、微型中国画

中国画的表现形式多以工笔画为主，写意甚少，表现对象为人物、山水和花鸟，常见的是用白描手法表现的作品居多。

3、微型雕刻

它的表现形式可分为圆雕、平雕、透雕。其中平雕又称为薄翼雕。微型雕刻的表现形式也多以人物、山水、花鸟的形式出现。

三、工具材料的选择

1、工具方面

总体来说，微雕工具分为刻刀和夹具两种。

(1)刀具：刻刀材料的选择一般地说应以材质坚硬的碳素钢、合金钢为佳。刀具的形态分为圆形刀、三角刀、平刀、三棱锥形刀，四棱锥形刀或多棱锥形刀等等。

(2)夹具：关于夹具的选择，主要原则是因材质不同，选用不同的夹具、理想的夹具，根据个人喜好设计出理想的夹具。另外，也常采用胶粘贴的方法来代替夹具。通常我们在做夹具时选用的材料主要为木、竹、橡胶、橡皮泥等等，针对不同的材质选用合适的夹制方法。

2、材料方面

材料是微雕的基础，往往在不同的材质上会产生出不同的表达效果。微雕的用料主要可分为两种，即软微雕材料和硬微雕材料。可用于刻制微雕的材料虽然种类繁多，通常选择软硬适中、表面光平、质地细腻、纯洁无瑕、不涩不腻的材料。

四、微雕艺术家应具备的基本素质

1、特异的意念

众所周知，微画、微书的笔划都非常细小，而且在刻制过程中随着运笔而出现的一些粉屑，肉眼很难看清楚每一笔的轮廓形态，因而只能凭手感、凭意念和悟性来完成。雕刻时，每一笔应做到成竹在胸、意在笔先，这样作品才会恰到好处、形神兼备。在雕刻前应保证心态放松、排除杂念，以一种满怀喜悦的心情去感受微雕过程中带来的愉悦。在刻的过程中，最重要的要做到“身、指、意、力、气”五体合一，这样才会心手相应、刀随意雕、游刃有余、微中见奇，奇中生巧。独特的构思创意，是一件艺术品成功与否的关键。要想让微雕作品展现其精彩魅力，就要善于利用材料的特点、巧妙运用各种技巧、充分发挥作者的才能和特长，让各种艺术风格和手法都表现出来。

2、特殊的毅力

刻制微雕要有坚强的毅力和顽强的工作精神，而且要一气呵成。作者的毅力是靠长期的艰苦磨炼而培养形成的，毅力不仅是意念、手力、眼力的保障，同时也是通往成功之路的坚实基础。

3、独特的眼力

成为一名微雕艺术家的前提，是要有一副惊人的眼力，而明察秋毫的眼力并不是与生俱来的，它需要一套合理得法的训练方法。常用有两种方法：一是排除杂念、意守丹田，专心致志地注视某物，尽量延长时间，这种方法只要经常练习，时间久了物体就会越来越大，越来越清晰；二是每天坚持做眼球操训练，在强光下转动眼球，增强睫状肌的韧性和灵敏度。在日常生活中，注意用眼卫生，以保持视力良好。

4、特别的指力

在雕刻不同材质作品时，应采用不同的指力。只有指力控制适当，才会达到虚实相生、笔断意连、形神兼备的完美效果。

关于指力的练习，可以通过两种方式来完成：一是每天由轻到重地重复弹出手指50次；二是每天练习握力圈30次，以增强指力。日常生活中也要注意用手卫生，注意手指的保护，提高手指的韧性。

5、微雕的色彩

作为微雕艺术家，首应了解色彩、掌握色彩和较好地运用色彩，色彩运用是否得当，关系到整体雕刻的成败。一件精美的微雕作品，不仅在材料的磨制、刨光、保养、装潢上要花一番功夫，就上色这一块，也是一个难题。主要有以下几个毛病：一是上不了色，二是上色不均匀，三是上色后笔划周围不干净，四是远景、中景、近景的层次表达不理想。

五、对微雕艺术的思考

中国的微雕艺术博大精深，它不仅融合了姊妹艺术的文化，而且在微雕艺术材料的选择上、刻字工具的选择上和夹具的选择上，都需要细心的揣摩。目前，它也存在着缺点，即品种单一，不能形成系列化。另外，放大镜的倍数直接影响它的艺术观赏效果。

关于如何进一步弘扬民族文化精髓、加强微雕艺术研究与交流，根据笔者的经验，经过全面思考，提出以下具体措施。

1、建立微雕艺术组织机构和研究机构，使微雕艺术家从个体化、行为化向组织化、群体化、系统化的方向发展。

2、加强微雕艺术的交流，在有组织的基础上，定期举办全国或国际性的展览会，将微雕的表现手法互相促进。此外，定期组织国际或国内的微雕学术研讨会，请有实践经验的微雕专家，探讨我国微雕艺术的理论，研讨雕塑技能、交流选材体会。

3、继承民族文化提升微雕艺术的创新力。只有在继承民族文化的基础上提升微雕艺术的创新力，才能使我国的民族艺术发扬光大，才能增加其艺术魅力，从而开辟微雕艺术领域的新天地。

关于中国微雕艺术的系统研究，在国际学术界还属空白，在国内有关微雕的报道更是凤毛麟角。因此，作为中国传统艺术门类的一个分支，我们有必要把它作为一个重要的课题来进行研究。

（《装饰》2003.07 节选）

进入心灵智慧的深处
——木雕创作的一点体会

文／郑国明

任何形式的艺术创作，在没有具体的表达以前仅仅是一种意念，或者是一种想象。也就是说，作者在艺术品实际制作之前，他的心眼中已经看到了某种意象，作者再根据这些意象整理、综合成为理想的具体形式，这便是创作的第一步，即“构思设计”。

木雕的构思与设计，通常是以两种情况进行的：一种是雕刻者已经有了具体的意象形式，先用两面绘画的速写或素描表现出二维空间的轮廓，然后再下手雕刻成三维空间的立体雕刻作品；另一种情况是根据某块木雕素材的特殊形貌而引发了创作意念，在雕刻过程中，应素材的变化而变化来完成，这就是我们木雕人常说的“巧雕”。

木雕创作可分为模仿自然、理想化的自然和艺术家自我个性情感表达为主等几种情形。

模仿自然的类型首先须对客观对象有锐利的观察和正确的理解，再模仿制作，以求惟妙惟肖。为表现理想之自然形象，不仅要强调表面外形，对其内在精神亦有阐明的必要。

理想化自然的作品，是在现实上加以想象造成类似自然的第二自然。此类创作的特点，乃是基于现实世界又能超越现实世界。

以自我个性情感表达为主的作品，应强调艺术家的个性，有超脱现象世界、遨游于情感和梦想之中创造光明世界的魄力。

艺术固然须通过技巧来表现，但艺术的精髓则不在乎技巧而在乎理想。创作灵感来自联想，来自刹那间的颤动。木纹似流水似波涛翻浪，自然的木形状，往往就是优美的造型，这优美的造型能给我们以无限的联想。

有些木料纹理较为复杂，木材本身呈有卷曲、裸露、波状等情形，甚至不易看出其纹理，需靠经验来解决刀刻方向等问题。中国传统艺术注重“心师造化”、“物我合一”，运用意象思维，细心观察事物，感悟自然，把握规律，使人与物、情与景在充实心性的过程中达到神与物游、意游万仞的逍遥心境。我对人物造型不事雕琢，意在刀先，语尽意在。运用自然形式审时度势，既非具象亦非抽象，而是用意象语言来图解心路历程，在构图和造型立意上追求一种更接近于中国文人画的艺术语言和散文式的表现手法，这是我在木雕创作上的一种尝试。对雕刻者而言，选择木块形状最为重要，往往木材的天然形态可以诱发作者的雕刻造型灵感，其天然曲线及歪扭形状，皆可由意象发展成形象。尤其在现代艺术领域里，天然形态的意象作品占很重要的地位。那些不适宜雕刻却具有特别疤痕或纹理怪异的木头，经过特殊处理，也能成为一件好作品。如作品《空》利用天然龙眼木取舍雕刻，表现了一个智者追求真知、作仰天深思状的静止瞬间。我以树干的空，折射生命中“空”的命意，暗示对某种宇宙奥秘的探寻。由作品的“空”，我想到了星空、心空、境空……

木雕作品除了雕刻技艺及造型以外，木纹的处理实不容忽视。一件作品，绝非单靠工艺就能臻于佳境，须得配合优美的纹理，才称得上趣味横生的杰作。

一件作品的完美与否，构思设计的过程最为重要，有时候这种思考的阶段所花费的时间心力，远比而后的雕制阶段更为长久、艰苦。所以，一件木雕作品的成功与否，雕刻技术的优劣在其次，构思设计的能力才是关键。雕刻工作者为了提升这方面的能力，必须多见多闻多研究，拓展创作领域，吸收最新资讯来丰富视觉经验与美感经验。在艺术表现中为了强调精神内涵，常常是越过技巧的处理层面，甚至不在乎技巧，这就是所谓的“大巧若拙”。“由拙至巧，由巧及拙”是艺术境界的飞跃。中国艺术的最高境界便是“品纯”，“大、拙、生、强”是它的艺术特质。雕刻更是靠纯粹而整体的形体去表现，脱去聪明的外衣，只留下质朴的本性。表面看似简单，其实是高难度的制作。因为艺术的表现，不仅要重视视觉美感，更要有思想情感的内涵，有心灵理智的感悟，才会有超凡脱俗的表现。

（《雕塑家通讯》2003，03 节选）

雕虫非小技　意在出神韵

文／顾冶培

宜兴紫砂陶，是我国具有独特民族风格和地方文化色彩的传统工艺品。以历史悠久、造型精湛，色泽古朴典雅而著称于世，占尽东方艺术的神韵和风流。

兴于北宋、盛于明清的宜兴紫砂，可谓名家辈出，代有精品，在明末清初的有关文献里，记载着很多吟诵的诗句和文章。供春、时大彬、陈鸣远、邵大亨、黄玉麟等历代制壶大师，毕智穷工，如天际的寒星在历史长河里闪烁，昭示着一个民族的灵秀和光辉。

紫砂雕塑作为一种装饰工艺，是在其上雕刻出各种书法、花卉、鸟虫、山水、人物等作为一种文化形态的延续和发展。当追溯初期自然型时期的代表，紫砂名匠陈鸣远总使我们难以忘怀。他的作品多出新意，而且技艺精湛，雕镂兼长。如用浮雕堆花手法精工制作的梅干壶，树皮伤残处及缠枝表现得极为生动且疏密有致，制作技法达到出神入化的境地。他利用泥料的自然本色，妙手塑造的菱角、荸荠、花生、板栗、核桃等，制作精微，难分真伪。他开创了紫砂造型与雕塑技法有机结合的工艺领域。他的全部作品都体现着高层次的艺术意识和精品意识，堪称紫砂壶史上精熟的而且技艺最为全面的陶艺大家。随着时代的发展，20 世纪初，有“陈鸣远第二”之称的裴石民老先生，在传统中创新，他制作的紫砂小品，把多种可爱的小动物形象搬进了紫砂艺术之宫。他做的蚕栖息在绿色的桑叶盘中，有的低伏啃叶，有的翘首伸腰，有的转身张望，神态惟妙惟肖。他制作的松鼠树桩，一截松树上的二只松鼠，神态玲珑活泼。他制作紫砂“假山”，远望峰峦叠嶂，近看曲径通幽，观其作品确有“远上寒山石径斜，白云深处有人家”之意境，实为世间妙品。他用自己的智慧和心血创作了许多“活”的艺术珍品，为推动紫砂雕塑事业发展做出了贡献。

紫砂雕塑，从陈鸣远至裴石民，到蒋蓉、汪寅仙、徐秀棠等大师，他们在不同历史时期用紫砂特有的语言推陈出新，使传统紫砂艺术得到了雄厚的积累，独特的艺术风格营造了浓重的民族民间文化色彩。当今紫砂雕塑的领先人物工艺美术大师徐秀棠先生，他的作品在以写实为主的同时，采用变形、夸张以及抽象等表现手法，重在表现作品的文化内涵。如作品《饮中八仙》、《雪舟学画》、《肖翼赚兰亭》等作为经典之作而成为紫砂雕塑里程碑。学贵有长，重在思变。20多年来，笔者在紫砂艺术的探索与实践中，始终牢记祖训：“学我者生，像我者亡”。在刻苦钻研传统工艺的同时，不断开拓创新，坚持工艺与自然、壶艺与雕塑、紫砂艺术与中国传统文化的有机结合，在紫砂微雕方面闯出了一条新路。

人们崇尚自然，亲近自然，回归自然，向往田园风光，寻觅健康的生活空间，喜欢体验返朴归真的乐趣。本人从小钟情山乡野谷，迷恋大自然的花鸟鱼虫，从事紫砂微雕工作后更是满腔热情地投入田园风光的研究创作中。微雕创作题材大多取之于大自然中的物景，如昆虫、植物等，经过作者巧妙构思，用心去跟它们对话，以期做到形神统一、物我交融，同时给欣赏者留有想象的空间。在多年紫砂微雕创作实践过程中，笔者深刻领会到最能体现微雕“型、色、声、味”者莫过于小小促织也，所以多年来本人潜心研究蟋蟀，为了全面了解蟋蟀文化，反复读了王世襄编著的《蟋蟀谱集成》，试图从理论的高度上搞清楚蟋蟀文化的来龙去脉，为创作紫砂蟋蟀微雕打下了坚实的基础。为了更细致地观察蟋蟀的生活习性，了解蟋蟀的生理结构，我每年都要捕捉大量的蟋蟀，区分不同的品种，将其做成标本，作为蟋蟀微雕创作室的参考依据，在 20 多年的紫砂微雕创作实践中，尽可能地把蟋蟀刻画得生动传神、形神花俏，使它在观赏性、艺术性上具有真实感。如我在构思“松竹梅”壶艺主题时，考虑到历史上已经有松竹梅分别成壶的传统方法，同时也有将松、竹、梅“岁寒三友”融于一壶的技法，于是我选取松、竹、梅最具艺术感染力的典型素材，将新老竹节、竹叶、梅椿、梅枝、松段、松叶巧妙地安排在壶的周围，特别是在制作中，在朽枯状树枝壶盖内藏有一只蟋蟀，宛若天成，趣味盎然。这样的创作不仅让传统壶艺顿生动感之美，同时将中国传统文化中的品茗、观壶、玩蟋蟀巧妙地结合起来，给传统松竹梅题材赋予了新意。

我创作的“促织壶”，由壶身、壶盖、壶钵三部分组成。乍看是一把普通的茶壶，但玄机却在壶内，一打开壶盖，原本静悄悄的壶体突然之间发出声声清脆的鸣叫声。近年来，笔者利用两年多的时间，全手工制作了紫砂微雕《千禧万富》、蟋蟀

《群英会》。1.5平方米的紫砂微雕作品由九块紫砂板组成，以大自然为题材，塑山岳、丘陵、田野，并在其上用写实的艺术风格把紫砂“五色土”捏塑成中外70余种形态各异的蟋蟀1028只，力图从千变万化中以众取势，以势取意，以意传神。山峰上5只老虎的牙、须、爪精雕细琢，取意“五福吉祥”。作品具有浓郁的乡土气息，呈现出清新脱俗的视觉效果，宛若一幅和谐自然的生态图，由此获得紫砂微雕艺术史上一件殊荣——2002年被世界吉尼斯上海总部授予“吉尼斯之最”。

中国紫砂艺术渊源流长。艺海无涯，纵观当今紫砂界已是百花齐放，同时也有百家争鸣之势。存在的是合理的，合理的是有生命的，但有生命的不一定是长久的。一种艺术、一件作品，它的生命力只有通过市场和实践来检验。笔者认为，一个人要在艺术上有所造就，不仅要有“咬定青山不放松”的毅力，同时要有“任尔东南西北风”的度量；不仅要具备高超的工艺技能，同时也要保持健康的心态。热爱生活，法于自然，博采众长，走紫砂高品位的精粹之路，我们相信在全体紫砂艺术工作者的共同努力下，在继承传统基础上不断发展创新，民间紫砂工艺将会展现无限美好的前程。

（《科技与艺术》2003.07 节选）

别具一格的紫砂竹编系列

文／顾治培

在宜兴紫砂的百花园里，近年来又增添了一朵绚丽的奇葩——紫砂竹编。从竹编单壶、竹编套壶到各式竹编花瓶、茶叶罐、茶杯以及竹编杂件等，品种越做越多，引起了广大紫砂爱好者的注意。

所谓竹编，即仿照竹子的样式及编法而制成的紫砂器。能够把竹子文化与紫砂文化有机地结合起来，把零星、分散的带有竹子内容的紫砂作品形成竹编系列产品，这个思路的首创者应该是唐氏陶艺的唐伯琴女士。

唐伯琴1961年出生于宜兴丁蜀镇上袁村唐氏紫砂世家。其父唐龙和与伯父唐凤芝、唐树林、唐树芝及壶艺泰斗——中国工艺美术大师顾景洲、王寅春等都是同村兄弟，小时候经常在一起玩耍，学艺时一起切磋壶艺。上袁村明代出了个时大彬，仿佛有了灵气，陆续又出了李仲芳、陈鸣远、惠孟臣、邵大亨等一代代作壶妙手。上袁成了宜兴紫砂的摇篮和代名词。

唐伯琴自小悟性较高，除了擅长祖传“鱼化龙”、“国光壶”等之外，做其它茶壶也是一点就通，上手极快。在上世纪90年代初的制壶高潮中，她能够做各种光货品和花货品，但她发现自己做得最好的还是属于花货茶壶中的一种，即竹编茶壶。因此到上世纪90年代后期，她专门细心研究了这类紫砂竹编并形成了系列产品，为繁荣宜兴的紫砂事业做出一定贡献。

任何一件艺术品的产生都源于生活，“欢乐壶”的创作正表现了作者的生活阅历及想象力，同时也体现了作者专业制壶的技术和竹编技术的功底。作品自然形象地展示了人类与自然相互依存的亲密关系，让人看后爱不释手。“欢乐壶”刚刚制作成功，正好赶上参加2003年上海国际茶品茶艺博览会，结果捧回一个银奖。

（《科技与艺术》2003.07 节选）

赣县客家纸塑人

文／丘斌　张苇

作为赣、闽、粤、台客家大本营重要组成部分的赣南，是客家民俗文化的摇篮。赣县的民间纸塑人如同摇篮里质朴幽香的小花，默默地点缀着章水与贡水合力浸润的红土地。它是客家先人的艺术积淀、是客家后裔的孕育承继，是独有客家韵味的一杯醇酒。

距赣县县城约40公里的田村是个有上千年历史的古村，和中国大多数村落一样，多少年来，它自行演绎着有声有色的生命律动。凡逢婚丧嫁娶、祝寿祭礼、道场佛事、岁时节俗，均有纸塑人相伴其间，为乡野村民寄寓了不尽的喜庆和情趣。近10余年来，客家纸塑人抖落掉乡间的泥土，在世人惊钦的目光中一次次展露它们奇陋的容貌。它们的身影频频出现在县、地区和全省举办的民俗盛大活动中，甚至代表中国参加了联合国文化组织举办的民俗品展示并获了大奖，把古老的田村推向了世界。人们终于发现：貌似民间文化贫瘠的江西地界竟然也有这般宝贝！

据载，纸扎艺术在我国的南方和北方都能找到它的踪影，如闽南的纸扎偶人、扬州的纸扎冥器、湖南的目连戏纸扎诸神、山东的纸扎风筝和各地常见的纸扎灯盏等等。事实上，田村的纸塑艺人受祖辈兄长的影响，沿袭的仍是客家纸扎工艺的传统。尤其是闽南的纸扎偶人与田村的纸塑人有很多相似之处，如尺寸相近，小不过5寸，大则数尺有余；题材相近，以传统戏剧人物和民间吉祥人物为主，现代生活中的人物形象兼而有之；材料相近，竹篾为骨，色纸做衣；工艺相近，扎架裱纸，脸谱彩绘，剪贴折叠，头部捏塑；用场相近，祭奠亡灵，敬天祈年，辟邪求福。尽管如此，田村纸塑人还是以它不同凡响的独特工艺和当地老艺人大胆创新的精湛艺术素养，赋予了江西客家纸塑人物弥足珍贵的艺术价值与收藏价值。

丰富多样的面相。纸塑人的头部是用极细的锯末调制捏塑的，表面圆浑而光滑，一如鹌鹑蛋大小。在这么小的球面上准确捏塑人物面部的起伏特征，彩绘不同表情的面相，并非易事。民间艺人就在自家茅屋的临窗板桌上，用粗壮的荷锄之手，凭着丰富的艺术想象和娴熟的技艺，把不同剧情、不同场景和时代、不同性别和性格的人物面相捏塑、描绘得精美逼真。尤其在表现人物情感方面，赣南纸塑艺人一反其他地区民间纸扎人千人一面、刻板无变的通用型模式，根据人物的身份、行业、年龄以及喜怒哀乐、善恶忠奸的表情需求作细腻刻画，显现出良好的艺术质素质和功底。如《拾玉镯》中小姐的俊俏羞涩、《目肖妹子》里男女青年眼神的顾盼交流、《百岁挂帅》里武生将士的威凛自信以及各路神道仙佛的庄重肃穆，都有很到位的表露。而人物手足的塑制，同样也是精微而写实，得用镊子方可夹起不足厘米长短的指掌。这些头、手、足大都事先按角色捏塑成型，绘涂上色，然后用盒分装备用，但等有定货急用者，不致材料待干，耽搁组合制作。

生动多变的姿态。纸塑人物的身躯多用小竹篾绑扎骨架，并根据人物的性别、身份和动作设计凹凸起伏与肢体走势。有些地区的纸扎人物惯用几种固定的姿势，只在衣饰与头部变换处理以示区别，虽然制作速度快而便捷，却因单一未免乏味。田村纸塑人物举手抬足自然生动，丰富多变，迎合人们生活情趣，展现出民间艺人观察生活、热爱生活的美好情操。如《钓虫另》挎网农人娴熟欢快的劳动姿态和《二进宫》、《百岁挂帅》里刀马人物的舞台戏剧动作，就不是用同一种框架编扎出来的。

绚丽多彩的服饰。赣南客家纸塑人的衣饰华丽精致，有很明显的地域艺术特色。譬如衣袖裤管弯曲之处的褶皱，系用彩纸作局部挤压，其纹理自然而简洁，并无人为刻意的做作痕迹，更显手工技巧的装饰性，制作起来也颇为方便。虽为纸质，却颇有弹性，用手一拉，如真的一般。与其他地区相比，这是赣南客家纸塑人的又一大特点，再如缀饰，无论领口袖边、胸花裙带，一概金银色纸精雕细刻而成，帽靴裙带等一应穿戴之物，也都一丝不苟，根据人物身份和较规范的传统文化依据严格配给，不容差错。如文武官朝服上的“补服”，无一混用，完全按不同朝代的品级添画剪刻，像明代文一品的“仙鹤补”、武八品的“犀牛补”，以及代表清代官衔“暖帽”“凉帽”上的“顶子”质色，都是有据可查的图案和设色。当问及年近七旬的老艺人刘盛涵如何知晓诸多规矩，他笑称祖上口授身传，这正是民间美术世代传承的明显特征。足见祖国悠久传统文化的根深蒂固与渊远流长。纸塑人衣饰上的这些雕饰细物，同样也靠闲时制作，分门别类精心保存，待等用时，不急不躁。

静观纸塑人的衣着色彩，竟不觉有民间美术品常见的艳俗而更显柔媚韵致之气。尽管照样镶金缀银、花红柳绿，却搭配得当、雅而不俗。如财神爷的黑地银饰袍、农夫的紫衣橙色裤、公子哥的粉蓝大褂粉红裤等等，都十分讲究色彩的对比与协调。唯一遗憾的是，这些纸质的衣饰，除金银色外，大都随着岁月的磨砺渐渐淡去原色而显陈旧，这是老艺人颇感挠头也正在解决的大问题。

精湛多元的工艺。赣县客家纸塑人缘何如此经久不衰而深受人们喜爱?它除了能赐予劳动人民美好与吉祥之外，很重要的因素就在于其工艺之美——它的造型、装饰、技巧和意匠之美。它是精湛的，又是多元的。

纸塑人不论大小，基本为写实造型，身体各部位的比例和动作都符合大众的审美习惯，哪怕是细微之处，也不悖造型规律。加上再现的都是群众喜闻乐见的传统戏剧人物和象征吉祥如意的神佛帝相，熟悉并亲和这些形象，也在情理之中了，如戏剧片断“西湖借伞”、“过江饮宴”、“空城计”、“二进宫”、“百岁挂帅”；表现庆贺祝颂的“连年有余”、“万事如意”、“生意兴隆”，“招财进宝”、“寿比南山”、“龙凤呈祥”、“花好月圆”等等。难能可贵的是，民间艺人在务农之余能准确地把握和驾驭人物造型，让美的情感渲染和弥漫在农家小院田埂村头该是怎样一种不懈的追求啊!

装饰精美是赣南客家纸塑人的显著特征。前面提到的衣袖裤管裙钗，皆为彩色蜡光纸反复折叠而成，其间粗细拐角弯曲，均依自然姿态精心算计制作，全无丝毫马虎。所用贴花图案，剪纸镂刻精到考究，除常见的二方连续、四方连续的云纹、水纹、回纹、方胜纹、古币纹、如意纹外，还有繁复错落的寿字、福字以及寓意吉利的花鸟草虫兽物的单独纹样和适合纹样。这些用镊子才能夹起的剪纸片堪称真正的镂空艺术，其结构、形态极富条理和节奏感，构成中的对称美、对比美、均衡美俯拾即是，令人叹为观止。

归纳纸塑人的制作工艺，应该包括以下基本工艺流程：构思设计——骨架绑扎——屑料捏塑——工笔彩绘——纸塑剪贴——镂空纹花——色彩渲染——道具配制——定位插立。

假如需要，还可能增加填绣、绒球、头盔软巾、沥粉填金和其它材料的工艺处理，而这些多元的工艺技巧，均由制作者独立完成，可见民间艺人非同一般的高超技艺。

田村客家纸塑人与当地的花灯活动有如并蒂莲花竞相开放。无论红白喜事、祭祖供神，各类纸扎灯具烘托陪衬，平添不少神圣与喜庆。纸塑人或立于灯架之上，或攀绕灯沿四周，有的端坐花灯中心，有的干脆一枝独秀，以四尺之躯受人景仰，既可远瞻，又可近瞧，既随生者情思，又合亡者意愿，让人间充满浓浓的人情味和神秘的宗教意味。如此想来，赣南客家的纸塑人自发地传承几百年也就在情理之中了。

（《装饰》2003.12）

燕赵“鼓山”佛教石窟艺术

文／戎宁

一、“鼓山”石窟艺术的沿革

中国石窟寺始于公元4世纪，盛于5至8世纪，此后减趋衰落。早在东汉明帝执政时期佛教传入中国，自东晋至北齐的260年间，中国内地佛教日盛，传遍中原。由于北齐文宣帝高洋极度崇佛，在“邺”（今河南省安阳）建立了自己的政治、军事和文化中心。以此带动了晋阳（今山西省太原地区）为陪都的北齐文化区，形成了今邯郸境内从涉县娲皇宫，经邯郸峰峰矿山地区的南、北响堂山和小响堂石窟（水浴寺）艺术群形成了覆盖至临漳及邺城地区的具有历史意义的“北齐文化带”。

响堂山石窟（原名“鼓山”）是北齐时期开凿的一处具有价值的重要石窟。响堂山石窟在邯郸地区磁县峰峰矿区内。据当地碑文记载，北齐文宣帝高洋、高澄兄弟为纪念其父亲高欢及其他先祖的丰功伟绩而开凿此石窟，作为供养先祖功德保佑世代平安的道场而建造的石窟寺。

据史料记载，响堂山石窟亦名“响堂寺”。它分南北两处，寺之间相距约15公里。共存石窟16座，造像4300余尊。它始建于北齐文宣帝（公元550——559年）时期，初名为“石窟寺”，后改称为“智力寺”、“常乐寺”。石窟造像大部分主要为北齐时期开凿，造像的内容主要反映佛教思想和佛教文化，它是北齐时期佛教艺术之代表。如南响堂第三窟有《无量义经》、《维摩诘经》、《无量寿经》、《金刚经》、《无量寿、优波提舍偈文》等经文。南响堂山有大小石窟七座，他们分别分布在上、下两层岩壁之上；其中最大的是第一窟（华严洞）和第二窟（般若洞），它们是南响堂寺重要的石窟。北响堂寺共有大小石窟九座，第三窟（刻经洞）、第四窟（释迦洞）和第七窟（大佛洞），是北齐时期所建，其他六座石窟始建于隋、唐时期，它和北齐时期所建造的石窟，在样式上有相同之处又有一定的区别，是北方具有重要艺术价值及影响的石窟文化群。

二、造像艺术的内容与表现风格

北齐时期佛、菩萨等形象，面形圆浑，肢体丰腴，面貌神情虽不及北魏后期造像那样清俊灵彻智慧，但自有其朴实敦厚之优长。其身段姿态，有的或失之粗笨硬直，但有的都异常灵活多姿，令人敬畏。南北响堂山石窟的北齐造像，与麦积山石窟的北周时期的造像，有着共同之处，即它完全摆脱了只以清癯瘦削为美的观念，转而崇尚丰满健壮的美。从表现手法上和艺术技巧上，多采用圆浑，丰腴；朴实敦厚，其身段姿态灵活多姿，显示出具有北齐审美的艺术风尚。

据史料记载，北齐时期石窟造像艺术表现风格，多推崇曹仲达之技，成为当时雕刻与绘画艺术家的蓝本。如北响堂山第七窟“大佛洞”方柱左面龛的左侧胁侍菩萨，头面虽被人为破坏，但是从它那微微扭曲的腰部，下垂而略屈的右臂，特别是由于左腿的自然弯曲，脚尖踮地，全身重量落于右脚，这就使得整个形象静中有动，端庄中见妩媚，这是前所未有的艺术表现形式。在造像的组合上，南北响堂山石窟除了常见的一佛、二菩萨的三圣佛一组和一佛、二罗汉（迦叶、阿难），二菩萨的五尊一组的圣像外，还出现了一佛、二罗汉、四菩萨的七尊一组的罕见的组合。如北响堂山第3窟“刻经洞”。佛、菩萨和罗汉等造像姿态各异愈见其丰富优美的特色，是一个不可多见的艺术表现样式。另外，在响堂山石窟群中，有许多金刚力士及四大天王菩萨造像等从外面移入洞窟门内。这种造像组合方式体现出北齐和隋唐以后石窟艺术造像组合的发展趋势，具有很强的代表性。

中国开凿石窟寺始于4世纪以前，盛行于5至8世纪，后来开新窟渐少，但重新装饰前旧窟的做法比较盛行。这些石窟庵建筑性质和功能大致可以分为三类：一是殿堂窟，包括佛殿窟、佛坛窟以及窟内主尊为巨型佛像的大像窟，是寺院的主要部分；二是支提窟，又称塔庙窟，窟内有中心柱，主要供僧俗信众回旋巡礼和观像之用；三是禅窟和僧房窟，供僧人修行和生活之用，数量不少而单体规模很小，一般不进行壁画装饰。造像和壁画装饰主要集中在前两类窟里。由于各地自然条件有别，各石窟群装饰手法不尽相同，大同云冈和洛阳龙门石窟以施彩石雕为主；敦煌莫高窟和天水麦积山石质疏松，不宜雕像，以壁画和彩色泥塑为主。而南北响堂山的岩石是以质地坚硬的青灰色石灰岩为主要成分，非常适合雕刻，这同北方地质结构有着很大的关系。从艺术表现手法上分析，此地理结构使得雕刻艺术家大有用武之地，同时，为雕刻家们表现具有体积感的三维圆雕和高浮雕作品创造了有利条件，这是北方地质结构与西部地区在地质结构上的本质差别 。

就以北响堂山石窟第六窟为例：石窟最大的当属“大佛洞”它面宽约12米，进深约11米，中央有方柱，面前及左右两面都有一佛二菩萨的三尊佛龛。本尊表现出北齐造像新艺术风格的特点：面型圆浑、衣褶贴身，裸上身，现出筋肉起伏变化。其处理手法洗练，表现技法以匀称单纯的线为主，外形上一大片的光洁面表现体积和面，充分体现出其艺术表现上的“曹衣出水”的特点。此特点在南响堂山千佛洞的释迦摩尼立身像及菩萨像上更为明显。第六窟壁上的龛形装饰很华丽，雕刻技艺精湛，纹理具有仿真效果，更显其华丽庄严的特色，它和石窟门前的唐草纹等，都充分体现出了此时最新的艺术风格和样式，其中在这些装饰图案中有些图案十分罕见，开创了隋唐时期的装饰艺术的新风格和艺术发展趋势。而南响堂山石窟也有相似之处，一龛七尊的特点较为明显，如（佛、比丘、菩萨、天王、金刚）等的新组合形式，形成了隋唐时代比较流行的新艺术样式。

在造像装饰样式及衣褶表现手法上，南北响堂石窟也有其独特明显的特点。“它虽说没有云冈，麦积山石窟造像褒衣博带的北魏后期流行格式，衣褶处理不求如实摹写，也不用绘画性很强的阴刻线纹，而是以柔韧流畅的凸起的条纹，来表现轻软光滑的丝织衣料，并且因腴肢体的运动变化而呈现其褶襞。”这种衣纹处理手法，在隋唐时期更显其成熟，它被当时的雕塑家、画家所继承，并加以发展、完善，成为在一定历史时期艺术家刻、绘技法上的一种重要的有效的表现手段。据郭若虚《图画见闻志·卷一（论曹吴体法）》载：“北齐曹仲达者，本曹国人，最推工画梵像，是为曹，谓唐吴道子曰吴。吴之笔，其势圜转，而衣服飘举。曹之笔，其体稠叠，而衣服紧窄。故后辈称之曰：‘吴带当风，曹衣出水’”。这在记载中被理论界称之为“曹家样”、“吴家样”，它说明了当时雕刻与绘画艺术所推崇的艺术样式，它是此时画家、雕刻家追求艺术风格的重要蓝本。

小响堂山石窟，也称作为小响堂寺，它坐落于鼓山东坡，与北响堂寺隔山相峙，因其建筑规模比南、北响堂寺小，故而得名为小响堂寺。据该寺明代碑文记载：“兹寺在太行山之麓，群峦叠嶂，环倚左右，下有细泉一眼涧中……”，故又称水浴寺。此处共有两座石窟、两处摩崖造像和两座经幢。水浴寺分石窟和寺院两部分。东侧为水浴寺废址，窟前坡下有宋经幢两座。石窟及摩崖造像均凿于寺院的西侧，东西走向的一处低矮的石灰岩山崖壁上，总长22米，有东西两座石窟，摩崖造像两处，大小佛龛二十个。

西窟坐北朝南，始凿于北齐武平5年（574年）十月，历经唐、宋均有续凿。西侧石窟，其规模虽不大，但内容丰富，保存也较好。外壁面下部也是仿木结构，四柱三开间殿宇形式。上部雕大型覆钵，檐下无廊，四柱紧贴岩壁，门侧佛龛内有历史残像。窟内为塔柱，柱后面下为隧道，柱正面佛龛面对窟门。佛龛内一佛两弟子两菩萨，本尊坐佛通高1.75米，佛坛壁面凿5列佛龛，中龛雕宝炉，其它雕神王像、僧人。柱东西两面佛龛，与正面佛龛基本相同。窟前壁，门上方凿龛，内并列7列佛。门东西两侧壁面雕刻有千佛各64尊。窟的东壁、西壁，上部均雕有千佛，中部凿龛，龛内各一佛两菩萨。后壁即隧道的壁面各凿一龛，龛内雕造像。东侧壁面龛内一佛三裸体男童，龛下方也雕千佛。佛头部右侧刻造像发愿文：“武平五年甲午岁十月……元妃造定光佛并三童子……”这是北齐窟中唯一有纪年的造像龛，它对研究石窟是极宝贵的资料。东窟凿于北宋初年，位居西窟东8米处，进深2.1米，宽2米，高2米。三面造像不设龛。

在水浴寺的前面，有北宋端拱二年（989年）

三年和同年十月的经幢两座。东侧经幢高11.5米。东幢分5段，每段都有雕刻，是邯郸最大的最好的经幢，除刹顶失落外，保存完好，西侧经幢，除已丢失的上两端外，现存高8.5米。两座经幢均为八角柱，做工精致，有仿古建筑结构的屋檐，碑有古乐器箜篌，吹笙，有促点舞姿的歌舞伎乐天，个个静中有动，栩栩如生。柱身刻有《佛教顶尊胜陀罗尼经》和发愿文。小响堂寺的宋代经幢，堪称是该寺的唯一的具有史学价值的考古遗迹。它雕刻精细，艺术价值极高，对研究北齐文化与雕刻艺术都是重要的历史资料。

开凿石窟不仅要考虑地形、石质、朝向和交通等因素，还往往选在山川壮丽处，借助于自然景色，以衬托出佛国庄严，故有“天下名山僧占多”之句。石窟最宜在峭壁上开凿，但天然的峭壁不可多得，因此先要以人工造成峭壁，称为“斩山”。然后再开窟造像，如北响堂寺大佛洞、第九窟男甬道塔形列龛、中心方柱左大龛菩萨像、中心方柱正面龛、塔形龛、第九窟基坛神王、第三窟唐邕写经造像碑、南响堂寺千佛洞，第一窟左壁袁子才造像龛，第一窟阿弥陀净土变和水浴寺第一窟前壁左侧僧俗礼佛图、第一窟阿育王施土等处都是。这充分说明了石窟艺术的特殊性，它受天时地理的限制，以特殊的表现手法与自然山体相结合，塑造出具有永恒价值的艺术形象，而流传百世。

石窟艺术是佛教艺术的重要组成部分。正如黑格尔所说的宗教往往“利用艺术来使我们更好地感到宗教的真理，或是用图像说明宗教真理以便于想象”。宗教与艺术相互渗透又彼此交织而融合一体。在中国古代，我们的先民们创造出了那些顶礼膜拜的佛教石窟雕塑艺术，以象征和寓意的形象体现出佛教的基本思想。随着历史的发展，宗教的外衣逐渐被剥离，艺术的品质再次澄清在我们的面前。这或许是它的魅力所在。

三、结论

响堂山石窟的主要代表性山体，从南北响堂寺石窟与殿阁结合的特点来看，其形制为依山而筑，层层叠叠，浑然一体，具有当地特有的地理格局。响堂寺石窟是我国现存北齐王朝时期燕赵地区，具有代表性的大型佛教石窟艺术宝库。它的史学价值，艺术价值、文化价值等，都占据着很高的地位。它是北齐社会，政治、经济、建筑、雕刻、艺术、书法等的历史缩影。

（《河北省人文社科研项目成果》2003.12）

八、现代体验

我的《孔》与《洞》

文／孙伟

伴随着中国的开放，世界的信息涌入我们以前非常闭塞的社会，世界上流行的不同形式、风格、主义的艺术一下子呈现在中国艺术家面前。我们的思想中增加了一些新的不相识的东西。这些五彩斑斓的东西诱惑着中国的艺术家，使艺术家不由自主地想尝试它们、拥有它们，从中国的当代艺术家作品中可以看出许多世界艺术界流行样式的影子。

现实：当然，这些影子应该落在中国的背景上才会产生出光芒，才会引起西方的关注。一切试图对这个影子产生影响的艺术试验，要让国际“强势”的目光搜索到，就必须使用“红色”以外的“颜料”，并被“强势”认可，因此，当代中国许多艺术家纷纷附和着西方艺术来定位自己的艺术。

从另一个方面看，西方对中国独有的认识和印象，源于长期以来的了解和交往。中国是个变化极大的国家。150年来的变化是同社会动荡混杂在一起的。而变化和动荡是运动中突显的东西，易于被他人察觉和关注。但是在变化和动荡之中潜藏着的本质的东西是暗含着的，西方能否对中国、对中国的当代艺术有一个全面的了解，这需要他们从更深的层面来进行研究，才能准确地把握中国的现实变化和未来发展。

历史：自中国150年前“鸦片战争”以来，“西学东渐”已经有许多年了。这150多年来的文化发展同几千年积淀的传统中国文化相比，我们当今的中国艺术的确是“革命性”的，是一种新的力量和取向。

历史是不可以选择的，中国文化的发展，特别是当代文化的发展是同这个不可选择的历史密切相关的。150多年来，我国的政治、经济、文化主导者一直在为“富强”这个国家而努力“革命”，不断地寻求“救国”的新方式，不断地进行这样或那样的“救国实践”，“建立”、“推翻”、“打倒”、“革命”、“速成”一类的字眼和方式是我们150年来的主体，激烈的变革欲望已经写入了中国人的基因，我们没有时间和精力对一个“人本”的主题进行研究和滋养，以致于今天我们对历史的认识还基本停留在“改朝换代”的角度上。

中国人太想强国了，强烈到要牺牲一切来换取强大。中国的艺术家也是如此。无论是官方的或非官方的都在潜层表现着“斗争、变革、推翻、打倒、建立”的主题，这同中国的历史是紧密联系在一起的。

我的艺术：我是一个中国的艺术家，对中国的现实和历史又非常地关注，我试图用我的艺术来影响今日中国人的内心，来化解我的躁动和不安。

当我注视着每一扇敞开的小窗时，当我面对一个自然的山洞时，当我专注到某一个空间向里延伸的表面时，我会忘记我所处的纷乱的环境，我会冷落我内心的躁动而转向平和。我不断地在我的作品中进行着实验，试图用一种单纯的有机的方洞来吸引人们的目光，用目光这种生理的移动来完成心理的、内心世界的情结变化，以此来抗衡我们社会中那种无名的躁动和不安。

在我的作品中，“观念”变得古老，“行为”受到约束，我试图用一种平和宁静的视觉方式，来表达我对躁动的反感。

我希望人们，特别是中国人能平静下来，深入到一个平和的世界中去，去选择一种“人本”的生活方式，这就是我现在的艺术。

（《雕塑》2001.01）

中西艺术设计继承传统的两种模式比较

文／诸葛铠

世界上各国各民族都有如何继承文化传统的问题。由于生成机制、价值观念取向等方面的差异，代表东方文化的中国与代表西方文化的欧洲形成了继承传统的不同模式。相对而言，中国是恪守“终不异初”的典范，善于风格和技艺的承传，欧洲则在对“古典”的复兴与改造中创新。近20年来，中国的开放使西方文化蜂拥而入，让我们陷入既要继承传统、又要适应现代社会的两难困境，艺术设计（含传统手工艺）则首当其冲。对中西继承传统不同模式的比较研究，或许对解除这一困惑有所裨益。

一、从形成机制看两种模式的不同“基因”

中国和欧洲文化的形成处在全然不同的地理自然环境中，前者以独立发展为主，是民族性很强的华夏文化，必然以传统为重；后者是在东西方文化交汇点形成的多元融合的文化，更善于在“移植”中求变 。

（一）“大陆——封闭型”文化的上下承传

中国文化的形成期在夏商周三代，传统手工艺的形成期与此同步。从此时直至秦汉形成的华夏文化的体系，是以中原——汉民族为主体独立完成的。这与中国所处的地理自然环境紧密相关。这块地处东亚的大陆四面都有天然屏障，但大陆内部气候类型多、各种地型具备，而且腹地广阔，自给自足的自然经济能够得以持续。在这种相对封闭的条件下，中国传统手工艺在形成期就具有“自成一统”的个性和上下承传的发展规律。

1、统一的民族文化基础。由于原始文化的多元发生和广阔地域内环境的差异，至三代时中国传统手工艺已呈现出多样化的面貌。但以中原为核心的先进文化不断向四周扩展，逐步形成占据大陆腹地大部分地区的文化圈。以礼乐为内涵的民族文化，是中国手工艺形成期的统一基础。文化基础的统一性，极大地影响了它的承传方式。

2、上下承传的发展规律。伏尔泰曾经说过：中国的“帝国体制持续了四千年，它的法律、习俗以及服式几乎都没有明显的改变”。从源头看，三代的青铜器和玉器即有上下承传的继承性。夏代的铜质礼器有许多从龙山文化的陶质礼器演化而来，而商继承夏、周继承商，这种前后相继又有所“损盈”的继承方式，有效地维护了华夏文化的民族精神，也是形成华夏民族的重要纽带。

（二）“海洋——开放型”文化的多元融合

古代希腊被视为欧洲文化的发祥地，它的地理自然环境与中国有很大差别。作为希腊文化前源的克里特岛和伯罗奔尼撒半岛南端，负山临海、气候温和，但腹地狭小。希腊本土多山少平原，土地贫瘠。因此，他们或者依海为生，或者通过贸易和移民力求向海外拓展。而地中海东部位于欧亚非三大洲之间，那里的文化交流自然很频繁。因此，希腊文化一开始就有多元兼容的性质。

1、多元的民族文化基础。克里特人主要由西亚移民组成，也有北非移民的成分，他们的文化和手工艺不能不受多元文化的熏陶。以早期的希腊陶瓶为例，几何纹时期的几何纹和几何化人物有明显的埃及特征；东方纹样时期不但有埃及，还有亚述和叙利亚常见的装饰题材，如棕榈、莲花、狮身人面、狮身鹫头等 。在此后的欧洲手工艺的发展中，兼收并蓄的特点得到发扬光大，形成了与中国一脉相承全然不同的继承方式。

2、传统的多重性。古代欧洲经过马其顿王国和罗马帝国的扩张，手工艺传统变得多重而复杂。“罗马帝国拥有如此辽阔的版图，这使它产生了众多的工艺传统——东方和西方的，叙利亚、希腊、埃及和克尔特人的。帝国发达的交通体系不但带来了产品之间活跃的贸易，而且使得生产者在观念上的交流成为可能”。罗马全盘接受了希腊神话和希腊的柱式体系，继承了希腊的赤陶技法，又从西亚学到了拱券技术，从叙利亚学来了吹制玻璃的技术，从埃及学来玻璃镶嵌技术。同时，罗马手工艺广泛地影响了帝国疆域所至的地区。如罗马制作兵器“焊纹剑”的技术，直到中世纪早期还流传于北欧、中欧和西欧的许多国家。对他们来说，似乎不存在一个民族不可变的传统，有用的便可“拿来”。

二、从本元精神看两种模式的不同继承观念

任何民族都有自己的宗教信仰、价值体系，由此形成的精神文化都会长期影响一个民族的生活方式、思想行为，以及艺术设计的继承观念。就此而言，中西双方的差异十分明显。中国以儒家思想为内涵，主张“法古”而兼顾因革；欧洲以人文精神为内涵，主张变古而趋时。

（一）“法古”而兼顾因革的继承观念

汉武帝的“独尊儒术”和文化大一统政策，使春秋战国以来空前活跃的手工艺趋向沉稳，博大宏伟的中国艺术风格从此奠定。此后的两千余年，中国主要的精神领袖只有孔子一人。历史已经证明，儒家思想维护了中国传统文化的完整性，同时也有意无意地阻碍了它的创新。

1、“法先王”的典范。生活在春秋晚期的孔子主张用传统礼制来治理动乱的社会，即以“先王”(周文王)的礼法来规范上层社会的行为举止。儒家提倡的礼的内涵十分丰富，但核心是严格区分尊卑等级以正名分，衣饰、器用、车马皆需与名分相符。因此，器与名都被统一在礼制之中。“器者，所以藏礼也，故孔子曰：唯器与名不可以假人。先王之制器也，齐其度量，同其文字，制其尊卑……”因此，中国历史上曾有世界上最完备的舆服制度。儒家思想十分重视器与名，对于越制越规的服饰器具则一概视为非礼。可见维护礼制名分、承传文化传统的强烈意识。

2、根深蒂固的“华夷之辨”。儒家在“法先王”的同时，极为重视被称为“春秋大义”的“华夷之辨”，以排斥外来文化的影响。上古时中国已形成“内华夏、外狄夷”的思想。春秋时四夷进入中原威胁王室，诸侯往往用“尊周”、“攘夷狄”的旗号以求霸业。儒家不但拥戴“尊周攘夷”，而且是这一思想的传播者，使之历千年而不衰，并曾经阻碍各民族间的文化交流和中外间的文化交流。历朝历代除唐代敢于大胆吸收外域文化外，其余大都主张自守。几千年来，华夏各族间、中外之间的文化不可能没有交流，但当我们检讨历史时就会发现，这种交流始终不能影响传统手工艺一脉相承的承传方式。

(二)变古而趋时的继承观念

希腊、罗马有许多著名的哲学家，但他们没有一人能像孔子那样成为一个民族千年不朽的精神领袖。因为欧洲人虽然重视传统，但更重视现实和人，必然要变古而求新。当求新的欲望达到高峰时，又必然会追逐时尚。

1、“古典”因时而变。欧洲各国各族间文化的交融，形成了共同的传统标尺——古典。“西欧近代世界的黎明时期把古代世界看成古典，把古代的文化艺术视为典范，从古人那里探求人文主义精神的典型理想形象。因此，‘古典的’变成‘希腊罗马的’同义语。”确立古典概念的文艺复兴时期已离罗马帝国千年之遥，此事本身就是对中世纪传统的突破。所以有人评论:“鉴于米开朗基罗打破了曾限制他们创造的一种传统桎梏，所有的艺术家永远对他感恩不尽”。而当时对古典的崇尚，主要是“人文主义精神”，创作的源泉是人和自然。传统手工艺中，金银器制作因往往受教会主宰而保守，但意大利陶瓷、威尼斯玻璃、北欧的家具则呈现很强的创新趋势。意大利陶盘甚至将世俗的生活场景画在器皿中作纪念品陈列。文艺复兴后期，传统又一次遭到背叛，出现了违背人文精神的矫饰主义，并演变为17世纪的巴洛克、18世纪的洛可可风。求新求变成了欧洲的主旋律，传统手工艺也随风而变。

2、追逐时尚之风。一般来说，时尚与传统是相悖的。只有当怀旧成为时尚时，两者才能协调。欧洲追随时尚的风气起源于18世纪的法国宫廷。20世纪以来，在现代派艺术的刺激下，西方艺术设计产生了与传统全然不同的风貌，这股风甚至吹进了保守的教会。自罗马皇帝君士坦丁皈依基督教以来，教堂建筑及装饰风格在缓慢地变化，从罗马到哥特式，再到文艺复兴和巴洛克、洛可可式、尽管日趋华美，但传统格局没有大变。然而，自20世纪以来，教堂的变化大得让人不可思议。高迪的圣家族教堂、柯布西耶的朗香教堂、埃洛·沙里宁的教堂室内设计等等，传统几乎不见踪影。相比之下，中国的庙宇世代少有变更，现代建的新庙也一如旧制，这或许能说明两种继承观念的差异。

三、传统在折衷主义中“再生”

以上对两种模式的粗略对比，并不说明谁高谁低。然而，现代社会使东西方文化逐渐靠拢。如果说西方进入现代化社会是长期渐进的，那么中国接近现代化就比较快速，甚至是突变。尤其是在目前这一经济和文化的转型期，传统手工艺只能在折衷主义中求生存。

(一) 西方文化挑战中国传统

中国传统文化受西方文化的冲击近代已经开始，使我们的衣、住、行逐渐西化。20世纪80年代以来，这种西化急剧加速，并波及价值观念、审美观念等许多方面。工业设计、室内设计、服装设计等率先摹仿西方，成了中国艺术设计的主流。传统手工艺则一脉相承地保持着清代的风格，面对现代社会显得难以适应。

1、传统是个变量。在历史上，传统手工艺与社会经济和生活方式是浑然一体的，处在有机的生存状态中。这种生存状态包括自我更新的机制，即因袭与变革的对立统一，充分体现出传统是个变量。中国近代的社会变革出现了新的政体，但没有带来工业化。传统文化经过“五四”运动的洗礼适应了新的社会形态，而传统手工业则在“中学为体、西学为用”的夹缝中徘徊，解放后也大体如此。传统固然是个变量，但中国现代之变是以放弃传统为代价的，传统手工艺已是硕果仅存。

2、现代生活方式与“两种文化”。中国现代之变的根源是生活方式的改变。20世纪80年代以来，中国人的生活方式在很大程度上已与西方接轨，价值观念、审美观念就不能不变，并由此形成了不同层面的两种文化。一种可称为“高雅文化”，它是代表国家形象的文化，既有中式的，也有西式的，风格清晰而庄重。另一种可称为“时尚文化”，是宽松自由的市民文化，基本上是摹仿西方的风格，传统文化只是点缀。可见，当我们从文化禁锢时代走向文化开放时代时变是不可遏止的。

(二) 折衷主义的大趋势

在现代“和而不同”的世界文化格局中，东西方之间的差异仍然会长期存在，其根源是文化传统的不同，而传统手工艺则往往转化为一种装饰风格，依附于现代产品而“再生”，这就是“折衷主义”。在西方，后现代主义设计把传统装饰要素视为重新升起的“明星”。在中国，20世纪90年代后期设计艺术领域也出现了“古典热”。它的形式是中西合璧的，观念是折衷主义的。如建筑的古洋结合外观；服装也走出“崇洋”的深谷，出现了民族样式的西服等等。我们自我封闭了几千年，又追随洋风几十年，需要调剂口味时则与后现代主义不谋而合。再生的传统往往是一种形式和符号，它的内涵多半已随着时代的变迁而流逝。然而，这些形式和符号毕竟是中国人喜闻乐见的，或许，这就是传统装饰艺术在现代社会的归宿。

（《装饰》2001.02 节选）

雕塑创作中的理性活动及科技介入

文／龙宏

不论何时，科学发明总是在前人已经有所发现的基础上继续前进，而艺术创作无论什么时候总是从头开始而不是在别人创作的基础上再继续。于是作为雕塑的形式构成（结构、体量、容积、线条、质感、肌理等等）的优劣完全取决于作者的知识修养和艺术水平，而雕塑的加工制作则直接受社会生产力水平的制约。在较早的石质雕刻中，唯恐凿入石料过深而削弱石料强度，导致许多石雕只能保持石材的浑体，难以对强烈的动势、节奏、大的转折、扭曲等等有所发现，且整体上均局限于金字塔式的稳定造型。随着科技的发展，雕塑的艺术表现受材料方面的限制逐渐减少。除大量新型工具的发明、工序的革新和加工技术现代化，还开发了许多新材料，诸如玻璃钢、合成塑料、人造大理石、不锈钢、合金铝以及现代高科技产品钛等等，这些都为雕塑艺术创作提供了广泛的可能性。

在近代著名雕刻中，《自由女神》像是科技与艺术的综合产物。雕像连同底座高达100多米，外部无支撑或依托，而且是建立在时有狂风骇浪的贝德洛斯岛上。即使在科技高度发达的今天，这仍然是一项相当复杂的任务。建造这样大的巨像，无前车可鉴。如何处理放大后必然产生的透视和比例变化，整体与局部的关系、重心把握等等问题，均无现成经验可循。为求得这些问题的稳妥解决，作者巴托蒂采用了行之有效且至今仍被普遍采用的找水准点的放大方法，按照动态、结构、衣纹等方面，共找了300多个主要点和1200多个次要点，逐步放大，逐步调整比例，逐步修改提高，逐步趋于完善。材料上为便于加工和运输，并考虑到充满酸性化合物的空气腐蚀而选择了纯铜片。制作上大胆采用古老的凸纹敲花法。用厚仅2.5毫米的铜片制作高达46米的巨像，如何坚固地竖立起来，而且还必须经受得住飓风暴雨的袭击和摇撼，这在当时还是史无前例的课题。著名铁路桥梁专家埃菲尔运用他所掌握的金属施工的丰富经验和理论知识以及在桥梁建筑实践中业已证明的应力数学原理，创造性地应用了大型悬墙结构，使整个雕像内部就像由主干、分支和树叶组成的大树一样的有机整体，各个部位都独立支承，铜片之间互不依赖，而是随数百个构成悬置系统的部件“漂浮”。这个错综复杂的框架式结构具有一定的弹性，它能以微妙的伸缩变化适应材料的热胀冷缩现象，同时也具备了抗不同强度的风压的能力。它既显示出非凡的想象力，又具有严密的科学根据。在100多年后的今天来看，其对框架结构、钢筋混凝土、酸性转炉钢、载客电梯、电气照明、凸纹敲花术等科学技术的综合运用，应当承认是一项伟大的艺术成果。

在科技高速发展的今天，从某种程度上可以说先进的加工、制作技术也成为雕塑创作的一部分。今天有些雕塑作品已不是完全地出自雕塑家之手，也要依赖于各种类型的机床和磨具等先进工具的使用。对材料质感及表面肌理的表现已成为雕塑语言不可分割的一部分。诸如强调肯定而精确的金属结构；素静的色彩与镀铬的钢架相对比以表现“工业感”；模压、挤压、吹塑、吸塑等等制作法的应用，使雕塑家感到莫大的创作自由，可以用它来任意制作奇幻的雕塑和雕塑般奇幻的产品……激光全息、声控液压、传感制动、流体力学、共振原理、计算机辅助设计等等现代科学技术的广泛应用有助于雕塑寻找更自由、更多向化的发展道路。从本质上看，一件艺术作品的全部价值只有通过艺术家与观赏者之间的双向情感及理性交流(以艺术作品为中介)才能得以完全实现。而对雕塑的观赏也已不再仅仅停留在静止的三维空间，对移动视觉及其心理感受的要求不仅来自观赏者，同时也成为雕塑家的创作课题。

我曾经在研究生毕业创作时做过一个试验，尝试将自动控制技术应用于雕塑创作。在最初的构思过程中，我首先考虑的是以何种运动、控制方式去表现哪一类题材。控制的目的是为了引导观赏者的行为参与，而运动方式的设计则要求服务于对主题的深化。就运动本身而言，应该说较适合与丰富、流畅的线条，抽象、概括且富于节奏的形体以及活跃而非严肃的针对性不强的内容相联系。作为第一次尝试，原则上以不过多涉及机械传动方面的加工为前提。而旋转运动由于各种电机的普及而成为最直接，实现起来最方便的运动方式。鉴于电机从功能上又分为连续旋转与步进旋转两大类，选择步进电机是由于其转速可通过对激发信号频率的选择而任意设定，而我恰恰需要这种间歇缓慢旋转以避免“玩具味”。更重要的是，这种运动方式表现为一种力度、一种不平衡中的相对平衡、一种对峙。当时在国内从理论到实际应用都较为成熟的行为制控，有红外、感应、接触、压力等几种方式。

雕塑创作既浪漫又严肃，是感觉与理性相互交织，而雕塑的加工、制作则几乎就是一项繁杂、艰巨且毫无浪漫可言的理性劳动。“泥瓦匠”、“木工”、“石匠”、“车、钳、铣工”等等所有这些针对雕塑家的称号皆出于此。雕塑家也确实是心甘情愿地接受了相应的体力活。因为直觉和经验告诉他们，摆在面前的那堆泥、那块木头和石头、钢筋以及那冰冷的金属中蕴含着生命，蕴含着美。

在不远的将来，我们还将面临更多的课题、更多的挑战。面积和空间的相对减少（人口日益增多）使得我们在从事大型城市雕塑时最终不得不考虑其综合功能。既然雕塑能够作为建筑的一部分，为什么就不能在整体上成为一座建筑?后人毕竟身处新的时代，面临新的问题，毕竟要发展、要创造。

由于新材料、新工艺的广泛应用，使得雕塑家能够通过作品表现对空间的重新认识。那种以体积或重量为其主要特点的传统雕刻已不占统治地位。对雕塑的穿孔、镂空使我们不再感到雕塑对空间的阻断，相反，我们了解空间与外形是同一回事。于是，雕塑开始向空间渗透，与空间相互包容，甚至界定新的空间。国立美国历史博物馆前的雕塑《无限大》，可使观赏者认识到物质存在的空间与时间二重性，尤其观赏者可以看到高光和阴影在作品光滑的表面上随它的位移而运动、变化。

上述对空间的再认识不仅意味着雕塑从观念到材料到形式语言的创新，更重要的是意味着向观赏者提供更多、更主动、更直接地介入对艺术品的审美，从而实现对作品的再创造，这正是艺术家的责任。

现代最新科技成果的综合开发和利用为我们展示了更加广阔的前景。我们的目的不应该是复写自然，而在于利用我们所拥有的文明去创造一个高于自然的自然。

（《美术研究》2001.02 节选）

湖北美院研究生大胆创新：光成为雕塑媒体

光线在雕塑创作中的运用，一直被艺术家们所忽视。湖北美术学院研究生李剑峰将树脂材料用于雕塑创作，大大丰富了“光”对雕塑的意义。

在近日举办的“2001 年湖北美院研究生作品展”上，李剑峰创作的三尊树脂材料雕塑，给观众耳目一新之感。奶黄色透明的树脂，被塑成岩石的造型，内面空心部分，沿圈贴满宣纸，宣纸上是浓妆淡抹的中国山水画。柔和的光线渗进雕塑内，又折射出来，透露出一股暖意，绝妙而且立体地表达了“山色空　雨亦奇”的中国画佳境。

雕塑一般都用青铜、石头、木头等实心体材料，这些材料易于表达作品的坚实感、力量感。专家分析，树脂运用于雕塑，则可以控制雕塑的色彩，因此拓展了雕塑空间的含义。“光”成为雕塑媒材，大大增强了观众的视觉信息量。

（《长江日报》2001.06.26）

雕文塑字
——雕塑艺术语言的当代性初探

文／侯军

在寻求雕塑艺术语言的当代性方面，在不断的摸索过程中，我渐渐地将研究方向锁定在雕文塑字的范畴内，依据文字的内涵与外延，结合中国古建筑的榫卯结构和现代构成因素，综合文化、地域、环境等要素，进行雕塑设计，特别是在城市雕塑方案设计方面的应用。中国的文字造型，原本就由形象性起始，再加上笔画的间架结构及方格性等特征，极具造型艺术特点，由此而产生的书法与篆刻艺术，更是东方文化艺术的瑰宝。这些独具艺术魅力的文字，为什么不能进入我们艺术家的创作空间呢？正是这一问题的提出，促使我在这未曾触动过的处女地上，进行着触摸与探问。利用我所发现并引入雕塑领域的建筑材料——蒸压加气混凝土砌块，在不断对其材质语言的揣摸中，又将这一材质应用到雕文塑字的探索实践中。

应岱海旅游开发区的邀请，我选择“岱海”二字构成雕塑方案：首先打破文字原有的间架结构，使笔划间互相穿插，采用中国古代建筑中的榫卯结构，结合现代立体构成原理，将文字整体化。

包头是内蒙古最大的城市，1996年5月3日遭受过6.2级的大地震。我将构思调整为地震灾害后重新耸立起来的形象。“包头”二字除了采用“岱海”一些有关变化处理手法，还借用了亨利·摩尔一些造型手法，将“包”字中间的方口变形为圆的空洞，形成了与“头”字上面二点转化而成的两个球体的对应关系，两字可一字排列，也可八字排列，或错位平行排列。

《鹿城杯》是为“‘鹿城杯’内蒙古首届城市雕塑方案展”而设计的。是以蒙文字为造型语言，用砌块材质雕凿而成的一幢建筑模型。考虑到大多数人不懂蒙文，在上边加了一只仿战国时期的卧鹿，点出鹿城之意，卧鹿更深层的含意为面对美丽的家园，鹿回到了自己的家乡，故乡已经是它安居乐业的归宿。

大连要建体育雕塑，我将“大连”二字变形为速度感和运动感极强的倾斜字体。两字无论一字排列，或者是错位排列，均能创造出一种你追我赶的动态。

南京市征集市花雕塑，我以“南京”二字为造型设计语言，将六朝古都“南京”二字做适形变化，组成一鼎的造型，鼎为梅花盛开。

《盛世华章——申奥成功纪念》是以2008的字型为龙的造型，结合奥运五环和中国申奥标志而成。奥运五环为龙首与“2”的字头相组合，从五环处引出五条彩线，盘旋成龙舞之势。变化中呈现2008的字体，在“8”收尾处连结中国申奥标志，呈舞龙状。为了固定这一造型，在2008四字间隙下部，将“China”、“2001.7.13”三组字分别焊接在五线上既是一种纪念碑式的碑文，又是五线谱上的音符，高奏着盛世华章。

《杭锦后旗》是我参加该旗陕坝镇的城市雕塑设计稿。本方案以“杭锦后旗”的蒙文字体为造型元素，三个词组的字头均为同一字母，字形极像“中华第一龙”（五千年前的碧玉龙，内蒙古翁牛特旗出土）的形象特征。

我还在进行着一系列的以文字为内容的雕文塑字探索，除了以汉字为主的雕塑设计外，还将蒙文、英文、数字等字形，融入雕塑的语汇中，不断地探讨其艺术语言的当代性问题。将文字引入空间，成为雕塑的新语汇，这是一个未被开发的新领域，有着十分广阔的天地可供雕塑家驰骋。祖国丰富的文字艺术遗产，有待于我们的研究与开发。文字的三维化，在现代设计中有着广泛的应用前景。

将平面的字形转化为立体的体块，首先要注意文字的正面律：既要保持文字的可读性，又要创造出全方位观赏性与艺术性。从文字本身的间架结构与内容上，结合雕塑所处地域、环境等的要求，所使用的材质特征等，进行全方位综合设计，即可以产生出独一无二的特色鲜明的雕塑艺术，她将极大地丰富雕塑艺术的语言，特别是对时下形成一种趋势的符号化城市雕塑的泛滥，将起到一种对抗作用！那些大量雷同的、克隆化的速成品，在雕文塑字面前是无计可施的。因为你所设计出来的雕塑作品，只能是具体特定环境中的产物，它只能立在那个特定环境之中。离开此地克隆在彼地它是无法树立的。就如同将蒙文的呼和浩特的地域标识，偏要放在古都西安，它只能在无知与可笑中塌毁！因而将文字融入雕塑的语汇中，形成雕文塑字，在城市雕塑和标识性雕塑作品中，是一般的雕塑语言难以表达的。它将使城市雕塑的语言艺术更加丰富多彩，也将有效抵制城市雕塑中符号化的克隆灾害！

我的雕文塑字的初探，只是在黑体字方面做了些摸索。而祖国的书法篆刻艺术的丰富宝藏更有待于自己进行深入的研究与挖掘。特别是雕文塑字不仅仅是在雕塑领域大有可为，而且在建筑造型上同样也有着十分广泛的应用与推广价值，对改变我国的传统建筑艺术更有着不可低估的作用。

（《雕塑》2001年增刊节选）

站在悬崖上的艺术家们
——关于蓬皮杜现代艺术博物馆

文／冯骥才

我常常感到人的自身资源同大自然资源一样，都有走向枯竭乃至终结的一天。比如当今的男子百米赛跑、标枪和跳高的成绩，差不多都到了尽头。那么人在科学与艺术上是不是也会这样？我原本以为，人的身体属于物质性的，物质总有极限；科学与艺术从属精神，精神的创造力则无边无涯。可是，一走进蓬皮杜现代艺术博物馆我就变了。整个人类已经江郎才尽！

巴黎的三座博物馆基本上构成西方的绘画史。

卢浮宫是古代，奥塞博物馆是近代，蓬皮杜是现当代。比起卢浮宫和奥塞，蓬皮杜始终冷冷清清，人影寥落。当三三两两的参观者穿过这座现代艺术馆——特别是20世纪后40年那部分展品时，面对挂在墙上的烂布、丢弃一般横陈在地上的生活废物、破钢琴、花玻璃、乱眨眼的霓灯、不知所云的怪诞的事物——我当然会知道这些作品属于哪一个现代流派——可是普通观者脸上的表情却一律木然，露出困惑与疑难。完全看不到在卢浮宫和奥塞中达·芬奇、德拉克洛瓦、莫奈、罗丹和梵高作品前那种人气鼎盛和激情难抑的场面。难道人们的欣赏习惯从来都是偏爱古代艺术，现代艺术只为了留给未来的人抑或外星人看?

自从人类美术的中心转移到法国，就进入了“日新月异”的时代。我知道，简单地把缘故推给法国大革命——那种过激的反保守的革命思潮是不公平的。因为从印象主义、后期印象主义直到抽象主义等现代主义诸家流派中，的确诞生了大批可以传之后世、光彩照人的绘画杰作。然而，从绘画史的进程看，20世纪以来流派更迭的速度日益加快，并且愈来愈快。特别是在毕加索时代，他自己就领导着几个艺术运动。他翻手为云，覆手为雨。他既是创作者又是自我的颠覆者。人们赞赏他这种“自我否定”(或称自我革命)的精神。但无意间，绘画史进入一种以不断否定自己作为进步标志的荒诞的思维模式。人们狂喜于艺术面目的翻新，并因此一惊一乍；相信谁有本领否定现存的一切，谁就是新时代的领袖。历史好像进入一个怪圈，从此就再没有人从这荒谬的逻辑中清醒过来，反而在20世纪的后半叶愈演愈厉。无数流派争相突起，走马灯般称雄画坛，走火入魔，标新立异，然后便把这一切留在蓬皮杜了。

在蓬皮杜现代艺术博物馆中，给我最强烈的印象是“当代”部分。自从杜尚把卫生间的坐桶搬进博物馆而惊动一时之后，艺术家们已经耐不住性子去坐在画架前一笔笔地去画。他们先琢磨出一个“前所未有”和“惊世骇俗”的想法，然后动手去把一些从来没有出现在博物馆里的事物搬进来，就算成功了大半；其余的就交给媒体炒作和评论家们去阐释。比如椅子、烂白菜、垃圾袋、汽车残件、防毒面具、不成形的乱铁条、棉花等等。尽管从波普艺术、布面绘画、硬边艺术、新现实主义到极简主义、欧普艺术、动力艺术，都有它们出现的合理性，有时代背景的效应。而且它们也有对抗工业化、主张回归自然、倡导平民化等一些“思想”，但它们大都是概念化的。它们的工作只是解释这些概念而已。它们在“艺术”上所凭借的不是创造性的艺术生命，最多只是一些创造性的形式，来张扬他们的革命主张罢了。他们的主张就是反对表现主义的情绪化和个性化，反对艺术中形象的意义，一句话——反绘画和反艺术。它们是靠造反起家的。

当这一历史思潮成为主流之后，艺术中概念的位置愈加重要。最典型的例子便是杜尚举办的一个展览，题目为《空》，所有展室的四壁皆空，一无所有。艺术不存在了。只剩下他这个“超人”的概念。

在蓬皮杜中，还可以看克莱因的《蓝色裸女》。五个裸女浑身涂满蓝色，趴在白色的画布上一压，便是这幅波普艺术的名称。评论界称赞他“不用表现主义和写实主义的腔调叙事，而是毫无个性地把主题呈现出来。”他的成功的诀窍无非是一种“史无前例”而已。而另一件作品则是最低限主义艺术家安德烈的《六十四块铜板》。他将模拟黑色方形铺地的石材的铜板铺在展厅中央的一块地上，作品随即完成。这件作品最能显示大名鼎鼎的安德烈“艺术像自然一样存在”的主张。

如果没有人解释或说明，谁能猜想出艺术家的意图？艺术成了捉弄人的迷宫，欣赏变为猜谜；艺术家是从概念到作品，欣赏者则要从作品寻找概念。前者很容易，只要突发奇想便能完成；后者却很难，他们无法破译艺术家们这种荒诞的天书。现代派是不断自我颠覆的圈子内的历史，观众始终被拒绝在圈外不理不睬。应该说，现代派艺术运动是艺术家与观众相互漠视的运动。故而在蓬皮杜中能够使人感兴趣的只是两个用蓝色毯子蒙头裹身的“人”，躺在地上睡觉；作者在“人”的身体内安装了机器装置，两个假人一呼一吸，仿佛是真的。它们挺有趣！我没有去看墙壁标签上作者的名字。我知道这是波普艺术家玩的把戏。不管批评家把它说得多么重要，在普通观者的眼中，它不过是一个成人的玩具。

一同去参观的朋友问我，这作品究竟想表现什么。我说，他们是反对表现的。我的朋友说得很好——他们实际上又是在强烈地表现自己。

现代社会的浮躁与嘈杂，使得艺术家不能长久在画室中甘守寂寞。媒体霸权迫使他们抛头露面和张扬自己。故而愈来愈多的艺术家，失去了古典大师们那种永恒的理想与完美的追求。他们太想一鸣惊人，而最能引起注目的方式不外乎颠覆现存的艺术，可是用艺术本身很难改变一个时代，除非你是罗丹或梵高。最直接有效的方式，就是用一种主张或一种概念，加上一种行为。因为只有用概念才能一下子把别人推翻。所以，现代主义的艺术家愈来愈少动手去画。这一来，观念艺术、装置艺术和行为艺术就更加盛行。

1999年，巴黎市政府为迎接新世纪的来临，邀请世界50位雕塑家把作品陈列在香榭丽舍大街两边的边道上。作品中大多为装置艺术。比如一个巨大的三层楼高的大铁网筐内，堆积着各种垃圾，小到易拉罐，大及废汽车；再如八辆陈旧的老式手推车围成一圈，有的车内放的全是破餐具，有的都是废护照，有的一律是婴儿使用的奶嘴。诸如此类，大多象征着"世纪末的颓废与失落"，既浅陋又概念化，这因为装置艺术本来就是概念化的产物。

站在香榭丽舍大街上，我毫不为其所动，见若未见，却只感到一种人类智慧与才能的尽头感。到底是一百年来人类缺乏那种照耀古今的大师，还是自己把自己引入了歧途？

在当今，现代主义这条道路上已经挤满了庸才、蝇营狗苟的名利之徒、一夜成名的梦想者。在巴黎，我听说那几天有两位中国的"行为艺术家"在伦敦街头表演吃屎。前边一位蹲着拉屎，后边一位趴下来吃，据说这空前的行动还上了电视。奥地利激浪艺术家布鲁斯在1967年就表演过当众拉屎，已被视为极端。而这次吃屎则是又一"新创造"。但他除了给"好事的"媒体提供一点花边之外，决不会载入艺术史册的。

蓬皮杜现代艺术博物馆的建筑本身就是现代主义的产物。这座建筑将所有埋在内部的各种管线，一律暴露在外。体现了建筑师赋予它的一种"逆反"的意义以及暴露欲。建筑落成，惊动世人，因此成为巴黎一景。如今它早被近20年形形色色的现代建筑所埋没，而暴露在外的管道，容易锈蚀损坏，很难维修，不但少了欣赏价值，反而成了管理上的负担。这建筑本身，不也象征着它内部陈列着许多作品的命运吗？它们最终的意义不过是证实自身的历史，给人们留下的印象却是一种历史的荒谬和疯狂。

然而，人类的艺术史决不会在现代主义一条道上走到黑，除非人类宣布自己已经退化。那么，什么时候转过身来——站在悬崖上的艺术家们！

（《美术》2002.01）

重置时空

文／韦天瑜

在现代哲学中，空间概念已经成为动态的观念，而不仅仅是一个实物占据的三维空间，它包括了一种内在的存在，这和传统的几何学的静态自然观截然不同。存在包括时间的维度，所以在多维空间中的多维时间不是简单的移动中的两个相距的点，也不是许多点的总和，而是许多运动的点的相遇，它还充满着内在可逆转性。人们虽然能够越来越快地用最短的时间赶往最远的地方，但是对于距离的这种消除并没有使他们接近或者了解周围的世界。人们生活在万物之中，但这些事物的物性实际上对于他们仍然是陌生的。他们需要一个领悟的过程，生存的领域不是某种已经被给定的事物的自省的感知。海德格尔说："直觉与思维是领悟的两种远离源头的衍生物。"他们也需要一个发现其内在存在的过程，去发现向存在敞开的存在。这些正是一系列复杂的时间多向过程。

对时间空间存在方式的重新思考从20世纪初就开始了，但它在视觉艺术中的普遍展开，主要还有赖于多媒体新技术的迅猛发展。我们可以看到，在20世纪下半叶，许多艺术家致力于利用多媒体的各功能进行探索。他们在行为艺术、表演艺术、偶发艺术、装置艺术、录像艺术和数码艺术中，通过令人眼花缭乱的图式创造来变换时空。实际上，他们不仅是在捕捉时间和重塑时间，而且通过快进、穿插、减缓、剪辑和重组时间，他们也重塑了人类的思维空间和生存空间。

早在1878年，就有一个叫莫布雷杰的瞬间摄影先驱者，他对杜尚（Duchamps）以及20世纪50年代后先锋派电影制作家弗兰普顿(Frampton)产生了深远的影响。他在拍摄奔腾的马匹时，第一次完整地捕捉了那些看似真实的不连续的运动。他用12个照相机排成一列，在快门上放了一条联动的装置，一直伸到马行进的路线上。当马在照相机前经过时，快门以1/200秒拍下图像。当然，这只是一个潜在的想捕捉时间的愿望。劳森伯格（Rauschenberg）是一位较早尝试艺术和摄像结合、表现流动时空的视觉艺术家，他和电子工程师、音乐家、舞蹈家一起合作作品。他的《Open Score》（开放的歌谱）中，让大约500名志愿者集聚在一起，表演着简单的动作，这些均被拍摄下来，并投射到三面巨型屏幕上。同时投射的还有网球运动员表演的动作。早期的摄像艺术可以视为对表演的纪录，或者通过“表演”展延空间和时间。

在20世纪60年代，出现了一批在摄像艺术领域运用图像处理和调色装置的现代艺术家，他们对新时空观的表达方式作了很多尝试。韩国的白南准(Nam June Paik)即为其中的代表。他于1963年在德国一个画廊中挂满了电视机，他为了区别商业电视的播放形式，把一些电视机放在地板上，一些放在两侧，从而打破观众看电视机的正常视角，使我们重新关注电视即时传输图像的能力并意识到电视不仅提示了瞬间，也表达了直接的以现在时方式反馈的原始数据。

艺术家们进一步加强了对时间的探索，他们通过多方面策划、合作，尽可能地利用多媒体来最有效地完成整个行为。他们从最初以多种方式控制单一录像机，发展到利用多台显示器或投影以及多盘录像带来极大提高图像数量，使整个电视装置更有力地配合其它表演和设想去拓宽表述的语境。

艺术家们在注重时空的流动中，自然地引起了观众最大限度的参与。在许多装置作品中，观众实际上进入了作品的本身，体验其中的感受。观众和作品越来越融合，作品和观众间的界限越来越模糊，形成了类似弗洛伊德心理治疗环境，或是经常以虚拟的方式展现出来的现实的人文环境。

多媒体数码技术确实使得时间和空间的可变性被空前的扩展了，图像首次在人类历史上成为一个时间和空间的动态体系。存在于电脑中的永远变化中的世界以及电脑创造的虚拟世界，生成了一个交互式的艺术世界。人类通过对艺术的认知，促使其对自身的存在作更深层次的思考，对时间和空间的不断研究，提供了一个敞开与安置的平台。人类在此沟通、聚集、诞生、死亡、祝福……人类不停地向前，不停地摧毁和抛弃已经建立起来的认知壁垒。未来会是什么样呢?有人说：前人不断留给后人的，最终只是无数的信息。此后，在多媒体时代中出生的下几代艺术家，也许只能在前人留下的信息织成的时空之网中苦苦地思索了。

（《雕塑》2002.01 节选）

雕塑艺术创作的新领域
——中国城市市花雕塑设计方案述评

文／赵守诠

由中国雕塑学会和中国城市市花书画艺术大展组委会联合举办的中国城市市花雕塑设计方案征稿活动已于日前结束。展览筹备办公室共收到全国各地雕塑家创作的近200件市花雕塑设计方案，涉及到20多个花卉品种。不少来稿构思精巧传神，画面清新俊美，在成功表现花的神韵、揭示花的内在美的同时，让观者又一次领略了雕塑艺术所具有的独特魅力。

用雕塑艺术手段来塑造花的形象，尤其是市花的形象，对于广大雕塑工作者来说是一个新的课题。传统雕塑很少将花卉作为主要表现对象，至多是将花草之类当作主体雕塑的陪衬和点缀。而市花雕塑则完全不同了，她不仅要求将花作为主要的甚至是唯一的刻画对象，而且要美，要能够表现出花的内在神韵，还要让观众看得懂，一看就知道这是我们城市的市花，是城市文明和精神品格的标志，这就很有难度了。而且，既然是城市雕塑，在设计时就一定还要考虑其今后建立起来的效果。总之，市花雕塑方案的设计，是极富挑战性的艺术创造。

在我国上千座大中小城市中，相当一部分都已确定了自己城市的市花，这些市花包括了生长在中华大地上的上百个花卉品种。市花的确定，通常是每个城市思想品格的寓意，是本地区文化传统和历史渊源的凝聚，是当地人民对精神境界的追求与象征。因而，市花已经完全超出了她固有的自然属性，甚至也已经不仅仅是人们所欣赏、赞美的自然美的化身，而是一种被赋予了人文品格，并具有深邃精神内涵的文明标志。所以，雕塑家们在构思、创作市花雕塑时都花了一番功夫，对某个特定花种所代表的城市以及所象征的意义进行了专门的研究琢磨，以求准确地表现其独具的人文内涵。在技术上也有相当的难度，从任何一种花的原始形态，归纳提炼成立体三维的艺术图形，又不失花的本来面目，让市民认可：“这就是我们的市花”，没有扎实的基本功是绝对不行的。

九月下旬，经“中国城市市花雕塑设计方案展”评审委员会在京评委的认真评审，41件作品入围。其中，章华的《菊花》、廖先荣的《杜鹃花》、刘少国的《荷花》、马辉的《荷之闺》、张向玉的《月季》、秦红的《水仙》、冯崇利的《向日葵》、王志刚的《玉兰花》和张云薇的《春兰》等设计方案，由于构思巧妙，意蕴深刻而受到评委们的一致好评。这41件作品都被推荐参加了九月底在广东顺德开幕的第五届中国花卉博览会。现在，有关方面已经开始与中国雕塑学会接洽，准备挑选满意的方案为本地区制作标志性市花雕塑。

从中央人民政府赠送香港特别行政区的国礼——大型工艺雕塑《紫荆花》，到矗立在澳门特别行政区莲花广场的大型城市雕塑《盛世莲花》，再到今天数以百计、斑斓多姿的市花雕塑设计方案，我们的雕望艺术正在实践中走出一条新路，开辟一片新天地。

（《雕塑家通讯》2002.01 节选）

传媒与艺术
——艺术的社会化参与

文／杨君

《北京青年报》以一种完全与众不同的姿态在首届全国报业博览会上推出以“北京青年报”为主题的“传媒与艺术”展，是主流媒体把当代艺术当作了一个“积极的文化对象”，纳入到了主流文化的整体运作中。“北京青年报”这样的主题，某种程度改变了我们一贯的在当代艺术中所采取的操作方式，传媒与艺术——这两个已经成为文化事实的不可替代式的概念，在运用到此次展览从确定主题到艺术创作以至于展览成型，都无可怀疑地排除任何虚构意义上的对艺术及产生艺术的条件进行假设性的引导。

当代社会是经济、文化全面发展的社会，传媒与艺术均代表着当代文化的主体，当代传媒在社会发展的进程中由于自身不断开拓与完善，它不仅作用于文化本身，而且更加作用于社会整体。传媒固有的内在文化属性，决定了它对文化领域内的一切发展因素。也就是说，当代文化的最集中体现是与传媒业的整体形象分不开的，也由于它在文化具体层面上最大限度地具备了社会属性，加上当今信息功能对它的巨大影响，传媒业成了当代信息传播的主导，在不断改变原有成分，努力完善传播功能，参与社会并进等方面对社会各阶层各领域的发展都起到了不可估量的作用。在这个意义上，作为主流媒体，把对内在的文化属性与外在的社会化属性结合并达到更加完善、更加全面的程度，是其为什么能够成为主流媒体的一个最基本的条件。因此，主流媒体的性质不仅表现在为适应社会需要不断更新与拓展信息的传播方式，使其更加社会化，同时，进一步加强文化属性，并集合当代文化精神中的精华，这是主流媒体的真正从业之道。

十多年前，《北京青年报》以针对“一代人”的角度，参与主办了在中国历史博物馆举行的“新生代艺术展”，参展的是那个时期最年轻的艺术家，现在这些艺术家已经发展成为今天中国当代艺术中坚的力量，不断参与国内国际大型艺术展览，对国家新文化形象的树立带来过积极影响。《北京青年报》多年来一直不断对当代艺术的“参与”对促进当代艺术的发展都起到了相当的作用，并使社会对当代艺术有了某种“正确性”认识，并且他们本着“客观与公正”的办报精神，充分发挥主流媒体在信息传播方面的主导性作用，使当代艺术在与社会交流方面获得了“公众形象”的整体性把握。

本次展览，是以事实作用事实的方式，为了将当代艺术的概念或主流媒体的概念置于某种社会关系中，进行更为实际的探讨。这里可能直接涉及到各自相关的“责任”，涉及到各种“事实”在跨出其自身领域的前提下与外部某个具体事物可能发生的“互动式”关系，以及“事实”相互间可能产生的影响。就当代艺术这个事实，舍弃掉惯用的结论式判断，带给操作方式某种新的可能，我们对此所给予的认识也许是建立在社会意义的基础上，我以为它所引出的启发性意识是无止境的。

王广义的作品《一份报纸的历史》用了53个现成品信箱组合在一起，代表着《北京青年报》53年的历史进程。令人吃惊的物语式表达及作者一惯坚定的平民化意识在这次展览中对其相关的媒体事物采取了近乎纯粹客观意义上的界定，所包含的历史定义可以说是极端物质化的，体现了对当代历史和当代文化的精神共性极为深刻的认识。

综合本次展览的操作，根本意义在于，我们是否对艺术及艺术周围的世界产生新的看法。当代艺术在社会情境中的发展，已经验证了从里到外及从外到里的作用过程。否定与建立是一对同列并存的双向基因，事物总是在这两个双向基因相互作用下不断产生的，我们关注当代艺术产生的过程而不是结果。事实上对于结果的认识，也是把它当成了对另外一种可能将要出现的事物带来启发。本次展览从开始就涉及到了“问题”，这一点不难看出，所有“问题”的角度都在转变，这也是“问题”的问题所在。

（《艺术当代》2002.02 节选）

一石激起千重浪
——面临信任危机的前卫艺术

文／王红媛

2002年1月16日，在伦敦的艺术界发生了一件引起众多媒体关注的事情：国际著名的前卫艺术组织——伦敦当代艺术学院主席伊万·马绍，在一份政治性刊物上发表了一篇题为《我为什么憎恨今日官方艺术》的文章。他在此文中指出：“多数的观念艺术是自我放纵、没有艺术性的低劣的东西。”他的这篇文章并非旨在攻击包括观念艺术在内的前卫艺术本身，而是抨击今天的“艺术行规”。但是他对观念艺术的这种评价，格外引起大众媒体的关注，因为它迎合了潜藏在普通观众心中已久的对当代前卫艺术的普遍看法。报道文化动态的各种报纸、杂志和网络论坛纷纷援引马绍文章中的句子，鼓励公众对他的观点发表评论。大众媒体如此宣传，反响也非常热烈，很多人写信赞同马绍的观点，同时赞扬他的勇气。

马绍在他的文章中指出：“英国艺术正在失去其基础……完全服从于那些文化沙皇如塔特画廊的尼古拉斯·塞热塔，他在水晶的克里姆林宫中统治着艺术界。”“我看如今多数的观念艺术是造作、自命不凡、自我放纵、无艺术性可言的滥货，白给我都不要。”“尽管艺术界的成规拥有‘吓人的权力’，我必须要站出来说话。”“我必需承认多年来，我的脑中始终有个声音在告诉我那些都是骗局，通常没有什么内容。要在公众面前讲出这样的观点，我想肯定有很多人等着要我的脑袋。”“它是过度放纵的中产阶级的产物，傲慢自负资助那些仅仅拥有虚假认识的人。”“大批的年轻艺术家栖身于各种派别，等着看那些权威是否会放弃对于观念艺术的嗜好。”

在对前卫艺术发表了如此粗暴批评后，马绍被伦敦当代艺术学院解除了职务，使这一事件越发富于戏剧性。

面对大众媒体对这一本属艺术圈内部的事件如此高涨的热情，艺术界无法再保持沉默，英国的艺术新闻报以《当代艺术缺失批评准则而又惧怕对整个问题的质疑吗?》为题目做了一次专题访谈。一些艺术家和批评家纷纷借这一事件为引子发表了对当代艺术的一些微辞和见解。以下是一些比较有代表性的观点。

巴塞罗那著名美术馆馆长罗撒·马丁内茨认为：今日艺术多半为大工业和政治需要所操纵。大公司的利益及某些政客的颐指气使、官僚政治的陈腐扼杀了个人的独立见解。知识分子想要坚持对现有权力的批评是比较困难的。在今天竞争日益激烈的环境中到处是蛊惑性的宣传和驯服的顺从。为了不失去工作，人们唯老板意志是从。艺术家们为了生存，受市场的左右。美术馆的负责人恐怕失去权力和收入，成了雇佣他们的政治家们的傀儡。这种胆怯的普遍心理状况主要与保守的社会环境有关。为了不陷于被压抑或变得放纵不羁，真正的艺术家们努力打破陈规。真正的优秀的创造应该是超越成规的。但超越常规会有远离日常生活空间的危险。值得庆幸的是仍然有许多艺术家、理论家、文化创造者保持着较高的道德意识、信心和希望。他们是在走钢丝，他们唯一的武器就是艺术语言，他们在为创造的自由、平等和友爱而战。

主要活动于米兰、纽约的艺术家马瑞佐·卡特兰认为：当代艺术家们都必需遵循艺术的游戏规则。你可以探讨质疑规则，但这种探讨与质疑也是游戏规则的一部分：它们被允许存在，同时也要受到种种限制。当你质疑提问规则时，你不过是换了一下游戏的场地，却仍然没有离开同一间游乐场。没有出路：我们被困于这个体系之内了。无须否认：即使是受到限制，仍然有相当的活动余地。现在问题不在于如何破坏掉这个体系及游戏规则，而是如何使规则更加透明，使它的作用更加明确可见。艺术家不能不继续这个游戏，也不能拒绝规则，但可以使规则更加透明而不是仅仅是一个秘密，为一小部分人所知晓掌握。

格瑞林，伦敦伯克白克大学哲学教授，认为马绍说那些当代艺术中充斥着自命不凡、自我放纵和无艺术性可言的低劣品是对的。导致这种状况的原因主要有两个，一是像给花上了太多的肥料一样，拼命宣传那些低劣的东西，二是那些被称作当代最优秀艺术的东西完全不像网页设计、电影、摄影、电视片、汽车飞机设计及那些未受任何重视的绘画那样看得见摸得着。艺术市场与艺术教育的严重分裂可以被看作是当代艺术迷失方向与荒谬的一个重要症状。

克拉瑞·福克斯来自伦敦艾迪亚学院，他认为：

"当代前卫艺术"害怕被指责为庸俗。批评界则被看作是僵化的精英，看不到大师之外的东西。似乎没有人注意到被看作前卫已经成了确定的标准。很难反抗这些成规——反对传统艺术——需要新的一代打破这种规则。

马绍对观念艺术的否定，仿佛使我们中的很多人感到皇帝的新衣被揭穿了。我们当中充满怀疑的人们应当运用美学标准而不是偏见作为批评的准绳。当外行们因为观念艺术难懂而不接受它，自鸣得意的艺术家却称这些东西是挑战性的——可能我们普通人根本不懂它的准则。当然如果观念艺术无法面对多数观众，那也说不上是个缺陷。但是它怎么能只是由少数人来评判呢?很多艺术家为避开深入的研究思考，称最终的结果并不重要，重要的是创造的过程。如果作品已经是次要的了，那就没有什么规则必须遵循，不存在技艺的问题，甚至没有了反抗的对象。那么前卫艺术还有什么可做的呢？

威尔·塞尔夫，伦敦作家认为：20世纪90年代的高层艺术确定无疑的"意义"是由强有力的利益支撑的。如果前卫艺术倒台，艺术品商人、艺术机构及批评家们将损失惨重。不是大部分而是全部的这类作品都被过高估价了。马绍看到了这个王国的干瘪疲软，而他的最大错误是认为其中还有希望。

综合上面的种种议论可以看出，马绍对当代艺术的批评并不是艺术界一个简单的热点事件，它可谓今春的一场惊雷，公众和艺术界对它刨根究底式的追问，实际上可能使整个西方当代艺术体系面临着一场最严重的信任危机。不仅公众今后将以完全怀疑的眼光来看待当代前卫艺术，甚至从此将其抛弃，而且众多的艺术家、批评家和理论家也已经开始更深入地质疑和思考当代前卫艺术及现有艺术体系存在的荒谬性与不合理性。事实上这种深刻的批评与反思仅仅是刚刚开始，并且很可能会日益深化，并对当代艺术今后的发展产生深远的影响。

（《美术观察》2002.05 节选）

雕塑语言的当代价值

文／于小平

雕塑作为一种表达思想与感情的造型手段存在已经有无数年了，人类自从有了文化概念上的活动，就有了雕刻与塑造，伴随着早期人类对自然神力的崇拜，也伴随着先民下意识的审美流露，雕塑艺术从古至今源远流长，它是人类历史中无法分割的一部分。人们通过雕塑将自己思维中对现实事物的崇拜与对幻想世界的憧憬以物化的方式记录下来，将自己思想的永恒附着在材料的永恒之中。翻开历史，无论是东方还是西方，雕塑都以显赫的方式昭示着自身的存在。时至今日古老的石头和青铜依然震撼每一位观众的心。随着社会的发展与时代的变迁，雕塑的语汇已经发生了巨大的变化，它的形态和手段被人们从各个方面发挥得淋漓尽致，尤其是出现了现代主义艺术以后，雕塑上人们司空见惯的各种生动活泼、惟妙惟肖的具象造型渐渐隐退，五彩缤纷的抽象、半抽象的形态以及各种各样的与现代工业、现代科技相结合的材料与制作出现了，雕塑语言得到了空前的丰富，可谓应有尽有，这种跨越还包含了在艺术观念上的巨大转变，人们对艺术的态度变得前所未有地宽容。雕塑艺术在语言样式上的极端发展很快就将它送到极致，雕塑在形式语言上的原创变得几乎是不可能了。丧失原创也就仿佛丧失了它作为形式语言的意义。当这种风格样式上的创新变得不再可能的时候，雕塑艺术的创作坠入到空前的危机之中。

后现代主义的潮流适时的出现了。它为沉浸在现代艺术危机中苦思冥想的人们带来了新的目标，使艺术家们的心理找到了新的平衡。后现代主义极度宽泛的艺术概念，让艺术家们都找到了一个可以寄托的理想归宿。与此同时后现代主义也慢慢消解了以前所有的艺术原则和存在价值，一个多元并存的时代已经来到了。它仿佛就是什么都行，什么都无所谓。在此背景下，雕塑创作也出现了非雕塑化的现象，并已成为目前国内雕塑界一种时尚，雕塑语言当真只能是弃之如敝履了吗?

雕塑语言主要是指用雕塑的手段表达艺术思想的方式。这里的方式，不同时期会有不同的理解。古典主义时代它主要指的是雕塑的技巧和对作品品位的把握；在讲究风格样式的年代，雕塑语言往往就是作品追求的本身；而在后现代主义的概念中雕塑语言通常只是一种手段和过程，技巧和表现变得次要了。而雕塑的非雕塑化指的就是非技巧化、非形式化。它力求通过对雕塑造型法则的舍弃来实现对意义的诉说。在观赏这样的雕塑时，它一般不在乎雕塑本身的视觉效果如何，而要看其中隐含的某个观念、某个意义的提示和提示这个意义的巧妙性。这种艺术的走势的选择为摆脱样式发展的窘境提供了一条出路，它就是干脆不讲形式、不讲造型，甚至抛弃雕塑语言，但实质上这也是一种无可奈何的逃避。这里也暗藏着另一种危机：从改变雕塑艺术的观点出发，到疏离雕塑的语言，最后走出了雕塑的边界而出局成为一种非雕塑的艺术，这应该不是一条正常的符合逻辑的发展道路。以上就是本文所要表达的雕塑艺术不应该离开雕塑语言，其实就是不能离开造型性和视觉感受。当然它不只是“有意味的形式”，讲观念述说，讲文化的针对性，讲直面社会问题，但不可片面地忽视手段的重要性，站在雕塑领域里却把抛弃雕塑手段作为前卫、先进的标志，其结果就是抛弃了自己。在前卫艺术的旗帜下，雕塑成为非雕塑，绘画成为非绘画，这样消除专业特点，让所有的艺术都走上通往“观念”的独木桥，其结果必定是造成新的单一化。多元并存不会只是允许其它各类艺术存在，而唯独“观念和行为”才有意义，才能是主流。当然，这种局面将会由历史来检验。

雕塑艺术的地位和概念与现代主义以前在客观上是有相当差别，它如同其它传统画种，如油画等架上艺术，以往视觉艺术中绘画和雕塑一统天下的格局永不再有。随着人类进入信息时代，多种视觉媒体的急遽出现强烈地冲击着绘画与雕塑在视觉范畴中的影响，严重地削弱了它们在视觉艺术中的地位。进入当代，视觉欣赏的方式和手段极大地丰富了，人们的视觉习惯也不可避免的随着人们的生活方式和价值观念的变化而变化，尤其重要的是，绘画、雕塑这些传统艺术方式在外力的影响下自身的发展也遇到了前所未有的危机。

雕塑语言还能有什么用场吗？有，还是那句老话，走自己的路。它不用去承担那些不属于它自己的责任，无论是艺术形态还是文化角色上的。雕塑语言在一定的形态范畴内有它的不可替代性，它的制作性、它的材料感、它的空间关系、它的尺度和体量感和它特有的构造法则都是别人无法比拟的。它应勇敢地正视自己，有效地发挥自己的特长，并与时代的文化问题和文化需要相结合，扮演好自己的角色。

任何视觉造型艺术都是由某些材料组成一定的形态而成为一个视觉对象的，它要么撷取自然中的形象用以表达，要么利用天然与人工的材料进行非具象的组合加工，抑或是借用一些现成的物品作为造型的基础进行重组解构，也有组合多种手段的，当然还有直接赋予特定的物品以一定的文化意义，使其在有限的条件下产生出特定的艺术效果。总之，如今视觉艺术的表达的确极为广泛，但材料使用的综合化已经成为广泛的现象，作品的造型立体化、材料复合化，以及许多典型的雕塑语言的被普遍使用，也反证了雕塑手段在造型艺术中的价值。当然，不是说一旦借用了雕塑手段就一定是雕塑艺术，雕塑艺术还必须有它独立、完整的造型特征，必须是硬质的或特定的固体材料，必须通过加工（包括操作工具设备）制作的，必须有一定的尺度用以衡量，最重要的是它必须依靠造型的特征来说话。倘若视觉艺术中排除了这些元素，视觉艺术还能如此绚丽多彩吗？雕塑艺术非雕塑化现象的存在，更多的是雕塑自身的反思过程中，为寻找发展的多种可能性而出现的一些矫枉过正的现象。它可能是对传统样式艺术不满和对文化前沿角色的向往，但很难想象它会成为雕塑艺术今后的发展方向与归宿。雕塑形态的概念可以扩展，雕塑可以吸收装置艺术的综合性灵活性；雕塑可以学习大地艺术的环境意识与借景造物的手法；雕塑可以结合一些多媒体的内容，使光、声、电的效果得以冲击一下单一体系与材料；雕塑可以综合一些绘画的手法使得色彩上有所突破，使得表面与主体发生多层次的结合；雕塑甚至可以学习观念艺术，增强作品在文化上的隐喻性、指向性方面的技巧，提高一些观念意识。但这些都是手段，它应当只能在雕塑的基本范畴内起到雕塑语言的作用，使它能更称职地担负起应有的时代角色。上述的一切也可以理解为形态学意义上的概念，它可能只是一个表达艺术观念的平台，平台与艺术是相辅相成的，平台必须做宽、做稳，同时具有适当的灵活性。

雕塑艺术的探索可以大踏步地跨出去，只要能穷尽其发挥，雕塑也希望有其它内容跨进来，学科的相互渗透是学术进步的表现，但作为独立学科的特征应当是清晰的，雕塑艺术需要学习，但它作为一种有效的艺术表述的手段是无法或缺的。雕塑非雕塑化是雕塑艺术求变的自觉性进步，“变”是变革，是适应时代与社会，它不会变成其他，否则它将不是人们所期望的结果。在瞬息万变的时代，不妨以平静的心态、扎实的作风去做一些力所能及的事情，可能更有益于社会的文化建设。雕塑艺术立身之本的形态研究是不能放弃的，它是保证你能自如地在艺术殿堂里飞翔的翅膀。雕塑要以自身独特的方式面向社会，以自身的文化思考与文化姿态，担负起应有的文化责任。

（《雕塑》2002.02）

泥性的自然

文／邹明

从架上绘画走向陶艺，变换一种语言去表现自己对生活的感受、对艺术的领悟，寻找另一种境地，许多在意料之外，甚至令人惊喜异常。这其中来自陶艺本身的随意性、可塑性与不可知性，从中释放一种心境，感受一种愉悦。

画画，需要技艺，做陶，同样需要技艺，只是方法不同，而对艺术的感悟、对艺术的表现，两者则殊途同归。文化、学养，倾注于技艺，方使之富有一种感染力、生命力。我热爱绘画，乃至生命的必须，是一种热望、一种寄托、一种精神。陶艺，从某种角度说是我绘画的一种延伸，形象、立体、视觉、触觉、质感，都带来一种新鲜的感觉。虽然不同彩墨绘画那般痛快淋漓，而泥性之魅力，釉色之斑斓，令人感受一种土与火的视觉张力。

画画的人做陶，不同于专业陶艺家，没有经验，也无条条框框，更带有一种随意性和可尝试性。在我的绘画作品中，表现老房子、老门系列，一直情有独钟。在那里我试图表现生活、岁月给人们留下的记忆，不只是具体的对象，更在于宣泄一种感受。而在我的陶艺作品中，“老门系列”同样是我主要的表现内容，选择老房子、老门的形象，尤其是老门上的一些细节作为原始素材，加以组合，乃至构成。利用陶本身的语言和材料特点，加以强调、夸张，凝聚一些局部，组合新的空间，刻画一些细节，表现一种真实感。如同我彩墨画中的老门系列，局部放大，分解构成。只见老门意味，不见真实形象。一段时间里，我画中的老门形象不见了，化为一些单纯的色块、墨韵之组合，趋于单纯、抽象、明朗。于是在陶艺作品中我也从单纯入手，不见老门之细节，只有框架、体块的空间构成，令人玩味。我想泥性在这里产生了质变、物化。生活是真实的，艺术是人性的。老门，作为表现的载体，只是一种媒介，而倾注于一种感受、一种表现，则有了内涵。老门，连接着千家万户，启合之间蕴藏着不尽的故事。我想用陶艺去表现这些，给人以触摸，给人以联想。

生命系列，是我陶艺作品中的另一部分，先后做了几十件，带有强烈的性意识。男性生殖器，是个不见天日的东西，人们常回避之，羞于启齿。当坦坦荡荡正视之时，我感受的却是生命的延续和一种文化理念的表现。从形态上来说，利用传统的泥条盘筑，围合成型，易塑造，顺其自然，利用其形象特征，加以夸张、变形、添加、简化等形式美的手法处理。在理念上，取其形，淡其意，重其神，似与不似之间，形神兼备时，则产生一种造型的美感，一种生命的力量。刘勰的《文心雕龙·神思篇》曰：“是以陶之思，贵在虚静。疏沦五脏，澡雪精神。”朴素之美，古来有之。陶艺，来源于土地，来源于生活，充满着泥性、天性。灿烂的华夏文化中，陶艺留下了不朽的篇章。现代陶艺，糅合着现代人的思想，在火的焙化中，自然的泥土产生物化，质的变化，透过作品诠释出人文意义上的一种精神升华。

陶，似乎人人可以为之，然做出好作品则不易。我不能算是陶艺家，只是想做点东西，做点想法，以陶为媒介表现自己的一种人文情怀。陶的淳厚、质朴，是一种精神特质，从艺、做人亦然。我的作品，没有悬念，只想在直白、平实的述说和触摸中，感受泥性的自然。

（《装饰》2002.06）

从行动到表演

文／温普林

先温习一下两件往事。千禧年之夜——1999年12月31日的夜晚，一个名为《世纪之门》的中国现代艺术展览在中国西南部的成都市举行了开幕仪式。一位来自湖南——毛泽东家乡的艺术家孙平披麻戴孝，突然在展厅的顶层向大厅之中抛撒起纷纷扬扬的冥币——按中国人传统给死去的亡灵献祭的纸钱。他要以此行动祭奠一个世纪的终结，当然也包括产生于这个世纪的艺术。

几乎与此同时，在这个所谓世纪之交的时刻，远在中国北部山西省大同市的艺术家张盛泉按计划完成了他此生最后一件作品：自杀。1989年，张盛泉曾以蒙面大侠的形式出现在中国现代艺术大展上。从那以后，他一直坚持不断地进行以身体为媒介的创作，他的死象征着20世纪中国行为艺术的历程已经走到绝路。

20世纪80年代中期，中国开始出现“行为艺术”，从那时起，艺术家们不时地以“偶发”的行动导致了一系列事件。他们的出发点很少是唯美的或艺术的，反而更多是关乎社会的。因为他们不愿放弃身为艺术家所应该具备的对于当代社会的发言权。在中国近20年来这一发生了翻天覆地变革的时代，前卫艺术家们的所思所为及其遗留下的痕迹无不与中国社会的进程交织在一处。由于长期浸淫于集权社会中意识形态化的训练，使得中国的前卫艺术家们天生具有一种特异功能，这种超常的敏感使他们经常不自觉地就扮演起现代巫师的角色，也使得中国的前卫艺术所关注从来不仅仅是艺术的问题，反而更像是社会的预言。甚至可以这样说，每一次重大的艺术事件都将伴生出更大的社会、政治、经济以及思想文化领域的变故。

80年代中期开始散见于全国各地的，以“包扎”为母语的行为充分表现出病态、伤害和恐惧的情绪，直至1988年在北京长城举行的、迄今为止在中国的公共空间中规模最大的一次行为艺术活动。这次活动的主题是“大地震”。而实际上这不过是中国社会真正的地震来临的前兆和预演。众所周知的1989年春季，中国现代艺术大展上的两声枪响则成为更加明确的预言。

长期以来，在中国除去艺术家本人顽固地坚持自己艺术家的身份和立场，几乎无人将“行为”纳入艺术的范畴去考虑。政府一直将其视为危险的异端，列在严打的范围内。公众则认为无非是一群疯子和精神病患者的变态表演。甚至艺术批评家们也将其视为害群之马，因为他们的突发行动通常会遭致政府的干涉，从而破坏了批评家关于现代艺术的战略发展规划。正统的艺术家，不管是古典的学院的、官方的自由的、传统的现代的、架上的架下的，通通对这些惯抢风头的家伙嗤之以鼻且怒火中烧，认为他们不过是一些没有手艺和技能的骗子，哗众取宠、沽名钓誉的混混。这连洋人们，无论是正统的文化官员还是学者，批评家还是画廊老板，除去对他们造成的事件深感兴奋之外，私底下也时常流露出不以为然的神色，因为在他们看来中国的所谓行为早已是西方二三十年前就玩剩下的东西了，比如脱光、比如自虐、比如玩肉等等。

在这种很不艺术的评判声中，中国的行为艺术似乎只具有新闻或丑闻的价值。但是艺术家们心中明白现代艺术的一个基本特质恰好就表现在她的新闻性上。十多年来，中国的前卫艺术家们为了确保新闻的轰动效应，每一次登场都像是一次秘密行动。每一次行动都溶入了激情、冒险和大胆的想象力，当然也不无严肃的思考和对社会的责任。正由于此，历史（不仅仅是艺术史）将无法忽视他们的存在 。

十余年的时间不算漫长，也并非短暂，我和中国的这类艺术家们建立了良好的信任关系，因此每有行动，我总会提前接到通知，使我得以和摄影机一道恰好出现在“偶发”事件的现场。作为忠实的旁观者，我的参与和见证使之构成了一部影像的历史，这就是名为“中国行动”的记录影片（及画册）。这部影片全面记录了20世纪80年代以来中国几乎所有重要的行为艺术现场。标题之所以选择了行动（ACTION）而非行为（PERFORMANCE），原因很简单，我所看重和记录的兴趣点向来不在于表演，而在于行动。

进入2000年，以大张之死为标志的山穷水尽的行为突然得柳暗花明起来。特别是上海双年展的举办，使得中国的前卫艺术平稳登陆，政府与民间，海外与海内、传统与现代，大家相望于江湖，其乐融融。行为艺术由地下的另类一变为主流媒体关注的焦点。虽则谩骂挖苦之声不绝，但至少可拿到桌面上讨论了，总算接近了地位的合法化，因而也越来越艺术起来。特别有趣儿的现象是，中国的行为艺术摸索出一条不同于西方行为艺术传统的有中国特色的表达方式，这就是图片。甚至于圈内已流行这样一句话：重要的是一张好图片，只需一张。因为图片可以进入画廊操作，可以带来巨大的利益。究其原因，西方画廊新的游戏规则和艺术家张洹美国之梦的成真无疑对此产生了巨大的刺激作用。因为行为艺术的现象越来越像摄影棚了，制作的图片日趋精美，行为艺术本身也出现了类似奥林匹克竞赛的趋势，向着更狠（虐人、虐己、虐待动物的程度）、更光（由一个光而数人光而群体光）、更大（规模更大、场面更大、宣传更大）的方向发展。

行动变成了行为，行为也终于熬到了变成艺术的这一天，也许合法化、流行和竞争将有利于产生伟大的艺术；也许正相反，从此我们将很难被往昔那些偶发的、粗糙的、激情的行动所震撼，而只能像出席“派对”一样面对流派纷呈、精心布局的表演了。

（《视觉21》2002.07）

中国现代纤维艺术

文／田青

中国现代纤维艺术从时间、名称和艺术创作风格上，都可分为三个时期，即：编织艺术——平面创作时期、软雕艺术——立体表现时期、纤维艺术——空间塑造时期。

一、编织艺术——平面创作时期

进入20世纪70年代末，人们逐渐摆脱了文革时期的阴影——“千篇一律”、“集体化”的行为，对生活重新点燃起了热情。这种热情激发了古老手工编织艺术的兴起，人们在经纬之间找到了艺术创作的灵感与渴望。同时，古老手工编织艺术又唤醒了人们对未来美好生活的期盼，人们沉浸在对古老手工技艺的“追忆”中。久违的古老手工编织技艺，在经历过文革的一代人的手中，显得那么机械、那么乏味。人们思考得更多的不是如何体现感受和材质，而是如何编织，如何反映题材、内容，强调的是画面、主题性设计，还没有摆脱绘画创作的方法，对材质与形式的感召力还没有足够的认识，对材质与内容、形式与肌理、艺术与技术还不能很好地体现与把握。正因为如此才会形成这一时期独特艺术风格——质朴、简洁、概括、平面化，这其中不免带有粗糙、简单，但毕竟是解冻后的春的希望，为后来的艺术发展奠定了基础。

二、软雕艺术——立体表现时期

进入20世纪80年代末，“软雕艺术”一词首次在中国提出。虽然这在当时存在争议，但毕竟为日后留下了思考。这主要有三方面的原因：1、由于人们在编结经与纬之间不断感悟到材质与内容、肌理与形式的关系，渐渐摆脱了画面式的表达，并使之脱离了墙面，有了雕塑式的独立表现形式；2、由于同国际之间的交流增多、视野的开阔、工艺的娴熟、理论的提高，使其在平面中也能靠手工进行深入细致地刻画，惟妙惟肖地展现立体的编织效果，一改前一时期平面化的风格；3、由于这一时期主要使用的材料还是以纺织纤维为主，所以具有“软”的特性，这是与金属雕塑艺术比较而言的。值得一提的是为中国现代纤维艺术品的发展和人才培养做出卓越贡献的两位国际级编织艺术大师：一位是保加利亚籍著名纤维艺术家瓦尔班诺夫 · 万曼先生，他的作品追求对材质肌理的体现，厚重而质朴；另一位是格鲁吉亚前苏联功勋编织艺术家基维·堪达雷里教授，他的作品体现对形体、线材的高度理解与塑造。

这一时期的艺术创作，已不像前一时期那么单纯，风格趋向于多样：既有追求毛感的厚重，也有追求麻感的质朴；既有追求色彩的丰富变化、造型的严谨塑造，也有追求肌理外观的特征、材质对比的表现。设计者尽可能地发挥经、纬编织这一独特的艺术语言，用线来塑造形体，来表达人们精神世界，充分展现艺术与技术结合后产生的内在魅力，并不断挖掘编织技艺与其艺术创作手段，发挥其特长：既有对高超技艺的追求，如水墨的渐变、油画的笔触、白描的线条，同时也有对肌理的赞美、形式感的追求。虽然风格各异，但基本上还是趋向于单体设计，很少出现系列、配套的设计。和前一时期相比，不仅在技艺上有了很大的提高，而且对材料的理解也更加深刻，增加了编织艺术的语言。另一方面，对形象的表达不再简单，而是强调对意境、情感的追求。可以说，是工艺完善了艺术，艺术促进了工艺，使我国编织艺术达到了一个新的境界与高峰。

三、纤维艺术——空间塑造时期

进入20世纪90年代末，高科技迅猛发展，新材料不断涌现，人们生活逐渐步入小康，对美的要求也产生了很大的变化。对系列配套作品的需要，使编织艺术的领域不断得到扩展，单个的、墙面的作品已不能满足现代人的需求。现代人不仅要追求材质、形式的美感，而且还要享受环境空间所带来的活力；不仅把眼光放在传统的材质与技艺上，同时还追求时尚与流行。他们把光与影也利用到设计中去，追求作品与环境的高度统一，并构成一个整体，达到多元化价值的体现，打破单一学科观念，树立交叉文化理念，追求多元化材料(如金属效应、薄透效应、闪烁效应)。在工艺上，则更不受局限，百花齐放，各显千秋，既有数码高科技含量的技能，也有家织布的“绝招”，呈现出一派百花齐放的景象。不同意境与不同材质的需求，变换着工艺，改变了经、纬技艺单一表现的局面。丰富多种的材料、变化莫测的工艺、全方位的展示形式，使“纤维艺术”一词在编织艺术中破土而出。

（《装饰》2002.08 节选）

靠视觉说话

文／姜波

论及现代艺术，使我们想起了当代艺术史。大凡大师的作品给我们的荷载，不管是惊世骇俗或百思不解，背后总是潜藏着某种揪心的视线，洋溢着一种属于自身的视觉情怀。从西人凡高到中国传统的八大，他们身后一再空白。然而，其实大师的才情在“视觉锁定”上竟又如此简单，用两块颜色启迪了这个世界。毕加索显然又属于这类大师中的大师。毕翁的视觉冲击力是对既往和现存艺术的一场强悍的革命，令许多后来者顿悟。

这种大愚之智，道出艺术的本真：要么不说，要么说出来就让人难忘。这种量度的体现究其根源难而又难。然而，其中他们的共同“视觉标识”现象是显而易见的。艺术家能操纵的东西，到任何时候都无法靠一种根据去生活，若过早地将艺术做成什么的话，犹如名牌广告而招揽来的消费者，最终不过是一种量贩上的东西。现今某些“观念者”理论大得惊人，可归结到最后，让人怎么也联系不到他的东西在哪里。追求一种信仰，但不可求得冠名，若非耕耘使命，我们终生都会错过让自己最美丽的东西。起码大师给我提供了一丝信息，“精神”的价值是靠视觉的撞击才赋予的，显然距我们的脑中之物远而又远。中国需要大师，然而，似乎又不是在今天。

人类难得一种释放，何必去苦寻一种归宿而带来更大的局限呢？概念总归是乏味的，直观的东西不到位，再发光的东西也徒然。我们总期待一种顶峰，而往往未能出现新高，所缺乏大师品格的东西当然不少，然而首先不妨思考一下大师身上那种具有超凡的“视觉平衡”力量。当我们试图去完成这种称得上“观念”的转变，看来不仅仅是靠精神就能解决的了。大师创造的美是公认的，也是令人羡慕的。我们只有传播并让观众直接感知及消除艺术过程中的那份“神化性”，去叩敲人类心灵之门，使视觉的蜕变产生真正意义上的“新锐的目光”，也许才会更受世人的关注。

艺术的潮流和冲刷，是后辈大师的作用。我们面临着当今艺术的变革，然而，这些本身实际上是难以依附、缺乏归属的东西，就如同生活中诸多事物的发生和发展与我们的初衷总是背离的一样。我们只有最大限度地主宰视觉的碰撞，在这样一个读图时代而又人多眼杂的视觉冲击中，为人们提供意味的形式和可供思考的观察角度，造就出感性的东西——所谓言为心声的视觉潮流。而这种表达人类以改变自身而最终又被耗尽的状态对话，在我们碌碌的生命中，是可求而不遇的。因为，所有的感情在坦荡直白的视觉后别有一番体现，在这种交错无序的视野中，潜藏着无限玄机和显现出的荒诞，最终成为一种思想，不再有任何“视觉包装”成份。

显然，光辉与否，还得由艺术史去定位了。

（《东方艺术》2002.08）

雕塑《和平老人》的创作背景与空间形式

文／张德峰

雕塑《和平老人》在1998年获得了“中日友好艺术大奖”。当时尚未完成，之后它在我的工作室里静坐了四年时间，使我更加谨慎地去考虑它的最终效果，今天终于在石头中呈现出它古老、久远的身影，露出它深沉、宽容、宁静、平和的面容。

“2002中国北京·国际城市雕塑艺术展”给我机会将《和平老人》永远地矗立在石景山雕塑园内。

《和平老人》雕塑的内容、空间形式、表现手法是经历了漫长的构思才得到今天所呈现给观众的样子。这件作品最初的构思是在1994年，当时我在德国纽伦堡艺术学院学习，面对的是极其陌生的文化环境，东西方文化的巨大差异在我的身上反映极其强烈。生我养我的那块土地几乎每时每刻都在远方向我散发着浓郁的乡情气息，对家的思念上升为对祖国的怀念。面对西方文化背景下所产生的艺术作品我不知所措，虽然它们就在我的面前却给我太远太远的感觉。中国文化特有的魅力似寒冬深山里的一团篝火，它吸引着我使我深陷其中无法背离，仿佛一位东方老人静坐在光影绰绰的篝火边深沉地凝望着我。他时隐时现把着我的脉搏，听着我的呼吸，给我温暖，给我安慰，给我启迪，讲述着我记忆中或有或无的故事。那是一种多么感动并贴近我心灵的感觉啊！这种感觉促使我在本子上描绘出一位老人的模样。最初它还是一位盘臂凝神的半身造型，完成的小立体稿看上去与东方文化不尽吻合，也反映了我对东方文化的认识尚不透彻。经过一段思考后我觉得原因是身在西方的缘故，是他们的文化在影响和干扰着我的感觉，因此这件作品的构思在德国搁浅了。

1997年我回到了中国，没想到这里发生着翻天覆地的变化，西方现代艺术观念的进入影响着更多人的思想。前卫意识像一股洪流冲击着艺术家的头脑，这是世界性意识领域的发展现状，谁也无法回避，否则我们就不是活在这个真实的世界了，因为对现实的关怀是所有艺术形式和语言的起点。如何继承与发展是我们中国艺术家面临的最大问题，因为我们的美术史是以宗教膜拜、体悟自然、政治生活、回避现实、面对人文环境为发展的路径的，这一路径与西方艺术史是大同小异的，但却缺少对艺术本身的研究环节。中国的雕塑，特别是室外雕塑，在“五四”运动打倒孔家店以后一直没有什么建树。大跃进时代和文革时期的雕塑内容与形式在改革开放的20多年中尚未完全退出人们的审美意识，但它们确实是中国现代雕塑史既成的壮观现实，不容忽视。为此我们不难发现随着西方艺术观念的进入，我们的雕塑个性迷失在东西方的撞击中。如何与我们的传统衔接，历史地存在着一个巨大的断层。每一位艺术家思考的结果和作品中呈现的方式虽然都会有其不同的价值和意义，但其是否与传统文化和现实文化有关，是否有强烈的个性与特色，这就需要我们多动脑筋了。

现今世界完全处于一种交流与融合的多元状态，这个状态下的一切思维方法都必须符合大的存在形势，这是人类发展不可动摇的规律，谁也无法逆潮流而动。然而我们用什么去交流，我们要与他们融合什么?这真是每一位从事文化事业的人必须认真思考的问题。

面对中国当代所谓城市雕塑的现状，我陷入了深深的思考中，我总觉得中国的当代雕塑好像失去了什么，可又多了什么，不过很明显少了一些特征，很少能见到有东方精神的室外雕塑和具有强烈个性的作品。这是我要创作东方老人的动机之所在。然而我的《东方老人》应该是怎样一个造型？采用什么样的形式和语言去表现它的内容呢？针对这个问题我沉浸在我所接受的教育中，我首先认为在他的身上绝看不到半点浮躁，他一定是平静而又深沉的智者，可包容一切，宽容所有，有海一样的胸怀、山一样的稳重，是一位深藏不露的高人。这种感觉正是中华文化传统在人格上的体现，也是东方文化的特征，这种意境是多么令人向往，它正是我要表达的内容，紧跟着老子说道、孔子讲经、达摩面壁等情景在我的脑海里构成，然而如何才能与当代问题结合起来使其具有现实意义呢？经过思考我又一次感到：对发展东方文化传统是我最为首要的问题，这一思路的顿开使《和平老人》陡然出现在我的面前，其坐在宁静的角落里的神态，和面对我们的形式也就自然产生了，它强迫我们必须去正视它，这样的形式是内容所要求的。另外从正面看平面消解了 90度内角的空间感，产生一种朦胧的神秘莫测的效果，从侧面观角落又吸纳了平面的虚幻感，迫使我们在它特有的空间中去认识理解东方的精神之所在。我所采用的雕塑手法也是为了表现这种深深的历史记忆感和时间的永恒感。

（《雕塑家通讯》2002.05.06 合刊　节选）

雕塑意境的探寻
——公共景观雕塑创作有感

文／黄文宪

诗有诗意，画有画意，雕塑的意境如何产生？特别是公共景观雕塑之意境如何创造？值得我们环境艺术设计者、雕塑家共同来探寻。

前时浏览四川乐山大佛，隔江远望，只见大佛是大山肚脐之一点，山形似卧佛，佛隐于山间。天然的卧佛山形与人工的坐佛造型相得益彰，一坐一卧，一抽象一具象，共同构成了一种神奇的意境，正应了“天人合一”的理念和“天工造物”的思想。乘船近望：山形隐去，石佛巍然，气势庄严足以威慑人心，造成这一景象的是超人的尺度和巨大的物质感。马克思说过：“巨大的形象震撼人心，使人吃惊……这些庞然大物以宛若天然生成的实体物质地影响人的精神，精神在物质的重量下感到压抑，而压抑之感正是崇拜的起始点。”

由乐山大佛雕塑意境的产生，不禁想起游览美国纽约自由女神雕塑给我的另一种感受，游览的程序异工同曲，有着惊人的相似之处。同样，首先是隔河远望，然后是乘船近望，最后是上岸仰望。正是由于这不同距离、不同角度、不同视点动态的“三望”，让我感觉到其意境的步步展现和深化，层层引导和推进的结果，使雕塑和观赏者也就是物和我作为美学的两个互动因素都得到升华。作为被观赏者的“物”——雕塑——的艺术魅力光芒四射，表达的寓意超凡入胜，前者寓“慈悲”是大佛的德行，足以镇压洪水为民造福；后者寓“自由”是女神的旨意，人类奔向光明的火炬。可以说两者都运用物质造形达到了精神显现的目的。作为观赏的“我”——即本人——臣服于雕塑所营造的境界，受于眼，感于心，欣然接受物造的景观，以至象由心生，境自意出，物我两忘，互相观照，体会到崇高感获取之后的快慰，其后表现为心中意象得到印证，物造的意境得到超升 。

仔细想来，雕塑意境的产生，特别是公共景观雕塑意境的产生，似乎有一些内在的因素互有关联着。认真琢磨，我以为有四个条件必须满足，又有三个视距指标应该研究。四个条件包括：其一、主题的确定，这是公共景观雕塑成功的关键。其二、位置的认定，这是公共景观雕塑成功的指标。其三、体量的选定，这是公共景观雕塑成功的要素。其四，材料的敲定，这是公共景观雕塑成功的钥匙。以上所述四个条件，环环相扣，缺一不可，只有选好了题材，选对了位置，选准了体量，选定了材料，材料顺利地把雕塑所表达的意境呈现出来。根据我的观察分析，大型公共雕塑的意境形成，对观赏者审美感情有积极调动作用的三个视距指标是值得加以探讨的，我这是把它作三点，即远点、中点、近点，这是由前文的“三望”引伸出来的。

远点——距离与雕塑高度以约为10∶1左右，大型公共景观雕塑在此视距中要能使观者取其势，也就是看到雕塑的轮廓和动态气势，乐山大佛和自由女神看得清大体轮廓，正是此视距。

中点——距离与雕塑高度以约为3∶1左右，在此视距中，雕塑能使观赏者取其形，也就是能较全面地把握雕塑形体及表情神态，这是观赏雕塑最合适的距离，大佛在此距离中是最完整的。

近点——在10米内外为宜，此视距中雕塑的各个局部都变化完整呈现，能使观赏者取其质，也就是体察到工艺技艺的肌理美感。只有前者，没有后者，都使人有意犹未尽的感慨，这与赏画“远看取其势，近看取其质”的道理是一样的。自由女神在此视距中独有的斑驳铜绿和色彩显示了肌理美感。

这些视距指标，在我们从事城市具有标志性的公共景观雕塑中是必须考虑的。试想：一个设定为10米高的公共雕塑，在100米的距离仍不见踪影，其位置的选择和体量的塑造一定有些缺憾；在30米的距离，人们不能审视全貌和整体，有理由怀疑其动态平庸，或细部琐碎；在4米以内仍引不起人们对其工艺技巧的观赏、体察、琢磨的欲望，一定是工艺极差，令人不悦了。

《水自天来》、《帆影碧空尽》是本人创作的公共景观雕塑方案，其中作了一些初步的尝试。首先，我从主题入手构思出造型草图，然后通过位置的选定，调整修正了原来的环境设计，使其恰好定位在大路的终点处大海的背景前，接下来是体量的认定，在现场反复观察及经过对周围建筑高度、路面宽度和计算后，设定为总高12米，最后从两个方案中取其一，将《帆景碧空尽》主案作为首选，再从色彩、材质、肌理、动态中研究探讨，最后又从现代环境艺术设计中的声光技术运用中吸取精华，力求使其无论白天或夜晚都有良好的效果。可以设想：在长空大海的映衬下，在喷泉和灯光的配合下，这一公共景观雕塑是别开境界的。

创造意境确非易事，特别是大型景观雕塑作为环境、工程、美学、人文多种因素组成的复杂的艺术品，要创造独特的景观意境，更非易事，但这是我们应不懈追求的目标。“语不惊人死不休”，本着这一精神，研究古今中外成功的艺术作品，启迪我们的创作思维，应是城市雕塑的创作者和决策者所追求的目标。

(《雕塑》2002增刊节选)

解读巫文化　创造艺术新语境

文／江碧波

自人类开始用两脚走路以来，大脑的信息不断增多，人类在原始生存的状态中，开始审视春夏秋冬，开始审视色彩的美丽、日月的行迹、关爱的温暖、智慧的光明，学会了对火的运用，赞美天然的赐予。思维的磨砺上升到精神审美的阶段，那份发自内心深处的激动，没有所谓文字语言可供表达。然而伟大的创举就从他们这里开始，舞蹈就从这里开始。他们发出了奇异而动人的声音，他们的躯体摆动表达了狂放动人的热情。巫师是能歌善舞的全能智者，他们引导众人排解忧愁、迎战劫难和生命的威胁，传递他们在天地之间炽热的情感。其实称他们为“巫”，是历史往后发展中所给的冠名，起初他们只是原始人群中的智者、头脑发达的人。在没有文字和语言的情况下，试想要完成诸多的行为，要大家一起来干，如带头捕鱼、狩猎，与洪水搏斗，亲人关照，多样复杂的思想交流，信息传递，他们的形体语言、他们的舞蹈是何等的典型，何等的高明，又是何等的精彩。

巫人的“巫”字与声乐中最初的声音“呜……

呜……”是人类发出的第一个单音，也是最自然最美的发音。它发自胸膛，轻盈、圆润，雄浑而悠长。巫人以此单音起落编织了最早的美妙音乐。音乐的妙处在于既不可见，也摸不着，是无中生有，有中亦无。远古人类早在自己生存现实中悟出，你中有我，我中有你，有无相生，同出而异名。有、无都是对同一事物的不同解释而已。远古人类对生命的不可知、对世界的有所求，可谓“巫者无也，巫者音乐也。”不言而喻，这包含了多么高深莫测的意蕴。音乐中看似无形，在舞蹈中情形转化,看似无声胜有声，这是艺术本质之所在。历来我们看好的绘画,色彩中有音乐，音乐中有春夏秋冬，好的雕塑，石头也会说话，会回到活的人群中间来，一切都在似有似无，又在无中生有。巫人发出第一声：“呜……”意味无穷，乃无穷美，是一种对生命的咏叹。巫人以歌舞驱散邪恶，以美的创造和表现祈求上天的恩赐，感谢造物者大自然的帮助，以美的创造充实自己的生活，并从中获得精神上的自由释放和最大享受。

巫者，美也。巫人是伟大的艺术天才，他们以美的歌舞感召天地，创造神话，亦使自己神化，将大自然之美集合于自己身上，插花戴翎，如屈原诗歌中描叙山鬼之美：“乘赤豹兮从文狸，辛荑车兮结桂旗，披石兰兮戴桂蘅，折芳馨兮遗所思。”从而使自己通灵，逍遥天地之间。与后者如赵子昂诗句“念天地悠悠，独怆然而涕下”的感慨遥相呼应。这是人类高级灵性的表现。因此，我们在巫溪县远古巫文化节设计的巫文化标记中，以远古初形变体的“美”字与“巫”字结合，构成“巫者美也，美巫”的识别标志。

巫者，灵也。人为万物之灵，然真正称得上与“灵”字结缘是在巫文化形成的时代，即生态的人与精神态即灵魂态的人两者结合构成人的生命价值，没有灵魂的躯体只是一团医学上还存活的肉体，只为肉体成活率取的行为无任何美感可言。巫者的行为包括审美的表达、追求。创造性的歌舞、求知与悲剧式英雄的行为是人性发展中的一大进步，引导生命载体，使生命变得更加珍贵。

巫者，医也。巫师一般都善于治病，不但遍尝百草，而且预测未来，防范不祥。他们感知能力甚强，可称早期信息分析综合的专家。他们指点迷津，祈神卜卦，消灾化吉，不能说他们真有如此起死回生的本事，然而应当承认他们亦是远古时期最高明的心理医生。他们以艺术的方式，制造气氛，给病者以心理治疗，建立有神佑护的信心，观赏他们的表演亦是一场赏心悦目的享受。对表演者来说，是忘却自我的状态与放松，一举多得的效应，一再表现远古巫人的聪明智慧。他们以艺术创造了神奇的效应，也是宗教起源的最初缔造者，他们也给自己戴上了神秘光环。

巫人在与自然相处，汲取自然之精气，以花卉草木、兽皮装饰自己，使身体各部机能表达自己的思想情绪，在以形体动态语言代替文字语言交流的时期，其舞蹈动作的表现曾经达到过不可想象的高峰，使当时的人相信通过他们的舞蹈和祭祀仪式可以招至神的降临。当文明进入有文字或记录以后，流传于民间敬神跳端公的习俗只是被逐渐淡化了、变异了的余声。艺术不同于科学，它曾经创造和经历过的辉煌是不可能再超越和企及的。如地中海神话人物的文明、文艺复兴时的雕塑、中国早期传奇小说描图，以及到今享誉海外的川剧等等，它不同于科学一直向前。艺术是时代的造就，是天地和人性性灵的结合的产物，艺术从多方面透视一代代人的生命足迹。

巫文化被久久的沉寂下，我们追忆它灿烂的、流逝的时光，揭开积起的灰尘，我们发现巫人举起的火把光亮，我们追踪它，找回人类的本源和远古巫人对话。

我有幸自幼生活在西南的大山大川之中。抗战时期父母不甘沉沦，从江浙流离到重庆，我从小就体验了崇山峻岭的犷达、野趣，受山光水色的滋润，造就了我审美的特质和艺术个性。我的艺术归宿似乎是要回到自然中去，走巫文化研究与巫文化艺术创作的道路，保护自然、回归自然是我本人思想在创作中的主题与载体，通过认识我们的祖先，赞美我们的祖先，找到我们的祖先，找到我们民族智慧与精华，寻回我们人生与创造的本源。

1985年，我赶上改革开放的东风出访美国、加拿大，历时近两年。我试图在交流中寻求艺术思维和创作的新方法，包括认识方法、表现方法。在那里，我曾在无拘无束中潜心思考，大胆实践，并越来越深地感到中国古老传统文化和古老哲学思想、美学思想，真是一片取之不尽的金矿。虽然，我在国外的新创作中运用了不少的新方法，但我的创作母题一律来源于一颗中国心的脉动，来源于穿越地球心脏另一面的中国情结，来源于“天人合一”道家哲学思想的美学基元和神秘的色彩。命运安排我多次去了长江小三峡。小三峡上游往东北就是巴楚交界的神农架，那被荒芜了的古镇、盐场，绝壁上的岩棺群、千年旋转的水车、激流古道、悬岩的栈道，还有野猪出没的村寨，都述说着这里曾经发生过的故事。盐泉、山野峡谷、巫师升降集聚的洞窟，都在证实这是远古人类怎样的乐园。几代人、十代人、百代人在此生存繁衍。他们没有衣服，但有美丽的羽绒、艳丽的山花，虎豹毛皮作他们奇绝的披挂。他们没有音乐，但有呼嚎；他们没有情话，但有激悦、浪漫的舞蹈；他们崇拜、敬畏天地，相信自己与神灵具有角色转换的能力，相信通过祭祀能与天地沟通并能感天动地。人即天，天即人，在远古的巫文化呈现初始，就为佛教传入中国后人皆有佛性的中国化"禅"的转换注入了基因。

巫师们是全能的智者，他们用自己的生命去感悟苍天大地传达给人类的声音，他们是最富于原则性的大医师，最善肢体语言的舞蹈家，沟通天地的信息学家、天文学家，带领人群与灾难博斗的大英雄，也是想象力最强的预言家及原始神话的创造者 。

在他们身上散发出来的美是强劲的、超越性的、战胜自我的。表现在形体与色彩上的原始的、自然的、清纯的、野性的、绚丽斑烂的、天真浪漫的、性感的和和谐的美，都激发着我的创作热情。

我想我的定位不在史论的研究上，但要通过史论的研究表现我的艺术创作的造型与语境，这使我决定在重庆创办"重庆远古巫文化研究会"，集合多方面专家，研究、论证远古巫文化的历史脉络和造型依据。同时，在巫溪县荆竹峡区建设远古巫文化研究基地，我将她命名为"汉风神谷"，也是引导贫困山区人民以巫文化作为旅游特色拉动当地旅游经济发展的实验地。这是三峡地区贫困区中最贫困的地区，但又是《山海经》中记载的远古巫师聚会、活动最频繁的地区，一口上古的盐泉水在喷涌，盐生百味，盐生体力，盐生智慧，上古祖先多往此集聚是因为盐的吸引。三峡远古因盐而兴，先人们群居、散落于此，适应依傍大江激流而生存，善于制陶制盐。《山海经》记载，远古十大巫师在此升降于天地之间，这就是上古祖先为巫溪这贫困而蛮荒之山野留下的一笔闪光的财富。

1997年，受巫溪县委书记、县长之邀，我在巫溪搞了一套巫文化的创作(包括壁画和山洞中的雕塑)。我的使命感油然而生，以后成了我心中舍不去又放不下的事，这未被揭开的美，这延绵的神奇，如果我放弃不下，便会留下终生的遗憾。

于是，我开始了艺术生涯中一个新的追求和转折。

(《雕塑》2003.02 节选)

雕塑的视觉力

文／陈辉

雕塑作为造型艺术又被称为视觉艺术，我们常常对作品有诸如"苍劲有力"、"强烈的生命力"、"具有艺术感染力"等等的评价，而这些从艺术作品中得到的艺术情感都要建立在视觉感知之上，因为没有观看的活动，就不会有这种感受，所以探讨雕塑生命的本质首先要从视觉上寻找。著名心理学家阿恩海姆在《艺术与视知觉》中论述道："一个视觉式样都是一个力的式样，至于知觉对象的生命——它的情感表现和意义——都是完全通过力的活动来确定的"。著名雕塑家亨利·摩尔曾经说过："雕塑具有其自身的生命，但切不可予人以从较大的石块雕凿出较小物体的印象，而须令人感觉到他所看见的是蕴含着有机的、向外扩展的能力——一件有生命的雕塑，是活生生和有张力的，要比石或木的原体于人更庞大的感觉。无论雕或塑，都应给人一股由内向外的力和生生不息的感受。"这些都说明了力是雕塑作品情感和意义之所在，有生命的雕塑是通过力这种方式来具体表现的。

我们所说雕塑的力是一种视知觉的力，是通过人的视觉来感知的。格式塔心理学曾对视觉的力做过详细的实验和分析来证实这种力的存在。在雕塑中，当我们议论唐代的狮子造型和明清时代狮子造型的比较时，常用"国昌而气盛"、"国弱而气衰"来描述，我们且不管国弱和国昌的原因和区别，但"气"的差别是十分明显的。当我们欣赏唐代乾陵石蹲狮时，我们会被其简单的三角形造型但稳如泰山且浑圆粗大的体积里由内向外溢出的一股强烈的"气感"所吸引，而这种"气感"在明清的石狮雕塑中却是那样的弱，虽然它们的体积并不比唐狮子小。这种从里往外的"气感"是一种力的感受，是从形式的观看中感受到情感，这种力不是从内向外的扩张力创造的，而是从外部用刀一刀一刀凿出来的，这种膨胀不是真正在雕塑内充满了空气，而是从雕塑的外在形式上感受到的，可以说视觉感知的这种力是把物理感知的力通过视觉感知和体验累积转化为艺术内在力的结果。这种结果的出现是通过表现的形状来体现的。自然的形状往往是物理力作用之后的痕迹，正是物理力的运动扩张、收缩或成长等活动，才把自然物的形状创造出来。在树干、树枝、树叶和花朵的形式中所包含的那些弯曲、盘旋的或隆起的形状，也是保持和再现了一种生长力的运动，正是对自然界中种种富有生命形式的特征感知转化为雕塑的形式特征，才能使雕塑产生富有生命的力的感受。从另一方面说，力是对生命形式的情感表现。

所谓生命形式是一种自然生命力的表现，苏珊·朗格在其《情感与形式》中把生命形式概括为四个特征：有机统一性、运动性、节奏性、生长性。有机统一性表现为生命体的每一部分都是十分紧密地联系在一起的，这种联系绝非简单的排列，而以生命某种难以说明的内在复杂性、严格性和深奥性结合在一起，互相依赖，不能脱离整体。这种生命体有机统一性在雕塑中被体现为凹和凸的关系，实体和空间的关系，光、时间、色彩和雕塑的关系，雕塑和环境的关系等都是密不可分的，它们之间的关系是力的相互作用，相互连结，雕塑各个因素不能独立分开，而是由许多各要素之间的关系契合而成的，违背了这种契合，生命形式就会被打破，情感的表现趋于消失，雕塑也会失去生命力的存在。唐代石狮子和明清石狮子“力”的差别，在于前者强调整体协调，而后者只强调细节。生命形式的第二特征是运动性。生命在于运动，小草从生到枯萎就是体现了这种运动性，生命体不断消耗不断吸收，细胞和生命组织都处于不断死亡和再生的过程中，整个生命体都呈现一种永不停息的运动。运动一旦停止，有机体就会解体，生命亦会消失。艺术亦强调运动性，音乐、舞蹈、戏剧均表现为“时间艺术”的一种运动形式。书法要产生“势来不可止，势去不可遏”的运动气势。罗丹在《艺术论》中指出：“没有生命就没有艺术，一个雕塑家想要说明快乐、苦痛、某种狂热，如果不首先使自己的人物活起来的话，那是不会感动我们的，因为是一个没有生命的东西……在我们的艺术中，生命的幻象是由于好的塑造和运动得到的。”运动使得雕塑从静态的事物转变为虚幻运动的事物，使雕塑充满生命力的感觉。甘肃武威汉墓出土的“马踏飞燕”就表现运动的力的特征，让人感觉到“行空”的轻盈感和运动感。生命形式的第三特征是节奏性。老子曾说“独立而不改，周行而不殆”，指出生命节奏的客观存在，生命都是有节奏的，一个生命现象所以能够持续不断地存在和发展，就是由于它按照各种方式的节奏，有条不紊地进行着生命交换，而这种节奏一被打破，生命也将终结。艺术中节奏性更是无处不在，音乐讲究富有节奏韵律，舞蹈也注意动作的轻重缓急的节奏。人体雕塑塑造要讲究力的节奏分布、形体有节奏的转折等等。节奏性是雕塑艺术中必不可少的因素。生命形式的第四特征是生长性，是指生命体都有自己生长、发展和消亡的规律。人自身的发展规律就体现了这种过程。在艺术中同样包含这样一种过程。在音乐中，呈现、展开、重复、加强，无时不强烈地反映出生命这一特征。戏剧中的冲突，由发展、展开、激化直至最后解决，形象体现这样一种规律。在雕塑中，生长性体现在具有方向性运动的力的产生、重复、加强的过程，阿尔普的雕塑《无题》运用三个近似形互相累加，产生生长的幻象，给人一种生机勃勃的特征。罗丹雕塑作品《青铜时代》通过形体之间转折和富有节奏的变化，使其产生从后脚跟直至头和臂向上生长性的力，使作品主题得以完美的体现。

以上可以看出艺术形式具有和生命形式相同的结构，人类的情感来自对生命形式的体验，黄山松顽强的生命力，让观者惊叹不已，小草从茂盛到枯萎、又从枯萎到茂盛的生命过程，引起多少文人墨客的感慨。人自身由生命力旺盛时脸色红润、腰板挺直的少年壮志，到老年腰弯背弓、四肢呆板。艺术就是对生命形式的一种观照，生命形式的特征也决定了艺术形式中所要表现的生命性。苏珊·朗格在其《情感与形式》中论述道：“作为感知能力的生命与人们观察到的生命就应该是一致的。”只有当感觉基础上产生出来的直觉能力发现观照对象与自身有某种一致时，观照对象才有可能包含着某种情感。在这里，雕塑就是我们研究的观照对象，是人类创造的一种强化而集中的生命载体，是内在张力的表现。生命过程是人类经历和体验的主要内容，雕塑的力也还是对有机体生命形式的观照下产生的情感表现。我们从雕塑感知的力是视知觉感知的映射生命形式特征的情感表现，也就是雕塑的生命活力。只是当雕塑对生命形式内容用力的方式来体现时，雕塑的力就具备映射生命的特征。这种力也就是雕塑的生命力源泉所在。罗丹说过：“所谓大师就是这样的人，他们用自己的眼睛看别人见过的东西，在别人司空见惯的东西上发现出美来。”对雕塑生命力的创造在于敏锐的观察能力，而这种能力是在不断对自然的求索中得到的。达·芬奇学习解剖，罗丹从对自然的静观、默察中深入自然、渗透自然，中国艺术中的“师造化”，亨利·摩尔对岩石、石块、骨头、树木等等的关注，发现形态和节奏的规律等等，这些都证明了自然是知觉经验的来源，是多种多样视觉力的源泉。

（《装饰》2003.02 节选）

除了胜利，我们别无选择
——唐大禧在大洋网上南北对话

网友：唐先生，你义务为叶欣护士长雕塑的出发点是什么?在艺术手法和心情上与其他的雕塑作品有什么不同?

唐大禧：用我惯于现实主义的又带一点浪漫主义的手法，把叶欣塑造成一个美好的天使，她牺牲了，我们把她的形象留在人间，留在人们的心中，这就是我的出发点。

我觉得我一直都是用现实主义和浪漫主义结合的方法去创作，1964 年我创作《欧阳海》是歌颂舍己精神，欧阳海是一个解放军战士，作品手法比较泼辣。1979 年我创作《猛士》，我塑造张志新式的人物是概括一往无前、为真理而斗争的精神。我们艺术家以讴歌真、善、美为天职，在叶欣这个作品里，我要表现的是人性的美，所以，她既是一个特别亲切的人，又是很美丽的人，她是天使，我是从这样的角度塑造她，作品很快就引起了社会的反响，因为这讴歌了人间的真、善、美，受到人民大众的普遍欢迎和接受。

网友：唐先生，做叶欣雕像，是谁先倡议的?另外，为叶欣雕像，花了多少资金，这些资金是来自社会捐赠吗?

唐大禧：廖冰兄先生今年 88 岁，是个老艺术家，爱憎分明，他对美好的事物充满感情，对腐败现象疾恶如仇。当前每个人都很关注国家、人民乃至人类的命运。叶欣的事迹见报之后，这位老先生也特别感动，他的女儿廖陵儿认识叶欣，大为震惊和悲戚，便提议要捐款为叶欣塑造汉白玉雕像放在医院里。当时他们即和我联系，我欣然响应，只说了我来做，我来义务创作。广东省美协也认捐了雕塑座。消息传出后，社会上有人要捐款，就往报馆那边打电话，雕塑的费用，实际上是逐步地减轻，而捐款却不断地增多，那么，钱多怎么办? 廖陵儿提议搞一个叶欣基金会，将来这些钱都是放在叶欣基金会里面，用来补助医疗战线上的医务工作者。

网友：唐先生，您在艺术创作中，所要表达的主题和艺术表现，在当前的创作当中有冲突吗?

唐大禧：一般来讲，艺术表现是为主题服务的，比如说有什么艺术主题，就用什么样的艺术方法来表现它，白衣战士这么善良、纯洁，在运用的手法上，尽量运用比较细腻的手法，雕刻材料要用汉白玉，这个东西没有一点冲突，内容与形式的完美统一，就是美好的作品。至于所提到的“冲突”，是否因“艺术”的概念有所不同，所谓的纯“艺术”不能承载“主题”等等，这一点我不会有太深的理解，那样的话能打动千百万人的心吗?

网友：唐老师，在创作叶欣雕像以后，会不会有同样，或者类似的题材进行创作，下一步有什么样的想法?

唐大禧：这段时间我原是接受了深圳的玫瑰公园里的一个稿约，但是突然出现了非典的事情，我把那个“约会”搁下来。非典事情过去之后，我或许会再去赴玫瑰之约。然而，作为我的艺术宗旨，是讴歌人类真、善、美，我会一直坚持下去。

（《雕塑家通讯》2003.02）

《人间天使》创作随笔

文／魏小明

在全国人民万众一心抗击“非典”的日子里，我们不仅十分关注疫情的发展，更关注着那些在一线工作的医务人员的生命安危。正是他们的无私无畏及不懈努力，挽救了许许多多的生命，他们当中的一些人还为此献出了自己宝贵的生命，他们用生命保障了我们的美好生活和未来。人们把他们称之为“白衣天使”、“最可爱的人”。社会各界用各种方式支持他们，祈求他们的平安，却又不得不面对他们当中的一些人以身殉职的痛苦现实。作为一个艺术家，我一直想以自己的艺术创作去塑造他们的形象，把他们的高尚品德和感人形象永远存留在世人心目当中。

这次创作纪念碑雕塑《人间天使》的起因还要追溯到去年夏天。那时我作为组委会艺术总监正在主持由文化部和北京市人民政府举办的“2002 中国北京·国际城市雕塑艺术展”的日常工作。其中的一项工作（也是我为此努力奔忙了 7 年之久的事情）是协助北京市政府购买收藏瑞典著名雕塑家 Karl Milles（已故）的两件原作作品。后来资金发生了困难，亚信科技有限公司总裁张醒生先生和华谊兄弟太合影视投资有限公司总裁王中军先生等企业家听说后向该项目伸出了援助之手，使北京市能够顺利收藏《天之骄子》、《人与飞马》这两件艺术精品。这项工作开创了国内收购国外著名雕塑家大型城市雕塑原作的先河。

今年五月初，华谊兄弟太合影视投资有限公司总裁王中军先生给我打电话，说了由22位企业家出资捐赠北京市、广州市抗“非典”纪念碑雕塑一事，并邀我合作。能够再度用雕塑艺术形式完成我们共同的对医务人员高尚品德无限敬仰的心愿，使我激动不已。

在与王中军先生及相关专家商议之后，从许多构想中确定了目前的定稿，也就是《人间天使》这一创作主题。雕塑建成的规模：总高度750厘米，最宽尺度500厘米。雕塑材料上部（天使）为青铜铸造并氧化呈青绿色，下部为紫铜锻造并氧化呈墨绿色。

雕塑主题：突出象征医务工作者（白衣天使）的女性优美形象，以既写实又写意的艺术表现形式，将流动、漂浮的衣纹与天使的羽翅融为一体，给人一种犹如一股清泉涌出，又犹如一片青云飘过的美好而难以忘怀的感觉。在“天使”的脚下是一把坚实的利剑，缠绕着利剑的是一条象征非典病毒的毒蛇(该构思出自国际医药卫生组织标志的变体)，象征着伟大的医务工作者不惧病毒肆虐、与之顽强斗争的精神。

这座雕塑通过上下两部分的有机结合，充分体现了歌颂医务工作者奋不顾身、无私奉献崇高精神的主题；体现了在党中央的正确领导下通过全民的努力，运用科学的手段，中国人民一定能够战胜非典的决心和信心；体现了抗击非典不仅是中国而且是全世界共同的任务。

（《雕塑家通讯》2003.02）

雕塑·景观·公众
——零距离

文／曾岳

在19世纪末美术馆出现之初，它们就反映出当时社会的不平等。经过近百年的演变，美术馆基本上成为精英文化的标志物并被笼罩在其文化的权力之下。而许多走出美术馆的雕塑不是成为中产以上阶层奢侈的收藏品，就是兀立街头，作为一种时尚文化的象征。公众在艺术潮流之中无所适从，艺术似乎总是和公众保持着距离。

以箱根和美原高原美术馆两个野外的雕塑为例，虽然在那里推介了很多国际一流的艺术家的雕塑作品，通过毫无拘束的雕塑公园，永久性地展出抽象或具象的雕塑，但至少对熟悉这些雕塑的公众来说，不再会有激发兴趣的东西。今天西方国家的雕塑公园能成功办下去的已为数不多。为此，我们有必要探索新的雕塑形式，去改善雕塑与公众脱离的尴尬局面。

从20世纪以来的关于雕塑造型所包含的空间、材质、尺度乃至时间意义的种种实验中，雕塑由让观众走近发展到让公众融入其中，我们不难发现尺度越来越大的雕塑已离开基座而成为景观本身。从现代景观造型美学的角度来讲，景观艺术包括了形体、空间、色彩、质感以及生态等几大要素。而从艺术大师所引领的现代雕塑发展的状况来看，雕塑的概念几乎涵盖了景观造型艺术的基本要素。从雕塑到景观，实质上应该没有任何距离。也许我们需要重新审视现代雕塑发展的进程，探讨在今天能否以雕塑向景观扩展来作为缩短雕塑艺术和公众距离的一种方式。

在习惯上，人们普遍认为建筑设计和园林设计是景观造型设计的主体。由于雕塑观念的不断创新，当代雕塑在环境中的影像完全可能由视点扩展成为整个视野，成为景观的总体。

毕加索在雕塑领域的伟大突破，对以后的构成主义、极少主义等抽象主义雕塑的形成有非常重大的意义。而未来主义者就是希望达到让作品与环境、形体与空间互相贯穿，其“运动”影响到了波普雕塑家环境流派的“环境”观。当空间在雕塑组织结构中的重要意义被他们充分验证后，极少主义和概念主义雕塑家，开始以像美术馆这类大而特殊的内部空间为实验对象。基于他们的重大探索，艺术家们逐渐认识到形式的基本要素在构成时，必然是在分割和重组它的唯一对象——空间，其目的就是有效地控制所在的空间场所。而当美术馆的空间被当作建筑雕塑组织结构中的一个要素时，艺术家开始尝试在自然当中限定与重构自然的空间，以恢宏的尺度去建构大自然的视觉新秩序。是“大地艺术”改变了雕塑只能“设置”和“摆放”的属性。

当“增长极限”被当作全球问题来激烈讨论时，人们已经意识到不可能长久地将人类困境转嫁给自然。每次都动用大型设备和消耗大量资金，大型地景艺术是难以继续维持的。而且“大地艺术”作品的感染力没有谁仅仅靠空中鸟瞰或图片就能完整感受得到。地景艺术在20世纪70年代末，其规模变得与当时萧条的经济状况难以对应。“大地艺术”最终离我们而去，而所产生的巨大影响、重塑大自然的方式以及与大自然的深情对话，为今天雕塑“重返大地”、塑造人类景观确立了一个积极的概念。"大地艺术"已经为新的艺术形式的崛起在观念上和技术上作了充分的准备。

城市是人类对自然影响最剧烈的地方，我们不得不面对城市的扩张带来的人与自然疏离的问题。每个人都需要一个疏解压力、伸展生命的空间，其关键是能否建构携带着时代文化的信息、重返自然的人类景观。"造型景观"是尺度相对较大的大地艺术综合体。它正是一种在公共园区中极为贴切的将现代人的生活同自然、文化一体化的艺术。

城市是一个由许多小容器组成的大容器。而景观可以是敞开的、通透的、铺在大地上的巨型雕塑作品。具有公园属性的人造景观可以看作是既是城市又是自然空间的相互延伸与渗透的领域。在公共园区中，当雕塑对所有有形资源加以整合利用、成为体现人文关怀并充分体现民意的景观本身而公众又能真正融入其中时，人、雕塑、景观的距离将完全消失。

生态原理是造型景观的另一个核心。景观艺术毕竟不是一场露天的综艺时尚秀。塑造景观，我们必须注重它的可持续性，以最适当的方式去善待脚下的土地，才能换取长期的回报。因此，我们应该全面了解土地、生态环境、外部空间等景观系统。人是自然的人，像植物这种"材料"的季节感就最能直接体现自然生命周期。雕塑家须懂得顺应材料的属性，去建造人性的回归之路——自然使艺术更贴近人。

雕塑在本质上更具户外特性，其造型与材质的自由度是建筑和环境设计无法企及的。大型造型景观以形式捕捉视线、以场境沁润心灵、以文化提升品格。据此，雕塑家最有条件为公众去塑造最有亲和力的景观艺术。

艺术必须遵循公共的属性，方能融入公众之中。自由和交流是必须的基础，并不是将艺术品放到公众能看到的地方就是好的公共艺术。对艺术家来讲，前瞻性与独创性以及对公共事业的态度是十分重要的。艺术家提供的独特视角与价值观要让更多人接受，必须将公众性和亲和力融入到新的艺术语言中。在公众生活中，人人都有属于自己的艺术，但公众总是缺少有感染力、有创意的艺术。

雕塑纯粹以形体、空间等语言来表现的方式很难为大多数人深入地读解。但公众对美的感受以及参与性却是与生俱来的，像创建雕塑景观这种无主题的艺术公园，对于公众来讲并不费解而且有很大的参与空间，因而是最为恰当的。好的艺术不是可有可无的。作为雕塑家，有必要拓展其工作的领域，以开放的观念、亲和的设计，将驾驭形体、空间、材料以及工程技术方面的经验扩展到公众的造型景观艺术上来。

（《雕塑家通讯》2003.02）

现代陶艺的时代感与传统性

文／王爱红

一、引言

中国艺坛思想活跃。通过对丰富多彩的艺术形态的比较，人们在艺术的目的、艺术的特性和艺术的表现中产生了纷繁多样的新观念。现代陶艺作为艺术的一个分支，不可避免地受到各种思潮影响。事实上，这股潮流已经影响到了现代陶艺的创作观念。纵观中国陶艺的发展过程及现状，迫使我们要思考一些问题：继承与创新，民族性与时代感，世界性与本土性等。

我们所面临的艺术创作观念中错综复杂的现象：新的与旧的、现代的与传统的、外来的与民族的……交织在一起，正如吴冠中教授所论述的"古今中外的立交桥"现象。

二、现代陶艺的界定

近几十年陶艺国际交流频繁，介于当下对国际陶艺的理解，许多陶艺家总是以人预想不到的新鲜花样炫耀自我的新奇，借以引起公众注意，以此是谓现代陶艺。

其实，现旧陶艺就其本身技术而言，它首先是一门工艺。在《简明牛津英语词典》中对工艺的解释为："一种需要特殊技能知识的行业；尤其是指手工艺术与手艺。"其次它是现代艺术的一个分支，是现代艺术家、工艺师借助了陶瓷这种材质，用泥所特有的语言来表达现代社会中人与人、人与本能、人与自然、人与理想的关系，是一种新的文化现象和行为方式。它与传统的陶瓷艺术有着血缘关系，一脉相连，生生不息。

三、现代陶艺在延承与革新中发展

作为人类特有精神创造性活动的艺术，同样是与人类同时存在，进化、变迁和发展的。正如恩格斯所说："在我们深思熟虑地考察自然或人类历史或我们的精神活动的时候，首先呈现在我们眼前的，是一幅由种种联系和相互作用，用无穷无尽地交织起来的图画，其中没有任何东西是不动的和不变的，而是一切都在运动、变化、产生和消失。"人类的艺术一方面总是随着人类的演进而发展，另一方面艺术本身有其独有的系统、范畴和体系。这些系统、范畴和体系又总是遵循着艺术自身的进化而发展，正如刘勰《文心雕龙·时序》中所述："时运交移，质文代变"，"歌谣文理，与世推移。"

现代陶艺作为现代艺术的一部分，与传统的陶瓷艺术相比，体现的是一个新的文化现象和行为方式。它的综合性已超出了传统意义上的视觉和造型习惯，从某种意义上讲是人的情感宣泄，个性突现，观念的展示。它的国际化，使得我们面对一种陶艺作品已不能轻易地从作品的外观上来判断出它的国籍。但在世界艺术长廊中，如何弘扬自己民族优秀的文化遗产，重铸全新的精神生命，这是每一个制陶人所深深向往的，同时更应是好好冷静思考的。

陶艺伴随着人类文明的进步而发展，随着20世纪80年代初期中国现代艺术运动兴起，西方现代艺术中的许多先进思潮，对于当时具有革新精神的艺术家产生很大影响，随后由于其它艺术门类的艺术家的介入，更为中国现代陶艺发展注入了新的能量和更丰富的思想，并为这一发展起到了推波助澜的作用，而且分出了许多流派，如前卫陶艺、实验陶艺、观念陶艺等等，呈现出多重风格样式以及各种语义结构并存的多元比新格局。

四、现代陶艺的传承与创新的矛盾统一

现代陶艺以独立的身份进入中国现代艺术是一个艰难的过程，其中最大的难点是作为有着悠久陶瓷艺术文化的中国怎样建立新的陶艺观念，怎样在继承传统的基础上而又能够走出传统的阴影。

中国是最早开的慢车，有七千多年的陶艺发展史，由于种种因素，丰厚的古代文明既是这辆车的动力，也是阻碍它快行的累赘。20世纪80年代以来，我们这辆慢车开始"提速"了，久闭的窗户打开了。物质与技术的引进，导致了思想与观念的变化。新理念新思潮中确有不少属于无知与盲从的表现，正如步入电子时代的人不会去追求陶渊明、范成大描写的田园诗般的闲逸情趣，但真正的艺术家从来停止过对艺术深刻的思考。人们喜爱古朴风雅的传统艺术，更需要与心脉相通的艺术。我们如果不能对此加以客观地认识，恐怕难以填补传统的陶瓷艺术与现代陶艺之间的"断裂"，克服令人担忧的"危机"。许多陶艺家迫不及待地展示在众人面前的作品，总给人一种莫名其妙的感觉，这种感觉的产生是现代与传统之间出现的断裂，一种标准的模糊，在传统与现实之间"构建桥梁"是一个值得探讨的课题。

伴随着求新求变的欲望，一股崇洋之风一哄而起，陶艺家们冲破旧轨道的同时，又陷入了新的模仿，在摆脱公式化的同时又陷入新的模式。如果探求适合新时代的艺术表现，一些国外陶艺技巧，是应该学的。然而这不仅需要借鉴和吸收，而且需要经过消化，不能拿别人的成果来代替自己的创造，将"洋气"等同于"时代感"，甚至直接模仿西方陶艺作品。不要因为仰望天边的彩霞而踩坏了脚下的玫瑰。"洋气"' 一时看来似乎新鲜，但未必能始终新鲜下去。我以为艺术总还是要有民族特点的，陶艺的民族性本身并不排斥它的世界性。

在纷繁复杂的思潮中，有一种说法：现代陶艺的发展与传统有着血缘上的关系，却没有传承顺序上的必然性，现代陶艺的发展是以反叛传统为出发点。这种说法是不正确的。综观任何艺术发展，都可以看作是对原有的一种"背叛"，但这仅是哲学范畴中的扬弃，并不意味着与传统割裂，艺术的发展历史有自身的规律性。试问如果没有新石器时期的彩陶，后人又如何知粘土能做瓷器，又如何进一步挖掘它的材质美。当然传统本身包含着不同的成分，不能一概冠为"国粹"，或当作"陈习"，然而两者又是不易分清的，只有善于分析，才能做到正确吸收传统中的精华，诚如鲁迅所说："采用中国的遗产，融合新机，使将来的作品别开生面 。"

五、结束语——寻找一种标准尺度

在中国陶艺史上，也许没有哪个时期的创作自由能和近几十年相比，陶艺家获得了前所未有的解放。这的确是一伟大的解放，如果陶艺家本身不去限制自己，连传统留给我们的标准也不屑一顾的话，那么自由度越大，艺术性反而越小。

丰厚的陶瓷史，既让我们荣耀，又让我们滞后，欣慰的是中国的现代陶艺的发展正方兴未艾。中国陶艺传统是开放的，它不只是教会人们模仿，它也教会人们创造。传统是活的，是世世代代的人们出于不同的理由，以其热情和忠诚不断修改、不断丰富、不断发展的生命力的不朽之物。我们切记要在不断开创现代陶艺新篇章的同时，把握好传统与现实之间的尺度，不断在传统中吮吸营养、推陈出新，跟随时代的现代陶艺才能顺利向前推进。

（《装饰》2003.04）

现代陶艺中的
传统文化价值观思考

文／李宪锋

纵观数千年人类文明的历史，陶作为一种自然永恒的材料，从新石器时代开始，就一直伴随着人类走向文明，走向现代，更以一种全新的艺术存在方式走向未来。原始陶器在世界各地先后出现，虽然在造型、装饰和文化理念上有不尽相同的地域特色，但其成型方法和艺术形式却存在着许多的相似性，这可谓人类的共识。

每一种物体在进化以前，其萌芽状态在形态上近似于生命的起源，空间和时间在起源上趋向一致。随着事物的发展，所有的形态都会以各自独特的生命形式存在。而艺术作为一种意识形态，同样在变革中，其思维形态与物化了的思想便趋向一致。在一个工业化发达的高速复制时代，用手工的创作方式去触及人们的感觉，从而使这一古老的艺术形式获得现代性的划时代的转换。现代陶艺以全新的艺术形式出现，它以不同的形式、角度和内涵展示了现代人对陶瓷传统人文精神和美学品质的认识态度，体现了艺术家对传统资源、语言方式、艺术形式的当代转化问题的新思考。

中国陶瓷艺术有着数千年的历史，它的遗存非常丰富，这是任何其它门类艺术品都无法与之相比的，它的文化内涵丰富而深刻，可以说中华民族将她最内在的本质，她对生命的感悟、对自然精神的神往完美地表现在了它的博大深厚的陶瓷艺术中了。中国传统陶瓷艺术代表了这个民族的体验，代表深深扎根于这个民族文化土壤之中的精神与人性的成熟，代表技术和形式方面精湛的表现方法，代表了这个民族对艺术价值看法的最后概括。

由于西方近几十年来现代陶艺的发展，使陶艺成为一种十分国际化的艺术语言，现代陶艺作为一种新的介质，促进了艺术国际化的进程。在中国当代艺术情境中，陶艺语言面临着在东西方文化的碰撞中如何更好地利用传统文化资源、因势利导完成自身现代嬗变的问题。在中国传统陶瓷艺术作品中我们看到古代艺术家往往借助器物的造型来寻找人与自然的和谐，人深深地沉浸在自然中去体味自然生命的奥妙。而我们现代的陶艺作品也有很多表现出对自然物象、物性的亲和与性感以及对商业化机械复制图像的远离逃避，力图以最生动、最富个性魅力的现代陶艺语言来表达艺术家对生活的感受和性感体验，来展示他们的艺术理念和生活价值观念。

当今世界，国与国、地区与地区、个人与个人之间日趋明显的相互依附性，显示出多元共存的必然态势。但正因为如此，各国陶艺家才需要通过自己富有个性的作品表达不同文化背景多元共存的合理，体现各种文化对于我们的世界都是不能缺少的重要现实。纵观中国现代陶艺作品所呈现出的风格样式，大多都兼容了多重的风格式样因素和语言结构，一些作品同时具有观念表现、波普等多重风格。在对本体语言的关注上，显示出多种语义并存的现象，在题材的选择上，也显示出对生活观察的平常心境以及对人文现象的关怀。这种多元性，丰富了中国现代陶艺的人文语境，从而形成了中国现代陶艺的新的发展格局，这种格局的不断发展和壮大，将会逐渐强健中国现代陶艺的身躯，塑造中华民族陶艺自身语言状态，这对西方艺术形态的日益国际化蚀食具有深远的意义，同时我们应该看到，作为一种弱势文化和经济发展相对滞后的现状，一些现代陶艺作品明显带有一种西方附趋性。现代陶艺可以有时尚性，但决不能等同于时尚。在体现社会共性与现代性的同时，应通过对陶瓷本质的现解，去体现个人对陶艺的认识，比如社会、文化、历史及陶瓷本身等。我们更多的是要在中国文化的这个大背景共性中去寻求个性，去诠释对自身文化的理解，也就是说是在继承优秀传统加以深化并融纳自己的对事物的不同观察、视角和内心体现而形成的个性，离开了中国传统文化这一大背景，就无从谈起中国现代陶艺的多元性、国际性。

中国现代陶艺家在探索现代陶艺新的表述语言上，深深地植根于不可避免的变革与更新的学术思考。学习与借鉴、交流与融汇是所有文化艺术得到繁荣的重要因素，它给我们熟悉、赞美的传统陶瓷艺术以新的表现形式，从而开拓了陶瓷艺术研究与创作的新空间领域。中国传统文化和陶瓷艺术的博大精深对今天中国的陶艺而言并非是发展的对立面，而是其借鉴与发展的基础，任何离开这一基础的现代陶艺都是空中楼阁，传统陶瓷艺术因传统文化的感悟性特征，形成了一种神奇而富于变化的感悟性表达特质。若将这种传统特质潜入到现代陶艺的创作中，将会与有别于西方的陶艺语言的形式并驱并行发展，共同尊荣，而不致落入窠臼随行于他人之后。国际陶协主席东尼·法兰克斯先生在全国第七届陶瓷艺术设计创新评比大会上讲过这样一句话：

"中国几千年的陶瓷艺术变化，将成为你们中国陶艺家现代陶艺创新和发展的基石。"

（《雕塑》2003.03）

图像和雕塑

文／焦兴涛

在视觉文化正日益成为当代文化主因的今天，图像作为电子媒介传播最直接最有效的方式、数码复制时代最过剩的产品，正以其快速、明确、直接、动态、具象的特点，被广泛的传播、复制、生产和消耗，并持续不断地改造着我们的视觉经验和欣赏习惯。

当代生活正驶入一个被称之为"世界图像的时代"，世界被转译成图像，图像成为人们获取信息认识世界的首选方式。在这样一个各种视觉符号泛滥、艺术被相当程度地泛化并成为社会普遍追求的背景下，造型艺术作品要想获得广泛的传播，也只能以图像的方式，否则就只能接受因受众面的日趋狭小而导致的边缘化境地。图像传播的特点对艺术言说方式的入侵和改变，作为一种艺术现象正日益明显地凸现出来；在这方面，雕塑作为占有空间的艺术，与图像在感知方式上的差异性，决定了与图像平面性的对立。在这样的背景下来考察图像和雕塑的关系与彼此的互动，对于认识雕塑概念在今天的拓展和演进都是很有必要的。

为了能更好适合图像传播的需要，当代雕塑必然对自身概念定义中的一些部分(如空间、体积、质感)进行某种程度的消解，同时吸取图像的视觉经验并发展出一些新的艺术语言，这种雕塑的图像化倾向的产生，也可以看作雕塑在这样一个电子传媒日益普及，图像传播迅捷快速的时代摆脱尴尬的必然选择。

雕塑（包括装置艺术）特有的现场感、空间感和触觉体验，却是图像所难以完全记录和进行复制传播的，图像的平面性和雕塑空间感之间的矛盾，构成了二者相互之间转译的困难，进而形成了雕塑在现代媒体传播中的劣势地位。在中国当代艺术的进程中，雕塑的"滞后"现象以及扮演的"慢半拍"的尴尬角色，除了众所周知的原因外，传统雕塑作品的展示行为与现代图像传播方式的对立，也是其中一个不容忽视的原因。每个雕塑家都被要求同时成为一个优秀的摄影师，必须对自己的作品用另外的方式进行转述，否则将无法让更多的人认识和了解自己的作品。由此看来，正是传播方式的变化使得雕塑艺术不得不在今天面对更多的挑战，同时也获得了更多的可能性。

由于电子媒介形态的传播方式成为我们今天生活的主角，机械复制的各种符号和图象的急速增长使视觉文化作为公共生活的基本存在形态已远远走出艺术的范畴，并持续不断地改变着我们的视觉经验。我们不断从电影、时装、杂志、广告和电视中选择着符合自己视觉趣味的符号，"视觉冲击力"、"视觉效果"成为我们的常用语和关键词，视觉的吸引力和感官的快感被无以复加地突出出来，并强调观者即时的"读图"反应。追求视觉的表象形式和对欲望的唤起，使得人们视觉的心理期待大大提高了，视觉需求也被无限制的强化。观众在接受着持续不断的视觉轰炸和冲击之后，在图像不断趋于单纯、明快，意义消融但视觉强烈的同时，是观众对视觉快感的更高要求和永不满足的期待。对不够刺激的东西漠然以对，对具有强烈视觉性的东西无休止追求，其结果是视觉敏感性的下降，最终能让人记住的只有被剥除了意义的形象自身。传统意义上的雕塑是难以提供这样的视觉经验和刺激的，当一双具有图像依赖性的眼睛来看雕塑时，会因为其缺乏色彩而感到索然无味，会因为复杂的视面、多变的轮廓而难以把握，而丧失了现场的体验也变无法体会空间艺术的魅力。因此在这种背景下，当代雕塑不论是在色彩、体量、材料运用以及对传播方式的考虑上都产生了和以往不同的风格和形式，图像在对雕塑的某些传统观念和特征进行着消解的同时，也筛选并强化着其中符合图像传播特点和当下视觉习惯的方面。当代雕塑正发生改变现在以下几个方面。

首先是色彩的运用成为自觉。色彩在现当代雕塑中的广泛运用，一方面是它反映了当代社会的一种集体的审美需求和感官欲望，同时，又符合了当代视觉图像文化传播的趣味和要求。另外在环境艺术中我们看到，五彩斑斓的彩色雕塑确实更能适应今天到处充斥着物欲表达的城市氛围。

随着色彩的进入，其结果是对传统雕塑的一些基本概念如"量感"、"质感"形成了冲击和消解的态势。雕塑作品由于设色形成的对材料表面的覆盖，使得雕塑材料的肌理和质感失去了表现力，由此产生了对新材料的探求和对传统材料新的运用方式的实践，如树脂、硅胶材料以及各种人工合成材料。在这种情况下，雕塑家对于材料审美的特殊感悟能力已显得不如以前那样重要了，触觉的审美体验已彻底让位于视觉的感官印象。

在当代文化中，图像文化的主导地位和“视觉盛宴”性质，使得受其影响的雕塑作品越来越呈现出一种“图像化”、“符号化”的倾向，在作品的题材和表现方式上更加追求视觉和感官的刺激性及陌生化。可以这样说，作为一种文化现象，伴随着各种电子媒介的快速发展，图像的视觉愉悦空前地激发起观众的感官欲望。欲望的增长集中表现在对形象的强度和冲击力的要求上，以往作为禁忌而不允许呈现的题材和一些形象，在当代艺术包括雕塑中都有很多的表现。作品意义的丰富性正让位于感官及欲望刺激的直接性，作品具有的结构简单、形式明确、效果单纯强烈、易记忆的特点，正是当代雕塑在图像传播方式影响下呈现出来的符号化倾向的具体表现。

在雕塑的图像化倾向中，一个值得注意的现象是雕塑家开始直接运用各种图像资源进行创作，表现在两个方面：一是指雕塑家以照片的形式记录他所需要的素材，并在此基础上进行创作，如同画家用相机来搜集资料以替代速写一样。而更重要的一点是雕塑家直接利用公共传播媒介中的图像资源作为素材进行创作。其中比较常见的一种方式就是把平面的图像做成立体的形式。

伴随着新的媒介对雕塑概念的介入，图像作为一种视觉形式经过特定媒材的转换后，成为了雕塑的一部分，图像也就成了当代雕塑的一种语言表达。在当代艺术大潮中，雕塑是一个开放的概念，新兴材料的产生对现有的雕塑材料来源是一个有意义的扩充，如灯箱、霓虹灯、电视的介入，使得雕塑的艺术表现拥有了更多的手段和形式。另外，在一些大地艺术和景观艺术，像罗伯特·史密斯的《螺旋防波堤》、美国艺术家海泽的《双重否定》以及克里斯托的作品，受时间和空间的限制，普通观众是无法进入甚至是无法接近的，而且这些作品巨大的尺度决定了即使在现场的人们也无法以正常的视角进行观赏，必须通过特定角度拍摄的照片或音像资料，才能感受到作品在自然环境中的全貌。因此，他们的作品在画廊和博物馆通常是以照片、录像和电影的形式呈现出来。在这里，图像作为作品重要的诠释者，在整个艺术行为的呈现表达和传播中，起着决定性的作用，由此可见，图像在当代艺术中已成为作品不可分割的一部分。

在当代艺术走向融合、交叉并呈现出更强的综合性的背景下，图像的视觉经验对传统雕塑样式的改造和影响是显而易见的，作为传播的手段，它体现了视觉的优先性在当代文化中的强势地位和对其它媒介形式形成的压力。同时，还应看到，图像时代带给我们的形象的内涵和意义的表面化，使得艺术原有的审美的静观和对意义的体味也转变为视觉快感的追求，其结果是作为人类精神财富的艺术品的迅速商品化。在传媒和公共传播的强大力量面前，艺术作品的现场展示或许会越来越变成一种仪式，但艺术作品的现场体验是永远无法替代的，对于艺术和艺术家来说，不管怎样，保持一种自觉的批判意识和对现实的追问将是不容置疑的。

（《雕塑》2003.03 节选）

计算机雕塑艺术

文／喻建辉

随着计算机应用领域的不断扩大，各个行业的专业人员参与到计算机软件的设计与使用，从而使其新的专业化程度越来越高的计算机软件不断被开发，计算机的潜在可能性已成为普遍的共识。甚至在相对比较保守的雕塑艺术领域也因此而呈现出新的面貌：计算机雕塑艺术已成为雕塑创作的一部分；由于多媒体在艺术教学中的应用，年轻的雕塑家能有更多的机会在新的领域寻找创作灵感。

计算机雕塑艺术是在计算机平台上虚拟的三度空间里，根据一定的计算机软件程序所进行的雕塑创作。我们之所以认同这种艺术形式，首先，任何一门艺术都不是独立存在的，艺术的与时俱进是艺术空间扩大的重要条件。回顾雕塑艺术的发展历程，它容括了不同时期的各种先进技术和材料。焊接、电磁电动、卫星定位系统等使雕塑家从中受到了启发从而涌现出新的雕塑形式，雕塑艺术的空间领域得到扩张，雕塑艺术更接近于人们的生活。另外，雕塑是一种视觉艺术，一种三维造型艺术，一种观念不断更新的技术与材料的艺术。计算机是一种新的媒介形式，实现了一种全新的视觉理念，计算机雕塑反映了雕塑的一般要求，形体、空间和材质。所以，对于雕塑家、评论家及其他行外人士来说，不管愿意与否，计算机雕塑以其独特的艺术魅力，已经形成了新的雕塑艺术形式，它使很多雕塑家花不少时间从事计算机的雕塑创作和与之相关的行业。

早在上个世纪，有个名为“计算机与视觉艺术”的国际专题研讨会对于传统雕塑艺术与计算机雕塑艺术的信息理论进行了分析，如果说那时的探索局限于美学的层面和对计算机雕塑艺术的前景预测，那么现在先进的计算机硬件技术和不可思议的开发速度的三维软件证实了它的必要性。事实上作为信息控制系统的计算机之应用于雕塑在很早的时期就实现了，如琼斯·杜普和拉尔斐的《心跳混乱》(1968)以及詹姆斯·西乃特的《电子环形》(1968)，还有普勒萨模拟计算机元件和数字计算机创造出高速的声光造型。这些艺术家在计算机出现的初期就使之应用于自己的雕塑创作，或者说是计算机刚开始就给予了艺术家艺术的灵感；在我们国内，近几年的公共雕塑可谓很得益于计算机的利用，计算机雕塑的直观性很大程度上满足了人们视觉客观性的审美要求，公共环境与计算机环境的相互配合有利于鉴别雕塑是否能更好地适应于环境，使雕塑家更容易判断雕塑在环境中的真实效果。公共环境的建设为计算机雕塑的发展提供必要的条件。此外，其它艺术领域，如电影、电视广告等，也吸引不少雕塑家从事计算机雕塑的创作，计算机雕塑成为雕塑与其它艺术门类的连接点。

一般来说，计算机雕塑艺术有如下几个特点。

1、计算机成了新的视觉媒介，雕塑作为数字化的电子文件易于广泛传播。随着互联网深入到人们的生活与工作，信息共享使世界各地的人们在最短的时间内了解雕塑创作的最新状况，并参与到雕塑的共同创作当中，甚至雕塑与观众产生互动。

2、计算机雕塑是虚拟中的客观现实。它很大程度上是以现实为原形，如材料、灯光、声响、材质。在视觉上与现实中的雕塑没有多大的区别，在公共艺术领域，计算机雕塑是作品最后形成的前奏，它处于雕塑设计重要的最初创造与修改阶段。

3、利用多媒体技术将零散的、不同存在形态的信息链接，改变了传统的观察角色模式，在虚拟的三度空间里，人一方面是创作的主体，但偶发的、无序的图像、叙事反过来引发人的潜在的创造力。

4、计算机雕塑是以数字的方式存在的，它不但形成以精确的数据，而且利用数据的可变性，可以对雕塑进行反复的修改和存储。

5、计算机雕塑往往需要达到一定的硬件和软件的配置组合。硬件系统通常是MPC或MAC的配置，如主机的外部设备（显示器、键盘、鼠标、硬盘、打印机、扫描仪等），其次是配置多媒体的设备如数码摄像机、视频压缩卡等，工具软件一般有三维建模的Maya、3D Studio MAX、Rhino、Softimage等，图形图像的元件如Adobe Photoshop等；制作动画软件有Adobe Premiere、3D Studio MAX等。还有涉及到其它艺术领域的操作系统如影视艺术中的非线性操作系统等。

6、计算机的数据、控制系统作为雕塑的辅助工具。与其它雕塑相比，计算机雕塑是存在于虚拟现实的状态中，而通常所说的雕塑是纯粹的现实中的物体，这种虚拟的真实与纯粹的现实统一成某种叙事情节，它的意义在于现实世界与虚拟的世界的价值所在，即便雕塑的可贵之处带有理想特征，但似乎在计算机里我们更能发挥我们的想象力，在当前的影像艺术、舞台艺术、多媒体艺术中，这种想象力已发挥到极致。如何看待二者之间的关系还应当提到一个常识问题：计算机作为一种工具，即便三维元件设计得如何完善，永远也不可能像手拉一块泥一样去塑造形体；在计算机里我们也永远不可能触摸出铁、青铜和石块的肌理；计算机雕塑永远是雕塑的一部分。

计算机雕塑的存在方式有三种：(1) 存在于完全的虚拟的空间中，形体、空间、环境是计算机对真实世界的模仿；(2) 利用数码影像把真实世界中的情节与在计算机平台上的雕塑连接成接近真实的场景；(3) 雕塑以真实的三维形态而存在，利用计算机完美的数据处理、或计算机控制原理、使雕塑产生别开生面的效果。

计算机给人类所带来的革命是前所未有的，我们很容易感受到这场革命产生的后果，对于艺术而言，几乎每一次重大科技成果的出现都会给艺术带来飞跃，我们期待着计算机雕塑成为雕塑艺术的新鲜血液，雕塑艺术的发展需要这种推动力。而且我们已经看到了多媒体、数码技术、计算机等高科技的参与，大大丰富了雕塑的表现手法、形式和内容，打破了传统的观察模式和视觉规律，同时也为雕塑与其它艺术门类建立了连接的桥梁。只有当雕塑具有强大的社会需求力时，雕塑艺术才会走向繁荣。

（《雕塑》2003.03）

救救孩子

——我对造型艺术的看法

文／于庆成

有许多老造型艺术家，名声遐迩，无人不知，甚至衔高品极，言动南山，但他们的艺术作品放进以往有建树的艺术家的作品中，竟然像水倒进了干涸的沙土里，一会儿就再也辨别不出水是什么样子来了。这倒不是以往的艺术的技艺高不可攀，只是他们一生的艺术成就只是以往艺术家艺术成就的影子。遗憾的是他们不觉得这是一种极大的遗憾，甚至觉得艺术就是这样承前继后一辈接一辈的来，看我的技艺结果放在前辈作品里是否同根共源，同堂共和。并且他们还以此为楷，宣言立说，教导着下一辈人也如此。真是一种极大的悲剧！如果我也是这么一个艺术家，我宁愿干脆像个民间艺人一样，整天按照家传的模式做些小狗小猫，花花绿绿，投合孩子们的喜爱，心安理得地赚一个半个的小钱，啜一盅半盏的粗茶淡饭。也许，我时常鞭策我自己的话还不过时，这就是：在艺术的道路上不断发现新的领域，像防“非典”一样防止重复前人已发现的东西！

但是，不断发现新的领域，像防“非典”一样防止重复前人已发现的东西，一旦落实在一个艺术家身上，一个面临着古今中外伟大艺术成果触目皆是的艺术家身上，却十分严酷。据说古希腊的亚历山大大帝在东宫当太子的时候，每听到他父王在外国打胜仗的消息，都要发愁伤心，为什么？他生怕世界被老爸全征服完了，自己将无用武之地。如果我是亚历山大，我面临的是世界都被征服了的现实，我一定会不去发愁伤心，而去变换一种征服的观念。统一了六国的秦始皇“焚书坑儒”，是换了一种征服的观念，牢坐一统江山的汉武帝出征西域，是换了一种征服的观念。固然，秦皇汉武不是我们通常百姓持家理灶的楷模，但是作为一个艺术家，就应当有着帝王的理想，像秦皇汉武那样，有新的征服世界的观念。上边我说的那些老一辈艺术家错就错在自己没有新的艺术观念还沾沾自喜，还理所当然；有了新的艺术观念，就有自己的艺术语言，这是非常重要的。

时代变了，应该是观念也随之而变。然而改变观念对艺术家来说非常不易。商贾们的观念通常会与时俱进，那是他们要的是商业利益的归属，否则他们就会一文不名。政客们观念一般会与时俱进，那是他们看重的社会权益，否则他们就会倒霉背运，跳梁可笑。艺术家呢，他们往往要的是头上的光环，好像这种光环不是与时俱进的结果，而是前一辈艺术家遗留下的法宝之产物，他们纷纷卧薪尝胆，苦心苦志地靠近这个法宝只是一些程式化了的东西和表达这些东西的技巧。于是，他们得到了这种光环，并找出千万条理论，保卫这种光环。于是他们即使不言传也有身教，使孩子们也向这种光环靠拢而努力。我倒不是反对所谓的中国写意画，只是拿它作为现成的例子设说：老师们拿着毛笔、墨、宣纸这三种东西，让孩子们没完没了的画，松树怎么画，牡丹怎么画，鸟怎么画……没完没了地说些连他们自己也许也了解不多的什么“形神兼备”的老腔，什么“似与不似”的陈调，如果这样下去子传孙、孙传孙，孩子们还有什么发展呢?孩子们这样等于跳进了庸波俗海里去了，这是苦海难波！这里我忍不住套用鲁迅先生的一句话：救救孩子！

救孩子有什么良方？我不是儿童教育家。但我知道，艺术是反映时代的武器，观念与过去的时代雷同，艺术家就不会有成就可言。教孩子怎样观察社会，怎样树立人生观，价值观，使孩子们对旧有的艺术规模有认识的能力，并使他们有对旧艺术规模离经叛道的勇气和力量。总之，让孩子们视创新为艺术生命的教导，大于艺术技巧的教育。

（《科技与艺术》2003.7）

所谓具象

文／殷小烽

具象的概念或者说含义是相对于抽象而言的，其手段即是具体地运用自然与生活中的真实物象而创作的，借自然之形繁殖、扩充视觉的含义，从而剥离出一个更加清晰的形象世界。

纵观人类艺术发展的历史，具象的方式一直处于统治地位。具象雕塑的渊源是随着人类漫长历史而流淌的，人类的每一次认识的进步都会对艺术的方式、手段产生影响，如小船随着海浪的起伏而起伏一样渐行渐远。每个时期风格的演变、手段的运用，可以看到人类对形象传达方面进行了艰难的探索之路，多元的生活方式带来了多元的思想方式及欣赏方式。史前的对自然的敬畏与崇拜产生的简洁图象，古代的对于神话与宗教的宣扬与表现，宫廷的纪念与颂扬，对于社会的道德与操守的说教都借助具象的表现方式被传达出来。具象艺术形象直观、明了为那些时代的宣传与维护起到了非常强大的作用。近代科技的发展为诸多的艺术方式的表达提供了便利的技术手段和表述空间，以往单一性的种类，也渐进地被拓展，边缘性的、交叉性的东西越来越多。摄影的发明为人类带来了重新看待世界的方式，同时也展现了具体的描绘某一事物的多样性 。

雕塑是由可触视的物质而构成是“物”，不仅仅是一个词语，更是由无数反映真实态度的形态而组成当代艺术中的“物”，“物”具有堆积的体积，具有形成形象元素的概念，具有占领空间情绪的功能，具有体贴、具体、转述性的现场感。“具象雕塑”一词存有保守的口吻。在“逼真”已经成为可能的时候更是对具象艺术产生了戏弄，“脱胎换骨”似乎成了精英与投机者一致的口号。拒绝与批判成为一种信念与斗志；挖空心思的原创受到嘲讽。批判力、抉择，从来没有像现今这样被需要而富有力量。形体与空间的魅力需与现实相结合，相融和，面对诸多话语的解禁，绕嘴的方式未必会是最佳，也许是对变化的一种回应。人们总是不断地重新回到过去，在一个更长的时间里理解历史的变化和人们对变化的回应”，一座肖像，除了形体的塑造与空间的表达更倾向于观念还是自身语言的展现？手艺是隐退还是真的消失？面对以其对艺术的理解是种纯粹的东西，内省的东西，那么，我们真的可以肆无忌惮地尽情跳舞了吗？是否还需要掌声，需要评论，需要共鸣？是否还需要纯粹——形式的纯粹、视觉的纯粹、内容的纯粹、思想的纯粹？如何将生活的什物变成富有表现力的作品，切断联系还是藕断丝连？沟壑填平会带来坦途，填s平山峦，无限风光还会存在吗？在忙碌中假设，仍是离起点较之终极目的更近，一切都没有答案与意义，答案也许就在寻找的过程或结果中，也许制作行为便是答案本身。将米开朗基罗的《大卫》置于今日泳装模特之中可否？所有的物象，清晰而又模糊地一并站在世界面前，也站在作者与观众之间，被触摸、挪用、调侃、激赏。也许不知道选择什么，但会知道结果是什么。一如黏土塑造人体，在制作架子之时，便是在走向实在的形体。实在、真实(不是逼真)、占有、可触，不能解决什么，只是表达什么，寻找直接、有力、迫切、强烈而恰当的手段。

所谓具象，一个物品或一组，传达、固守还是突破，哪怕是杜撰式的突破，不同的角色有着不同解释，但泾渭分明的表态也不意味着意志的坚定。空间还是会穿过形体而弥漫，形体还会解救出感觉的麻木，人的动态、动物的跳跃、苹果的安静还会有助于视觉的直达。一幅浮雕置于展厅也许不如悬于受风雨侵蚀的建筑之上更加静谧、协调。耸立的实体充实在空间，也牵引着目光与情绪，是理性与直觉的握手。人人都可以是提问者，却不是回答者；苦心竭虑的提问，无奈而随意地回答。为他人制定规则，而却在怂恿自己。人们在哲学家的影响下充盈着智慧，在科学家的影响下进化着头脑，在政治家的影响下体验着策略，在企业家的影响下恭维着效益，那么在自己的影响下会是“仅仅如此”或“应该如此”还是“必须如此”。锻造金属的声音、凿石的锤子、电视的闪烁彩屏、众人的嘈杂等等混杂于一体。智者抑或生活者在麻木、废墟中与旧的复辟及新的霸权哑然邂逅，并以物质的方式触及世界的灵魂。

（《雕塑》2003.04）

创作雕塑《希望》随感

文／徐诚一

艺术作品的创作需经过三个不同的阶段：情感的激发、作品形式的寻找、审美精神上的观照。自然和生活中并非所有的现象都能引起我们的关注，只有当内心的感受同生活中某种现象吻合时，才会唤起人的热情并激起其创作愿望。对艺术创作来说自然和生活仅是一种表象，心灵乃是一种实质，真诚则是创作趋向境界的真正动力，不管时代怎么变化，“真”是不变的，只有出自真心所感悟到的形式才能感人。真诚是人们交往中最为宝贵的，也是艺术的根本所在。

抗洪和希望工程是我国社会生活中的大事，也是近几年艺术创作的热点。雕塑《希望》以洪水、儿童、读书为叙事元素，表现抗洪救灾中涌现的感人场景，滔滔洪水中奋力呼救的山村儿童，倔强的她右手紧扣头顶怕被浸湿的书包，左手紧抱着漂浮在水面的树木，求生的希望和求学希望交织在一起汇成了强烈的视觉力量。在作品中，我想表达一种真实而非现实的东西，是属于内心深处的真实。艺术既然表现人，是表现我们每个人自己的生存与思考，就应该在作品中真实、直接地表明我的思考和最能触动内心的那些感受。艺术感受来自生活中的深刻体验，一个单调乏味生活圈里的人是很难真正体会到生命存在的。《希望》引发我创造灵感是来源于我那段对生活的感悟，引发我更多关爱生命本身，刺激我艺术创作的神经。1998年春夏之交，特大洪涝灾害的消息沉重地压在人们心头，那年8—9月份，南方连绵不断的梅雨季节里，因女儿肺炎，我天天陪着去医院挂水治疗。每天往返于风雨之中，医院诊疗室里挤满了患病打针挂水的儿童和焦虑疲倦的家长，屋里到处都是雨具、书包和药瓶，窗外的风雨声与屋内嘈杂的哭闹声触发了我的创作灵感，激发我对洪水、儿童、读书的思考。那些天里，身心疲惫的我整天奔波于湿冷的泥水和雨水中，触景而生情，想到邻近江西、湖北地区经受着生死考验的抗洪斗争，想到那些被洪水冲毁淹没的学校而失学的灾区儿童。脑海里闪现出被洪水围困枯树上小江珊被救的感人场面和那些满脸惊恐未定、渴望回校读书的灾区儿童，那神情是那么真切、那么难忘，使我在内心深处萌发出迫切去表现这不平凡历史瞬间的创作冲动。

艺术是交流思想情感的一种方式，通过创作把自己的情感融入作品，这是一个艰难而又曲折的过程，过程即状态，状态的外化，既是形式的呈现，亦是精神的物化。创作的过程更是学习的过程，只有在创作的艰难痛苦中，在走投无路到绝处时才会逼着自己去认真思考和辛勤创造，才会有最终的“柳暗花明”。不把自己逼到那个份上，也就很难会有那份感悟和收获。现实生活中每个人都有自己的酸甜苦辣，个人独有的生活经历是艺术创作的源泉和财富，而转换进入到创作中很重要的一点就是想通过自己的作品表达出自己的情感。这是作品存在的价值体现。我们要学会自觉自然地把对生活的感受真正融入到自己艺术实践中去，并把这种经历和情感在艺术作品中得到表达和升华。而在考虑艺术创作的形式时要敢于真实地面对自己，对自己有一个真实的估量和认识，寻找自己的面貌特色和话语方式，只有这样才会寻找到属于自己个性语言风格的灵感。

《希望》是一种被内心的力量所驱使进行的创作，这种创作是内心的、情感的、人文的、体悟的，是心灵的撞击，心灵让我真实地了解自己，这是一种超然的人生体验。我想我们对生活的观察、体验不能仅仅局限于物体的形式因素上，而更应该通过对这些因素的观察达到一种精神的体验。也就是说要把看不到的感受表现为可视情感表象，只有达到这个层面，才算是找到了自我，才能够说是有了生命。我们对生活感受表现在作品中所体现的是精神，是其精神的延续以及这种精神和现实生活的沟通，《希望》中的女孩形象是我内心和我语言的载体，通过我手指塑造的女孩，可以窥到我创作时的真挚内心，如果将女孩脸上的泪水、雨水轻轻抹去，映照出的是对人类人性的深切关怀。人们总是习惯有意无意回避着灵魂深处一些隐藏的、不自觉的事物，对偶有坦诚的表白，会感到陌生和震惊。观众面对雕塑《希望》，如果能够有所感动有所遐想，那也是我最大的愿望了。

(《科技与艺术》2003.09 节选)

软雕之魅

文／赵菲

伴随文化的发展、艺术观念的变化，现代雕塑风格发展越来越多元化，所使用的材料也日益多样，其中软雕就是一种不同以往的表现形式。它以软质纤维材料为主，加入硬质的石、木、金属、塑料等辅料，运用编织、环结、缠绕、缝缀、拼贴等技艺，结合染、绘、喷、印等手法，与创造者的奇思妙想相融，制造出一种独特的多为抽象性的三维立体造型艺术。它完全突破传统雕塑艺术的形式构造与创造理念，对材料的特质进行开拓延展，在刚与柔之间得到一种新的语境，丰富了雕塑原有的艺术语汇，以全新的视觉形象呈现在人的面前，堪称刚柔并举的艺术。

软雕是用纤维材料作为空间构成，具有柔性和有伸缩力的特点。它脱胎于传统艺术的墙上形态，即挂于墙面上的二维平面织物的壁挂，应该说与真正意义上的雕塑没有什么血缘，但因其包含着雕塑的观念与特征，如空间立体性、环境融合性、静态瞬间性、造型实体性、加工技术性等因素，自然可以成为其阵营的一员，而被雕塑所吸纳包容。软雕的现世是随着现代纤维艺术的深入发展而脱颖而出的。现代纤维艺术是在扩大选择纤维材料和延续发扬传统编制艺术的基础上进行，从传统的精密复制写实性绘画作品发展到现代简练多变具有时代感的形式以适应现代人快节奏、求新求奇的多样化审美需求。引导这一变革的是现代纤维艺术先驱法国人让·吕尔萨。在20世纪20年代，他将现代设计观念和新的装饰性带入壁上艺术，从而改变传统壁挂融合或移植绘画的单一样式。受其启发感召，现代纤维艺术尤其是在表现形式上，开始从具象到抽象、从平面到立体、从室内到室外的转变，并于上世纪的60、70年代迎来现代纤维艺术的全面发展时期。除了继续探索壁挂与绘画的融合，还勇于接受新技术，向织物与雕塑的构成以及纤维艺术与建筑空间的综合表现方面进军。在编和织的工艺情境中，将纤维艺术的张力与各种可能性充分地扩展表现，赋予传统纤维艺术以现代的意义。软雕便在现代纤维艺术中异军突起，应运而生的位置与三度空间中，改变以前只是作为陈设或场景的功能，打开通向雕塑、结构和空间的大门，无疑也为雕塑艺术带来一种清新的气息。

与雕塑一样，软雕同样是材料艺术，都是利用不同的处理方法，展示不同材料的特殊性能和特点，做到既表现艺术家的审美感受和理想，又体现各种材料的材质美和制作的工艺美，以强烈的视觉语言昭示世人。但不同的是使用材料一个强调刚性，一个重于柔性。一般来说，人的生理本性对那些软、轻、暖、光滑的物体，从心理上喜欢接近。而皮肤与外界接触超过了生理承受限度，那么心理上就会产生畏缩，形成反感恐惧，势必对人的审美心理造成影响。纤维材料极具亲和力，给人以质朴、柔韧的直观感受，能够创造出不同其它艺术门类的温情，在触觉上也能让人倍感亲切。或许是基于人类长期对纤维材料的关注喜爱，软雕一出现就深深地打动我们，于是，在充满阳刚之气的雕塑艺苑里也增添几分柔美。

丰富的色彩是软雕的又一突出特点，这是除彩塑之外大多数雕作品所不具备的。亮丽的色彩可以加强视觉冲击力，提升艺术的感染力，色与色的组合能够形成并表现出一定的情调气氛，进而派生出种种不同的感觉：或温暖舒适，或典雅协调，或强烈刺激，带给人各种各样的联想。因为色彩能直接影响人们的视觉感官，心理上产生不同的反映，特别是当代人越来越重视工作与生活的质量和品位，对空间中的色彩设计与装饰十分看重。适宜的色彩形成安全、有序、和谐的氛围，使人心情舒畅惬意，心理体力都得到调适，软雕正好满足这种诉求。

雕塑以物质实在性的形体塑造可视又可触的艺术形象，软雕则具有软质的不同肌理与厚度、独有的塑性与垂性，同样可以从量感、体感及视觉和触觉肌理创造浮雕、圆雕塑等作品与雕塑媲美。纤维软雕以体、面、线等多种多样的组合穿插，构成围与透、虚与实、聚与散、动与静等实体空间，制造具有结构强调的实在感和空间序列的运动感的崭新意境。硬质雕塑的形态在完成后，一般不能改动，但软雕却可以随设计者的思绪，根据建筑空间的不同，改变形态和组合形式甚至展示的形式，其随意性打破传统雕塑形态的永恒性。由于软雕选用材质是多种质地的，方便利用材料特性中的粗糙、柔细、板硬、松软等特点营造多变的视觉效果，这是硬质雕塑难以表达的。纤维材质自身还拥有物理和化学性能，使之又兼有御寒、保暖、防潮、吸光、反光、隔音等功效，把实用与审美融为一体。还可以将立体结构形式，借助自然和人工的行为与之相互配合产生亦真亦梦的虚幻。例如，在“从洛桑到北京——2003北京国际纤维艺术双年展”上，日本艺术家小也山和代的《光——？》，置于空间中通过光的照射来展示纤维排列组合后所产生的曲直、疏密、合散、折叠、透遮的对比，让人遐想无限。就是说纤维造型能与环境绝佳匹配，在不同的时间、不同的地点、不同的地点、不同的光照条件下与环境结合形成不同的景观，较好地表现空间环境并与建筑空间互为补充，起到渲染和强化建筑内外、调节空间序列的作用。另外，软雕布局层次多变，虚实相间，表现灵活，依据空间横竖结合构成造型，根据不同材料的肌理变化，使建设空间与室内外产生生机与活力，与建筑本身的色彩、照明、材质结合成有机的整体，消减硬质材料带给人的生硬与冷漠，浑然天成地将人性化的艺术气息和建筑空间交融，得到建筑学的新人文意义。

软雕问世后，虽然有许多褒贬不一的评头论足，但它开启由上而下到拔地而立的先河，在边缘艺术中觅得一方乐土，栖身于雕塑与纤维艺术之间，确立自己的语言结构。换句话说，软雕之魅在于摆脱平面理念，离开墙体向空间发展，挖掘传统纤维艺术从材料到工艺、从形态到技术的特殊价值，用新的语汇诠释雕塑，重新界定纤维艺术。

（《雕塑》2003.05 节选）

超越与困惑的装置艺术

文／张继东

装置艺术作为后现代主义实物艺术的代表形态，革命性地颠覆、摧毁了“架上”艺术的一切规范、观念和法则，并迫使人们思考、认识与探索新的艺术“伊甸园”。装置艺术在对客观世界的认识、艺术本身的态度、艺术与生活的关系以及赋予实物现成品以艺术品格等方面，进行了许多创造性的探索与实践。

后现代主义装置艺术认为世界应是多元的、多样性和多重性的，摒弃了将实在世界两分法的阐释模式和现代主义文化“张扬主体”的思想，认为架上艺术关注的只是如何“再现”或“表现”客观世界和人的主体精神，寻找的是对物象所体现的“真实”与“精神”以及“深度”目标的把握，创造和追求着对"第二自然"或"纯粹精神"的表现。装置艺术对世界的"认识"和"行为"则是通过实物现成品来实现的，所关注的是现成品本身——一个被人们长期熟视无睹的真实世界，企图在混沌未开的现实物体世界中分离（异化）出一个装置现成品的艺术世界，其重要的手段就是将现成品从"实用"中抽离，使现成品"成为一种被从一个上下文中扭脱出来，再被置于一个新的陌生的上下文中的东西"。如杜尚的《泉》，即是将一廉价的日用品——瓷质小便池——直接搬入展厅，通过剔离小便池发挥原功能和存在意义的环境，在异类的空间里赋予了小便池崭新的意义。装置艺术把目光投向了人们日常生活以及普通的消费品上来，并将这些"俗"物直接作为艺术表现的主要题材或媒材。当然，对"俗"物的选择是有条件的，被选择物应具有一定程度上的指代性(典型性)和现实的针对性。装置艺术作品的意义是通过对现成品进行"拼置"、"错位"、"挪用"等多义化手段处理某种产生暗示、启迪来实现的，激发人们去思考如何重建这些"俗"物表象意义背后的关于人与自然、人与社会以及人与人之间的关系和深层内涵。

杜尚首先提出了消灭艺术与非艺术的界限的观点，即一切现成品均是艺术的，只要我们用艺术的态度去对待它；一切艺术品均是现成品，只要我们用现成品的态度去对待它。杜尚试图将实物现成品的时间性因素、过程性因素、偶发性因素、空间环境因素、材料的自身变化过程、展示的环境以及观众的参与等都纳入艺术构成成分之中，促使观众从更宽泛的层面、角度等具有社会关联意义和偶发性因素上去领悟作品，拓展对作品的阐释空间。由于装置艺术是以艺术的社会批判性来发挥自身艺术价值的，因此，没有观众的参与和阐释，没有时代赋予这些现成品的社会意义语境，装置艺术将失去其为艺术的社会基础。如徐冰的《蚕系列开幕式》，作品首先是在白色绸缎的台面上放了一只瓷质花瓶，并在其中插满了长着茂盛叶子的桑树枝条。展示中将400只饥饿的蚕放在这些枝条上，随着时间的推移桑叶不见了，看到的只是白布之上的碎叶、蚕屎和光秃枝条上的茧。作品已不仅仅是结果而是整个过程。作品既是艺术家的主体创意，又是在观众的参与和诠解下获得存在的意义。

装置艺术在奏响建立多元性、多样性、多重性的后现代新秩序号角之时，还不得不面对一些不谐之音。首先，后现代主义的装置艺术在消解传统哲学的现象与本质、能指与所指、表层与深层的二元对立的阐释模式和超越客体世界物质局限的同时，可能会使装置艺术走向另一个极端——艺术品格、审美情趣走向低俗化和虚无化，让装置艺术自身走向非艺术成为可能。从1989年"中国现代艺术展"中，我们就可以看到有一些冠以艺术品之名的作品——一堆令人联想起腐烂、霉变的大肠内脏之《无题》，400斤的对虾现场《大生意》等。其次，装置艺术在弥合艺术下生活距离之际，给大众带来的却是迷茫与不解，以至"令人恶心"、"混蛋"等过激之语出现在一些展览的留言簿之上。距离非但没有缩小，反而拉开得更远。也没能像其所宣称的那样从根本意义上拆除象征艺术家特殊地位的"神坛"，还是要借助它的魅力来提升自己的艺术家地位。在创作中依然要对现成品进行一定的加工、处理和命名等，借以追求和体现作品的社会意义与艺术家的作用。以杜尚《泉》为例，在将小便池搬入展厅之前，杜尚并没忘记在小便池上写下"R，MUTT1917"的字样，以赋予它一定的形式和内容，并表明自己的存在。装置艺术家并非真心要抛开艺术，而是在杜尚破坏的艺术方式里寻找艺术、丰富艺术，把反艺术当成内容来创作艺术罢了。其三，现成品作为艺术品，其本身意义与价值不是现成品自身所能体现的，须由接受者赋予，基本上是借助传统对艺术的指认模式而实现的。利用艺术博物馆、艺术家的头衔、评论家和新闻媒体的指认模式而实现的，一座米开朗基罗的雕塑，无论是陈列于展厅、教堂、自然环境之中，还是放于洗手间，其仍然具有艺术品的完整意义，最多是人们以为把它放错了地方。如果把杜尚的小便池重新放回厕所，大概不会有人再视其为艺术品了。显而易见，装置艺术对其存在的环境背景——历史传统中种种艺术关系以及艺术惯例有着非常强的依赖性。一旦离开了赋予其为艺术品资格的诸多因素，则有可能使其重返物质世界中去。其四，对艺术家个性的否定，主要局限于对专业材料性能的掌握、艺术家形成的风格以及高超的技术等方面。"个性"的寻找依然是装置艺术家的追逐目标，如：阿曼的重叠、堆积，塞萨的压缩等。只不过这种"个性"是有别于"架上"艺术的。其五，对现代品的直接挪用（简单的），具有否定艺术家作用的意味。任何现成品都可能会成为艺术品，艺术家存在意义在哪里？"泛艺术"取向也会将艺术品消解并最终毁灭艺术的存在意义。其六，装置艺术已不再是传统的博物馆展览、收藏甚至收买的一种反叛。相反，许多作品已是博物馆的新宠儿。最初以反对博物馆永久收藏并拒绝艺术成为商品为宗旨的装置艺术，也被“招安”进了本应拒绝进入的博物馆，并落入博物馆永久收藏物和收购、赞助下的东西。

超越与困惑并存于装置艺术，其实我们没有必要去叹息。或许这正是装置艺术存在及其意义之所在。

（《美术观察》2003.11）

论雕塑设计中的空间意识

文／杨文会

不理解空间，就无从认识雕塑。中外数千年的雕塑史，实际上就是雕塑家在造型过程中对空间不断深化的探索史。人类认识空间，也许可以从塑造第一件陶器，从建造第一座茅屋开始，这是功能主义的驱使。而雕塑自古至今则是注重从形体的表现入手，从逐渐地认识空间到有意识地处理空间，进而积极地拓展空间，经历了一个由自发、自觉到自在的过程。

雕塑家一直是利用存在于周围空间中的三度物体为特征来表现空间关系。当然，在这具备三维的立体形态中，体量是首先要强调的。而现代富有探索精神的雕塑家们则开创了新的局面，特别是把雕塑当做构成或装配的结构来探讨，新材料的实验以及把雕塑当做被围起的空间。这种雕塑的空间理论的延伸和扩展，改变了以往的现实主义、理想主义和为美而美的陈旧观念，将几千年来欣赏的固有模式和样式彻底打破。雕塑对空间概念的革命绝不是孤立的，因为20世纪是科技爆炸时期，爱因斯坦的相对论不仅粉碎了牛顿设想的宇宙，即认为任何物体在受外部作用时都保持原有的静止和运动状态的理论，并且爱因斯坦还以它的“时空连续统一论”和时间是空间的对等物理论取代了笛卡尔认为的外部物质世界之间存在着固有的矛盾理论，也同时取代了莱辛将艺术划分为时间艺术与空间艺术两大类的理论。

从空间上讲，传统的雕塑是一种相对独立的实体。它所采用的是凸起的造型结构，其基本形态为凸起是雕塑造型的本质，而凹陷则是凸起与凸起之间的过渡与联系。现代雕塑打破了以往的定式，所表现的多是凹进的造型结构，它的周围空间不再是被凸起的形体所挤压，而是以一种内向的力使雕像成为被空间填充的外部表面，达到一种空间不仅侵入了物体的实体内部，而且进行了压缩的效果。基于凸起与凹陷的造型理论对宇宙空间更深刻内涵的理解，现代雕塑大师亨利·摩尔依据由内向外的力的量感，捕捉到了由外向内的量感，随之对形体开始了对孔洞所形成的虚空间的探索。用他自己的话说：“最后我发现形体和空间其实是同一事件。不能把握实体，也就不能把握空间。举例来说，要真明白一件实体的立体存在，你一定要假想当这实物被移去后，那曾被占领的空间。”这段话明白无误地表现了实空间与虚空间的概念，也从本质上说明了实体与空间的辩证关系。在摩尔的创作生涯中，有三个永恒的题材，那就是“母与子”、“侧卧像”、“形之内外”，而在实际创作中，“形之内外”理论又贯穿于“母与子”、“侧卧像”的创作之中。雕塑的腹部是虚空的，光线作用在这个昏暗的腹腔中，空间看上去似乎是凝固的或停滞的。就这种构图，用摩尔的理论阐释，凸起和凹陷的空间相互转换起来，把中空的形体接受为雕塑人体的合法部分，也就产生了一个人体存在的实在躯壳。这种凹凸空间形式的探索，逐步地形成了更加明确的现代雕塑的内含性与外拓性的理论，加大和丰富了现代雕塑造型理论的内涵。

在现代雕塑空间理论方面的另一开拓者当属法国雕塑家罗丹。他的《加莱义民》不拘形式地采用低底座处理，开敞式人物构图，这在冲破固有的纪念碑式的纪念性题材创作模式方面，竖起了革命大旗。这种布局方式，几乎是第一次使得被隔离的空间有了重要意义。它使实体以及空档体量和空间的传统作用发生了倒置，使空间在形体周围有了能动的力量。

在空间上，传统的雕塑是以体量来塑造艺术形象，现代雕塑则是对体量的否定。立体主义对雕塑的冲击可以说是全方位的，而不只是人体。它为全抽象引路，把雕塑定义成体量、容积和空间的艺术。它在利用和扩展这些内在要素的同时，开拓了立体造型的新局面，使得雕塑形体能够在空间中自由地穿插，从而造成一种全新的艺术感觉。立体主义雕塑家阿基边科在1912年就开始在人物的体量上打开透空，这一举动，使“雕塑乃空间所环绕的实体”这一历史性的概念彻底颠倒。他的《行走的少女》已开始将实体的外轮廓限定为透空或空间的形状。以至于到后来他创作的拼贴雕塑可以说是把雕塑看做组合空间的构成形式，而不是组合体量的旧传统。

与立体主义相比，构成主义走得更远，它所给予人们的那种形的空间，不仅使雕塑，也使建筑趋于复杂化，并充满体积相互贯穿的开放手法。雕塑家佩孚斯那一直以空间为主的表现手段，是通过明确的三度空间，通过明确的表达围绕人物的空间来体现的。他希望用空间作为最好的雕塑媒介，而这种空间媒介仅仅用线或难以察觉的面，形成一种最低限度的空间感。他的作品《空间中的发射》是一个螺旋状抽象组团，曲面上的辐射线加强了作品的旋转效果。这一奇妙的结构吸引了观众的目光，沿其周边巡视，几乎能迫使观者绕之环行，而更重要的是它本身还像建筑的围护墙一样围起了固定的空间。

在对雕塑空间理论尝试探索的行列里，贾克梅蒂是独具风格的雕塑家。这位意大利雕塑家所揭示的空间意象，表现了一个为“广场恐怖症”所困扰的艺术家用雕塑的语言来揭示想像中的生命的欲望。他的作品远离现实的表现主义造型风格，敏锐恰当地表现了内心的骚动。那些瘦长的人体，为一片孤寂清冷所包围，人体外形完全脱离现实。可以说作品所涉及的并非人物形态，而是作者对人世间的看法——冷漠、歧视以及人与人之间永远不能克服的距离感，作品中明显地反映出20世纪人类的软弱与恐惧。从而作品对空间的作用显示了存在主义的哲学思想，在形体上显示了对体量和体积的传统观点的否定与不屑。

动感雕塑家考尔德在雕塑造型理论上的功绩是开创了雕塑有史以来的第五个阶段，即继块状阶段、造型阶段、穿孔阶段、悬吊阶段之后又开创了活动阶段。他的动感雕塑可以称是莫赫雷·纳吉“动态——结构”系统理论的实践者，也是成功者。活动雕塑是现代科学历史发展的产物，它的动感所具备的惟一功能就是美化功能，这当然也赋予了雕塑新的生命。更重要的是它创造了一个新的空间存在方式，这对活跃空间气氛有着新的拓展，并能由此引出许多新的联想，比静态雕塑更客观、更超脱。它所追求的运动和能量展示了人类将离开地球进入宇宙空间的能力和自信。

总之，雕塑的空间不论是传统的体量、凸起的空间追求，还是凹进之后所形成的虚形，不论静态、动态，还是时空一体化，就当代雕塑发展而言，它们都不是雕塑空间理论发展的终结，我们相信，随着人类对宇宙空间的不断认识，新的空间雕塑形态会不断出现。

（《河北省人文社科研究项目成果》2003.12）

公共雕塑的审美思考
——从中国书法艺术谈起

潘绍棠

我认为在一切艺术形式中，中国书法在世界艺术之林当中可以说是最具特色的。它作为语言的载体，至今仍被有十三亿人口的大国普遍运用着。它是语言工具同时又是一种特殊的艺术形式，和雕刻亦有着千丝万缕的联系，可以说是对世界文化遗产非常可贵的贡献。

在中国的传统艺术形式中，绘画、雕塑和工艺美术的影响力均难与以文字作为艺术的书法相比较。中国书法作为一种艺术形式有着悠久的历史和逐步演进的复杂过程。中国文字起源于原始象形文字进而逐步演变为有真、草、隶、篆等十分丰富的书法体系。从最古老的殷商甲骨文算起，至今已有五千年以上的历史。而中国文字起源于图画，书画同源之说已被公认。从字体上来说，又有甲骨体、钟鼎体、楷书体、大草及行草体、隶书体、大小篆体等等。每一种书体都各成体系，同时又在不断发展和延伸，积累十分丰富，成为后人研习的榜样；而且，书法理论著述也很深厚。汉字在造纸术发明前，本就是刻在龟片上、竹板上，后来又广泛刻在碑石上，或以铜铁浇铸，使其独具美的风采和艺术魅力，同雕塑有着密切的亲缘关系。书法在中国图章中也由实用演变为一种独立艺术，它在金属和不同石料上经过艺术家运用不同书体，在刀法巧妙运用之下形成一种斧凿苍劲的美感。而在中国古代雕刻艺术中，无疑也受到中国书法的影响，如中国的传统雕刻中十分讲究对线的运用，形与线的美妙结合，起到一种从整体观察上的装饰美和对自然的提炼与再创造。

我认为近百年的现代雕塑艺术的创造与发展中，在不同程度上也经历了从写实到变形，进而走向抽象造型的演变过程。大家所熟悉的亨利·摩尔以及布朗库西就是这方面的杰出代表。十分有趣的是亨利·摩尔所塑造题为《人》的雕塑，恰恰与中国书法篆书中的“人”字非常近似，而他所做《母与子》雕塑，也与中国篆书中的“母”字近似，这也正是亨利·摩尔所追求的“形的本质”。在英国出版的赫伯特·里德所著《现代雕塑简史》（四川美术出版社出版，余志强译）一书中，在谈及罗马尼亚雕塑家康斯坦丁·布朗库西时，曾说及：“这些形体因素不仅包括空间和书法，也包括重量和肌理。”而这些正是布朗库西雕塑中所成功运用的“形体因素”。他所雕刻的以石材为原料题为《吻》的雕塑就是形体极度省略，进而突现一个“神”和“情”字。在《2002中国北京国际城市雕塑艺术展》出版的以“交流·融合·超越”为主题的论文集中，发表了叶炽坚题为《探索城市公共空间雕塑中的汉字造型艺术》的论文，他从实践中运用汉字创作了环境雕塑。十五年前一位美院雕塑系的毕业生曾写了中国汉字与雕塑艺术关系的学位论文。这一切说明中国汉字的造型美感已经引起雕塑家们的认同与重视。

在中国古代艺术发展的同时，在中国古代雕塑艺术中也渗透了一种“寓意美”和“简约美”。突出的例子就是陕西省西安附近的霍去病墓非常杰出的石雕群。日本友人对它的极高评价，认为它是自然与艺术融为一体的东方美的典型，是世界雕塑的原点。在自然的石头上人工稍加雕凿，便显示出巨大的魅力，这实在是东方人的一大骄傲。这些崇高评价正说明了霍去病墓石雕的特殊历史地位。在霍去病陵墓的四周放置了从终南山运来的石雕群。中国有非常丰富的帝王陵墓雕刻群，但在风格上只有霍去病墓石雕与其他陵墓石雕有着截然不同的风格和极高艺术格调。这批享誉世界的雕刻杰作，以其独特的艺术手法感染了难以计数的游客和专程参观者。人们会问为何在汉代会产生这批有独创性的石雕群？当时在汉灭秦后，产生了一种自由与想象的风气。在艺术上追求气韵，并有北方文化南传后的影响，在农牧生产的社会背景影响下，艺术上追求情意，手法上粗犷而富有寓意。这种审美观在汉画像砖以及书法上均有体现。霍墓的代表作《马踏匈奴》，这以寓意手法，以静制动并以象征手法体现一种崇高理念，让观众追思不尽，从而联想到历史和它的内涵。其它以动物为题材的石雕，多是依据石块的形状稍加雕凿就形成浑然一体的“意”笔雕刻杰作，给人以充分联想余地。那雕凿的粗痕，虽历经二千余年的沧桑，在反复观赏中，仍可让人们感受到那非常省略的手法。其中有些石雕如《人与熊》的情节，还给观者留下难以充分理解的神秘感。是前人给我们留下了进一步研究和探寻的余地，省略是它的艺术手法，而格调上凝重和含蓄，则充分体现了所谓“东方美的典型”以及它是“世界雕塑的原点”的深刻论断。它是中国汉代社会综合审美意识的体现，是现实的精神反映，是艺术家心灵感受，是生命意识的表现。它重视的是传神和写意，正如中国绘画巨匠齐白石所论述：绘画贵在“似与不似之间，太似则媚俗，不似则欺世”。这些，均进一步说明了东西方审美取向上的异同。

应认识到公共雕塑艺术，它作为极富特色的审美载体，在其发展的历史长河中，也形成了它独自的审美积淀。就是说在雕塑艺术存在的同时，同时也培育了众多的雕塑审美群体。近百年来因新雕塑样式不断出现而有了新变化，对抽象造型作品，不甚理解或理解不够充分的情况，所有公共雕塑都是面向广大不同阶层的观众。公共雕塑是耐久艺术形式，它是像诗和交响乐，能让人们反复吟咏和在听觉上得到享受。它应该让人们百看不厌。它是一册打开的书，便于人们反复的阅读它。美国著名摄影艺术家大卫·范，写了一本题为《 How to Look At Sculpture》(《雕塑欣赏》)的书。他一生为二十五本书拍过几万张雕塑照片。他的书让人们加深了对艺术美的深入理解。他认为一张好的雕塑照片，可以让人们在日常司空见惯的雕塑中，发现新奇和获得新的美的享受。在好的光线下，摄影师可以从不同视点，使观众看到平时不能见到的角度和局部美。从古典雕塑到现代雕塑，都有着许多视点和光照问题，它可以使观众发现众多的美的新区域，如希腊雕刻的人体美在特定的光线下，就可以将人体丰富的曲线，优美的涡穴，结实的脊背，有弹性的肌肉和突出的骨骼，以及那非常丰富的起伏和微妙的变化等等显现出来。

现代雕塑是雕塑家对世界万物，运用灵感进行创造的具体再现。欣赏这类雕塑艺术，最好能对他的艺术观有所了解。如英国雕塑家亨利·摩尔认为：“一件有生命的雕塑，是活生生和有张力的，要比石或木的原体，给人更庞大的感觉。无论雕或塑都应给人一股由内而外的生生不息的感受。”

在公共雕塑随着时代的步伐不断丰富和发展的潮流中，运用多种媒体，使它的美为更广泛的人群所理解和接受。这应该是我们一项不可忽视的义务。

（《运筹·决策·论坛——中国长春国际雕塑作品集》节选）

九、城雕建设

一个不散的幽灵：
暴发户与小农意识下的城市化妆运动

文／俞孔坚

一、关于“城市美化”

“城市美化运动”(City Beautiful Movement)的根源实际上可以追溯到欧洲 16—19世纪的巴洛克城市设计，经典的例子包括拿破仑三世的巴黎重建和维也纳的环城景观带。而城市美化运动作为一种城市规划和设计思潮，则发源于美国，始于1893年美国芝加哥的展博会。而作为一个专用词“城市美化”(City Beautiful)，出现于1903年，其发明家是专栏作家Mulford Robinson。作为一名非专业人士(以后半路出家，学习景观设计和城市规划)，他借1893年在芝加哥展博会的巨大的城市形象冲击，呼吁城市的美化与形象改进，并倡导以此来解决当时美国城市的物质与社会脏乱差的问题。后来，人们便将在他倡导下的所有城市改造活动称为“城市美化运动”(Newton，1971)。

“城市美化运动”强雕规则、几何、古典和唯美主义，而尤其强调把这种城市的规整化和形象设计作为改善城市物质环境和提高社会秩序及道德水平的主要途径。从积极的方面来讲，它促进了城市设计专业和学科的发展，开始改善了城市形象，也促进了景观和城市规划设计师队伍的形成。从倡导者的愿望来说，城市美化应包括至少以下几方面的内容(Pregill and Volkman，1993)。第一是“城市艺术”(Civic art)，即通过增加公共艺术品，包括建筑、灯光、壁画、街道的装饰来美化城市。第二是“城市设计”(Civic Design)，即将城市作为一个整体。为社会公共目标，而不是个体的利益进行统一的设计。城市设计强调纪念性和整体形像及商业和社会功能。因此。特别强调户外公共空间的设计。把空间当作建筑文体来塑造，并试图通过户外空间的设计来烘托建筑及整体城市形象的堂皇和雄伟。第三是城市改革(Civic Reforn)，社会改革与政治改革相结合。城市的腐败极大地动摇了人们对城市的信赖，同样令人担忧的严重问题是城市的贫民窟。随着城市工业化的发展，使贫民窟无论从人口还是从面积都不断扩大，工人拥挤在缺乏基本健康设施的区域、它们是各种犯罪、疾病和劳工动乱的发源地，这些都使城市变得不适宜居住。因此，包括对城市腐败的制止，对城市贫民的就业和住房的解决，以维护社会的安定。第四是“城市修葺”(Civic Improvement)，即强调通过清洁、粉饰、修补来创造城市之美。尽管往往被人们所忽略。它却是城市美化运动对城市改进最有贡献的方面。包括步行道的修缮、铺地的改进、广场的修建等等，都极大地改善了城市面貌。

从理论上讲，以上四个方面都或多或少地服务于城市美化运动的十个目标：①通过集中服务功能及其它相关的土地利用的设计，旨在形成一个有序的土地利用格局；②形成方便高效的商业和市政核心区；③创建一个卫生城市环境，尤其是在居住区；④通过景观资源的利用，创造城镇风貌和个性；⑤将建筑的群体作为比建筑单体更为重要的美学因素来对待；⑥在街道景观中创造聚焦点来统一城市；⑦将区域交通组成一个清晰的等级系统；⑧将城市的开放空间作为城市的关键组成；⑨保护一些城市历史成分；⑩创造一种统一的系统，将现代城市形态，如工业设施和摩天大楼，结合在现有城市之中。

城市美化运动的最终目的是在通过创造一种城市物质空间的形象和秩序，来创造或改进社会秩序，恢复城市中由于工业化而失去的视觉的美和生活的和谐 。

然而，实际上“城市美化”往往被城市建设决策者的集权欲和权威欲、开发商的金钱欲及挥霍欲，以及规划师的表现欲和成就欲所偷换，把机械的、形式美作为主要的目标进行城市中心地带大小项目的改造和兴建，并试图以此来解决城市和社会问题，从而使“城市美化”迷失方向，使倡导者美好的愿望不能实现。美国城市美化运动最有影响力的规划师和建筑师Daniel Burnham的一句名言就是“不做小的规划，因为小规划没有激奋人们血液的魔力……要做大规划……一旦实现，便永不消亡”(Pregiil and Volkman，1993,p540)。在此口号之下，美国大陆上的各大城市都经历了不同程度的再建与改造过程。所幸的是，这种思潮及时得到批评和抵制。在1909年的首届全美城市规划大会上，城市美化运动很快被科学的城市规划思潮所替代，基本上宣判了“城市美化运动”在美国本土的死刑。

在近100年的历程中，“城市美化运动”在各种不同的经济、社会、政治和文化条件下都有所表现。Peter Hall一针见血地指出：它是金融资本主义的女仆，它又是帝国主义的发言人，它更是个人独裁主义者的工具(Hall,1997,p202)。这些表现绝大多数情况下都有两大共性特征：第一、专注于纪念性和表面文章，将建筑或城市空间作为权力的符号，与此同时，全然不考虑规划所应达到的更广泛的社会目标；第二、为展示而规划，将建筑和城市空间作为表演的舞台，设计的目的是令观众激动，让参观者惊叹。

可悲的是，除了少数旁观者外（他们或沉默，或是在场外发出使“演出者”感到不悦的呼号），似乎所有人都喜欢这样的表演，而对为此瞬间和表面的表演所付出的代价，却木然。

二、中国“城市美化运动”产生的背景

20世纪80年代开始，出现于中国的城市美化运动在许多方面都与100年前发生在美国以及随后发生在其他国家的城市美化运动有惊人的相似之处，尽管在社会制度上有很大的不同，但其产生的社会经济背景、行为与症结都如出一辙。这就警示我们应该以历史为鉴，避免重蹈覆辙。

考察城市美化运动在中国产生的背景，可以概括为以下几个方面。(1)城市环境恶化：解放后，近30年的城市控制政策，使城市建设滞后，20世纪70年代末—80年代初开始，城市人口的急速膨胀，导致城市环境急剧恶化，城市开放空间、城市公共设施、交通设施都严重不足。城市破烂、肮脏，客观上呼唤城市改造与美化。(2)经济实力有所增强：改革开放使中国的城市经济实力大大提高，有了一定财力来进行城市建设。社会主义的中国，如同当年的美国一样，急于向世界展示其建设成就，但是，经济实力的增强同客观的需要相差又太远，于是只能忍痛搞点表面文章。(3)招商引资的需要：城市形象的塑造和城市环境的改善有利于招商引资，这已为广大的城市管理者所认识。在资金有限的情况下，以一两项“形象工程”作为宣传之用。因此，城市美化本身便成为了目标，参观者而不是使用者，便成为了取悦的对象。(4)追求同一与秩序：不必讳言，中国城市的社会和经济结构正处于转型时期，在充满活力的社会主流下，潜伏着某些不安和浊流，社会安定和秩序便成为所有城市管理者的压倒一切的任务，而“城市美化”再次被认为是一味灵丹妙药。(5)重新发现西方世界：随着国门的逐渐开放，一批批领导和专业人员出国考察、参观。半月至一月的国内参观团已在欧美的旅行社上有了固定的节目。尽管是走马观花，却看到欧美100年来城市建设的成就，印象最深的莫过于法国巴黎的景观大道和美国华盛顿中心纪念性绿带以及欧美各大城市的中心广场、市政及公共建筑，它们给了参观者非常强烈的视觉冲击。而事实上，这些纪念性的城市设计本来就是为了让游客参观，因此，它们就理所当然地成为临摹的样板。殊不知，这些城市景观大多数是百年以前规划设计思潮的产物，早已落后于时代。(6)追求政绩：年轻一代的城市管理与决策者，正以充沛的精力和强烈的事业心登上新时代的舞台，他们急于通过城市形象的改变来显示自己的政绩，树立新的权威。(7)专业人员的软弱无力：大部分城市的专业设计队伍在强劲的城市美化运动中显得软弱无力，甚至推波助澜。一方面因为规划设计和管理部门在市长们的直接领导之下，许多情况都迫于压力，而只能成为市长们宏伟城市美化计划的绘图工具；另一方面，由于长期缺乏国际交流，专业人员自身的理论与专业修养也有很大的局限性，往往只能模仿国外的照片，许多情况下还是市长们拍回来的图景，来设计想象中的城市景观。所以，实际上是市长在设计城市。

在这样的背景下，中国的城市建设面临着无限的机遇和挑战。试想，在一种强有力的意志之下，若使一种高品位的概念得以实现，中国大地将会发生何等美妙的变化。然而，时代的局限性，以及几十年的教育赤字使一场具有深刻意义的城市景观运动，被笼罩在强劲的小农意识与暴发户意识之下。

三、暴发户与小农意识的“城市美化”价值取向

所有以上的背景之所以最终导致目前风行于中国大小城市的城市“美化”形式，如追求气派，追求最大、最宽、最长，攀比之风盛行，强调几何图案、金碧辉煌等等，其根本的原因还在普遍存在于开发商、决策者、欣赏者甚至于专业人员中的意识的局限性，这是时代留给每个人的烙印。

城市景观是人类意志的反映，上述暴发户与小农意识下的“城市美化”价值取向，可归结为以下三个方面。基于农业生产和生活方式的价值取向，包括庄稼意识，好农人意识，庆宴意识和领地意识等等。以贵为美的暴发户价值取向，于是有了广场的金玉堆砌，有了建筑的镀金琉璃。以权大为是的价值取向，包括城市景观在形式上对体现权力和控制力形式的偏好，以及设计方案决策过程中的长官意志。

四、中国“城市美化”的种种症结及其问题

与历史上的城市美化运动相似，中国的“城市美化”运动的典型特征是唯视觉的美而设计，为参观者或观众而美化，唯城市建设决策者或设计者的审美取向为美，具体反映在以下几个方面。

(1)“景观大道”

许多城市都为建设纪念性和轴线性的“景观大道”而大兴土木，竭尽“城市化妆”之能事，强调宽广、气派和街景立面之装饰。这样的大道往往有以下几个问题。第一，景观大道往往同时是作为车流干道来设计的，因此，对步行人来说是一道危险的屏障，隔断道路两侧的交通。功能交混，复杂化，效率低下。第二，这样轴线性的大道，粗暴地划破了原有城市有机体的交流网络和纤细的节理，从而使城市发生结构性破坏。造成功能性的混乱。第三，这样的宽广大道往往拆迁大量居民，耗资巨大，又将传统风貌丢弃(如苏州)。第四，由于其纪念性的要求、往往要求两侧布局大体量公共和文化性建筑，否则：无论从比例、尺度上还是道路的视觉效果都很难达到规划设想，而这些建筑很难在短时间内形成，从而在相当长的时段内“景观大道”实属乌有(如北京平安大街)。

(2)城市广场

曾几何时，兴建城市广场之风在大江南北广大城市兴起，或“文化广场”或“世纪广场”或“市民广场”。为市民提供，一些活动场所本是好事，然而，许多广场往往不是以市民的休闲和活动为目的，而是把市民当作观众，而广场或广场上的雕塑或广场边的市府大楼成为主体，整个广场无非是舞台布景。

因此，以“城市美化”为目的的城市广场的兴建可能带来以下几大问题。第一，空间和社会结构的破坏：如果在城市中心地带，往往拆迁量大，投资动辄上亿，并使成千上万人离开故土，迁往新区。第二，土地资源的浪费：与其它同样需要城市中心土地的功能如商业需要相竞争，造成土地资源的浪费，并使城市的整体有机性受损。第三，模仿的图案化和形式化的城市广场，往往没有场所性和地方性特色，实际上是对城市形象和地方精神的污染。第四，为广场而广场：由于城市美化的目的是为了展示和纪念及礼仪，而不是功用，因此，在许多城市中，就出现了为广场而广场的现象。第五，金玉堆砌：把材料的价值与广场的质量视为同一，甚至将户外广场当作室内厅堂来做，刨光的花岗岩地面、精雕的汉白玉栏杆，可谓集宫廷之华丽，昂贵之至，却使市民举步维艰，雨雪之后，更成为不敢光顾之地。

(3) 城市河道“美化”

每一个城市的形成和发展都与其所在地的水系紧密相关。历史上它们具有防御、运输、防洪、防火和清洁城市等功能；同时，它们是多种乡土生物栖息地和空间运动的通道和媒体。城市水系更是城市景观美的灵魂和历史文化之载体，是城市风韵和灵气之所在。

然而，如同身体之血脉的城市水系，在我们的城市建设中并没有得到应有的尊重和善待。陆路交通的发展及自来水和城市消防设施的完善，城市水系原有的功能因此大部分消失，随之水系便被作为排污通道、垃圾场而被污染，被遗弃。曾几何时，城市水系似乎成了包袱，阻碍了“卫生城市”、“园林城市”和“旅游城市”等称号的达标。于是乎，大江南北掀起了城市水系治理和“美化”的高潮。一种落后的、源于小农时代对水的恐怖意识，和工业时代初期以工程为美的观念，正支配着城市水系的“美化”与治理。

概括起来，城市水系治理和“美化”过程中有“四大忌”：大忌之一：填之，把水系、污水甚或清流填去，用作马路或盖房子或种花草，并以此为美，是城市之最大不幸，也是城市居民的最大不幸。大忌之二：盖之，将明渠变成暗渠，其上筑马路或搞建筑和“美化”工程。尽管水仍在流，但其结果同样使城市环境的美化和生态化失去了最宝贵的资源。殊不知，水系存在不仅仅因为其流水，更重要的是以水为特征的生态系统和生活空间。大忌之三：断之。许多城市的水系，本来是一个连续体，它们与湿地、城郊湖泊和山林形成一个完整的景观整体。它们为城市的整体景观设计提供了一个蓝本；同时，它是一个生态系统的“基础设施”，成为多种乡土生物的栖息地和通道，当然也为城市居民提供了一个连续的康体休闲空间和环境认知空间。然而，这一连续体却常常在城市建设中被切割，被断肢，从而使活水变成了死水。大忌之四：堤之衬之，即钢筋水泥护衬水系。许多城市的水系治理中，片面强调水系的防洪、泄洪和排污功能，将水系截弯取直后以钢筋水泥护衬。水泥衬底和护衬之后，水系与土地及其生物环境相分离，从而加剧了水污染的程度。

简而言之，结合城市水系治理与美化的根本之术不在于消除、截流污水，应还水系以自然本色，并加强其生态、文化和休闲功能，使其成为每个城市的特色，这是大自然所赐予的，也是城市文明之象征。

(4) 为美化而兴建公园

城市需要公园和绿地，这本身也是好事。但是，“城市美化”指导思想下的公园建设则是与真正意义上的公园绿地的目标相违背的，这样的公园强调的是纪念性、展示性。具体表现在以下几个方面。第一，为公园而公园：把公园绿地从城市有机体中分割出来，把公园作为有大门、有围墙的城市摆设或“盆景”，不允许其它用地的存在。于是乎，建筑是建筑，广场是广场，公园是公园，居住区是居住区。而事实上，城市绿地应作为城市所有功能用地的有机组成部分，更确切地说是不同用地功能之间的粘结剂，它是城市景观的生命基质。第二，人工取代天然：美国园林对世界园林的最大贡献之一是将自然原野地作为公园。而这种先进的思想却往往以“国情”为由，被拒之于千里之外。“玉不琢不成器”的“造园”思想成为中国“城市美化”中的一大特色。第三，公园作为展示舞台和旅游点：以造成一个旅游点的意识来造公园已成为许多城市的一个通病。

（5）以展示为目的居住区美化

一个优美的环境会给居住者的身心健康带来莫大的益处，美化居住环境本身是值得称道的。然而，遍神州大地，近年来新建的居住区中，真正为居住者的生活和栖居而美化的社区并不多见。不完全地讲，目前居住区的美化有两种导向。第一，“样板示范区”导向的美化：其美化目的是为了展示政府的政绩，是为了领导视察和供人参观；第二，商利导向的美化：地产开发商已认识到环境美化的商业价值，试图通过美化来招徕住户。

这两种美化导向都把居住者和居住环境作为展示品，因而带有城市美化运动的通病，即注重展示性和视觉形式，而忽略了环境美化对居住者的日常生活和休闲的意义。由于美化的目的有偏，导致了居住区美化走入歧途。

除此之外，“城市美化”还表现在其它许多方面，包括灯光工程、“雕塑”一条街、“雕塑”公园等等。作为城市艺术，它们在许多方面是有积极意义的，但如果是为追求美化而去“美化”的话，结果会适得其反。

结语：“城市美化”运动，阴魂不散

重蹈历史覆辙，也许是人类的最大悲哀。各国的城市美化运动是如此的相似，哪怕是一些细节，如从作为美国城市美化运动之源芝加哥的世博会，到希特勒梦想中的国际博览会，城市美化阴魂不散。前车之覆，后车之鉴。美化城市、改善城市环境和形象本是造福人民、功泽后代的事，但如果目的不明、指导思想有偏，结果会适得其反。纵观世界城市“美化运动”之历史，不难看出，中国时下的城市“美化运动”正在走一条发达国家已经走过并证明有许多弊端的老路。而正当发达国家在惨重的教训之后走上更健康的城市改造和美化之路的时候，我们却在犯同样的历史性错误。

目前最为急需的是改善生态环境，首先是治理污染，绿化环境。有了生机盎然的绿色和浓荫，有了清新的水和空气，也就有了美。一些形式主义的、无大实效的，特别是无改善生态环境实效而被称为“城市基础设施”的城市美化工程，打着扩大内需的旗号，为求政绩而不惜投入大量资金建设，实在是对中央政策的歪曲。

（《雕塑》2001.01 节选）

上海兴建雕塑“知识大道”

一条规模为世界第一的主题雕塑大道，将于今年8月在上海青少年素质教育基地展露丰姿。国内外百余位优秀雕塑家现正全力以赴抓紧创作80余组、160余尊构成这条雕塑大道的作品，其中一部分已经定稿。

正在青浦区淀山湖畔全面动工兴建的上海青少年素质教育基地是上海数百万中小学生的大型课外活动场所。它占地5600亩，分为8个主题园区，其中“知识大道区”以一条长800米、宽30米的石砌道路为主体，两侧辅以如茵的草坪和挺拔的秀木。知识大道沿途将以时间为脉络、不规则地放置1－60多位人类文明发展史上杰出的科学家、思想家、文艺家的写实塑像，使青少年既得到思想的教育，又受到艺术的熏陶。从高处俯瞰，整条知识大道犹如一株硕大的智慧树，而那些散布的人物雕塑就是一颗颗丰实的智慧果。

这条雕塑大道由上海大学美术学院雕塑系主创，同时邀请了中国美院、中央美院、清华美院、中央美院雕塑研究所、四川美院等全国近20家美术院校、专业单位及近10位国外艺术家共同参与创作。

此项大型工程的艺术总监杨剑平，日前在上大美院向记者介绍了雕塑大道的景观设计方案。进门便是一件震撼人心的大型不锈雕塑《托起明日的太阳》，它高约15米，由一个巨人的头颅和一只托举太阳的大手组成，意为青少年要站在巨人的肩膀上、担负起未来的重任。接着，2500年世界文明史的一幕一幕生动地出现在眼前。首先是开放、民主、智慧、活跃的古希腊文化和与之遥相呼应的中国春秋时代百家争鸣的景象，孔子和亚里斯多德分别为这一时期东西方圣贤中的突出人物。随后，西方进入黑暗的中世纪，而东方人文荟萃，异常璀璨，第二幕场景主要展现中国先秦到明代历代科学家、哲学家的形象，醒目处摆设蔡伦等“四大发明”的发明人像。在欧洲，虽然基督教取代了古希腊文明，科学成为神学的婢女，但科学精神不死，知识薪火在黑暗中相传，第三幕即以奥古斯丁、阿奎那这两位欧洲科学大师作为主要人物。然后，迎来了辉煌的第四幕——文艺复兴，达·芬奇、米开朗基罗、拉斐尔、洛克、伏尔泰、卢梭等思想家、文学家、艺术家代表了这个伟大的时期。文艺复兴之后，是科学革命，第五幕以牛顿形象为主，表现牛顿儿时见苹果从树上掉落、发现万有引力的故事。第六幕是以爱因斯坦为主的现代科技革命场景。第七幕以庄重的松柏造景，采用花岗岩为材质塑造中国革命领袖孙中山、毛泽东和邓小平。

知识大道的末端，将是一个充满现代感的“未来广场”，用具象的雕塑语言和抽象的非逻辑的理念创作出的人物雕塑，向青少年提出中国的“斯芬克斯之谜”，仿佛人类又回到了混沌，下一代与先哲们站在同一起点上“天问”——人类的未来在哪里？宇宙是什么？求得真知靠什么？……以此增强青少年的历史责任感和使命感。

（《中国雕塑学会简讯》2001.02）

城市雕塑建设管理急需规范化
——2001《中国雕塑论坛》侧记

文／江城

一

2001年12月24日——27日在西安举行的“2001中国雕塑论坛”期间，来自全国各艺术院校的雕塑系主任、教授、学者以及雕塑机构的老中青雕塑家就“城市雕塑建设和管理”问题发表了很有建树而又广得人心的论文和发言。组委会根据广大代表的一致要求，就此议题又组织了专家讨论进行了法律咨询，为与会代表编发了《中国雕塑家公约》、《城市雕塑招投标暂行条例》、《城市雕塑工程预算暂行定额》等文件的讨论稿。它们将作为部颁文件《城市雕塑建设管理办法》的附件提案在讨论后呈报国家建设部门或城雕管理部门审议。由建设部和文化部于1993年9月14日联合颁布的《城市雕塑建设管理办法》已经出台快10年了，奇怪的是大多数权威人士和雕塑家还是第一次听说。尽管它的某些条文与实际情况有些不适应，有待补充和完善，但总体精神还是有现实指导作用的。《中国雕塑家公约》是经众多雕塑家签名的承诺性文件，在很大程度上已明确了社会公德和雕塑家职业道德的行为准则。《城市雕塑招投标暂行条例》将规范在城市雕塑招投标活动中，以公开、公平、公正竞争的法定程序来保护资格投标方和资格招标方的合法权益。《城市雕塑工程预算暂行定额》是雕塑工程预算参考规范，是针对雕塑家的艺术成果、艺术资质、劳动价值、材料价值等特点而制定的，除藏品雕塑和展品雕塑的拍卖实行艺术品交易的有关规则外，城市雕塑应参照城市建设的有关规则进行操作。在此基础上，代表们还建议编制《城市雕塑监理验收暂行标准》，进一步完善和规范城市雕塑艺术工程的操作细则。这些法规性提案文件可望获得政府有关职能部门早日审议、批准，切实规范城市雕塑建设市场的管理程序，保证城市雕塑建设稳步、健康、可持续性发展。它的出台不仅保护艺术家的合法利益，也保护了消费者和建设方的合法利益，更保护了城雕艺术品的存在价值。

二

正是由于城市雕塑管理机制面临着不健全、有职无力的虚设状态，才导致我国城市雕塑市场程序混乱、品质伪劣、有法不依或无法可依的局面。

1982年，国务院首次将城市雕塑这一新的行业从文化艺术领域中分离出来，指定文化部和建设部联合管理这一行业，并设立全国城市雕塑建设指导委员会、城市雕塑基金，颁发了《全国城市雕塑创作设计资格证书》，颁布了《城市雕塑建设管理办法》，开辟了城市雕塑在城市建设中从无到有的先河。以刘开渠先生为首的一批著名雕塑家，曾做了一些基础工作。他们全力以赴地投入到中国城市雕塑事业的开创工作中，发挥了积极作用，深受雕塑界的尊重和敬仰。随着城市雕塑在城市建设中需求量增大，由指令性计划转变为市场经济，这一政府行为的管理机制逐步也发生了变化——有专业职能的管理官员要在各自的部门从事自己的专业，顾不上管理全国性的工作，没有专业职能的管理官员又不懂专业，管不了全国性专业工作，或者是因为人员编制和资金来源等原因，使方兴未艾的全国城市雕塑管理机构的权威地位呈现出半死不活的状态。部分雕塑家除了用“设计资格证”作承接工程的挡箭牌外，根本用不着指导委员会的指导和管理，甚至大多数从事雕塑的专业人员根本就不用资格证，也不知道有这个政府职能机构的存在。各省市的相关机构也形同虚设，既不指导，也不管理，使我国城市雕塑建设的管理陷入低谷。

因为没有相关法规可依，无法遵循适合本专业的可操作性规范，又无打通上下关系的能力，大多数雕塑家即使本领再过硬的也只能承接倒三手的打工活。他们常常为工程中一系列琐事而大伤脑筋，为请客、送礼、回扣、要账等违心的事而折腾，合法的利益和尊严得不到保护，忙乎下来，应得的利润多半被所谓的权威或中介刮进了自己的腰包。社会上有些图谋不轨的团伙和个人就钻雕塑家的心理和法律的空子，用雕塑工程信息和招标为幌子，致使雕塑家上当受骗，严重侵害雕塑家的合法权益，损害国家和他人的利益；有些业内人员为达到谋取私利的目的，不顾公德，不顾自身职业道德，与社会上不法分子合谋，破坏雕塑市场秩序，侵犯他人的知识产权，篡改别人的设计方案；甚至有一些知名雕塑家，将国家的招牌作为自己的包装，以空头的职衔为揽活的资本，跟踪别人的业务信息，千方百计地以偷梁换柱的伎俩盗用别人的设计方案，企图垄断城雕市场，给社会造成极坏的影响；还有人以不正当的竞争手段，以虚假的媒体宣传和高额贿赂的伎俩，为自己鸣锣开道，达到自己不可告人的目的；另一些人将已被采用的雕塑方案，在已卖版权之后，又重新再投再建，误导消费者，造成很坏的社会影响。搅乱雕塑市场的行为，还反映在很混乱的价格竞争方面。实施这种行为的人不根据实地环境和文化氛围进行设计，仅凭一张电脑画或一张图片，像卖树苗的商贩一样，标上批发价码，随处插签。这些现象是对城市雕塑艺术的亵渎。

上述这些弊端的出现，就是因为法制不健全、管理不规范所造成的后果。这些弊端的蔓延，不仅扰乱雕塑市场的秩序，破坏了城雕事业的健康发展，更严重损害了雕塑艺术的尊严、雕塑家的合法权益、消费者和国家的利益。我们今天的雕塑市场行为规范不仅要依靠政策和法律的健全，更重要的是要靠全社会包括雕塑界人士职业道德的自律。只有我们团结一致，呼吁、敦促有关部门尽快完善和出台一系列管理规范，才能杜绝一些不正之风的盛行，才能保证我国的城市雕塑事业的发展迈向一个新台阶。

（《雕塑》2002.01）

城市雕塑：一地钻石还是一地鸡毛

文／孙玉洁

沿长安街由东向西走过，从建国门到复兴门这条主线上，高度超过5米的大型城市雕塑不下于15件。其间固然不乏像《脸谱》、《风车》这类与街道、建筑等环境因素较好结合的城市雕塑，但也有许多雕塑存在着种种遗憾之处。例如雕塑《中华爵》的位置临街且与行人的正常视线仰角过大，造成了观赏的不便。万国邮联大会纪念雕塑则是用其他材料仿造青铜效果，质感不强且做工粗糙，光影效果不佳，又缺乏针对性管理。

近年来，中国的城市雕塑得到了飞速发展，但与此同时也暴露出了种种弊端，对周围环境、人文因素考虑不足，盲目追求大体量，缺乏现代科技手段介入……种种问题促使业内人士对中国城市雕塑的发展状况进行进一步的认识和探究。

在近日由中国美术家协会雕塑艺术委员会、《20世纪中国城市雕塑》编辑委员会、江西美术出版社主办的《20世纪中国城市雕塑》暨百年中国城市雕塑学术研讨会上，有关专家就中国城市雕塑发展中的焦点问题进行了探讨。

城雕：大气≠超大型

在北京复兴门一带，可以看到频频出现的不锈钢材的城雕作品，除《少女与海豚》处于绿地、花园内，是该部分的亮点外，其他几件都很难与周围环境拉开距离。同一材质的作品过多，显得较为单调。此外，此区的新建筑广泛使用的玻璃幕墙反光强烈，造成雕塑背景色彩的混乱，也削弱了雕塑的视觉力量。对于这种目前中国城市雕塑普遍存在的状况，中国美术家协会雕塑艺术委员会主任盛扬首先从空间着眼，认为城市雕塑并不能等同于室外陈列，它应该更多地与周围环境相结合。城市雕塑的建筑性表现为雕塑的大气，事实上，这种大气并不是一种模式而是指蕴含在雕塑内部的力量。但目前，很多人对此有曲解，从而出现了一股超大型雕塑风。学者汤池认为，从历史发展的角度来讲，城市雕塑从业者应该具有前瞻性眼光。而目前的状况是，城市雕塑的规划框架基本是想象出来的，并不考虑会伤害谁、妨碍谁；还有一些雕塑是某个特定时期的特殊产物，也没有考虑到是否会伤害到未来的观者。而之所以出现这种现象，一方面是因为进行规划的专家的设计不具备全面性，另一方面则是因为有时可能会有一些不符合客观情况的个人意志参与其中，从而令其创造出的城市雕塑具有强迫性。

民族化岂是“梳小辫儿”、“裹小脚”

民族化长期以来是困扰雕塑界的一大难题，事实上城市雕塑的表现内容应该是多元化的，而其形式既可以是民族化的，也可以是非民族化的。同时，民族化的形式既可以产生优秀作品，也会产生不好的作品。但是包括雕塑界在内的艺术界存在着一股拿民族化蒙事儿的不良风气，例如，某些创作者以标榜京味儿为幌子，往往将“梳小辫儿”、“裹小脚”甚至“吸鸦片”等旧中国不良社会现象作为表现题材。艺术史学者邵大箴感慨地说，一种不良的艺术样式一旦作为范本，其结果则是这种样式的泛滥。以王府井的雕塑“拉黄包车”为例，到2001年时全国已经有9个城市“克隆”了这一样式，这从另一个角度反映了目前中国城市雕塑创作存在的低俗、盲从和惰性。对此，学者薛永年认为，城市雕塑也应肩负起普及知识、提高城市品位的职责。新世纪的雕塑应该更有新意，更好地与时代相结合。

注入科学表现元素

个性化的缺失，会造成公共性的单一；雕塑的无个性化，则导致城市面貌的无个性化。这一方面是因为整个雕塑界的中国化思路还未完全打开；另一方面则与雕塑家自身的素质有关，特别是与其艺术创作手段单一有关。摆在中国雕塑界面前的一个重大问题是，由于现代科技手段准备不够，对于一些超出雕塑家表现领域的创作，往往力不从心。正如清华大学雕塑系主任赵萌所说，今天城市雕塑的发展面临着前所未有的挑战，这就要求雕塑从业者必须具备综合素质，这种综合素质将构成未来雕塑成功与否的重要因素。

期待城雕更具观赏性

在分析目前城市雕塑存在的问题的同时，专家们也就将雕塑的建设进一步拓展到公共艺术的建设等方面提出了一些建设性的建议。清华大学美术学院教授袁运甫认为，重视城市雕塑在内的城市公共艺术和环境建设，是城市建设现代化进程中的高级阶段。许多城市雕塑并不仅仅是一件功能产品，它们与广大的建筑群体构成了特定的城市景观。袁运甫认为，一个城市的活力，来自于它自身的特殊性和民众对自身特殊性的认同。而城市雕塑是将这一认同形象化、强化的最好方法。我们应该更好地总结国内外现存的雕塑在城市生活中成功和失败的经验，创造一个有现代精神、有中国气派、有独创精神的新艺术、新环境。

为保障城市雕塑健康、有序地发展，有关专家建议在各地方政府中，聘请环境规划师、建筑师、造型艺术师，成立城市文化艺术环境指导、咨询委员会。对各地行政部门决策提供专业咨询意见。还有专家建议，在各地公共基础建设的经费中，以0.5%–2%的比率专门用于包括城市雕塑在内的艺术环境建设。这样以行政法规的办法，将公共艺术建设制度化、规范化。

城市雕塑发展的百年，是西方文化与中国经济、文化逐步结合的时期，同时也是中国雕塑及中国雕塑家逐步走向世界的时期。正如中央美术学院院长潘公凯所说，中国城市雕塑的发展，存在着怎样与西方艺术更水乳交融的问题，同时也存在着怎样与建筑、环境，以及中国文脉相结合的问题。反过来，这也是中国的城市文化如何融合到国际大家庭的过程，这个过程是双向的。

中国的城市雕塑目前处于一个冶炼阶段，更多的雕塑将随着中国城市化的推进而如雨后春笋般出现。因此，是出现一地钻石还是一地鸡毛，将成为中国的雕塑从业者们不可回避的课题。

（《中国艺术报》2003.02.16）

严格城市雕塑法规
慎造大连《人类之爱》

文／高照

去年底，在《美术报》上发表了拙文《质疑大连东方女“神”》，被我质疑的所谓“东方女神”是指大连《新世纪纪念塔——人类之爱》雕塑中的主体人物。所以要质疑，是因为这个定稿与美国的《自由女神》、与前苏联《祖国——母亲》雕塑惊人的相似，还因为它难以体现我中华民族的精神气质和改革开放的时代风貌，形象轻飘，造型单落。而这座雕塑的建筑高度又是130米的世界之最，因此在拙文发表之后，当然引起广大读者，特别是全国美术界，其间包括不少雕塑家们的极大震惊与强烈关注。此后在《美术报》连续12个专版的研讨中，陕西、辽宁、广东、湖南、上海、浙江等地的雕塑家们都各自发表了较为尖锐的看法，来自全国的无数读者纷纷来信来稿给以批评。其中除了同意我的观点外，又作了更深入的剖析，主要意见是：《人类之爱》所塑东方女子的体型纤细柔弱；动作忸怩造作，缺少东方女性的端庄、沉稳与恬静，好似“礼仪小姐”，又似“时装模特”，更有不少文章说这是一个“媚俗的舞女”。而由体型与动作构成的整体雕塑造型，缺少相应的量感、体感与建筑感。此外，其致命弱点还在于“型”不对题。造型无法表述“人类之爱”这一抽象的命题。研讨中，大家同时还严肃地指出：鉴于设计稿在构思上的混乱与表现上的平庸，这种定稿是极不成熟的，当下如果只是小修小补是无济于事的。其实，试图营造如此恢弘的雕塑，大连并非首创。早在十几年前，上海已经花了50万元的代价，欲建一座超大型的雕塑，但最终出于慎重而暂缓。因此大家也建议大连方面切莫仓促上阵。因为成就一座有着国际影响的艺术佳作，需要数年，乃至数十年的锤炼，故而此项雕塑倘要起动也要从长计议，按规律办事。同时，批评者也坚信，大连的有关方面，包括作者，定能倾听国人呼声，认真研究，明智决策，最后会给大家一个满意的结果。

随着大连《东方女“神”》研讨的深入，大家很自然地提及了当前我国的城雕建设体制，特别是有关的法制与法规等问题。诚然，在我国的城雕建设中并不是没有制度和法规，严重的是有一个如何执法的问题。大家以为在城雕建设中，尤其存在这样三个方面的情况。一是城市大型雕塑的承办方多为政府，而雕塑的评审者又多为专家，那么雕塑制作的最后决定权，是前者还是后者？众所周知，现实中常常是以长官意志为转移。其结果只能是懂行的没有决定权，不懂行的却大权在握。这直接关系到作品的优劣与成败。二是专家的评审。是什么专家?是哪些专家？专家究竟负什么责任？不少是在评审会上发了一通意见，正确与否、采纳与否并无任何干系。且在评审会上真正懂行的又是寥若晨星。于是出了问题时，责任人说是经专家评审的，专家则声明非我本意。结果是垃圾一堆，被众人唾骂。天长日久，无人问津，造成的污染与浪费，谁也不以为是犯罪。三是雕塑中介公司（人）的唯利是图。随着城雕的发展，此类机构的应运而生，乃属正常。然而又有不少却是鱼龙混杂、鱼目混珠。他们往往打着某个雕塑家的招牌，扛着某个名校的大旗，摇旗呐喊，招摇撞骗。干的不是公平竞争而是投机钻营，一味压低价格，回扣奉承，粗制滥造，这些成了城雕建设中，越来越要“报警”的特大议题。诚然，应该特别指出，解决城雕市场的混乱，提高创作质量，至关重要的还在于我们艺术家们的自重、自律，不为私利所惑。

综上所述，这只是在城雕建设喜人形势下发生的不足，然而这种发展中的危机却必须引起我们足够的重视。它说明了在我们中国的城市雕塑建设中，依然需要进一步地去健全与完善法制。大家说：我们不是没有法，而是无法执行；我们不是没有法，而在于某些领导带头不执法。试问为什么“无法执行”？为什么某些人可以违法？是因为，他们从来就没有以为这就是犯法，更想不到这是犯罪！说到底，这是因为他们犯法了，却没有强有力的机构、权威法律去制约他们、裁判他们，这也是所以形成有法不依、执法不严、违法不纠的根本原因。我希望艺术家们、雕塑家们以及关心我国城市雕塑建设的人们共同倡议全国人民代表大会迅速颁布一本切实可行的、相对完整的《中国城市雕塑建设法》。

（《中国雕塑学会简讯》2002.02）

城市雕塑的主题性与凝聚力
——圣彼得堡《列宁格勒英雄保卫者纪念碑》的设计语言

文／袁献民

去过俄罗斯的人都知道，在俄罗斯的城市里，纪念性的主题公园、主题广场和雕塑比较多，这与这个国家历史上经历了无数次的侵略、暴乱、浩劫与战火，各种各样的痛苦与磨难，以及俄罗斯民族的坚忍不拔的精神和信念不可分。圣彼得堡（列宁逝世后曾改名为列宁格勒)这个城市是凭着钢与火而载入史册的，在这里诞生了俄罗斯帝国的缔造者彼得大帝，她也是十月革命的摇篮。在第二次世界大战期间，圣彼得堡人被德国法西斯围困了900天，十余万枚炸弹在城里燃烧，有60多万人在饥寒交迫中死去。但是，没有任何威力能够摧毁彼得堡人战胜残酷法西斯侵略者的决心。一个拥有几百万人口的城市，被封锁了如此长久，最终以侵略者的彻底失败而告终。这是一座英雄的城市。《列宁格勒英雄保卫者纪念碑》就是为缅怀围城时的英雄保卫者们而建。

应该说，这个方案已不仅是一个纪念碑，更是一个主题性的纪念广场。广场选址在彼得堡城南莫斯科大道南端，面向基辅与莫斯科公路的交叉点。在1941年战争爆发后，这一带到处设置着反坦克的障碍物，1945年，圣彼得堡的人民又从这里欢迎前方胜利归来的勇士。

整个方案分为地面与地下部分。地面部分有广场、纪念碑和十组群雕以及下沉式露天圆厅，地下部分是献给列宁格勒保卫战的纪念堂。整个广场的历史史实是列宁格勒被封锁包围，而全城军民虽遭痛苦与磨难，仍坚忍不拔，以钢与火的意志，奋力反击侵略者，直至取得胜利为主线，亦即以象征被封锁围困的下沉式露天圆厅为中心，向前、向外呈环状辐射展开，以抽象形态语言的铺排组合以及建筑造型与结构方向的变化、雕塑群及饰带的语言共同来陈述“封锁——突破”这一主题。甚至包括广场周围的配套建筑，也成为广场主体形式语言的一部分。

从广场的平面示意图中，我们可以看到一个面积不大的下沉式露天圆厅作为广场的中心。圆是一个闭合形态，下沉使圆成为一圈高墙，封闭了圆厅的空间。在圆厅中间，六人一组的群雕《挽歌》表现封锁状态下的列宁格勒人民所遭受的煎熬与死亡，大约直径20米左右的圆环形高墙令人窒息。向南，一段断墙下敞开视野，看到了矗立在广场中轴线上的方尖碑，这象征着粉碎封锁，看到希望并坚定信念。一条希望之路分三层从凹陷的封闭圈中走向地平线，向前分左、右呈环状辐射，通过雕塑群，以史诗般地展现列宁格勒军队和人民如何百折不挠、坚韧不拔，奋力突破封锁，抗击法西斯侵略者的场面。

雕塑是点明纪念碑主题的主要部分，十组群雕的结构与广场建筑有机地结合起来，形成一个逐步展开的体系。雕塑群分左右两边各四组，各有不同的主题。前面是前线的军队，后面是军援的后方，前后方呼应，呈饰带状展开。近4米高的巨型青铜雕像坐落在花岗岩基座上，每组以列宁格勒保卫战中不同身份的人物和行为，共同奏出反法西斯的正义乐章。

左边第一组为《飞行员与水兵》，由五人组成，他们表现出面对侵略者英勇顽强、一往无前的精神，他们在共同前进的姿态中各具特色，整体节奏中富有律动感。这组群雕与右边对称位置上《士兵》群雕形成一个整体，使整个纪念碑带进入一种紧张和运动的感觉，生动地传达了一种列宁格勒保卫者们不屈不挠、顽强抗击的信念。

在后面一层台座上，是第二组群雕《阻击兵》，塑造了三个阻击手与一个小姑娘，其中两名军人持枪严阵以待，这个被营救出来的小姑娘紧紧抱住一个士兵的脖子。一种真诚的人道主义的主题通过这一动人的情节而生动地表现出来。

下一组主题是《城防》，分两组塑造。前一组表现一组《搬运铁道的人们》，这是叙述在部署防御中建列宁格勒环形铁路这一情节。这是一道“生命线”。后一组为《挖战壕的人们》，表现两名妇女正在修筑战壕和反坦克壕沟。

这四组雕像位于广场正道左侧台座上，仿佛一条雕塑“饰带”而展示战时的前方与后方。广场正道右侧也同左侧一样延伸着一条雕塑“饰带”。左右对称的两道雕塑“饰带”形成宽阔的纪念广场入口。

右边前端的群雕首先是《士兵》，与左侧前端的《飞行员与水兵》群雕相呼应。这里有历经国内战争的老战士，也有血气方刚的年轻士兵，他们严肃的面孔显示出争取胜利的决心，头戴着步兵便帽或钢盔，呈现了战争时期的气氛。前面两位挺着刺刀向前进，后面两位在跟进中回首，其中一位高举旗帜召唤，与左侧《飞行员与水兵》群雕中举枪召唤者相对应，使前后左右的雕塑群联系起来。这种结构和充满挺进力量的构图非常生动，把战士对祖国的忠诚、勇敢与坚强的意志通过青铜铸造的形象传达了出来。

下面一组为《劳动战线》。战时的列宁格勒，处于与外界隔绝无后援的困境中，全城的百姓无论男女，动员起来，不仅要保卫城市。还要生产武器。这一组塑造的是两位妇女，也可能是两位善良的母亲，在德国法西斯的残忍暴行下，为前方将士铸造弹头。

再后面的台座上是以叙事的形式出现的《人民志愿军》，群雕分两部分组成。一部分表现的是母子告别的动人场面。另一部分是由四人组成的人民志愿军，其中有饱经风霜的老人，也有风华正茂的学生，有拿着机枪的汉子，也有携着担架、背着药箱的救护队员，他们全副武装，呈准备战斗的姿态。这两组看上去是两组情节，各自具有相对的独立性，但从主题上浑然一体，反应了志愿参军、保家卫国的感人场面。

左右两侧环状的雕塑群“饰带”呈扇状向广场中轴线上的高达48米的方尖碑汇聚，与方尖碑底座连体的一个台座上矗立着两尊巨人——《胜利者》，即工人和战士的雕像。他们代表着列宁格勒军民，工人拿着锤子，战士攥着拳头、握着铜枪，铁塔般的体魄，挺胸昂首，凝视远方。在广场的平台上，一部史诗通过这九组巨型的铸铜雕像展现在观者的视野内，仿佛在广场的每一个角落都能感受到这种雄浑激荡。

沿着方尖碑的两侧分三层台阶下沉到露天圆厅，厚重的花岗岩环绕的高墙象征着封锁。环形厅入口是一处用雕塑手法处理的断墙，以象征粉碎封锁。环形厅中央，一座充满人道主义和戏剧性，甚或悲剧性的群雕《挽歌》，由六个人分三组情节连结成一个造型和谐的整体。左边的一个妇女昂首挺起，双臂托起她死去的儿子弯曲的身体，她在蔑视自己不幸，强咽下痛苦与悲伤，其尊严与庄重不可屈服；中间，一位勇敢的母亲抱着伏在地上垂危的女儿，身体微欠起来，转向它方凝视着，似乎在寻求援助；右侧是一名战士搀扶起一位饥寒交迫、难以自持的妇女……这一切，在这环形高墙的封闭下呈现。

环形墙壁上镶嵌着青铜饰带，镌刻着列宁格勒城所获得的勋章、纹样及旗帜的浮雕，并刻着列宁格勒的功绩及在卫国战争中的作用。饰带下边装有煤气管道，上边有一个个可点燃的火炬，再配上低沉的背景音乐，使整个建筑群都带入一种悲壮的氛围中。它唤起一种忧伤、一种为了卫国战争的胜利而付出巨大代价的沉痛与悲怆。

除地面广场和下沉式露天圆厅外，还有一个有1200平方米的地下纪念堂。在纪念堂入口长廊上部的青铜饰带上，有900个弹壳形状的灯连成一线，象征着被封锁的九百天。纪念堂后墙上有两幅巨大的镶嵌壁画，一幅为《1941》，一幅为《胜利》，呈现了1941—1945年间战争年代列宁格勒被封锁期间的境况和二战胜利的宏大场面。

整个纪念广场方案出于前苏联人民艺术家阿尼库申、人民建筑师谢尔盖·斯别朗斯基教授和瓦连金·卡缅斯基教授之手。艺术家们曾亲历过战争的苦难，具有敏锐的洞察力，能够准确地运用艺术和建筑语言处理主题，从而产生巨大的凝聚力和感染力。

这个方案作为一个整体结构，虽然分别分布在一个硕大的广场空间内，但各具体部分以其各自的功能，将自身的“角色”表现得淋漓尽致。同时又服从于能够说明整体之成为整体特点的一些规律(如从中心结构样式的平面形式的铺排、左右对仗和前后、内外以及地上地下的内在呼应等连贯一致的结构规律)。这些规律又把不同于具体部分所具有的种种性质的整体性质赋予作为整体的全体。在这里，作为整体的各个部分都不是孤立的，而是作为和其它部分的关系而存在，是由相互依存的各个部分的关系来共同烘托出“封锁——突破”这一方案所要传达的主题。

纪念广场是以建筑和雕塑在空间中结构而形成，空间与雕塑是互为的，雕塑强化了感觉空间的生命力，同样空间也对雕塑产生了凝聚作用。雕塑在空间中的展现呈现了正、负空间的交换，使空间产生了张力，使雕塑与空间相互契合为一体，加之雕塑的主题性塑造，使整个广场产生了精神的密度，形成一种主题性凝聚的氛围。

尽管纪念碑本身仍是无生命的物质形态，但观者在步入广场内人与雕塑的交互过程所产生的移情作用中感悟到列宁格勒保卫者的英雄与伟大，受到主题与艺术力量的震撼，这是“封锁——突破”形象的言说，是《列宁格勒英雄保卫者纪念碑》设计语言的力量，突显了城市雕塑主题性与凝聚力的作用。

（《美术》2003.02 节选）

谈兴起的城市雕塑

——由临安、湖州两市城雕调查引起的思索

文／何征

城市雕塑作为公共艺术的一种形态，随着经济的发展，在我国得到了迅猛的发展，尤其在沿海经济发达的城镇，优秀的城市雕塑既有利于点缀环境，又能提高城市品位，近年来日益走进人们的生活，逐渐成为城市文化的代表与缩影。这确实是一件可喜之事。正像其它新生事物的发展总是难以尽善尽美一样，城市雕塑艺术本身也正在经历着一个初创、发展、批评、改善、提高的过程。现以浙江的两个地、县级的中小型城市的城市雕塑为例，从中管窥我国目前城市雕塑的现状。

雕塑的内涵与环境

黑格尔曾说过：“艺术家不应该先把雕刻作品完全雕好，然后再考虑，把它摆在什么地方，而是在构思时就要联系到一定的外在世界和它的空间形式和地方部位。”可见，城市雕塑要有独一无二的形象，不能雷同化。不同的环境中，内涵也应有所变化。城市雕塑在城市中的作用不能简单化地理解为类似摆花瓶的作用，因为雕塑中包含着艺术与文化上的独立性，必须注意内涵，而且更要注意内涵与环境的关系。

现今城市中的部分金融、证券机构和一些有实力的企业门口都摆上了大小规格不一的雕塑，他们的目的想来是要单位的形象显得庄重气派一些，结果都用了“狮子”坐阵守门，以至于“祖国山河一片红”，它们或是铸铜，或是用石头雕琢，造型是模式化的，有着一定之规，这显然是浅层次的标识化的做法。尽管如今城市全部都是新的现代建筑，但是这种“狮子”的造型却和它们共存，成为风气。这种不协调让不少的雕塑家痛心，他们认为这是缺乏文化的一种表现，他们希望通过多种方式大声疾呼来阻止这种“雕塑”形式的产生泛滥，但是“狮子”雕塑仍然由工匠们在不停地打造着，这不妨碍“狮子”的主人们追逐时髦的都市文化。与此相映成趣的是，在这个城市里，一些十分抽象概念化的雕塑也在雕塑厂不断被复制、建造。这不是一个美学问题，也不是一个功能的问题，它是一个社会心理学的问题。一种古老雕塑样式在现代的城市里顽强地出现，显然它们有广泛的大众文化心理的支持。这些“狮子”成“不锈钢珠”让我无法简单地面对，我们也无法简单地做出判断，“狮子”与“不锈钢珠”的故事让我们思考传统内涵与现代环境的关系，什么是我们能够改变的，什么是我们无法改变的，什么又是现代城市需要的？同时，一批在内容与形式上处理较好的雕塑作品也诞生了，如湖州骆驼桥畔《驼铃》群雕，在主题、内涵、创作手法上都十分到位，寓意到位与所置环境传说完美地结合，至今雅俗共赏，深受喜爱。

有这样一个传说：古代曾有西域商人经丝绸之路带着驼队到达这里，他们从波斯、中亚带来了香料、皮货，又从这里驮走了成匹的丝绸，他们大多集中在石桥一带贸易，人们便把此座桥称为“骆驼桥”。湖州自古丝绸贸易繁荣，有“丝绸之府”的美称。根据这个传说，再加上骆驼吃苦耐劳的精神寓意，把它作为城市主体雕塑，内涵还丰富。它和历史典故相吻合，手法上采用了大体量的装饰风格，几匹骆驼成队型高低起伏，利用环境坡地从低向高，有如一支驼队悠悠远道而来，装饰手法体量大气简练，它是湖州城雕个例中较为成功的范例。再如，临安人民广场的《山核桃》雕塑也极富有鲜明的地方特色，山核桃是临安的地方土特产标志产品，几个小孩环抱核桃，象征着丰收、美好富裕和童趣，一下切入主题。用它作为地方广场标志雕塑可谓再恰当不过了。

再看湖州城建委绿地上的《孺子牛》这个中国人最为熟悉的农耕文化的符号。从古到今，中国人将人的许多优秀品质附着在牛的身上，如憨厚勤劳、不图回报等等，将好人比喻为牛，在中国算是很高的赞赏。它比喻城市的建设者也像牛一样，任劳任怨，这样的内涵用于城建委自然会令公务员们满意了。

尺度与环境

记得美国有位现代艺术史论家讲雕塑(城市公共雕塑)时说：“何为雕塑——庞然大物。”这句话说出了室外雕塑的一个主要特征，那么城市雕塑的尺度是不是越大越好呢?显然不是，除结合主题外，还要依据“环境”而定，故“环境”是室外雕塑尺度处理时应把握的另一个主要因素。

城市雕塑无论怎样都脱离不了环境，它置身于任何地方必然要与环境发生密切的联系，那么尺度在环境中把握的好坏，直接关系到能否充分表现主题，表现雕塑在环境中的张力。这就是说在处理城雕的尺度时，除研究主题内涵外还应认真地研究、论证环境，确保将来完成的城雕既能充分表现主题，又要与环境相协调。如何协调于环境？就要在尺度处理上和体量感上做文章，主题的内涵愈大，需要表现其主题所占的“环境”亦大，这时尺度的处理则成了关键的问题，如果把握不好尺度，不但“主题”会受到很大的影响，而且还会破坏原有的“环境”关系，成为环境“垃圾”。然而只有尺度没有体量感在环境中也很难站住脚，而只有大尺度没有体量感，同样会被“环境吃掉”(像电线杆一样干瘪)。如果是这样，又何谈表现雕塑的“主题”？更不用说和谐于环境了。

如湖州开发区中心雕塑《太湖明珠》称得上是庞然大物了，此雕塑处理尺度、量感与“主题”方面，表现得较为突出。其原因在于雕塑家能在有限的尺度内表现出无限的量感，从而使“主题”颇为强烈地展开在观者面前，去占有能够占有的空间，来展示自己所要表达的内涵。与此相反，《丹凤朝阳》位于湖州经济开发区的两座大桥交汇点上，相当于两桥的公共雕塑，其中一座大桥桥墩高30米，体量宏大，一旁是15公顷的凤凰公园，然而设计者没有注意作为标志性雕塑的《丹凤朝阳》身在何地，虽然也有高度，但在如此宏大的环境中，就显得缺少量感了，未能起到定盘针的作用，而且造型缺少美感较为单薄。老话说“落了毛的凤凰不如鸡”，此雕塑正是一只掉了毛的凤凰，铸铜颜色又是黑的，说它完全像只烧鸡。再如，地处临安繁华路口钟楼大厦下有座不锈铜塑像，它手擎花环，面朝大街放置，不经意你是很难发现它的存在。整个体量又粗又短，比例失调，形式上不中不西，毫无美感，像这样的“雕塑”确实有碍大众视觉美，实属“垃圾”工程。这类所谓“雕塑”在各地常有所见，它是城雕艺术在初级阶段，是“问题雕塑”的一个典型例证。

形式与环境

阿根海姆曾说过：“一个视觉式样不能不考虑到它所处的空间环境的情况下孤立地观看。”雕塑艺术形式多种多样，即使在同样的环境中，也不尽相同，这其中存在着主题内涵的要求、文化背景、民族欣赏习惯、艺术家风格等等问题。目前“抽象的艺术造型”越来越多，这是由于它和现代环境容易结合，在现代建筑林立，线条、形体、色彩变化越来越简练的环境中，建立一些具有强烈的形式感、色彩鲜明、造型简洁、变化丰富的抽象雕塑，也同样会使人感受到艺术的魅力。其实，抽象艺术不仅是来自西方，几千年前，古老的中国书法、太湖石就是具有很高美学修养的抽象艺术。如太湖石讲究“瘦、透、漏、绉”的抽象美感，应该是最早的抽象城市雕塑的雏型。

装饰性雕塑因为功能上的因素，决定了它在形式尺度上的运用一般采用偏重于形式的处理方法，以抽象艺术等造型为主。它们主题内涵比较小，故尺度不宜过大。临安人民广场的群雕，整体是一种装饰休闲装饰风格，但也运用了写实手法，使之通俗易懂。形式上吸收了国外作品的优点，颇具现代形式与材料美感，立意新颖，给繁忙喧闹的都市创造了清新与亲切、谐趣的艺术风景，给忙忙碌碌的人们带来了丰富的视觉美感。同样，广场门口有四根图腾柱，它的内涵、尺度都不错，但致命的是唯独形式上有些不和谐。它的中国古典风格与前卫现代设计的广场环境无法融合，假如把它放到杭州宋城门口，效果可能好多了。如广州羊城雕塑区的华夏柱形式，以五根高低不等方型的巨大花岗岩石柱组成，柱上雕刻以文字和图画组合，勾画出岭南文化，象征中华五千年的文明，使作品既内涵古典，又与现代的艺术广场相协调。

色彩与环境

所谓雕塑的色彩，一是指雕塑本身的固有色（黑：紫铜、青铜；白：汉白玉、白水泥；灰：不锈钢)等，二是放置雕塑的背景环境。雕塑的色彩是非常重要的，对环境有极大影响，但又常常被忽视。我们经常看到白色大理石或银灰色的不锈铜雕塑，放置在以银灰色建筑物为背景的浅色环境里；暗绿色的青铜雕塑在深背景中也看不出来，失去了原有的材料美。浅色的雕塑应放在深色的背景前，深色的雕塑要放在浅色背景的前面。因此，雕塑的色彩与环境的关系问题，必须精心考虑与周围环境的因素。

雕塑问题是一个复杂的艺术问题，这里面既有设计者的因素，也有行政的因素，还有民众的审美因素及政策法规的有关因素等等，但重要的是无论是具体设计城市雕塑方案的艺术家，还是担任招标方的当地各级行政领导，都不要头脑发热，为“金钱”或为“政绩”而任意妄为，导致各种“城市垃圾”类的问题雕塑出现而污染人们的视觉审美。只有多一些冷处理这样才会出现一些经得起时间检验的好东西。因为这是公众艺术，具有永久性纪念性的功能，在反映艺术家的创作心灵的同时，更要合乎城市民众的审美标准与需求。不可否认，我国的城市雕塑与国际水平相比较还有一定差距，问题出现了很多，以至于部分花大价钱建造起来的城雕作品被人们所非议，有的地方甚至被拆除，但这不见得不是好事，它表明城雕与环境越来越引起社会的关注，它越来越走近我们的生活，是否这又是“忧”中一“喜”呢？

（《雕塑》2003.03）

现代城市雕塑的基本要素

文／董书兵

在雕塑领域中，具象与抽象是一种风格的差异，但在造型的范畴中，二者又是相互依存的。具象造型是抽象元素借自然形象进行合理体现而成的集合体，生动地呈现出对自然形象捕捉和表达的能力。但从现代艺术观点来看，越是具象的造型，就越限制观者的视觉感受和想象力。古代雕塑大师们在追求造型真实、完美的同时，忽略了站在他们身后众多的眼睛和思想，值得庆幸的是大师们高超娴熟的技艺、对自然形象真实的再现、巧妙的构思和人们当时对雕塑艺术的片面理解掩盖了这一缺陷。为使创造出的形象更具有表现力和感染力，现代艺术力图寻求一种简练的、涵盖广泛的抽象来表达作者对现实生活的感受，用积极的态度去调动观赏者的眼睛和思想，使这一新的造型艺术形式得到真正的完善。

在几何学的概念中，点是线与线相交而产生的位置，点的连续排列移动成为线，线移动则成为面，而面移动则成为立体。点、线、面、立体为形的元素，然而在雕塑中，这些元素又在一定的尺寸、体积和重量中得以扩充。相对于具象而言，所谓抽象指的是思维活动的一种特殊性，即在事物中抽取事物的本质，撇开非本质的属性，而形成概念的思维过程与方法，它同样为雕塑家的创作提供了一个广阔的空间。

在万物宇宙之间，圆是自然形态中最普遍的形态。大到太阳、地球、月球和环视地平线外的天宇，小到动物的卵子及植物的种子，这些自然现象中的物象，传达给人们丰富的符号信息，这种符号能激发人们对所熟悉的事物进行联想，激发情绪，产生美感。圆往往是对生命的再现，生命则是人类永远颂赞的主题。圆传达给人们的感情信息是很丰富的，把圆进行排列、分割、变形或与其他形体组合，还能产生出更多的语言和新的雕塑造型。

圆是自然物象中最完美的体现，它似乎有能包容一切的能量，同时也孕育着无限的生机。用圆造型的作品很多，香港著名雕塑家文楼在1971年创作的《九月诞生》，就是用圆来表现生命这一主题。九月是收获的季节，也是新生命诞生的季节，作者的整体构思是以圆为主旋律，在层层敞开的球形果实的空隙中，无数小的种集落在一起，象征着新生命的诞生。这一以圆为母体，对圆进行分割，大小有序地排列和合理搭配的作品，可谓是用圆造型的经典之作。

线是物体抽象化的最有力的手段，是艺术家最常运用的造型语言。线有直线和曲线之分，曲线在古典雕塑中是雕塑家们追求完美的造型手段。纵览文艺复兴时期的每一件雕塑作品，都会看到物体与空间接触边缘的曲线在不断地进行流动、变化，直线几乎被忘却，而在现代建筑设计和雕塑设计中，直线却成为艺术家们的宠儿。线与线的不断变化，在空间中有意或无意的组合，体现着一定的内容和状态。垂线在视觉心理上有向上移动的引导力，显示出超越和进取之感；横线(水平线)给人们的视觉感受是平稳、安详、宁静；曲线给人们以运动、轻快和富有张力的感受。位于美国首府华盛顿特区林肯纪念堂对面的方尖碑，即《华盛顿纪念碑》，就是采用垂线造型的方式来表现美国第一位总统华盛顿的丰功伟绩。170米高的纪念碑给人的视觉冲击力是巨大的，使每一个看到它的人的内心都感受到强烈的震撼力。它的造型虽然简洁，但充分包含了美国人民对这位领袖的崇敬和爱戴，也象征着美国精神，以进取的姿态面对这个世界。曲线的造型，无疑是对空间的一种延伸。贝尔纳 · 韦内的《不受拘泥的线》就是以一条又长又滑的曲线贯穿于空间，作品通过把握曲线的张力和流动特性，在变化了的直径上增强了作品的丰富性和活力，光线在作品上往复流动的同时产生了不断的变化，这为作品形态的限定起到了积极扩展的作用。总之，当你有目的地利用直线或曲线进行组合、排列、渐变等处理手法时，你会从中得到你所需要的造型。

在空间里，“面”与立体的“块”相比就明显虚弱很多，因为它不像其他物体在空间占有充实的体积，它只是在某种意义上起限定空间范围的作用。面也同线一样分为平面、曲面和多曲面。平面如没有风的湖面、梳妆的镜面、学习用的桌面等等。曲面在我们的生活空间中是无处不在的，曲面由于近似人的身体局部，很容易让人感到亲近，这也许是由于人类自身外表就是由凹凸不平的曲面构成的原因。

平面给人的感受是需要立体框架才能体现得更加充分，其实对面采用相互插接和单体折叠来表现空间也能达到很好的空间效果，这种空间的量是由面与面之间的限定而产生的。大家都听说过这么一句话“板着脸”，意思是指把脸拉平，表现出一种态度。从感情色彩上进行分析，平面具有冷漠、平淡、回缩的特性，是一种较为理性的表现。在现代建筑中，有时建筑设计师需要用一些浮雕去填补空白，烘托建筑内部气氛，要求雕塑家创作出外表和精神符合建筑风格但又不过分炫耀的作品，以面造型为主的浮雕应运而生。面形浮雕与墙体有着一个共性，只要造型通过合理的重叠、直线或曲线切割进行组合，从而把这非美学的单位变成人们能接受的具有表象语言的雕塑。文楼的作品《乘风的人》就是用面造型在建筑墙体上发挥作用的极好范例。

曲面的表现也大部分依附于其它结构才能得以实现，曲面在工业造型设计中运用广泛，从人体工程学的角度考虑，人经常接触的物体都用曲线或曲面化代替，从空气动力学角度上看，飞机、汽车也大量运用曲线和曲面——流线型。马克斯·比尔的《继续》用一条连续相接的宽带进行无折的反转扭动，创造出一种动感的不断往复回转的形体，反转扭动所产生的弧面具有无比的张力和永恒的空间。

一个具有三维立体的物体，具有长度、宽度和深度，并绝对占有空间。立方体、正三角或四角锥体是物体的基本形态，在人们心理的感觉上有着庄重、大方、稳定性强的特征，如金字塔、万里长城等。这些立体形象表现出稳重、严肃、沉着等感情性格。我国早在汉代就已发现了团块造型所传达给人们的视觉感受，如汉代的雕塑《马踏匈奴》就是很好的例证。

作为团块造型的雕塑应具备体量，这种量在视觉造型中有物理量和视觉心理量之分。所谓物理量是指可以准确测量和把握的量；而心理量是指人们通过对物理量的了解和视觉经验形成的一种心理活动。整体感也是块形雕塑的一大特征，这种整体的统一除造型外，还有题材与内容的统一。英国雕塑大师亨利·摩尔的作品《躺着的人体》就是采用团块组合，在人的躯体上用空洞的穿透对形体进行有机的联系和延伸，使空间和形体相互依赖，这种依赖是指形体量感与完整性存在于空间的依存关系。

认识和把握造型基本元素和造型规律，如同认字、读书一般，首先要了解它、认识它，才能从中发现新的东西，创造新的艺术。

（《装饰》2003.06）

解读我国城市雕塑的现状与发展

文／陈少明

城市雕塑又称环境雕塑、公共雕塑，在我国只有50年的历史。近10多年来，在我国各个城市中新建的雕塑作品数以千计，而且我国雕塑家的一些作品还走出国门，在国际机构和其他国家“落户”。在各地涌现出的一些优秀作品，大家为之高兴；同时，也有不少劣品存在，人们为之担忧。

杰出的雕塑常常是一个城市的标志。在中国，城市雕塑历史虽然不长，但随着城市现代化进程的推进，城市雕塑越来越受到人们重视。研究、创作、设计体现时代精神的城市雕塑是一个新的课题。

一、城市雕塑是一种环境艺术

环境艺术作品不单纯追求艺术性，而是强调艺术与大自然的广泛接触，使艺术与环境更加协调，创造出一种富有生机的环境氛围。雕塑可以营造出一种环境的整体气氛，因此，不少现代城市公共雕塑作为环境艺术的角色纷纷出现。

1、协调性。城市雕塑必须要与环境协调，尺度合适，太大显得堵塞，太小又不起眼。除了自身比例关系、色调关系、材质工艺关系协调外，城市雕塑最重要的是要和周围环境空间协调。

2、社会性。城市雕塑须符合人类恪守的伦理道德，应向善而不从恶，不宣扬战争，不传播淫秽，不表现有精神分裂倾向的思想或情绪，也不采取针对具体人与事的批判、揭露或讽刺。应该颂扬英雄、呼唤和平、讴歌爱情、赞美自然、推崇真善美，这些是城市雕塑的自律之域。

3、创新性。创新是一切艺术的灵魂。城市雕塑劳动强度大、工期长、从业人员少、实现为最终作品的机会有限，作品的更新周期也长。雕塑艺术尤其贵在创新，别摹仿国外雕塑家作品，自己勿抄袭他人，现在别重复过去，如此才会保护城市雕塑更为珍贵的新异性和唯一性。

4、象征性。特定时空中内容上的适合性，一般会通过有意味的形式来体现。“意味”即内涵、寓意，即精神的契合与象征，它具有专属的针对性。好的雕塑能与地缘的、历史的、文化的、风俗的背景相结合，巧妙深刻、充分地反映特定时空的精神、特质和气象。许多雕塑甚至成为一座城市的形象代表、一个民族的标徽象征。

城市雕塑无疑是城市精神文明建设的一个重要组成部分。与精神文明建设其他方式不同的是，城市雕塑是与某一特定的环境和特定内容相配合，以一种“静态”的方式来教育人、感化人、陶冶人。它潜移默化地教育人和熏陶人的最大特点是：精心规划和设计创作的城市雕塑具有相对的永恒性，它能够持久地强化人们应该具有的价值观念和审美观念。

二、我国城市雕塑发展的现状

改革开放以来是我国城市雕塑建设的繁荣期，许多城市都是从这一时期开始大力发展城市雕塑的。在此期间，各地涌现出了一大批成功的作品。如北京市王府井步行街上的《祥子拉车》、《童趣》、《理发》、《弹弦子》，西单文化广场上火红的《蒸蒸日上》以及长安大戏院前的《京剧五彩脸谱》等作品，既具有老北京的民俗风情又反映了新北京与时俱进的精神风貌；青岛市海滨的《五月的风》等48座雕塑作品展现了悠久的中华文明和海洋文化特色；武汉市江汉路绿化带上的《纳凉》、《热干面》、《挑水》等系列雕塑小品，使江城气息与都市韵味相映成趣，无不给人以亲近之感，给大都市的钢筋水泥森林吹进一股清新之风。

我国新时期城市雕塑作品的题材广泛，有纪念重要历史人物或重大历史事件的、有歌颂社会主义新生事物的、也有反映我国各民族人民丰富绚丽生活景象的。形式、风格多样，写实、象征、抽象、装饰的表现语言兼有，借用民族传统与吸收外来表现方法兼备。题材、样式、材料也极其多样，有大型纪念雕、群雕、独幅雕刻，有阴雕、浮雕，多用耐久的石材、金属材料和烧陶做成。在内容与形式上总体比较完美、有个性特色，艺术上也经得起推敲。

三、我国城市雕塑发展中存在的一些问题

中国的城市雕塑起步较晚、经验较少，出现一些不尽如人意的问题在所难免。

1、城市雕塑建设的随意性、盲目性很大，缺少计划性。

2、城市雕塑的建设水平整体上不高。城市雕塑要由专家设计创作，要出精品。应该真正落实建设部、文化部和中国美协的联合通知规定：从事城市雕塑的人一定要是雕塑专家，并必须经审查领取城市雕塑资格证书。目前，城市雕塑界从业人员鱼龙混杂。

3、城市雕塑建设机制不健全。现今世界上不少国家，在发展城市公共艺术上都采用“百分比艺术建设”的措施，即政府根据地方经济实力制定出在公共工程建设的总预算中提取若干百分比，作为专项公共艺术的建设基金用于环境艺术的建设，或以专项拨款支持某项艺术项目的建设。而目前，国内主要采用广泛向社会招标和不提供前期设计费的方法，这就使得参加投标者良莠不齐，前期设计不敢投入，加之评委中专家比例很低，往往是一些艺术上低劣、价格上低廉的作品中标。

从目前国内城市雕塑管理力度上看，我国也需要相应的政策、法规。现在国内的雕塑管理机构的发展已经达到了一定水平，全国每个大中城市几乎都有雕塑管理部门，但是没有相应的法规去执行，他们对公共艺术的实施和管理工作都有较大难度。

四、我国城市雕塑发展对策与建议

从我国和世界环境艺术的现状与发展趋势上来看，我们还有许多工作要做。

1、加强相应法规的制定和执行，使城市雕塑建设有法可依。我国城市雕塑建设需要由国家从宏观管理的角度制定相应政策、法规来进行约束。

2、在建筑和城市规划设计中应当充分考虑环境艺术的要求，充分利用现代城市雕塑有机联系的重要纽带和桥梁作用，着力营造一种建筑、环境与居住者和谐共融的环境氛围。城市雕塑是城市公共空间中“最传神的眼睛”，是“凝固的音乐、静止的舞蹈、立体的图画”，更是“用青铜和石头等材料写成的编年史”。因此，“城市雕塑建设必须符合城市规划要求，纳入城市的总体规划和详细规划，有计划地分步实施”。

3、精心设计，突出特色，充实内涵，彰显城市个性。城市雕塑是物质文明和精神文明发展到一定阶段的产物。它作为一种环境艺术，也浸透着人们的精神追求。作为城市广场、公园、绿地等公共环境的组成部分，以其不可替代的作用成为城市形象的凝缩，更是城市文化品位不可或缺的象征。因此，应当充分把握当地的自然、人文环境特点、历史文脉，然后确定出具体的题材模式，以体现出城市雕塑与城市风格、城市空间的吻合；制作上应当独具匠心，精心设计出不同文化、不同风格、不同流派，各具思想内涵和艺术神韵的丰富多彩的雕塑作品，以满足各阶层人群多层次多方面的审美需求。

（《装饰》2003.07 节选）

关于城雕著作权的问题

文／阎明魁

本案被告石家庄市“民心河”工程指挥部办公室（以下简称“办公室”）在石家庄市西里公园粗制滥造建成的雕塑（中心圆雕和两侧浮雕），违背了《著作权法》及《城市雕塑建设管理办法》（以下简称《办法》）的规定，未与其作者王小蕙签订作品使用合同和支付报酬，是窃用了原告王小蕙创作设计的智力成果，侵犯了作者王小蕙的著作权。办公室对其侵犯作者王小蕙著作权的行为，应当承担违法的民事责任。对此，就本案的事实证据对照法律依据分析如下。

一、1999年4月至6月间，“办公室”以公开招标的方式，选中了持有《城市雕塑创作设计资格证书》的雕塑家王小蕙为西里公园主题雕塑创作设计的作品方案。但是，“办公室”不与作者王小蕙签订作品许可使用合同，却擅自使用王小蕙为西里公园创作设计的雕塑作品方案，这是有充分证据的（证据：1．王小蕙为西里公园创作设计的浮雕、圆雕作品图、局部圆雕立体稿；2．办公室的招标文件有关规定及投标作者登记表；3．证人朱尚熹、范伟民和招标评委阎明魁（作者本人）的证人证言；4．对照并审核西里公园建成的雕塑（或照片）与王小蕙为西里公园创作的作品方案）。“办公室”也承认使用了王小蕙为西里公园创作设计的作品方案，这是本案的根本事实。

二、法律依据：王小蕙为西里公园创作设计的雕塑作品方案，属于《著作权法》第三条规定的(四)美术作品一类。依据《著作权法》第二条规定："作品不论是否发表，依照本法享有著作权。"这就是作品著作权自动产生原则。当王小蕙完成为西里公园创作设计的雕塑作品方案并投标给"办公室"时，其作品著作权便自动产生了，即受到《著作权法》的保护。依据《著作权法》第九条、第十条、第十一条之规定，"著作权属于作者"、"创作作品的公民是作者"，据此，王小蕙是西里公园雕塑的著作权人，即作者，依法享有《著作权法》规定的"下列人身权和财产权：(一)发表权；(二)署名权；(三)修改权；(四)保护作品完整权；(五)使用权和获得报酬权，即以复制……等方式使用作品的权利；以及许可他人以上述方式使用作品，并由此获得报酬的权利。"这五项权利为著作权，属于知识产权(知识产权的首要特征是"无形")，是王小蕙创作完成西里公园雕塑作品方案时依法享有的权益。前四项专指人身权或称精神权，即知识产权，体现的是王小蕙的智慧、意志、人格、个性风格所特有的表达，表明的是王小蕙从事西里公园雕塑作品创作时的智力活动成果，是王小蕙的无形财产。第五项里有财产权，指王小蕙为西里公园创作设计的雕塑图稿作为有形物并可以复制，是属于王小蕙的有形财产。这些就是王小蕙依法享有的著作权权益的真正内涵。另外要特别指明的是《著作权法》第二十二条规定的各项合理使用作品，均是指使用已发表的作品。而王小蕙专门为西里公园创作设计的雕塑作品方案，是新作品，作者未发表。因此，这就排除了"办公室"合理使用该作品的可能性。只要"办公室"不与作者王小蕙签订作品许可使用合同，而擅自使用该作品就必然违背《著作权法》的一系列规定，必然造成"办公室"对王小蕙作品著作权的侵权行为。

三、河北省曲阳建来雕刻石材有限公司(以下简称"建来公司")与作者王小蕙的关系：建来公司是石刻加工单位，不具备从事城雕创作设计的资格，它为了承揽"民心河"雕塑石刻工程，其代表杨建尧通过中央电视台记者董某结识了雕塑家王小蕙、朱尚熹和范伟民，联络辅助三位雕塑家参与"民心河"雕塑创作设计投标活动(证据：5．董某的证人证言；6．杨建尧与三位雕塑家签订的"协议书")。该"协议书"明确规定：建来公司为雕塑家投入创作设计付出的两万元经济补助，并非创作设计稿费；所有的方案不管选上或未选上，其著作权归雕塑家所有；被选上的作品，雕塑家参与其作品的放大制作及艺术监制，以确保作品的艺术质量 。

"办公室"与建来公司的关系：当办公室招标选中了王小蕙为西里公园创作设计的作品方案，却以欺瞒的手段，不与作者王小蕙签订作品使用合同，反而与建来公司签订西里公园雕塑制作合同，窃用了作者王小蕙为西里公园雕塑创作设计智力成果。"办公室"的行为，既违背《著作权法》和《城市雕塑建设管理办法》的相关规定，侵犯作者王小蕙的著作权，同时又唆使建来公司背信弃义，违背与雕塑家王小蕙等人签订的"协议"，纵容建来公司规避作者王小蕙对其作品的放大制作与监制，并对王小蕙的作品进行肆意地粗制滥造，造成恶劣影响。

综上所述，本案的要害，是"办公室"侵犯作者王小蕙的著作权，曲阳建来公司则是"办公室"侵犯作者王小蕙著作权的协从者。

（《雕塑》2003.04）

城市与城市雕塑

文／宋春华

一、城市史书的插图——城雕要立意为先

如果说城市是用石头写成的史书，那么，城市雕塑则是用石头为这本书做的插图；好的插图可以鲜活地呈现书中的人物和情节，使文章增色出"彩儿"，优秀的城雕则可以形象地反映城市的历史和风貌，成为城市的高光亮点。

城市是人类文明的载体，它不仅集聚了物质和经济，也集聚了文化和艺术。城市像一座露天美术馆，容纳并陈列着大量的雕塑作品。它们题材广泛，或历史或现实，或事件或人物，或精英或庶民；造型独特，或写实或抽象，或古典或现代，或静止或动态；风格迥异，或古朴或清纯，或端庄或幽默，或凝重或飘逸；材质多样，或石或木，或铜或铁，或合金或树脂；布局有别，或独立或成组，或集中或分散，或高架或平置。如此丰富多彩的城雕，被称之为阳光下的艺术，以其三维造型的强烈体量张力和蓝天之下日动影移的微妙变化，在

演绎着城市的故事，在与市民面对面的交流中，对人们道德情操的培养、文化素质的提升、精神文明的建设起着一种潜移默化的促进作用。

有眼光的城市管理者，总是敏感地意识到城雕是如此紧紧地把城市与文化、建设与艺术结合在一起，并充分利用城市雕塑来记录自己的历史，塑造城市形象，反映文明成果，展示美好理想。如美国首都华盛顿、巴西新首都巴西利亚分别在国家广场和行政中心以及其它重要地段，布置了众多的城市雕塑，徜徉其间，令人流连忘返。通过这些“石头插图”，可以更好地解读城市这本书，欣赏这些城雕作品，就会感悟到城市的文明程度、精神气质、艺术品位和文化追求。城市之书是鸿篇巨著，要做好插图必须纵览通篇，要意在笔先。城雕建设不能灵机一动搞一座，心血来潮上一批，必须要有一个宏观构思和总体策划，做到通盘规划，逐步实施，避免零敲碎打而杂乱无序，不为急功近利而搞急就之章。

二、城市形象的要素——城雕需要足够的空间

城市作为一个物质实体，总是以一定形式而存在，因此每座城市都有自己的形象。城市视觉形象的塑造，有赖于城市空间及其硬件元素，这些形象元素既有天然的地、丘、山、河、湖、海，更有众多的人工元素，如建筑物、构筑物、实用小品、标识广告、公共艺术品等。城市雕塑当属公共艺术品，是重要的形象元素，本文称其为“要素”。这些元素相互组合，构成并存在于相应的城市空间之内。城市空间是一个多层次的系统，既有面状的地盘和界面，又有线状的街路和通道；既有片状的街区和地段、绿地和园林，又有点状的广场和节点。在这些不同层次的城市空间内，可以说都含有城雕这一形象要素，而且都有成功的范例，它们对城市形象的塑造，起到了画龙点睛的作用。如巴西里约热内卢，科尔多瓦山是重要的城市界面，耸立在山顶的耶稣雕像俯瞰全城，已成为里约的标志；墨西哥城的改革大道中段穿越市中心，两侧人行道上成对地布置了众多的名人雕塑，成为墨城的一道亮丽风景；新加坡的CBD、北京的王府井商业区、日内瓦的湖边绿地、奥斯陆的维格兰公园等城市地段，都矗立着雕塑佳作；至于星罗棋布的城市广场和建筑庭院，更是布置城雕的理想场所，优秀的城雕作品不胜枚举。

城市雕塑是空间艺术、环境艺术，它的存在不仅需要一定的空间和环境，而且还讲究空间的尺度和环境协调，使雕塑与环境相得益彰，求得双赢效应。但是，有的城市由于规划中对城雕布局缺乏必要的考虑或漏项，使城市雕塑没有立足之地，只能勉强地生挤硬塞，结果是既破坏了原有的环境景观，又难以展示雕塑的风采而“两败俱伤”。有些雕塑作品本身是相当出众的，但由于没有相应的空间环境而缺乏应有的意境，使作品黯然失色，感染力大大削弱。有鉴于此，我们在编制城市规划时，在不同的空间层次上，无论是城市总体规划、分区及详细规划，还是重要地段、街路的城市设计以及单体建筑的总图，都要为城市雕塑留有足够的空间，这里的“足够”是指既要有足够的平面位置，还要有足够的空间体量，有些近期难以实施的城雕项目，也要在规划中加以明确对用地予以保留，防止挪用和挤占，切实保证城雕在城市中有一席之地 。

三、城市特色的亮点——城雕要有自己的个性

城市形象对城市具有普遍意义，而城市特色则具有特殊意义，特色是独自具有的，是有别于它的，这意味着，有的城市只有形象而无特色。在世界经济日益全球化，文化同质趋向更加明显的今天，“有形象无特色”的城市已不是个别的状况，不同民族、国家和地区之间各领风骚的城市，有的已是城郭依旧特色不在，城市之间更具“克隆”特征而失去比较的意义。特色的淡化和退出，其根源是城市文化价值取向的偏差，如果缺少保持自己品格和反映自身价值的强烈愿望，必然模仿、复制成风，从而导致城市空间形态的雷同和形象元素的重复。有的城市不仅把别人的一个建筑、一座桥梁、一处广场、一条街道搬到自己的城里来，甚至把自己的一座城都建成别人的模样，毫无特色可言。

当今的中国正处在城市化的加速期，新城市、新城区的出现和旧城区的大规模改造，为城雕建设提供了广阔的空间，这是城雕发展难得的机遇。不能不指出的是，作为城市形象重要元素的城市雕塑，本应在城市特色的创造中，发挥重要的作用，遗憾的是有些城雕建设也随波逐流，加剧了城市的特色危机。有的地方城雕数量倒是很多，其中不乏是某些“雕塑公司”批量生产出来的，且不说那些“垃圾雕塑”，就是能拿得出手的，由于缺乏个性和特色，非但无助于城市特色形象的塑造，反而冲淡和模糊了城市特色，这样的城雕建的越多，效果就越差，虽然不能一概地说是破坏性的建设，至少是“如其有，宁其无”。

城市雕塑在城市形象元素中是最少功利色彩，最具公益性、观赏性的艺术品，具有特色和个性应是城雕的灵魂。有的城市城雕数量不一定很多，只是因为颇具特色而给人们留下深刻的印象和长久的记忆，人们对城市意象的获得和对城市的回忆，往往是从某件城雕作品开始的，这就是有个性城雕的魅力所在，这样的城雕当然就是城市特色的亮点，如马德里西班牙广场的《唐·吉诃德》、兰州的《黄河母亲》、深圳的《拓荒牛》、珠海的《珠海渔女》、哥本哈根的《美人鱼》、魏玛的《歌德与席勒》等。这些优秀城雕之所以独具特色，至少在三个方面有明确而到位的把握：一是题材要与城市有密切的渊源和情结，与城市有着不解之缘，它们应该是这座城市的雕塑，同时它也在雕塑着这座城市；二是造型要有原创性的立意，既能符合表现主题的需要，又具有鲜明的视觉形象和较高的鉴赏价值；三是布局要与环境相协调，要融合在城市空间之中，有一种必然的归属感。

四、城市文化的精品——城雕要不断创新

诚然，一座城市的雕塑成百乃至上千件，不可能件件都是标志，座座都是亮点，但是对待每件城雕都要有精品意识是不为过的。城雕作为公共艺术品，影响着人们的精神世界和行为方式，体现着广大市民的理想、意愿和情趣，必须把握住积极进取、健康向上的主格调。对于每一件雕塑，无论何种题材，无论哪样形式，无论多大体量，都应精雕细刻，使之成为精品，成为先进文化的组成部分。

城市雕塑与其他城市文化一样，随着城市的发展，总体上是一个积累和沉淀的过程，这个过程是有选择的，不光是加法，也包括过滤和淘汰。我们看到，有些城雕历经百年以上，仍然矗立城中，成为经典之作；而有些急于求成、粗制滥造的“垃圾雕塑”，则遭到了城市说“不”而走开的厄运。城市在发展，社会在进步，人们对城雕品位的要求越来越高，城雕建设只有继续开拓和不断创新，才能体现时代精神和满足群众日益增长的文化需求。“不断创新、多出精品”，应是城雕建设需要坚持的一条基本原则。为此，要注意把握和处理好以下几个关系。

一是处理好城市领导、规划(建筑)师与雕塑家的关系。城市领导是城雕建设的管理者，决策过程应坚持民主、科学的程序，不能独断专横，要维护城市规划的严肃性，要尊重雕塑家的劳动，支持雕塑家创造和保持自己的艺术风格；雕塑家作为城雕的主创者，在创作过程中，运用艺术语言时，要适应城市语境，与城市决策者和城建部门多沟通，了解决策意图，熟悉规划要求，使雕塑作品具有更好的社会效益和环境景观效果，与城市有较高的关联度；规划(建筑)师则应从城市总体的宏观层面进行综合与协调，从规划设计的角度完善城雕方案，为城市领导当好助手，为雕塑家当好参谋。

二是处理好艺术标准与市场运作的关系。雕塑作品的艺术标准必须坚持，城雕建设的运作也要运用市场机制，不要把两者对立起来。高水平的城雕艺术主要取决于雕塑家深厚的思想修养、娴熟的造型技巧、不落俗套的创新追求和勇攀艺术高峰的献身精神，雕塑家的巨大付出应该获得相应的回报。作为建设方，不能不顾艺术标准，专挑“便宜货”；作为雕塑家，也不能不负责任，漫天要价，粗制滥造，揽“菜活儿”，出“菜雕”。

三是处理好本土雕塑与外来雕塑的关系。文化的民族性源自创造文化的主体具有共同的语言、相同的习俗、一脉相承的传统和相近的地缘，不同的国家和民族创造着不同的文化和艺术。中国古代雕塑遗存，不仅是中华文化的瑰宝，而且在世界雕塑史上也具有重要的地位。当代中国雕塑的创作，应在固本的基础上创新，一方面要继承本土雕塑优秀传统，从中汲取丰富的营养，也包括借鉴其它的传统艺术形式，如剪纸、书法和陶艺等，同时，要大胆引进和吸收国外先进的创作理念、新型材料和新颖的形式，也可以展出国外名家作品或复制国外大师杰作。当然，在介绍和借鉴西方一些前卫的、带有实验性的雕塑时，还要考虑本地区、本民族的审美习惯，要搭接起与大众进行交流与互动的平台。

四是处理好质量与进度的关系。艺术的创新、精品的推出，是一个艰苦的创造过程，必须尊重艺术规律，建设进度要服从艺术质量，才能取得满意的效果。一些重大题材的城雕，更要反复论证，仔细推敲，认真比较，审慎地选择方案，其用料、制作和安装也要严格标准，精益求精。此外，环境的营造、绿化的搭配等各个环节都有一个合理的、必要的周期，应予保证。这样才能解除“限期”、“突击”完成任务给雕塑家带来的抱怨和烦恼，改变为赶进度而牺牲质量的难堪和无奈。

五是处理好大型城雕与小品的关系。重大题材的主题类雕塑，是城雕建设的重点，但数量不会太多，大量的还是一般装饰性、观赏类的城雕，姑且称之为雕塑小品。总体上看对待大型城雕各方面都比较重视和谨慎，但对小品类城雕，则往往疏于管理草率行事，甚至放任滥建，不顾环境功能和建筑性质乱刮风(如庭院里放天鹅，大门两旁放狮子)，效果很不好。其实小品类城雕量大面广，与人们接触的机会更多，因此小品雕塑也要讲创新、有新意，也要讲艺术品位、出精品，看来，在抓好大型城雕的同时，下功夫搞好大量中、小型城雕的创作和建设，是十分必要的。

相信我们的城市管理者、规划（建筑）师和雕塑家们，在取得共识的基础上，一定会携起手来，通力合作，为市民奉献出优秀的城雕佳作，为城市这本打开的书添上精彩的石头插图。

(《2003中国长春国际雕塑大会主题论坛文集》2003.09)

传统美与现代美的交融
——济南市泉城广场主雕塑的美学结构

文／安琪

山东济南，这座古老的历史文化名城，自古以来与泉水结下了不解之缘，故素有“泉城”之称。1988年济南市人大就决定以篆书“泉”字为其市标主体形象。在新的城市建设规划中，设计建设市中心的“泉城广场”，广场的主体雕塑自然应在“泉”字上做文章。

1998年5月、12月两次全国性征稿，在122件应征作品中，经过评委会专家们严格的筛选，陕西省雕塑院院长、著名雕塑家、书法家王天任的设计方案脱颖而出，一举中标。

他这次的设计构思是从篆书“泉”字中变化而来。篆书和草书中“泉”字有多种写法。他选择了其中一种篆书体作为雕塑《泉》的设计基形。这个字形下半截有三根直线支撑，直线到中部变为圆弧形，至顶部又伸出尖顶。“泉”这个符号构成了设计的整体骨架。

方案一，是按上述字形勾画出的设计雏形。在中间圆弧部分，吸取了泉水的自然形态和草书中泉字写法的流动飞扬，表现泉水流动的曲折波浪。而在圆弧波折上段，又转换成直体，越向上三条线体越靠近，形成顶尖直冲天空。

方案二，是对水柱体的波折棱面的设计。突出泉从山上流下或向上喷涌的那种曲折与直泻的动态。

方案三，是把篆书与草书“泉”字的象形复原，以水珠的象形(金属球体)，作为中间那一关键部位的“节点”。

白居易《琵琶行》中把音乐比喻为“大珠小珠落玉盘”的奇思，唤起了雕塑家表现泉水水珠的妙想。天任在底部平面上画了几颗圆球，特别是匠心独运地画了两个相错而扣合的半圆球体，找到了表现水珠落地溅起的巧妙造型。

王天任设计的这座雕塑，正是在这一点上发挥了独到的优势。他找到了传统与现代融合的一系列辩证关系的最佳比例。在造型上，抽象与具象、表现与再现、写实与写意的分寸掌握得当。同时，流动与凝重、曲线与直线、弧面与棱角、整与零、虚与实等对比呼应关系，都显得恰到好处。

三根立柱向内微微倾斜，在顶尖延伸出呈透视相交点。整体构成了一个空灵剔透的三棱锥体，既稳实凝重又挺拔劲健。整体的虚实关系处理得相当精彩。每根立柱中部的“S”形曲转和上下的直线对比，显示了流动的活力。在这个紧凑的整体中，加上了两个表示水珠的圆形，正如画龙点睛，产生了整与零、点与线、方与圆等多种辩证美学的艺术效果，丰富了造型的变化，对于来自周围各个方向的观者，都能给予良好的整体视觉效果。

天任先生准确地把握了当代中国人审美观念中传统与现代的比重。这个造型，不是一个从抽象到抽象的造型，它是从泉的自然形态发展而来，又超越了自然形态，成为泉的文化意象。它把泉的自然形态，篆书的金石古意、草书的流动飘逸与现代雕塑崇尚的抽象简洁恰当结合，融汇贯通，形成“以一当十”的象征意象。面对这个造型，人们首先会在《泉》的标题引导下，产生“飞流直下三千尺”的再现型联想。但它又通过提炼、概括、抽象化，摒弃了模仿自然形态的写实造型，创造了半抽象的写意造型，从而又超越了对泉和水的单一描写，上升为表现性的多元多义象征意象。

由于造型中具象与抽象、表现与再现、写实与写意的这种最佳比例的融汇，准确地体现了当代人民审美理想的内在结构，让人们感到它既不太写实，也不太抽象，从具象而来，有可辨认之具体形象，又有可联想的多重蕴意；它既不生僻，又新颖有趣，对于不同文化层次的观赏者都能唤起其欣赏的兴趣。人们可以见仁见智，雅俗共赏，产生丰富多彩的审美联想。

在济南市这片连接了趵突泉、大明湖、千佛山、解放阁，集中体现了齐鲁历史文化特色的市中心广场上，它以38米的高度在一大片园林绿地间拔地而起，和广场周围的街区建筑和谐互映，成为这个历史名城的突出标志。同时，它以传统美与现代美的交融，鲜明地表现了我们的时代精神。它的抽象性所显示的多义象征，使它不仅体现了当代人民“弘扬传统，再创辉煌”的理想，而且在更高更深的层面表现出人类历史创造文明的那种生命奋进的本质共性。

它将成为我们这个时代的见证，永恒地耸立在蓝天绿地之间，向未来宣示我们这个时代的特色与魅力。

（《科技与艺术》2003.09）

论城市雕塑的文化内涵

文／桑任新

城市雕塑，这个在国内已经为大家所熟悉的名词，实际上是在十多年前才出现的。它并不十分准确，它与近几十年来世界上流行的“公共艺术”、“景观雕塑”、“环境雕塑”等等，有着各有侧重而又相通的涵义。其中相通之处是公共环境。

环境不仅改变了我们生存的城市的面貌，更重要的是影响着我们的行为，甚至塑造着我们的个性、思维和情感。城市建设的进程带来现代化享受的同时，也带来了人类不得不面对的日渐拥挤的空间，更有人与自然的疏离，人类提高生活品质的愿望正在更宽的领域内得到体现。作为公共环境艺术的城市雕塑有责任揭示出我们生活的这个城市的文化内涵，用美的形式和内容来潜移默化地影响我们的行为，塑造我们的思想和情感，营造好的氛围和心情。

城市雕塑包含的文化内涵主要体现在三个方面，即：①反映时代精神；②反映自然和文化遗产；③体现艺术性、思想性和人文关怀。同时，城市雕塑的文化内涵还具体体现在它与环境的关系，与人的行为、与科学技术的关系等等方面。任何艺术形式在人类文明中的演进，除了仰赖工具与技术的更新之外，时代精神的发扬也扮演了同样重要的角色。如文艺复兴时的城市雕塑除了在技术上更符合解剖学外，同时在时代精神上反映出脱离中世纪基督教的束缚而“复兴”古希腊、古罗马的文采。因此，作为艺术领域中的一员，城市雕塑在人类历史上的发展，也循着清晰的脚步，因雕塑技术的成长与时代的变迁而反映当代的思想与精神。例如在北京农展馆前的两组群雕、卢沟桥抗战纪念碑等就较好地体现了历史的脚步和时代的精神，具有丰富的文化内涵。

当代城市雕塑中所蕴含的文化内涵对自然生态环境的恶化、对于形形色色的社会病和精神疾病也具有不可低估的疗敷作用。人类对于自然界的种种暴力需要用法律和行政手段来制止，人类的种种社会病和精神疾病更需要得到精神的疗救，这里需要哲学、宗教道德的力量，也需要艺术及特殊艺术形式的城市雕塑文化内涵的作用。雕塑家应当首先振奋起来，敢于拯救大地，敢于挽回人心，乃至敢于扭转一个时代的风尚。应以城市雕塑完美的造型、多样的质态、丰富的文化内涵、和谐的韵律来陶冶情感、启迪思想，使人的心灵世界变得更加辽阔、更加美丽、更加空灵也更加浑厚，从而以审美的态度、艺术的态度来对待整个大自然，使人生变成一种诗意的存在。

城市雕塑的文化内涵首先是通过艺术家的艺术追求体现出来的。“好的城市雕塑作品给我们以启迪，任何城市雕塑都不是单摆浮搁的，而是某一建筑群、广场、园林乃至整个城市建设的一部分，一个好的城市雕塑家要懂得创造其作品在形体和空间之外的语言，也是其所依附的整体的思想内涵、精神境界”(吴良镛语)。那么，现在在许多城市中，城市雕塑形式放弃了对于艺术个性、格调、品位、深度和境界的追求，其外观形式不断标新立异，花样翻新，但其文化内涵却越来越稀薄，越来越肤浅，其中涌动着的焦灼、喧嚣、苍白、虚假之情令人窒息。城雕一旦成为商品，便不分雅俗贵贱，都在商言商，雕塑家的心气之低、口气之软也着实让人沮丧。城市雕塑成了商品被摆上了城市的空地。

这种将城市雕塑商品化，一味迎合大众趣味、领导意志的行为，极大地降低城市雕塑的文化内涵。从城市雕塑的题材和造型来看，由于对大众和权力意志趣味的迎合，平庸化的东西会被奉为新潮，而深刻、崇高的东西反倒显得落伍，这就很易使城雕走入“媚俗”倾向，同时会滋生和复制出人的浅俗的审美需要，最终将导致大众对城市雕塑审美取向的普通降低。

人们对生存空间环境的要求是不断提高的，当我们从工业社会跨入信息社会，通讯技术、数码技术的发展改变着我们的生存状态。城市公共建筑空间的职能也随之改变，人们在这里消费、娱乐和富于创造力的文化交流，这种新的都市生活促使我们不得不改变我们的观念。因此，这个空间是一个没有终结的完成体，它始终处于不断变换发展之间，并随人类文明的发展、社会生活的变化以及价值观念的变化而变化，相应的，人们也就迫切需要提高自己居住环境的艺术质量，并逐渐对其文化特色反映的精神性提出更高的要求。

文化最核心的内涵是一种价值观念。这是特定民族、阶级、群体所代表的理想、信念、信仰、价值观念。它是群体一代又一代生活方式彼此相传的核心。毋庸置疑，中国文化历来都重视教化作用，中国的士大夫不仅“文章本于教化，发乎情性”，即使绘画、书法也倡导“夫画者，成教化，助人伦，穷神变，测幽微……见善足以戒恶，见恶足以思贤”(《历代名画记·叙画之源流》)。历史演进到当代，我们更应对城市雕塑的文化内涵有足够的认识，既继承和发扬传统，又应有所突破。当代城市雕塑的建设本身就是一种民族精神和现代化的表现，它不仅塑造当代社会的外部形象，也塑造着现代人的内心机制。为此我们的城市雕塑才不能做成千篇一律的“道德碑”、“记功柱”。但突破传统又绝不意味着彻底放逐理性，追新求异更不等于抄袭外国的现成品或搞出一些所谓抽象而又不伦不类、有碍观瞻的城市垃圾。中国的城市雕塑仍应有中国人自己的品位和民族特征，而所谓民族的又不能简单等同于民俗的，正是在这个意义上，我们才有必要重新认识中国城市雕塑的文化属性，对中国城雕的优劣作出新的审视和整体把握，使之有所超越、有所拓展。

(《装饰》2003.12 节选)

十、公共艺术

城市环境·公共艺术·绿色生态

文／丁方

自改革开放以来，我国的城市建设取得了举世瞩目的成就。同时，也随之产生了一些弊病，如污染的环境、堵塞的交通、出行的不便、居住文化的丧失、人与人关系的冷漠……等等。如果一定要为上述现状找一个原因的话，我个人倾向于将其归于这样的原因：在城市建设领域，我们对快速发展过程中将遇到的种种问题和危机未做好应对的心理准备，尤其在生态自然、绿色环境、人文关怀、人性化设计等方面，显示出一种教育素养的贫困与忧患意识的缺乏。

另一方面，人们发现从人类文明发展史的漫漫长河中随意撷取一些古代城市文明形态，里面竟蕴含着一系列值得当代人认真反思的东西，因此，向前人天生具有的古典、有机的自然观学习，汲取其中的营养，已成为当今学术界的一个共识。若要简明地界定出前人与当代人在此方面的差异，可借用一位建筑艺术史家的话："古代人将建筑视为可居住的雕塑，而现代人则认为建筑是住人的，雕塑则是供人观看的。"表面看来，这种分野只是一个学科分类或方法论的差异，但实际却要复杂得多。其中最为关键的一点集中在：对人的关注究竟是目的还是一种手段？在当今世界中，经济与市场的迅猛发展使得赢利原则成为"最高法则"和"一切动力的原动力"，以致于人类赖以生存的环境与自然生态也难逃沦为达到赢利目的之手段的命运，这便是造成现代都市的繁荣面相与累累病症并存的局面的主要原因。令人担忧的是西方社会已开始全面检视反省这一痛苦经历，而中国正在义无反顾地踏上这条凶险之途。

就拿北京来说，城市建筑已无秩序和文化可言，建筑空间、外观造型、配套设施、道路交通等因缺乏深远而合理的总体规划，呈现出恶性循环的局面，如一句俗话所说："越乱越修，越修越乱。"仅例举一项统计便能说明问题：北京人均占有道路的面积与东京差不多，但前者的交通堵塞概率却数倍于后者，北京盖乱了！这难道还不足以引起我们的警醒吗？

之所以城市环境及公共景观艺术的设计基础应落在绿色、生态上面，是因为它其中包含着深刻的生存论奥秘。当我们仔细观察一株树木的枝叶，或者一盆花卉的苞朵与绿叶，就会发现从它们天然的形态中透显出来的秩序、节奏及旋律感极为美妙，因为这是造物主的安排，其中所蕴含的美是建立在某种不可抗拒的律令之上的。我敢断言，古人是深刻理解这一点的，尽管他们并不具备现代理论，就像现代人精于科技但丧失了古人的基本能力一样。这来自现代工业社会发展以来而形成的鸿沟，随着时代的发展、科技的进步而日益扩大，终于使我们常常感受到如下的强烈反差：一方面人们能欣赏到那些遍布浮雕与壁画的建筑艺术杰作以及生动合理的古代城市形廓的魅力，另一方面，人们又不得不忍受那些由简单粗陋的板楼、突兀生硬的大厦组成的现代都市形态的压迫。看到这种情景，人们有理由怀疑如今的人类社会是否在某些方面非但没有进步，反而大大退化了。

即使从狭义的视角上来看，每一件公共艺术品——无论是一件雕塑、一件装置或一个构筑物，都必然具有与绿色、生态相关的因素。因为绿色与生态是人类生存的基础。换句话说，由于目前人类面临的最大威胁来自生态的恶化与绿色的枯竭，所以对人的关注当今已具体落实为绿色、对生态的关注。这也可以解释为何冷战结束以来全球最大的政治已从数十年前的意识形态的对立转变到当前对生态环境与自然资源的强烈关注方面。

面对"现代城市是富有的，也是贫困的"这一强烈的悖论，设计师和艺术家开始了他们的拯救行动，特别是在欧美的发达国家，艺术家们以巨大的同情心和责任感，在昔日城市的创口上精心耕耘呵护，使那些废墟般的现实重现生机。无论是位于城市中心的主题广场、博物馆、纪念馆、大型休闲公园，或是位于城市边缘的森林公园、生态博物馆、渡假村、游乐场、公共墓园，在这些大型的环境空间中愈来愈多地出现各种生动的公共艺术品，或者其整个环境本身就被营造成一件不可再分解的艺术品。以"贫困的精神"——即简约手法去还自然生态本来面目，或是以材料的丰富性及巧妙搭配去表现人性在现代城市文明发展过程中的命运，已成为营造城市环境景观及公共艺术的主要趋向。

在此，我举两个公共艺术杰作的实例，来阐明绿色生态与城市环境、公共艺术之间的关系，尤其是从作品中体现出来的历史感和人文关怀，值得国内同行好好思考。

第一个例子是在法国。早在20世纪70年代时，当时还是一群学生的设计师受"罗马俱乐部"关于全球人口、生态、资源警示报告的影响，开始立志着手在城市郊区建立生态博物馆的尝试。但一直到90年代，这批设计师的理念方才落实在“阿尔萨斯生态博物馆”的项目上。位于法国阿尔萨斯附近的帕瓦塞姆，有一座具有200年历史的旧碳酸钾场。它作为法国资本主义工业革命的见证者，已完成了自身的历史使命，并处于一种创伤深重的废弃状态。这批设计师从历史文脉、人文关怀、绿色生态的角度，提出了“返回中世纪”创作原则，对这块面积为90公顷的场地进行了极富创意的意体规划。经过大批志愿者的艰苦劳动，一个崭新的人文景观呈现在人们面前。原先的碳酸钾矿场大楼被改建成工业博物馆，陈旧的楼体被葱茏的林木所掩藏，老原矿物挖掘坑被营造成面积为10公顷的人工湖面，坑中的粘土和表土被用来加固陡峭的碳酸钾废料堆，使其成为湖边的一个风景制高点。矿场附近的村庄则修建成中世纪的风貌，在房舍之间的空地上建了许多中世纪风格的主题花园：葡萄园、药圃、菜园、果园、别墅花园、农庄庭园以及连接村落、运河与18世纪街道的浪漫花园。这些美丽纯朴的景观自身就是一件公共艺术品，它不仅彻底抹去了深受污染的矿场的痕迹，而且唤起人们对阿尔萨斯作为神圣罗马帝国和哈布斯堡王朝的掌上明珠的历史性回忆。需要指出的是，“阿尔萨斯生态博物馆”一例不仅说明了人类必须重新调整其与大地、自然的关系，而且也应对什么是衡量美好、幸福的标准进行全面的修正。

第二个例子是在美国。众所周知，美国是一个号称“建在汽车轮子上”的国家。1992年，一位名叫马莎·施瓦莎的设计师将一座曾经使周边环境饱受污染之苦而被迫于1978年关闭的尤尼雷尔轮胎橡胶厂，改建成了极具历史文脉感的“亚述殿堂”。于是，人们看到了这样一幅景象：在南加利福尼亚的炽热的阳光下，造型如古代亚述人城堡的工厂大楼巍然矗立，精心雕琢的城垛似一串有序排列的珍珠，在晴空下熠熠发光。但最引人瞩目的，是位于“亚述殿堂”与高速化路隔离带中“棕榈停车场”。这位天才的女设计师大胆地在公共散步广场中创设了这样一个生态性的停车场：250株棕榈树植种于由灰色和红色混凝土彩色地砖拼铺而成的几何形地面上，每一株树都被套在一个洁白的混凝土预制“轮胎”中，并衬以青草或其它植被。所有从高速公路上途经的人或使用过该停车场的人，无一不被这片展现了洛杉矶的“汽车文化”与南加州农林印记的“城市生态雕刻艺术”深深吸引。这样，施瓦莎成功地将停车场这个传统的道路工程中的语汇融入到景观设计中，并赋予其与该地区经济发展史相关的意义：车有其位。此外，这一经典作品还昭示了在预算低微的条件下，设计师如何独具匠心地以营造商业与汽车之间的和谐来留存城市发展的足迹。

通过对以上二例的评析，我们可得出这样的结论：凡体现生态绿色理念的公共艺术，均为简约主义的杰作。这不仅指表现风格与手法，更重要的是指渗透在整个创作过程中的对资源、材料紧凑而合理运用的态度。“阿尔萨斯生态博物馆”对每一块石头、每一抔土壤予以了充分的历史性尊重，“亚述殿堂、棕榈树停车场”则将低质人工材料——普通地砖、混凝土中与生态绿色结合的可能性发挥到了极致。从教育的功能来看，公共艺术杰作具有纯美术作品无法比拟的优势，它通过具体真实的空间形态直接诉诸于人的感官，因而能比室内作品更强烈地唤起公众意识中沉睡的那些部分。

可以预见，随着社会经济的持续发展和公众意识的不断提高，我国城市环境必将迎来一个公共繁盛的时代。在这个时代中，艺术家们如何将绿色生态理念贯透在兼具实用、审美、教育功能的公共艺术作品中，对于我们这个生态环境相当恶劣、自然资源相对匮乏的国家来说，具有十分重大的意义。

（《雕塑》2001.01）

城雕与城市文化

文／陈云岗

我始终认为中国是一个没有城雕传统的国家，是一个城雕发展比较幼稚的国家。所以，中国是一个城市文化发展有缺陷的国家，这也是事实。

真正意义上的城雕历史在中国大约只有百年左右。而在此之前的数千年里，中国虽有漫长的城市建设历史，但却从未将城市雕塑的发展与规划纳入城建纲要之中。这就使中国的古人们在漫长的进程中缺少对城雕艺术能够欣赏与创造的历史积淀。这相对于古希腊、古罗马人来说是中国人骨子里需要补课的内容。

当然，中国的古代城市规划自有着一套独立的风格特征与功能原则及审美规范；如著名的“匠人营国，方九里，旁三门。国中九经九纬，经涂九轨。左祖右社，前朝后市”的建城理论，左右了中国数千年的城建历史。在这种经纬均布、方正对称的城市格局中，一切都是围绕着“前朝后市”的城市心脏——权力机关的所在而布局的。而正是这些地方恰恰成为普通百姓的禁地，这与古希腊古罗马时代的公共性广场、剧院、音乐厅等是天壤之别的城市空间。在中国的城市中，这样的场所是从未有过所谓的城雕的。这是中国人的尴尬！

但是也应看到，尽管中国城市没有城雕的传统，但在分割城市空间、功能区划、城市轮廓把握以及具体的建筑风格与技巧等方面，的确创造出了许多立世扬名的不朽之作。如土木材质的运用，斗拱结构的创造，门、牌坊、望柱、塔、楼、台、阁、榭、亭等的运用，同样起到了使城市空间被分别定性分割的作用。并且这些不同的建筑物中深含着中国古代营造大师们与中国古典建筑美学理念高度契合的智慧与追求的成果。

在21世纪的今天，城雕早已成为当下城建活动中不可或缺的内容之一，自上世纪的个别纪念像被引入中国城市始，经几起几落，跨越百年，尤其是上个世纪末的20余年间，中国的城雕建设进入了飞速发展的阶段。至今日，上至大中城市，下至一般县城，几乎找不出一座没有城雕的城隅了！但这很难说是一种值得乐观的现象。

这倒不是因为城雕被严重泛化的问题，而是我们现在的城市建设中还没有一种叫做城市文化的东西！事实上，中国不同地域的城市性格与文化特征已消失得几无差别了。早在半个多世纪前，梁思成先生即感叹说“欧美建筑……大量移植到中国来，在旧式城市中本来是过分唐突，今后又是否让其喧宾夺主，使所有中国城市都不留旧观呢？……到现在为止，中国城市多在无知匠人手中改观。故一向的趋势是不顾历史及艺术的价值，舍去固有风格及固有建筑，成了不中不西乃至滑稽的局面。”并且非常具体地概括道：“用洋灰建造卑小简陋的外国式喷水池或纪念碑”，“实在不合中国的身份”，“而且那些仿制的洋式点缀，同欧美大理石富于雕刻美的市心建置相较起来，太像东施效颦，有伤尊严。”事实似乎被梁先生不幸而言中。今天我们看到了太多的已消失了文化特色的城市正在迅速地扩展，在这样的背景与环境下从事城雕的建设，对我们来说应该是严肃而艰难的课题。

首先，我们要考虑的是城市的传统因素。任何一座城市都是历史的产物，都有着不同于其他城市的历史传统。而在每一座城市的背后都隐藏着丰厚的人文历史与典故。即便是一座崭新城市，在它的脚下也自然地浸染过历史先民们的血汗，也一定有从古对今一直流传着的历史故事，抑或其本身也许正是一片著名战役的古战场……那么其历史传统的意义便显得尤为重要！

历史背景的因素应该看作是未来城雕创意中的规定性因素之一。其次，原有的城市风格与形象外观也应是城雕创作中不可忽视的内容。它们共同构成了一座城市的“文化”。当然问题不仅如此，它或许还涉及到一座城市居民们的休闲、聊天、购物、交流、交通、语言、服装等诸多生活的方式，他们都有着其他城市所不具有的特色。这对于我们来说却都应是需要考虑的规定性。只有充分把握这诸多的关于一座城市的历史因素，我们才能够对某地的城雕创作有一个历史的定位。但是目前我们看到的是太多的千篇一律的、放到任何一地均可的并且看不出具有不同文化内涵的城雕被大量建设。更有甚者，有的地方长官或城雕设计者去了国外或某地，看到某件作品不错，根本不明白人家之所以如此的道理，便向雕塑家说，在某某地有一座某某样子的东西，我们也准备搞一座那样的！不仅是城雕，更严重的情况可能还存在于整个中国的城建领域。君不见，某大都市有了类似的大楼和高塔，例如青岛有了红色的《五月的风》，在宁夏的一个小县城的十字路上，居然也有一座孙子辈的小《五月的风》。这便是中国某些地方的城雕事业的现状！而上海的电视塔“东方明珠”自建成后，不也是在全国各地很快就有了儿子辈、孙子辈的小“东方明珠”吗？除此之外，还有更多的建筑被缩小、改装、改造后被建筑在各地，真正形成了一张图纸盖遍全国的局面，令人啼笑皆非！

城市面貌的千篇一律，反映了中国城建事业的盲目发展，也必然误导了城雕事业的良性进行，其根本问题是我们中国人有着太浓的更新情结！“拆旧换新”似乎是大多数城建决策者的基本思路。上至政府，下至百姓，莫不如此！老房子、老街道、老院子、老城墙等等，几乎一个命运：拆！岂不知，拆掉一座古物便是抹去了一段历史，我们还有多少历史没有被拆掉呢？难道今后的中国历史仅存在于文字的描述吗？

除此之外，地域因素也是城雕建设中的重要因素。我们不可设想，城雕创作中不考虑某地城市文化中的地域因素，就可产生优秀的作品。而地域因素恰是构成城市文化的重要内容之一。一座城市的历史风貌莫不和其所处的地理位置密切相关，有何种情形的地理地貌，便有何种符合该地区人们生存发展需要的城市建筑。尤其是在历史过程的作用下，古今中外的城市面貌真是千差万别、各具特色的。它们正是作为一种文化，积淀在后人观念中，发挥着深远的影响。

客观地说，无论怎样看待城雕的重要性，它毕竟是靠着城市环境的这个大舞台提供的空间来施展的。那么既定的城市空间和结构格局便又对雕塑家形成了再一次的规定性，这是不可避免的挑战。

那么，我们在处理城雕创作与城市文化之关系方面所面临的问题就十分清楚了。首先，对某地的城市文化的定性须从下述的两个方面予以考虑。一个是它的历史传统因素，一个是它的地域因素。准确把握了，方能够有的放矢，并在城雕的方案设计中高度概括出该地最具特点最具人文精神的造型来。

除此之外，我们还应看到地域特色对当地人们审美心理的巨大影响。地处南北不同城市中的人们对待造型美的理解存在着巨大差异。北方环境的广漠与南方环境的纤弱密集对人们审美心理的形成结果是大不相同的，但是这些因素目前都不可避免地成为了城雕创作中必须考虑的问题。

综上所述，城雕事业在中国的高速发展，表明了当前中国经济发展的可喜局面，也表明了当前各级政府官员在发展城市建设方面对新城市文化建设的高度重视，这是时代的进步。但是如何借鉴国外解决城市文化保护与城市发展之间的矛盾的关系，如何使中国的城雕建设能够与原有城市文化有机互存、相映生辉的良性关系，是对当今城市发展的决策人与城雕设计者的历史考验。

我们高兴地看到，当前已有越来越多的城市建设者们正在科学地决策，正在按照艺术规律办事，他们正在将艺术的决策权交给艺术家。尽管在公元前500年的古希腊时代国王即将城市建设的设计权交给了雕塑家。但是，在中国毕竟已是难能可贵了。

这是令人欣慰的！

（《雕塑》2001.04）

谈城市建筑环境中的雕塑艺术

文／曲晓莉

城市建筑环境的兴起，是城市发展与大工业科技发展的结果，也是多门学科相互交叉与渗透的产物。随着建筑技术的发展，建筑的体量越来越庞大，一栋栋几何形体砌成的建筑单调划一，显得毫无生气，失去了城市建筑环境的空间节奏感。事实上，人们不仅需要物质生态环境，而且也需要精神生态环境，雕塑艺术无疑是城市建筑环境的重要构成要素之一。它虽然与建筑相对分离，但却与建筑环境联系紧密。雕塑艺术置身于建筑环境之中，在思想主题、情调意境、空间尺度、表现手法等方面与建筑环境相结合，形成人们的生态家园，可以使无数栋混凝土堆砌成的盒式建筑呈现出生机与个性。

在建筑环境中的雕塑形式取决于社会时尚的变化，它最直接、最实在地体现人们的思想，反映时代的变革。雕塑的现代意韵与建筑造型和建筑环境的简练和明确性，都显示出现代雕塑与建筑环境的和谐。

建筑环境艺术的构成元素诸如雕塑、浮雕、建筑小品与水体的设置，需满足建筑环境的整体要求，与周围建筑所构成的空间协调一致，从而为市民提供适当的休息场地。虽然城市中人们文化底蕴有所差异，欣赏角度有所不同，但优美的建筑环境和环境艺术作品是人们共同需要的。建筑环境的构成元素对其特定的建筑环境的外部空间可以起到调节与控制的作用。雕塑能以较小的体积与空间产生视觉张力，并作用于较大的空间与层面。但在空间处理上，要注意雕塑与建筑环境空间形体的语言保持一致与和谐，使其达到完美与统一。

随着人们对城市建筑环境的重视，城市雕塑的体积、形象已走进自然，走进建筑环境空间，融入了人类精神以及广泛的社会领域。雕塑语言的拓展与当代城市建筑环境，有非常密切的联系。

在城市建筑环境中，雕塑越来越形式化和抽象化，它占有空间的方式与环境的关系决定了人们对雕塑的认识和接受程度。雕塑的风格与形式是根据建筑环境这样或那样的社会性而定的。雕塑在艺术的表现过程中，表达的是人对自然中的所有事物的瞬间或永恒的感受，雕塑家的创作是对自然形态有意识的提炼，是雕塑家灵感与努力奋斗的真实结晶。任何风格、形式的雕塑作品都是艺术家灵感的体现、生活经验的积累，是艺术家以个人方式对现实的一种反映，也是人类精神与情感世界的深层次的发现与挖掘。当人们用心去感受它时，会感到现代节奏的撞击、精神的升华。

近年来，雕塑除运用具象雕塑之外，半抽象和抽象的形式也随着时代的审美需求而与日俱增，雕塑中的抽象和半抽象形式的手法是对客观形体加以不同程度的概括、提炼、简化和变形，基本上是运用点、线、面与雕塑的艺术语言、形式符号所组成的几何形体。这种富有人性、理念和品位的时空艺术，易于取得与环境呼应的效果和强烈的时代感。近年来，又出现了一种超现实主义作品，它们配合建筑环境在风格上使之具有浓厚的装饰性，所有这些都赋予建筑环境以生气，增强了建筑环境的内涵。

当代社会为城市雕塑艺术的发展提供了最有力的材料支援，给城市雕塑艺术注入了新的活力。除以往广泛采用的石料以外，不锈钢、钢化玻璃、钛合金、玻璃、塑料等新材质广泛应用，大大丰富和拓展了城市雕塑艺术语言。雕塑家们在新型材料的运用上使城市建筑环境中的雕塑变得形式新颖、色彩斑斓。如北京亚运村的不锈钢雕塑《凤鸟》，由于材质的成功运用和精美的工艺，使作品达到了近乎完美的艺术效果。日本箱根雕塑公园的《空相》，同时运用和发挥了花岗岩与不锈钢两种不同的材质特性，在自然雕琢和人工锻造、无序和有序、不同色泽和质感的对比下，创造出山石被托浮飘动的梦幻般景象。材料不是孤立的存在，而是与显性或隐性的主题相关联，也就是说，艺术家是在表现主题的过程中实现对材料的发现或开掘。同时，材料对雕塑的意义也与当代文化密不可分。

城市雕塑的现代意韵与建筑造型的简练和明确性，都是在显示现代雕塑与建筑环境的和谐。人们不会觉得建筑环境中的抽象雕塑与现代雕塑有什么不妥，其现代的色彩与线面结构在建筑环境中所组成美妙的景象，让终日忙碌于工作的人们得到宁静和诗情画意的美感享受。如香港的新世纪中心广场上，用不锈钢制成的“合音叉”雕塑，上部竖立的密枝挂满铝箔片，微风吹来随风摆动，风铃簌簌，形成独特的音乐，给人们以清新自然的感觉。

作为城市建筑环境中的城市雕塑艺术，环境特性是其首要的特点。城市雕塑作为公共场所特有创作，是根据相应的特定环境中的空间结构、性质功能、情调气氛以及尺度比例而追求布置在特定环境中的艺术效果的，以使之与环境紧密地形成一个有机的整体。

城市雕塑的位置选择，建筑环境空间的物质因素是其重要的方面，以构成特定的思想情感氛围和城市景观的观赏条件。

城市雕塑艺术由于其材料的坚硬和牢固具备了永久性。人们正是着眼于它的这种永久品质，创造了许多的纪念性雕塑，如天安门广场的《人民英雄纪念碑》。

装饰性的城市雕塑多设在城市广场、街心花园、住宅小区、路旁绿地等环境中，题材内容构思广泛，风格自由多样，位置不一定要占据重要的空间部位，可以根据草坪、植物、街道、水池、花园等环境空间尺度灵活布局，成为建筑环境中的点缀和亮点，使自然与建筑环境空间产生某种独有的特殊气氛，营造出动人的氛围情趣。这是雕塑在空间中所特有的艺术性和感染力。日本箱根雕塑公园的《流泪的天使》巧妙地运用了原来石材的自然色泽，让浅色纹路部分恰当地安排在泪水流过的地方，形象自然生动。整个雕塑在绿与白、动与静、柔与硬、自然与人工的相互对比和衬托中互为一体，深刻地寓意着主题。美国达拉斯市东劳科列纳斯镇威廉广场的青铜雕塑《野马》，作者以三倍于真马大小的九匹野马奔驰在一条象征草原溪流的渠道上，马蹄溅出的水花由喷泉喷出形成呼应，富有真实生动之感。

当前，雕塑艺术与建筑环境关系日趋紧密。城市的广场、街心公园、公共建筑内外以及住宅庭院都有形象生动、寓意深刻的雕塑艺术作品传达出建筑实体的内在语言与内涵，把人类的思想和对社会的认识一并表现于雕塑艺术作品之中，给人以美的陶冶和启示，显示出现代文化、文明的精神力量，构成自然物质与工业物质的融合、与建筑艺术的完美结合，为人们造就了精神上的生态环境，塑造了城市的形象，使建筑不仅仅局限于使用功能，使环境艺术更好地体现高层次的审美愿望和追求。

(《装饰》2002.07)

发展与回归

——城市发展中的公共艺术理念

文／王中

一、走向21世纪的公共艺术

1、公共与艺术

不同时代对公共艺术概念有不同的阐释，它的概念是随着时代发展而发展的，公共艺术本身就是一个可持续发展的理念。

公共艺术自古有之，古代的许多建筑、广场、城市设计出自艺术家之手。希腊的巴特农神殿，古罗马凯旋门，哥特式的大教堂，中国的寺庙、石窟与大自然和谐地融为一体。米开朗基罗运用透视法则设计卡比多山景观改造而产生了完美的视觉效果，苏州园林中“步随景移”的意境都是以大视觉愉悦为出发点的，可以说历史上的城市由于功能单纯更强调环境的综合性，那时的设计、建筑、雕塑、绘画、园林和手工艺是一个整体，其营造的许多艺术环境至今魅力犹存。然而，随着工业化的发展，人类进入20世纪后将这种整体环境意识打碎，多项技术日益专业化，使得城市发展的整体理念逐渐丧失 。

中华文明源远流长，有着深厚的文化哲理，重视人与自然的和谐，提倡“天人合一”的理念。这些初衷对解决今天的“艺术环境问题”有着很好的启示作用。

今天我们重新将“公共”、“大众”与“艺术”结合成特殊的领域“公共艺术”加以研究，就是强调城市发展的整体意识，重返视觉愉快的出发点，也是与人们生存方式和城市的发展现状息息相关的。

2、公共生活的艺术化

随着知识产业的兴起，社会的整体进程逐渐向休闲时代发展，艺术已全面进入社会日常生活，或者说公共生活逐渐走向艺术化。信息、网络技术、软件等产业所引领的知识经济改变着人们的生活状态，城市的功能已不仅仅是人们的工作场所，更多是进行文化交流的场所。公共艺术理念正是在这种需求下被扩展涵义，融合在城市的发展之中。

现代城市通过公共艺术“动态”与“静态”的两种形式能有效提升自己的总体形象，让城市真正成为城市文化的载体，使城市独具魅力。

克里斯朵通过24年的努力，终于在1995年由90名登山者以及120名安装工人的共同协作下将德国国会大厦包裹了14天，这是公众艺术在城市中的动态表现形式，直到现在，这一作品的完成一直被认为是柏林最为重大的事件之一。

2001年在中国上海召开的APEC会议，也以海外华人艺术家蔡国强的焰火艺术展现了上海开放意识 。

静态的公共艺术是将城市的整体纳入一个大的视觉体系中加以设计，这样的城市设计与城市规划有着本质的不同，如果说规划是解决有没有的布局问题，以公共艺术为出发点的城市设计则是好不好的品质问题，侧重的是城市文化品格。

二、 城市发展与公众艺术

“文化”一词在拉丁语中的原意为“市民”或“城市居民”。由此可见，文化是由人类的聚居而得到发展的。可以说城市是人类文明的一种象征。

不同的国家由于自然环境、信仰及政治背景不同，形成不同的各具特色的城市文化。

古希腊为了供奉神灵建造了神庙，欢庆庆典的卫城、剧场，包括运动场都与敬神仪式及幻想合二为一，完美的裸体雕塑就是幻想的神。大理石雕塑、石头梁柱充满着艺术的和谐。

中国封建社会是皇权社会，国家就是皇帝之家，除了祭祀需求的公共场所，几乎没有民众集会的公共空间，人之本能的生存美感在皇宫与行宫中完美地呈现出来，优美的园林、木制宫殿与青石基座派生出不同的环境美学。

当城市的发展从人类最早摆脱自然力到为神权、君权而建，直至发展到现代都市成为机器的奴隶，城市扩展的同时变得越来越杂乱，逐渐远离愉悦的美感，远离艺术化的生存环境。艺术是人类体验的最高境界，从城市形成的开始就应承载着人类文化与艺术的多重追求。以现行的设计方式及建筑理念来指导城市的发展已不能满足人们对艺术化生存环境的需求。

广义的“公共艺术”几乎涵盖人类生活的各个领域，它使城市建设建构在一个更为宽广、更为深远的整体概念之上，把整个城市设计作为整体造型加以研究，将人的本能视觉愉悦秩序引入到复杂的城市景观设计中，这是时代赋于公共艺术的职能。如果说工业化城市建设的核心目标是“经济”的话，未来城市建设的核心目标注定是文化，是指向大众多层面需求的“公共艺术”。

以人为本、尊重个性、尊重情感，已成为一种普遍的社会需求，人们对居住环境文化特色所反映的精神功能不断提出更高要求，只有“公共艺术”理念引导的城市建设才能使公共空间充满人性，使人们在艺术化的环境中得以艺术化的生存。

三、中国城市的现状与存在的问题

1、现状的形成

城市拥挤、散乱无序、毫无人文水准、交通太差，几乎是当代中国城市的统一图像，对自然、对文化遗产的建设性破坏几乎没有有效的约束手段，城市建设的“核心”都是围绕着经济而展开的，工业化和现代化依然支配着城市走向消费社会，建筑风格国际化成为流行趋势，地域文化的多样性和特色逐渐衰微。深圳的城市建设是以铲平丘陵、牺牲地貌美感为代价的，我们引以为自豪的上海浦东其实是在东方的土地上克隆了曼哈顿……

以经济为核心的现代主义世界观使许多地区的文化失去了他们曾经拥有的明显特征，我们许多的新兴城市由于缺少文化内涵，正在沦为环境和精神的荒漠。而更为无情的是对自然和资源的破坏，使我们的城市正远离人们的心灵空间。人与人之间、人与社会环境及自然环境之间的交流受到严重的阻隔，我们似乎忘记了自身的特点和历史，一味地追高、求大，其结果就像查尔斯·摩尔在接受AIA金奖时说的："我们的城市变得越来越不可居住。此时，我们的建筑却变得'越来越好'，这难道不奇怪吗？"

2、历史的遗憾

梁思成先生曾为北京旧城墙的拆除而痛心疾首，历史证明了他的价值。现在的许多城市仍在把城市的现代化当成终极目标，却未认真思考人对居住环境的心理和文化需求。对自然，以及对文化遗产的发展性破坏还在继续。我们还在重复着昨天发达国家的错误。

为促进经济发展，鼓励私人拥有汽车，许多城市几乎成为一个大的停车场，浑浊的空气使肺癌成为人类死亡率最高的疾病之一。空气、水和土地质量日益退化，环境已严重威胁人类的身心健康。我们正走在与自然、与人的精神相抵触的道路上。

拆除的城墙已无法恢复，但近些年我们依然有很多建设破坏了原有的秩序美感，经过旅游包装后的北京十三陵、山海关老龙头、西安的乾陵等等历史遗迹已失去往日的恢宏，使人感到我们并没有从历史的遗憾中接受教训。

3、当下国内城市建设中的误区

在我国城市建设还没有形成一个全面有指导意义的设计理念时，中小城市的建设更是服从领导者的意志，这就造成了在城市建设中求大、追高、比宽、大拆大建的政绩工程。到处商务中心，开发区泛滥，不考虑地域特点、历史文脉、气候因素，缺少独创性已成为我国当下城市建设的通病。

4、理念上的偏颇

即使是当代，我们的建筑专业还都从属于理工院校，在审美的创造与艺术思维的教育严重滞后。

一百多年前，法国人建造了埃菲尔铁塔，但铁塔的造型不是埃菲尔设计的，埃菲尔是一位杰出的结构工程师，解决了铁塔的建造技术问题，显示了人类的伟大智慧。以埃菲尔命名的铁塔说明那个时代对技术的膜拜。然而，随着计算机的辅助设计，许多高难的技术问题拥有了诸多解决手段，越来越多的艺术家参与城市的总体规划和公共设施的设计，以艺术造型和愉悦审美为出发点的城市设计突显其重要性，它能以创造性的设计联系历史和将来。

巴塞罗那的城市建设以1992年主办奥运会为契机，打破了城市综合开发中的痼疾——"纵向机制"。以市政人员、艺术家、建筑师、工程师的横向协作为基础，以继承历史遗产为基本理念，形成以公共艺术引导的城市设计，成为现代城市开发与再开发的范例。

四、发展与回归

1、未来人类的生活需求

人类对赖以生存的空间环境总在不断地提出新的要求，当我们从工业社会跨入信息社会，通讯技术的发展改变着人们的生存状态，城市作为人类工作地点的职能将随之转变，人们在城市中主要从事消费、娱乐、愉悦审美和富于创造力的文化交流，这种新的都市生活需求促使我们不得不改变我们的观念 。

相对于人类的其它创造成果，城市建设的发展因为人们不断改变的需求，永远没有最终的完成体，它始终处于不断地交换发展之中，并随着人类文化的发展，社会生活的变化以及价值观念的变化而变化。

2、不断发展的公共艺术

人们迫切需要提高自己所居住环境的艺术质量，并逐渐对其文化特色所反映的精神功能提出更高的要求。公共艺术既然是公共的艺术，面对的是人类的整体利益，它不是对日常生活的局部介入和装饰，而是以哲学、美学、历史、艺术观念为指导，从整体上介入人类的生活方式。它综合性的特征包括自然、科学、环境、人文、生态、技术等不同角度的研究影响人们的生存方式、环境空间、建设艺术化的生存环境。

如果说城市是由众多不同的要素组成的话，那么众多的建筑、景观、自然风貌、历史文脉相存一体，就诞生了一种新的艺术——广义的"公共艺术"，它强调的是综合的城市设计，将整个设计思想融于"天人合一"的人与自然和谐的理念之中。运用所有元素创造出一个艺术化的环境，这些元素包括建筑、山丘、地形、城池、树木、流水、街道、交通等等，并以整体的视觉造型为出发点，将它们有机地组织在一起，将规划设计，历史环境保护，城市的整治、更新、变换纳入一个大的视觉系统加以考虑，使之纳入可持续发展的轨道之中。

3、重新认识综合的价值

城市的发展记载着人类的文明，时时影响着社会总体文化的发展，反过来，人类整体的文化发展也必然影响城市的发展理念。

当现代主义建筑以几何化的钢筋混凝土席卷全球，在解决了由于人口爆炸带来的对建筑大量需求的同时，也带来了诸多负面效应，城市人口失控、农用土地减少、城市交通堵塞、空气污染日益严重、城市个性消失等问题越演越烈、以致20世纪后半叶，人类将主要精力放在了修复工业时代对环境所造成的破坏之中。我们不得不把环境保护列为当代的重大课题。而环境保护的终极目标就是可持续发展的环境艺术化。

人们不禁要问：旧的观念能否适应未来的城市发展？因此，我们必须从当代的角度重新审视旧的观念，从传统文化中汲取养分，重新认识综合的价值 。

艺术是人类体验的最高境界，艺术环境有令人愉悦的、样态丰富的形式美。今天，人类生存的大部分环境已经呈现出远离艺术环境的状况。无论城市还是乡村，南方还是北方，大小城市千篇一律的标准化建设单调乏味……艺术环境本应具有的丰富多样性消失了，城市环境远离愉悦和美感，远离人们的精神初始。公共艺术是新的综合学科，它通过城市设计的核心作用，借鉴传统的整体思维，使城市设计充满文化底蕴，植根于自己的特殊条件，不落俗套，自成一格，注重意境，以新的理念建构真正适宜人类居住的艺术化生存空间。

（《雕塑》2002.04 节选）

公共艺术的基础结构

文／李秀勤

西雅图公共艺术与日益频繁扩张的网络世界同步，在实施和设计的过程中不断发展完善公共艺术的理念。公共艺术的惯例程序是，一个完整的艺术项目委托艺术家全身心地投入去工作，并且为那些特殊的项目选择艺术家。《呼喊艺术家》不定期刊登西雅图公共艺术部的信息，她的意义在于创造公共环境公共设施中，建立艺术家所充当的角色和发挥的作用。1997年西雅图公共艺术部委托了两位具有开拓精神的艺术家劳娜·乔丹和伯斯特·斯皮森，作为居留艺术家设计公共艺术项目，为艺术家提供了一个与艺术部共同创作艺术项目的机遇，她尽可能作用于系统性的结合公共艺术进入城市基础结构。劳娜观察供水，波斯特观察排水系统。每一个艺术家提出与艺术项目相一致性的计划，联系这些项目提出一个富有哲理性的结构，根据艺术项目创作一个可以实施的造型结构。他们的宗旨是，创作计划应构成一个新的公共艺术观念形式，而她来自委托项目本身。

艺术从物体倾向转移到“系统审美”，其意所在是，一种新的审美是在进入社会工厂，科学、信息关系中的位置：系统的观点是关注创造的稳定，生态和非生态之间不断发展的关系，那些郊区、综合性工厂、农场、运输系统、信息中心、再创造中心或任何人类行为的资料。在一个前卫的技术文化时代，一个重要的艺术家最大的成功在于清楚自己是作为一个具有社会力度艺术家的位置。有意义的艺术家努力去减低技术和精神在他的艺术创作与社会意义之间的距离，这是策略地转移艺术中的技术而进入纯粹的艺术活动，她需要极端敏感的判断过程，带有非常文学情感的使用技术和科学信息使其成为“艺术”。系统、信息，不管什么形式传递，成为一个活的审美思考。审美不可能依赖一个“视觉”句法，最初的视觉是没有尽头的创造。作为一个合适的审美，是具有判断和选择的。在重新组织自然环境的过程之中露出了她的原则。

劳娜·乔丹和波斯特曾被称是革命哲学的子孙。他们俩创作的作品浸透着审美的系统。劳娜因创作的以水为主题的公园设计而著名，这个公共艺术项目在Renton，她放置一个雨水生物过滤器在作品中间，在实现它的功能的过程中，体现了一个特有的审美系统。波斯特的一个公共艺术项目，Host Analog（模拟主人），包括一棵生长的Douglas fir(道格拉斯冷衫树)果实被装置在波特兰集会中心之外，他的目的是在展示与流逝的同时，使人们感觉像一个园丁伺候新的秧苗。在这两个项目中呈现出审美的信息与系统是密不可分的。更进一步，在一个系统审美极高的艺术运动过程中，把艺术家提供的作品计划从一个逻辑步骤中释放出来。在西雅图公共设施部所有的艺术计划中，劳娜和波斯特的创作计划向更高标准的审美系统观念挑战。这种挑战的特色在于建立艺术作品即基础结构的自身。

作为一个系统审美逻辑，劳娜和波斯特在实施他们的艺术项目期间是对一个整体联合部门的开拓，不仅仅在供水部和排水部，而是考察了所有相关部门的功能。当他们写创作计划时而展示出各自的关注点和思考。

劳娜关注的是一个宏观的画面，她的兴趣在于再证明公共性的损害与自然的关系。水，是进一步联系人与精神之地，她想利用特殊的基础结构，构造一个被觉察的自然系统。这富有追求性的作品，是创造一个极其有魅力的结构，人们在穿过它们时可以感觉到这特定结构的存在与简单易懂的理论体系，它是恢复水本身具有魅力的本质，以至于比仅仅一种物质环绕穿过城市更加有觉察力。项目的轮廓通过被劳娜所设计的西雅图公共设施部的水的基础结构，而达到“正在揭示”、“正在创造”、“正在增强”效用。她认为有七个特别的公共艺术的机会，她计划从西雅图以北到Tacoma(塔科马)，自Tolt Basin(多特巴森)到ElliOtt Bay(埃利奥特贝)。在美国议会改善项目中，西雅图公共设施部艺术家的工作像一个设计组的成员。在波士顿公园，创造性的展示了公共艺术的基础结构。虽然部分的项目仅是报告中的计划，期望恢复自然系统这在设计组中是不奇怪的。每一个项目具有发展自己性格的空间，同时维持一个总体紧凑的规划，这就是西雅图公共设施部整体的基础结构。

“水域的启示”是劳娜最完整的创作计划，这个项目为西雅图公共设施部整体艺术项目介绍了一个新的模式，作为一个公共艺术家，劳娜的计划，是领导一个核心专家小组来发展此设计。“水域的启示”由三个不同的地点组成：供水地（Tolt River托特河）；废弃的都市小溪（Puget Creek普吉特小溪）；市郊水域（South Lake Union南方的湖域）。同样项目包括湿地，雨水蓄水桶和蓄水池。劳娜相信水域启示的力度在于对永恒视觉的延伸。通过对物质的思考发展和他们之间的关系，她提供了一个达到“揭示，呼吁，再创造”的宽松系统——一个水域的基础结构。公园，是劳娜在思考一个哲学的平衡点，她是在博大的自然与人类控制之间。关于她的水域的启示，令人感兴趣的是：劳娜的想法创造了一个公园的结构，假如你进入一个健康水域基础结构，你应建设一个公园环绕着她。

波斯特与劳娜不同，他是为西雅图公共设施部的整体基础结构做一个绝妙的艺术创造计划，他称为“使用的诗”，为西雅图公共设施的综合艺术，进入将来的基础结构争取了很多机会(水域项目，运输站，水质研究所)，实际上公共设施部基础结构(拾垃圾，水管道的正确走向)，不属于公共设施部基础结构的(西雅图火炬游行，市效家庭展示)。有些波斯特创作计划超越了一般的系统，例如：对大地施用的思考，建议西雅图园林处结合公共场所部分的策划方案再开放更大的空间和水路的观察。其大扫荡观念原则的背后同样实用于小规模的艺术项目，包括广告、卫生纸、瓶装水和电视节目信息。与艺术有关的废水／排水，波斯特的控制观念的意识是一种“装满”的水，处在供水与排水的边缘。他希望艺术在Tolt和Cedar水域“降低我们的需求中扮演一个角色”，宣告“是再创造蓄水池的时候了”。在他的报告中利用几种方案主张蓄水，他说首先应该从每一个家庭开始，其中一个建议是，向艺术家倡议的，在网络上层示生活片段包括工作室消费资源的现状。波斯特的计划给许多给许多艺术家提供了参与公共设施部废水／排水的大项目，包括在水域项目中作为专家设计组的成员。在这所有的项目中正在成长的葡萄街／绿街最具有发展和生命力。目前都市雨水实验室正在设计，包括“一个利用从附近的街道和建筑的屋顶的雨水开启的水渠”。项目的最终目的是提供一个具有创造性的超越教育的原型。

波斯特的计划包括一个公共艺术“事件”的系统，同样项目被放置在关系中，绝不是景观和建筑造型的公共艺术。他建议网络、展览、戏剧，甚至真正的生活就是艺术，允许一个综合的艺术家的声音，使他的计划结构为了创造艺术与每一个人沟通 。

对于艺术创作的状态，劳娜和波斯特在理解上不同的，但是他们相互补充。例如，他们俩组织了一个可以相互渗透的审美系统。所以他们可以共同工作，以至于点、线和表面多种系统的艺术结盟使不可预料纵横交错的分歧迎刃而解，其结果是在坚持艺术批评的话语中、公共性交流中进行检验。以上提到两位艺术家的创作计划给公共设施部一个具有特性的丰富的基础结构并蕴藏着强烈的冲击力。

公共设施部和西雅图艺术委员会坚持了一个勇敢的首创精神，延伸艺术家参与策划的过程。他们成功地选择劳娜和波斯特两位艺术家使他们独特的视角融为一体、相得益彰。当艺术家们提供了意义深远并激起争论的创作计划，西雅图艺术委员会和公共设施部作为一个系统联合实施他们的理念，而不是随便地从整体中提取和挑选。他们鞭策引导艺术家从物象趋势过程进入一个系统审美建设的基础结构，而改善西雅图的公共艺术。

（《雕塑》2002.04）

城市雕塑探望

文／王建华

不少雕塑人或美术界业内人士对中国城市雕塑的现状及其走向是持沮丧、批评且观望的态度，认为20世纪迄今的中国城市雕塑多模仿、少创造，文化殖民状况严重。笔者认为中国城市雕塑创造空间辽阔，前景可待。

雕塑，作为体积的艺术，运用块面的基本语言，在时空中凹凸、起伏、转换、坚挺地延展着人类生存的强度。雕塑渗透了人类社会生活的各个方面：古代神像、原始图腾、寺庙观音、陵墓石像、衙门狮子、屋脊吻兽、门楣装饰、家具摆设，从荒野密林深山的陵寝护卫、高居基座之上的帝王，到名人的功德碑、纪念像、绿地上与观众比肩而立的市井人物、书桌上仪态可人的小动物等等，在赞美自然、歌颂情爱、颂扬英雄、呼唤和平、主张真善美的同时，生动鲜活地体现了雕塑的自律之域。

城市雕塑，是人类在公共群体严肃而稳定的社会结构秩序中，在城市的公共环境里，以天然或人工材料加工、合成、占有三维空间的、蕴涵精神功能的人工制品。它体现着人类生存哲学和艺术哲学产生的社会基础，强调生命在残酷现实面前的一种力量，并作用于人类自身的生存意志和信念。城市雕塑是城市的有机部分，它组成城市的文化背景，是城市活动的中心，被誉为城市的灵魂和眼睛。城市雕塑有庄严宏伟的纪念碑，也有寓意深刻、情调优美的小品雕塑，既有表现历史故事、神话传说，还有情趣横生的动物，有连结、转换、指示方向，标明地志等作用，代表一座城市的历史积淀、文明神韵，记录着时代政治、文化的浮沉、变幻，它滋养、陶冶人们心灵，是检验一个城市文化水准的重要标尺。人类最早的城市雕塑可追溯到公元6世纪古希腊雅典城的保护神——雅典娜的雕像，它是城市的象征，也是民族宗教情感、集体意志、审美观念的体现。

20世纪前半叶，中国城市雕塑，在移植、模仿、风格单一中不断生长起来。伴随新中国成立后政府的积极参与，文革中强烈的造神干预，20世纪80年代改革开放后的大规模西方流派、思想、表现技巧的引进，加之雕塑家坚贞的热情，使中国现代城市雕塑终于与世界对话，容纳百川，在忠实记录中国现代历史演变的同时，书写着中国自己的城市雕塑发展史。

城市雕塑对城市艺术气氛的形成、艺术形象的塑造至关重要。城市雕塑属于公共艺术，既然具有公共性质，就不能等同于私人空间里的艺术，不能只仅仅表现雕塑家的个人意志，也不能对大众文化迁就、媚俗。作为构成城市景观的雕塑，决定了好作品一定要与环境相协调，要做到与环境息息相关，在露天环境下，要能经受住各种外在条件的考验；还应顺应大众审美的主流，符合比例、尺度、体量、和谐、匀称、均衡等基本审美关系。优美、巧美、精美、壮美、新美、纯美、人性美是大众审美的稳定表现，能满足人们常规而频繁的审美要求，进行普及审美教育，潜移默化地影响他们，引导提高大众的欣赏水平。

国际城市环境从农业文明时代、工业文明时代、后工业文明时代向高科技信息文明时代演进，使雕塑作品的形式和风格不拘一格。但好的雕塑艺术作品，不只是视觉的、直觉的、感性的美，更重要的是精神的、内在的震撼力和穿透力，有着理性的接受内涵。当代雕塑艺术家们急切地希望找到雕塑与环境有机结合的理想手段，认为雕塑除了起到应有的功能外，还应克服矫饰、虚假、焦躁和粗制滥造，力求克服空间和时间的局限性，追求艺术意境的无限。

比较中国古代与大自然融为一体的经典雕塑霍去病墓石刻群、八百里秦川平原上的顺陵石狮和西方古希腊、罗马高矗于碑座、城市上空庞大的纪念碑，可以说，在空间意识上，中国人从来就追求与大自然和谐的空间观念，所以在进行现代城市雕塑的艺术创作时，有优越于西方、更易于营造适宜现代人城市生存环境的根本条件。西方自古以来不断挑战自然、征服自然、扩张领地，在传播发达与先进的科学文明的同时，也传播了人类体质的、精神的多种疾病，并要人类付出更为沉重的代价予以拯救。

古希腊雕塑体系的原则，被认为是万古不变的语言法则，在新时代面前，显然束缚着创作者自由地表达自己的思想，而且在新的工业、科技，新的建筑和生活环境面前显得软弱无力。近一百年来西方现代雕塑的发展，除了现实主义或写实主义的创作方法，受现代哲学、现代心理学、新的审美观念和现代科技文明的影响，艺术表现的方法、途径和探索多种多样。现代西方城市雕塑的创作已借道于中国的自然观、时空观。中国雕塑是以大自然、人造的自然庭园或起伏的山峦和树林为天然的背景，这种意境成为现代西方艺术家梦寐以求的“自然式”、“岩石感”和“人与雕塑的亲近”的楷模。走进现代欧洲，城市雕塑已从古代那些横刀立马、气宇轩昂的高傲的台座上实实在在地落到了地上，变得亲切、可爱，成为现代都市生活真正的一部分。不论在洁净的街道中，还是在平整的绿草地上，在随处可见的雕塑周围总会有人靠着、倚着、端详着，或是自言自语或是耳鬓厮磨，竟常常使人分不清是雕塑还是供人休息的场所，在喧嚣的都市里每一个雕塑仿佛都是个宜人的绿岛。

中国雕塑受西方现实主义法则影响，经历了近一个世纪的辗转。20世纪80年代以来，中国城市雕塑发展迅猛，艺术创作由量到质协调同步走出了准罗马、准罗丹、准苏俄和前南斯拉夫样式，结束了一元化的统治局面。雕塑家们激活灵感，拓宽视野，站在艺术当代性与传统文化交汇点上，把古今中外、传统、现代的构成作为创作的资源，并以此为基点发展具有当代性的城市雕塑。它体现“以人为本”的精神，注重人的参与，给人们以接近或进入雕塑的活动空间和环境，使冰冷的雕塑充溢活力。

建筑与雕塑同是形体与空间的艺术，自古以来就有不解之缘，雕塑艺术家们应该积极地参与城市的建设性建造，与建筑设计师们密切结合，合情合理地美化城市。无论是在创作观念、材料和技术手段上更接近建筑的“建筑式雕塑”，还是从抽象构成雕塑吸取营养，交流产生在建筑领域里的“雕塑式建筑”，或是在建筑与雕塑之间形成一些相互交叉、渗透、重合的边缘品种，对于城市雕塑艺术家们来说，其施展的天地都是广阔的。

现代城市环境呼唤新的雕塑观念和形式语言满足人们感受和体验中求新、求奇、求适的需求，而这些诸多元素及其交互碰撞、交互作为，正是城市雕塑未来拓展的无限光景。

（《装饰》2002.09）

环境雕塑的空间意识

文／班石

在环境艺术的发展中，人们越来越意识到，空间意识的存在以及正确与否，决定着特定环境下人与自然物、自然物与人工物之间合理的空间组合、合理的形式表现的问题。环境雕塑——作为“人”的要素关系之一，它的题材、形态、材料以及表现形式，都是由特定的空间条件和人的空间意识决定的。因此，环境雕塑的设立，必须建立在以空间意识为基础的条件上，才能有效地把握空间、表现空间；才能将雕塑融入到整体的环境中去，营造一种氛围、创造一种意境、表达一种文化趋向，使环境适应人的各种文化的精神要求。那种将架上雕塑简单放大搁置室外的行为，是违背环境艺术的设计准则的。一个雕塑家，除具备架上雕塑应有的对形态、结构、形式等研究的深厚修养之外，更要具备超越雕塑自身之外的意识——环境空间的整体意识，才能将雕塑作为营造环境空间的重要组成部分，与环境空间有机地结合起来。

人们的业已成熟的环境意识，为21世纪雕塑的环境空间的发展奠定了基础，使环境雕塑的空间意识定位在“合理性”、“协调性”的原则之上。空间环境的协调性包含着雕塑与环境与人的共生关系，这种关系是有序可循的，是按照特定的规律发展的。古希腊思想家毕达哥拉斯学派提出：美在于事物各部分的秩序和比例。他们从数的关系上研究艺术和美，认为把杂多导致统一、把不协调导致协调就是美。协调在于比例、秩序的井井有条，环境雕塑的空间意识便是研究雕塑与空间环境与人的井井有条的协调关系：

协调关系对我们来说不应是陌生的，在面对架上雕塑进行塑造时，我们知道雕塑自身各部位之间的关系，必须合理地按比例进行整体组合才能构成协调。这种比例关系的合理性就是通过协调性的空间原则来进行划分确定的。协调的划分构成空间比例的秩序性、变化性和流动性的发展，促进了内在的生命运动，从而建立起审美的意识框架。

构成协调的空间划分可通过以下几个方面来表现。首先是空间的分隔条件：对雕塑的空间分隔、各部位的组成必须构成秩序，通过秩序将细节之间不同量的变化有条理地表现出来，以便达到不同空间量的、大小变化的、自由向次的顺序发展。其次就是方向性与刚柔性的有序变化：形式组织的方向性构成统一运动的秩序性，将作用力与反作用力有机的统一起来，将刚柔的对比按照秩序的规律统一起来，使各构成要素协调地结合、组成有机的生命形象。再者是调性原则（意境）：就是雕塑的表现要构成一定的调子，表达一定的意境。调性的关系是一种整体倾向的关系，就如同大风刮起树、草都朝着一个方向摆动一样，各局部都统一在这种方向的协调运动中，形成运动的意识条件，构成统一协调的调性运动。这些对雕塑自身的表现要求以及空间分割的条件，其实际已是空间意识的存在。环境雕塑的空间意识是建立在架上雕塑空间认识的基础上，是其表现意识由具体雕塑向外空间的延伸与发展，是对雕塑的认识条件向宏观的空间领域的拓展和渗透。

环境雕塑是依赖于空间条件为依据的表现形式，什么样的环境便可选择什么样与之相适应的题材、材料、形式、风格的雕塑来表现。在人的生存范围内需要各种不同的环境层次，同时也就存在着各种不同的对环境空间的意识要求，存在着以人为中心的对环境空间的认识态度。作为空间的有机组成部分，雕塑不单纯是被动的只是和环境构成协调，同时它又是积极地按照人的意识需要“干预性”地对空间环境进行调整、补偿，使雕塑对整个环境空间的趋向起着不可缺少的指导作用。当环境的构成不能适应人的生理和心理的需要时，环境雕塑便可作为补偿空间的“添加剂”，改变空间不适于人的状态，使空间向着人所需要的方面发展。从构成形态的关系来看，存在着同一形态与对立形态的组织规律。同一形态的组织表现是同一因素状态下追求运动变化的过程，是一种“顺向”的组织过程：对立形态表现的是不同要素的结合，追求对立状态下的统一，是一种“逆向”的组织过程。我们可以将这一表现原则用在环境雕塑对空间的干预上。对环境空间的干预性补偿，可以用两类补偿关系来说明：1、顺向性补偿关系；2、逆向性补偿关系。

1、顺向性补偿是围绕原有的空间形式、氛围、进行的符合这一空间形式、意境情趣进行的雕塑设计，是一种固有关系的放大。面对一个新的空间环境，我们首先要把握它的空间特性、了解它的意境趋向给予准确定位。使环境雕塑的设计顺应其空间表现的形式和内容，把握空间表现的一致性，让雕塑的设计更符合空间氛围的统一要求，使雕塑起到凝聚空间和引导视觉秩序的作用。

2、逆向性补偿是对原有环境的破坏，以达到改变原有环境不适于人的空间条件。这就像用石子击破一潭死水一样，通过石子的打击改变水面毫无运动、毫无生气的沉闷感觉，使波纹的运动构成生命的流响。

“干预环境”是环境雕塑对空间协调意识积极主动的表现方式。当雕塑这一艺术形式从架上步入环境空间的范围进行表现时，它的性质自然产生本质的改变，它的“文章”自然从对雕塑本身的研究进入到对空间环境的研究，从雕塑本身的审美要求进一步扩大到对整体环境的审美要求，积极参与对环境的改造，使环境顺应人的需要服务于人。

雕塑与环境的合理性组合，必须建立在空间意识的指导下，才能将雕塑从本质意义上与环境统一起来，才能将雕塑作为空间环境的一个积极方面，从体量比例上，从线材、面材、块材等材性上，从肌理、色彩的运用上，对空间环境进行积极合理的干预，将环境营造成适合于人的不同精神层面的、不同文化趋向的理想的生存空间。

（《美术》2002.09）

香港公共艺术特征探议

文／时向东

香港是世界最繁荣的国际大都会之一，也是中西文化汇聚之地。香港的城市建设、公共艺术也有许多值得内地学习的方面。

香港的公共艺术归纳起来主要有以下几个特征。

一、重视以公共艺术烘托环境的文化特质

香港的建筑大多重视设置公共艺术以烘托环境的文化特质，如香港文化中心、中央图书馆、中银大厦、会展中心等。

香港文化中心广场中央设立有一件巨大的铸铜塑像，塑像的一只胳膊幻化为一面船帆，又像是一只巨大的翅膀，从两个角度看去，塑像的处理方法也不尽相同，一面是大刀阔斧式的概括处理，另外一面则使用许多机器零件焊接制成，似乎代表了两种不同的文化精神。这件雕塑名为《翱翔的法国人》，由卡地亚基金会于1992年将其赠送给香港市民。文化中心前面还有一件具代表性的公共艺术，是原九广铁路火车站的钟楼。这个钟楼在当年是香港的一个象征。这两件公共艺术一新一旧，分别代表了两个时代的历史文化特征。

香港中央图书馆是香港图书馆系统的行政总部及主要图书馆。为了营造自由、向上的文化气氛，中央图书馆在馆内外设置了一系列的公共艺术作品。如首层台阶两边设置的儿童雕塑，广场上设置的《卖花姑娘》、《读书的人》、《萌芽》等公共艺术作品。最有意义的是两侧步梯休息区的井盖装饰。休息区平面为圆形，地面石材按经纬线的方式铺装，中间圆心部分为一米直径的黑色圆石，类似井盖。这样的区域共有八处，每块黑色圆石上分别刻有香港春夏秋冬夜星图或五大洲的地形图。

中银大厦是香港最具标志性的建筑，它是建筑大师贝聿铭的作品。大厦东西两侧设有中国传统园林和现代形式结合的花园，园中设有流水、瀑布、奇石与树木，各种传统元素经过现代设计手法的运用，巧妙地体现了中国山水画的意境。台湾雕塑家朱铭的作品《和谐相处》放置于大厦西南角的水池边上。中银大厦外部环境条件较差，但通过贝氏对大厦周围环境及配套公共艺术的设计，创造出了精致的室外空间，不仅大大改良了建筑周围的环境条件，同时也为大厦注入了深层的文化意义。

香港会展中心东北侧广场上，树立着著名的紫荆花雕塑，花朵表面贴金箔，造型厚重大气。会展中心广场另一侧树立着香港回归祖国纪念碑，纪念碑落成于1999年7月1日。纪念碑柱身正面刻有国家主席江泽民亲题“香港回归祖国纪念碑”碑名。柱身由206个石环重叠而成，代表着香港在1842年至2047年的年份。其中代表1842年、1860年、1898年、1982年、1984年和1990年等六个年份的石环，采用较浅色的石料。柱身惟一嵌有光环的石环，是代表1997年的年份，突显香港在这一年回归祖国的重大历史意义。

作为香港新地标，会展中心是和香港回归紧紧联系在一起的，《紫荆花》雕塑和《回归纪念碑》是对这种关联性的记录，同时它们承载的更多是对于历史的纪念，这种纪念和英国殖民政府在香港树立的纪念碑、纪念雕塑是完全不同的，是对一百多年来民族耻辱的彻底洗刷，这种纪念不仅是香港人的也是全中国人的。

二、公园公共艺术形式多样

香港有许多公园，除郊野公园、主题公园外，更多的是位于高楼大厦之间的小型公共广场、街头花园、休憩处、运动场等。除了海洋公园外，其它的公园都是不收费的。此外，香港的公园公共艺术形式多样，且均有各自不同的特色。

香港公园的公共艺术强调参与性，如入口处的圆形人造瀑布，水帘两边留有缺口，并有小桥可达瀑布中心，在中心的圆柱下方还有可供就座的石椅，孩子们可走进瀑布之中，坐在石椅上享受自然的乐趣。瀑布流出的水顺着一条长长的水道流向前方，在水道中设计有梯级降低的几何型水槽，水灌满一层就会溢出并流向下一层，好似河中卵石的作用。最后，水流经一座“龙门”汇入中心喷泉，形成源源不断的印象，喷泉周围形成一个休憩广场，环绕有五层台阶，游人可坐在台阶上观赏、休息。在人工湖畔的休息椅边有一个感应式饮水机。在香港公园设有很多饮水机，只要手按按钮即可出水饮用。

香港海洋公园是世界最大的海洋公园之一。在正门入口处右侧，有一个蓝色金属制成的海马雕塑，它是海洋公园的标志，此标志有多层含义，海马的身体部分为一个英文字母“O”的变体，并从“O”幻化出海洋的波浪型，“O”代表OCEAN，即海洋的意思，海马代表海中的动物。

在香港市区最多的还是各式各样的广场和小型花园，它们在公共艺术方面注重休闲的特征，以方便游人逗留休息或拍照纪念。

三、绿化、水景在公共艺术中扮演了重要角色

到过香港的内地人对香港的绿化感触很深，香港每一个角落，只要能挤出一点点空隙，都会种满了植物。另外，香港多山路，在山路两旁都有各式各样的护坡措施，有的是部分用水泥封起，按照规则排列的方式留出很多空隙，以使花草从中长出，有的是用铁丝网封起，在表面种上爬藤植物或草类植被，还有的使用石材砌成护坡设施，在护坡设施上设计有花槽来种植各种各样的花草。在公共艺术中绿化的使用也很常见。

在香港随处可见各式各样的水景公共艺术，而且这些水景形态各异，变化也较多，大多数水景还可以让人们参与其间。

四、公共设施艺术化、人性化

香港的公共设施齐备，在注重功能基础上，更注重设施的艺术性和人性化。

位于皇后大道东和轩尼诗道交界处的三角地带设有一个供行人临时休憩的地域，中心为一个立方体梯级构成的装置，并设有瀑布流水，酷似高山流水的意境，周围有花草围绕，设有休息椅，是一个绝好的街头公共艺术作品，但当你绕到高山流水背后一看，方知其中全部奥妙，原来高山中藏着这条街道的配电设备，它不仅为人们提供艺术享受、提供休息区域，更能满足功能需求与人性关怀。这个休憩处的边上有一个人行天桥，天桥的柱子上绘有表现湾仔区历史和景物的图画，参与创作的人士来自社区各团体、大中小学校、工商业机构，包括儿童、青少年、妇女、长者、弱能朋友等。这座人行天桥艺术创作目的在于通过市民共同参与，保存地区历史文化遗产，凝聚社区归属感。这件充满社区各界人士热情创作的作品是对艺术公共性的最好阐释。

香港的许多街头花园就是在美化公共设施的基础

上建成的。

香港的公共交通场所也很注重人性化设计，如公共汽车站、的士站、地铁等。考虑到香港雨天较多，大多数车站都设有雨棚，公共汽车站还设有钟表，便于候车人掌握时间。车站的雨棚设计都很别致，如奥海中心楼下有一个的士站，雨棚的整个架构为红色钢材制成，形状为拱形，不仅造型简洁，而且色彩上与红色出租车一致，非常和谐。在香港的街上，只要看到红色的像一个小人一样的标识，这就是地铁口了。在地铁口的公共区域常常可以看到一面巨大的地铁交通图，上面详细标明了各条地铁线和每个车站的名称，便于乘客识别。在地下公共区域还经常设有公益性的展览展示设备，宣传的题材经常更换，大多是环保、慈善的内容。有些地铁站绘有壁画。在香港的公共场所经常设有各种批示牌，如批示方向、提醒注意等，有的还设有资料架，摆放免费赠阅的宣传品。这些批示牌的设计也多种多样，各有特色。

总体来说，香港比较注重各种公共设施的建设，其宗旨就是尽量给市民提供方便，并以高水准的设计营造香港文化之都的形象。

（《装饰》2002.10 节选）

从“阳光广场”到“后现代”

——公共艺术的来龙去脉

文／孙振华

“阳光广场”是对古希腊城邦式公共性的描述：在阳光下、在广场上公开讨论和交流对于公共事物的意见，在此基础上，出现了希腊式的前公共艺术 。

著名喜剧作家阿里斯多芬曾经以公元前415年，雅典军队远征西西里岛惨遭覆灭的史实为背景，写了一出反对军国主义和爱国主义的戏剧《吕西斯特拉塔》。当时，希腊城邦正是举国身受失败之痛，由此引起的战争狂热弥漫全国，而在阿里斯多芬的剧里，军队遭到奚落，人们的爱国热情被嘲笑，民主政府的首脑受到批评，不过，这些并没有影响《吕西斯特拉塔》这出戏的演出。人们关心的是这出戏本身的价值，有什么问题是公民所不可以自由讨论的？如果没有，这出戏就应该公演，剧中提出的战争的问题、爱国主义的问题，应该允许公民自由地议论和评说。

正是有古希腊民主制度时期的这种开明和大度，所以在艺术上，古希腊的公共空间是相对开放和自由的。著名的艺术艺术史家温克尔曼曾经说过，希腊艺术之所以优越，最重要的原因是有自由。在雅典的民主政治时代，凡是有公民权的自由民都享有广泛的参与公共事物的权力，希腊的民主制也保护和鼓励思想自由及其表达的权利，无论对学术上还是政治上的批评言论都能够容忍。伯利克里曾经说过：“雅典人纵使不能创造一切事物，但有权力判断一切事物。我们不认为自由讨论是行动的障碍，而视此为采取明智行动的必要步骤”（修昔底的斯：《伯罗奔尼撒战争史》，卷二，第34－36页）

温克尔曼说“希腊人从很早便开始运用艺术来描绘人的形象以志纪念，这一途径对任何一个希腊人都是敞开的。”（《世界艺术与美学》第一辑文化艺术出版社第307页）在古希腊的运动会和竞技场上，优胜者的雕塑安放在神圣的地方供全体人民欣赏和瞻仰；最穷的公民的雕像也可以和将军、统帅甚至神像放在一起。

这么说，是否可以认为古希腊的艺术就是“公共艺术”呢？还不能这样说。

古希腊的公共性还是有限的，它毕竟还是一个奴隶制的社会，广场的阳光只照在贵族和自由民的身上，大量的奴隶阶层无法享有自由对话的权利。温克尔曼所说的全体希腊人并不包括这些根本没有人身自由的奴隶。

希腊的艺术，譬如典型的形式——雕塑，虽然出现了大量的自由民的形象，但就总体而言，对神的献祭仍是主体部分。希腊宗教的泛神的特点以及神祇的人格化和世俗化，使人与神的关系处在一种相对和谐、宽松的状态中，但这毕竟是人类童年时期的状态，还不是真正意义上的公共意识和关于人的平等意识，所以，我们还只能将古希腊这一艺术史上令人难忘的时期的艺术，称作前公共艺术。

18世纪的启蒙主义时期，奠定了公共艺术的思想基础，这是一个艺术自觉的时代，它为后来公共艺术的登场铺平了思想的道路。

18世纪通常被人们称作启蒙主义的时期，的确，在这个时期人们弄明白了好多以前所不清楚的事情。实际上，西方人关于艺术的思想，就远不如我们所想象的那样早熟。现代意义上的艺术分类学的思想在18世纪中期才出现，直到那个时候法国人才正式提出了为我们今天所普遍接受的“艺术”概念，才开始把“美的艺术”独立出来。在此以前，哪些东西是艺术，哪些不是，一直是错综混乱的。德国人莱辛在18世纪70年代写作《拉奥孔》的时候，副标题是“论诗与画的界限”，而他举的中心例子《拉奥孔》偏偏不是画，而是雕塑，他实际谈论的是诗与造型艺术的界限。

两百多年前的启蒙主义运动，让许多东西变得清晰起来，这对后世产生了极大的影响。尽管现在又开始有人解构启蒙主义，解构启蒙主义所带来的乐观主义和进步、科学、知识信念，但无论如何，启蒙毕竟是人类思想发展史中的一个重要环节。

启蒙主义所带来的思想解放，使更多的市民通过知识获得进步，他们越来越有能力向古老权威和贵族特权提出挑战，这个时期“公共性”、“公共领域”概念的正式确立，使他们对介入公共事物有了更多信心。

以前，文学和艺术一直都是供国王应酬所用的，到这个时候，文化具有了商品的形式，艺术作品成为为市场制造的商品。文化与市场的结合，使艺术成为一种可供讨论的文化;作家和艺术家的代理人也出现了，他们承担了向市场发行作品的任务；剧院、音乐会开始向普通的观众“公演”；总之，文化的权力下放了。

随着宫廷的衰落，随着趣味的多样和不同，讨论和评品艺术的行为也越来越多起来，人们越来越乐于聚集在一起讨论各种各样的艺术问题，最适合的地点当然是咖啡馆，咖啡馆的繁荣与人们的交流意识是密切相关的，怪不得前面我们说过，17世纪英国政府要警告人们不要在咖啡馆里自由讨论。据统计，18世纪初，伦敦已经有了3000多家咖啡馆，每一家都有相对固定的客户圈子，年轻一代的作家在里面干什么呢？——争论“古典和现代”诸如此类的问题。

到18世纪中叶，艺术批评一下子出现了，批评成为一门专业，批评的的活动成为艺术家和广大观众之间进行沟通的桥梁，法国的拉封特在《沉思录》中间阐释了这样一条原则：“一幅公开展出的画就是一本印刷之中的书、一出舞台上表演的戏剧，任何一个人都有权利对它加以评判”。专业艺术批评带来了各种评论的刊物和出版物，承担了宣传、教育的功能。

总的说来，在社会学的意义上，18世纪有关公共性和公共领域的概念隆重登场了，它为公共艺术在将来的出现作了思想上的铺垫，但是在文艺学的意义上，公共艺术还没有出现。这是因为，尽管18世纪的思想启蒙和艺术自觉为艺术界带来了根本性的变化，但是，这个时期艺术的中心课题是建立独立的、审美的、艺术体系和规范；它考虑的问题恰好是划清艺术与社会生活的边界，拉开审美与现实的距离；这个时期是艺术自觉的时期，它的中心任务是强调艺术的独立，强调艺术不同于生活的特殊性，强调专业的艺术家与公众的区别；而公共艺术要解决的问题恰好相反，它是艺术向生活的回归，艺术家向公众的回归，所以这个时期不可能出现公共艺术。

后现代主义文化的出现，给西方艺术带来了转折性的变化，直接催生出当代意义上的公共艺术。

1981年立于纽约曼哈顿区联邦办公广场的极少主义雕塑《倾斜之弧》自从打立起那天起就没有安稳过，公众的抗议声此起彼伏，最后竟被告到了法院，经过法院判决，这个雕塑最后遭到撤除的命运。这也许不是偶然的，《倾斜之弧》的极少主义，是现代主义发展到最后的结果，它的生硬和与社会语境的脱离，使它终于被公众所抛弃。

从20世纪60年代开始，西方文化出现了一个重要的转变，由于科学和技术的不断发展，西方社会进入了一个后工业化的社会。在18世纪启蒙主义思想基础上巩固和建立起来的西方形而上学思想体系和现代主义目标滋生出一系列新的问题。资本主义的乐观主义和不断进步的理念遭遇到增长的极限、生态的危机、理性和非理性的失衡等等问题的挑战，西方社会出现了一系列新的意识形态的问题和精神问题；在这种背景下，后现代主义文化应运而生。

后现代主义文化给西方艺术带来了转折性的变化，直接催生出当代意义上的公共艺术，后现代主义文化和艺术对公共艺术产生的直接影响表现在如下方面。

第一、随着西方形而上学的统一性和整体性的消解，一个多元文化的局面出现了，在艺术上，出现了一系列的变化。

艺术大众化的浪潮，使艺术家的话语方式发生了变化，现代主义艺术中个人主义、精英主义话语方式被生活化的、通俗化的，平民化的话语方式所取代。艺术更多地深入到人们的日常生活之中，更多关注大众的日常生活问题。

艺术与生活的关系发生了变化，艺术的生活化和生活的艺术化，打破了传统的二元对立的情形，例如，安迪· 沃霍尔宣称万物皆为艺术品，波伊斯则认为人人都是艺术家，虽然他们这些比较极端的说法是为了解构现代主义的所谓纯艺术的理想，但是的确在很大程度上，降低了艺术的飞行高度。

艺术的作用方式也由过去的神圣感、殿堂感和经典式的方式变为追求有效的表达和交流，艺术与公众的关系成为互动的、双向交流的关系。

第二、后现代艺术的文化转型，使艺术的功能发生了变化：人们重新思考艺术与社会问题的关系，重新强调艺术对社会生活的干预，重新强调艺术的现实关怀，一系列引人注目的社会问题成为艺术关注的焦点，如种族问题、性别问题、生态问题、绿色环保问题、社会边缘人群和弱势群体的问题等等这些成为艺术的关注对象。

多元化的社会使艺术的地域性和文化差异的问题得到了强调，艺术家和公众更强调面对一个特定文化背景中的社会、社区、地域的问题进行交流和沟通。

第三、后现代主义对现代主义文化的诘问和批评，暴露了现代主义文化中的许多问题，例如公共空间的权力的问题。什么是权力？权力是个人或群体将其意志强加给其他人的能力。而在人类的生存空间和艺术空间方面，从社会的权力结构来分析，公共艺术的出现，反映了市民阶层对于公共空间的权力要求和参与的意向，它与社会公众事物的民主化的进程是密切联系在一起的。公共艺术在本质上，是一种社会权力的体现。正如福科所说，“应该写一部有关空间的历史——这也就是权力的历史”。

（《雕塑》2003.01 节选）

文明的纪念碑
——西方建筑的艺术性

文／樊小明

建筑既是实用性的，又包含了具有代表性的美学。人们并不满足于只住在徒有四壁的简单的房屋里，随着财富的增长、生活方式的变化和社会关系的复杂化，人们逐渐发展了功能和形式更为多样的建筑。建筑的样式也与宗教和习俗一样往往是世代相传的，它必须同时符合设计者和居住者的审美趣味和实际需求。此外，建筑还是一种综合性的艺术活动，最初的雕塑和绘画都是作为装饰建筑的因素而存在的。建筑可以是简陋的茅草棚、砖瓦房，是普普通通的民居，也可以是华丽的豪宅和宫殿，或者是庄严肃穆的教堂寺院。它不仅构成了一个城市的形象，更是人们进行社会生活的必要保证。人们在里面学习、工作、购物、娱乐、休息、举行集会、做礼拜等等，人们在房子里出生、成长、也在房子里去世。在现代社会的大都市里，建筑更是每一个人的生活不可或缺的一部分。这些建筑包括了住宅、学校、医院、商店、办公楼、银行、电影院、剧院、体育馆、图书馆、博物馆、市政厅、宫殿、教堂、庙宇等等。人们每天都在各样的建筑里进进出出，尤其是现代大城市里的居民，几乎被建筑环境所包围，以至于很少有人会去认真思考建筑的功能和形式的发展会对人们的生活方式产生怎样的变化，建筑的结构和空间的变化会如何潜移默化地影响着人们的思维和行为方式。

那么为什么说建筑是艺术呢?一般说来，人们之所以在谈到建筑时立即就想到房子，是因为人们习惯于首先考虑建筑的实用功能，这的确是建筑的最基本要素。然而建筑又不仅仅是给人居住的房子，因为它的视觉形象对人的精神产生很大的影响，能激起人的情感反应。不论建筑的外形还是内部结构都有可能对人的心理起作用，比如让人感到愉悦、舒畅，或是压抑、沉闷，它既可以让人肃然起敬，也可以变得阴森恐怖。在更多的时候建筑往往具有很大的象征意义。古今中外有无数的纪念性建筑成为历史的见证、文化的象征、城市的标志和民族的骄傲。优秀的建筑往往能代表一个城市的形象，体现一个时代的精神。一位美国的旅馆老板形象地描述了有关建筑与房子的区别，在经历了一次暴风雨之后他这样形容自己经营的旅馆：“风暴吹坏了我的房子。但幸运的是建筑还在。”他似乎是在说虽然房子不能住人了，但建筑师的设计思想仍旧存在。建筑的视觉形象仍旧保持了原有的美感。这说明建筑除了居住功能之外还有非常重要的审美功能，它是通过人的视觉体验来实现的。这就是建筑被作为视觉艺术来研究和欣赏的主要原因。

公元前1世纪的古罗马建筑师维特鲁维乌斯(vitruvius)认为好的建筑有三个基本条件：坚固、实用、美观。听起来这些标准太普通，适用于最一般的日常生活用品，但这些标准对于建筑却有着具体的含义。坚固不仅是指坚实的建筑材料，还要有稳固合理的结构以及对建筑所在地的地理环境、气候和位置的充分考虑。实用是指建筑的功能是否能充分实现以及是否能满足使用者的具体需求。美观也许是与艺术关系最密切的，也是最难做到的。因为它涉及的内容广泛，标准复杂，不仅关系到建筑师本人的艺术水平，还包括了委托人和使用者的审美趣味。建筑样式的采用也与一个民族的文化传统和生活习惯有着极为密切的关系。如果是公共建筑，建筑师就要顾及公众的审美观。比起绘画和雕塑，建筑需要获得更多人的认同，因此它的局限性也更大。要完成一件绘画或雕塑，艺术家基本上能独立操作，并且本人的意愿是主要的。但要完成一座建筑则不那么容易。建筑师从设计开始就要考虑业主的需求和建筑的功能，尤其是建筑的形象既能体现自己的风格又要获得大多数人的认同。即使设计被认可之后，从图纸上的设计到建筑的最终实现，也需要多方面的合作和集体的努力。由于以上的种种原因，建筑的发展不像绘画和雕塑那样求新求变，它的语言和风格与传统保持着更密切的关系，而传统则充分反映出不同民族的文化特性和不同时代的精神面貌，这在建筑史的发展过程中是一目了然的。直至今日，维特鲁维乌斯有关建筑标准的这三个基本条件仍然是建筑师实践中的至理名言，而他提出的美观则是建筑作为艺术形式而存在的主要原因，也是历代建筑师热衷于对此做出各种诠释的理由。

建筑与绘画和雕塑一样都是视觉艺术，所不同的是在欣赏绘画和雕塑时基本上是一种静态的体验，欣赏建筑则至始至终都处于动态的体验。它是三度空间的艺术，而它所具有的三度空间不同于雕塑，不仅有外观还有内景。人们既可以欣赏建筑的立面，环顾建筑四周，还可以走进建筑内部，置身于其中，步移景移，细细品味各种局部与整体的关系，对建筑的结构和空间布局获得进一步的感受。人们在欣赏绘画、雕塑时一般都保持着一定的距离，在欣赏建筑时由于人与建筑的尺寸相差太大，往往被笼罩在建筑环境之中，这种距离就消失了，因此建筑对人的影响更为直接。此外，重要建筑的规模一般都很大，它的实现从设计到建造必须通过许多人的认同与合作。在古代，它常常是集体智慧和劳动的结晶，而不像绘画、雕塑那样仅仅是艺术家个人的创造。因此好的建筑往往具有纪念碑式的重大意义，它能代表一种民族性格、一种时代精神、一个理想的象征，有时甚至是一个文化奇迹。它的坚固和持久性能超越时间的限制，成为一个文化的延续性的纽带，对后人产生长远的影响。它不仅是建筑师们代代相传的经典，也成为不同时代的文学家艺术家创作的灵感源泉。古埃及的金字塔、古希腊的帕特农神殿、古罗马的斗兽场、印度的太姬陵和法国的巴黎圣母院，无一例外都有纪念碑式的意义。也有些建筑只存在于文学作品中，却世代相传，为人传颂，如《圣经 · 旧约》里提到的古代巴比伦的巴贝尔塔以及中国古代诗人杜牧描述的阿房宫。这些建筑并没有真正地消失，人们都知道它们曾经存在过，年复一年地流传反而更激发了人们的想象，增添了这些建筑的魅力。在近现代建筑中也有不少脍炙人口的杰作：英国伦敦的议会大厦、西班牙巴塞罗那的圣家族大教堂、法国巴黎的艾菲尔铁塔、卢浮宫的玻璃金字塔入口以及朗香教堂、美国纽约的西格拉姆大厦和世界贸易中心大楼、巴西的首都巴西利亚的建筑群、澳大利亚的悉尼歌剧院、香港的上海汇丰银行大楼等。所有这些建筑都已经成为国家和民族的骄傲或是城市的标志，它们是人类文明的纪念碑。

建筑与其它视觉艺术的最大区别在于它的实用性和功能性，这也是人们长久以来对建筑艺术持有不同观点的主要原因。有的人认为建筑的功能性强，应当属于实用美术而不是纯艺术。另一种观点却认为建筑语言本身的抽象性使它更接近音乐，因而是比具有描述性质的绘画和雕塑更纯粹的艺术。建筑的实用性和功能性无疑对建筑的艺术设计产生较大的局限。然而正是这种限制促使建筑师最大限度地去寻找单纯、简洁而又具有代表性的艺术形式以求适应多方面的需求，在实现功能性和实用性的同时尽可能地追求美观。一般来说，这种美观是同时代的大多数人都能认同的。因为建筑一旦完成，它对人的影响就可以说是强制性的。一个人可以有选择地去看绘画、雕塑，或是听音乐、看电影，但他却无法选择或回避他生活周围的建筑环境。不论喜欢与否，每天他都会看到这些建筑。有时还不得不走进去，甚至必须在里面生活和工作。因此建筑形象的好坏对人的影响是至关重要的。再者，建筑的持久性也决定了它的影响力。在大多数情况下规模较大的建筑都能长久屹立，经历几百年的历史，一些古代建筑甚至能持续上千年。例如宗教建筑，本来就具有很大的象征性，信徒们世世代代在里面做礼拜、举行宗教仪式，这样的建筑往往就是他们心目中的天国。如今，世界各地的历史名胜和古代著名建筑遗迹每天都吸引着成千上万的游客，它们最直接地向人们展示着古代艺术和文化的真实面貌。由此可见，建筑对人的影响既可以是摄人心魄的，也可以是潜移默化的。

（《苏州工艺美术职业技术学院学报》2003.01）

转型与流变
——当代公共艺术的市民文化趋向

文／翁剑青

在20世纪末和新世纪初的中国，公共艺术的主动需求者和自觉接受者是公众社会，更确切地说，是一个在中国20世纪70年代末改革以来正在成长中的市民社会，因此对这个阶层文化存在的分析，对我们进一步阐述公共艺术的价值取向是必要的。

中国当代的市民阶层虽然至今在中国社会总体人口中所占的比例还并不很大，但在中国社会由传统的计划经济和高速的国家集权政治走向开放的市场经济以及逐步法制化、民主化政治的转型进程中，市民社会的成长成为一个国家的经济基础因素和社会结构再分化、再发展因素，乃至在社会民主政治和文化的建构上都正在起着越来越大的积极作用。当代中国公共艺术的基本文化特征正逐渐朝着迎合和服务于市民社会追求自由发展、平等竞争、民主参与、共同进步及相对独立自主下的社群生活理想之方向发展。这不仅是渐趋成熟的社会的基本因素之一，也恰是一切公共艺术及其文化精神赖以成长的社会基础。

在中国，完成新民主主义革命之后所建立的计划经济体制和自上而下连续不断的“以阶级斗争为纲”的社会背景之下实难产生和滋养“处在国家直接控制之外”并“与国家相区别的”市民社会。在长期和空前的全国性阶级斗争运动中“党和国家通过强有力的政治网络，将几乎所有社会成员部纳人国家政治生活的轨道”。直到20世纪70年代末，尤其从80年代初期之后，由于社会经济体制的多元化趋向，国家政治和文化形态的逐步开放，大众个人生涯（包括择业、流动、个体创业、国际民间交往、文化技术社团的设立以及在观念形态和情感生活上）的逐步自主化和多样化，从而出现了越来越多的“无单位”、“无上级”或游离于不同的经济所有制之间的社会公民。他们以不等的层次追求着自身生活方式、生活意义和生活目标，并较为自觉地注重自身幸福、人格、权益与服务、批评社会及国家的辩证关系。他们中的许多人成为后来的企业经营者及专业知识阶层。他们在实际上形成了中国当代“初步意义上的”市民社会，并较大规模地影响了整体社会及其结构的新的分解。

客观上看，“‘市民社会’的出现，使我国的社会经济、政治生活增加了一个弹性因素，提高了社会抵御经济、政治动荡的能力，减轻了政治在管理、财政上的压力，加大了社会成员在流动、分化上的余地。同时，‘市民社会’的出现和发展，也对我国的民主和法制建设提出了新的需求”。其实，“市民社会”及其意识形态的出现，也在文化艺术的社会需求和价值观念上作用于当代中国的美术和公共艺术形态。

我国从20世纪30年代中期以来，美术界曾大量呈现“拿来”或模仿西方现代艺术，借以批评和反叛本土艺术传统文化现象。各地大批自发的以青年为主体的民间美术集群，依照自身生活经历和文化经历创作，并展示了对现实生存和文化处境之审度的作品。尽管其中有许多明显不成熟乃至谬误的成份（如对本土文化精神及价值认识的偏颇、对本土文化经验及创造能力的怀疑和否定等），但毕竟迈出了封闭的、单一的政治文化的一统领地，呈现了部分市民社会对社会主体意识于文化向度探索的自觉和自由的倾向。到90年代之后，随着经济结构的进一步分化、重组和多元化的确立，以及市场经济发展的迅猛、社会生活中的泛商业化，尤其是市场机制在艺术运行领域的导入，客观上使得在大众化的流行艺术、追求经典性的学院艺术、精英化的前卫艺术及以政治意识形态宣传为主旨的艺术之间，（除少数以强烈的社会批判为己任的艺术之外）出现了大量形式不同的“折衷”和“交融”的情形。然而，90年代之后的中国艺术，也并没有由于外在的“市场热”而消解了来自社会和艺术家个人的“文化热”及文化自觉的继续。在多元的文化格局中，艺术创作和批评中对于商业文化弊病的批判，以及对艺术在当下社会的批判与创造精神的价值强调，并没有消失或被完全忽略。这恰是与中国当代艺术渐趋成熟的表现，也是与多元的市民社会的渐起及其文化的逐步自觉不可分割的。

艺术家个人性质的艺术创作实践实际上与面向公众社会的公共艺术创作是不能截然分离的。中国在“文革”后的公共艺术，从英雄主义、浪漫主义及唯美主义的追求到90年代后的通俗化、大众化、平民化的转换与交融，同样反映了中国当代公共艺术领域中，精英艺术的理想主义及前卫性、实验性与市民大众的平民主义乃至享乐主义的并存和部分的交融。如果说20世纪70年代末、80年代初的北京国际机场壁画及地铁壁画群的创作标示着“文革”时代艺术领域政治意识形态宣传极端化的终结和新时期英雄主义、浪漫主义及唯美艺术的开端的话，80年代末、90年代初某些城市雕塑中在抽象表现和超写实等艺术(如由展望等创作，设在北京奥林匹克体育中心的《人行道》作品)在语言上的纯化和实验，便是中同公共艺术处在由个体艺术家意趣为主导的单纯性、探索性创作阶段。而90年代中期以后随着城市美化及社区基础建设而在许多经济较先发达地区（如深圳、上海、北京、大连、广州、青岛、珠海、杭州等地）兴起的公共艺术创作，便从整体上开始显露出较普遍的市俗化、平民化、生活化的艺术创作。20世纪末深圳的大型系列人物景观雕塑《深圳人的一天》和在20世纪末落成的上海世纪大道、世纪广场及东方明珠广场间的公共艺术便有典型的象征意义。此间，在市民意趣和当代严肃艺术的乌托邦的交融与重现组合下，一方面逐步消解着纯由政治意识形态长期统领的公共艺术，曾大量出现以“宏大叙事”和纪念性雕塑为主的创作使公共艺术更加贴近市民大众真切的生活体验利情感经历；另一方面，是以平民化、通俗化去解构精英艺术的权威性及其话语霸权，使公共艺术更多地以娱乐、玩赏的寻常姿态出现，并使之融入城市的商业、旅游景观之中。这些现象，我们在许多城市及社区公共艺术的创作中，可以清晰地得到印证。

在中国的80年代末和90年代初，虽然在架上艺术领域和公共艺术领域仍然存在着所谓“后现代艺术”的一般性特征，即传统与现代、保守与创新、单一与包容、大众通俗文化与精英严肃文化及政治文化之间的某些明显的分野及紧张关系，但是随着社会经济生活和观念意识的不断发展与相互促动，在90年代中期之后，精英文化及前卫艺术不再像以往那样在公共艺术(包括其他艺术领域)领域呈现更多的优越地位。反映在公共艺术的形式手法及艺术意趣方面则是更为自由和多元化的创作倾向。而以往那种非此即彼、互为对立的二分法和长期左右着人们的艺术认识(如艺术表达的具象与抽象、再现与表现、启蒙与享乐、高雅与媚俗、前卫与保守、现代主义与未来主义、民族主义与世界主义，等等)，已不再像过去那样壁垒分明、互不相容，而是较快地走向一定程度上的模糊、解构与交融。事实上，这在相当的程度上是与当代社会结构的变化、市民社会的初步勃兴是有着重要的关系的。因为，从市民社会的日常生活意识、时尚追求、道德风范、社会心理，以及深层次的价值观念及思维模式等方面的总体关照中看到，他们在当代消费社会及商业文化中，对生活环境、生活品质的追求，对闲暇时光的占有和支配，对舒适、幽雅、恬静等生活情趣的体味，以及对轻松、浪漫、时尚、尊贵的艺术氛围、审美意境乃至人际关系的渴求和敏感等因素，都使得主要由中产阶层构成的市民社会客观上成为当代公共艺术的首要受用者、理解者和支持者。

2000年10月16日起，世界著名景观雕塑艺术家亨利·摩尔的12件大型雕塑在中国北京北海公园登场展示。这对世纪之交中国公共艺术领域有着重要的启示和推动意义。它除了显示出国际文化间交流的趋势及必然性之外，另一个重要的意义在于，使艺术大师（艺术精英）的艺术创造及文化理想的成果置于普通公民大众的寻常生活之中，为公众所共享、共有。更有意义的是：中国的艺术界、教育界对此作出了积极的反应，对全民文化艺术素养的提升表示了强烈的关注。北京和来自全国各地的部分艺术家、美学与艺术理论家、建设规划专家(及境外艺术家)等百余人，在2000年11月4日至5日举行的“亨利·摩尔的启示”国际研讨会上，郑重起草和通过了一份致北京市民的“建议书”，呼吁广大市民关心摩尔雕塑艺术，注重城市公共景观艺术建设，以公共艺术推动城市及市民文化的发展。该“建议书”曾建议“请所有具有文化情怀的北京市民，利用闲暇的一天，到中国美术馆和北海公园去，代表有三千多年文明史的北京，去看望和问候远道而来的亨利·摩尔作品，以告慰那位一生都关心着全人类的逝者；………建议各大学校……对亨利·摩尔较为了解的学生，到现场去做一次义务解说员，以利用摩尔的作品，适时进行高雅艺术的普及宣传。建议在各自的辖区内有雕塑安置计划的‘精品街道’负责人、住宅项目小区负责人，在确定计划以前，率有关参与人员去看一下亨利·摩尔的作品，以此进一步了解景观雕塑的性质和趋向，使所辖地的雕塑更具美感和生命力……”。此间的思想和举动，已部分地说明了精英艺术及其理想与当代市民阶层的文化生活趋于密切，与当代城市环境景观建设的普遍需求相关联的情形。

（《雕塑》2003.02 节选）

从环境到心境的公共艺术实验

文／宫长军

关于公共艺术，我首先考虑到的是公共艺术作品的公众参与性，所要做的就是通过创造艺术的公共环境来潜移默化地影响公众的心境。这个从环境到心境的转换过程实际上就是在完成作者与观众从心灵到心灵的交流，是通过创造具有鲜明个性的公共环境入手，依靠人的知觉在造型艺术的创造和审美中的作用而达到的。

在作品的创造过程中最应当强调的是作品的公众参与性，作品一旦具有了公众参与性，就可以有效地吸引观众主动与作品和作者产生心灵层面的交流并成为作品的有机部分，达到一种作者创造和观众审美的双重的自由。这是公共艺术区别于架上艺术或纪念碑艺术的主要优势。对于艺术创作，内森·卡伯特·黑尔在他的《艺术与自然中的抽象》一书中说："你发展的风格最终会是你的个性、经验和你获得的所有知识的表现。"我想这句话也可以反过来用于审美。无论采取什么方式只要观众能被作品所吸引，主动地去参与感知一件公共艺术作品，不同的人就会形成不同解读，引起不同的审美，完成与作品和作者的交流。

如何才能使作品具有公众参与性是我主要关心的问题，也是公共艺术作品存在的关键。

我最早的公共艺术尝试是在20世纪90年代初，作品是为北京的一家公园设计的凉亭。当时因为很多原因而没有落成。考虑到凉亭将建立在人流较大的园门附近，为了发挥引导和聚集游人的功能，这件设计运用了立体构成的手法，把一块方形的面加以简单的折叠和切割，得到一个组织在曲面中的框架结构，这个形态的内部还悬挂了一些彩色玻璃，形成了一个半封闭的空间。我相信这个被赋予了实用功能的空间形态在发挥功能的同时也能产生强烈的视觉效果，以至不同程度地影响着穿行其间的观众的心情。我觉得赋予作品功能性是吸引和影响公众的有效办法。

关于赋予作品功能性的想法一直到2000年创作了《芽形座椅》才得以实现。作品完全从实用美术的角度设计，在功能的基础上寻找作品的形式。作品完成后，一排座椅所吸引来的不仅只是想要休息的行人，而是各种各样好奇的，怀着不同想法的参与者。他们的目的是为了以各自的方法体验具有奇特形态的被叫做椅子的东西——公共艺术作品，很明显，使观众兴奋的正是公共艺术品的功能性所带来的公众参与性。在这个观众自觉参与的过程中公共艺术作品才得以存在，才得以完成作者与各种观众间的交流。据了解现在这一排椅子已经被开发出了健身的功能，很多老人来此锻炼，我想这种参与正是作品具有生命力的表现。

使作品具有公众参与性的另一个尝试是利用自然中的因素(如风、水、阳光等)，潜移默化地引导观众的视觉参与和心理体验，达到从环境到心境的沟通。因为人是自然的一部分，大自然的节奏和韵律最能影响人们的情感。完成于2000年的作品《风向标》正是利用了风的动力。在创作过程中，我试图强调视觉在造型艺术中的感知作用。通过作品传达的是一种平和的情绪和一种由浮躁转向宁静的心情。其中不同大小的正方形风翼的排列方式表现的是一种节奏，用不同的颜色表现和谐与对抗，多根水平的风干随着微风缓慢转动，在视觉上把观众的视线引向远方，从而传达平静悠远的意境，完成作者与观众间从视觉到心灵的交流。另外，为了让作品不破坏环境的完整性，我在作品中强调了整组作品的尺度，达到作品隐退的效果。

为了加强公共艺术作品的公众参与性，引导观众发挥所有知觉的感知能力是很有效的方法(除视觉以外如：触觉、嗅觉、听觉等)。在《黑石圈》的创作过程中我强调人的主观参与的必然性和自然环境的偶然性的结合。就像中国画中的笔墨要素的关系"笔操于人，勾皴烘染随之；墨受于天，浓淡枯润随之"。在创作中我按照主观意图选择石料，摆放石块并打磨每块石头的一角，既是为了表现自我的存在也是为了人为地展示一些奇特的、不同寻常的材料肌理来吸引好奇的观众触摸与感知，以单一材料的肌理变化和作品环境的变化引起观众心境的变化。这些是作品必然性的一面。而作品中每一块石头的断裂，草木的生长和光线的变化，特别是观众的参与方式等都体现了作品的偶然性。作品把一个可触摸的可参与的空间留给了观者，消除了与观众间的距离感，可以得到不同观众的不同响应。

当然，公共艺术作品的公众参与性只是作品成功的一方面，但只有公众主动参与感知和解读的作品才能体现其价值，才能达成作者与观众间的互动和交流，完成从环境到心境的转换。

（《雕塑家通讯》2003.03）

城市街头公共设施形象设计

文／张海林　钟蕾

城市公共系统一向是代表城市现代化水平的标志，而城市街头公共设施则是城市公共系统的重要组成部分，因此城市街头公共设施的形象设计显得尤为重要，一个垃圾桶或者一个电话亭对城市的居住者和使用者具有直接影响，布局合理、设计周到的系列公共设施，则使城市居民与游客切实体会到来自建筑者和管理者无微不至的关怀。

城市街头公共设施是促进人与自然直接对话的道具，在一定程度上可以帮助人更直接、方便地与自然对话，城市街头公共设施起着协调人与城市环境关系的作用。进入新世纪以来，人们的生活习惯和消费观念发生很大的变化，传统观念的公共设施已不能满足人们的需要，要求每一位设计师从多元化的角度来探索新的城市公共设施形象设计。

一、城市街头公共设施形象设计的内容

城市街头公共设施形象设计分三个部分：第一部分主要是为汽车服务的设施，第二部分是为自行车和行人服务的设施，第三部分是各种照明设施。

为汽车服务的设施主要是各种交通设施，包括交通标线、交通信号、道路交通标志牌、指路牌、隔离装置、跨线桥、候车亭、加油站等。这些设施的设计要求与街道整体环境相协调，各个细部要精心推敲。

自行车和行人服务的设施，包括候车亭、候车廊、电话亭、TAXI停靠站、垃圾箱、休息座具、公共厕所等，不仅要有适当位置设置，而且要充分考虑人的使用要求，强化其特点，突出功能性。

各种照明设施，包括路灯、建筑照明、灯箱及广告牌、霓虹灯设施等，要求在丰富多彩、特点鲜明的同时，还需与环境相统一和协调。

城市街头公共设施形象设计应以其分布、功能、造型、质感、肌理、色彩、细节、技术原理以及风格为各类人群以定位的服务和规范，应直观地体现时代、历史、地域、文化、精神乃至政治、民族、国家的特征，可以说城市街头的公共设施不只是小品、产品，本质上必须从系统的、动态的、行为心理的、生态的层面来认识公共设施形象设计的意义。

二、城市街头公共设施的现状

回顾近十几年，我国经济稳步增长，城市建设发展突飞猛进，城市面貌日新月异。以上海、北京等为代表的城市街头公共设施形成各自特色。但我们也应该清醒认识到我国整体水平与发达国家的差距，具体体现在以下几点。

1、功能设施不健全、缺乏整体性规划

我国许多城市的道路现状，由于诸多原因往往只能达到道路交通的基本要求——疏导流通作用，而忽视街头各种设施的建设，其它功能建设脱节、滞后，还不能满足人们的需求。

2、环境质量差

我国街道环境质量较差具有普遍性。街道设施缺乏标准化、系列化。

3、街道辅助设施滞后

行人服务辅助设施严重短缺，如公共厕所、街头路标牌、交通指引牌、公共电话亭及行人的休息空间等，人性化的关怀不够与城市面貌的改善失调。

4、街道设施缺乏个性

由于千街一面、千楼一面比比皆是，街道设施在造型、色彩上单调、无特性，也不方便识别。

三、城市街头公共设施形象设计定位

密集的人群、人流及繁忙的工作、紧张的生活需要有序的组织和方便、高效、安全的公共设施来保证人们的工作、生活。公共设施形象设计定位应重点考虑以下几个因素。

1、公共设施的系统化建设和系统化管理

公共设施是环境整体不可缺少的要素，不仅作为环境独特的组成部分，成为人们室外活动的必要装置，还因其特有的功能，增加了环境设计的内涵。我国城市公共设施的建设和管理的职能部门应加强合作，进行系统化建设和系统化管理，最大限度地发挥公共设施的综合效益。

2、公共设施的工业化生产方式

公共设施的建设对任何城市都是沉重的财政负担，小规模生产、非标准化又加重维护管理难度，以工业化的方式生产公共设施是降低成本、提高质量，便于维修的有效途径。因此，在设计中应着重考虑设施尺度的标准化、结构的相似性、构件的通用性和互换性，通过有限的几种工业化生产的标准化构件单元，以不同的组合构成不同用途的公共设施。

3、功能性设计和现代化形象

城市街头公共设施兼有提供公共服务与美化城市景观的双重功能，而提高有效的公共服务应是第一

位的，流于形式而失去功能是不可取的。从使用者的需求出发进行设计，在外观上力求体现现代化城市形象以及街区的区域性文化背景、人文特征，并加以巧妙的处理。

4、公共设施的设计风格

简洁明快的设计思想应渗透在整个设计中，材质的选择、功能的组合、模块的拼接，皆应体现公共设施简便、易于使用及回归自然的风格。设计时要注意：(1) 易于使用；(2) 易于清洁。便利的清洁有利于公共设施保持卫生，提高使用率；(3) 设计艺术化。公共设施的艺术化是现代设计的发展方向，它缩短了公共设施与使用者之间的距离，美化了环境；(4) 尝试将有生命的植物融入到产品中，在产品与人之间建立一种情感联系，使产品富有生命力，唤起人们珍爱生命般地爱护公共设施；(5) 城市街头公共设施设计要体现和展示城市的形象和个性，具有鲜明的可识别性。

城市街头公共设施不同于单纯的产品设计，它最终呈现给人们的是其本身和环境相互渗透的印象。在中西文化交流的今天，国际文化与本土文化相互影响，公共设施建设还需要现代化科技来演绎。实用功能是形象设计的基本要求，人机工程是公共设施设计必须研究的重要要素。公共设施设计应强调使用功能和精神功能的协调统一，使用者与产品进行全方位接触时得到精神和物质的多重享受。现代城市的新兴与发展要求独特的公共设施形象设计。

5、公共设施的造型语言

公共设施的造型是公共设施功能的载体，也是视觉传达的媒体，造型设计应基于朴素简练的风格，使其易于辨识又避免具象化，我们在设计中应创造一种可以将这些充满生命力的美好形态引导人们的生活趋势。

6、公共设施的色彩易辨性

如何将色彩的易辨性应用于公共设施设计，仅围绕公共设施本身是无法展开的，公共设施的色彩运用应考虑到环境因素，突出其直观性，并与环境色彩相适应。身为景观的一部分，公共设施可利用色彩传达其存在的意义，但是需要兼顾其周围大环境中的地位与点缀、跳跃的作用。

总之，城市街头公共设施形象设计是城市硬件设施和软件设施建设不可缺少的重要组成部分，是城市形象及管理质量、生活质量的体现，是人们精神生活提高的重要标志之一。公共设施的建设与人类的生活关系越来越密切，通过城市街道公共设施，这种无言的服务、无声的命令，提高了都市的管理效率和水平，同时表达出大城市的形象个性和魅力。

我国目前处于城市街头环境改造的建设阶段，随着大规模的城市建设，深信公共设施这一伴随城市发展的设计将越来越受到社会的普遍重视，公共设施也将更多地发挥其重要作用。人们不仅注意公共设施的设置而且重视其精度和质量，无论在公共设施的人文价值、使用价值、空间价值、信息价值时间价值等方面均增添了新的涵义。

（《装饰》2003.12 节选）

十一、产业与市场

加入WTO后我们将面临的新挑战

文／刘毅

一、国内外市场的挑战

中国加入WTO后，艺术市场会进一步多元化、国际化。几年前，在山东沿海一带，中国的雕塑艺术品就已经进入了国际市场，大型传统的、与建筑相匹配的石雕艺术产品在日本及东南亚、欧洲的一些国家和我国的台湾地区都有大量的出口，艺术市场化十分明显。我们也清楚地看到，雕塑的产业化，正是入世后的一大趋势。另外，艺术市场化、作品个性化、市场多元化的趋势正在形成，竞争会更加激烈。国内、国际艺术市场，对雕塑艺术质量的要求会更高。很多的艺术品厂家，更加重视吸引经过专业训练的雕塑人才，并以其来充实企业。

在城市雕塑方面，国内各省市建设部门已经开始规范地按照雕塑艺术规律管理投标机制进行运作。比如新一轮投标法、版权法等建设法规的出台，都是我们加入WTO后的重要规则。遵循这一规则是我们雕塑家事业发展的重要保证，过去那种不规范的混乱状态将会被整治，艺术法规将进一步完善，有一定品位的雕塑家，会进一步被认同。中国雕塑环境十分广阔，越来越多的外国雕塑家将与中国的雕塑家联合建立设计公司、艺术工作室以及高等艺术院校的创作室，参与中国的雕塑领域的竞标。

二、雕塑家自身素质的挑战

加入WTO后，新材料、新工艺、新意识形态与审美观念将要求我们雕塑家进一步提高艺术修养，掌握更多的现代科学、人文科学的各领域的知识，来表现社会，展现未来。

入世后，社会需要的是复合型、综合能力强的雕塑人才。现代雕塑家应与时俱进。具备以下基本素质：(1)雕塑家本专业能力要加强。雕塑基本功要非常扎实，它是雕塑艺术之根本；(2)会熟练地使用电脑这一实现构思的工具，使高科技与艺术完美结合，从而迅速完成雕塑效果图，顺利参与竞标；(3)掌握一门外语，以便掌握和了解国际前沿艺术信息，并使你的理想空间国际化；(4)应成为一名“社会活动家”，这是指你能否团结人，让更多的人在工作中认同你；(5)还应是一名“理性的批评家”，在你本专业或相对学科领域里有你独特的建树，能说服大多数人并被认同；(6)还应是“思想家”，具备极为丰富的想象力和创造力。如果能具备以上素质，你将成为21世纪成功的雕塑家。

三、加入WTO后高等教育人才培养将面临挑战

说到人才，就要提到教育。教育部国家考试研究中心研究员韩民博士说：开放是国家高等教育的必然途径。首先，中国加入WTO及高等教育的国际化要求我们更多地开放教育服务领域，允许国外投资机构来华跨国办学。其次，长期以来，我国是穷国，扩大教育事业的建设，教育经费短缺。外资引进我国高等教育，可以通过税收增加财政收入，增加整个国家教育投资。

高等教育的开放毕竟有其特殊性，韩民认为中国近期尚不具备立即完全开放高等教育领域的条件，鉴于高等教育特殊性的国情，中国政府初期可能只承诺中外合作办学，即允许国外来中国办合作学校，但合作方式可以多样，外方资金可占99%，这样外国私人资本进入中国高等教育领域，不可避免地也要以赢利为目的。在利益的驱动下，教育质量的监控和管理，将给我们带来新的课题。外方培养的人才及其学历资格是否被国家承认，通过什么方式认定，都有待进一步探索。有关专家分析，对外资进入中国高等教育领域放开限制，准许专业人才自由流动，必将加剧中国人才的外流。此外在相关法规、政策不甚完善的情况下，立即开放中国教育市场，将会在教育办学方向、教育观念、民族文化传统以至经营管理等方面发生矛盾和问题。国内相对薄弱的教育主业，如教育仪器、设备、图书、软件、雕塑品、玩具等产品生产亦会受到剧烈冲击。

我国几十年计划经济条件下形成的人才培养模式，肯定会因为WTO的到来而改革得更加迅速。教育部拟在今年底明年初派第一批教师到国外进修后，用外语授课。教育部门下发文件鼓励高校选用进口原版教材，尽快缩短我国在某些领域与国外先进水平的差距，疏通交流的渠道。在人才培养的模式上，教育部很快将建立几所示范软件学院，完全按国际通行标准培养多层次的软件人才，使我国的设计软件业及其它行业适应入世后人才培养的模式，改革措施都在积极准备中。

综上所述，我国高等艺术教育也同其它高等教育一样应与时俱进，逐步与国际艺术教育接轨，适应入世后教育改革的新形势，并积极参与艺术教育改革，培养出一批创新型、国际化、综合能力强的复合型人才，使中国的艺术家能够走向世界，参与国际艺术市场的竞争。

（《雕塑》2001增刊）

试论加入WTO后 中国雕塑业者的新课题

文／李宇光　林清芳

加入WTO以后，中国雕塑业者该如何应对？尤其是传统雕塑业该如何应对？这确实是一个值得认真思考和探讨的课题。

中国加入WTO，是时代的需要，历史的必然；对整个国家而言，WTO并不像洪水猛兽那么可怕，而是机遇大于挑战。我国的传统雕塑业属于劳动密集型产业，又是知识创新型产业，从建国前的民间作坊到建国初的合作化，从文革时的停滞到改革开放后的“各显神通”，传统雕塑业是最早从计划经济走向市场经济的外向型行业之一。尤其是以雕塑业为代表的我国民族雕塑行业，在历经20多年国际市场的磨练洗礼后，已经形成莆田精微木雕、东阳装饰木雕、惠安建筑装饰石雕、莆田精细石雕、福州寿山石雕、浙江青田石雕等名扬海内外市场的几大品牌效应；从这个角度讲，我国的雕塑业已经与世界接轨了。至于中国加入WTO对雕塑业是不是有利？市场将是最好的裁判。

加入WTO，即意味着市场的双向开放，意味着自由贸易新时代的来临。我国传统雕塑业作为加入WTO后的比较优势行业，虽不存在大量的外资品牌抢滩国内市场的“外来狼”的威胁，但也必须尽快修炼成智勇双全的“外出狼”，要善于依赖我们的本土优化资源和传统技术优势，抓紧把自己打造成“老虎”，吃掉进入我们国土的“羊”和“狼”，并使自己不断成长、壮大。

加入WTO后，我国雕塑业者面临的新课题有以下八个方面。

一、更新行业运作理念，注重相关知识“充电”

我们首先必须熟悉WTO的几项基本原则。

非歧视性原则：表现为“一般最惠国待遇”及“国民待遇”。加入WTO前，雕刻业出口往往受“歧视性”待遇，不少工艺品中间商，一方面以种种借口压低订货价或离岸价，甚至不准作者在作品上署名，不喜欢作者评职称、作品参评获奖；一方面又以种种途径成倍抬价转手，从中盘剥业者。曾几何时，福建仙游坝下成了许多台商趋之若骛的“廉价木雕粗产品”的生财之源……

公平贸易原则：公平贸易原则要求市场供求价格参与国际竞争，各成员的出口贸易经营者不得采取不公正的贸易手段，扭曲竞争，尤其不能采取倾销和补贴的方式在他国销售产品。这一原则对传统雕塑业也是一种有利的好消息。

贸易壁垒递减原则：主要通过关税减让谈判，相互约束部分或全部产品关税税率，五年内不得提升。这一原则对传统雕塑业开拓欧美市场是有利的。

透明度原则：WTO要求各成员的贸易法律、规章、政策和裁决必须公开。传统雕塑的进出口环境将得到更进一步改善。

还有一般禁止限制原则、发展中国家特殊待遇原则、允许例外和实施保障措施原则等等，只要细加研究，许多内容对我国传统雕塑业的可持续发展都有“保护”、“优惠”、“过渡”甚至“特别援助”的有利因素。如果不及时“充电”，就等于自外于WTO。

二、加入WTO是双向市场开放过程

我国雕塑业作为“比较优势产业”，应善于补足比较劣势，敢于摆脱以往中间商的多重压价、盘剥和约束，争取直接参与海外工艺品市场竞争，多走出去办展览，参加国际性投标和订货会，普及企业自主出口经营权，开发第一手的市场。

三、熟悉规则、更新理念

WTO倡导自由贸易，我们必需熟悉并适应其“游戏规则”，不断更新管理理念，实施管理变革，宁愿牺牲一定的速度，也要保证企业先建好新的管理平台再加速；管理改组应包括产权结构调整，重视管理流程，推进扁平化组织结构建设，引入全面质量体系，调整管理团队，把人治式管理提升为法制化管理。提升行业综合竞争素质，广纳优秀国外师资，培训适应WTO的专业管理人才。

四、倡导、发展和完善行业中介组织

加入WTO后，各种贸易摩擦会不断增加，反倾销、反压价、反自相残杀的不合理竞争现象仍会出现，中介组织要在协调市场、协调价格，组织反倾销、反压价及投、应诉等活动中发挥作用。

五、主动构筑环境壁垒和技术壁垒

应主动采用环保标准和技术标准来构筑环境壁垒和技术壁垒，防止濒临灭绝的珍稀财源的流失和濒临失传的传统绝技的泄密，防止严重污染的劣性仿制品流入我国，冲击相关行业。

六、重视知识产权

要进一步重视知识产权和传统工艺的保护，注重对《专利法》、《商标法》、《著作权法》及实施条例，如《实施国际著作权条约的规定》的学习和贯彻执行；确立品牌保护意识，善于发挥品牌效应、名人效应和名产地效应。

七、制订和修改行业法规

制订和修改与雕塑业有关的服务业与服务贸易众多部门的行业法规，必须尽快建议修改已经过时的政策、法规，调整政策与行业的关系；防止违法行政干预。调整行业结构，淘汰过时的工艺和行业，提倡高技术和高增值材料及产品的创新开发。

八、倡导中外学术交流和技术合作

大力倡导中外雕塑工作者的学术交流和技术合作，通过国际互联网促进理论研讨、知识更新和市场行情的信息互联以及电子商务的实物互通。

总而言之，加入WTO，对于我国雕塑业者而言，不是"船到码头车到站"，而是从零开始的竞争新起点。只要知己知彼，不断地更新自我，熟悉信息时代经济全球化的"游戏规则"，善于不断创新高增值原创精品，敢于在国际市场纵横驰骋，那么，我国传统雕塑业的未来将是无限辉煌的！

（《雕塑》2001 增刊）

惠安雕艺产业的现状与发展瞻望

文／郑文伟

惠安是中国著名的建筑之乡、雕艺之乡。千百年来，惠安工匠以"皇宫韦"的格式、红砖白石的材料、精雕细刻的工艺，形成了中国建筑史上独树一帜的"闽南建筑"流派。历史上惠安的雕刻艺术与建筑艺术相生相伴，融为一体，其精湛的雕刻技艺和深厚文化的内涵与建筑的恢宏格局、灵巧结构相得益彰，表现出极高的审美价值和实用价值，从而形成南派雕刻艺术独特的风格。惠安雕艺包括石雕、木雕、砖雕、瓷雕、灰雕等形式，其中以石雕、木雕在建筑、家具制作中的广泛运用，成就最为突出，最具代表性。至今在闽南各地、台湾地区和东南亚各国仍有不少惠安艺人的杰作留传下来，如建于清末民初的台湾龙山寺、南安蔡浅古民居以及建于上世纪50年代的集美陈嘉庚鳌园就是其中的代表，那是建筑艺术与雕刻艺术珠联璧合的精品。

由于惠安石、木雕刻过去主要运用于寺庙、神佛雕像和达官贵人商贾华侨的豪宅大院等建筑，社会需求量不大，因而没有成为一个独立的产业存在，而是以小作坊的形式分散于民间。新中国建立之后，惠安县引导民间雕艺作坊组建了惠安石雕厂和惠安工艺美术厂，开始了工厂化的生产。但是由于政治和经济的种种原因，相当长的时间里，惠安的雕艺业举步不前。改革开放以后，惠安雕艺业得到较快发展。到1989年，全县石雕企业300多家，从业人员近4600人，产值约5000万元，出口交货值达3280多万元；木雕企业16家，从业人员1980人，年产值546万元。上世纪90年代以来是惠安雕艺产业形成和突飞猛进发展的重要时期，特别是开辟了日本的碑石市场，大规模的碑石加工和出口，使惠安在短时间内就涌现出一大批石雕石材加工企业，出现了生产规模化、加工机械化、产品批量化的新局面。国际国内大量先进的石材加工工具、加工机械被引进和广泛运用于石雕石材加工过程中，极大提高了企业的生产品质量，全国各地和世界上30多个国家和地区的优质石材被运到惠安加工。据统计，惠安现有石雕石材企业1200多家，加工的石头品种多达3000多种。到目前，惠安出口日本的碑石已占日本市场的80%的份额。随着我国经济迅猛发展，城市化进程的加快和海峡两岸关系改善，经济往来逐步增加的良好势头，惠安雕艺产品市场日益扩大，产品开发力度进一步加强，形成了碑石、建筑雕刻构件、园林雕刻、工艺品雕刻和石制器具五大产品系列成千上万种产品的问世。石雕石材制品的运用已经从主要从属于建筑配件制作形式分离出来，形成独立的雕艺产业，拓展了更为广阔的空间。另外，雕刻艺术独有的圆雕、浮雕、沉雕、城雕、影雕等多种表现形式，加上现代工具的普遍运用，惠安工匠在保留、继承、发扬传统工艺的基础上广泛学习吸收西方雕塑艺术和中国当代雕刻艺术之精华，使加工工艺长袖善舞、日见精湛。与此同时，惠安木雕业也相应得到了较大发展，现有木雕企业100多家，产品除了传统上的寺庙、古建筑雕刻构件、家具雕刻和神佛雕像外，工艺品雕刻更是应运而生，市场空间有了很大突破。大量产品进入寻常百姓家，给人提供美的享受。到2001年，惠安雕艺产业的从业人员已近10万人，产值近 70亿元，出口将近60个亿，成为我国雕艺产业规模最大、生产加工能力最强、最具活力的地区。

2000年，惠安县承办了中国雕刻艺术节石、木雕大奖赛，举办中国惠安国际石雕石材展示会；2001年又举办了中国惠安传统雕刻大赛，承办中国泉州（惠安）国际石雕石材展示会等一系列国家级国际性的艺术和商贸活动，惠安雕刻艺术、雕艺产业转眼之间引起国际国内更广泛的关注。中外雕刻艺术家、建筑园林、城市规划设计的专家学者和雕艺业商人纷至沓来，对惠安传统雕刻艺术和雕艺产业给予极高的评价，并寄予惠安弘扬中国传统雕刻艺术的厚望，对如何加大雕艺人才的培训、加大雕艺产品市场开发提出许多宝贵的意见，许多艺术家与惠安建立了良好的合作关系，将惠安作为他们作品加工制作的基地，有的艺术院校还将惠安作为学生校外创作实习的基地。中外艺术家到惠安的艺术指导交流给惠安的艺人带来了新的艺术思想。新颖的艺术表现形式极大地推动惠安人思想观念的转变，促进惠安雕艺企业在保存发挥传统雕刻的优势的同时，还吸纳了中外新的艺术思想、审美观念，拓展了雕艺产品的运用范围，加强新产品的开发，不断赢得新的市场，使雕艺产业持续不断地发展壮大。目前惠安雕艺业在国内外两个市场都有新的突破和极好的发展势头。国外市场已经从东南亚、日本向欧美市场全面发展。产品也由碑石向寺庙建筑雕刻和石制器皿全面发展，实现了艺术的产业化和产品的艺术化，将艺术性、实用性有机地统一起来。现代社会人民群众生活水日益提高，对美的追求更加强烈，为惠安雕艺产业的发展提供了广阔的市场空间和美好的发展前景。

面向未来，惠安县确定的惠安雕艺业的发展目标是：经过一定时间的努力，在不久的将来使惠安不仅成为中国雕艺之乡，而且要成为世界雕艺之乡。惠安的雕刻艺术不仅要秉承传统、发挥闽南传统雕刻的优点，而且要吸纳中外优秀的雕刻艺术，使惠安雕刻艺术得到不断丰富和发展。惠安不仅要有自己技术精湛的雕刻艺人，而且要培养出一代雕艺名师。惠安雕艺产业不仅要作为一种独立的产业继续发展壮大，而且要在新的历史高度上与现代城市环境、园林建筑相结合，与人民群众的日常生活相结合，为人民提供美的产品和美的享受。惠安不仅要成为全国最大的雕艺产品市场，惠安也将继续向国内外的艺术家、园林环境建筑设计的专家学者和雕艺企业家敞开大门，让惠安成为雕刻艺术学术交流研讨和艺术创作、作品加工的基地。

（《雕塑》2001 增刊）

继承传统　发展创新　与时俱进

文／钱绍武

“2002 年中国（东阳）国际木雕艺术大奖赛”在金秋时节于浙江如期举行。这次艺术交流活动，吸引了海内外优秀的艺术家参加，也得到社会各界的广泛关注与支持，无论从活动的策划、组织、实施的哪方面来说，此次活动都是相当成功的。

有的同志认为，此次活动当属首届全国性的专题木雕艺术活动，事实上也确实如此，这是首次中国木雕艺术家的聚会，是首次在中国举行的中外木雕家参加的艺术活动，这次艺术活动首先是中国一流水平的，其次是国际化水平的，理由有三。

其一，东阳的木雕艺术有千年的历史，和传统的木结构建筑相辅相成，相映生辉，至今东阳的建筑、木雕精品仍保存了很多，北京的明清故宫就有东阳先人的杰作。东阳的木雕艺术始于唐代，发展于宋代，盛于明清，复兴于当代。现在，东阳的木雕艺人还保留了高超的艺术水平，这在保存、继承传统文化艺术方面是难能可贵的；福建惠安的传统艺术也保存、继承得很完整，令人惋惜的是河北曲阳，曲阳石雕目前陷入困境，老艺人去逝，手艺带进棺材没有传下来，新人难继，出现了青黄不接的局面，应引起社会各方面对它的关注，进行扶植，使之再生。作为中国木雕产业的重要基地，东阳得到了有效而合理的保护，这是中华民族的幸事。

其二，传统的木雕艺术得到了充分发展，新的表现形式、新的技法都有所突破，新的作品、木雕新秀也层出不穷，这里面既有扎实的传统功力的继承，又有创新开拓的意识，有的还走上了中西结合的道路。东阳的木雕很有地方特色，很有民族特色，也就很有国际化水准。

其三，国外艺术家的作品很优秀，不管是现场制作的，还是携带来的，都体现了高超的技艺和独特的艺术表现力。墨西哥艺术家的作品很特别，有对生活、对艺术的独到理解和思考，当然也有独到的表现手法，有很强的艺术个性。

这次东阳的艺术活动，为中外的艺术家提供了一次交流的机会、一次结合的机会，也提供了一次探讨今后发展方向的机会。

东阳的木雕和市场结合得较好，有很强的市场生命力。先是和木结构建筑结合，有很强的功能性与装饰性、实用性，现在又从木建筑构件中脱离出来，成为室内陈设艺术品，变成了一种纯装饰性的艺术，这期间的定位转换是很痛苦的，需要一次思想观念上的变革。所以，这种转变观念对市场进行深入调查研究，不断开辟新路子，既继承传统又注重创新，用旧的表现手法、创新内容的经验，是值得总结与推广的。

当然，继承传统、吸收经验自己是应该有原则的。继承传统，应该说批判继承，而不是一味地全盘继承，其中有个取与舍的问题，要继承真善美的东西并加以发展。要使艺术产业化，当然，形成产业就要有一个好的基础，这个基础包括经济的、文化的、精神的、社会的，各方面的。可以采取举办短期研修班，组织参观、考察、学习，进行不同形式、不同层面的交流等多种方式，提高艺术家对传统艺术、现代艺术的认识，为将来的长足发展而创造更大的、更多的交流机会，不断开拓新的艺术实验基地。

（《雕塑》2002 增刊）

弘扬传统艺术　发展木雕产业

文／徐跃进

东阳市地处浙江省的中部，“三山夹两盆，两盆涵两江”，“歌山画水”之秀丽风光在清代乾嘉以前就有“形胜之美，甲于他邦”的美誉。东阳市是全国综合实力百强县市、浙江省首批小康县(市)和浙江省17个经济强市之一；是全国旅游城市和浙江省历史文化名城，是浙江省人民政府命名的“建筑之乡”，是中国工艺美术学会命名的“木雕之乡”。

近几年来，东阳加快农业产业化、工业科技化、三产名优化、城乡一体化、市民知识化的步伐。东阳市委、市政府积极创造条件，利用一切有利条件打造“三乡”文化的品牌，扩大东阳在国内外的影响。在2002年10月22日至10月30日期间，举办了由东阳市同中国工艺美术学会联合主办，由中国工艺美术学会雕塑专业委员会和中国《雕塑》杂志社承办的“2002年中国(东阳)国际木雕艺术大奖赛”，同时还举办了一场万人空巷的龙舟大赛。通过搭建平台，推动东阳木雕艺术的发展。

第一、建立网络，健全相关组织。通过这些行业组织如东阳市工艺美术行业协会、青年传统促进会等，将分散的木雕艺术工作者联系在一起，变个体为团体，形成一个团队，以利于我们整体推出东阳木雕创作队伍。

第二、创造机会，搭建各种交流平台。我们放手发展木雕事业，争取创造各种机会，让艺术家充分展示才艺。我们组织东阳的木雕艺术家先后参加了北京艺术博览会、上海艺术博览会、杭州西湖博览会等，让更多的人通过这些展览尽可能多地了解东阳和东阳木雕，领略东阳木雕艺术的神韵。

第三、重视人才，培养新人。我们加强对年轻人的培养，促进木雕技工向木雕艺术大师的蜕变，培养、保护新的艺术大师；普及艺术教育，让从事其他行业如建筑业的人员也懂得一些艺术，让从事木雕艺术的人员专注于创新、开拓，开发新的课题，解决从平板浮雕到立体圆雕转换的难题。

搭好台，还要唱好戏，首先要解决的是角色的定位问题，就是要尽可能大地释放艺术家的创造力，弘扬艺术家的艺术个性，形成自己的风格。一台戏，生、旦、净、未、丑各行当个性鲜明，定位准确，才能使舞台上生机盎然，饶有风趣。

第一、观念上要与时俱进。东阳的木雕艺术和木结构建筑是相辅相成的，始于唐，发展于宋，盛于明清，衰于近代，复兴于现代。衰落的原因，主要是木结构建筑已经被钢筋水泥建筑所替代，木结构没有了市场。现代复兴的原因是东阳木雕艺人和木雕艺术沐浴改革开放的春风，将木建筑结构的构件雕刻转换成了室内陈设品雕刻，艺术形式发生了重大变化，表现手法也有一定程度的创新。现代的东阳木雕艺术可谓应时而作，反映了改革开放政策的大好成果，也体现了东阳艺人对艺术新形式的探索，对新方法、新材料的尝试。同时，东阳木雕还注重于用新的手法、新的艺术语言、表现历史题材、传统题材，用旧瓶装新酒，陈词谱新曲，很有一些时代特色。

第二、形式上要有所有创新。要突破旧有表现程式，创造新的艺术语言，创造新的艺术语言。传统的木雕在构图章法上不太讲究，现代的木雕要提高创作水平，要讲究作品的意境，追求虚实相生的艺术效果。

第三、艺术家要走向市场。要和市场紧密协作，学会市场运作，商业运作，要懂得商业经营，挖掘市场潜力，把艺术品转换成商品，变成金钱。要瞄准市场空档，满足市场需求，要用艺术创作开拓市场。

第四、艺术家要融入社会，深入生活。任何脱离生活的艺术都是无源之水、无本之木，是没有生命力的。所以，艺术家要调整心态，要认真分析社会，和社会相适应，把自己和自己的艺术融入到现实生活中，要懂得先做人后做艺的道理。只有这样，艺术的根基也才会深厚，才会有品位。

搭台的种种措施，体现了我们推动木雕艺术产业化的战略思考和我们打造“东阳木雕”这一文化品牌的信心与决心。唱戏主要讲究的是内容与形式，舞台有了，如何唱好这出戏还得靠艺术家个人的文化修养和努力，靠对角色的把握。我们东阳市委、市政府愿意为海内外的艺术家提供创作的基地，并希望藉此带动我们东阳木雕事业的腾飞。

（《雕塑》2002 增刊）

在现代经济中凝固的舞蹈
——试论现代中国城市雕塑的经济品格

文／徐岳南

一般来说传统城市雕塑在具备了雕塑艺术所具有的内涵特质及其意义价值以外，还具有对于城市环境影响的意义和价值。即城市雕塑是永久性的城市文化艺术代表，是作为地域本土文化艺术特征的标志和作为城市的景观装点，在建立城市文化品格和艺术风格，塑造城市形象和影响市民精神情感等方面都具有重要的价值与意义。传统城市雕塑的投资建造者一般是国王教皇、权力机构、艺术资助者、爱好者等，是出于对雕塑艺术的政治意义、纪念意义、艺术审美等目的而建立的。其创作主旨在古希腊、古罗马是赞美人体；在中国秦代是霸权与武力的象征；在中世纪是宗教精神的表现；在17世纪法国则是路易十四——太阳王的象征。其中有艺术家对生活的自觉表现，更有树立权威、传世扬名、美化城市、教化人群的动机存在。传统城市雕塑设置场地一般是在政治中心、纪念地、公园广场等地。其主要作用意义在于对人的精神情感的统治或影响方面。概括地讲，传统城市雕塑的根本意义和价值是：在主观上追求的意义价值是用雕塑艺术形式对城市环境作权威、标志、装饰、点染等设置，以引发人群精神情感上崇高威严感、审美愉悦感体验；在客观现实上的意义价值即是各个历史时代、各个地域的城市雕塑都不可避免地负载了那个时代、那个城市的政治、经济、文化的内涵意义，成为可以见证历史的艺术。在此基础上概括传统城市雕塑的基本品格应该是：属于纯粹上层建筑精神文化领域的艺术，以其艺术审美作用为基本价值，它仍然是以作用于人的精神情感的艺术性为基本品格。

作为现代城市雕塑，它除了具有以上传统城市雕塑所具有的内涵、价值与品格以外，最显著的是随着时代发展进入现代以后增加了新的价值和品格。我们仅以中国为例来研究探讨。21世纪的现代中国城市是融入世界经济大格局、参与国际信息化网络中的一个部分。现代城市中生产、交通、商业、居住、休闲等基本功能环节形成了现代城市最主要的经济部门，它们面临着国际市场竞争、世界经济发展的巨大挑战，生存发展的需要迫使其必须要保持经济的持续增长。正是在现代中国经济快速发展中这些主要经济部门产生出对雕塑艺术前所未有的大量需求。在企业园区、路桥要道、商业街区、房产楼盘等开发建设热门经济项目和城市形象工程改建装饰项目等方面，都对城市雕塑作品产生出迫切需求。现代中国城市中新的经济增长点，最热门的产业行业成为现代城市雕塑最主要的需求者和投资建立者。他们对现代城市雕塑的需求目的和设立主旨在于：以雕塑艺术为文化手段来增强竞争实力、促进产业发展、实现经济增长。这是在传统城市雕塑创作主旨之上新产生出的参与经济、服务经济并促进经济的新拓展。现代社会精神文明进步使得市场增加了对产品高文化附加值的需求，为适应市场，赢得生存企业必须对产品的文化品质提升作出选择。例如中国房地产开发企业为了在竞争激烈的市场中取胜，一个制胜法宝就是对上市楼盘小区进行大面积绿化并用精美雕塑做华彩点染，营造天然绿意和艺术情趣空间来获取可能的市场竞争优势，再将楼盘价位向上拉升以争取获得热销后丰厚的经济回报。有的房产商为稳获理想经济效益，在楼盘设计上定位较为独特的欧洲传统风格，而雕塑正是表现传统欧洲建筑与园林风格的必要艺术元素，因此产生大量雕塑作品购置的需求在所难免。由于城市主要的经济部门、生产企业成为雕塑艺术的需求者，购买者、巨大的需求刺激使得中国现代城市雕塑在设计、制作、供应等方面形成规模和行业、产生出系列市场性经济行为，不少雕塑品厂家商家日益涌现，大量的雕塑产品通过包括互联网等多种方式推广发售（尽管其产品艺术性有待提高，雕塑艺术品作为商品进入市场已是不争的事实），导致了现代城市雕塑行业快速融入现代经济成为其中的有机成分，也使现代经济因为城市雕行业的加入更浓厚了知识经济的蕴涵。从现代中国城市雕塑设置地点看，主要是与工业、交通、房地产、旅游等城市基础产业发展一一对应的领域，其布置设立的雕塑艺术发挥的意义作用，直接与其生产、销售、经济收益密切相关。例如在中国各大城市建立的高新技术产业开发区环境内，矗立展示的现代雕塑比比皆是。雕塑艺术在这里的直接意义和价值当然是点缀园林、美化环境，作用于开发区内人群的精神情感，但其终极意义和价值是十分明显的，就是通过对雕塑艺术存在的优美环境的营造吸引人气、聚集英才，实现招商扩园，发展城市高新科技产业，增强城市市场竞争力，最终实现城市经济指标的不断攀升。又如在城市的商业街区内为了营造优美的购物环境而摆设花木添置雕塑，让消费者乐而流连忘返，促使购买增加和销售额增长。在城市交通要冲、高速公路出入口也多有雕塑作品的矗立，它们给单一规范的高速公路环境增加亮丽多情的点缀，使路途劳顿往来于此的汽车驾驶员获得视觉的惊喜和神情的轻松，从而使道路安全畅通，使通行率和经济效益增加。可见现代城市雕塑在中国直接参与、影响经济的作用十分直接和明显。此外，中国现代城市雕塑创意造型上也明显具有企业形象、市场形象的倾向特征。综上所述，现代城市雕塑在中国经济发展与振兴中不断涌现，实现着城市雕塑艺术对经济的参与与促进，过程中被整合形成为新的市场竞争力。通过分析可以发现现代中国经济发展中呈现出艺术的积极分子，使经济具有艺术参与性，同时现代中国的城市雕塑艺术也凸现出参与经济的特质。因此概括现代中国城市雕塑品格应该是：具有了传统精神性艺术品格之后又增加了现代实用性经济品格。

现代城市雕塑参与经济、服务经济、促进经济的本质或品格，使现代城市雕塑的现实意义和新增价值突破了传统城市雕塑以艺术审美为最终界域的历史刻度，打破了艺术属于上层建筑、与经济基础犹如界河两岸、泾渭分明、不容混合的传统经典政治经济学模式。现代中国城市雕塑多以审美愉悦为手段，以促使城市经济的高速增长，获得经济效能为最终目的而存在，以此也能够进一步充分体现和丰富拓展现代城市雕塑自身的意义和价值，同时也在高速发展竞争激烈的现代社会中为自己开辟出一条通向兴旺发达的道路。

（《雕塑》2003.04 节选）

抓住新的历史机遇 发展和繁荣工艺美术产业

——在中国工艺美术学会二届二次常务理事会上的讲话

文／傅立民

今天召开学会二届二次常务理事会，大家工作繁忙，又在寒冬腊月能来参加会议，是对我们工作的支持，很感谢。大家相互交流，共同研究行业的发展，对学会工作提出建议，研究学会怎么进一步开展工作，是很有意义的。下面我们讲四点意见。

一、工艺美术产业面临一个新的历史的机遇。就是从整个大的形势来看，工艺美术产业是大有可为的，是很有前途的产业，处于上升的时期，面临新的春天，我觉得应该这样估价。这个产业在市场经济体制中，是大有希望的，大家应该有信心，首先，十六大报告明确提出了要发展先进文化、代表先进文化的发展方向。十六大报告里面讲了发展先进文化就是发展面向现代、面向世界、面向未来的民族的、科学的、大众的社会主义文化。先进文化应该是民族的生命力、创造力和凝聚力，工艺美术产业的作用应该从这个高度来认识，为中华民族的生命力创造力和凝聚力做出我们的贡献。从历史上来看，工艺美术产业的发展是我们中华民族的生命力、创造力和凝聚力的一个体现。中华文明博大精深、源远流长，五千年的文明史用什么来延续，用什么来体现，工艺美术作品是一个非常重要的载体和体现。我们中华文明看什么？看庙宇和各样的建筑，里面是工艺美术品，地下文物出土的也是工艺美术品体现了源远流长的中华文明。十六大的报告指出我们的方向，把我们地位肯定了，这是一个背景。第二个是：我们中国经济的发展和国际地位提高已经引起了全世界对我们中国传统文化的兴趣。经济决定一切。现在中国经济起来了，进出口总额很多，很多产品在国际上很有地位，日常生活消费品全世界实际上离不开中国了。中国的经济地位，使全世界对中国文化研究有了兴趣，这也是空前的。原来我们到外国去留学生大量外流，40多万学生出去了，但现在外国在中国留学生有50多万，比中国出去的还多。学习中文在外国开始热了，有一些外国人讲普通话比有些南方人讲的还好。但是作为中国文化很重要的一个代表是工艺美术，所以世界对我们的工艺美术非常有兴趣。一个是外国人来旅游购买纪念品，一个是可以大量出口，这个机遇非常好，中国经济的发展把工艺美术产带到一个新天地，为我们走向世界创造了良好的宏观环境。第三个是：人民生活水平的提高，中国经到了工艺美术品进入家庭时期。中国的产品只要一进入千家万户就是个非常大的产业。过去中国房子住得很小，基本生活的空间都不够，还会可能在家里摆艺术品吗？现在房子宽敞了，口袋里有钱了，家里就需要摆工艺美术品，所以工艺美术进入家庭时期开始就是非常大的机遇。第四个是：工艺美术走向市场，已经有了成功的以验。比任何时期都好，它转轨快，市场经济步伐迈得比较快，我觉得它已经成型了。凡是工艺美术发展较好的地区，比如浙江，福建，广东、江苏都是市场经济观念转得比较快的。凡是工艺美术行业比较低潮的地区、相当艰难的地区，往往是市场经济步伐迈得比较慢的地区，还是坚决走向市场，市场经济机制的引入对工艺美术发展也是一个机遇。从这四个方面说明我们工艺美术产业面临新的机遇，我们应抓住这个机遇去发展它、繁荣它。

二、做好学会工作，要“三个重，三个依托”。一个是重学术、学术研究。第二个是重人才。第三个重机制转换，我们要引导行业走向市场。学会、协会两套体系相辅相成，各有侧重。我们学会应侧重学术的发展、人才的培养和为我们的工艺美术家们服务。协会应该是这个行业怎么发展，怎么改革，是面向企业。我们是面向发展、面向人才，这样两套体系共同为行业服务，体现不同的功能。

我们学会的工作第一要重学术交流。大家提国际交流不够，意见很好。我们要加强各种各样的学术交流，要进行学术探讨，可以举办一些必要的专业技能和比赛。我们委托雕塑专业委员会在福建惠安，浙江东阳，搞了两次国际雕塑节、木雕节暨大奖赛，干得不错，起了很大作用，靠交流、靠比赛，促进了发展。在学术交流方面，我们采取两面三刀种方式，一是由学会出面组织影响全行业面上的专题学术和研讨，如天台山的“工艺美术与佛教文化研究会”。另一方面主要依靠我们十几个专业委员会、分会，根据自己专业的实际，进行研讨和交流。

第二重人才。关键是如何提高工艺美术师的文化艺术素养。如何提高？我觉得好多大师这方面做了许多工作。最近我有机会接触了王习三同志，他在内画艺术方面做了很大贡献，发展了冀派的内画艺术，而且把产业发展起来了。他在那个地方准备搞个博物馆，已经搞了习三工艺美术中等学校，现在和河北科技大学合作搞了一个内画艺术中心，请大师进到高等学府做名誉教授，这是个很大的创新。要采取各种方式来培养工艺美术人才。传统工艺美术大多是师傅带徒弟、老子教儿子带出来的，必须要提高文化艺术素养。现在一些小青年不愿意干工艺美术，觉得学技太苦了。我们应该引导他们往这方面发展，引导他们刻苦去钻研。培养人才有两种方式，一种是通过学院来培养。上海准备办一个职业技术学院，我们与其合作办“中国工艺美术学会艺术园区”。我们的大师、高级工艺美术师可以去园区办个人工作室，与教授专家互相交流，也可以授课，也可以听课。学生到其工作室实习，经培训达到最高的目的；另一种是在各地方办专门的工艺美术人才培训班，把专家请过去，到当地提高这些人才的水平。另外，大家提到评职称的问题，最近听说中国科协的领导同志讲，技术人才原来都有单位、有系统，现在好多人才到民营企业、外资企业，没有主管部门，更没有管评职称。所以，中国科学家的组织，要为各样的人才评定职称就开拓了这个领域，也是适应市场经济的变化。科协通过学会把这件事抓起来，因此，我们准备把评职称的事搞起来。各省能自己搞的，你们自己搞，搞不了的，由我们学会来办，这样就一下子把这个问题解决。

第三重机制转换。按道理这不是学会本身的事，但是因为我们行业这个问题太突出了，所以，学会要把这件事推动一下。必须义无返顾的走向市场，帮助工艺美术大师、工艺美术人才解决困难，走向市场。工艺美术本身是小生产，手工操作，工艺美术用不着搞几千人的大工厂，就是要发展民营企业、大师工作室。就是这种机制适应于工艺美术的发展，应该按这套机制去发展，让他们走向市场。习三讲了经纪人的问题，这个问题确实是应该解决的，小生产和大市场怎么结合，需要纽带，需要一定机制去推动。学会要三个依托：一个是依托专业委员会，所以我们下决心搞了十几个专业委员会，有的专业委员会工作比较好，有的比较差，还是要把专业委员会的工作推动起来。因为我们工艺美术不可能搞整个工艺美术行业的学术交流，没法弄，行业太多了——雕刻、编织、刺绣、漆艺、陶瓷等，这些行业都各有特色，只有艺术是共同点，因此学术交流应主要靠各专业委员会为主办。如果哪个专业委员会的某项活动影响的比较大，需要我们学会来出面，我们就一起来办。我们学会从各专业委员会的活动计划中选3—5个比较大的项目，由中国工艺美术学会和专业委员会共同举办。这次惠安和东阳的活动都是我们和雕塑委员会一起办的。把活动搞得规模更大，影响更大，基本上我们的活动还是要依托专业委员会。

第二个依托，是依托专家。我们学会的优势就是有一大批专家，包括我们要评职称也得有权威的专家在我们学会里头，科协才能相信你，把这个权放给你，我们一定要依托于行业的专家。雕塑委员会所以能搞这么大的活动，就是把钱绍武先生请到，来主持这些事情。权威来了，发的奖，评委会主任钱绍武签了字，这样的活动就有吸引和影响力。有大专家在你的学会里活动，整个活动的档次、权威就有了，所以一定要依托专家。

第三个依托，是依托有特色地、市、县政府。我们学会成立后重点抓了有特色的地市县，宜兴的紫砂、德化的陶瓷、东阳的本雕、福州的寿山石、莆田的木雕。依托有特色的地市县来开展工作。为什么我们能合作呢？因为地市县要把工艺美术作为当地的支柱产业，工艺美术产业不产生污染，所以地方政府有兴趣，他要把这个产业发展起来。所以和地市县政府合作有共同的基础。他出钱，他搭台，我支持，一下子就把这个事情办起来了，我们也推动了行业的发展。我们一年多来就是按这个方向逐步过来了。

三、工艺美术行业一定要与时俱进，不断创新。从工艺美术产业来讲要与时俱进，不断跟着时代的发展而发展，不断创新。我一年多来研究了工艺美术，工艺行业有三个主要问题：一个问题是创新不够，第二个技艺人员的文化素养比较低，第三个市场观念薄弱，都影响我们与时俱进。工艺美术是我们的传统文化，用的是我们的传统文化，用的是我们的传统技艺，但是还要用现代科技手段，用新型材料，再结合现代审美观念，这样工艺美术作品才能创新，这样工艺美术比较薄弱的问题才能得到解决。

四、走向市场是发展工艺美术的必由之路。只有走向市场，我们的天地才能广阔。有的大师都富起来了，资产可能有几百万、几千万、上亿，不走向市场不可能啊。过去大师靠工资，富不起来。浙江大师的日子大多好过，中西部地区有的行业大师很困难、清贫。大家对我们工艺美术有感情，一生致力于工艺美术，必须要提高他们的待遇，有好的收入才能稳定这支队伍。靠政府补助解决不了大问题，只有走向市场，要帮助大家往这个方向来发展。工艺美术产品有不同的档次，一个大师级的作品相当贵重的，上万元、几十万、甚至上百万的产品，有的愿收藏高档的工艺品，但不知真假，不知值不值这么多钱。我们能不能够组织拍卖，由工艺美术学会组织、专家委员会认定、确定是大师所做，确实有艺术价值，再找一个文化公司运作。但是，每个大师的作品不能多了，每年只能卖二、三件，给你编号。我们有这块牌子，有一批专家，靠专家认定。通过市场炒作，权威认定，以中国工艺美术大师为主，也可以吸收一部分省级工艺美术大师作品。

第二个层次，进入家庭的陈设品，几百元到上千元的作品，放到家居的陈设用品市场，把这块儿市场搞起来，我们有影响力，中档的工艺美术进入这种市场。这块市场非常大，做的人、明白的人还不多，假如能够推上去，完全可以帮助工艺美术行业有个市场开拓的领域。外国来的欧倍德，百安居；国内有好美家、东方家园，是比较有实力的连锁家居市场。他们准备近几年发展几十个到上百个门店，几十亿到上百亿销售，我们可以和这些企业联合起来，可能把我们中档产品推上去。第三层次，是旅游点和特色地区的工艺品商店，档次不一，以低中档为主。工艺美术大师往往懂技术、技艺、有文化艺术素养，但不懂市场，就需要经纪人帮助往市场运作。经纪人制度要搞起来，这样市场就比较完善了。一般来讲，作为学会，这个不是学会本身的事，但是从工艺美术行业的发展，这是个薄弱环节，制约了我们的发展。我们是否可以再把工艺美术品推陈出新，向市场方面做些工作以促进工艺美术产业发展。

一年多接触工艺美术，形成这些观点，供大家参考。

（《工美联协通讯》2003.03.15）

粗手做陶缸

——浙江省缸窑村粗陶缸调查

文／关明新

一、缸窑村概况

在楠溪江古村落群中，缸窑村是位于大若乡碧莲镇前的一个不起眼的小村子。家家户户门前都是碧绿如玉、清澈飘渺的楠溪江水，屋后都是峰峦起伏的永嘉秀美山脉。正所谓门前有溪水，屋后有大山的典型江浙地区的田野牧歌般的风景，令人陶醉。在小楠溪中游的缸窑村，不像芙蓉、廊下、蓬溪那么有诗意，也不像苍坡、枫林、鹤盛那样有众多的古老建筑，她只有成千上万只陶缸静静地躺卧在溪旁、路边、山麓。到处可见缸壁黑褐色釉彩在太阳底下发出耀眼的光芒，仿佛在诉说着这个以制陶这项手工艺生存的古村子的久远气息。

在楠溪江这个以耕读传家为主流理想的文化群落中，缸窑村的人们一代代继承祖业，据说到现今为止，已有九代人的制陶缸历史。代代相传，历二百多年而不绝。手工艺人日复一日、年复一年地在寂静的陶坊里摔泥、揉泥、盘条、修口、晾干、上釉，进窑烧制、出窑、一直到卖出。重复又寂寞地在制缸、卖缸中度过他们的一辈子。在我们的访问调查中得知：三四年前这座陶坊里还有四五十来人在制陶缸，到今天为止，只剩下四人，即四户人家合股在维持这个陶坊。

二、制缸历史

提到楠溪江一带为何此地宜做陶，听当地人讲是因为这个村子里的土质奇特属黄土，适宜做陶。

在《永嘉缸窑李氏宗谱·序》里有关当地始祖的记载有那么寥寥几笔："吾永嘉缸窑李氏始祖元清公与其兄世兴公，于清初康熙间为避乱，自江西建昌府松城县(今南城县，中国著名药都，笔者注)枫州湾枫水桥头，徙永嘉。……兄居桐州专习歧黄之业，着手成春……弟至黄岗观看地形，系襟山带水沃土烧缸为业，今派下裔，子孙繁衍。财秀盖雄，代不乏人。"

三、龙窑

村里有一条古老的龙窑，长长的窑炉斜卧在山坡上。你不得不佩服古人的智慧——窑址就选在山麓上，并顺山形向上延伸，这样，火就可以均匀地延山坡向上。每窑可烧大大小小300多只陶缸，大的多为酒缸、酒坛，小的多为米缸，更小的则作为花盆等装饰品，间或生产少数下水道用陶管。

这条窑炉到底有多久远，已经没人能说清楚。村里年纪最大的老人叫李遵宝，今年92岁，在他的记忆中，他爷爷在世时窑就存在了。

不幸的是这条老龙窑在去年年底时烧塌了，今年就没有再修它，而是在靠近它上方原先还有一条荒废的龙窑地基上重新修建了一条新窑。窑身长70米，宽1.85米，高1.65米。就在我们去的时候，正好赶上了这条新窑初烧，于是那几天里我们一直与当地居民生活在一起，亲眼目睹了当地手工师傅从做缸到烧制的全过程。由于是新窑初烧，窑底的泥土及窑身都还有湿气未除，所以烧起来较费力气，也费柴。一条龙窑的烧制工艺就有许多的讲究和技术难点，而这里的民间老艺人则完全是依靠世代相传的技法和自己长久岁月烧制摸索出来的实际经验来烧制。

这里平均每月烧制两窑，浙江省地区的酒缸、米缸多是出自这里的产品。

四、制缸人

几十年前，缸窑村几乎家家制缸。那时村里的黄泥很多，有黄色、白色、黑色、泥又细又韧，像清明饼一样。现在房子的地基下还有很厚的黄泥，其他地方的泥都挖光了，只好到外面运。除了开挖这附近山头的泥，甚至还到乐清那边去买土来配着用。

现在，村里制缸的人只剩下十几人，年龄基本上在40—50岁之间。年纪最大的53岁，叫李德仁，年纪最小的也已经38岁，叫李建明。他们当中每一个人的子女都不愿意继承父业，不知这是否意味着这脉窑火将渐于微弱。

村子里看不到几个年轻人，他们都到"外面的世界"里打滚去了，不愿像父辈一样起早摸黑摆弄泥巴。一是因为这活儿难以精通，手艺不精者做出的缸壁厚，不圆，厚薄不一，易破碎。1米多高的酒缸不靠模具，完全依靠手工制造。揉泥、摔泥、做缸底、拿到阳光下晒、晾半干结实后，再手工盘条一圈圈地向上捏筑、拍打缸壁使泥密实，最后把缸沿做出，还要做圆做细致。整只缸待晾干后，上釉、晾干，送到窑炉烧制，熄火、出窑、修整。一只完整的大缸要经过这么多道的手工程序才得以面世，过程是繁琐辛劳的，还要一双细致灵巧的手和忍耐的心。

二是做缸辛苦而利润实在太低。烧一窑（300个）陶缸，仅松柴就需要1.8万斤左右，还不计算泥土成本、釉的成本、税收成本和场地租金成本，一口缸却只能卖到80块钱左右。手艺人往往早上7：30开始做缸，一直做到天黑。如果是烧窑的话，还得半夜二三点就得起来点火烧，一直看守到当天下午六七点才熄火。长期下去，村里的中年人大多看上去比实际年龄大。

制陶缸，并不像士大夫做艺术陶瓷器那样富有情趣。它既是手艺活又是体力活，日复一日、年复一年，半弯着腰围着缸胚不停盘条、拍打、转圈。

五、后记

如今，缸窑村有10余人长期在外卖缸。因为缸是久远性使用品，市场并不十分理想。好在这几年，农村的粮食多了，酿酒的人也多了，买缸的人还是不少。另外，还有一些化工厂和食品加工厂也消化了不少。据卖缸人介绍，温州、丽水、青田、温岭的缸几乎都出自缸窑村。但他们同时提到最漂亮的缸还是出自江西。

这个以工艺制品命名的村庄，在楠溪江中上游并不多见。走进缸窑村，除了让人看到浙江地区传统的制陶手工艺的踪迹，还让人看到了民间手工艺代代相传下来的技艺并没有太大向上发展的力度。这里生产出来的大缸质量往往无法保证，粗糙是人看到成品缸的第一印象。有些在烧制前看胚体都很完美，却在烧制中烧坏了。

据碧莲中学的一位语文老师讲，缸窑村孩子的学习成绩特别差，认真读书的也很少。我想，这里年轻一代人的文化水平不高也是制约缸窑村手工艺人技艺往上发展的一个因素吧。

这里的手工艺人常常只是被动地或者是无意识地接受来自上一辈人的手艺传承。由于没有良好的文化背景，他们无法从大的格局中思索自身技术的优劣，因而就形成了目前缸窑村的生存状态：没有知识技术的深入，只有宿命的体力付出；没有年轻人的继承和更新，只有中老年人在默默持续。

但是，由于这里的山青、水秀，位处国家级旅游风景区楠溪江中上游，道路交通方便，整个村子就在道路的两旁，形成了一个良好的旅游景点。旅游旺季的时候，每天都有三四车的游客在此停车，举起相机猛拍，游人也许把这里当成是一个传统手工艺的残存景观。民间制缸作坊没有在技术和工艺上得到提高，却因时代的发展应运而生出旅游观光的合理性趋势。所谓适者生存，物竞天择。这也的确是缸窑村在往后的经济发展过程中，一个得天独厚的便利条件。

（《装饰》2003.11 节选）

机遇与挑战并存　竞争与规范共长

文／吴尧辉

社会主义市场经济体制的确立和发展，不但对我国社会发展经济繁荣产生巨大的历史性作用，也给工艺美术行业的发展提供了前所未有的大好机遇。可以说，20世纪90年代，是我国自建立社会主义制度以来，工艺美术创作生机勃发呈现繁荣景象的最好的时期之一。毋庸置言，由于诸多方面的原因，仓促投入市场经济大潮怀抱的工艺美术行业，已面临严峻的挑战，急需加以必要的规范。

市场经济为工艺美术的发展提供了机遇。

从内部看，市场经济大潮对工艺美术生产自身的冲击是猛烈的。市场经济发展后，思想解放、大环境的宽松，为工艺美术品的创作和生产提供了良好的条件，使得在创作思想上进一步摆脱了“题材决定论”的紧箍咒，从政治标签的窄小胡同走向更为广阔的创作天地，既赋传统题材以时代气息，又使现代题材植根于优秀传统文化的土壤；在创作手法上，更大胆地从国家国外姐妹艺术中和当代艺术中吸取营养，博采众长，兼容并收，使传统艺术焕发新的生命力；在流通观念上，工艺美术品生产者增强了市场意识，主动投入市场经济的大潮，获取更大的市场份额。

从外部看，市场经济的发展，加速了传统工艺美术品与国际市场的接轨。市场经济确立之前，国内工艺品的外销，主要靠的外贸部门，由于思想、体制等诸多方面原因，渠道单一，销量也很有限。更由于工艺美术品创作、生产者很少能直接参与流通流域，在很大程度上阻隔了创作与流通的沟通和交流。市场经济发展的大潮冲决了许多束缚，也使工艺美术品逐步与市场经济接轨，尽管许多方面还有很多不尽人意之外，但外销渠道的拓展，外销手续的简捷，供需双方的直接见面，国际市场需求信息的大量涌入，国际市场行情的不断变换等等，都大大刺激了国内工艺美术品的生产。

其次，市场经济的发展，扩大了国内工艺美术品消费队伍。改革开放以来，随着经济持续发展，随着国力不断增强，人民群众生活从温饱走向小康。富裕起来的人们，在物质需求得到满足后，自然地投入了高一层面的追求即精神需求，于是，对工艺美术品的消费不再是一种奢侈，而是潜藏期待已久至今始得以实现的人的另一种自然需要。当然，这支庞大的消费大军是由于不同层面的人组成的：有专以鉴赏陶冶情操的；有收藏投资期望增值的：有用于赠送礼尚往来的；也有附庸风雅装点门面的，林林总总，不一而足。消费队伍组成的多层次面和消费用途的多样性，从各个方面推动了工艺美术品的生产。

其三，市场经济的发展，促使工艺美术品消费队伍在壮大，应运而生的是消费渠道也随之不断拓展。一是有形的工艺美术品市场几乎无所不在，既有高档的单设的工艺品专营店、高级宾馆附设的联营店、礼品商店、更有专门的工艺品市场，特辟的工艺品销售一条街，满足大众型消费者的购买欲望。二是无形的销售网络日渐形成，艺术家直接从工场，陈列馆自销的不在少数。三是开始有了经纪人，这些人在生产与消费者之间牵线搭桥，撮合介绍，近的如向大型企业、部门推销礼品型工艺品，远者则有海外需求者物色国内生产者，代为购买、寄送等。

市场经济在给美术品生产带来大好机遇的同时，也使工艺美术的生产面临困惑与挑战，这主要表现在。一是创作动力不足。工艺美术品进入市场后商品属性即充分凸现，众市场需要的大量的并不是精品，而是"产品"，艺术家只须按样品而作，加上有的艺术门类在生产过程中，对一些工艺流程使用了机械（如木雕的打坯等），这种"产品"所产生的利润，常常超出历经数月数年呕心沥血创作的"精品"，至使不少工艺美术家钻入这条捷径，一味以商品观点来安排生产，忽略了原创作活动。有些艺术家为了获取更大的市场份额，反将主要精力用在业务洽谈、商务洽谈、工厂管理、人际交往上，急功近利的浮躁心理也影响了潜心创作。近些年，不少颇有创作才能的工艺美术家陷入商品性生产中难以自拔，才思衰竭，技艺荒废，凡此种种，不能不引起警觉。

（《工美联协通讯》2003.12.15）

景德镇瓷器实价成谜

文／赵海旭

说"'景德镇瓷器展'蜂拥至京城"一点也不夸张。近期在北京最热的展览要数景德镇陶瓷展。几乎每个月都有三四个瓷器展在北京举行。逛这些展览，记者最大的感触是：价格混乱。不仅所有的瓷器都可以讲价，而且成交价与原价相差甚多，不知道底细的人常常吃亏上当。有的展会更以"全场一折"吸引顾客。

在东城区一座写字楼内举办的景德镇陶瓷展上，记者看到一个近1米高的仿古花瓶，标价1700元。当时正好一位男士询问价格，老板娘十分干脆地回答："500元就卖！"这位先生听到回答十分惊讶，问："价签上不是写着1700元吗？"老板娘说："这不是打折吗。诚心买还能商量。"在一家艺苑举办的展览中，工艺大师谷成的一幅动物瓷版画标价8万多元，记者问："能讲价吗？"卖者称："五折就卖！"有的展会商品甚至打出"一折"吸引顾客，记者问负责销售的一中年妇女，为什么折扣这么高。她回答："前一段时间我们来北京参加一个招商会，现在卖的都是当时带来的样品，一样就一件。马上要回家了，不想再带回去，所以就地处理了。""大概卖多久？""也就一周吧。"

记者了解到，有的展会就是短期（有的一周）租用场地，开幕就打折，卖完就走人，如果消费者发现产品存在问题，根本找不到人解决。

在这些地方，瓷器的价简直是个谜，谁也不知道到底将价格"砍"下来多少才是商品的实在价格。陶瓷的价格如此"自由"，原因何在？

针对这个问题，景德镇市政府驻京办事处的董博主任说，之所以在北京出现景德镇瓷"热"，是因为目前景德镇瓷器正在复苏阶段。由于大的销售市场还未形成，所以一些散兵游勇趁机谋利，到全国各地举办展销会。

他说，在北京的景德镇瓷器展主要有三种：一种是每年由景德镇市政府举办一次正规的陶瓷展。在这样的展览中不仅商品质量、产地有保证，他们还规定不能低于八折；一种是由北京的主办商到景德镇当地的专供招商的"陶瓷广场"上去直接引进商家，可以在很大程度上保证产品质量和价格的合理；第三种则是由一些来自南方的"会头"组织的，货源来自于一些私人小厂。这样的展会无法保证陶瓷的质量和产地来源。在北京，通常这种展会在居民区内举办或是露天摆放，瓷器价格比较混乱，都是个人定价。而且有三分之一的瓷器不是景德镇的，是用价格低廉、工艺简单的广东佛山瓷器和潮州瓷来仿制的。即使还是景德镇的陶瓷也有好坏、优劣之分，有的商贩以次充好，抬高价钱。

他说，景德镇市政府是不支持第三种行为的。他告诉记者："从打折的情况，就可以看出瓷器本身的价值，一般展会上低于六折的就应引起消费者的警惕。"

董主任表示，这种打折不仅损害了消费者的利益，让消费者难分好坏；而且也影响了真正的景德镇好瓷器的销售，让这些散兵游勇砸了"景德镇陶瓷"的牌子，好的东西卖不上价。他说，这种现象在景德镇当地容易规范，而在北京管理起来相对困难，希望购买者尽量到景德镇市政府举办的正规展会上购买。

（《信报》2003.11.24）

以创新去迎接未来

——惠安传统雕刻的传承与发展

文／范伟民

中国传统工艺雕刻的一个重要特点就是依附于建筑、家具、室内陈设，既有实用价值又具有审美价值，以木制器的历史在中国最为久远。新石器时代河姆渡文化遗址出土的木胎漆碗，是人类使用木器的早期例证。先秦时期的工艺著作《考工记》将木工作为“六工”中的一种，专职制造车辆、建筑房屋及在此过程中的雕刻艺术，并提出工艺制作的基本原则，即“天有时，地有气，材有美，功有巧，然后可以为良。”《韩非子·外诸说左上》记载了墨子制作的木鸢飞上天的故事，荀子认为“雕琢刻镂，黼黻文章，所以养目也”，对工艺雕刻的装饰之美大加赞扬。

从历史上看，工艺雕刻的起源与发展的内中动力，是建立在物质生活需要基础上的审美追求。在工艺雕刻成为独立的艺术品类以前，其主要功用表现在两个方面，一是作为建筑或家具的装饰结构部件，另外一个方面就是相对独立的纪念性雕刻、佛像雕刻或陈设工艺品的雕刻等。随着人们物质生活方式的改变和建筑、家具等自身变革的拓展，传统意义上的工艺雕刻在面临现代生活时遇到了市场经济和文化传承各方面的冲击和压力，传统工艺雕刻的现代转型成为雕刻艺术亟待解决的问题。

改革开放以来，随着中国社会经济的发展和对外的开放的政策，各类工艺美术企业迅速崛起，例如闽南、浙江等地的著名石木雕产地，凭借地理位置的有利因素和历史悠久的文化传统，加之精湛的雕刻技法，大量吸引了那些早年远涉重洋、海外谋生的华人。他们十分留恋欣赏中国传统文化中的各类工艺和宗教品，并大量地订购，带动了东南亚地区对中国传统艺术品的兴趣，使上述地区的工艺美术产业得以很快发展。惠安是中国著名的“石雕之乡”，石雕艺术已有1600年以上的历史，精美的木石雕艺术和精湛技艺非同凡响。

从当地企业的生产效益来看，组织石雕艺人进行密集型劳动生产，扩大国内外市场，创外汇，增产值，发展经济，既是对民间传统工艺品的有力发掘，也是人在一种自然困境中奋发有为结出的丰硕成果。惠安县人均耕地仅0.39亩，且“土地贫瘠”、“农业灌溉条件差”、“种粮不如买粮”，农民本就不以农业为主；加之惠安是闽南侨乡和台湾汉族同胞祖籍地之一，有华人、华侨90万人，台港澳同胞90万人，一个县有这么多的华侨及台、港、澳同胞，县内20世纪90年代以来崛起的各类公司，其实力与背景可想而知。1994年，惠安县即从“番薯县”变为福建省经济实力“十强县”，农民在第二、第三产业中有较稳定的工作，而石雕艺术，则成为许多农民发家致富、迅速崛起的重要技能，推动社会经济发展的巨大力量。目前，惠安仅石雕企业就达1200多家，有些企业的年产值甚至还达数千万元。中国的传统技艺和新的加工技术在这里得到了很好的发挥与利用，加上惠安人民的勤劳智慧，惠安的木石雕企业呈现出一片繁荣的景象。但是，只要深入了解和分析之后，就不难发现，经济繁荣表象的后面潜伏着某种危机。例如，惠安大多数的企业主要是靠廉价的劳动力加工生产传统题材作品并获取利润，其产品的“附加值”实际很低；另外，由于品种单一，企业之间互相压价，必然导致企业的萎缩和从业人员的减少，导致无序竞争；大多数企业是靠体力而非智力完成作品，创作人员缺乏必需的艺术素养，因而新产品的开发没有基础……种种现象表明，繁荣表象的背后潜伏着衰落的危机。清醒地认识到这一点，明确传统与创新的关系，并不是抱着自认为优秀传统的东西不放，或是无条件地吸收外来的东西，而是了解民间的“俗”哪些属于优秀的，哪些属于必须摒弃的；国内外的当代艺术哪些是积极健康的、可以吸收的，哪些是消极颓废的，必须抛弃的。只有这样，才能融会精华，促进企业真正意义上的发展。

2001年9月，中国工艺美术学会雕塑专业委员会和惠安县党委、人民政府共同举办“中国首届雕刻艺术节”。主办单位通过数轮评选审查，邀请国内外具有中级以上职称的雕刻艺术家和工艺师到这样一个具有悠久文化和雕刻历史的小城参加这次活动，主要目的在于通过国内外具有一定艺术水准的选手参赛，相互学习，融合互补，共同促进中国雕塑艺术水平的提高。此次活动取得了圆满成功，不仅为举办地惠安的传统雕刻产业振兴注入了一股新鲜的气息，也为中国雕塑事业的发展带来新启迪。

此次活动的举办，不仅是雕刻家与工艺师同台竞技的一次盛会，也是传统与现代、东方与西方文化艺术在工艺与技艺、观念与思维、创意与表现、继承与创新方面的一次交融、汇合、沟通、互补。

为了深化“中国首届雕刻艺术节”所取得的成

果，2001年秋天，中国工艺美术学会雕塑专业委员会和惠安县政府再次携手举办“惠安传统雕刻大赛”。大赛后，由德高望重的学者、专家和雕塑艺术家组成评委，对作品给予公正的评分，同时还进行雕塑艺术研讨会。他们提出：现代化的雕塑家应该努力学习优秀的传统艺术，深入现实生活，博览中外艺术，在此基础上广泛吸取精华，提高和加强美学修养和艺术修养，在创作中既重视技巧的精湛，又要重视艺术质量，讲究形式美；充分运用雕塑所具有的永恒性的艺术语言，创作出百看不厌的雕塑作品。我国的雕塑家，如何提高自己的艺术素质，创造更多的艺术表现形式和独具艺术特色，具有鲜明艺术个性的精品；如何将中国的艺术传统与西方的风格融合，并富于现代意识，使作品的题材、主题风格和表达手法多样化、个性化；如何发现、培养一代新人，推出具有鲜明的艺术特色和个性风格的精品杰作，造就出高水平的、足以跻身于世界雕塑艺术之林的中国雕塑艺术家，是每一位热心于中国雕塑事业的人都在思考的问题。

当前我国雕塑界尚存在主题、题材、手法、风格平淡单一的现象，不少作品表现手法雷同，甚至程式化、模式化。其主要原因是作者未能脱出传统雕刻所学到的基本程式，没有突破学院式基础课的框架。基本功是基础，是任何一门艺术所不能缺少的。在扎实的基本功基础上，如何创作出个人独特的艺术风格雕塑？我认为，不能停滞在模式化的艺术表现手法上，要通过艺术实践不懈地探索刻意创新，力求用独特的雕塑艺术的语言方式，表现自己的构思意境，创造出具有视觉冲击力和震撼人心的艺术效果。

解放以后，我国先后成立了几所艺术院校，培养了一批批雕塑人才，但由于我国雕塑教育受前苏联艺术教学体系的影响，过多侧重基本功训练，而忽略了对传统文化材料的深入研究。雕塑是因技艺表现手段区别于其它艺术门类的艺术形式，技艺表现本身在雕塑艺术品中具有无限的可能性，材料的使用和雕刻技艺在一定程度上相互依存；同时，材料本身的艺术表现力又具有自身的美感和可能性。中国传统雕刻的艺术魅力很大程度上来自于表现材料和表达手段的完美结合。

艺术实践是提高艺术素养和艺术水平的必经之路。毋庸讳言，由于某些原因，有的雕刻家往往疏于技术训练，雕塑家远离了“雕”与“塑”的基本技艺，同时，雕刻工匠又远离了“艺术”。通过传统雕刻大赛，我们试图提供给所有民间雕刻家一个互相交流的机会，毕竟民间雕刻家不同于院校雕刻家，他们有各自的问题需要解决。从艺术门类上说，工艺雕刻与纯的雕塑创作也有天壤之别。因此，我们将此次雕刻大赛定位在传承和发展惠安传统雕刻艺术上。“在传承中创新”是此次大赛的主题。同时，此次传统雕刻大赛又是明年国际性、国家级大型活动“第二届中国雕刻艺术节”的序曲。我们希望通过“中国雕刻艺术节”和“惠安传统雕刻大赛”的举办，不仅能为惠安地区带来新的思想，带来艺术的灵感，带来更加先进的工艺技术，最终打造出一个具有特色的惠安雕刻品牌，以创新去迎接未来，而且能为中国的雕塑事业带来一种新认识、新理念，引发观念上的启迪与深入思考，从而融合升华出具有我们中华民族特色的、为国内外艺术家所接受和认可的经典作品——这是我们的初衷，也是我们的目标。

（《工美联协通讯》）

十二、艺术家工作室

艺术家工作室

（以姓氏笔画为序）

马珺：1988 – 1992年就读于北京市工艺美术学校；1993 – 1997年就读于中央工艺美术学院雕塑系；1997 – 2001年北京市工艺美术学校雕塑专业任教；2002年创办北京菁草堂文化艺术中心。

主要作品：《无极》入选首届大连“槐花杯”环境雕塑展；《温暖》入围“新世纪的希望”城市雕塑展；《喜看稻椒千重浪》等获国庆50周年彩车创作优秀奖（合作）；《冰梦》入围2001年“新北京·新奥运”体育雕塑展，并被北京奥林匹克博物馆收藏；《祖国的黎明》获第三届北京旅游设计大赛优秀奖。2002年为北京新文化运动纪念馆设计制作《新文化运动》；2002年为北京金融主题公园设计制作《古币铜砖》；2003年为元大都城垣遗址公园设计《铜城铁壁》、《散落的铜钱》、《大都城图》；2003年《船歌》获福州国际雕塑展大奖并制成等大作品落成于福州市；2003年为北京威尼斯花园进行规划设计并制作广场雕塑《飞狮》。

王小蕙：1954年出生于上海，1971年就职于上海工艺美术厂，1978年毕业于中央工艺美术学院。现任职于清华大学美术学院雕塑系。系中国雕塑学会会员、中国工艺美术学会雕塑专业委员会会员，江苏宜兴陶艺协会顾问。曾荣获日本“龙富士”国际美术作品赛大奖。

长期从事木雕艺术创作与教学工作，近年来不断参与国内外雕塑与陶艺展览，并多次获奖。代表作品:《花魂》、《日出》、《天驷作》、《过天桥》、《翅鲸仙子》、《梦幻年华》、《梦都飞翔》、《美甲系列》等。作品发表于《雕塑》、《装饰》、《科技与艺术》等期刊，1998年出版发行个人作品集，1999年编著发行《中华民间艺术大观》木雕篇、《装饰雕塑》木雕篇。

王芃：1971年，出生于北京；1993年–1998年毕业于中央美术学院雕塑系；1994年为世界妇女大会设计制作奖杯；1998年3月参加中国美术馆《世纪女性展》；1998年7月作品“风”系列获得冈松家族奖；1999年4月参加何香凝美术馆《第二届雕塑艺术年度展》，获优秀奖；1999年4月参加《新世纪的希望》城市雕塑设计方案展，获优秀奖；1999年11月作品《奔》参加洛桑奥林匹克体育美展；2000年作品《奔》获选代表中国参加《新世纪的希望》城市雕塑设计方案展，获优秀奖；并有作品参加嘉德春季拍卖；2001年3月参加台北国际艺术博览会，参加中国美术馆《国际妇女艺术展》；2001年参加法国巴黎艺舟山房画廊举办的“巴黎·中国风格”展览；2002年6月参加“协民国际艺术”在北京国际艺苑举办的《意气风发》展览。

王中：1963年1月生于北京。现为中央美术学院雕塑系副教授，公共艺术研究中心负责人，北京市人民政府专家顾问团顾问，首都规划建设专家咨询组织专家，全国城市雕塑艺术委员会委员，中国雕塑学会副秘书长。1978—1981年，北京工艺美术学校学习；1983—1988年，中央美术学院雕塑系学习；1994—1995年，俄国专家库巴索夫高级研究班1995—1996年，中央美术学院同等学历研究生班；主要艺术活动：2003年，北京国际美术双年展；2002中国北京–国际城市雕塑艺术展；2001年，中国当代雕塑、陶艺展；中国当代水墨、雕塑欧洲巡回展；2000年，与摩尔对话——中国当代雕塑展；中国“人文山水”当代环境艺术展。

王经民：1967年出生，大专文化程度，职称工艺美术师、优秀青年企业家。惠安崇武海峡石木雕工艺厂总经理、海峡酒店有限公司董事长兼总经理、浩然古建园林工程有限公司董事长兼总经理。《中国魂》荣获“2002年中国雕刻艺术节”三等奖，2002中国工艺美术“华艺杯”优秀奖；《中国魂》、《大闹天宫》分别荣获第三届福建省工艺美术精品“争艳杯”银奖、优秀奖；《教子升天》、《伏虎罗汉》分别荣获第五届中国（国家级）工艺美术大师精品博览会金奖、银奖；《结构艺术（龙柱）》荣获第二届传统雕刻大赛“万祥杯”三等奖。

韦振中：出生于广西桂平，1965年毕业于广州美术学院雕塑系。现为广州美术学院雕塑系副教授、副主任、中国美术家协会会员、中国雕塑学会会员、广东美术家协会理事，持有全国城雕创作设计资格证书。主要作品有：《猎归》（第一届少数民族美展表彰奖，广东美术馆收藏）、《思》（第六届全国美展优秀作品，广东美术馆收藏）、《情溢珠江》（获李岘清签发的99昆明国际园艺博览会雕塑金奖）、《孙中山》、《少女》等。曾在广州美术馆，法国巴黎国际艺术城等举办木雕作品展。

叶青峰：1966年毕业于广州美术学院工艺陶瓷专业。瓷器设计茶具《海阳》批量外销东南亚，论文《现代装饰雕塑造型探微》在《装饰》杂志发表；雕塑《赤脚医生》入选贵州省美展；浮雕《龙凤》等被用作宾馆酒店装饰；雕塑《荷花仙子》等九件作品建设在肇庆市各公园；《北伐先锋》等六件雕塑被重庆市博物馆长期展览；雕塑《吴大猷像》被肇庆学院收藏；《邓永祥》、《陶行知像》（均为汉白玉）分别为肇庆敬老院、肇庆学院景观雕塑。历任西南大学美术系领导小组成员、工艺美术教研室主任，现为中国工艺美术学会雕塑专业委员会会员、中国民俗摄影家协会会员、肇庆市美协会员。

申鸿欣：男，汉族，河南密县人。1936年7月出生。1957年参加工作，从事美术教育至今。中国民主促进会会员，河南省郑州师范高等专科学校美术教师、副教授。系中国工艺美术学会会员、中国雕塑学会会员、中国工艺美术学会雕塑专业委员会会员、河南美术家协会会员、郑州教育书画院书画家、全国中师美术教科书编委。爱好书画工艺，擅长雕塑，美术作品曾到法国、美国、新加坡和中国港澳台地区进行交流展出，并在国内十几种报刊杂志上发表。《获奖妈妈》参加中国（东阳）国际木雕大奖赛。名字被编入《中国现代美术家人名大辞典》、《中国当代美术家人名录》、《世界现代书画篆刻大辞典》等八部典集中。

田力：雕塑家。参加参览：2000年作品《灾难之舟》入选“北京市纪念抗日战争胜利五十五周年美术作品展”；2001年作品《穿越》入选“新北京、新奥运、体育雕塑展”，并于王府井大街展出；2001年作品《环形山》入选全国城市广场雕塑方案展。主要作品：1995年参与制作江苏盐城图书馆雕塑《胡乔木像》；1996年设计制作北京平谷税务局浮雕《税务之光》；1997年设计平谷人民公园雕塑《韵》；1998年，设计河南永城大型浮雕《刘邦起义》、《淮海战役》；2002年制作北京运河广场雕塑《郭守敬群像》；2003年制作《马本斋骑马像》；2003年设计制作杭州造纸工业园区大型雕塑《蔡伦像》；2003年制作中央办公厅门饰铜浮雕。

李从顺：1965年出生于湖北蕲春县。曾就读于湖北美术学院雕塑系，中央工艺美术学院装饰艺术系。系中国工艺美术学会雕塑专业委员会会员。1997年参加首届全国青年陶艺家邀请展，1997年创办个人雕塑陶艺工作室，2002年加盟上海市福寿园实业发展有限公司，任专职雕塑家。

李安红：男，汉族，1968年4月出生于山西省太原市。山西师范大学美术学院讲师。系中国工艺美术学会雕塑专业委员会会员、中国雕塑学会会员、山西省美术家协会会员。1993—1997年天津美术学院雕塑系毕业。2000—2003年西安美术学院雕塑系毕业，获得硕士学位。1990年、1991年，雕塑作品《萧邦像》、《黄遵宪》分别入选山西省文化厅主办的山西省美术作品展，并获三等奖；1999年4月石雕作品《绿草地》入选庆祝中华人民共和国成立50周年山西省美术作品展；2000年4月雕塑作品《裂》、《梦境》等参加山西师范大学美术系教师赴京作品展；2001年7月雕塑作品《那年代》入选纪念中国共产党诞辰80周年“延安颂”美术作品展览，并获三等奖；2001年12月雕塑作品《大餐》（合作）入选中国美术家协会、陕西省人民政府主办《中国·西安2001“西部·西部”艺术大展》；2002年5月雕塑作品《岁月如歌》入选《纪念延安文艺座谈会讲话发表60周年》山西省美术作品展；2002年8月参加宁夏《首届国际大漠沙雕比赛》；2002年12月雕塑作品《浮云系列》二件入编《中国当代艺术2002年》，中国工人出版社出版。2003年4月雕塑作品《绿》参加全国专业美术学院在校生“雕塑之星”主题方案展；2003年9月雕塑作品《行》参加长春国际雕塑展。

李一民：1959年出生于河北省邯郸市，先后毕业于河北省工艺美术学校、河北省师范大学美术系、中央美术学院雕塑系硕士研究生班。现为河北省雕塑研究会理事，中国城市雕塑资格证持有者。主要作品：《凝聚大气》1993年荣获河北省首届雕塑展二等奖；《强音》入选第九届全国美展；《家园》参加中国河北国际石雕大展，并获优秀奖；《阳光下》参加第五届中国长春国际雕塑大展；《南辕北辙》参加2003年北京国际雕塑展；《拼》参加韩国2002世界杯国际雕塑邀请展。

李学：生于1946年6月。系中国雕塑学会会员、中国工艺美术学会雕塑专业委员会会员、中国煤炭美协雕塑委员会副主任，国家二级创作员，在油画、国画、以及水粉画等方面早有建树，多次参加大型展览并在中国美术馆举行个展，在近20年的雕塑创作中，主要作品有：海南文昌宋氏祖居广场的《宋庆龄》雕像、山东马山即墨大夫广场的《即墨大夫》雕像以及《杨得志》、《江树峰》、《白求恩》、《柏杨》、《王照华》、《路易·艾黎》等。出版过《造型艺术断想》、《雕塑随笔》、《李学水粉画写生画集》、《李学写意百鹰图》等书、画集，事迹已载入《世界名人录》等多部辞书。

李焰：1990年毕业于清华美院雕塑系，获文学学士学位，现任中国建筑艺术发展公司美术师。作品《谐趣》，荣获2003年第二届“蓝色空间”主题雕塑国际邀请展（北京美协等主办）“最佳作品奖”、“十佳创作奖”，立于天津塘沽（青铜）；2002年《下棋》、《茶馆》（青铜）立于河北秦皇岛；2001年创作第一颗原子弹起爆装置设计人——肖伦像（青铜）；1995年创作厄里特立亚共和国独立战士纪念碑；1994年设计北京中华民族园博物馆朝圣路。合作作品：2000年内蒙古扎兰屯市抗洪胜利纪念碑；1999年外交部驻澳门特别行政区办公大楼大型石雕《水幕浴龙》；1995年日本国《白龙石像》。

李林琢：祖籍山东平原，生于1949年。现为中国美术家协会壁画艺委会委员，中央美术学院教授、壁画系副主任、第二工作室主任。

李秀勤：中国美术学院雕塑系教授。1953年生于青岛。1988年，获英国文化交流协会奖学金赴英学习当代艺术。1990年，获英国曼彻斯特大都会大学奖学金，攻读雕塑硕士学位。1997年，获中国留学基金委奖学金，赴美国华盛顿州立大学进行当代艺术研究，并进行学术交流。1999年，获美国华盛顿州立大学艺术基金，创作大型室外雕塑《开启秘密》，并永久性地陈列在此大学校园中。2000年，获桂林愚自乐园艺术基金创作“生命之旅”大型系列水上户外雕塑。

李友生：1949年2月出生于山东金乡。1969年毕业于山东省艺术学校，1974年12月结业于原浙江美院雕塑系。后任教山东工艺美院至今。先后担任山东工艺美院环艺系、美术系主任及教务处长，教授职称。系中国美协会员、中国雕塑学会会员。设计有多件城市雕塑，代表作品有《甲午海战馆主雕塑》《济南泉城路超级写实系列雕塑》等。作品多次获省及国家级奖励。木浮雕《孙子圣迹图》获第九届全国美展银奖。出版有《木雕》、《泥塑》等著作。

刘庆利：又山，1962年生于北京。曾就读于中央美术学院及中国艺术研究院研究生部。现为北京美术家协会会员、中国诗书画研究院研究员、白雪美术研究会副会长。1992年作品在国际中国画展暨大赛中获奖。1993年作品参加北京建筑画展并获大奖。同年参加创意并执笔设计江泽民同志题词的“开发北大荒纪念碑”整体工程。1994年任电影《吾家有女》总美术设计。1995年策划并在中央美院陈列馆举办“七人国画展”。1997年参加策划并总体设计“迎香港回归”第十四届国际龙潭庙会。1998年参加北京青年画家邀请展。1999年作品入选“纪念张大千诞辰一百周年全国美术作品展”，入选“纪念孔子诞辰二千五百五十周年全国美术作品展”，同年参加组织策划《重彩之辩》第一次展览。2001年参加国际艺术博览会，同年获全国艺术家作品博览会艺术金奖。2002年、2003年参加“蓝色空间”主题雕塑邀请展。

刘毅：1958年生于沈阳，1979年考入鲁迅美术学院雕塑系，1984年毕业留校任教。现任鲁迅美术学院城市雕塑创作室主任，鲁美艺术工程总公司副总经理，副教授。1981年创作《晨》参加全国大学生巡回展；1984年创作《鲁迅像》，参加辽宁省第一届城雕展；1985年木雕《出收》入选第五届全国美展，后编入《第六届全国美展作品集》中。先后创作《鲁迅铜像》、《中朝青少年友谊纪纪念碑》、鞍山市府广场大型组雕、唐山大地震二十周年大型组雕、辽沈战役大型组雕等影响较大的作品。1996年参加北京西客站一号方案投标，《世纪之旅》荣获二等奖（一等奖空缺）；1997年获沈阳民主广场雕塑投标一等奖；1997年《黄河之水天上来》被韩国圆光大学美术馆收收藏；1998年，《序的永恒》被人民大会堂辽宁厅收藏；1998年《飞翔》获哈尔滨市投标方案一等奖；2003年9月为东北大学80周年校庆设计张学良铜像，同年在锦州辽沈战役纪念馆投标中获全国装饰展金奖，并为之设计大型群雕；1998年12月《刘毅作品选》由中国轻工业出版社出版。系辽宁省雕塑家协会会长，中国雕塑学会会员、中国工艺美术学会雕塑专业委员会副秘书长。

刘玉平：男，汉族。1957年11月28日出生于朝鲜清津市。1964年回国。毕业于延边大学艺术学院和长春教育学院，先后在鲁迅美术学院、中央美术学院、全国城雕班进修。系中国雕塑学会会员、中国工艺美术学会雕塑专业委员会会员、吉林省美术家协会会员、延边朝鲜自治州美术家协会理事。作品多次参加各级美展并被收藏。2002年木雕作品《春》参加“纪念毛泽东《在延安文艺座谈会上的讲话》发表60周年”全国美展。2002年《长白山山泉姐妹》入选“中国北京国际美术双年展、中国雕塑精品展”。

刘万琪：贵州大学美术系教授、硕士生导师，国务院特殊津贴获得者，中国美术家协会会员、中国工艺美术学会雕塑专业委员会会员。1963年，中央美术学院雕塑研究班毕业。近年来创作作品800余件，先后在中国香港、美国、法国展出。《哥俩好》、《山寨女》、《鹏韵》参加全国第六届、第七届、第八届美展均获奖。1982年《苗女》参加法国秋季沙龙美展；1983年《冬冬》在美国纽约展出；1989年在中国美术馆举办《田世信、刘万琪》雕塑展；1993年20件作品在西欧4国展出；2002年《踏歌行》参加北京国际城市雕塑展，同年《大山里的故事》参加中国西部风在北京、上海、成都等城市巡回展出；2003年《秋韵》参加“中国北京国际美术双年展”、“中国雕塑精品展”在北京、天津等地展出。1995年参加由文化部组织的中国雕塑家城市雕塑考察团赴巴西、阿根廷、智利、哥伦比亚等国进行考察和学术交流，1997年赴美国进行考察和学术交流。中国美术馆、国际艺苑、国际友人等收藏作品200余件。

刘君：1963年生于大连。1987年毕业于吉林艺术学院美术系雕塑专业并留校任教。2000年，任俄罗斯列宾美术学院“库巴索夫”雕塑高级研修班助教。现为中国美术家协会吉林分会会员、吉林艺术学院中青年骨干教师、吉林艺术学院美术学院雕塑系主任。主要作品：1987年《纯粹的人》参加中国人民解放军建军60周年美术作品展；1987年《朝》参加吉林省青年美术展；1988年《纯粹的人》参展纪念长春市美术作品展获一等奖；1990年绘画作品《无题》参加长春市青年美术作品展获一等奖；1995年《门神》参加东北三省美术作品展；1998年《环》参加98长春国际雕塑展；2000年《静》参加中俄美术学院展；2002年《清风》参加2002中韩雕塑交流展；2002年《五月》参加纪念毛泽东同志《在延安文化座谈会上的讲话》发表六十周年全国美术作品展吉林展区，获优秀奖；2003年《萨满·舞》参加2003年韩中雕塑交流展；2003年《殇》获吉林青年美展一等奖；2004年《苏武》参加中国长春国际雕塑大会北方雕塑作品展并被收藏。

孙振华：1956年生于湖北荆州。华中师范大学中文系毕业后任文艺理论教研室助教，后获美学专业硕士学位；1989年1月，获中国美院博士学位，留校任教师、副教授。现任深圳雕塑院院长，国家一级美术师。主要著述：《中国雕塑史》、《生命·神祇·时空——雕塑文化论》、《美术与美育》、《走向荒原》、《雕塑空间》、《中国美术史图典·雕塑卷》。

孙锡麟：男，1936年1月出生，北京市人。毕业于北京俄语学院留苏预备部，1964年毕业于中央美术学院雕塑系（六年制）。现为厦门大学建筑系教授、中国雕塑学会会员，雕塑家、画家。长期从事雕塑设计及美术教学与研究，主要作品有《廖承志纪念头像》、《陈嘉庚纪念像》、《太姥娘娘》石雕像、《罗扬才纪念碑》、厦门大学校门浮雕、曾为美国芝加哥华埠广场设计十二生肖造型（并制作其中五件雕塑：牛、鼠、蛇、鸡、羊），设计厦门市体育中心主体雕像《更快、更高、更强》等。数十年潜心于形体学的基础理论研究，撰有《转折——形体的本质》、《论形调》、《起伏——形体与空间的抗衡》等论文。

孙伟：1962年生于北京。1981年毕业于北京工艺美术学校，1989年毕业于中央美术学院雕塑系，1995年结业于中央美术学院在职研究生班，1998–1999年获西班牙政府奖学金赴西班牙马德里大学美术系研修，现为中央美术学院雕塑讲师、副系主任。1985年《对话》获中央美院学生作品二等奖；1991年20世纪中国暨中央美术学院教师作品展；1992年中国当代青年雕塑家邀请展；

1993年'93威海国际雕刻大赛获金奖、中央美术学院教师作品展；1995年第二届全国城市雕塑方案展；1996年怀柔山林雕塑公园野外作品展；中央美术学院教师秋季作品展、第四届艺术文献展暨雕塑与当代文化展；1997年第二届桂林太阳谷雕塑研习营；第24届日本岩手国际石雕研习营；永远的回归暨第二届南山雕塑展；1998年雕塑·现实暨中央美院雕塑系教师作品展；小角色暨孙伟雕塑展；十月暨北京青年雕塑家联展；参加台湾金宝山雕刻研习营；1999年大陆、香港、台北袖珍雕塑作品巡回展；北京工艺美术学校建校四十周年联展；出版《八名师说创作》（湖南美术出版社）。

朱铭：1938年出生于中国台湾苗栗县栗通霄。1950年通霄国小毕业。1953——1957年从李金川学木雕。1968——1976年从杨英凤学现代雕塑。1976年台北历史博物馆个展。1977年日本东京中央美术馆个展。1978年日本东京中央美术馆个展。1979年台北春之艺术廊个展。1980年香港艺术中心个展。1981年台北历史博物馆个展，美国纽约汉查森艺术廊个展。1983年美国纽约汉查森艺术廊个展。1984年菲律宾马尼拉艾雅拉博物馆个展，泰国曼谷比乃西现代美术馆个展。1985年美国纽约汉查森艺术廊个展。1986年香港交易广场个展，新加坡历史博物馆个展。1987年台北市立美术馆个展。2002年汕头大学艺术学院美术馆个展。

朱尚熹：1982年，毕业于中央工艺美术学院装饰雕塑专业。1988年9月至1991年8月在中央美术学院雕塑系攻读硕士学位，并获硕士学位，1991年《彭德怀》等二十多件雕塑作品参加中央美术学院硕士研究生毕业作品展，其中《创世纪》被中央美术学院美术馆收藏。1994年雕塑作品《徐洪刚》参加第八届全国美术作品展，中国军事博物馆。1994年10月至1995年1月参加全国城雕高级研修班学习，中央美院雕塑研究所。《东方龙人》等6件作品参加结业展，中央美院美术馆。1995年参加'95中国威海国际石雕比赛，创作作品《石头·女人·梦》获优秀作品奖。1997年7月雕塑作品《节日》参加中国当代雕塑大展；1998年6月《自塑像》参加由英国肖像雕塑家协会主办的THE JEAN MASSON DAVIDSON MEDAL奖章国际性竞赛，并获高度赞扬证书；7月，参加桂林“愚自乐园”第四届国际雕塑创作营。创作花岗石作品《阳光下的梦》；9月，组织并参加了'98步履——北雕研究室十人作品展，作品梦的系列共四件参加了该展览；10月，作品《躯壳》参加“十月——北京青年雕塑家作品展”；11月，参与策划并参加了“平台——'98青年雕塑家作品展”，作品《大塔楼》和高跷系列共六件作品参展，其中《四边形的稳定性》被中国美术馆收藏；1999年，雕塑作品《动之恒》参加“新世纪的希望——城市雕塑设计方案展”；作品《盛大节日》参加全国第九届美术作品展和中国当代艺术大展，作品《最可爱的人》被中国军事博物馆收藏；2000年个人作品展《镜城一隅——朱尚熹井盖艺术展》在北京西单文化广场展出；9月，参加中国福建惠安国际雕刻大赛，创作大理石雕刻《石头里的梦》获二等奖；11月，参加“世纪曙光——石家庄国际雕刻邀请展”，创作大理石雕刻《拔地而起》；参加北京“亨利·摩尔雕塑艺术”国际研讨会；参与策划组织并参展了《阳光下的步履——北京红领巾公园公共艺术展》，创作了作品《风树林》和《苏醒的圆环》2001年，作品《华夏力士》和《俯卧撑》参加“新北京，新奥运——北京体育雕塑作品展”；6月，系列作品《朱尚熹井盖艺术之二——宇宙学图示》以及《大塔楼续集——空中花园》参加“时空平台——2001雕塑作品展”。

朱光忠：1941年出生。广西艺术学院教授。系中国美术家协会会员、中国工艺美术学会雕塑专业委员会会员。多次参加国内各项展事并获奖。另有多件城市雕塑作品，其中代表作品有“绿珠女”、“解放军烈士纪念碑”、“语言学家王力”等。

任世坤：1963年10月生于河北保定，河北大学工艺美术学院讲师。1981年毕业于河北工艺美术学院。作品参加“中国艺术大展、雕塑展”（北京，1997年）、全国第13次新人作展（烟台，1998年）、“第四届全国体育美展”（上海，1998年）、“河北美术作品精品展”（石家庄，1999）、“第6届大分亚洲雕塑展”（日本，2001）。

吕品昌：1962年出生于江西上饶。1982年毕业于景德镇陶瓷学院雕塑系；1983年在浙江美术学院雕塑系学习，1988年获文学硕士学位。现为中央美术学院雕塑系副主任、副教授。中国美术家协会陶瓷艺委会委员，中国雕塑学会副秘书长，全国城市雕塑指导委员会艺委会委员、副秘书长。

代表作有“阿福”、“中国写意”、“历史景观”、“太空计划”等系列，主要展览有：1993年“中国第三届体育美展”获金奖；1996年“现实·今天与明天·96中国当代艺术展”、“1996韩国国际雕塑展”；1997年“中国当代艺术展雕塑展”；1998年“中国当代陶艺国际巡回展”、“超越泥性·中国当代青年陶艺家邀请展”；2000年“中国当代青年陶艺家作品双年展”；2001年“中国长春国际雕塑展”、“共享共存：中国当代雕塑展”；2002年“美国阿其布瑞艺术基金会年度纪念展”；2003年“开放的时代——中国当代美术作品展”、“北京国际美术双年展·十大美术院校教师作品展”1994年在中国美术馆举办“吕品昌陶艺雕塑展”；1992年获国务院政府特殊津贴，编著出版著作有《中国当代陶艺》、《西方现代雕塑》、《世界浮雕艺术》等画册。

华龙宝：1982年毕业于南京师范。作品《喜老爹》、《湖上小学》、《罗汉双松》、《东方欲晓》等曾入选“江苏省首届雕塑展”、“全国教师优秀美术作品会展”、“江苏省庆祝建党八十周年美展”，并曾多次获奖。雕塑“东方欲晓”等作品为江西井冈山革命博物馆等单位收藏。个人传略被载入《中国当代美术家名人录》等辞书。现为中国工艺美术学会会员、中国美术家协会江苏分会会员、淮安市美协副主席，淮阴师范学院美术系主任、副教授。

安建达：1967年8月出生，中国工艺学会雕塑专业委员会会员、中国室内建筑师学会会员，长期致力于环境浮雕雕塑的设计。主要作品：为西北工业大学校庆设计《翱翔颂》（吴丁毅先生创意）、为中石化创作《走向世界》、为中石油创作《长庆之路》、为中国人民银行创作《钱币历史》、为中国人民解放军总后创作《民族神韵》、为朝阳区政府创作《朝阳之春》、为CCTV创作《长城情怀》等。2001年安建达铜雕作品赴英国进行巡回展，曾被《中国美术界》、《装饰装修天地》、《社区》、《北京青年报》报道，并出版《装饰艺术》丛书。

许正龙：江西上饶人。1985年由景德镇陶瓷学院本科毕业，1991年硕士毕业于中央工艺美术学院，2001年博士毕业于清华大学美术学院。作品曾参加国内外重要展事活动，如“中国艺术大展”、“国际雕塑邀请展”、“NOI-international art exhibition (Italy)”等，多次获奖并发表于艺术类核心刊物及《今日中国美术》、《中国当代美术家1979—1999》等大型画集。重视雕塑创作与教学的理论建设及雕塑的社会化发展，著有《装饰雕塑艺术》、《壁饰设计艺术》、《标志雕塑艺术》、《雕塑学》等，参与策划“平台——'98青年雕塑家作品展”。现为清华大学美术学院雕塑系副教授，硕士研究生导师，兼任中国工艺美术学会雕塑专业委员会副秘书长。

沈允庆：1963年生于四川成都。1989年毕业于四川美术学院雕塑系雕塑专业，就职于四川雕塑艺术院。国家二级美术师，中国工艺美术学会雕塑专业委员会会员、中国雕塑学会会员、持城市雕塑创作设计资格证书。近三年艺术活动：2001年，《平衡》入选“新北京、新奥运”体育雕塑展，获“公共艺术奖”；2001年，《平衡》、《掷》入选全国第五届体育美展，荣获四川省第五届体育美术作品展优秀奖；2001年，参加四川雕塑状态展；2001年，《春韵》参加河北国际雕塑艺术邀请展，获优秀作品奖；2002年，参加中国北京国际城市雕塑艺术展，作品《鱼》获优秀奖；中央电视台《半边天》栏目专题报道《女性与雕塑》；2002年，参加中国雕刻艺术节雕刻大奖赛（福建惠安）；2002年，参加中国（东阳）木雕大奖赛；2002年，参加“新雕塑世纪”台湾第一届国际袖珍雕塑大展；2003年，参加第一届桂林愚自乐园国际雕塑奖（双年展）；2003年，参加“融入自然、共享空间、雕塑生命——环保雕塑作品展”；2003年，参加“抗击非典、奉献爱心”雕塑暨艺术作品展览（在线展出）；2003年，入选北京国际美术双年展、中国雕塑精品展。发表作品在：《雕塑》（特刊），1995第三期，纪念第四次世界妇女大会在北京召开中国当代女雕塑家作品选；《今日中国美术》（资料卷），2000年；《中国当代艺术》，2001年；《艺术家》2001年第4、5期；《新北京·新奥运——体育雕塑展》；《中国体育美术作品选》（第五集），2001年；《2002中国北京·国际城市雕塑艺术展收藏作品集》，《2002中国北京·国际城市雕塑艺术展参展作品集》；入编《中国专家大辞典》第十四卷。

闵一鸣：男，工艺美术师，1988年毕业于西安美术学院版画系，现任厦门都市环境设计工程公司艺术总监。多次参加国家级和省市美术作品展出活动；1993年，参加陕西省美术家画廊《五月》联展；1998年，获福州市滨江大道景观艺术雕塑大展首奖；1999年，获厦门市白鹭洲公共艺术全国邀请展优秀奖。

苏立群：1951年生于上海。1976年南京艺术学院美术系雕塑专业毕业，同年留校任教。现任南京艺术学院雕塑系主任，副教授，硕士研究生导师。系中国雕塑学会会员，中国工艺美术学会雕塑专业委员会会员。雕塑《呼唤和平》入选第九届全国美术作品展览，并由中国美术馆收藏，同时获庆祝建国五十周年江苏省美术作品展览优秀奖。雕塑《金花银瓶》获第二届江苏省雕塑艺术作品展学术贡献奖。专著《雕塑技法》获教育部2002年全国高等院校优秀教材二等奖，发表专业论文近十篇。

陈志光：1963年出生于厦门市，1988年毕业于福建师范大学美术系。2002年参加“中德丝绸之路”艺术交流展，德国吉森市；2002年参加“国际东阳木雕大奖赛”，浙江东阳；2003年参加“今日中国美术大展”，北京中华世纪坛。曾多次到欧美进行艺术考察，作品多次在《艺术界》、《雕塑》、《东方艺术》等杂志发表。现为天津美院现代艺术学院客座教授。

陈克：任教于广州美术学院雕塑系。作品《唢呐情》被广东美术馆收藏，曾获得《第九届全国美展》优秀作品奖及《建党五十周年广东省美术作品展》铜奖；作品《祝福奥运》被中国体育博物馆收藏；曾获《第五届全国体育美展》三等奖；《广东省体育美展》银奖；并获《新北京·新奥运——体育雕塑展》一等奖；作品《你动，我动，齐运动》获二等奖及群众艺术奖；作品《眼》被中央美术学院收藏；作品《逝者如斯》被青岛雕塑馆收藏；作品曾在《雕塑》杂志，《美术研究》，《美术》，《画廊》，《中国当代艺术》，《中国美术》，《美术同盟》等多种专业刊物、报纸及网站上发表。

陈信生：1984年至今在山东工艺美术学院任教，现任美术系雕塑教研室主任、副教授，中国美术家协会山东分会会员、中国工业设计协会会员、山东省城市雕塑协会理事、中国工艺美术学会雕塑专业委员会会员。艺术成就：雕塑作品曾参加全国、全军及省级美展，并在国内报刊杂志多次发表。人物雕像“王尽美”曾在山东省首届城市雕塑展览中获一等奖；梁山水浒玻璃钢彩塑人物6件获山东省文化厅、山东省城乡建设委员会、山东省城市雕塑办公室颁发的优秀创作奖；雕塑“田瞻肖像”获山东省文化厅、山东省城乡建设委员会、中国美术家协会山东分会颁发的山东省城市雕塑优秀作品奖；“人生组雕”1998年获山东省城市雕塑设计方案一等奖；“梁漱溟先生”肖像获2000年山东省城市雕塑新作设计展览一等奖。

参加了山东美术出版社出版的教科书《泥塑·工艺雕塑》的编写。数篇论文发表在《设计艺术》上。2001年7月在高等教育出版社出版的《美术设计备考》从书中主编了《素描备考》。2003年8月由山东文化音像出版社出版了《动物雕塑技法》。获全国城市雕塑建设指导委员会颁发的“城市雕塑创作设计资格证书”。雕塑作品及文字评介入编《山东美术家辞典》、《中国当代美术家图录光盘版》、《中国人才辞典》、《中华翰墨名家作品博览》等。

陈丽萍：又名陈丽冰，1971年8月生于福建漳州市。现任江西景德镇陶瓷学院设计艺术学院讲师。1990年就读于江西景德镇陶瓷学院美术系，获学士学位。1998年就读于中央美术学院雕塑系，获硕士学位。主要作品有：《教案》、《同意》、《人之初》系列、《虎妞、二娃》、《星星夤》、《为了远方的呼唤》系列、《初春》、《月儿弯弯》、《为了你的孩子》、《浮萍》、《阳光的诱惑》、《孩子，这不是玩具》等。

陈文令：1969年出生于泉州安溪。1991年毕业于福建工艺美术学院。1999年结业于中央美术学院。现为厦门职业雕塑家。展览：2003年，参加厦门国际雕塑展；2003年，参加北京国际美术双年展中国雕塑精品展；2003年，参加厦门大学欧洲艺术中心举办“舶——厦门港”当代艺术邀请展；2003年，于珠海市举办“寻找本真”陈文令雕塑展示行动；2002年，于厦门珍珠海滩举办“红色记忆”陈文令雕塑展示行动；2002年，于厦门莱雅百货举办“红色·文化·消费”陈文令现代雕塑展；2002年，参加广州“首届中国艺术三年展”；2002年，参加“经验的差异——福建当代艺术家学术邀请展”；2002年，参加“全国闽籍当代艺术家邀请展”；2001年，参加上海青年美术大展雕塑邀请展；1999年，参加第九届全国美展；

1997年，作品参加中国首届“槐花杯”环境雕塑大展；1991年，于厦门彭浪屿举办陈文令木雕艺术展。

陈春阳：出生于木雕世家。其父陈国华为艺雕名家，曾获国家轻工业部优质奖、中国工艺美术百花奖。春阳曾在福建工艺美术学院学习雕塑，与父、兄（春晖）共创春日美术雕塑创作室。系中国工艺美术学会会员、中国工艺美术学会雕塑专业委员会会员、中国书画家协会会员、中国工艺美术师，莆田市文艺家协会副秘书长。1997年，创作《领一代风骚伟人邓小平》，被香港特别行政区政府收藏。作品《龙娃》、《轻轻的海风》、《马到成功》等先后获得中国工艺美术“世纪杯”创作大展、中国工艺美术大师精品展、中国工艺美术博览会精品展、2002年“华艺杯”精品展的金奖、银奖、铜奖等奖项。有多篇论文在国家级专业刊物发表，创作大型城市园林雕塑作品的三十多件。

杨洪力：2001年3月，金属、石《鸟与蛋》入选“2001年北京新世纪国际妇女艺术展”。并被《北京青年报》报道；2002年5月，油画《天光·温暖》入选“纪念讲话60周年全国美术作品联展”；2002年10月，木雕《情侣之一》入选“2002中国东阳国际木雕艺术大赛”，并被收藏；2003年8月，铸铜《奶羊和她的影子》（与张国军合作），入选“2003年长春国际雕塑大会、首届北方雕塑年度展”，并被长春雕塑馆收藏；2003年9月，《互生》入选“2003中国·福州国际雕塑艺术展优秀方案展”。

吴为山：中国民主同盟中央委员会委员。英国皇家雕塑家协会会员、欧洲陶艺工作中心理事、中国美术家协会会员，南京大学教授，南京大学美术研究院院长、雕塑艺术研究所所长。 1962年1月生于江苏东台市。1987年毕业于南京师范大学美术系并留校任教，后任雕塑教研室主任。曾研修于北京大学，欧洲陶艺工作中心（荷兰），美国华盛顿大学美术学院。1998年4月始在南京大学工作。吴为山自1996年至2000年间多次应邀在欧、美、港、澳、台举办个人作品展。作品被荷兰王国布瑞达博物馆、美国霍普金斯大学、柏克莱大学、法国巴黎大学、日本加藤美术馆、香港创价学会、联合国澳门教科文中心、台湾中央大学以及英、德等博物馆、银行收藏。南京博物院设有吴为山文化名人雕塑馆。

1995年荣获“徐悲鸿奖学金·科研创作奖”；1996年应荷兰政府之邀赴荷参加“中荷红白兰研究计划”，同年应荷兰政府之邀为荷兰女王贝娅特丽克丝塑像；2000年获首位“包玉刚杰出艺术家称号”，并受聘出任香港科技大学驻校艺术家、文化讲座教授。2001年澳门理工学院设立永久性“吴为山教授雕塑工作室”，同时任该院客座教授。2002年被香港中文大学授予“龚雪因杰出学人”。2003年获得英国皇家“攀格林奖”（Pangolin prize）。2003年8月13-14日中央电视台《东方之子》栏目专题上、下集报道吴为山。2003年荣获“徐悲鸿奖学金·杰出校友奖”。现被东南大学、台湾中央大学等海内外十多所著名大学聘为客座教授，先后由人民美术出版社、中国社会科学出版社、天津人民美术出版社、宗教文化出版社、荷兰国家基金会、香港科技大学出版社、南京师范大学出版社等出版有《吴为山雕塑》、《雕琢者说》、《精神的速写》、《浮雕·狮岭阅江》、《中国佛教文化艺术》、《西汉木雕》、《中、荷红白兰艺术》、《视觉艺术心理》、《吴为山作品》、《吴为山雕塑·绘画》等专著。

吴祖光：1957年生于北京。1974年考入天津工艺美术学院，同年转入天津市泥人张（泥塑）工作室学员班。1975—1976年初在天津市美术学院绘画系代培学习素描、解剖、美术理论等基础课。1978年毕业于天津市泥人张（泥塑）工作室，并留任创作员。1978—1986年自主创作了一些作品，参加全国及省市美展。参加安国县药王庙主要神像及天津市古文化街天后宫四大王像的创作并为柳林海地居住小区创作室外雕塑。1987年初辞职下海。1991年恢复创作，潜心致力于雕塑风格民族化及个人风格的探索与研究。

吴筱荣：大学本科毕业，获文学学士学位，副教授，现工作于桂林工学院艺术系，1963年生于江西省吉安市。曾就读于景德镇陶瓷学院美术系、广州美术学院。现为中国工艺美术学会雕塑委员会会员、桂林市雕塑艺术委员会会员、美协会员、桂林画院院士。

雕塑作品曾参加《桂林首届雕塑作品展》、中国美术家协会第十二次《新人新作展》、惠安《首届中国雕刻艺术节雕刻大奖赛》及《全国雕塑作品精品展》、《第七届全国陶瓷艺术设计创新评比》展、庆祝中华人民共和国建国五十周年《广西美术作品展》、《新世纪》桂林画院作品展;《第五届广西体育美术作品展》、庆祝毛泽东在延安文艺座谈会讲话发表60周年《广西美术作品展》等。多件作品被政府部门和美术馆收藏。在十余年的社会实践与创作活动中，设计和制作了部分壁画、陶艺和雕塑作品等。

林子杰：1992年毕业于东北师范大学美术学院雕塑系。2004年毕业于中央美术学院研究生同等学历班。现工作于大连轻工业学院艺术设计学院。副教授。主要作品及活动：1998年，作品《海姑娘》获全国环境雕塑大赛优秀奖。论文《雕塑创作与人类生存空间的理性思考》参加98中国雕塑论谈、发表于《雕塑》1998第2期；1998年，作品《变脸试验系列》参加当代青年雕塑家作品邀请展（第二回）。作品《海娃》参加中国河北国际石雕艺术邀请展。论文《21世纪中国雕塑艺术的思考》发表于《雕塑》2000第2期。2001年，作品《潮》参加中国长春国际雕塑艺术邀请展。作品《超越自我》参加中国第五届体育美展。2003年，作品《人与舟》参加韩国国际雕塑艺术邀请展。

张爱廷：男，1939年2月出生于浙江青田鹤城镇。1958年以优异的成绩考入中国美术学院民间美术系，毕业后一直在浙江省青田石雕厂工作至今；历任青田石雕厂创作组组长、厂长、厂党支部书记，1967年作为专家被国家选派阿尔巴尼亚传授石雕技艺，1988年被评为“高级工艺美术大师”，1989年赴日本作现场创作表演，1991年被评为“浙江省工艺美术大师”称号，1993年被评为“中国工艺美术大师”。

张爱廷挚爱石雕艺术，造诣颇深。四十年来，一直致力于人物、山水、花鸟、动物创作，尤擅长人物雕刻。在承传历史文化基础上，鉴比古今，融贯中外文化，独辟蹊径，使作品意蕴中富，形神臻于完美，被工艺美术界推崇。作品《舞狮》被国家珍宝馆收藏；《连年有余》入选国家邮电部发行的《青田石雕》特种邮票；1997年4月2日，中国中央电视台“东方时空”栏目播出《东方之子——张爱廷》。

张永见：1958年生于山东沂蒙费县。现为职业艺术家。1989年，装置《黑匣子——天命指南——由痣看命》参加“中国现代艺术大展”；1992年，综合立体媒材《正午》参加“中国当代青年雕塑家邀请展”；1993年中国新艺术展；1993年，第二回中国当代艺术文献资料展；1994年，新文物——系列个人作品展；1995年，中国前卫艺术展；1996年，石灰岩石雕《风道》参加“中国天津TDE国际雕刻大赛”；第四回中国当代艺术文献资料展；室外装置《生长》参加“北京怀柔山林雕塑公园”；'95年度批评家提名活动（雕塑·装置）(《江苏画刊》)；1997年，花岗岩石雕《晒舌》参加“桂林愚自乐园国际雕塑创作营”；综合立体媒橇《门神》参加“永远的回归”雕塑展；都市人格艺术组合展山东分展；1998年石灰岩石雕《失语》参加“第一届中国当代雕塑艺术年度展”；花岗岩石雕《不息》参加“海峡两岸雕塑创作营”；红砂岩石雕《静听石语》参加“1998年国际雕刻研讨会”；1999年，亚洲雕塑展（新加坡）变化中的自我——山东发代美术展。

张国军：1969年出生。曾就读于吉林艺术学院、中央工艺美术学院。1999年，《育》入选“中国当代雕塑家、阿克苏城市情结雕塑展”并获奖。2001年9月，锻铜《古风·骑士》入选“第五届全国体育美展”，并被收入精品集；2002年5月，木雕《自由世界》入选“纪念讲话60周年全国美术作品联展”；2003年4月，城市雕塑设计《跃》入选“2003中国·太湖明珠城市雕塑艺术设计展”；2003年7月，铸铜《绿叶》入选“2003环保雕塑艺术展”；2003年9月，铸铜《奶羊和她的影子》（与杨洪力合作）入选“长春国际雕塑大会北方雕塑展”。

张燕根：毕业于解放军艺术学院美术系，现为广西艺术学院副教授，硕士研究生导师。2003年7月应法国政府的邀请，赴法国马堤尼克岛专题创作，作品《天堂之树》引起崇尚艺术的法国各界高度评价，法国电视台、报纸多次报道介绍，称这样专为一个中国雕塑艺术家举办创作活动在法国还是第一次，作品被法国政府永久收藏；2003年6月编著《装饰雕塑》；2002年5月，入选“2002比利时国际造型艺术展”，并作为唯一中国艺术家应邀赴比利时参加LA FETE DE MAI国际造型艺术创作营，作品《天堂之蛋》永久收藏在NAMUR公园，比利时国家电视台专访，《艺术与自然》等三种国外杂志介绍，欧洲先后出版发行该作品法语版贺年卡多种；2001年5月应邀参加加拿大温哥华亚洲艺术展，作品《弦》由温哥华市政府收藏。

张松涛：祖籍河北武安县，1969年11月出生于河南省郑州市。1993年6月，湖北美术学院雕塑本科毕业，获学士学位。2002年6月，湖北美术学院雕塑研究生毕业，获硕士学位。现任教于湖北美术学院雕塑系。2001年11月，参加《2001西湖国际雕塑邀请展室内展》；2002年5月，参加《纪念毛泽东同志在延安座谈会上的讲话发表60周年湖北省美术作品展》获优秀奖；2002年9月，参加《2002中国北京·国际城市雕塑艺术展》获优秀奖；2002年11月，参加《物言物语——湖北小幅油画小型雕塑展》；2003年，参加《桂林愚自乐园国际雕塑奖》。

张熙玉：男，1936年生于大连市。1960年毕业于鲁迅美术学院雕塑系。历任山西大学美术系教师、副教授、教研室主任，1993年晋升教授。中国雕塑学会会员，现兼任山西省雕塑家协会主席。任教期间，创建了雕塑专业。作品《领袖与农民在一起》、《春》、《作家赵树理》、《科学家张遂》等发表于《人民日报》、《光明日报》，并参展获奖。城市雕塑《人与自然》、《李林纪念像》、《汾水情》、《鄂国公尉迟恭》、《龙兴晋阳》、《孔子》等十余件作品建立在城市的广场和园林中。撰有《山西省古代彩塑艺术简论》。

张树国：1959年出生于哈尔滨市，现定居美国纽约和中国深圳。1981—1986年，毕业于沈阳鲁迅美术学院雕塑系；1986年，任哈尔滨画院专职雕塑家；1989年，应美国怀俄明州艺术委员会邀请在该州创作（水晶世界）大型组雕。接受《NATIONAL GEOGRAPHIC》(美国国家地理杂志）专程跟踪采访并报道。由于在美期间成功的创作，受到美国前国务卿Henty A.kissinger(基辛格博士)、国家参议员Alan K.Simpson(森普辛)、怀俄明州州长（MIKE SULLIVAN）及州参议员(SENATIOR MICHAEL W.HEALY)的书面感谢。并以国际知名艺术家身份获得美国永久居留权；1990年，被美国怀俄明州立大学聘为访问艺术家；1991年，由日本三家雪地公司赞助和澳大利亚雕塑家（KENJI OGAWA）合作；在阿拉斯加安克瑞基创作大地冰川（凝固的元素）；1994年，接受美国南达科塔州博物馆邀请和美国西部著名雕塑家Gary.Shoop合作，创作大型青铜雕塑《西部开拓者》，被该馆永久收藏；1995—1999年，在国内外从事雕塑艺术研究和创作，作品被国内外众多城市和个人收藏采纳；1999年，应邀回国参加全国第九届美展；2002年，参加联合国科教文国际联合造型设计协会（会员）；2002年，被深圳市文化局特聘为深圳美术馆艺术总监；2002年，被深圳大学艺术学院聘任客座教授；2003年，受深圳市政府委托，创作《万象》大型青铜雕塑，此雕塑是市政府赠送国际友好姐妹城市法国维埃纳省的纪念艺术品；2004年，参加中国北京国际美术双年展·中国雕塑精品展<《虚幻的世界》>和参加中国长春国际雕塑大会之国际雕塑艺术展<《虚幻的世界》、《姿色》>。

何鄂：1937年生，江苏金山人。1955年毕业于西北艺术学院美术系雕塑专业。1955年至1959年在甘肃省美术服务社工作；1960年至1962年在兰州艺术学院美术系任教；1962年8月至1974年11月在敦煌文物研究所工作12年，1974年12月至1993年，在甘肃省工艺美术公司研究所工作，1994年创立甘肃何鄂雕塑院。曾任甘肃省工艺美术研究所所长，现任中国美术家协会理事、全国城市雕塑艺委会委员、中国雕塑学会常务理事、甘肃省美术家协会副主席、甘肃省何鄂雕塑院院长。主要艺术成就：大型城市雕塑《黄河母亲》（花岗岩）获1987年全国首届城雕优秀奖，享誉海内外。粗陶彩绘《绣花女》1989年获刘开渠雕塑艺术基金奖、中国美术馆收藏。1992年创作《艾黎、何克与中国孩子》（花岗岩）建造于甘肃山丹培黎学校。1994年创作大型城雕《边塞新乐章》（锻铜）建造于新疆石河子市文化广场；1995年创作大型纪念雕塑《血战高台》（花岗岩）建造于甘肃高台烈士陵园。

何镇海：1985年毕业于江西景德镇陶瓷学院美术雕塑专业，1988年在中央美术学院雕塑系进修，现为广西艺术学院美术系副教授，系中国美术家协会会员、中国雕塑学会会员、中国工艺美术学会雕塑专业委员会会员、广西美术家协会会员、广西雕塑艺术委员会委员。1992年，设计制作北京人民大会堂广西厅现代装饰壁雕《八桂风物》系列铜质浮雕。参加展览：1994年，第八届全国美术作品展；1996年，举办《门闩系列》木雕作品个人展，“第四届中国当代艺术研究文献展”；1997年，“第四届中国体育美术作品展”，“中国美术家协会第12

次新人新作展”；1998年，“98中国长春国际雕塑作品邀请展；1999年，“新世纪的希望——城市雕塑设计方案展”，第九届全国美术作品展； 2000年，“中国木石雕刻大赛”；2001年，“时空平台——2001雕塑作品展”；“2001中国河北国际雕塑艺术邀请展”，“西部·西部——与历史对话景观雕塑展”；2002年，中国佛山国际现代陶艺作品邀请展，“中国西部风”雕塑巡回展，中国（东阳）国际木雕艺术大奖赛，台湾第一届2002年国际袖珍雕塑展；2003年，中国福州·国际城市雕塑艺术展。同年，应邀出访美国辛辛那提姐妹城市。

周晓东：男，1961年出生于西安。1984年考入西安美术学院雕塑系。1987年毕业留校任职至今。主要作品有《淳》2001年参加“西部·西部——与历史对话”景观雕塑展；《期盼》2002年参加第三届福建惠安国际石刻大赛；《锁》2002年参加浙江东阳国际木雕艺术大赛；《春》2002年参加中国"西部风"全国巡回展；《落叶系列之一——雾》2002年参加北京国际城市雕塑艺术方案展——获得提名奖；《落叶系列之二——秋》2003年参加福州国际城市雕塑展——作品立于福州雕塑公园；《落叶系列之三——秋》2003年参加北京国际美术双年展、雕塑精品展；《洋太极》2003年参加上海南京路步行街雕塑展；

范伟民：男，1954年出生于上海，高级美术师，1982年毕业于中央工艺美术学院。现担任中国《雕塑》杂志社社长、《中国雕塑年鉴》主编，同时担任中国工艺美术学会雕塑专业委员会常务副会长、中国艺术铸造委员会艺术顾问、江苏宜兴陶艺学会艺术顾问、北京城市雕塑与环境艺术委员会委员、文化部《中外文化交流》杂志编委、中国雕塑平台网艺术总监。主要艺术活动：2003年，主持策划举办“中国（长兴）太湖明珠城市雕塑艺术设计大奖赛”；2002年，主持策划举办“第二届中国雕刻艺术节雕刻大奖赛”；主持策划举办“中国（东阳）国际木雕艺术大奖赛”；2001年，主持策划举办“北京新世纪国际妇女艺术展”；2000年，主持策划举办福建惠安“首届中国雕刻艺术节”暨木石雕刻艺术大奖赛；1999年，在北京中国军事博物馆主办“中国民间工艺美术精品展”；参加北京“99新世纪的希望”暨“长安街城市雕塑”设计方案获提名奖，作品《东方蛟龙》参加“中国当代——阿克苏情结城市雕塑作品展”，获优秀奖；1998年，担任哈尔滨“全国雪雕大赛”评委；策划参与“首届中国雕塑艺术博览会”；担任广西北海沙雕评委主任；1997年，策划主持在上海举办的“首届中国现代陶艺展”并担任评委；1995年，创办中国《雕塑》杂志，创办《中国雕塑论坛》；1994年，主持赴台北举办“中国工艺美术家精品展”；1992年，主持举办“首届中国石雕艺术大赛”；1991年，组建成立中国工艺美术学会雕塑专业委员会并任秘书长；1988年，策划主持在中国美术馆举办的“中国陶艺壁饰展”；1987年，参加北京中国美术馆“传统与现代雕塑展”，作品《猫头鹰》获优秀奖。

赵萌：雕塑家，中国工艺美术学会雕塑专业委员会副会长、清华大学美术学院雕塑系主任、中国《雕塑》杂志副主编。1982年毕业于中央工艺美术学院。多年来致力于理论研究与艺术实践的结合，致力于教学相长的辛勤探索，积累了丰富的实践经验和教学经验，并被聘为北京市政府顾问。创作了许多高质量的雕塑作品，参加了多次国际性的大型展览，或树立在全国各地。如，《永远盛开的紫荆花》(1997·香港特区政府)、《警魂柱》(2001·北京警察博物馆)、《异质同物》(2001·清华大学)、《辉煌文明》(2001·安阳市政府)。主持了许多重大课题，获得政府奖多次，如：国家重大文化工程“中华世纪坛”、’95北京哲学科学重大课题《首都城市雕塑建设研究》、北京西单商业大街雕塑整体规划、清华大学校园雕塑规划及雕塑方案，还有北京警察博物馆、教育部、建设部、北京市政府的其它课题。

赵东民：中国书画函授大学毕业，进修于中央工艺美术学院雕塑系。现为中国民间文艺家协会会员、中国工艺美术学会雕塑专业委员会会员、山东省菏泽市政协委员。联合国教科文组织授予“中国民间工艺美术家”称号，事迹先后被中央电视台、山东卫视、大众日报、菏泽日报等几十家新闻单位宣传报道。赵东民出生于一个民间艺术世家，其父赵继仲是闻名全国的泥塑艺人，深得“泥人张”第三代张景祜先生真传。在继承家学的基础上又吸收民间和现代姊妹艺术营养，独具匠心塑造《水浒》、《红楼梦》、《聊斋》等名著中的故事人物、牡丹仙子、仙佛人物，还有孙膑、蒲松龄、何思源等古今名人肖像……一个个神态各异，惟妙惟肖、栩栩如生。参加全国及省市工艺美术博览会，深得专家教授好评，作品先后被北京民俗博物馆、内蒙古马鞍山风景区、山东蒲松龄纪念馆等百余单位收藏或供游人观赏。

赵培生：1965年生，山东诸城市人。1987年毕业于江西景德镇陶瓷学院美术系，获学士学位。山东工艺美术学院造型艺术教研室主任，副教授。山东美术设计家协会陶瓷艺术设计委员会副主任兼秘书长，中国美术家协会会员。参展：陶艺作品：《火山一号》入选“第七届全国美展”，并获省一等奖。《风景》入选“第一届全国陶瓷艺术与设计展览和评比”并获优秀奖。《迹》应邀参加“中国当代陶艺大展”，作品被广东佛山石湾陶瓷博物馆收藏。《文明河》获广东“世界陶瓷文化广场”参评作品前十名入围奖。《乾坤·意向表现》入选“第二届全国陶瓷艺术展”；《高歌》赴瑞士参加展出。《黄河陶》系列及《仿古陶》系列随“中华五千年”大展赴韩国、法国、秘鲁展出。

赵磊：1970年生于北京。1995年毕业于中央美术学院雕塑系，获学士学位。现为北京建筑艺术雕塑工厂研究室四级美术师，中国工艺美术学会雕塑专业委员会会员。1998年1月，第四届“哈尔滨”全国雪雕大赛获三等奖；1998年5月，首届“槐花杯”全国环境雕塑大赛；1998年9月，“步履”北雕十人作品展；1998年10月，“十月”北京青年雕塑家作品联展；1999年4月，“新世纪的希望”城市雕塑设计方案展；1999年10月，“十月”北京青年雕塑家作品联展；1999年12月，“雪中彩影”杯全国青年冰雕大赛银奖；2000年9月，首届中国雕刻艺术节木石雕大赛获木雕一等奖；2000年12月，“与摩尔对话”雕塑邀请展；2000年12月，2000“阳光下的步履”红领巾公园环境艺术作品展。

赵宇赤:女,1967年6月11日出生于沈阳。1985年考入鲁迅美术学院工艺系造型专业，毕业后从事过首饰设计等职业。现任教于沈阳航空工业学院工业设计系。喜欢以陶土为媒介进行创作，以质朴的情感表现自然，表现生活。2001年进入鲁迅美术学院陶艺专业研修。2003年作品《回忆》参加全国第二届陶艺展。2003年作品《道法自然》参加在韩国举办的韩、中、日陶艺交流展“Korean、Chinese、Japanese、Ceramics、Invited Exhibition”，主要作品：《道法自然》、《时间》、《空间》、《古老的说法》、《回忆》等。

赵正祥：男，汉族，江苏徐州人，1964年出生，先后毕业于苏州工艺美术学校及南京艺术学院。中国工艺美术学会雕塑专业委员会会员；江苏徐州市城雕建设管理委员会委员；中国雕塑学会会员。2004年毕业于中央美术学院雕塑系研究生同等学历班。个人作品多次入选省、市美展。作品《海神》荣获2002年青岛“金沙滩国际沙雕大赛”一等奖。2003年参加中国首届北京国际双年展暨中国雕塑精品展，作品《基拉宁》参加北京、天津巡回展，并被永久摆放在北戴河奥林匹克雕塑大道上。

周定芳：生于江苏宜兴陶业世家，1984年师从徐秀棠大师。自1988年起独创“新紫砂陶艺茶壶，”形成极强的个人风格，它融雕塑、写意画、现代陶艺于一体，跳出宜兴陶艺的传统框框，开历史之先河。曾先后应邀去美国、英国、荷兰瑞士等十多个国家的大学及陶艺工作室讲学和交流。2002年，又应邀担任美国路易斯安纳州立大学陶艺创作室客座艺术家。作品被大英博物馆、美国旧金山亚洲艺术博物馆、明特博物馆、韩国陶瓷博物馆、中国广东美术馆等收藏。作品先后在多家海内外报刊发表。

郭海博、郭海龙：是在石家庄市生活成长的兄弟俩，十余年来哥俩潜心用铁板浮雕艺术创造了多幅风格独特的作品。《秋韵》入选2001年河北省美术作品展并获金奖；《丰收后的喜悦》获第二届华人艺术大奖、国际荣誉金奖和第二届中国国际民间艺术博览会“山花奖”银奖；《小姑娘和她的小牛犊》获河北省首届民间艺术节金奖。

施禀谋：1950年生于福建晋江，自幼酷爱绘画艺术。1968年，进入晋江工艺美术社，便与雕刻艺术结下了不解之缘。1973年，移居香港，开始玉雕艺术创作生涯。1996年2月，被联合国教科文组织授予“中国民间工艺美术家”的称号，被国内专家们誉为“当代俏色玉雕大师”。1997年8月，获得了世界文化艺术研究中心和香港中国国际交流出版社颁发的《世界名人证书》。同年，作品《千古一帝》在《’97香港回归广东省工艺美术优秀作品展》上获得了金奖。1998年，在广州花园酒店举办了作品个展，同年

9月又在北京炎黄艺术馆举行了大型的个人作品展。1999年，作品《褪色人生》在《'99中国工艺美术创作大展世纪杯》获得金奖。

几十年来，施禀谋历尽艰辛，跋涉在玉石世界的艺术旅途中，他赋予了玉石一种生命，一种灵感，用玉创造了一个气韵生动的艺术世界，也用玉石为世界留下一份独特的艺术记录。他与玉难解难分，融而为一，对于他艺术实践的总结，没有比那句古语更为恰当了："艰难困苦，玉汝于成。"

罗旭：云南弥勒县人。1955年生。初中毕业。16岁进县瓷器厂工作。幻想成为建筑设计师，后来发现不精于计算而放弃。23岁开始学画，三次报考艺术院校均失败。1985年进县文化馆做美工。1988年师从钱绍武学雕塑，学了一年人体造型。1992年从文化馆辞职，闯入昆明，成为职业画家。1996年取得银行信任，获得贷款，凭着三米长的竹竿，领着一群民工，建造了规模庞大的"土著巢"，并创作了大量雕塑作品和其它类型的作品。

项金国：1950年12月生于湖北省黄陂县。1979年毕业于湖北艺术学院美术系雕塑专业，现为湖北美术学院教授、雕塑系主任。系中国美术家协会会员、中国雕塑学会会员、中国工艺美术学会雕塑专业委员会副秘书长。创作石雕《董必武像》入选湖北省建党六十周年美展获三等奖。创作大型铸铁雕塑《祝融观星》，获楚文化旅游景点设计一等奖。设计并制作《普天同庆》编钟一组，作为庆祝澳门回归湖北省人民政府赠送澳门特别行政区政府礼品。

倪世杰：出生于1962年。福建省惠安县人。工艺美术师中国工艺美术学会雕塑专业委员会会员，福建省政府授予福建民间艺术家称号。2000年中国第二届（国家级）工艺美术大师精品展作品《心中佛》银奖。作品《达摩祖师》获2001年福建民间艺术家银奖。作品《珍珠观音》获2001年中国工艺美术竞品博览会优秀奖。作品《闽海雄风》获2001年《中国传统刻艺术大赛》三等奖。作品《济公醉酒》获福建省旅游工艺作品大赛三等奖。

高蒙：出生于内蒙古呼和浩特市。1982年毕业于中央工艺美术学院(现清华大学美术学院)。1999年获广州美术学院雕塑系硕士学位，现为广州美术学院雕塑系讲师，中国工艺美术学会雕塑专业委员会会员。主要作品有：《特立独行——胡适之》、《帕瓦罗蒂》(被广州美术学院美术馆收藏)、《仲夏夜之梦》(参加2000年6月瑞典Sigtuna雕塑研讨会，作品永远性地安置于Sigtuna市中心钟山上)、《一二·九》(入选第九届全国美展，获安徽省"建国50周年美展"二等奖)、《毛泽东》(入选第2回杭州中国青年雕塑家邀请展)等。2000年8月参加福建中国雕刻艺术大赛，作品获木雕组二等奖。

高云龙：1928年生。1947年，就读于北平国立艺专雕塑系；1953年，中央美术学院雕塑系研究生毕业；1955—1955年，任中央美术学院雕塑创作室成员；1979—1982年，工作于上海园林局；1982—1995年，任教于华东师范大学艺术系；1995年，任上海文史馆馆员。

唐永辉：男，1964年生于浙江省宁波市；1986年毕业于河北工艺美术学校雕塑专业。系中国工艺美术学会雕塑专业委员会会员、安徽省美术家协会会员、安徽省雕塑艺委会会员、合肥市城市雕塑专家评委。国家三级美术师，持有国家雕塑设计资格证书，编号：0650。现在安徽省合肥市雕塑院从事雕塑设计。1992年，作品《无题》入选首届当代青年雕塑家邀请展；1999年，作品《多雪的冬天一二·九》入选九届全国美展，并获得安徽省二等奖；2000年，作品《打保龄》入选第五届全国体育美展，并获得安徽省第二届体育美展三等奖；2001年，作品《芦荡火种》入选"庆祝中国共产党成立80周年、安徽省美术作品展览"；2002年，作品《舞》入选纪念毛泽东同志《延安文艺座谈会上的讲话》发表60周年全国美术作品展览；2003年，作品《春风》获"中国长兴城市雕塑方案设计大奖赛"三等奖；2003年，参加《公共语言——2003对公共艺术的观察》展览。

耿铁群：中国雕塑学会会员，现任北京敦煌艺术有限公司艺术总监。雕塑作品多次参加海内外展览并获奖，部分作品被国家级博物馆收藏。在北京、陕西、四川、河南、河北等地创作并树立大型城雕和园林雕塑30余座。近年主要作品：1992年，北京东方艺术大厦门前大型花岗岩浮雕《东方瑰宝》；1995年，四川绵阳车站广场大型不锈钢雕塑《鸣》；1998年，创作河北唐山烈士陵园烈士铜像20座；1999年，创作北京怀柔大型标志性不锈钢雕塑《怀柔之光》；

1999年，创作北京长安街城雕《龙》；2000年，创作北京大兴工业开发区大型不锈钢雕塑《冲》；2001年，创作北京怀柔医院不锈钢雕塑《大雁情》和汉白玉雕塑《夏梦》；2001年，《揽月》、《未来》入选第八届首都城市雕塑与公共艺术展；2002年，《编钟》参加“2002中国北京·国际城市雕塑艺术展”；2003年，创作北京大兴区人民医院彩喷雕塑《生命》。

钱绍武：著名雕塑家、画家、书法家，长期从事美术教育和美术理论工作。出生于1928年，江苏无锡人。从1942年起学习传统国画，1947年考入国立北平艺术专科学校（1949年后，改为中央美术学院），1951年毕业后留校任教。1953年去苏联列宾美院学习雕塑，1959年毕业获艺术家称号。回国后，继续在中央美术学院任教。1977年为副教授，1986年为正教授并任雕塑系系主任，1989年离休。曾任国家教委艺术教育委员会委员和北京市人民政府专业顾问。现为中央美院教授、学术委员会常设小组成员。系中国工艺美术学会雕塑专业委员会会长，中国城雕全国艺委会常委，中国美术家协会雕塑委员会委员。

主要作品：《大路歌》，1956；《杜甫》及胸像，1980；《江丰头像》，1984；《闻一多先生像》，1986；《李白纪念碑立像》，1986；《李大钊纪念像》，1991；《阿炳像》，1993；《妈祖像》1994；《曹雪芹》，1995；《炎帝像》，1988–1998；《神农氏巨型头像》，1998；《孔子言志群像》，1999；《孙中山》，1999；《徐悲鸿》，2002。

主要著述：《素描与随想》，1979；《钱绍武素描人体选集》，1986；《钱绍武水墨人体选集》，1999。曾在《美术》、《雕塑》、《美术研究》、《文艺研究》、《光明日报》、《美术交流》等刊物发表艺术评论文章，曾为“电大美学讲座”编写教材《中外著名雕塑作品赏析》。举办过六次绘画、书法个展和联展。

钱步辉：安徽省蚌埠市人，毕业于安徽师范大学美术系，曾于鲁迅美院雕塑系研究生班进修。安徽省城市雕塑评审委员会评委、中国雕塑学会会员，中国工艺美术学会雕塑专业委员会委员，持有全国城雕设计资格证书。作品《凝》入选第二届全国城雕优秀作品展；《唱歌的婆娘们》获首届环境雕塑大赛“槐花奖”；《某年，某月，某日》获第二届中国雕塑艺术节“三等奖”；《国歌》获安s徽省建国50周年美展“三等奖”；另有《奋进》、《戏珠》、《搏》、《寓言故事》、《大禹治水》、《朱然出征》等作品落成在蚌埠、合肥、芜湖、淮南、马鞍山等地。

钱如祥：男，1957年出生，江苏省常熟市人。1973年，师从于常熟木雕老艺人薛子庭（字伯义），深得师父器重。以后又得常熟著名雕刻大师顾金生、葛兰生的精心指教。还多次向苏州刻雕大师陆涵生先生求教，好学之心深得陆先生赞赏。另外通过对苏州园林内的清式家具、古典建筑潜心揣摩研究，学习古人的雕刻技法及花样，并将其应用到自己实践中，力求使自己的作品做到玲珑剔透。90年代开始雕刻黄杨、红木工艺品，同时对竹刻、牙雕进行研究与实践。1995年起着重于紫檀木艺术品制作，由于吸收竹刻、牙雕、国画的营养，避开了呆板俗套的刻法，形成了别具一格、雅俗共赏的紫檀木艺术风格。

2000年，参加中国第六届艺术节红木精品展获优秀奖；2002年，参加苏州市首届能工巧手大奖赛，作品《樵归》获金奖。2002年，参加中国（东阳）国际木雕大奖赛，作品《山里人家》被大赛组委会和东阳市政府收藏。现为中国工艺美术学会雕塑专业委员会会员、江苏省民间文艺家协会会员。

钱樟法：章法陶艺工作室主持，工艺美术师、民间工艺美术师。中国工艺美术学会会员，浙江省工艺美术行业协会会员。1966年，生于浙江长兴。1986年，进修于中国美术学院；2001年，参加《宜兴国际陶艺研讨会展》，《第一届全国陶艺艺术设计展》；2002年，参加《中国十大紫砂茶壶》评选，作品《古源壶》获银奖；2003年，参加“中国·太湖明珠——长兴城市雕塑艺术设计大奖赛”，作品《迎晖》入选。

徐晓虹：合肥市雕塑院院长，安徽省美协理事兼雕塑艺委会常务副会长，中国美术家协会会员，中国工艺美术学会雕塑专业委员会委员，国家二级美术师，持有全国雕塑设计资格证。近年艺术活动：2000年7月，作品《原野》前往入选2000年奥尔堡国际艺术节，被奥尔堡美术馆收藏；2000年8月，木雕《绿野》获首届中国雕刻艺术节三等奖；作品《难忘的瞬间》参加中国美协第十五次新人新作展并获省美展二等奖；2001年，作品《搏击》获新北京、新奥运体育雕塑展公众艺术奖，被中国体育博物馆收藏；2001年，作品参加西湖国际雕塑邀请展，被杭州市政府收藏；2002年，《古都雄风》获中国北京国际城雕艺术展优秀奖；《东方神鸟》获提名奖；2002年，《初春》获第二届中国雕刻艺术届三等奖；2002年，作品获中国（东阳）国际木雕大奖赛二等奖；2003年，应邀为莫桑比克外交部创作系列雕塑《生命之源》。

徐桂鸣：男，1977年出生于福建省福州市。师从省高级工艺美术师俞世英与著名雕塑家王则坚，毕业于福建省工艺美术学院。擅长寿山石高浮雕，善于表现人物与自然生态造型，作品能将古今艺术融一炉，传统与现代技法相结合在寿山石中，使其充分展示出寿山石文化那无穷的魅力。历年来其作品在全国及省内寿山石作品大赛中均获奖项。个人传略及作品先后被辑入《中国国石候选石精品集》、《中国国家级工艺美术大师精品集》、《寿山石赏识系列全书》、《品石明志》、《艺术生活》、《雕塑》、《寿山石大典》、《中国工艺美术大师续集》等辞书与杂志中。现为中国工艺美术学会雕塑专业委员会会员、福建省寿山石文化艺术研究会会员、福州市工艺美术学会会员。2001年11月，《将相和》荣获福建省工艺美术“百花”展一等奖，同年12月，又荣获上海第三届中国工艺精品博览会中国工艺美术银奖。2002年12月，《精忠报国》荣获2002中国华东工艺美术精品奖金奖。

徐国华：男，1959年出生于北京，自幼酷爱绘画。系中国工艺美术学会会员。1998年，中央美院油画系进修班学习；1991年，毕业于中央工艺美术学院装璜系。参加展览：1994年，中国美术馆《徐国华装饰画展》；1996年，中国美术馆《’96中韩漆艺交流北京展》；2001年，作品《扬帆》参加〈〈第五届中国体育美展》；2002年，作品《紫禁城》参加“北京、汉城、香港水彩画联展”；2003年，雕塑作品《双鱼图》等四件作品参加市城雕举办的“融入自然·共享空间”作品展（王府井大街）；2002年，2003年北京海洋馆，作品《远古系列》、《洄游》参加“蓝色空间”主题雕塑展；2003年，作品《双鱼图》、《行进》被北京国际雕塑公园收藏。

姚永康：1942年生，浙江宁波籍，自署土人；1966年就学于景德镇陶瓷学院雕塑专业；1966年—1980年分配工作于景德镇建国厂（惟一柴窑厂）作陶雕与陶艺创作工作；1996年起至今为景德镇陶瓷学院教授；现为景德镇陶瓷学院教授，中国美术家协会会员，高岭陶艺协会会长，国务院批准特殊津贴专家。

夏和兴：1956年生，江苏江阴人，毕业于景德镇陶瓷学院美术系雕塑专业，现任深圳雕塑院副院长。主要作品：《文明》建于江苏江阴市市政广场，参加全国城雕作品文献展，《生命之歌》入选九届美展广东省优秀作品展。《深圳人的一天》大型公共艺术工程总监。《夏娃2000》参加第二回当代青年雕塑家邀请展，青岛雕塑馆收藏。《童年的记忆》铸铁，广州现代艺术博物馆收藏。《洁白的纸》汉白玉，建于深圳青年学院。《杆秤》铜雕，建于深圳老东门步行街。作品发表于《美术观察》、《雕塑》、《江苏画刊》、《艺术界》、《美术界》、《美苑》等刊物。

秦红：女，1990年结业于中国美协城市雕塑研究班。主要作品：《风》（参加1997年中国艺术大展—当代雕塑展）、《留住绿色》（入选九届全国美展）、《无风的日子》（入选首届中国工艺美术学会雕塑专业委员会“槐花奖”环境艺术大赛）、《感性森林》（参加2001年北京新世纪国际妇女艺术展）

顾浩：江苏省扬州市人。1990年9月–1994年7月本科毕业于景德镇陶瓷学院美术系陶瓷雕塑专业获学士学位。2000年9月–2003年7月，研究生毕业于清华大学美术学院雕塑系，获硕士学位。

柳博：中国工艺美术学会雕塑专业委员会会员。19991年毕业于中央美术学院装饰艺术系，现为中央美术学院艺术工程部设计师，北京圣腾博艺环境艺术有限公司负责人。曾为北京阳春光华小区、中国电信大楼、武汉新江汉大学、京珠高速公路、青山绿荫广场、商业街等多处设计制作大型环境雕塑。

贾德淳：1953年出生，辽宁北票人。1979年毕业生于鲁迅美术学院雕塑系，后深造于北京文学语言函授大学中文专业。荣获“两部一会”颁发的《城市雕塑创作设计资格证书》第0299号。朝阳市城市规划院（局）园林设计与城市景观专业高级工程师。系中国美术家协会、雕塑学会、建筑家协会会员，朝阳市语言文字委员会委员、东方雕塑设计研究院法人、董事长。曾参加“毛主席纪念堂”等有关省市的城市雕塑设计。代表作：《愿相会于中华腾飞世界时》（周恩来像）陈列于沈阳“周恩来纪念馆”；城雕《李时珍》建立在朝阳市卫生学校正门广场，获“辽宁省四优工程，优秀雕塑奖”；《赵尚志像》、《宋庆龄像》、《毛泽东像》、《大禹治水》等十几件城雕作品落成在有关省市；20余件作品参加省级展览，曾获一、二、三等奖，优秀奖；部分作品载于《纪念香港回归美术作品选集》（并获优秀雕塑奖）和《鲁迅美术学院雕塑50年》等。曾主持朝阳市新华广场雕塑《凤鸣朝阳》工程，获建设部1987年城市建设成果奖。所撰《朝阳市城市雕塑创作设计与管理办法》、《朝阳市城市风貌特色规划大纲》等已在朝阳市付诸实施。

贾云非：辽宁朝阳人，毕业于朝阳师专艺术系。自幼跟随父亲（贾德淳）等学习绘画和雕塑。代表作有朝阳北塔《大日如来》雕塑（国家级文物保护单位）等；2003年协助父亲等创作《大禹治水》，座落于辽宁大凌河畔；《赵尚志胸像》座落于辽宁朝阳赵尚志纪念馆；2004年与父亲共同创作雕塑《慕容皝》，座落于辽宁朝阳大凌河人工湖“龙城古韵”园。

隋建国：1956年，生于山东青岛，现为中央美术学院雕塑系主任、教授。1984年，毕业于山东艺术学院，获学士学位；1989年，毕业于中央美术学院，获硕士学位。个展：1999年12月，“衣纹研究”，中国北京通道画廊；1997年4月，“世纪的影子——隋建国作品展”，墨尔本维多利亚艺术学院；1996年2月，“隋建国作品展”，中国香港汉雅轩画廊；1994年4月，“记忆空间——隋建国作品展”，中国北京CAFA画廊。曾参加国内外较有影响的联展数10次，1994年获联合国教科文组织颁发的“国际交流基金”，1997年4月获澳大利亚墨尔本大学“亚洲青年学者交流基金”。

曹春生：满族，中共党员，中央美术学院雕塑系教授、硕士研究生导师。中国美术家协会雕塑艺术委员会主任、全国城市雕塑建设指导委员会委员、全国城市雕塑艺术委员会秘书长、中国雕塑学会秘书长、首都城市雕塑建设指导委员会委员、北京市美术家协会理事、北京市人民政府专家顾问。清华大学美术学院客座教授，列宾美术学院名誉教授。获国务院授予国家有突出贡献艺术家称号。1937年生于辽宁沈阳。1957年毕业于中央美术学院附中，同年被保送至中央美术学院雕塑系深造，师从刘开渠、王临乙教授。1959年被选派到前苏联列宾美术学院雕塑系留学，师从著名雕塑家米康阿尼库申教授。1964年回国后任教于中央美术学院雕塑系，曾任雕塑系主任、第二工作室主任。作品多次参加全国性比赛、展览，并屡次获奖。多次赴东南亚、东亚、中东及欧美诸国讲学、举办展览。艺术手法写实，以人物为主，主要作品有《列宁》、《周恩来》、《陈毅》、《蒲松龄》、《谭嗣同》等。

曹学堂：男 1998年 毕业于中央工艺美术学院雕塑系。中国工艺美术学会会员，中国雕塑专业委员会会员。现任教于烟台职业学院。1996年于中国美术馆参加建院四十周年作品展，同年参与香港回归雕塑方案创作。1997年获“97当代艺术设计奖”“平山郁夫二等奖”，并为日本神田明神株式会社制作景观。1998年参与北京东岳庙修复工程。1999年参与建国五十周年大庆彩车设计制作。2000年参与天津世纪柱创作，同年为珠海名人蜡像馆创作蜡像。2001年参加北京《生命·自然·环境主题》国际雕塑展。作品《夏》永久陈列于夏都国际公园。同年参与“天下第一城”神像创作。2002年参加中国第二届雕刻艺术大赛及作品展。

温洋：辽宁大连人。1998年，毕业于鲁迅美术学院雕塑系；2002年，获大连理工大学建筑学硕士。现任大连理工大学建筑与艺术学院艺术系讲师，大连理工大学环境艺术与雕塑研究所所长。系中国工艺美术学会雕塑专业委员会会员，中国雕塑学会会员。长期从事雕塑艺术创作、雕塑理论研究，注重雕塑与建筑、雕塑与景观环境等方面的专题研究。主要作品：《信息时代》、《升》、《金石为开》、《西藏和平解放纪念碑雕塑》等。

黄思众：1975年生于辽宁鞍山市。2000年毕业于鲁迅美术学院雕塑系，获学士学位。现任鞍山师范学院艺术系教师。1998年，作品素描双人体《画室一角》被收入画集《名家素描艺术》。2002年，评论文章《诗中有画 画中有诗》发表在《华龄》杂志。2002年评论文章《西方现代雕塑的开山之作》发表在《辽宁日报》。2003年，创作浮雕作品《青春与理想》、《勤奋与贡献》、《博学与创新》、《交流与创新》、《交流与开放》竖立于鞍山师范学院正门前并发表在《美术大观》杂志。2003年，主创大型浮雕《千山风光》竖立于鞍山市国际会展中心。

黄胜：1969年生于江西上饶，1993年毕业于景德镇陶瓷学院雕塑专业并留校任教。2001年就读于中央美术学院雕塑系同等学历研究生班。现任《中国陶艺》杂志责任编辑。1997年，作品《海碗》入选中国当代陶艺世界巡回展；1999年，参加韩国利川首届国际陶艺家作品邀请展；2000年，作品《女孩》获第五届亚洲工艺展二等奖；编著《陶艺技法》，由江西美术出版社出版；2001年，陶艺作品专集由江苏美术出版社出版；2002年，作品《海神》获中国青岛金沙滩国际沙雕艺术大赛一等奖；作品《姐姐》获中国雕刻艺术界雕刻大奖赛二等奖。

黄邦雄：1957年生，湖北人。1984年毕业于湖北美术学院雕塑系并留校任教，现为中国美术家协会会员、中国雕塑学会会员、中国美术家协会湖北分会雕塑艺术委员会委员、湖北美院雕塑系副教授。雕塑作品多次参选国内展览，主要有：1984年，《陆羽》获湖北省大学生科技成果一等奖；1985年，《翔》参加全国第一届体育美展；1986年，《过去 · 现在 · 未来》参加北京国际和平年美展；1987年，《曙光》获全国建军节美展佳作奖；1989年，《聚汇》获全国第七届美展优秀奖1994年，《补天》获全国第八届美展优秀奖；1994年，《董必武》（合作）参加全国第二届城雕美展；1997年，《生命的节奏》参加全国第四届体育美展2000年，《时空之迷》参加长春国际雕塑邀请展；2000年，《寒江独钓》获石家庄国际石雕艺术邀请展优秀作品奖；2001年，《共舞》参加全国第五届体育美展；2002年，《城市的眼睛》参加北京国际城市雕塑艺术展。

程允贤：1928年9月出生于江西南昌，1949年毕业于国立湖北师范学院中文系，1952年肄业于中央美术学院雕塑系，现任中国人民革命军事博物馆雕塑研究室主任。系一级美术师，中国文联全国委员，原中国美术家协会副主席，中国雕塑学会会长。1991年，被评为有突出贡献的专家。从艺五十年来，主要致力于肖像和纪念碑雕塑的创作与研究。有一百余座古今中外著名人物和普通群众的青铜或大理石雕像兼及其它雕塑作品问世。国内三十多个城市和港台地区以及日本、新加坡、德国、泰国、美国、朝鲜、汤加等国家均有其作品。在历届全国重要美术作品展览中多次获奖或担任评委。1997年，举办《程允贤肖像雕塑艺术展》，展出作品一百余件。1998年，将其主要作品一百件，捐赠中国人民革命军事博物馆正式收藏，设置《程允贤雕塑艺术馆》，长期陈列。著作有《程允贤雕塑作品选》、《程允贤肖像雕塑艺术》、《程允贤肖像雕塑选》、《美国的城市雕塑》等。

蒋宗化：中国工艺美术学会雕塑专业委员会会员，中国美术家协会广西分会会员。长期从事雕塑及环境艺术研究创作。曾赴美、法、德、意大利、希腊等国，考察、学习、访问。作品多次在国内外展出、发表。部分石雕作品被我台湾地区和美国、日本、韩国、新加坡等海内外人士收藏。

覃继刚：广西柳州市人。1987年7月毕业于广西艺术学院美术系雕塑专业，获学士学位。1992年9月，东渡日本留学深造；1997年3月，毕业于日本爱知艺术大学研究生院，获雕塑艺术硕士学位。1998年8月归国，现任教于广西艺术学院美术系。2002年10月，木雕《木韵》入选“2002中国（东阳）国际木雕艺术展”；2002年6月，陶艺《记意》入选佛山国际陶艺邀请展；2000年8月，木雕《生命的律动》参加福建惠安中国雕刻艺术节。参加展览：1997年5月，“第二十五回青炎美术展”（名古屋市博物馆）；1997年2月，“二人展”（名古屋市坂角画廊）；1996年11月，“'96在日外国人艺术作品展”（名古屋市博物馆）；1996年4月，“二人展”（名古屋市博物馆）；1996年3月，“第四十五回丰田美术展”（丰田市民会馆）；1995年11月，“'95在日外国人艺术品作品展”（名古屋国际中心）；1995年8月，“游——中国青年艺术家三人展”（名古屋市民画廊）；1994年11月，“留学生作品展”（爱知艺术大学美术馆）；1990年9月，“第二届中国体育美展”（北京）。

董书兵：1968年10月生于新疆。1989年7月毕业于西安美术学院附中。1993年7月毕业于中央工艺美术学院装饰艺术系雕塑专业。1993年8月留校任教，现为清华大学美术学院雕塑系讲师。中国雕塑学会会员、中国工艺美术学会雕塑专业委员会会员、城市雕塑创作设计资格证书持有者。

殷小烽：长春市人，毕业于鲁迅美术学院雕塑系，现为东北师范大学美术学院雕塑系主任、副教授，吉林省美术家协会雕塑艺术委员会主任。系中国美术家协会会员，中国雕塑学会会员，中国工艺美术学会雕塑专业委员会会员。作品曾多次参加国内外展览并获奖，主要有：1989年，《通古斯》石雕获第七届全国美展银奖；1990年，《墙》参加全国第二届体育美展；1993年，《童年回忆》参加全国第三届体育美展；1996年，《守望者》获美国亚太文化艺术展金奖；2003年，参与策划"2003中国长春国际雕塑大会"。

蒲果：1960年1月出生。1989年，四川美术学院雕塑系毕业。参加的展览：1989年，"四十周年国庆美展"（四川）；1991年，"建党七十周年"作品展（四川）。1993年，加入四川省美术家协会；1995年，创办四川琅琴城市环境艺术工程公司；1999年，昆明"世博会"四川馆环境设计获银奖；1999年，赴欧洲八国考察城市环境建设；2000年，西南财大文体雕塑《聚·散》（合作）；2000年，参加"2000年中国雕塑论坛"（惠安）。

熊秉明：1922年生于南京。1932年，随父亲——中国现代数学大师熊庆来赴法国接受西方教育两年。1947年考取公费留法，于巴黎大学哲学系攻读博士学位。1948年转雕刻，进入巴黎高等美术学校索比克教授石雕教室，进入茹里安画院纪蒙工作室。1952年参加法兰西艺术家沙龙，作品《少女体》获铜质奖，《王纪音像》获艺术家之友奖。同年参加"无名政治犯纪念碑"国际设计征选。1961年在苏黎世大学教授中国哲学。1962年受聘于巴黎东方语言学校，获Browm大学Hoard奖金，《立马》铜像送雕塑沙龙，获胥斯年奖。作品《运行水牛》获沙龙年奖。1981年被推选为巴黎第三东方语言文化学院中文系系主任兼任法国中国书法协会主席。1983年获法国教育部棕榈骑士勋章。1984年法国教育部任命为大学教授，《关于罗丹——日记择抄》获台湾中国时报散文奖，出版《张旭与狂草》（法文，编入法兰士高等汉学研究所藏书）。1985年出版《中国文化核心的核心》的观点，并以书法构架解析中国书法，给中国的艺术界、艺术理论界的研究提供了一个新方式。1986年出版《诗三篇》。1987年在昆明举办《回归的塑造》展览。1988年焊铁《鹤》被选入汉城奥运会雕刻公园长期陈列。1994年在新加坡斯民画廊与吴冠中、朱德群合展。1999年"熊秉明的艺术——运行与回旭"展览在台北历史博物馆、高雄山美术馆、北京中国美术馆、上海美术馆、昆明市博物馆展出。同年，出版《熊秉明文集》（4卷本）等等。2002年12月14日辞世。

潘鹤：1925年生于广东省广州市。致力美术事业至今64年，现为广州美术学院雕塑系终身教授，武汉大学、清华大学、汕头大学客座教授，中国美术家协会常务理事，全国城市雕塑艺委会副主任。其作品《艰苦岁月》被编入中小学美术教材及各种百年美术史著。已建立的长期性大型户外雕塑作品一百余座，分布于国内60多个大中城市及国外城市广场，如深圳的《开荒牛》、珠海的《珠海渔女》、克拉玛依的《水来了》，以及日本长崎国际和平象征区的《和平少女》石像（合作）等。广东省政府为其建立"潘鹤雕塑园"。年轻时曾被国务院人事部授予"国家级中青年有突出贡献专家"称号，全国总工会授予国家级"五一"劳动奖章。其艺术成就载入前苏联国家科学院、美术院编撰出版的《世界美术史》及中国出版的《中国美术史》。

潘更迪：1970年生于浙江。现为中国雕塑学会会员、中国工艺美术学会雕塑专业委员会会员、广东省美术家协会会员、中国文化艺术促进会会员。2001年5月，参加《新北京、新奥运——体育雕塑展》荣获公众艺术奖，由中国体育博物馆收藏；2001年7月，参加《庆祝中国共产党80周年广东省美术作品展》；2001年6月，参加者《第十五次新人新作展》；2002年，参加《毛泽东在延安文艺座谈会上的讲话发表60周年展》；2002年，参加《第五届广东省体育美展》；2002年，参加《融入自然　共享空间　雕塑生命——2003环保雕塑展》；2003年，参加《珍爱家园雕塑作品展》；2003年，参加，《广东国际雕博览会》。

潘绍棠：号荫远，字布南，1929年1月1日生于河北省唐山。1948年考入徐悲鸿任校长的国立北平艺术专科学校陶瓷系，1952年毕业于中央美术学院雕塑系并留校任助教。师从滑田友、曾竹韶、王朝闻、蒋兆和、冯法祀、李瑞年等教授。1952至1961年任雕塑系秘书，苏联专家办公室秘书，系党支部书记。1961年春调哈尔滨艺术学院美术系雕塑专业任教。1983年调广州美术学院任雕塑系副主任，学报常务主编。1984年《先驱者》（二稿）参加北京全国美展。雕塑《民族英雄李兆林将军》1984年参加全国城雕首届设计展。在《美术观察》、《美术》、《雕塑》等书刊曾发表专业论文百余篇。其中《艺术家与经济人》一文获文化部“华冠杯”优秀论文奖。所编《世界雕塑全集》获黄河流域金牛奖一等奖。专著有《景观雕塑》、《怎样做雕塑》（合作）、《瓷塑》等五部著作。系中国美术家协会会员、中国雕塑学会会员、中国雕塑壁画艺委会委员、中国工艺美术学会雕塑专业委员会副会长。1993年参与创办岭南美术专修学院，任教授、副院长、董事至今。

霍波洋：现为中国美术家协会雕塑艺术委员会委员、辽宁省美术家协会副主席、辽宁省城市雕塑指导委员会委员、沈阳市城市雕塑指导委员会委员、鲁迅美术学院学术委员会委员、鲁迅美术学院雕塑系教授、系主任。1956年，生于中国沈阳；1982年，毕业于鲁迅美术学院雕塑系，获学士学位；1987年，毕业于鲁迅美术学院雕塑系，获硕士学位，留校任教；1997年，任教于韩国圆光大学雕塑系为期一年。个人作品展：1998年2月，东州画廊；1998年4月，鲁迅美术学院美术馆；1998年6月，凯杰艺术沙龙。

霍守义：1962年生于吉林省辽源市。1983年入鲁迅美术学院雕塑系。2001年6月完成大连“海岸行动”个人行为艺术；2001年9月入中央美院雕塑系研究生同等学历班；2002年6月参加中央美院青年雕塑艺术家展；2002年6月作品《凝》在纪念在延安文艺座谈会上的讲话发表60周年全国美术作品展获铜奖；2002年7月参加“与奴隶有关”展；2002年10月参加长春现代艺术展；2002年7月参加中韩雕塑交流展；2002年7月参加韩国国际雕塑展；2003年8月赴韩国参加韩中雕塑交流展；2003年9月应邀参加长春国际雕塑大会，作品《蛋系列之二》、《憩》入选2003 中国长春国际雕塑大会作品艺术展；2003年11月作品《蛋系列之银色的梦》获吉林省青年美展一等奖。

薛林兴：1951年，在青岛出生。1982年，中国东北师范大学美术系毕业，获学士学位。1987年，国画《女娲》获首届全国建材行业美术展金奖；1989年，加入北京卿云诗书画联谊社；1991年，《薛林兴画集》出版；1991年，日本国各大城市巡回画展；1993年，《薛林兴画展》第三次东京国际艺术展；1994年，《中国美人画巨匠——薛林兴画展》（东京大丸），第四次薛林兴作品专辑出版；创建北京林兴美术学院，任院长；1999年，作品《奔月》获联合国“世界和平美术大展大奖”，作品《安南》获联合国“世界名人最高奖”；2000年，作品《东方美神》获联合国秘书长安南签授的“世界和平美术大奖”；2001年，创建北京京文画院，任院长；2003年，城市雕塑《银杏仙子》制作完成。系中国人民政治协商会议北京昌平区第二届委员、国家一级美术师、中国仕女画研究会副会长、联合国世界和平教育者国际协会理事、联合国世界和平教育者国际协会艺术委员会亚洲区责任评委。

薛中：1968年出生于武汉。1986年考入中国美术学院雕塑系；1987年公派留学前苏联。1988年入莫斯科国立苏里科夫美术学院学习雕塑。1990年入邦达连柯工作室。1994年毕业回国，任教于中国美术学院。参加展览：2000年第二回中国青年雕塑家邀请展；2002年北京国际城市雕塑展；2003年第二回中国美院雕塑系教师联展；2003年上海国际雕塑与环境艺术展；2003年北京环保雕塑作品展；2003年上海《公共空间中的对话》艺术作品展；2003年杭州白塔岭《系》当代艺术展。

十三、机构概览

机构概览

上海大学美术学院

地址：上海市凯旋路30号
邮编：200042
传真：021－62112493

该院创建于1922年，初设美术科，后改美术系，1985年上海大学重建，并成立美术学院。教学目的是培养德、智、体全面发展的美术设计、中国画、油画、与雕塑专业的创作、设计、研究和教学的高级人才。现设有美术设计系、国画系、油画系和雕塑系，附设大专部、美术创作研究所和陶瓷美术研究所。

吉林艺术学院

地址：吉林省长春市自由大路9号
邮编：130021
传真：0431—5643220

该院前身为吉林艺术专科学校，设有音乐、美术、话剧舞蹈三个系，1978年改为吉林艺术学院。美术系设有中国画、油画、版画、雕塑、染织、装潢、工艺美术、美术师范等专业。学校附设民间工艺美术研究室和高等教育室。

广西艺术学院

地址：广西壮族自治区南宁市教育路7号
邮编：530022
传真：0771—5333117

该院前身为1958年9月创建的广西艺术专科学校。学院现设有音乐系、美术系（包括中国画、油画、版画、雕塑、染织美术、装潢美术专业），附中部和民族艺术研究室。美术系于1980年开始招收中国山水、花鸟画和油画专业研究生。

山东艺术学院

地址：山东省济南市文化路
邮编：250014

1958年创建，前身为山东艺术专科学校，由山东师范学院艺术专修科与山东省群众文化艺术干部学校合并组成。初设音乐、美术、戏剧、艺术师范四个专修科，附设中专舞蹈专业和电影训练班。1964年7月改为中专，更名山东省艺术学校，设有音乐、美术、戏剧三科。“文革”期间与山东省戏曲学校合并，成立山东省“五·七”艺术学校。1979年3月改为山东艺术学院，旨在为本省培养德智体全面发展的，能适应社会需要的各类艺术人材，以及中等学校艺术师资。现设有音乐、美术、艺术师范、戏剧、美术设计五个系。美术系设有中国画、油画、版画、雕塑专业；美术设计系设有商业美术、环境艺术专业。另建有艺术研究所，分设民间美术研究室、现代艺术研究室、中国绘画研究室。1981年12月创办学报《齐鲁艺苑》。现有教师236人，其中教授28名，副教授62名，讲师69名。创办迄今已培养学生3000人。1979年以来历任院长冯毅之、高九、李健葆，名誉院长于希宁。

山东工艺美术学院

地址：山东省济南市千佛山东路23号
邮编：250014

山东工艺美术学院(大学)创建于1982年，是经国家教育部批准的全日制本科高等学校，也是全国迄今唯一省属工艺美术学院。学院设有染织艺术设计、服装艺术设计、装潢艺术设计、工业设计、装饰艺术设计、环境艺术设计六个专业。1999将调整为艺术设计、工业设计、服装设计与工程、绘画设计、雕塑设计、艺术设计学六个专业。装潢艺术设计专业是山东高校省级重点学科。学院设有政治、德育、文学、外语、史论、体育等共同课程。

香港艺术中心艺术学院

香港艺术中心于1977年根据香港艺术中心条例成立，是一个自负盈亏的法定艺术团体。多年以来，香港艺术中心一直锐意提升香港的国际地位及推广当代艺术和艺术教育。我们主要透过两方面的工作，致力培育创意和艺术欣赏：透过展演、文化交流和社区活动，推广当代表演、视觉和电影录像艺术；提供多元化、终身和全方位的文化艺术教育课程，并提供学术进升的阶梯。艺术教育方面的活动，由艺术中心的艺术学院筹办，学院的成立，标志着艺术中心对推动本港及邻近地区，以视觉及应用艺术为主的专业及普及艺术教育的承担。学院课程范畴包括艺术、应用艺术、媒体艺术、艺术教育及艺术行政，程度由基础证书、文凭、高级文凭、学士学位、专业证书、专业文凭、以至硕士学位，课程设有全日及兼读制。此外，学院为在职教师及艺术工作者提供专业培训课程，同时也为大众提供文化与艺术的终身学习机会，开办多样化的短期课程，适合所有三岁或以上人士报读。短期课程除包括以上提及的视觉及应用艺术范畴外，更包括人文学科、表演艺术及文学。艺术学院亦积极举办学校合作计划，协助设计并教授高中之艺术教育课程，以及为中、小学提供与艺术相关之课外活动，推动本港艺术教育之发展。 艺术学院拥有完善而严格学术质素保证之监管机制，由艺术学院督导委员会及学术委员会负责监管，同时并设有顾问机制，向学院以至各学术范畴及学科等提出意见及指正，从而确保学院之课程拥有最高之质素，并且能对本港之艺术教育发展起着积极作用。

台湾艺术专科学校

地址：台北市桥市大观路一段59号

该校分设美工科、美术科、雕塑科。美术科为三年专科，1962年成立，分国画、西画二组，以培养美术创作人员为首要目标，采用分组小班制教学，图画组兼习西画课程，西画组兼习国画的基本技法与理论。并特别开设书画装饰、传统中国书画裱褙之技艺。

台湾艺术学院

地址：台北市芦洲乡中正路172号

该院于1979年筹备，1982年7月1日正式成立并招生。现设音乐、美术、戏剧、舞蹈四系。美术系以整理、发扬、开创现代中国美术为宗旨，课程设置时文、史、哲并重，一、二年级为基本训练课程，不分组，进入三年级时，学生必须从水墨、雕塑、油画、理论四组中择定主修，同时在四组及版画中选一项作辅修。

南京大学雕塑艺术研究所

地址：南京汉口路22号南京大学雕塑艺术研究所
邮编：210093
电话：025—83596634
传真：025—83597313

南京大学雕塑艺术研究所立足于对东西方雕塑文化的全面观照，确立了雕塑史论研究、肖像雕塑研究与创作、环境雕塑与设计、宗教雕塑研究的科研方向，旨在雕塑艺术领域的多层面进行探讨、研究与发掘，是一个集雕塑创作、文化交流与艺术教育等多方面功能为一体的高起点、高水平的综合性科研机构。研究所有着良好的科研、创作基础。在肖像雕塑的研究与创作方面，正在陆续完成的中国历史文化名人系列雕塑在学术界引起广泛注。研究所所长、国际著名雕塑艺术家吴为山教授2003年被吸收为英国皇家雕塑家协会会员。在环境雕塑与设计方面，研究所着眼于“艺术精神指向与自然谐和”方面的研究，在吸收中国古代优良传统与借鉴西方现代雕塑的基础上，创出了一条新路子。研究所拥有美术学硕士点，招收雕塑专业硕士研究生，并依托于宗教学硕士点，培养宗教艺术、宗教雕塑创作与研究方向的硕士研究生，并接纳雕塑方面的高级进修生；还不拘一格，吸收一些具有传统技艺的民间艺人来所进行短期工作；邀请世界各国有影响的雕塑家进行短期的访问交流。英国皇家肖像雕塑家协会主席安东尼·司顿斯、雕塑家熊秉明、文楼、程允贤等均来所进行学术活动并被聘为荣誉教授或兼职教授。在文化传播与艺术交流方面，研究所自创建以来已先后接纳过来自法、荷、美、韩、日、比利时等多个国家及地区学者、艺术家的参观访问，为减少东西方文化的隔膜作出了应有的贡献。2001年，澳门理工学院设立“吴为山教授雕塑工作室”，使本所在海外交流又增添了一个学术窗口。研究所与哲学系合办的博士论坛已有数十期，在学术界产生了广泛影响。创建于1998年的南京大学雕塑艺术研究所是南京大学新办并重点建设的科研机构之一，它正以其旺盛的生命力，吸收各种文化的养料，健康成长。

北京市城市雕塑建设管理办公室

地址：中国北京市西城区南礼士路头条三号
邮编：100045
电话：010-68040028　010-68040892
传真：010-68010040
邮箱：ds@bjsculpture.org
网站：web@bjsculpture.org
负责人：于化云

北京城市雕塑建设管理办公室隶属首都规划建设委员会办公室、北京市规划委员会。

城雕办职责和任务。1、职责：(1)落实首都规划建设委员会办公室、首都城市雕塑艺术委员会编制的《北京城市雕塑建设规划纲要》；(2)制定北京城市雕塑远期、近期发展计划；(3)参与组织大型工程的城市雕塑招标、投标工作；(4)开展城市雕塑建设方面的研究工作；(5)负责北京市城市雕塑设计、加工单位的资质审查；(6)组织协调北京市雕塑项目的建设管理工作，组织雕塑艺术、工程质量的审查和监督、鉴定、验收工作；(7)负责城市雕塑的宣传、咨询服务工作，加强与各区县宣传部门、职能部门及雕塑设计制作单位雕塑家的联系；(8)承办北京市规划委员会及有关上级部门交办的其它事项。2、任务：负责在京的重大题材、重点地区城市雕塑建设项目的审批和城市雕塑工程备案工作；协调城市雕塑建设选址、审定制作加工单位、监督工程制作质量及竣工验收等工作。

中国工艺美术学会

地址：北京阜外大街乙22号

邮编：100833

理事长：傅立民

中国工艺美术学会系中国科学技术协会的一级学会，是经民政部注册登记的社会组织。1965年9月经中国科协主席团同意组建，因遇文革而中断，于1979年8月召开第二届全国会员代表大会，正式成立，徐运北任理事长，李庆先、李绵璐任秘书长。2001年5月召开第三届全国会员代表大会，选举产生了第三届理事会，当选理事160名；常务理事42名。原中国轻工总会副会长傅立民先生当选为理事长，陈兴国先生为副理事长兼秘书长。

中国雕塑学会

地址：北京德胜门内大街174号

邮编：100035

会长：程允贤

中国雕塑学会成立于1992年5月，首任会长是雕塑大师刘开渠先生(已故)。秘书长曹春生教授。理事会设立常务理事会。宗旨：团结全国雕塑家，为繁荣雕塑创作，加强学术研究，促进对外艺术交流艺，为提高我国雕塑艺术水平做贡献。

中国工艺美术学会雕塑专业委员会

地址：北京市朝阳区劲松嘉园A座506

邮编：100021

中国工艺美术学会雕塑专业委员会，是全国性专业团体组织，成立于1991年3月20日，本会荟萃了全国著名的雕塑艺术家、工艺美术大师以及大批后起之秀， 是党和政府联系国内外雕塑工作者的组带及发展中国民族雕塑事业的助手，是雕塑艺术工作者之家。编辑出版内部刊物《雕塑世界》报（逢单月出版）与雕塑家和社会相联系。

第二届雕塑专业委员会机构主要成员

名誉会长：张仃　　吴良镛　　曾竹韶

会长：钱绍武

常务会长：范伟民

分管副会长：赵萌

秘书长：朱尚熹

中国美术家协会雕塑艺术委员会

会长：盛杨

秘书长：邹文

电话：13901193661　　010-65128584

传真：65852828

地址：北京市东三环北路34号清华大学美术学院

邮编：100020

邮箱：wenden@263.com.cn

《雕塑》杂志社

社长：范伟民

主编：陶如让

编辑部：北京市朝阳区东三环中路34号(清华大学美术学院内)

邮编：100200

电话：86-10-65619704　87779476

广告发行部：北京市朝阳区劲松嘉园A座506室

电话：86-10-67749920

传真：86-10-67709380

邮编：100021

《雕塑》杂志社是中国乃至亚洲地区唯一研究、探讨雕塑及公共环境艺术思想理论的专业媒体。《雕塑》杂志是第二届国家期刊奖百种重点期刊，是发表学术思想、艺术评论、介绍学术动态和国内外雕塑艺术作品的专业学术刊物，它集学术性、艺术性、前瞻性、新闻性于一体。1995年创刊，为季刊，2004年正式改为双月刊。大16开本，64页，彩色精印，书脊订装，具有极高的艺术研究价值和收藏价值。对于关心雕塑事业的社会各界人士，研究、探讨雕塑专业理论，提高艺术水平，了解雕塑动态大有裨益。目前主要设有：理论研究、公共艺术、教学平台、域外视野、现代陶艺、宗教艺术、探索空间、艺术家工作室、新锐聚焦、展览展示等栏目。它关注国内外雕塑动态，服务于中国的雕塑事业，将古今中外的艺术家、艺术作品及各种艺术现象直行全面、深入、系统地介绍和宣传，力争为当代雕塑事业的发展与促进做贡献 。

中国雕塑平台网

网址：www.dspt.com.cn

中国雕塑平台网2000年1月设立，由中国《雕塑》杂志社主办，北京蓝图艺术设计公司承办。网站随时发布雕塑艺术信息，构建业内互动关系，打造艺术精品市场，探讨热点、难点问题，为社会各界提供一个全新的艺术空间——精神家园。目前设有：正品画廊、艺术资讯、艺术家、《雕塑》杂志、陶人坊、艺术交流、用心看雕塑、跟我学雕塑、雕塑企业榜、雕塑论坛、雕塑专业委员会、维权论坛等栏目。

程允贤雕塑艺术馆

“程允贤雕塑艺术馆”是中国人民革命军事博物馆正式陈列的内容之一。国家级博物馆为艺术家设立个人作品艺术馆对我国雕塑艺术的发展将产生深远的影响。该馆收藏展示了程允贤教授从艺至今各个时期的代表作品一百余件。长期以来，程允贤教授主要致力于肖像和纪念碑雕塑的创作与研究，国内近四十个城市和港台地区及日本、新加坡、德国、泰国、美国、朝鲜、汤加等国家和地区均有其作品。《程允贤雕塑艺术馆》陈列的作品主要是老一辈革命家、共和国元帅和古今中外人物著名人物的肖像兼及其它作品，展示了程允贤半个世纪以来雕塑艺术创作的丰硕成果，为我国肖像雕塑艺术的学术发展作出了贡献。

潘鹤雕塑园

“潘鹤雕塑园”建立在广东美术馆内庭园，占地约1000平方米，共收藏了著名雕塑家潘鹤教授的代表作品19余件。目前，国内由省级以上专业美术馆为雕塑家建立个人展馆尚属首例，此举为现当代中国雕塑艺术的研究和雕塑精品的收藏开拓了新途。潘鹤雕塑园收藏、展览的19件作品，包括了潘鹤教授20世纪40年代至90年代的主要作品，其中有《艰苦岁月》、《开荒牛》等在国内具有广泛影响的精品力作。广东美术馆还将在园内继续收藏、展览潘鹤教授21世纪的新作。此外，广州市政府还在市内为潘鹤教授建立了一个占地5亩、陈列作品150余件的大型“潘鹤雕塑园”。

叶毓山雕塑馆

“叶毓山雕塑馆”是国内雕塑家建立的第一个私人雕塑艺术专业美术馆，坐落于四川省成都市南郊牧马山，占地约30亩。雕塑馆周围环境幽雅宁静，白河环绕而过，长绿灌木、乔木覆盖大地，呈现一派清新怡人的景象，是艺术欣赏和艺术创作的理想场所。雕塑馆内建有雕塑艺术陈列室、雕塑家设计工作室、雕塑放大工作室和雕塑制作室等，总面积达3800平方米。馆内陈列了著名雕塑家叶毓山教授数十年来创作的雕塑精品40余件，其中有国内知名的《李白》、《杜甫》、《八仙》和上海龙华烈士陵园的主题雕塑《独立、民主》、《解放、建设》等精品力作。

无锡钱绍武雕塑艺术研究院

2002年成立。主要从事中西文化（美术）各自特色的研究，在交流中发展中国的艺术，从事钱绍武先生艺术理论、教育经验、实践创作经验的总结和整理，从事雕塑艺术理论的研究和实践创作。创作了无锡东林八贤大型群雕、苏州胥门伍子胥纪念像及大型浮雕墙、伍子胥胸像、苏州古护城河南区群雕，进行了无锡锡山区公园及崇安区改造二泉广场等雕塑群的设计，创作了焦墨画系列《太湖揽月》、《泰山松月》、《荷塘冷月》、《雪梅》等。钱氏陆续在凤凰电视台谈中国雕塑，在现代文学馆讲授艺术原理，在国防大学讲授书法，在苏州大学苏州电视台畅谈艺术原理及书法。《书法》杂志发表《书法五要素》文稿，中央电视台第十套节目播出凤凰台录制的《中国雕塑》专题片。

中国美术家协会韩美林工作室

中国美术家协会韩美林工作室成立于1989年，她是中国美术家协会属下唯一的、以美术家个人命名的工作室。她的意义是在新形势下，以美术家工作为建制向市场开拓的一种尝试。

在大型城市雕塑方面，韩美林工作室先后为大连、济南、鞍山、山东、深圳、昆明、安徽、浙江等地创作了十余件巨型城市雕塑。1989年为大连老虎滩公园创作的雕塑《群虎》，全长42米，高7米，由六只花岗岩雕成老虎组合，参差排列、气势恢宏。济南的《天下第一牛》、《翔凤和鸣》、《双虎》，山东淄博的《金鸡报晓》，深圳蛇口的《盖世金牛》，昆明市的《天马腾飞》、美国亚特兰大的《五龙钟塔》，日本真冈市市树市花雕塑，此外，用了2年多时间完成的深圳龙岗巨型雕塑《瑞福祥臻》，得到朱榕基总理的高度评价，称赞“这是一个伟大的工程”，是“艺术高科技”。

合肥市雕塑院

院长：徐晓虹

地址：合肥市寿春路20号合肥市雕塑院

电话：0551—2678637　13905603062

邮箱：xxh3062@163.com

邮编：230001

合肥市雕塑院（原合肥市雕塑规划领导小组）成立于1982年，是应国务院将合肥市列为全国四个重点雕塑试点城市之一时成立的雕塑创作专业单位。城市雕塑代表作品有：合肥市环城公园动物雕塑、花园街系列现代雕塑、南淝河系列雕塑、《包公》铜像、和平广场巨型铜浮雕、淮河路系列雕塑；北京人民大会堂浮雕《文房四宝图》、铜浮雕《徽乡之光》；常熟市系列雕塑；泾县“皖南事变”烈士纪念群雕系列；莫桑比克外交部大楼铸铜圆雕《生命之源》、锻铜浮雕《智慧之光》等百件作品。该院在从事城雕创作的同时，积极参加与国内外专业美展创作，有数十件作品入选、获奖。作品入选丹麦奥尔堡国际艺术节、比利时当代雕塑作品展等。

浙江省长兴书画雕塑院

地址：浙江省长兴县县前街文联大楼

邮编：313100

院长：杜使恩

副院长：谢工

电话：0572—6029005　6031005

浙江省长兴书画雕塑院地处我国长江三角洲中心的太湖之滨，是专业从事创作、研究、制作、展示各类雕塑艺术品的文化商务机构。本院下设天工雕塑创作展示中心、天工雕塑中介中心等经营实体。近年来，本院以成熟的管理机制和经营模式，依托国家级权威机构和专业院校以及国内著名雕塑界人士，先后为全国各地设计、制作了具有较高艺术水准的各类城市雕塑及景观雕塑，并承办了“2003中国·长兴——太湖明珠城市雕塑设计大奖赛”，受到国内外雕塑界人士的瞩目。本院目前主要开发经营名家室内艺术雕塑、名家人物肖像雕塑。市场网点遍布，并长期诚邀合作经营者。

山东省建设厅城市建设处

地址：济南市经五小纬四路 46 号

邮编：250001

总机：0531-7935511-6

职责：拟定全省城市建设和市政公用事业发展战略、规划和规章制度；指导全省城市供水、节水、燃气、热力、市政设施、公共客运、城市雕塑、园林、市容和环卫工作；指导城市规划区的绿化工作；负责对国家和省重点风景名胜区及其规划的审查报批和保护监督工作；指导城市规划区内生物多样性工作；指导城市规划区内地下水的开发利用与保护；指导城市市容环境治理和城建监察。

郑州市环境雕塑建设研究所

地址：郑州市西环中段1号

邮编：450007

电话：0371—7615588

郑州市环境雕塑建设研究所坐落于风景秀丽的郑州市西流源畔，占地近十亩，拥有2368m²综合科研及365m²的现代化雕塑放大实验车间，具有建设部、文化部颁发的全国城市雕塑设计实施资格证书，是中原地区最大规模集科研创作、产业推广为一体的现代化城市雕塑建设专业机构。经过20年的发展，该所汇集了一大批高素质的专业技术人才和管理人才。在郑州市黄河游览区、嵩山风景名胜区、107国道、及各公园、广场等市政公益环境创作实施雕塑、园林小品五十余项百余件，曾成功举办了郑州市世纪广场“跨世纪标志性雕塑”在全国范围的征集活动。

成都兴骋达环境艺术有限公司

地址：成都市武侯大道三河段49号

电话：028-85032741

邮编：610043

成都兴骋达环境艺术有限公司位于成都市武侯区

机场路旁，占地5000余平方米。公司以现代企业体系动作，整合文史、建筑、园林、艺术、环境等各方面专家，以探索新的设计理念、精湛的施工制作工艺，在业内率先通过ISO9001：2000国际质量管理体系认证。综合实力堪称同领域中的佼佼者。其设计、制作的成都市三环路苏坡立交桥《川剧长廊》文化工程、成都市红星路《盛唐锦城十二市》、成都市火车南站斜拉桥《徽记》、贵阳南明河1500多平方米大型浮雕、上海宝钢《飞飚》、山西永济市《中国优秀旅游城市标志》等工程均得各方赞誉。该公司将以跨学科、综合型的人才优势，诚实守信的态度与各界竭诚合作，向社会提供满意的环境精品工程。

南海市桂城美艺环境有限公司

地址：广东佛山市惠景二街12号202室
邮编：528000
电话：0757－83819041

南海市桂城美艺环境有限公司，是一家拥有高素质、高水平的专业设计人员及工程设术队伍的企业。承接大型城市雕塑设计并制作环境艺术设计园林绿化、喷泉、灯箱、霓虹灯、招牌广告等，并提供策划、安装、维护一条龙服务。该公司在2001年1月为南海黄岐沙面新城设计制作园建、雕塑、喷泉、假山等获三大奖项：（1）第二届“东方园林”杯金园优秀社区环境奖；（2）最佳小区总体规划大奖；（3）三大康居明星楼盘奖。2001年，为南海大沥前沿酒城施工制作大型雕塑；2002年，为南海新荔湾设计不锈钢雕塑、喷泉、假山等……设计美国关岛希尔顿大酒店室内装修；2003年，为新疆体育馆设计制作不锈钢雕塑。几年来，一贯以“以诚待人、力求完美”超前的精神，及独具一格，富有创意的设计理念，精湛的制作工艺，合理的价格，赢得了国内外人士的信誉和好评。

南昌铜工艺品厂

地址：南昌市迎宾大道458号
电话：0971－5260274
传真：0951－5260284
联系人：罗先生

南昌铜工艺品厂是以生产城市雕塑、仿古青铜器、宗教用品、民族铜制品，并集贴金工艺于一体的铜工艺品专业厂家。产品在全国及东南亚已具一定的声誉，并以技艺精湛、工艺先进、形象逼真、质量好、品种多受到各地区各民族所喜爱。社会效益及信誉不仅被各民族认可，而且多次受到国家专业部门的赞誉，被轻工部、国家民委定为民族用品定点生产企业，同时也是全国城市雕塑指定生产厂家，多次荣获省优秀新产品奖、优质产品奖。具有众多的专业技术骨干、齐备的优良设备、完美的检测手段，是新老客户理想的合作伙伴。

十四、大事记

大事记

2001 年

1月1日 新世纪第一天，世纪国宝展在刚刚竣工的中华世纪坛艺术馆内开展，展出200多件国宝级精品文物，有四川广汉三星堆出土的青铜器、河南安阳殷墟妇好墓出土的铜爵、战国编钟、秦始皇兵马俑等。展览持续到2月28日。

1月5日 中央美院雕塑系和《雕塑》杂志社主办的“元素——金属雕塑五人展”在中央美院美术馆开幕。

1月5日 北京市昌平区拆除一条街的劣质雕塑。

1月9日 由著名雕塑家钱绍武、盛扬主编的《20世纪中国城市雕塑》由江西美术出版社出版。

1月10日 “北京市雕塑新成果展”在北京国际会议中心闭幕。

1月13日至16日 《新世纪中国·延庆首届“建雄杯”冰雕大赛》在延庆县沩河畔夏都公园举行。

1月16日 北京保利艺术博物馆推出中国古代石刻佛教造像艺术陈列馆。

1月17日 《雕塑》杂志社邀请首都部分理论家、评论家、雕塑家召开“新世纪中国雕塑的走向”座谈会。

1月20日 由上海博物馆与日本文化厅联合举办的“日本文物精华展”在上海举办。共展出日本文物精品100多件，代表了日本本土文物收藏的最高水平，展品共分雕刻、绘画、书法等5大类。

1月 中央美院教授王熙民与全国妇联关于浮雕《和平·友谊·团结·进步》一案，达成最终和解协议，这场持续了六年的风波终于有了较完美的结论。

1月 “玛雅文明——墨西哥文化展”在广州的西汉南越王墓博物馆举办，展出了上百件世界级的珍贵文物，包括陶瓷、金器、雕刻等多种精美物品。从中我们可以感受到古代玛雅人高超的艺术技巧和他们在政治、经济、文化、宗教等方面的理念。

1月 由文化部主办的中国现代水墨画和雕塑展在法国巴黎皮尔·卡丹艺术中心展出，参展的60余幅水墨和雕塑作品基本展示了中国当代水墨画和雕塑艺术的现状与发展趋势。这次展出也是文化部在法国举办的“中国文化季”活动的一项重要内容。

2月1日至3月1日 “蔡国强艺术展”在上海美术馆展出。

2月15日 北京城市雕塑建设管理办公室组织清刷复兴立交桥的“和平”雕塑。在京的作者中国雕塑学会会长程允贤、全国城雕委代主任王克庆现场指导。

2月26日 北京城市雕塑建设管理办公室发出关于拆除劲松街道示范街《劲松腾飞》、《美人鱼》劣质雕塑的通知。

2月21日 为迎接在王府井大街举办的“新北京·新奥运——体育雕塑展”，中央美术学院雕塑系通道画廊举办了以申奥为主题的雕塑展。中国雕塑学会会长程允贤、全国城雕委代主任王克庆、中国美协雕塑艺术委员会主任盛扬及北京城市雕塑建设管理办公室主任于化云参加了开幕式。展览作品70余件，13名作者的作品获得了奖励。

3月8日 《雕塑》杂志社、《中外文化交流》杂志社联合主办的“2001年北京新世纪国际妇女艺术展”在中国美术馆举行。14个国家驻华使馆的大使夫人和外交官参加了展览。

3月11日 湘南民间木雕艺术暨2001年度征集民俗文物展览在南京博物院开幕。展出的600余件展品，为南京博物院民族民俗研究所于2001年度在湖南省邵阳市及附近地区征集的南宋至民国时期的民俗文物，其中有湘南木雕、湘西枕顶刺绣、滩头年画和年画印版等。

3月15日 北京城市雕塑建设管理办公室主办2001年“城市雕塑与环境艺术”系列讲座第2讲。主讲人为北京市建筑工程学院教授、雕塑家刘骥林。

3月19日 北京城市雕塑建设管理办公室组织清刷长安街北京邮政中心广场的雕塑《寰宇传书》。雕塑作者、中央美院教授侯一民现场指导。

3月 由《雕塑》杂志社编辑的《中国雕塑年鉴》(2001卷)出版。著名雕塑家钱绍武和范伟民先生担任主编。《中国雕塑年鉴》是我国雕塑领域第一部权威性年鉴类图书，填补了我国出版界的空白。主要记录了1999—2000年度雕塑领域的重大事件和重大成果。

3月 由陕西省文物局批准，陕西省文联、陕西省民间文艺家协会建立的“陕西省民间工艺美术博物馆”落户世界八大奇迹——秦兵马俑观览区。

陕西不仅拥有世所瞩目的历史文物，而且还拥有丰富珍贵的传统民间工艺美术品。由于一些对民间艺术较为熟悉、经验丰富、技艺精湛的老艺人都已年届高龄，有不少人已不在人世，人亡艺绝的悲剧正不断地发生，如不迅速进行抢救和保护，许多宝贵精美的民间工艺美术有灭绝、难再寻求的危险。因此，建立“陕西民间工艺美术博物馆”有着深远的战略性意义。陕西省民间工艺美术博物馆将有计划地收集、收藏陕西乃至全国各地区、各民族、不同时代的民间艺术遗产；保存、保护百年以上，历史悠久、技艺精湛、世代相传，有完整的工艺流程，采用天然原材料制作，具有鲜明的民族风格和地域特色，在国内外享有声誉的木版年画、农民画、皮影、剪纸、麦杆画、微雕、草编、布艺、秦绣、传统纺织、扎染、民间雕刻、马勺社火脸谱、泥塑彩绘、民陶土瓷、木制机械等等手工艺品种和技艺。坚持抢救、保护、保存、研究、提高、发展、开发、应用、交流的办馆方针，是扶持和促进陕西民间工艺美术事业的繁荣和发展的可靠途径。该馆是中国唯一一所民间工艺美术博物馆。

4月6日 收到北京市规划委转来政协（第0060号）针对西单广场安装的汉白玉的放牛郎、松树等，认为美学趣味低，“美化城市注意请教各方专家”的提案后，北京雕塑办公室及时与西单文化广场服务中心、西单文化广场展览中心联系。确认安置的放牛郎等雕塑是西单文化广场展览部与山西杏花村酒厂及专家讨论后，以唐代诗人杜牧的清明诗为题材建设的一组雕塑，由于制作时间短，加工不够精致，视觉效果差，引起观众的不满。目前雕塑办公室已发文通知西单文化广场览部尽快搬走这一组雕塑。

4月21日 江苏省雕塑工作会议在南京江苏省美术馆召开。会议由省美协、省美协雕塑艺委会主办，会议旨在总结过去经验的基础上，解决存在的问题，提出更高的要求，促进江苏雕塑创作在新世纪更上一层楼。

4月22日 中国国际陶瓷博览会在淄博隆重开幕。博览会展出的陶瓷品种是目前全国陶瓷博物馆中最全的，其中许多产品是古今中外的陶瓷精品。在古代展品中，有宋代五大名窑的影青壶、定窑碗、哥窑碗等稀世珍品，也有享誉海内外的北朝莲花尊、宋代雨点釉、茶叶末釉、纹态瓷等淄博陶瓷名品。现代展品中，有淄博、山东及全国工艺美术大师的艺术精品。

4月28日 由法国广州领事馆、广州美术馆、广州帝景苑、法兰西画廊共同举办的“思想者——罗丹艺术展”在广州帝景苑开幕。法国驻穗总领事馆总领事劳　查理和著名雕塑艺术家梁明诚一起为展览活动揭幕。另外，由广东省美术馆主办的“许鸿飞、周炳基、韦潞、卓国平雕塑展”也随同展出。展览在帝景苑展出至6月13日，6月15日移至广东省美术馆继续展出至7月28日。

5月7日 世界和平艺术展颁发给中国艺术家王琦和刘德礼以“终身成就奖”，表彰他们在艺术上的成就和对人类环境及和平的关怀。

5月14日 在中国美术学院雕塑系通道画廊举办了“环境与材料”高级研修班成果汇报展。展览由中央美术学院雕塑系主办，法国巴黎高等美术学校雕塑系教授安娜·罗歇特女士指导。

5月19日 上午“新北京·新奥运——体育雕塑展”在北京王府井大街丹耀大厦广场举办了隆重的开幕仪式。北京市规划委员会主任单霁翔主持会议，北京市副市长汪光涛讲话。北京奥申委新闻宣传部副部长温文、北京市规划委员会副主任陈刚、北京市美协副主席宣祥鎏、中国雕塑学会会长程允贤、全国城雕委代主任王克庆、中央美术学院副院长范迪安、清华大学美术学院书记张昌凤参加了开幕仪式。

5月 中国工艺美术学会召开第二届全国会员代表大会，选举产生了第二届理事会，原中国轻工总会副会长傅立民当选为理事长，陈兴国为副理事长兼秘书长。

5月 为响应党的西部开发的战略决策，繁荣自治区的雕塑创作事业，创作出更多内容好、形式美、质量高的雕塑作品，以满足人们日益增长的精神文明及文化生活的需求，内蒙古自治区文化厅、内蒙古自治区美术家协会、内蒙古自治区城市雕塑建设指导委员会和内蒙古自治区雕塑学会，在呼和浩特市共同举办“全区首届城市雕塑方案展”。

5月 深圳特区规划委员会建筑与环境艺术委员会审议通过《深圳经济特区城市雕塑总规划》，领先全国将城市雕塑纳入城市规划范围。规划提出，深圳特区城市雕塑的发展目标有两点，一是国际水准的现代雕塑之都，二是充满艺术氛围的可居城市。通过城市雕塑等公众艺术形式，为市民提供一个适宜居住、工作的艺术化的环境，加强城市的外在吸引力和内在凝聚力。规划要求城市雕塑成为特区空间“艺术点”，从城市景观区，城市景观带，城市景观点三个层面提出城市雕塑的空间布局。

5月 由中国美术家协会、中央美术学院、中国美术馆、全国城市雕塑建设指导委员会、中国雕塑学会、首都城市雕塑艺术委员会联合主办,《大师的道路——雕塑大师滑田友诞辰百年纪念展》在北京中国美术馆举办。这次展览是首次向观众全面展示滑田友先生的作品,其中雕塑原作37件、雕塑图片30余幅,素描、速写作品20余件。滑田友先生是我国现代雕塑的开拓者之一,他的作品和长期教育实践对中国现代雕塑以及对现代雕塑人才的培养产生了重大的、深远的影响。

5月 四川乐山大佛——麻浩崖墓核心保护区被严重破坏,"巴米扬大佛"再造工程开始动工。

5月 "2001年四川雕塑状态——室内雕塑展"在四川成都四川美术馆举行。

5月 正在进行的世界文化和自然遗产乐山大佛的保护维修工程受到了广泛关注,也牵动着四川省委书记周永康的心。不久前,周书记在《乐山大佛保护维修工作报告》上作出重要批示:"祝贺乐山旅游取得成绩。保护好文物和世界遗产是各级党委、政府的重要职责。对乐山大佛维修要以恢复原貌为主,使这一世界文化和自然遗产得到有效保护。"

这已是周书记一年来第三次对乐山大佛的保护作出明确批示。去年4月,周书记上任不久便到乐山视察工作,当他看到流经大佛足下的岷江水严重污染时,当即要求"沿江各地市和省级有关部门要齐心协力,从乐山开始向上游一个一个地查,非要把岷江水变清不可。"去年5月,有个中学生致信周书记,提出了大佛的保护方案,周书记阅后也作了批示,要求有关部门认真研究处理。在短短一年时就对一个文物保护单位的文物保护工作作出了三次重要而具体的批示,表明省政府对文物保护工作的关心和扶持。

四川省文物局局长梁旭仲到乐山大佛维修保护工程现场检查工作,传达了周书记的批示,要求大佛维修保护工作人员确保工程的进度和质量,保证施工安全,一定要按计划在"五·一"前完成一期工程,让大佛焕发青春,向省委、省政府和全省人民以及广大参观者交上一份满意的答卷。4月28日乐山大佛一期维修工程如期完成,并举行了隆重的揭幕仪式。

5月 江苏处理徐州兵马俑破坏事件。江苏省徐州市狮子山楚王陵汉兵马俑在修复中违规操作造成部分兵马俑严重损坏事件,在江苏省文化厅、徐州市委、市政府的关心下已得到处理,徐州市人民政府近日作出了决定,进一步理顺文物保护体制关系,并撤销有关责任人的行政职务。

2000年11月,江苏省徐州市楚王陵管理处在没有依法履行报批程序的情况下,擅自大批量提取重要文物汉楚王墓兵马俑进行修复。在修复过程中,该管理处及其下属单位狮子山汉兵马俑博物馆没有对修复工作制订严密科学的方案,更未事前进行修复试验和论证,既没有有效的组织机构,也没有专家现场指导,更不按科学方法操作,致使部分陶俑无法复原,遭受严重损坏。对此,国家文物局已派出调查组对事故进行了调查,认为这是一起既违反文物保护法律有关规定,又不按科学规律办事的破坏文物事件,并要求江苏省文化厅会同当地人民政府对此事故依法进行处理。

按照国家文物局要求,徐州市委、市政府迅速开展调查,停止不科学的修复工作,并请有关专家对修复后的陶俑进行技术鉴定。结果表明,本次加固修复兵马俑320件(已修复200件,待修复120件),其中陶俑个体之间部件混淆的占3.8%;发光的占1.9%,严重划痕的占6.7%,残损的占9.4%,酥解的占4.7%,其中有4件损坏较为严重,给复原工作带来了较大难度,从而降低了部分文物的价值。

5月31日 至6月17日,清华大学美术学院在中国美术馆举办"艺术与科学国际作品展。"

6月6日 由国际雕塑中心和美国匹兹堡艺术+行为+技术委员会共同主办的第19届世界雕塑大会在这座"世界钢都"拉开帷幕,届时,主办者将举办一系列的主题展览和专题学术活动。大会为期五天。

随着科学技术的不断发展和创新,雕塑艺术也产生了同样深刻的变化,除了传统的材料青铜、铸铁、木、石等之外,越来越多的现代技术正在影响着雕塑艺术的发展,环境适应学、机器人技术、基因技术、计算机技术、装置技术等等,都能够在当代雕塑艺术中或多或少地看到它们的印痕。因此,本届雕塑大会的主要内容包括以下几个方面:雕塑艺术与计算机,艺术、环境适应学与整体计划,行为艺术与雕塑艺术,科学、数学与工程——雕塑之源、水雕塑、视频雕塑等。

6月15日 首届"鹿城杯"内蒙古自治区城市雕塑设计方案展览暨内蒙古自治区雕塑学会成立大会在呼和浩特市内蒙古自治区博物馆"世纪厅"隆

重举行。

6月25日 由中国美术家协会雕塑艺术委员会、北京城市雕塑建设管理办公室、《雕塑》杂志社联合主办的《时空平台——2001雕塑作品展》在北京西单文化广场隆重开幕。

7月1日 《北京市纪念中国共产党成立80周年——美术、书法、摄影、民间艺术精品展览》在中国美术馆展出。

7月7日 北京市委书记贾庆林、市长汪光涛到西单文化广场参观《时空平台——2001雕塑作品展》。中央美术学院副院长范迪安、北京城市雕塑建设管理办公室主任于化云及部分作者陪同参观并做介绍。贾庆林书记说：北京呼唤雕塑作品，北京有大量的空间可以放雕塑，绿地中多建些雕塑。雕塑要突出艺术性，雕塑可以给人艺术的享受，现在是缺少作品，要大胆的创作。要体现北京文化中心的地位。艺术品要有品位，决不能降格，决不能粗制滥造。

7月13日 第五届"中国长春国际雕塑作品邀请展"在长春市胜利公园拉开帷幕，主题为"友谊，和平，春天"，体现"以我为主，突出特色，丰富多彩，多出精品"的原则。

7月18日 中央人民政府为祝贺西藏自治区和平解放50周年，赠送西藏自治区"民族团结宝鼎"，安放在拉萨市西藏人民会堂。

7月18日 至7月27日，《当代陶艺作品九人展》在北京东城区环宇经典艺术中心展出。此次展览为中央美术学院雕塑系陶艺工作室主持人吕品昌教授以及首届面向社会招收的以陶艺为专业研究方向的研究班学员的陶艺作品。他们的作品展示出当代陶艺作品的国际化与个性化特征，作品无论在形式上和思想上都显示出对以往的陶瓷艺术的实用性与技术概念作出了新的突破与拓展。作品在充分注重个人的思想感情与个性化语言表达的同时，也充分传达出人文的关怀与对当下的人类生存状态的思考。他们作品的文化特征与艺术品质预示着他们必将为当代陶艺注入新的力量，必将为提升中国当代陶艺文化的层面与艺术水准做出贡献。

7月20日 广东美术馆举办《单纯空间：中国当代女性陶艺家作品展》。广东美术馆自1997年以来已先后成功地举办了《感受泥性》、《超越泥性》、《演绎泥性》以及新加坡、香港等地推出的古代陶艺展览，在艺术界及陶艺界都引起了注目。

7月25日 四川雕塑学会在成都成立，标志着四川雕塑艺术进入了新的发展阶段。

7月27日 汇集了40多位世界现代琉璃艺术大师的200多件作品的《国际现代琉璃艺术大展》在北京中华世纪坛开幕。这是国内首次举办的有极高艺术水准和学术价值的国际性琉璃艺术大展。来自22个国家的艺术家使中国的观众欣赏到由不同地域、不同文化、不同技艺所铸造出的琉璃艺术品。

7月 《横滨三年展》在日本横滨开展，共有世界各地的110艺术家参加，是亚洲最大的国际性艺术大展。

8月1日 加拿大驻华使馆举办了加拿大艺术家、安大略省圭尔夫大学雕塑教授柯乔先生和中央美术学院雕塑系主任、教授隋建国先生的现代雕塑展。此次展览，隋建国展出了他的"恐龙"和"中山装"作品。柯乔则展出了一些微小的大理石作品。两种不同文化所带来的混合风格令观众久久回味 。

8月4日 首届湖南陶艺展在长沙举行，共展出42人的52组陶艺作品。人员可谓"众"，作品可谓"多"。作为艺术展的首次集合，按常见的现象，应该免不了风格的繁杂、水准的参差、整体印象的"尚不成熟"，可是，与其它类艺种的展示状态相比，湖南的这个首届陶艺展相对地既保持了内容与形式的多样性，又保持了风格样式的整体感。

多样性表现在再现与表现并置，具象与抽象皆收，器皿与人物场景都有，素烧与施釉均来，专家和业余爱好者齐至；整体性表现在对铜官陶本色泥质特征与原始柴烧窑焰火与盐烧反映特征的同时展示，表现在对简约的陶艺语言的一致性理解，表现在对湖南本土文化语汇的个性把握。

8月9日 至12日，北京国际城市环境置景新技术展览会在北京国际展览中心举行，这是我国首次举办的城市环境置景技术国际展会。该展览涉及公共环境规划及设计，户外照明灯具及艺术灯饰，喷泉、水景、水幕设备，园林园艺设备、设计及有关新品种，城市雕塑、大型壁画等等。展会还将举办城市环境景观艺术和景观新技术研讨会。

8月14日 "城市环境建设和雕塑艺术"研讨会，在素有北京夏都之称的延庆县八达岭温泉度假村国际会议厅内举行，并为50位参加此次活动的中外雕塑家颁发了荣誉证书。研讨会由清华大学美术学院副教授胥建国主持。

8月15日 全国最大主题雕塑公园在北京延庆县夏都公园落成揭幕。文化部、北京市政府、中国文联、全国城雕委、全国美协、延庆县人民政府等有关方面领导参加了揭幕式。参加这次雕塑比赛展示会的当今中国雕塑界知名雕塑家与20位外国雕塑家冒着严热的酷暑，不分昼夜的在20多天时间里创作出了一批令人赏心悦目的作品，这批主题为“人·生命·自然”的49件雕塑作品，将永久地保留在夏都公园。

8月15日 由延庆县人民政府、中国美术家协会雕塑艺术委员会和中国民间文艺家协会联合举办的“中国延庆国际雕塑艺术主题公园作品创作展示会”在延庆县夏都公园举行了揭仪式。

8月17日至9月17日，应瑞典歌德堡市政府及“进与出——浮石在瑞典”组委会的邀请，中央美院创研所副所长、雕塑家展望带着他的两位助手赴瑞典现场制作作品，这是瑞典艺术双年展期间唯一的东方艺术家与活动。

8月 《雕塑》杂志社组织中国雕塑家赴比利时考察拉那艺术展。

8月 一条规模为世界第一的主题雕塑大道，在上海青少年素质教育基地展露丰姿。这条雕塑大道由上海大学美术学院雕塑系主创，同时邀请了中国美院、中央美院、清华大学美院、中央雕塑研究所、四川美院等全国近20家美术院校、专业单位及近10位国外艺术家共同参与创作。雕塑大道的景观设计方案分为八个部分，分别展现了中国先秦到明朝历代科学家、哲学家的形象；以奥古斯丁、阿奎为主要人物的欧洲科学大师形象；以达·芬奇、米开朗基罗、伏尔泰、卢梭等思想家、文学家、艺术家为代表的文艺复兴时期；以牛顿、爱因斯坦为主的科技革命场景；中国革命领袖孙中山、毛泽东和邓小平的造像；知识大道的末端，是一个充满现代感的“未来广场”，布置一组用具象的雕塑语言和抽象的非逻辑的理念创作出的人物雕塑。

8月22日 “步履——创作实践活动”在怀柔县“雁栖湖西岸现代艺术园”完成了一期雕塑10件。这次活动由北京城市雕塑建设管理办公室、北京雁栖湖公园联合主办，由北京市建筑工厂雕塑创作室策划、组织实施，北京金瀚旅游品开发中心承办。

9月8日至21日，“香港职教陶艺展”在香港湾仔香港职教中心举办。

9月8日 根据中关村科技园平面方案设计创作的立体标志雕塑，在中关村科技园东入口处建成。

9月10日 王府井皇城根遗址公园城市雕塑全部完成。王府井皇城根遗址公园城市雕塑本着历史性、艺术性、趣味性、融合性的原则，体现了皇城悠久的历史，民间的生活趣味，璀璨的艺术，与皇城环境相和谐。共有标志雕塑《金石图》和反映历史题材的雕塑《翻开历史新的一页》等8组。

9月19日 “北京市工艺美术学校43年暨北京艺术设计学院揭牌仪式”在北京举行。

9月 中国雕塑赠送联合国。联合国总部虽然在纽约，却是一块不属于美国而为所有会员共有的“国际飞地”。联合国宪章“和平、友好、合作、协调”的宗旨，也充分体现在总部建筑物内外琳琅夺目的雕塑陈设之中，尤以反对战争，呼吁和平的强烈主题发人深省。联合国总部主要建筑物有会议大厦、秘书大厦及两所图书馆，4栋楼宇之间是树木苍郁、花草婆娑的园林。步向会议大厦，黄铜铸造的《破碎的地球》雕塑展示了在战乱、灾难和不信任中世界的分裂与阻隔，旁边的《反战标志》雕塑，干净利落地给枪管打上死结，则确切表明了人类制止战争的坚定意志与决心。

在曼哈顿东河西岸岸边的草坪中，中国赠送的青铜雕塑《世纪宝鼎》以其雄健的造型，表达了13亿人民为持久和平、稳定发展祈福、致力的心愿，隔路相对的俄罗斯雕塑《化剑为犁》，其反战主题也是不言而喻的。

9月 北京第一座公益性现代艺术中心——远洋艺术中心正式对社会开放。中心将包括5000平方米的室外展演空间和2000平方米的室内展演场馆，适用于现代绘画、雕塑、原创科技、电影、音乐、戏剧、舞蹈、服装表演等多种门类的艺术表演。同时，艺术中心将成立艺术委员会和远洋艺术基金，该基金会将以公益性、开放性、专业性为原则，每年接受来自不同门类艺术家艺术创作的资金和展演申请。作为一座公益性的艺术场馆，远洋艺术中心将无偿为艺术爱好者提供观赏和参与现代艺术的各种机会，让现代艺术成为人们可自由享用的精神生活。

9月 清华美院副教授李正安入选清华大学“骨干人才计划”，作为访问学者赴英国进行合作研究，并于2002年4月在英国中部的胡佛汉顿、比尔思顿工艺品画廊及博物馆举办了第一次个人陶艺作品展。同年8月在英国南部肯特郡的切辰艺术中心举办了第二次个人作品展。

10月6日 北京师范大学99周年华诞。这一天，浩瀚星空中有一颗星星被正式命名为“北师大星”。同一天，名为“北师大星”的纪念雕塑在北师大隆重揭幕。

“北师大星”的主要发现人朱进博士是北京师范大学校友，现在中国科学院北京天文台工作。据悉，这是以我国高等院校校名命名的第二颗行星（第一颗是北京大学），这不仅是对北京师范大学这所著名学府百年耕耘的褒奖，也是对我国教育、科学、文化事业蒸蒸日上的国际地位的肯定。

“北师大星”雕塑方案是经过广泛征集和专家评审，才最终确定的。这次在“北师大星”命名盛典上揭幕的雕塑为不锈钢材质，整体呈流线形旋转结构，箭头直指苍穹。整件作品可谓匠心独具、构思精巧、内涵丰富、意蕴深远。设计制作者是年仅二十出头的青年女雕塑工作者林嫣。

10月“首届（杭州）国际民间手工艺品展览会”在浙江展览馆举办。

10月　以“亚太神话”为主题的“2001上海松江国际沙雕冠军总决赛”于国庆52周年期间在上海市松江区隆重举行。本次总决赛是由世界沙雕协会（WSSA）和松江区政府共同主办的世界沙雕历史上最高级别的比赛。参赛的十位选手来自世界各国，都是近三年来在世界沙雕协会组织的比赛中获得过冠军的著名沙雕家，代表着当今世界沙雕艺术的最高水准，所以，这次总决赛堪称沙雕奥林匹克 。

10月　山西考古工作者在曲回寺村对一批唐代石佛冢进行了发掘整理，出土了数十尊石雕佛像。据有关专家考证，曲回寺石佛冢可与陕西兵马俑媲美。这些佛像艺术对研究中国的佛教史、美学史、雕塑史具有重要意义。

11月2日　“2001年西湖国际雕塑邀请展”在杭州西湖孤山公园举行。该展示是2000年西湖国际雕塑邀请展的延续，为西湖国际博览会的组成部分。邀请展的主办单位是杭州市人民政府、全国城市雕塑建设指导委员会、中国美术学院，承办单位是杭州市园林文物管理局、浙江省雕塑家协会，协办单位是中国美术学院雕塑系、杭州市雕塑院、杭州市园林文物局岳庙管理处。参加展览的有近90位中外雕塑家。此次展览的主题是“岁月如歌”。参展作品紧扣孤山的历史文脉，放眼西湖的过去、现在和未来，将诗、思、史连接为一个整体，一如既往地表现人与自然的诗意，以艺术的方式体现人和自然更高的和谐。

11月15日“中国河北国际雕塑艺术邀请展”在石家庄揭幕，参展的30件作品，安放在民心河沿岸及其周边公园。

11月20日“中国浙江民间文化艺术展”在雅典“美丽娜”艺术中心开幕。

11月　艺术家范英海诉吴江市政府城标侵权案得到调解解决。

11月　据《北京日报》报道，作为戊戌变法这一重要历史事件的纪念地，宣武区根据市政协委员张秀平的建议，决定建立戊戌六君子群雕。戊戌六君子群雕不仅突出展示了宣武区丰富的文化内涵，而且也将成为宣武区的一个旅游亮点。

身为“戊戌六君子”之一的谭嗣同，曾生活在宣武，也牺牲在宣武。菜市口大街拓宽后，谭嗣同故居——北半截胡同41号的浏阳会馆也从深巷中走了出来。他的故居以及将要修建的“戊戌六君子”群雕将使后人永远缅怀这些志士仁人。

12月3日　至10日，由中国美术家协会、全国城市雕塑建设指导委员会、中国雕塑学会、何鄂雕塑院和上海市金山区人民政府联合举办的“何鄂雕塑展”在上海美术馆展出。

何鄂是我国著名女雕塑家，出生于上海金山，从西北艺术学院美术系雕塑专业毕业后，便扎根在广袤的西北大地上，将自己美好的青春年华融入了浓厚的传统文化之中，形成了集江南水乡之灵秀和黄土高原之豪放为一体的独具风采的艺术风格，创作出了数以百计的脍炙人口的雕塑精品，在雕塑界享有很高的声誉，有些作品在世界上也有广泛的影响。

12月8日　至12日，第二届中国泉州（惠安）石雕石材国际展示会在惠安举行。11月11日，泉州市政府、惠安县政府在北京人民大会堂举行新闻发布会。此次展示会旨在充分展示惠安石雕石材精湛的工艺技术、庞大的行业规模、强大的加工能力和广阔的市场前景。

12月10日　至2002年1月10日，“第十六届亚洲国际艺术展”在广东美术馆举行。

12月14日　山西省大同云冈石窟被联合国教科文组织正式列入世界遗产名录。作为中国第28处世界遗产，云冈石窟开凿于北魏时期，距今已有1500百多年的历史。

12月18日　至22日，中国文学艺术界联合会第七次全国代表大会、中国作家协会第六次全国代表大会在北京举行。这次全国文代会，是在全党全国人民认真学习实践江泽民同志“三个代表”重要思想的时候召开的一次盛会，是广大文艺工作者为推进社会主义现代化建设，为发展和繁荣先进文化而继续奋进的一次盛会，是我国广大文艺工作者大团结、大欢聚、大鼓舞的一次盛会。中国美术家协会副主席、中国雕塑学会会长、中国文学艺术界联合会第六届全国委员会委员程允贤，广州美术学院副院长兼雕塑系主任黎明，中国民间文艺家协会副主席、清华大学美术学院雕塑系教授张昌出席了会议。张昌当选为中国文学界联合会第七届全国委员会委员。

12月21日 至25日，任世坤“乡村寓言”雕塑展在中央美术学院美术馆展出，展出他近期以农民关注为内容的乡村题材作品共十余件。

12月22日 在北京东交民巷饭店，由全国城市雕塑建设指导委员会办公室主任吴鹤林主持召开了“全国部分省市城雕委办公室工作会。”来自北京、上海、广州、重庆、长春等全国部分省市城雕委、办的19名主任或负责人参加了会议。

12月25日 至27日，第七届中国雕塑艺术理论研讨会暨“2001中国雕塑论坛”在陕西省西安市举行，主题为“历史与未来”。

12月25日 由西安美术学院举办的“西部·西部——与历史对话”的大型景观雕塑展在西安举行。主办方意在这块有过深厚历史积淀的土地上，借助茂陵地区特定的人文背景，通过主题性的雕塑展览，用形象的语言阐释、理解华夏传统文化。

12月31日 《韩美林艺术作品展》在北京中国美术馆举行，本次展览规模宠大，作品近3000件，其材质为木、陶、布、铜等，为其近年的精品。

12月 “第二届云南省雕塑艺术展”在昆明开幕。

12月 《第四届深圳当代雕塑艺术展》在深圳特区举办。展览由何香凝美术馆和法国外交部艺术行动委员会联办。中国将有顾德新、汪建伟、王广义等多位近年来活跃于当代艺术界的艺术家参展，法国也将有丹尼尔·布伦、普瓦赫夫妇等艺术家参展。这届展览以展示中法当代优秀的公共雕塑，探讨在不同的城市文化和社会制度中当代艺术面临的共同问题为宗旨。

2001年 陆斌荣获“韩国2001首届国际陶艺双年展竞赛评委奖”、“意大利梵扎52届国际陶艺大赛银奖”。

2001年 著名篆刻家胡擎元，在桂林选取近200座天然巨石，创造出中国篆刻史上独一无二的金石雕刻群——中华金石园，成为第一个独自完成一项篆刻工程的篆刻家。

2001年 曹崇恩（中国美术协会会员，广州美术学院教授，从事雕塑40多年）投资1000多万元，占地5000多平方米，在海珠区建了座“曹崇恩雕塑园”。这是目前国内唯一以雕塑家名字命名、并由雕塑家自筹资金建设的个人雕塑园。

2001年 北京钱绍武文化艺术研究所龙岗分所成立。

2002年

1月5日 艺术家蒋铁骊赴美国参加在佛蒙特艺术中心举办的创作营活动。

1月8日 下午，市委书记贾庆林观看第八届首都规划建筑设计汇报展中的“城市雕塑与公共艺术”专题展览。贾书记对通过汇报展的形式，加强设计师之间的沟通和交流，促进设计水平的提高，给予了充分的肯定。他指出：繁荣建筑设计，关键是作品，要创作出有震撼力的、符合首都现代化建设需要的建筑精品。要开放规划设计市场，建筑设计方案、雕塑设计方案都要开放市场，不仅要对国内开放，还要对国外开放。只有开放市场，才能开阔思路，提高规划和建筑设计水平。

1月11日 在第八届首都规划建筑设计汇报展闭幕总结大会上，北京市规划委员会对皇城根遗址公园等城市雕塑颁发城市公共艺术奖。

1月29日 北京城雕办开始实施《北京城市雕塑大事记》编写要求。

2月1日 《蔡国强艺术展暨蔡国强收藏马克西莫夫作品展》在上海美术馆开幕。共展出马克西莫夫作品91件。

2月4日 中国雕塑学会在北京召开常务理事扩大会议。

2月 文化部召开《公民道德建设实施纲要》座谈会。

2月 由中国雕塑学会和中国城市市花书画艺术大展组委会联合举办的“中国城市市花雕塑设计方案”征稿活动结束。

2月 吕品昌教授赴美考察、讲学、访问、交流。三月，出席了在堪萨斯城举办的《第三十五届全美陶艺教育年会》。

2月 我国第一部介绍世界浮雕艺术的专著《世界浮雕艺术》由江西美术出版社出版。本书由江西籍著名雕塑家程允贤和吕品昌主编，收录了51个国家和地区500余件浮雕作品，在相当程度上展现了世界浮雕艺术的概貌。作品的时间跨度长达5000余年，对研究人类艺术发展史也具有较高的学术价值。

3月6日 至4月7日，“形而上2002——上海抽象艺术”展在上海美术馆举办。本次展览展出20位艺术家的绘画、雕塑和装置作品50余件。

3月7日 至5月26日，《惠特尼双年展》在美国纽约的惠特尼美术馆举办。来自全美的113个艺术家和艺术组织应邀参加展出，这是该馆自1981年以来举办的规模最大的一次双年展。本届双年展不被一个统一的主题所限，旨在多角度、多侧面地表现当代美国艺术的发展状况，促进全美丰富多彩的艺术实践活动的开展。

3月18日 至26日，由中国雕塑学会和广东省顺德市人民政府联合主办的“顺德城市景观雕塑方案展”在顺德展览中心举办。这是中国雕塑学会首次与地方政府合作举办的大型城市雕塑方案展览，共展出城市雕塑方案图片126件和模型42件。

3月23日 《圣保罗双年展》在巴西圣保罗开幕。今年第20届双年展的主题是“都市图象学”，旨在探讨在全球化背景下，世界范围内兴起的大都市对当代艺术的影响。此次展览会的规模比以往更大，展出了来自70个国家的190余位艺术家的作品，中国有6位艺术家参展。展览分为国家馆和主题馆两个部分，前者包括50个国家，每个国家选送1名艺术家参加；后者则挑选了北京和伦敦、莫斯科、纽约、东京等世界上最有代表性的11个城市，邀请每个城市5位艺术家参加。

3月29日 韩国光州双年展隆重开幕。历时3个月的本届光州双年展，主题是“暂停”。人类马不停蹄地走过了20世纪，暂时的停顿与停息不是真正的停止与终结，而是为了更有准备的新的开始。围绕这个主题，本届光州双年展将与观众展开交流，探讨在不断前进的人类生活中，短暂停顿的必要性，为未来提供全方位的发展空间。在暂短的“暂停”中，人们将有机会反思传统与现代的文明状态，或改革，或抛弃，或者仅仅是享受这短暂的停歇。

3月30日 “中国陆良第二届国际沙雕艺术节”开幕式在陆良彩色沙林文艺广场举行。本届沙雕艺术节是以“走进名著”为主题，是运用彩色沙雕的神奇魅力再现经典文学名著神采的一次艺术交流的盛会。

3月 河南省考古专家组确认，焦作博爱县青天河西峡景区北部的摩崖石刻系北魏永平二年雕刻，距今约1500年。石刻共有文字485个，有观世音雕像。其文字详细记载了修建丹河道路的起因、经过等。书体是典型的北魏体，观世音雕像的雕刻技法都是典型的北魏风格。整个石刻保存完整，具有很高的文物价值和史料价值。

4月5日 至12日，“第四世界的第三空间——中国荷兰多媒体艺术展”在上海东廊艺术画廊举办。该展展出了陈召雄、胡介鸣、邱志杰、张培力、陆春生等当代独具代表性的前沿多媒体艺术家的包括摄影、录像、雕塑、多媒体在内的诸多作品。

4月10日 上海师范大学美术学院宣告成立，设有美术学、书法、国画、雕塑、艺术设计、油画等本科专业。

4月17日 为加强北京城市雕塑艺术与国内、国际各界的交流，配合“2002中国北京·国际城市雕塑艺术展”的举办，北京城市雕塑建设管理办公室开通名为“城市雕塑与公共艺术”的网站。网站栏目分为：艺术资讯、网上政务、展示平台、企业之窗、雕塑家、雕塑超市、论坛、北京国际城市雕塑艺术展等。

4月26日 经北京市人民政府批准，“2002年中国北京·国际城市雕塑艺术展”主会场选定在长安街沿线的“北京国际雕塑园”。该艺术展由北京市人民政府主办。承办单位是首都城市雕塑艺术委员会、北京市规划委员会、北京文化局。全国城市雕塑建设指导委员会艺术委员会、中国雕塑学会、中国美术家协会雕塑艺术委员会、中国工艺美术学会雕塑专业委员会等作为艺术指导。

4月28日 至2003年5月，“狂想的旅程——大师达利互动展”在广州、北京、上海、香港举办巡回展览，370多件达利艺术作品将以全新的互动展览形式展出。展览在现场设置几个相对封闭的空间，分别展示达利生活创作的三个主题：梦境、宗教和女性。而互动部分不仅向观众展示能充分代表达利艺术创作水准的几百件绘画、雕塑及黄金、青铜、玻璃制品和家具，同时利用现代影视、电脑技术，布置和设制了一些带有梦幻氛围的场面，使观众可以亲身参与，与展品及作者发生互动。

4月28日 “蓝色空间”北京海洋馆主题邀请展出在北京海洋馆举办。

4月《中国工艺美术学研究》由中国摄影出版社出版。

4月 中国美术馆结束了“大匠之门——北京画院作品展”之后正式临时性闭馆，启动装修工程。这是该馆建成40年来的首次闭馆大修，预计工期为一年。中国美术馆自1962年建成以来，一直是中国美术最重要的展览场所，但因年久失修、设备落后、面积有限等原因，越来越不适应现代展览的要求。此次大修将使这座有40余年历史的老建筑焕发新貌。据悉，美术馆不仅要进行内部装修，加装恒温、恒湿、自动警报等国际水平的陈列设施，面积也要向现馆址以西扩展。

5月2日 中国共产党优秀党员、忠诚的共产主义战士、新中国美术奠基人、原中国美术家协会党组书记、副主席，第三、五、六届全国人民代表大会代表，中国文联荣誉委员、中国美协顾问蔡若虹同志于2002年5月2日凌晨6时在北京逝世，享年92岁。蔡若虹同志是中国美术界德高望重的老前辈，于1942年参加延安文艺座谈会。生前发表了大量美术作品、评论文章、文学作品等，为中华民族美术的发展和中国社会主义美术事业做出了重要的贡献。

5月10日 中国美术馆改扩建工程开工。

5月15日《童心·绿色·未来——全国少年儿童雕塑设计比赛》正式启动。

5月21日 至28日，为纪念毛泽东《在延安文艺座谈会上的讲话》发表60周年暨内蒙古自治区成立55周年，由内蒙古自治区文化厅、交通厅，包头市政府与内蒙古雕塑学会联合主办的“鹿城杯”首届内蒙古自治区雕塑艺术作品展，在内蒙古博物馆“世纪厅”展出。本次展览共展出88件作品。

5月23日 毛泽东主席《在延安文艺座谈会上的讲话》发表60周年。

5月26日 “2002年中国佛山现代陶艺国际研讨会暨中国佛山现代陶艺作品邀请展”在佛山隆重开幕。

5月 “中欧前卫艺术：激变与转换，1910——1930展”在洛杉矶市美术馆开幕。持续至6月2日的这个展览，通过近300幅绘画、雕塑、素描、摄影及艺术设计作品，探讨捷克、奥地利、德国、匈牙利、波兰、罗马尼亚和前南斯拉夫的现代派艺术家们在1910至1930年间的现代主义发展进程中，思想、文化和艺术方面的交流和相互影响。

5月 山西省沁水县发现20多处明清达宫显贵豪宅。这些城堡式建筑经过多次战乱，大都遭到破坏，但规模还能看清，每个城堡都有10多座古院落保存下来。其中明万历年间官至户部尚书孙居相兄弟修筑的湘峪“三都古城”、张铨的“尚书府”宅院等保存最好。“三都古城”规模最大，总面积53公顷，房屋建筑背山面水，依山就势，由低到高，雄伟壮观。城堡中的四合院为典型的明清民居布局：“四大八小”，但与一般民居不同的是四排大房均为双层或高层建筑，门、窗、柱、楼栏、柱础、门头、斗拱雕刻装饰精巧，华丽高贵。

5月 《新中国美术文献博物馆》由黑龙江教育出版社出版。全书500万字，6000多幅图画，分8卷精装，汇编了新中国建立以来珍贵的美术文献资料，此书为编年体，囊括新中国美术发展的各个阶段、各个方面和与美术相关的背景资料，使之成为第一部大型的新中国美术发展全史。

5月 《20世纪中国城市雕塑》出版暨百年中国城市雕塑学术研讨会近日在京召开，活动由中国美协雕塑艺术委员会、《20世纪中国城市雕塑》编委会主办，与会的60余名专家对百年来中国城市雕塑艺术进行深入探讨。《20世纪中国城市雕塑》收入中国城雕图片1325件，编入相关的理论研究文字和大事记近20万字，是对20世纪中国城雕发展状况的全面展示和剖析。

5月 由雕塑家李象群和张沈共同编著的《雕塑家工作室》由黑龙江美术出版社出版。本书共分雕塑作品和“雕塑材料技术与应用”两部分。作品部分介绍了我国当代老中青三代28位知名雕塑家的代表作品近200件，材料技术与应用部分则对雕塑工具、材料及其应用作了较为全面、生动的介绍。本书取名“工作室”含义丰富，既形象地表现了雕塑家的工作状态，又蕴涵着雕塑事业的不断发展。

5月 由中国人民革命军事博物馆编辑的《程允贤雕塑艺术》由人民出版社出版。本书共收入程允贤同志主要作品102件，记录了程允贤同志从艺50年来丰硕的创作成果和艺术成就。中国人民革命军事博物馆馆长袁伟为本书作序，著名美学家王朝闻、著名作家刘白羽、著名画家杨力舟、著名美术理论家范迪安和著名诗人李瑛等为程允贤的雕塑艺术撰文赋诗。

5月 中央美术学院雕塑系青年教师蔡志松，被法国画家、雕塑家、建筑师协会和泰勒基金会联合授予2001年度“泰勒大奖”。在法国巴黎秋季沙龙近百年的历史中，中国艺术家首次获此殊荣。蔡志松今年30岁，1997年毕业于中央美术学院雕塑系，留校任教。1999年入中央美术学院雕塑系硕士研究生同等学历班，获硕士研究生学历。他师从著名雕塑家司徒兆光教授，此次应邀参展的作品是一尊依照春秋战国时期人物造型创作的《故国·风》的雕像，高约83厘米。作品以其艺术张力和鲜明的民族风格一举夺得最高奖项——“泰勒大奖”。

法国巴黎秋季沙龙是一个世界性的著名文化活动，在雕塑家罗丹、画家雷诺阿和建筑设计师弗朗兹·乔尔丹等人的倡导下，创建于1903年。近百年来，有上千位世界各地的艺术家通过这个舞台现身世界，一举成名。其中包括塞尚、罗丹、雷诺阿、马蒂斯、博诺亚、威亚尔等世界级大师。本届沙龙有来自世界各国的409位艺术家带来了不同风格的千余件作品参展，其中包括蔡志松等6位中国艺术家。

5月 草千里编著的《中国竹木牙角雕图录》由北京出版社出版。

5月 王世襄编著的《清代匠作则例汇编》由北京出版社出版。

5月 由中国考古学会、中国文物报社、《文物天地》杂志社主办，从参评的22个2001年度重大考古新发现中，评出了2001年度全国十大考古新发现。它们是：山西吉县柿子滩旧石器时代遗址、浙江萧山跨湖桥新石器时代遗址、青海民和喇家齐家文化遗址、深圳屋背岭商代遗址、四川成都金沙商周遗址、贵州赫章可乐遗址墓葬、浙江杭州雷峰塔遗址、河南禹州神　镇钧窑遗址、浙江杭州老虎洞南宋窑址、浙江杭州南宋恭圣仁烈皇后宅遗址。

6月1日 至7日，中国艺术家任戬、李象群、毕建勋、安昌奎、周细平、陈连富在2002年光州双年展第一展厅举办“中国当代艺术六人展”，主题是“0＋1”。

6月11日 至15日，由国家建设部政策研究中心、上海市政工程协会、上海外服国际展览广告公司、上海景观灯光监控中心等四单位主办的《国际城市环境置景技术展览》在上海新国际博览中心举办。参展内容包括：公共环境的规划与设计；草业与花卉，园艺设计、喷灌设备；城市雕塑与壁画；喷泉水景、激光技术与产品；园林、广场设置的桌椅、人物等各类艺术铸件；户外广告的制作与设计；市政道路的艺术铺石、护栏等设施及生产设备；相关软件、网站与书籍等。

6月20日 《第六届亚洲雕塑展》在世界杯足球赛的赛场之一——日本大分县朝仓文夫纪念公园隆重开幕。中国美协副主席程允贤、中国美协外联部主任陶勒和参展作者杨志强应邀出席了展览开幕式。这是中国第二次参加这项多边展事活动。

7月2日至5日，由北京市对外经济贸易委员会、北京市科学技术委员会、北京市园林局、北京市旅游事业管理局、中国远大集团公司等单位主办，北京市城市雕塑建设管理办公室、中国工艺美术学会雕塑专业委员会等作为支持单位的“2002中国国际城市环境景观建设新技术展览”，在北京举办。展览内容有：环境规划、灯光照明、建筑规划设计、喷泉水景、园林园艺、古建及现代园林设计、大型雕塑、户外装饰等，同期将举办城市景观建设高级研讨会。

7月9日 由中国雕塑学会和浙江省舟山市普陀区人民政府共同主办的《2002中联房产全国沙雕邀请赛》在舟山市闭幕。

7月27日 “2002中国北京·国际城市雕塑艺术展”在北京国际雕塑园举行了开凿仪式，拉开了本次城雕艺术展的序幕。

本次艺术展由中华人民共和国文化部、北京人民政府联合举办，是目前北京举办的规格较高、规模较大、内容极为丰富的雕塑艺术交流活动。主题是“交流·融合·超越”，旨在借助雕塑艺术的形式加深各国之间的文化艺术交流，并促进当今雕塑艺术的发展。经评选，通过了34个国家和地区的100多位雕塑艺术家的230多件雕塑作品，其中雕塑实物130余件，并永久地陈列在北京国际雕塑园。

本次现场打制活动可以直接让公众目睹创作的全过程，让人们接近艺术，理解艺术，起到陶冶情操、提高公众审美水准的良好作用。整个活动期间，还举办“半个世纪回顾——北京雕塑艺术文献展”、“童心·绿色·未来——全国少年儿童雕塑设计比赛”、“快图美杯雕塑在城市生活中”主题摄影大赛等专题活动。

7月 由田世信设计制作的《齐白石》和李象群设计制作的《郭沫若》全身青铜雕像“落户”中华世纪坛。作品《郭沫若》引起较大争议。

7月 国家劳动和社会保障部对全国城雕委“关于开发国家雕塑工职业标准的报告”作出批复，同意将雕塑工职业列入“国家职业标准编审计划”。

8月1日 至10日，由孙振华策划的《社会雕塑：一个老红军的私人生活》文献展在深圳雕塑院当代艺术展示厅举行。

8月3日 至11日，《首届宁夏·沙湖大漠国际沙雕大赛》在风景秀丽的沙漠绿洲——宁夏沙湖风景名胜区举行。这是国内第一次在大漠中举办的国际级沙滩大赛，共有11个国家的20余位选手参赛，其中半数以上是在国际大赛中取得过前三名成绩的著名沙雕艺术家。

8月4日 由中国工艺美术学会主办的“中国工艺美术博览会暨2002‘华艺杯’评选展”在北京落下帷幕。

8月18日 由中国美术协会主办“中国西部风”雕塑展自在北京王府井大街揭幕以来，经西安、成都、重庆、宁波、青岛、广州、杭州、上海等城市，行程共计2万多公里。一路上受到专业人士及群众的广泛关注，可谓观者如云。北京的王府井、上海的南京路、成都的春熙路都是世界闻名的人口高密度区，根据日平均人流量的保守统计，雕塑在王府井街头连续展出8天，现场观众超过了300万人次，而南京路上的观众也超过了170万人次。如果其它城市以平均8天20万人次计算，那整个巡回展的观众人数将可创世界纪录，引发了一场雕塑风暴。其中汇集了全国20多个省市的100多位优秀雕塑家的120余件雕塑作品，反映了西部开发、人文历史、生态环境等多方面内容，旨在以艺术的形式宣传西部，展示西部魅力，增强全社会对西部大开发的关注。

8月20日 上午，市委书记贾庆林、市长刘淇等市委政府领导在石景山区领导和艺术展雕塑现场办公室人员的陪同下视察了北京国际雕塑园。

8月21日 至9月1日，由福建省惠安县政府、中国工艺美术学会雕塑专业委员会主办的“第二届中国雕刻艺术节”在惠安举办。此次石雕大奖赛仍分传统题材组、现代题材组，主题为“传统精神与现代实验”。

8月26日 至9月2日，国际陶艺学会50周年大会在希腊雅典举行。

8月31日 至9月1日，《中国西部城市雕塑建设研讨会暨西安市城市景观雕塑方案展》在古城西安举行。

8月 “造型表演艺术创作研究成就奖”是专门用于奖励中国在造型表演艺术领域内取得卓越成就的艺术家和艺术理论家。此奖项改变以往就大赛设奖、大展设奖的格局，不是针对作品，而是针对个人成就的大奖，评选出在某一学术领域中有重大贡献，并被公认的艺术家。此奖项将每年评选一次，每次评出获奖者10人左右。本届获奖者共有11人，他们分别（按姓氏笔划）是：造型艺术家王朝闻、艾中信、华君武、启功、张仃、侯波、曾竹韶；表演艺术家王金璐、邝健廉（红线女）、袁世海、戴爱莲。

9月7日 “2002中国北京·国际城市雕塑艺术展”在玉泉公园举办；8日，学术研讨会在中央美术学院举办，主题为“城市雕塑与公共艺术”。艺术展组委会负责人和大展学术委员会委员、艺术委员会委员以及参展的中外雕塑家、在京雕塑机构的领导、雕塑家共300余人参加了会议。

9月15日 艺术家朱尚熹、赵磊结束在加拿大不列颠哥伦比亚省沃肯纳根地区举行的国际雕塑创作活动返回北京。

9月18日 时值国际陶瓷协会在瑞士召开50周年纪念大会之际，以“印记与当代”为主题的中国现代陶艺展在瑞士日内瓦阿琳娜艺博物馆举行。本次陶艺展为阿琳娜陶艺博物馆与广东美术馆联合主办，共邀请中国大陆陶艺家19位、香港特区陶艺家3位，计有作品60余件。

9月20日 位于天安门东侧的菖蒲河公园正式开放，这是一项保护古都历史风貌的重大工程，气魄雄浑、古韵灵动的菖蒲河公园为人们提供新的观赏景点，公园中的雕塑也同时亮相京城。

9月23日 “第六届世界华人艺术大会香港大型艺术展”于香港大会堂隆重开幕。本届“世界华人艺术大会”的主题为“艺术中国，世界艺术”，大会邀请中、日、韩、美、俄等世界各地的华人艺术家、画廊、艺术团体参加。

9月28日 至10月20日，世界上规模最大的光雕艺术展“意大利光雕展”在北京地坛公园举行。作为融建筑、雕塑、绘画于一体的大型彩灯装饰艺术展，本次光雕艺术展以意大利17、18世纪时期提倡的华丽、夸张、复杂为特点的巴洛克艺术为依托，借助五光十色的彩灯映射的光景配合，通过同一题材的光效应的反复变焕，加以抒情的背景音乐的烘托，创造出富有理想主义和浪漫主义色彩的梦幻境界。担纲本次活动总设计师的是曾经策划、设计世界上许多城市庆典、演出等活动的著名设计师意大利人瓦来里奥·费斯蒂。

9月 著名雕塑家钱绍武先生从艺60周年。

10月16日 至18日，“国际平面设计教育论坛”在中央美院举行。该论坛旨在促进国际间设计教育体系、设计思想、教学成果的交流，密切与国际设计院校互动、交流和合作，完善平面设计教学。来自18个国家、地区的近34位设计家和教育家共同围绕

"新经济"、"文化与设计"、"设计教育与实践"等主题举行研讨。此项活动受到国际平面设计联合会COGRADA的协办。

10月17日 位于北京西二环路的金融文化廊举行剪彩仪式。雕塑《金融世界》是"金融文化廊"主题雕塑。

10月 中旬，中国美术学院的二级学院——视觉艺术学院挂牌仪式在杭州西郊转塘象山举行。视觉悟艺术学院将着重于传统学科优化和新学科的拓建工作，设置如公共艺术、动画、商业摄影、广告创意等新兴应用学科，同时根据浙江区域经济发展需求，培养工艺品设计、家具设计等人才，并考虑开设民间艺术、古代艺术鉴定、园林艺术、古建筑艺术等一些边缘学科。

10月28日 至31日，《全国第七届陶瓷艺术设计创新评比大会》在龙泉举行。

10月28日 由浙江省东阳市政府和中国工艺美术学会主办，中国工艺美术学会雕塑专业委员会和北京蓝图艺术设计有限公司担纲策划、实施并承办的《2002年中国（东阳）国际木雕艺术大奖赛》，在中国著名的"木雕之乡"、"教育之乡"、"建筑之乡"——浙江省东阳市举行。通过举办本次艺术大奖赛，借助中外文化的交流和碰撞，以期能更好地体现中华民族传统文化的特色，同时在继承、发扬传统文化并借鉴世界其他民族文化的基础上，探讨新时期中国传统艺术发展之路，探索新的艺术形式。"探索、实验、创新"是本次大奖赛的主题。

10月 中国艺术家程兵、杜春梅应邀赴美波士顿举办雕塑绘画联展。

10月 《首届中国艺术三年展》在广州举办。

11月8日 中国共产党第十六次全国代表大会在北京召开。

11月12日 在被江泽民同志誉为中国百年巨变的第一位伟人——革命先行者孙中山先生诞辰136周年之际，北京中山公园中山堂整饬一新，并新添了一座由中国美术家协会副主席、中国雕塑学会会长、著名雕塑家程允贤和中央美术学院雕塑系副教授、著名雕塑家王少军共同设计制作的孙中山纪念碑 。

11月12日 法国著名雕塑家恺撒完成于1963年的作品《大拇指》运抵上海世贸商城展馆，引起众多媒体的关注。

11月13日 至17日，由上海文化发展基金会和上海市文化广播影视管理局主办的《2002（第四届）上海艺术博览会》在上海世贸商城举行。本届上海艺博会分两大展区600个展位，成为亚洲参展艺术品门类最完整的艺博会。来自美、法、韩、日、瑞典、俄罗斯、马来西亚和我国台湾、澳门地区的120多家画廊或艺术经纪公司参与。

11月23日 经北京市朝阳区第十二届人民代表大会第五次会议选举，清华大学美术学院雕塑系教授李象群同志当选为北京市第十二届人民代表大会代表。这是北京市雕塑界第一个人大代表，在本届的市人大会议上将会听到来自雕塑界的声音。

李象群在出席人大会议期间提出了《加速立法，推动公共艺术的发展，为北京作为中国政治文化中心的城市文化建设服务》的提案。

11月26日 北京文化局受北京市政府委托，与瑞典卡尔·米勒斯博物馆在京正式签订购买世界著名雕塑大师卡尔·米勒斯的杰作《人与飞马》和《天之骄子》两部雕塑作品的协议书，这是北京市政府第一次购买世界级雕塑大师的作品。

卡尔·米勒斯是与亨利·摩尔齐名的世界雕塑大师，是瑞典最著名的雕塑艺术家，以公共喷泉和其他公共雕塑艺术而闻名。他在1925年巴黎的世界博览会上获得雕塑大奖，一鸣惊人。他曾经获得过瑞典皇家艺术学院的教授头衔。1931年开始担任美国密歇根州一学院的雕塑系主任，1955年在美国去世。为了纪念他的伟大艺术成就，1995年瑞典政府将他的雕塑《彩虹》竖立在斯德哥尔摩港口的入口处。他的作品被世界许多国家所收藏。此次北京市购买的两件雕塑是卡尔·米勒斯最具代表性的原件作品。

11月28日 雅典市政府向北京市政府赠送雕塑的揭幕仪式在首都图书馆隆重举行。雅典是文明古国希腊的首都，和北京一样有着悠久灿烂的历史。而且雅典和北京将先后于2004年和2008年举办奥运会，这便使东西方两大文明古都之间的渊源具有了崭新的时代意义。

这次雅典市政府赠送给北京市政府的是一尊高约2.4米、重约400公斤的雅典娜铸铜雕塑。雅典娜是希腊的智慧女神，象征着智慧、爱情和胜利，她既是雅典古老文明的标志，又是一座友谊的桥梁，将雅典和北京两个奥运城市紧紧地连在了一起。

12月6日 "四川省首届现代陶艺展"在成都举行。

12月14日 旅法艺术家、哲学家熊秉明逝世。

12月15日 北京市城市科学研究会成立了城市

雕塑与环境艺术委员会。北京城市雕塑与环境艺术委员会主任宣祥鎏、副主任赵知敬、曹春生，顾问刘迅、王克庆、盛扬、侯一民、常沙娜及委员等50人出席了成立会。

12月18日 由中国美术家协会雕塑艺术委员会、浙江省美术家协会、中国美术学院和《美术报》社联合举办的“中国雕塑与公众”研讨会在杭州举行。研讨会结合“中国西部风”雕塑巡回展，探讨中国当代雕塑与公众的关系，对雕塑的精品化和大众化、高雅和通俗、普及和提高等一系列问题展开了深入的研讨。

12月20日 至2003年4月下旬，《法国新现实主义作品展》在北京、上海、广州等地巡回展览。

12月24日 至25日，南京大学雕塑艺术研究所主办的“中国当代雕塑研讨会”在南京大学田家炳艺术楼召开。

12月 以西关民俗特色的西关故事、传说等为题材建设的雕塑《新年大吉》、《量衣》近日在广州下九路正式落成，使西关风情雕塑群增加到6座。去年以来，广州荔湾区投资4000多万元新建以“上下九广场”为主的景观工程，广场中间由一条架空骑楼连接，骑楼里展出体现西关风情的艺术壁画和特色雕塑。一方面便于游客观赏，增加对老广州、西关的认识和了解，另一方面可丰富上下九的景观环境，增添上下九的历史文化内涵。

12月 在京珠（北京至珠海）高速公路湖北段大悟处计划兴建一座由武汉雕塑家陈育村创作的大型铜雕《开路人》，设计主体宽度近50米、高近20米。刚刚建成的京珠高速公路湖北段在建造高质量高速公路的同时，在全线沿途修建了大量反映荆楚文化的壁画及近30座大型雕塑，将自然景观和人文景观有机地结合起来，使该段高速公路成为一条“文化走廊”。

2002年 无锡钱绍武雕塑艺术研究院成立。

2003年

1月1日 桂林愚自乐园举办“第一届桂林愚自乐园国际雕塑奖”活动。

1月 《雕塑》杂志喜获国家新闻出版总署颁发的“第二届国家期刊奖百种重要期刊”之殊荣。

1月 雕塑家何鄂诉陕西渭南地区合川县侵犯雕塑《黄河母亲》著作权一案，经渭南中级法院审理，宣判雕塑家何鄂胜诉。

2月 春，鲁迅美术学院雕塑系和沈阳金融商贸开发区主办了“沈阳“CBD”杯公共雕塑大奖赛”。

3月17日 享誉海内外的著名雕塑家张充仁纪念馆在上海闵行区七宝镇开馆。坐落在上海复兴路口上的那座纪念民族音乐家聂耳的雕塑《起来》，就是张充仁的作品。张充仁生于1907年，1998年病逝于法国巴黎。纪念馆设6个展室，展出其20多件雕塑作品。

3月19日 著名雕塑家王临乙、王合内先生纪念墓碑揭幕暨骨灰安葬仪式在北京近郊万佛陵园名人公墓举行。

中央美术学院党委书记杨力、副书记黄华英、副院长范迪安、原党委书记丁世中、原党委书记盛杨、原中央工艺美术学院院长常沙娜、法国驻华使馆文化副参赞沈千瑞、全国城市雕塑建设指导委员会代主任王克庆、中国雕塑学会秘书长曹春生、中央美术学院雕塑系主任隋建国以及王临乙、王合内先生生前友好和学生近百人出席了仪式。大家深切缅怀王临乙、王合内两位艺术前辈对中国雕塑艺术及艺术教育事业所做出的突出贡献，高度赞扬他们献身艺术的精神品格和感人至深的高尚情操。大家在致辞中深情地指出，二老坎坷而充满传奇的人生经历和艺术创作、艺术教育方面的卓越成就，是我国文化艺术的丰厚遗产，将永远载入中国近现代艺术史册。

3月31日 “中国·陆良第三届国际彩色沙雕节暨全球沙雕冠军彩色沙雕大赛”在云南省陆良县著名旅游景点彩色沙林隆重开幕。本次沙雕大赛由中国雕塑学会、云南省旅游局、曲靖市人民政府和世界沙雕协会共同举办。参赛者都是获得过冠军的著名沙雕家，分别来自墨西哥、挪威、美国、澳大利亚、西班牙、加拿大、阿塞拜疆和中国等8个国家。

4月25日 《雕塑》杂志社策划实施的《2003·太湖明珠——中国长兴城市雕塑艺术方案设计大奖赛》在浙江长兴胜利闭幕。

4月29日 建设部决定调整全国城市雕塑建设指导委员会组成人员。主任委员陈晓丽，副主任委员唐凯、冯远、李逢春、邹时萌，秘书长段喜臣，委员吴建平、安远远、卢英方、隋建国、曹春生、曾成刚，段喜臣兼任办公室主任。

4月 重庆市渝北区城南开发区修建的一座大型

城市雕塑《腾飞》，高度25米，投资210万元，由于是无证设计，作者水平十分低下。雕塑下部几个硕大的青石头像形象丑陋，被广大市民讥喻为人头落地。上部配以不锈钢造型冠名腾飞，与下部格格不入。整座雕塑内容牵强，手法低劣，形体、体量、比例不准，制作粗糙。建成以后，遭到了广大观众的非议，反响十分强烈。区人大、政协两会期间，人大代表和政协委员们也表示气愤，提出了十分尖锐的批评。市城雕塑办公室也频频收到市民的反应，希望城雕行政管理部门对城雕建设要严加管理。面对如此强烈的社会反响、市城雕办呼吁，渝北区政府决定，在年前将雕塑《腾飞》予以拆除 。

对于此类无证设计，未认真组织有关专家评审，也未报城雕行政管理部门审批，不按有关文件规定的应有程序办事，建造城市垃圾，造成严重的视觉污染，在群众中造成不良影响，给人民财产造成重大损失的违章事件，在今后的城市雕塑建设中应引以为戒。

4月 中国美术学院雕塑系第二届教师作品展“突围”在中国美院展出。

5月12日 “国际护士节”之际，著名雕塑家唐大禧为荣获第三十九届弗洛伦斯·南丁格尔奖章的抗“非典”英雄、广东中医院二沙岛急诊科护士长叶欣制作的纪念像落成。

5月21日 北京著名女雕塑家祖文轩因病逝世，享年73岁。祖文轩1954年毕业于中央美术学院雕塑系，先后在中央美术学院、北京艺术学院和北京市建筑艺术雕塑工厂从事雕塑艺术创作，1987年评为副研究员。祖文轩是一位有相当艺术造诣的女雕塑艺术家，一生创作颇丰。

5月28日 中央电视台报道，雕塑家乔迁博士在家乡徐州东郊的百亩麦田里创作的大型大地艺术《守望乡村》，引起国内众多媒体关注。

5月 下旬，中国雕塑学会与世界华侨华人社团联合会等333家海内外社团共同发起“万名书画艺术家奉献爱心·联名慰问解放军抗‘非典’医疗人员”大型艺术活动。

5月 由中央电视台特邀清华大学艺术与科学研究中心胥建国博士为《经济信息联播》栏目90分钟的特别节目《2002·世界经济年度报告》设计、制作的标志性雕塑完成。该雕塑高1米，材质为不锈钢表面银色喷涂。这是中央电视台首次将栏目与雕塑相结合的创新举措，意在以一个雕塑家的视觉来审视世界风云的变幻，用雕塑这一独特的艺术语言揭示栏目实质，诠释2002年世界经济发展的总体状况。据悉，这一栏目今后还将为每年的“世界经济年度报告”设计雕塑，争取为世界经济发展创作出标志性形象。

6月5日 由北京市规划委员会、首都城市雕塑艺术委员会、国家环境保护总局宣教中心等组办的《融入自然·共享空间·雕塑生命——艺术作品展览》于国际环境日在“城市雕塑与公共艺术网站”进行在线展出，作品从不同的角度反映出中国人民“万众一心、不惧万难、抗击非典”的精神和勇气。

6月30日 至9月30日，《主场／客场——现实迷宫》在深圳大梅河万科“东海岸”举行。

6月 广西艺术学院副教授何镇海应美国辛辛那提姐妹城委员会邀请，赴美进行艺术交流参加了“clay，color and fire”的艺术活动。

7月4日 清华美院雕塑系教师王小蕙起诉河北省石家庄市引水入市“民心河”工程办公室侵犯著作权一案，经河北省高级人民法院终审胜诉。

7月5日 在北京王府井大街举行了“融入自然·共享空间·雕塑生命——2003环保雕塑作品展”开幕式。文化部艺术司司长冯远，北京市委常委、宣传部部长蔡赴朝，中国美术家协会副主席、中国雕塑学会会长程允贤等领导和有关雕塑艺术机构的负责人出席了开幕式。

7月7日 1500个仿先秦石鼓运抵卢沟桥雕塑园，市民可在这座“石鼓园”中参观到记录着抗击日军侵华日志的石鼓。目前，园内已有600个石鼓镌刻完毕，刻在石鼓上的抗日日志均由名家所书，内容则为抗日期间的史料。据丰台区政府有关负责人介绍，今后，雕塑园内的石鼓将达3800个，3000名书法名家以楷、隶、篆、行、草书等挥毫成文，并配有3至8种中外文字翻译，将日军侵华的滔天罪行永远记录下来。

7月15日 以“奥运·雕塑·城市文化”为主题的学术研讨会在中央美院举行。本次会议由《雕塑》杂志社和中央美院雕塑研究所等单位共同发起。

7月 中旬，雕塑家徐晓虹应邀赴莫桑比克，处理安装大型雕塑《生命之源》。

7月19日 第二届《蓝色空间——主题雕塑国际邀请展》在北京海洋馆举行。以“陶冶大众、教益学生、维持生态”为主题并结合奥运、环保和海洋文化，强化了保护生态、保护环境的理念。

7月23日 中国美术馆重新开馆。一并推出《馆藏近百年美术作品陈列》、《馆藏民间剪纸陈列》、《馆藏无锡彩塑陈列》、《馆藏路德维希夫妇捐赠作品陈列》、《馆藏刘开渠捐赠作品陈列》等5个陈列和《开放的时代邀请展》。

7月27日 至8月28日，由英国著名雕塑大师安东尼·葛姆雷主导的大型雕塑展“土地”在北京展出，这是中英两国之间富有创造力的一项合作。“土地”是今年“创意英国”的一项核心活动。“创意英国”活动通过贯穿2003年全年的一系列引人注目的活动、展览和其他激动人心的项目，旨在展现英国的最新创意与创新精神，让中国的年轻人更好地了解现代英国。“土地”由12万个手掌大小的泥人组成。这些泥人是在英国艺术家的指导下，于2003年1月由300多位不同年龄、来自广州东北部花都地区的市民制作的。这些作品首先在广州展出，然后在北京、上海和重庆进行巡回展览。葛姆雷是一位国际瞩目的艺术大师，为了制造不同版本的“土地”雕塑，他游历了从巴西雨林到北欧的不同国家。从某种意义来说，“土地”是一个全球性项目。

7月 吴为山教授在英国皇家雕塑年展上获得英皇家颁发的“攀格林”奖。这是亚洲艺术家首次获此项大奖，同时吴为山作为亚洲第一人被英国皇家协会和英国皇家肖像雕塑家协会吸收为国际会员。

7月 第五十届威尼斯双年展中国馆（广东美术馆）项目展出。

8月4日 至8月25日，《千年窑火——景德镇陶瓷与艺术暨民间典藏文玩展》在北京炎黄艺术馆举办。本次展览展出作品500余件，首次云集了当今国际国内多位顶级陶艺大师及众多中青年陶艺家，包括景德镇书画院院长王锡良、国家高级工艺美术师刘远长以及李林洪等为本次展览提供的珍藏作品，为收藏家、艺术家、陶艺鉴赏家、陶艺爱好者等提供了一次很好的交流、鉴赏的机会。

8月6日 由中国雕塑学会、首都城雕委主办的“公众语言——2003对公共艺术的观察”在上海空与间综合艺术展览交流中心举办，由乔迁博士担任学术主持。

8月10日 上午，“2003年中国福州·国际城市雕塑艺术展”开幕仪式在福建省福州市闽江公园（南园）福州国际雕塑园隆重举行。中共福建省委常委、福州市委书记何立峰宣布艺术展正式开幕，福州市市长练知轩在仪式上致词，福建省文化厅厅长黄启章、省建设厅厅长林坚飞，本次大展艺术总监、清华大学美术学院胥建国博士和艺委会委员、中央美术学院雕塑系副主任孙伟教授与中外雕塑家及社会各界嘉宾300多人出席了开幕仪式。

雕塑展由福州市人民政府和福建省文化厅、建设厅主办，中国雕塑学会为艺术指导。大展以“开拓、发展、腾飞”为主题，艺术定位为国际性与本土性，既展现国际间不同文化的多姿多彩，又展示福州2200年历史文化及福州人民的精神风貌。

8月19日 “首届青年美展”在北京今日美术馆结束。此次展览是非典过后推出的第一个全国范围内的青年艺术家优秀作品展，汇集了全国100余位艺术家的217件作品。以不同风格、视点、艺术形式以及年轻人特有的艺术语言表达他们在社会生活中的体验，希望可以让公众感受到非典过后的艺术春天。

8月24日 据新华社重庆电，60多尊罕见的唐代石刻造像近日在重庆市大足县金山镇法华寺被发现。据考证，石刻的开凿时间约为唐代中期，距今约有1200年的历史，比宝顶石刻造像还早300年左右。据大足石刻艺术博物馆研究室主任刘贤高介绍，此次发现的这些唐代石刻造像有两个罕见之处：1号窟的造像题材较为特别，正壁主尊像并坐四佛在石窟造像中是颇为罕见的，在大足还尚未发现同类题材的其它造像，而且时代也较早；石刻造像中有一个高度不足3厘米的童子雕像，是大足迄今为止发现的时代最早的微型雕像。

此外，这里还发现了“上合州”、“大通院”的题刻，按照《大足县志》里关于辖区变化的记录推断，这些造像的开凿时间不会晚于唐乾元元年（公元758年）。

8月 《雕塑》杂志社组织艺术考察团访问欧洲国家，参观了威尼斯双年展和比利时拉那雕塑公园。

8月 蔡志松举办“故国·蔡志松2003雕塑作品展”。

8月 全国城雕委编辑出版《中国城市雕塑建设要揽》。

9月6日 至9月12日，由川音成都美术学院主办、成都画院承办的《“物象营造”当代艺术展》在成都画院美术馆举办，并举办了学术研讨会，陈默、马一平、许庚岭、朱成、何多苓等七十余人参加了研讨会。

9月8日 历时3天的“2003中国长春国际雕塑大会”圆满落下帷幕。在雕塑大会期间，举办了“2003中国长春国际雕塑作品邀请展”及“雕塑论坛”，28个国家的雕塑家打造的32件雕塑艺术精品和中外雕塑家对雕塑艺术的精彩演讲，成为永留雕塑史册的精典佳作与论述。气势恢宏的长春世界雕塑公园成为长春展示给国内外嘉宾的园林精品。“2003中国长春国际雕塑大会”由长春市政府与全国城市雕塑建设指导委员会联合举办，是一次规模宏大、内容丰富的艺术盛会和友谊盛会。长春世界雕塑公园如期开园，展出长春六届雕塑展110个国家270位雕塑家的315件作品，充分体现了当今世界雕塑艺术的最高水平。

9月8日 中国工艺美术学会雕塑专业委员会主办“第二届中国惠安传统雕刻大赛”在福建惠安闭幕。

9月10日 因“非典”而推迟的“上海春季艺术沙龙”拉开帷幕，是在国内举行的首届大型艺术沙龙活动。总共展出了20多个国内外专题展。

9月16日 大型当代艺术展《二手现实》在今日美术馆举行。分为“前现实”和“后现实”两个展区。

9月 第50届威尼斯双年展中国馆（北京·中央美院美术馆）项目展出。

9月19日 “中国雕塑精品展”在王府井步行街开幕，同时举行了“首届中国北京国际美术双年展序列展总开幕式。”首届美术双年展的主题为“创新：当代性与地域性”，侧重绘画和雕塑。

9月19日 圆明园“十二生肖”兽头中的猪首，从美国回归。

9月23日《薛自洋“齐鲁名家”雕塑作品展》在济南市博物馆展出。

9月 月底，《第三届青年雕塑作品邀请展》在上海南京路步行街展出。

10月21日 一个百米长的铜制计生宣传浮雕墙在北京海淀区车道沟南里小区落成。据市人口和计生委领导介绍，这组全国最大的生育内容浮雕墙从“女娲造人”一直说到当今的人口发展与人口法制，不但为居民们生动地介绍人口与计生发展演变，同时也装点了小区并丰富了社区居民视野。

10月22日 “第八届根艺美术优秀作品展”在北京中国画研究院展览馆举行。展期五天，共展出300余名作者的500多件工艺精品。

10月25日 “2003中国SOHO艺术展”在京举行。

10月 旅美陶艺家罗小平在美国ASU美术馆举办反映国际关系的系列作品《时代广场》。

10月 据新华社成都电，乐山大佛具有高科技含量的“电子保镖”于日前正式投入使用。这种“电子保镖”不仅具有防火灾、排水患的功能，同时兼有维护景区治安、保护大佛本体的作用。据介绍，“电子保镖”是用一种先进的电子网络系统及摄像头等仪器组成，可对大佛本体及景区进行24小时监控系统，由计算机、监控器、网络系统及摄像头等仪器组成，可对大佛本体及景区进行24小时监控，如同为乐山大佛配备了一位“电子保镖”。这种系统打破了传统的容易出错的人力监控，把景区管理与高科技手段结合在一起。“这套系统的安装不会影响到乐山大佛本体。”吕林说，“系统主机安装在管理室里，若干个微型摄像探头没有安装在佛体上，而是安装在大佛四周。传输线路也进行了处理，在将大佛的‘健康’状况传输到管理中心的同时，不会影响到游人的视觉及游览线路。”

此外，大佛景区内还安装了数十个微型摄像探头，当发现火灾、水患等灾情苗头时，系统将发出警告，监控人员便可及时调动人力、物力排除隐患。

10月 《雕塑》杂志社社长范伟民、副主编赵萌应邀访问澳大利亚，参加了澳大利亚海边艺术国际研讨会并进行了为期两周的考察与学术交流。

11月9日 几名工作人员对智化寺里的雕塑进行修补，需要这样修补的雕塑共有11尊。据了解，智化寺是北京保存最完整的明代木结构建筑群，智化寺素以精美的建筑艺术、传统的佛教艺术和古老的京音乐而享誉中外，有着近六百年的历史。

11月14日 至21日，《第二届外国驻华使馆艺术藏品展》在中华世纪坛展出。

11月15日 《首届中国海口国际沙雕艺术展》在海口西海岸开幕。

11月18日 清初杰出的政治家、军事家、爱国将领施琅将军的雕像在其家乡福建省晋江市落成。320年前，施琅率师功克澎湖，使台湾不战而下，之后又采取了一系列安抚政策，鼓励发展经济，最终实现清初的国家完全统一。

11月22日《我们在一起——“民工同志”当代艺术展》在北京今日美术馆开幕。

11月 第五届中国工艺美术大师精品博览会举办。林庆财的檀香木雕《九龙观音》荣获金奖。

12月3日 “罗马的曙光——意大得伊特鲁里亚文化展”在中华世纪坛开幕。此次展览汇集了349

件举世罕见的伊特拉斯坎文化。

12月5日 “走进金字塔——古埃及国宝展”在中国国家博物馆展出。

12月7日 至10日，文献展“有一种记忆经久不散——关于魏宝荣”在深圳雕塑院当代艺术展示厅展出。

12月12日 “第五届深圳国际当代雕塑展”在中国深圳华侨城开幕。展览主题为“第五系统：后规划时代”的公共艺术。

12月26日 毛泽东同志诞辰110周年。全国举办各种纪念活动。

12月27日 至28日，“第九届中国雕塑论坛”在杭州召开。本届论坛主题为：传承、借鉴、弘扬。主要议题是“从形式语言谈雕塑”。中央美院、清华美院、中国美院、西安美院等十几所院校、艺术机构的艺术家出席了会议。

后　记

一、在21世纪第一个春天来到之际，我国雕塑领域第一部权威性年鉴类图书《中国雕塑年鉴》同广大读者见面了！这是《雕塑》杂志全体同仁向广大读者奉献的一份厚礼，是雕塑界的一项首创，也填补了我国出版界的一项空白。第一部年鉴的问世，得到了广大雕塑家、雕塑艺术爱好者和读者的一致好评，认为是不可多得的工具和参考资料，同时也极为关注年鉴的连续出版问题。在大家的呼唤和热切期盼下，《中国雕塑年鉴》(2003)卷又和大家如期相会。在这三年里，我们经历了跨越新世纪的洗礼，沐浴了党的"十六大"与第七届文代会的春风，重温了毛泽东主席《在延安文艺座谈会上的讲话》，经受了突如其来的"非典"的考验，总之，我们经历了太多、太多。因此，与时俱进，本部年鉴我们做了一定的调整。

二、《中国雕塑年鉴》（2003）卷，主要内容反映了2001—2003年雕塑领域的重要事件和重大成果。全书图文并茂，共计约850千字，图片约400余张。全书共分十四部分，第一、二、三部分记录年度内的理论成果、热点事件和重要展览，具有很强的新闻性和史料价值；第四至五部分是雕塑的教育经验总结与海内外雕塑文化艺术的交流情况汇总；第六至八部分介绍具有突出成就和贡献的现、当代雕塑家，以及他们或她们对艺术的可贵探索、取得的实践经验；第九至十一部分则总结了城市雕塑建设的经验和发展规律，探索了雕塑艺术的产业结构、市场化的需求，发现了一些问题，并试图找出解决问题的办法；第十二至十四部分是艺术资讯，是艺术家对话的平台、寻求合作的窗口，同时也记录了这三年里中国乃至世界社会里雕塑界发生的重大事件。文章的编排基本上是按照事件发生的时间顺序、出版时间的先后来安排的，有些文章可能对几方面都有所指，我们只好根据编辑意图来行事。

三、本年鉴所选文章和报道，大多由有关部门的专家撰写。在内容上力求做到资料丰富、材料翔实、观点正确、信息可靠，对于理论上不同门派和观点，则在坚持四项基本原则的前提下，本着文责自负的精神，作为一家之言悉尽可能收录，以示公允。鉴于资料太精彩，有些难以割舍，再加上本卷篇幅有限，故不得已将大量的已出版的图书、报刊中的有关文章资料，按统一体例要求做了必要的删节，希冀作者谅解。

四、本年鉴是连续出版的图书，各期内容前后衔接。年年岁岁积累起来，将成为多卷全集式的珍贵资料。它忠实地记录我国雕塑界理论与实践发展历程，不仅具有实用价值，也具有收藏价值。这是一项意义重大的公益事业，我们一定会以很高的责任感和事业心、足够的信心把本年鉴越办越好。

五、本年鉴尚属初创阶段，虽然我们有多年编辑出版《雕塑》杂志的基础，但是由于掌握资料有限，水平有限，尽管我们做了艰苦努力，但缺点和疏漏之处在所难免，诚望广大读者提出宝贵意见，使本年鉴内容更加丰富，质量不断提高，真正成为读者案头必备的权威性的精品书。

六、我们希望尽可能地与所有作者取得联系，以便征求意见。但是，由于种种原因还有部分作者联系未果，请作者看到本部书后与我们联系。于此，谨向所有的作者和出版单位深表谢意，感谢他们给我们提供了如此丰富的信息资源。

七、本卷年鉴在筹办和编辑工作中，得到全国城市雕塑建设指导委员会、中国雕塑学会、中国工艺美术学会雕塑专业委员会和有关领导、部门的关心、指导，并得到南京大学美术研究院、河北大学艺术学院、北京市城市雕塑建设管理办公室、衡水华日金属制品有限公司等许多部门和广大雕塑家的大力支持，在此我们一并致以衷心的感谢和崇高的敬意！

《中国雕塑年鉴》编辑部

2004年4月

中国雕塑年鉴（2003）/ 钱绍武　范伟民主编
—香港：长城（香港）文化出版公司
国际统一书号：ISBN 962—437—212—8
图书分类：学术类
发行范围：世界范围

书　　名：中国雕塑年鉴（2003）
作　　者：钱绍武　范伟民
出　　版：长城（香港）文化出版公司
执行主编：陈培一
副 主 编：范海民　乔　迁　朱尚熹
开　　本：889 × 1194毫米　1/16
字　　数：850千字
印　　张：31.375
版　　次：2004年4月第一次印刷
印　　数：1—2000册
书　　号：ISBN 962—437—212—8
定　　价：180元港币 / 人民币

2003 金奖作品：《九龙观音》

名师出名品

林庆财 高级工艺美术师、福建省工艺美术大师。在木雕、牙雕，环境艺术装饰等方面颇有研究，设计创作风格独特。

2001 年大型沉香木雕《万佛梵宫》获中国工艺美术精品博览会金奖；

2001 年檀香木《五虎将》获得杭州西湖博览会第二届中国工艺美术大师精品展银奖；

同年《十八罗汉》获上海“第三届工艺美术精品博览会”金奖；

2001 年经省评选“首届民间艺术家”荣誉称号、同时黄杨木雕《引蝶》获金奖；

2001 年北京华艺杯檀香木《旗开得胜》获得银奖；2002 年《渡世观音》获第四届“中国国家级工艺美术大师”精品展传统艺术金奖、檀香木《九莲观音》获金奖；

2002 年中国华东工艺美术精品展《万佛梵宫》获特等金奖、《十三姐妹》获金奖；

2003 年《九龙观音》获第五届中国国家级工艺美术大师精品展金奖、观音获银奖。

历年来作品获国家（部）级、省级奖三十多余次。

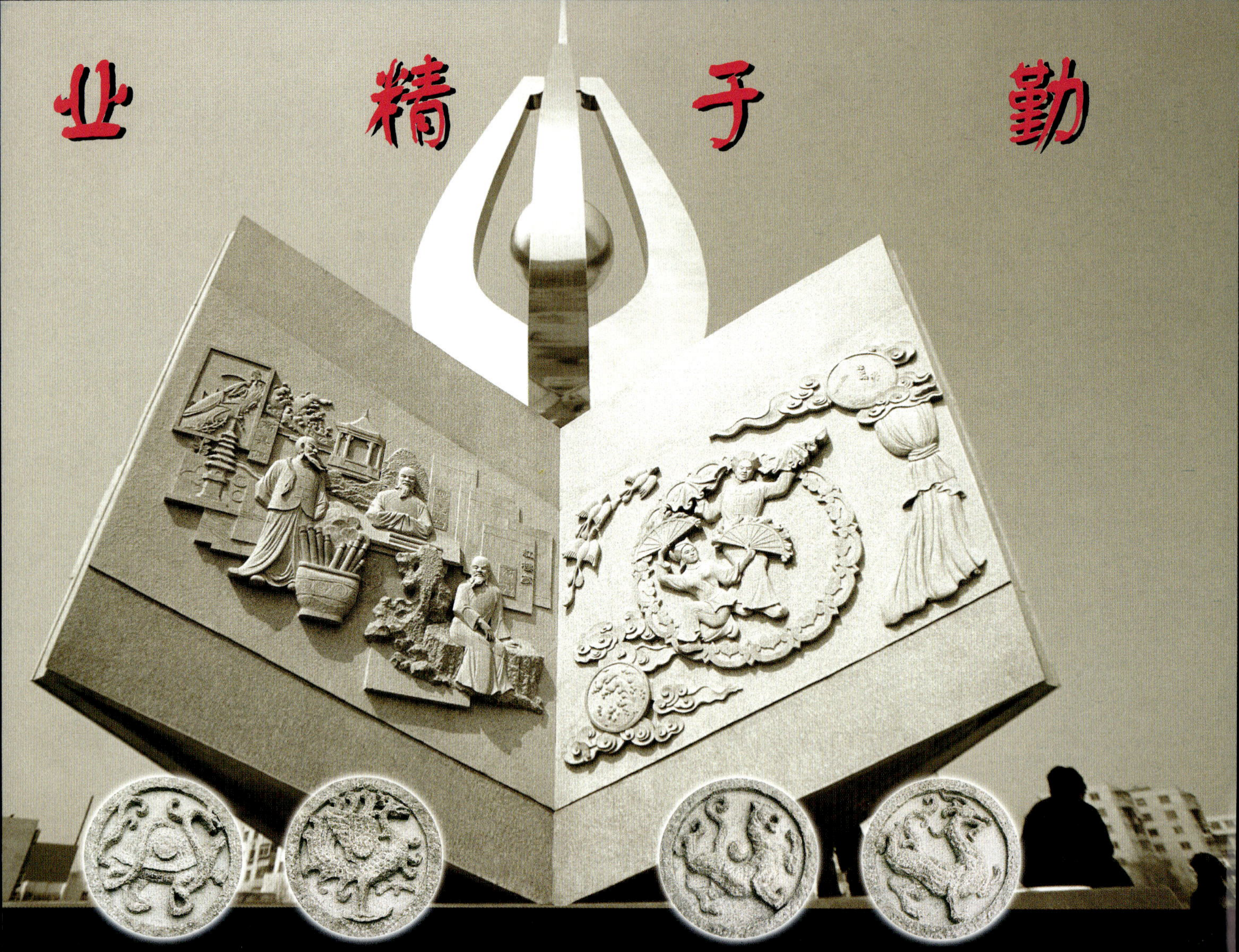

勤于精业

大连金和青铜艺术有限公司
总经理：王新胜
地　址：大连金州区亮甲店镇
邮　编：116104
电　话：0411－87280710
传　真：0411－87281003
本公司是一家专门从事艺术青铜铸造的专业企业。地处美丽的海滨之城——大连市。公司现有占地面积２．２万平方米、主车间为９６×１８米、高１６米，符合国内大型铸造厂房标准，并配有五吨起重吊车、熔化能力５００ＫＧ的四台燃油坩锅炉和各种清理抛沙打磨设备，同时配备办公楼、宿舍楼、食堂等设施。公司拥有一大批技术骨干，现有工作经历１０年以上专门从事艺术铸造的技术人员２２人、外聘技术人员６人、工程师３人（北京铸造研究所）、艺术顾问２人（鲁迅美术学院雕塑系教授）。
公司成立以来本着“理解作品，忠于作品”的经营理念热情为广大用户服务。
公司的产品对外销往新加坡、台湾、加拿大、美国等国家和地区。在原有的生产能力基础上我公司还制作各种佛像等艺术品、各种工业用铜铸件，每月能生产合金铜锭２５吨左右。
理　解　作　品，　忠　于　作　品

上海浦宇铜艺装饰制品有限公司

上海浦宇铜艺装饰制品有限公司
上海浦宇金属装饰制品厂
地址：上海市吴中路903号
电话：021-64069082(转接各部)
传真：021-64069092
邮编：201103
总经理：李西岳
网址：www.puyu-cn.com
电子信箱：sales@puyu-cn.com

秦始皇制作现场 高：5.5米 作者：李象群

上海浦东科技馆广场大型青铜雕 塑
浑天仪(高7.8米，重14.8吨)

仿英国白金汉宫铸造铜门(高5米，宽30米)

沈阳东大阿派广场铜牛
长6米，重8吨

浇涛现场

江苏张家港步行街青铜组雕
温馨家庭

青铜鼎

中国进出口银行浮雕部分(全长16米，高2米)

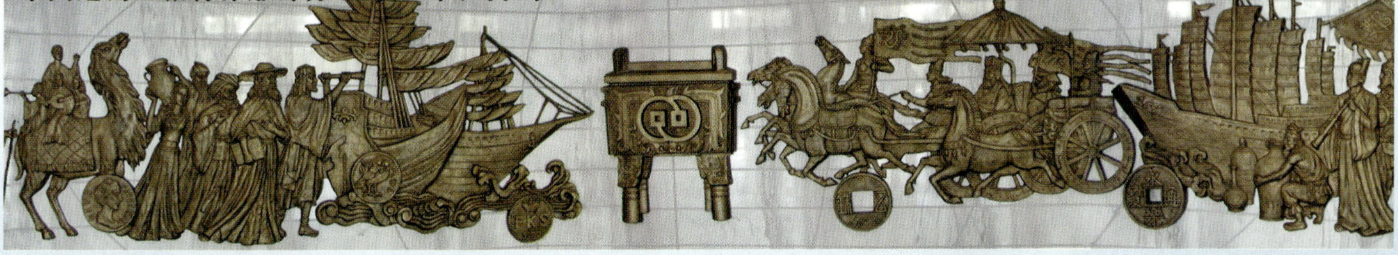

江苏海澜集团
——青铜雕塑群集锦

雕塑师尽情工作中

上海华融大酒店--汇丰铜狮

飞狮雕塑

南京大学美术研究院
地址：南京汉口路22号南京大学雕塑艺术研究所 邮编：210093
电话：025—83596634 传真：025—83597313